고등 수학 문제 해결의 **길잡이**

풍산자
유형기본서
수학(상)

쉽고 정확한 문제 분석은 **자신감**으로
유형 집중 학습은 **실력**으로 보답하는 **풍산자**입니다.

언제나 현재에 집중할 수 있다면 반드시 행복해진다.
- 파울로 코엘료 -

문제의 핵심을 알려주는 **유형 학습 비법서**

풍산자 유형기본서

교재 활용 로드맵

간결하고 개념 학습에 효과적인
개념 설명

유사/변형/실력 3단계로 유형을 정복하는
핵심 문제

배운 유형을 스스로 점검하는
실전 연습 문제

문제 해결을 위한 응용력을 길러주는
상위권 도약 문제

풍산자식 해결 전략과 방법을 제시하는
대표유형

모든 유형을 학습할 수 있는 필수유형	필수유형별 대표 예제와 자세한 풀이, 풍산자식 해결 전략
유형을 정복하기 위한 풍부한 문제	수준별 3단계로 문제를 제시한 체계적인 학습
유형 학습 점검을 통한 실전 문제 연습	시험별 잘 나오는 유형과 중요 문제로 구성된 실전 연습 문제

풍산자

유형기본서

수학(상)

구성과 특징

1 개념과 유형이 일목요연하게 정리
2 유형별 문항 학습으로 실전에 강함
3 친절하고 명쾌한 설명으로 혼자서도 학습 가능

개념

1 수학의 기본 개념을 구조적으로 정리
2 개념 확립에 도움이 되는 확인 문제
3 학습할 개념의 바탕이 되는 이전 개념
4 실전 적용에 활용 가능한 내용
5 원리, 심화 개념, 공식 등 연구

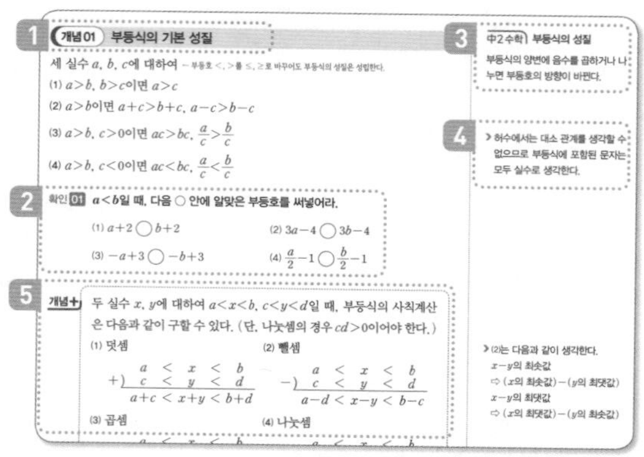

대표 유형

1 반드시 알아야 할 유형을 필수유형과 발전유형으로 제시
2 문제 해결을 위한 핵심 전략
3 단계별 해결 방법 확인
4 풀이 과정에 적용된 개념, 원리, 방법 등을 바로 확인
5 연관 개념, 문제 풀이 비법, 보충 설명 등 제공

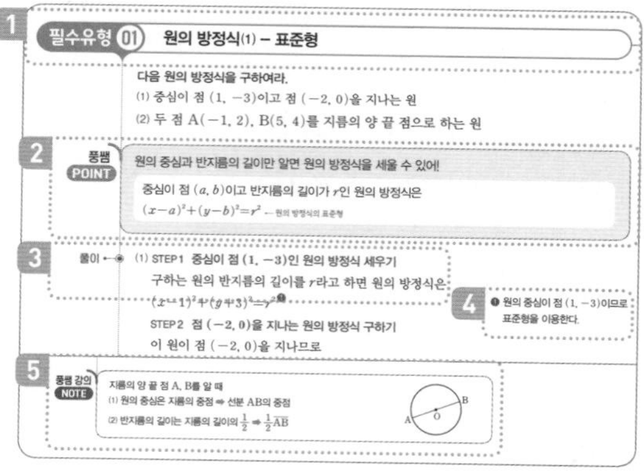

유사/변형/실력

1 대표유형보다 낮은 난이도, 동일 출제 원리를 담은 문제
2 대표유형과 동일 난이도, 동일 출제 원리를 담은 문제
3 대표유형과 동일 난이도이지만 표현 방법을 바꾼 문제
4 대표유형과 동일 출제 원리이지만 응용개념을 담은 문제

기출 수능/평가원/교육청 기출문제

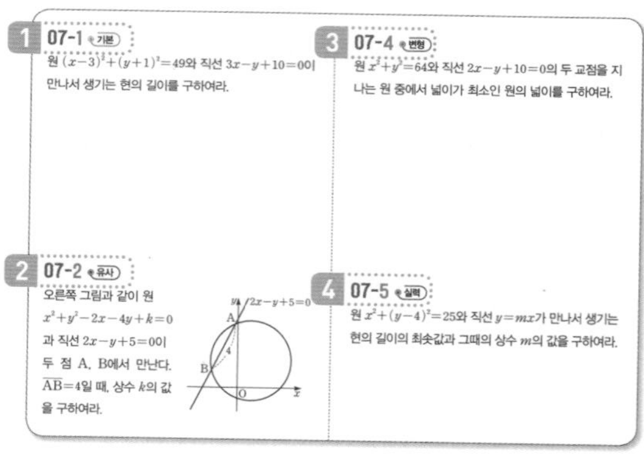

실전 연습

1 각 중단원별로 반드시 풀어야 할 문제를 수록하여 시험에 대비

서술형 서술형으로 출제 가능성이 높은 문항

기출 수능/평가원/교육청 기출문제

1 **실전 연습 문제**

01

원 $x^2+y^2+4x-10y+19=0$과 중심이 같고 점 $(-1, 4)$를 지나는 원의 둘레의 길이는?

① 2π ② $2\sqrt{2}\pi$ ③ $2\sqrt{3}\pi$
④ 4π ⑤ $2\sqrt{10}\pi$

04 서술형

중심이 직선 $2x+y$
점 $(-2, 1)$을 지나
심 사이의 거리를 구

상위권 도약

1 각 중단원별로 상위권 실력을 완성할 수 있도록 난이도가 높은 문제를 구성

기출 수능/평가원/교육청 기출문제

1 **상위권 도약 문제**

01

세 점 $A(-6, 0)$, $B(6, 0)$, $C(0, 6\sqrt{3})$을 꼭짓점으로 하는 삼각형 ABC의 내접원의 방정식을 구하여라.

03

이차함수 $y=x^2$의 그
에 접하는 원 중에서
개이다. 두 원의 반지
$100ab$의 값을 구하여

정답과 풀이

1 문제를 해결하는 데 필요한 핵심 아이디어

2 답을 구하는 데 필요한 단계적 사고 과정

3 문제를 해결하는 데 필요한 확장 원리, 개념, 공식

4 실전에 도움이 되는 다양한 풀이

1 해결전략 | 원의 중심에서 접선 사이의 거리가 원의 반지름의 길이와 같음을 이용한다.

STEP 1 기울기를 m이라 하고 주어진 점을 지나는 접선의 방정식 구하기

점 $A(-6, 2)$를 지나는 접선의 기울기를 m이라고 하면 접선의 방정식은

$y-2=m(x+6)$

$\therefore mx-y+6m+2=0$ …… ㉠

2 STEP 2 두 접선의 기울기 m의 값 구하기

원 $x^2+y^2=20$과 직선 ㉠이 접하려면 원의 중심 $(0, 0)$과 직선 ㉠ 사이의 거리가 원의 반지름의 길이인 $2\sqrt{5}$와 같아야 하므로

$\frac{|6m+2|}{\sqrt{m^2+(-1)^2}}=2\sqrt{5}$

$|3m+1|=\sqrt{5(m^2+1)}$

양변을 제곱하면 $9m^2+6m+1=5m^2+5$

$2m^2+3m-2=0$, $(m+2)(2m-1)=0$

$\therefore m=-2$ 또는 $m=\frac{1}{2}$ …… ㉡

STEP 3 접선의 방정식 구하기

㉡을 ㉠에 대입하면 구하는 접선의 방정식은

$x-2y+10=0$ 또는 $2x+y+10=0$

4 다른 풀이

접선의 방정식은

$y-2=m(x+1)$

$\therefore mx-y+m+2=0$ …… ㉠

STEP 2 두 접선의 기울기 m의 값 구하기

원 $(x-3)^2+(y-5)^2=9$와 직선 ㉠이 접하려면 원의 중심 $(3, 5)$와 직선 사이의 거리가 원의 반지름의 길이 3과 같아야 하므로

$\frac{|3m-5+m+2|}{\sqrt{m^2+(-1)^2}}=3$

$|4m-3|=3\sqrt{m^2+1}$

양변을 제곱하면

$16m^2-24m+9=9m^2+9$

$7m^2-24m=0$, $m(7m-24)=0$

$\therefore m=0$ 또는 $m=\frac{24}{7}$ …… ㉡

STEP 3 접선의 방정식 구하기

㉡을 ㉠에 대입하면 구하는 접선의 방정식은

$y=2$ 또는 $y=\frac{24}{7}x+\frac{38}{7}$

3 등쌤의 비법

원 $(x-a)^2+(y-b)^2=r^2$ 밖의 한 점에서 원에 그은 접선의 방정식을 구할 때는 원 위의 점에서의 원의 접선의 방정식을 이용하는 방법보다 원의 중심과 직선 사이

차례

I 다항식

II 방정식과 부등식

수학(하)

Ⅳ. 집합과 명제
Ⅴ. 함수와 그래프
Ⅵ. 경우의 수

수학(하)는 별도 판매합니다.

도형의 방정식

01 다항식의 연산

유형의 이해에 따라 □ 안에 ○, × 표시를 하고 반복하여 학습합니다.		1st	2nd
필수유형 01	다항식의 덧셈과 뺄셈	□	□
필수유형 02	다항식의 전개식에서 계수 구하기	□	□
필수유형 03	곱셈 공식	□	□
필수유형 04	복잡한 다항식의 전개	□	□
필수유형 05	곱셈 공식을 이용한 식 또는 수의 계산	□	□
필수유형 06	미지수가 2개인 곱셈 공식의 변형	□	□
발전유형 07	미지수가 3개인 곱셈 공식의 변형	□	□
필수유형 08	다항식의 나눗셈	□	□

다항식의 연산

개념 01 다항식의 정리

(1) **내림차순:** 다항식을 한 문자에 대하여 차수가 높은 항부터 낮은 항의 순서로 나타내는 방법

(2) **오름차순:** 다항식을 한 문자에 대하여 차수가 낮은 항부터 높은 항의 순서로 나타내는 방법

주의 다항식을 내림차순이나 오름차순으로 정리할 때는 기준이 되는 문자를 정하고 그 문자를 제외한 나머지 문자는 모두 상수로 생각한다.

예 (1) 다항식 $x^3-4x+3-2x^2$을 x에 대하여

내림차순으로 정리하면 ⇨ x^3-2x^2-4x+3

오름차순으로 정리하면 ⇨ $3-4x-2x^2+x^3$

(2) 다항식 $4y-3xy^2+x^2-1$을

x에 대하여 내림차순으로 정리하면 ⇨ x^2-3xy^2+4y-1

y에 대하여 오름차순으로 정리하면 ⇨ $x^2-1+4y-3xy^2$

中1 수학 다항식

단항식: 수 또는 문자의 곱으로 이루어진 식

다항식: 하나 이상의 단항식의 합으로 이루어진 식

x^2-2x+1 (차수: 2, x의 계수: -2, 상수항: 1)

> 다항식은 일반적으로 내림차순으로 정리한다.

확인 01 다항식 $2x^2-y^2+xy-3y+5$에 대하여 다음 물음에 답하여라.

(1) x에 대하여 내림차순으로 정리하여라.

(2) y에 대하여 오름차순으로 정리하여라.

개념 02 다항식의 덧셈과 뺄셈

(1) **다항식의 덧셈과 뺄셈**

① 다항식의 덧셈: 괄호가 있으면 괄호부터 풀고, 동류항끼리 모아서 계산한다.

② 다항식의 뺄셈: 빼는 식의 각 항의 부호를 바꾸어 더한다.

(2) **다항식의 덧셈에 대한 성질**

세 다항식 A, B, C에 대하여

① 교환법칙: $A+B=B+A$

② 결합법칙: $(A+B)+C=A+(B+C)$

주의 뺄셈에 대해서는 교환법칙과 결합법칙이 성립하지 않는다.

$A-B\neq B-A$, $(A-B)-C\neq A-(B-C)$

中1 수학 동류항

다항식에서 문자와 차수가 각각 같은 항을 동류항이라고 한다.

예 2와 -3, $-2x$와 $4x$는 동류항이고 x와 x^2은 동류항이 아니다.

> 다항식의 덧셈에 대한 결합법칙이 성립하므로 괄호는 생략하여 $A+B+C$로 나타낸다.

확인 02 두 다항식 $A=2x^2+x-1$, $B=x^2-3x+1$에 대하여 다음을 계산하여라.

(1) $A+B$

(2) $A-B$

개념 03 다항식의 곱셈

(1) **다항식의 곱셈**

❶ 지수법칙과 분배법칙을 이용하여 식을 전개한다.

❷ 동류항끼리 모아서 간단히 정리한다.

예 $(x-2y)(3x-2y+1)$
$=x(3x-2y+1)-2y(3x-2y+1)$ ← 분배법칙 이용
$=3x^2-2xy+x-6xy+4y^2-2y$
$=3x^2-8xy+x+4y^2-2y$ ← 동류항끼리 정리

(2) **다항식의 곱셈에 대한 성질**

세 다항식 A, B, C에 대하여

① 교환법칙: $AB=BA$

② 결합법칙: $(AB)C=A(BC)$

③ 분배법칙: $A(B+C)=AB+AC$, $(A+B)C=AC+BC$

中2 수학 지수법칙

$a\neq0$, $b\neq0$이고 m, n이 자연수일 때

(1) $a^ma^n=a^{m+n}$

(2) $(a^m)^n=a^{mn}$

(3) $a^m\div a^n=\begin{cases} a^{m-n} & (m>n) \\ 1 & (m=n) \\ \dfrac{1}{a^{n-m}} & (m<n) \end{cases}$

(4) $(ab)^n=a^nb^n$, $\left(\dfrac{a}{b}\right)^n=\dfrac{a^n}{b^n}$

> 다항식의 곱셈에 대한 결합법칙이 성립하므로 괄호는 생략하여 ABC로 나타낸다.

확인 03 다음 식을 전개하여라.

(1) $3x(2x^2-4x+1)$

(2) $(2x-y)(x^2+xy-3y^2)$

개념 04 곱셈 공식

(1) $(a+b)^2=a^2+2ab+b^2$, $(a-b)^2=a^2-2ab+b^2$

(2) $(a+b)(a-b)=a^2-b^2$

(3) $(x+a)(x+b)=x^2+(a+b)x+ab$

(4) $(ax+b)(cx+d)=acx^2+(ad+bc)x+bd$

(중학교에서 배운 곱셈 공식: (1)~(4))

(5) $(a+b+c)^2=a^2+b^2+c^2+2ab+2bc+2ca$

(6) $(a+b)^3=a^3+3a^2b+3ab^2+b^3$
$(a-b)^3=a^3-3a^2b+3ab^2-b^3$

(7) $(a+b)(a^2-ab+b^2)=a^3+b^3$
$(a-b)(a^2+ab+b^2)=a^3-b^3$

(8) $(x+a)(x+b)(x+c)=x^3+(a+b+c)x^2+(ab+bc+ca)x+abc$

(9) $(a+b+c)(a^2+b^2+c^2-ab-bc-ca)=a^3+b^3+c^3-3abc$

(10) $(a^2+ab+b^2)(a^2-ab+b^2)=a^4+a^2b^2+b^4$

> 좌변을 지수법칙과 분배법칙을 이용하여 전개한 후, 동류항끼리 모아 정리하면 곱셈 공식을 얻을 수 있다.

> 곱셈 공식 (9)에서 $a+b+c=0$이면 $a^3+b^3+c^3=3abc$

확인 04 다음 식을 전개하여라.

(1) $(x+3)^2$

(2) $(2x-1)(3x-2)$

(3) $(x+y-1)^2$

(4) $(x-2)^3$

(5) $(x+3)(x^2-3x+9)$

개념 05 곱셈 공식의 변형

(1) 곱셈 공식의 변형

① $a^2+b^2=(a+b)^2-2ab$

$\qquad\quad=(a-b)^2+2ab$

② $(a+b)^2=(a-b)^2+4ab$

$(a-b)^2=(a+b)^2-4ab$

③ $a^3+b^3=(a+b)^3-3ab(a+b)$

$a^3-b^3=(a-b)^3+3ab(a-b)$

④ $a^2+b^2+c^2=(a+b+c)^2-2(ab+bc+ca)$

⑤ $a^3+b^3+c^3=(a+b+c)(a^2+b^2+c^2-ab-bc-ca)+3abc$

⑥ $a^2+b^2+c^2-ab-bc-ca=\frac{1}{2}\{(a-b)^2+(b-c)^2+(c-a)^2\}$

$a^2+b^2+c^2+ab+bc+ca=\frac{1}{2}\{(a+b)^2+(b+c)^2+(c+a)^2\}$

> $a+b$와 ab를 이용하여 a^n+b^n을 나타내는 경우
> $a^4+b^4=(a^2+b^2)^2-2a^2b^2$
> $a^5+b^5=(a^2+b^2)(a^3+b^3)-a^2b^2(a+b)$

(2) 분수 형태의 곱셈 공식의 변형

① $x^2+\frac{1}{x^2}=\left(x+\frac{1}{x}\right)^2-2$

$\qquad\quad=\left(x-\frac{1}{x}\right)^2+2$

② $\left(x+\frac{1}{x}\right)^2=\left(x-\frac{1}{x}\right)^2+4$

$\left(x-\frac{1}{x}\right)^2=\left(x+\frac{1}{x}\right)^2-4$

③ $x^3+\frac{1}{x^3}=\left(x+\frac{1}{x}\right)^3-3\left(x+\frac{1}{x}\right)$

$x^3-\frac{1}{x^3}=\left(x-\frac{1}{x}\right)^3+3\left(x-\frac{1}{x}\right)$

> (1)의 ①, ②, ③에 a 대신 x, b 대신 $\frac{1}{x}$을 대입하면 (2)의 ①, ②, ③이 된다.

확인 05 $\boldsymbol{a+b=1,\ ab=-6}$**일 때, 다음 식의 값을 구하여라.**

(1) a^2+b^2 (2) a^3+b^3

확인 06 $\boldsymbol{a+b+c=3,\ ab+bc+ca=-1}$**일 때,** $\boldsymbol{a^2+b^2+c^2}$**의 값을 구하여라.**

확인 07 $\boldsymbol{x+\frac{1}{x}=4}$**일 때, 다음 식의 값을 구하여라.**

(1) $x^2+\frac{1}{x^2}$ (2) $x^3+\frac{1}{x^3}$

개념+ (1)의 ⑥ 실수 a, b, c에 대하여

$a^2+b^2+c^2-ab-bc-ca=\frac{1}{2}(2a^2+2b^2+2c^2-2ab-2bc-2ca)$

$=\frac{1}{2}\{(a-b)^2+(b-c)^2+(c-a)^2\}=0$ (└ $a=b$, $b=c$, $c=a$일 때만 성립)

이면 $a=b=c$이다.

개념 06 다항식의 나눗셈

(1) 다항식의 나눗셈

다항식을 다항식으로 나눌 때는 각 다항식을 내림차순으로 정리한 후, 자연수의 나눗셈과 같은 방법으로 계산한다.

예 자연수의 나눗셈과 다항식의 나눗셈을 비교해 보자.

자연수의 나눗셈	다항식의 나눗셈
$152\div6$의 나눗셈	$(2x^3-3x^2-x-28)\div(x-3)$의 나눗셈
25 ← 몫 $6\,)\,152$ 12 32 30 2 ← 나머지	$2x^2+3x+8$ ← 몫 $x-3\,)\,2x^3-3x^2-x-28$ $2x^3-6x^2$ $3x^2-x$ $3x^2-9x$ $8x-28$ $8x-24$ -4 ← 나머지

> 다항식의 나눗셈은 자연수의 나눗셈과 달리 나머지가 음수일 수도 있다.

(2) 다항식의 나눗셈의 성질

다항식 A를 다항식 B $(B\neq0)$로 나누었을 때의 몫을 Q, 나머지를 R라고 하면 다음 등식이 성립한다.

$B\,)\,A$ → 몫 Q, BQ, 나머지 R

$$A=BQ+R \text{ (단, (}R\text{의 차수)}<\text{(}B\text{의 차수))}$$

특히, $R=0$이면 A는 B로 나누어떨어진다고 한다.

예 위의 $(2x^3-3x^2-x-28)\div(x-3)$을 $A=BQ+R$ 꼴로 나타내면
$2x^3-3x^2-x-28=(x-3)(2x^2+3x+8)-4$

> Q, R는 각각 Quotient(몫), Remainder(나머지)의 첫 글자이다.

확인 08 다음 나눗셈의 몫과 나머지를 각각 구하여라.

(1) $(x^3+6x^2-2)\div(x+1)$

(2) $(2x^3+6x^2-5x-1)\div(x^2+2x)$

확인 09 다음 다항식 A를 다항식 B로 나누었을 때의 몫을 Q, 나머지를 R라고 할 때, $A=BQ+R$ 꼴로 나타내어라.

(1) $A=x^3+2x^2-4x+3$, $B=x-1$

(2) $A=6x^3-3x^2-x+3$, $B=3x^2+2$

개념+ 다항식의 나눗셈에서 나머지의 차수는 나누는 식의 차수보다 낮다.

① 나누는 식이 일차식이면 나머지는 항상 상수이다.

② 나누는 식이 이차식이면 나머지는 상수 또는 일차식이다.

③ 나누는 식이 삼차식이면 나머지는 상수 또는 일차식 또는 이차식이다.

필수유형 01 다항식의 덧셈과 뺄셈

두 다항식 $A=2x^2-x+5$, $B=x^2-3x+4$에 대하여 다음을 계산하여라.

(1) $2A+B$

(2) $A-(2A-3B)$

(3) $A-\{3B-(B+2A)\}$

풍쌤 POINT

먼저 주어진 식을 간단히 한 후, 주어진 다항식을 대입하여 동류항끼리 계산해!

풀이

(1) $2A+B=2(2x^2-x+5)+(x^2-3x+4)$

$=4x^2-2x+10+x^2-3x+4$

$=4x^2+x^2-2x-3x+10+4$ ❶

$=5x^2-5x+14$

❶ 동류항끼리 모아서 계산한다.

(2) STEP1 주어진 식을 간단히 하기

$A-(2A-3B)$ ❷ $=A-2A+3B=-A+3B$

STEP2 A, B를 대입하기

$\therefore -A+3B=-(2x^2-x+5)+3(x^2-3x+4)$ ❸

$=-2x^2+x-5+3x^2-9x+12$

$=-2x^2+3x^2+x-9x-5+12$

$=x^2-8x+7$

❷ 주어진 식에 다항식을 대입할 때는 먼저 주어진 식을 간단히 한다.

❸ 다항식을 대입할 때는 항상 괄호를 사용하고 괄호 앞의 부호가 $-$인 경우 부호가 반대로 바뀌는 것에 주의한다.

(3) STEP1 주어진 식을 간단히 하기

$A-\{3B-(B+2A)\}$ ❹ $=A-(3B-B-2A)$

$=A-(2B-2A)$

$=A-2B+2A$

$=3A-2B$

❹ 괄호 안에 괄호가 있을 때는 안쪽의 괄호부터 처리한다.

STEP2 A, B를 대입하기

$\therefore 3A-2B=3(2x^2-x+5)-2(x^2-3x+4)$

$=6x^2-3x+15-2x^2+6x-8$

$=6x^2-2x^2-3x+6x+15-8$

$=4x^2+3x+7$

답 (1) $5x^2-5x+14$ (2) x^2-8x+7 (3) $4x^2+3x+7$

풍쌤 강의 NOTE

다항식의 덧셈과 뺄셈에서 괄호를 없앨 때는 다음의 성질을 이용한다.

세 다항식 A, B, C에 대하여

① $A+(B-C)=A+B-C$ ➡ 괄호 앞의 부호가 $+$이면 괄호 안의 부호를 그대로!

② $A-(B-C)=A-B+C$ ➡ 괄호 앞의 부호가 $-$이면 괄호 안의 부호를 반대로!

01-1 유사

두 다항식 $A=x^2-5xy+7y^2$, $B=-2x^2+3xy+y^2$에 대하여 다음을 계산하여라.

(1) $A+B$

(2) $2(A-B)+B$

01-2 유사

세 다항식 $A=-x^3+x^2-x+2$, $B=2x^3-x^2-2x+12$, $C=x^3-2x^2+4x+1$에 대하여 $A-\{B-2(A+C)\}$를 계산하여라.

01-3 변형

두 다항식 $A=x^2-6x-8$, $B=3x^2+4x$에 대하여 $2X+A=2A+B$를 만족시키는 다항식 X를 구하여라.

01-4 변형

두 다항식 A, B에 대하여 $A+B=2x^2-xy+y^2$, $A-B=4x^2+5xy-3y^2$일 때, 다항식 A, B를 각각 구하여라.

01-5 변형

세 다항식 A, B, C에 대하여 $A+B=x^2+2xy-3y^2$, $B+C=2x^2-4xy+3y^2$, $C+A=x^2+6xy-8y^2$일 때, $A+B+C$를 계산하여라.

01-6 실력

두 다항식 A, B에 대하여 $2A+B=3x^3+x^2-2x+4$, $A-2B=-x^3+3x^2-6x-3$일 때, $X-B=2(A-B)$를 만족시키는 다항식 X를 구하여라.

필수유형 02 다항식의 전개식에서 계수 구하기

$(x^3+4x^2+2x-1)(x^2-6x+7)$의 전개식에서 다음을 구하여라.

(1) x^2의 계수

(2) x^3의 계수

풍쌤 POINT

주어진 식의 모든 항을 전개하는 것이 아니라 구하는 항이 나오는 경우만 선택하여 전개해!

풀이 $(x^3+4x^2+2x-1)(x^2-6x+7)$의 전개식에서

(1) **STEP 1 x^2항이 나오는 경우 구하기**

x^2항이 나오는 경우는❶

$(x^3+4x^2+2x-1)(x^2-6x+7)$

(i) (x^2항)×(상수항) ➡ $4x^2\times7=28x^2$

(ii) (x항)×(x항) ➡ $2x\times(-6x)=-12x^2$

(iii) (상수항)×(x^2항) ➡ $(-1)\times x^2=-x^2$❷

STEP 2 x^2의 계수 구하기

따라서 x^2의 계수는

$28-12-1=15$

❶ x^2항은 차수가 2가 되는 항이다.

❷ $-x^2=(-1)\times x^2$이므로 계수는 -1이다.

(2) **STEP 1 x^3항이 나오는 경우 구하기**

x^3항이 나오는 경우는❸

$(x^3+4x^2+2x-1)(x^2-6x+7)$

(i) (x^3항)×(상수항) ➡ $x^3\times7=7x^3$

(ii) (x^2항)×(x항) ➡ $4x^2\times(-6x)=-24x^3$

(iii) (x항)×(x^2항) ➡ $2x\times x^2=2x^3$

STEP 2 x^3의 계수 구하기

따라서 x^3의 계수는

$7-24+2=-15$

❸ x^3항은 차수가 3이 되는 항이다.

답 (1) 15 (2) -15

풍쌤 강의 NOTE

다항식의 곱으로 나타내어진 다항식의 전개식에서 특정한 항의 계수만 구할 때는 분배법칙을 이용하여 특정한 항이 나오도록 각 다항식에서 하나씩 선택하여 곱한다. 이때 특정한 항이 나오는 경우를 빠짐없이 생각해야 함에 유의한다.

02-1 기본 기출

$(x+3)(x^2+2x+4)$의 전개식에서 x의 계수를 구하여라.

02-2 유사

$(2x^2-5x+1)(3x^2+2x-3)$의 전개식에서 다음을 구하여라.

(1) x^2의 계수

(2) x^3의 계수

02-3 유사

$(2x^3-x^2-5x+6)(x^2-4x+3)$의 전개식에서 x^3의 계수를 a, x^4의 계수를 b라고 할 때, $a-b$의 값을 구하여라.

02-4 변형

다항식 $(2x^2+3x+a)(3x^2-5x+4)$의 전개식에서 x의 계수가 7일 때, 상수 a의 값을 구하여라.

02-5 변형

다항식 $(x-a)(x+a-1)(2x-3a)$의 전개식에서 x^2의 계수가 -11일 때, 상수 a의 값을 구하여라.

02-6 실력

$(1+2x+3x^2+\cdots+10x^9)^2$의 전개식에서 x^4의 계수를 구하여라.

필수유형 03 곱셈 공식

다음 식을 전개하여라.

(1) $(x+2y-z)^2$

(2) $(-2x+3y)^3$

(3) $(3x+4)(9x^2-12x+16)$

(4) $(x^2+2xy+4y^2)(x^2-2xy+4y^2)$

풍쌤 POINT 문제에 적절한 곱셈 공식을 이용하여 식을 전개하고 간단히 정리해!

풀이

(1) $(x+2y-z)^2$ ❶

$=x^2+(2y)^2+(-z)^2+2\times x\times 2y+2\times 2y\times(-z)+2\times(-z)\times x$

$=x^2+4y^2+z^2+4xy-4yz-2zx$

❶ $(x+2y-z)^2=\{x+2y+(-z)\}^2$ 으로 생각한다.

(2) $(-2x+3y)^3$ ❷

$=(-2x)^3+3\times(-2x)^2\times 3y+3\times(-2x)\times(3y)^2+(3y)^3$

$=-8x^3+36x^2y-54xy^2+27y^3$

❷ $(-2x+3y)^3=\{(-2x)+3y\}^3$ 으로 생각한다.

(3) $(3x+4)(9x^2-12x+16)$

$=(3x+4)\{(3x)^2-3x\times 4+4^2\}$

$=(3x)^3+4^3$

$=27x^3+64$

(4) $(x^2+2xy+4y^2)(x^2-2xy+4y^2)$ ❸

$=\{x^2+x\times 2y+(2y)^2\}\{x^2-x\times 2y+(2y)^2\}$

$=x^4+x^2\times(2y)^2+(2y)^4$

$=x^4+4x^2y^2+16y^4$

❸ $(A^2+AB+B^2)(A^2-AB+B^2)=A^4+A^2B^2+B^4$ 을 이용한다.

답 (1) $x^2+4y^2+z^2+4xy-4yz-2zx$ (2) $-8x^3+36x^2y-54xy^2+27y^3$ (3) $27x^3+64$ (4) $x^4+4x^2y^2+16y^4$

풍쌤 강의 NOTE

곱셈 공식이 기억나지 않으면 분배법칙을 이용해서 전개한 후 식을 정리해도 되지만 빠른 계산을 위해서는 곱셈 공식을 반드시 암기해야 한다. 지수와 계수를 비교하면서 암기하도록 한다.

제곱

$(a+b+c)^2=a^2+b^2+c^2+2ab+2bc+2ca$

세제곱

$(a+b)^3=a^3+3a^2b+3ab^2+b^3$, $(a-b)^3=a^3-3a^2b+3ab^2-b^3$

03-1 기본

다음 식을 전개하여라.

(1) $(a-b-c)^2$

(2) $(a+2b)^3$

(3) $(5x-y)(25x^2+5xy+y^2)$

(4) $(x^2+x+1)(x^2-x+1)$

03-2 유사

다음 식을 전개하여라.

(1) $(x-1)(x-3)(x-5)$

(2) $(x+1)(x-2)(x+4)$

(3) $(xy-1)(x^2y^2+xy+1)$

(4) $(a+b-c)(a^2+b^2+c^2-ab+bc+ca)$

03-3 변형

다음 식을 전개하여라.

(1) $(3a-b-2)^2-(-a+3b+1)^2$

(2) $(x+2)^3-(x-3)(x^2+3x+9)$

03-4 변형

다항식 $(ax-3)^3+(x-4)^2$을 전개한 식에서 x의 계수가 46일 때, 상수 a의 값을 구하여라.

03-5 변형

다항식 $(2x-1)^2(x+2)^3$의 전개식에서 x^2의 계수를 a, x^3의 계수를 b라고 할 때, $a+b$의 값을 구하여라.

03-6 실력

기출

한 모서리의 길이가 $x-1$인 정육면체의 부피를 A, 한 모서리의 길이가 $x+1$인 정육면체의 부피를 B라고 할 때, 두 부피의 합 $A+B$를 간단히 하면?

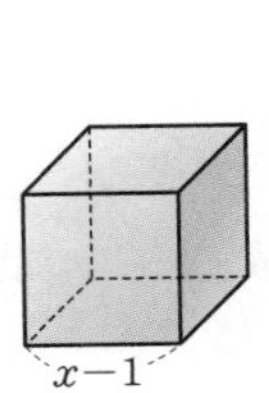

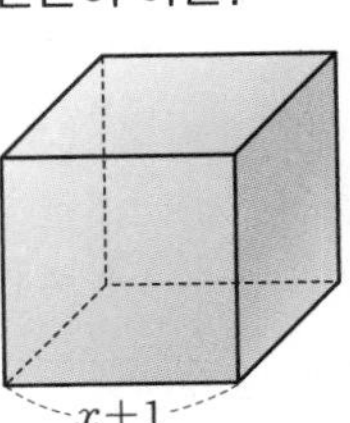

① $2x^3+6x$
② $2x^3-6x$
③ $2x^3$
④ $2x^3+6x^2+6x+2$
⑤ $2x^3-6x^2+6x-2$

필수유형 04 복잡한 다항식의 전개

다음 식을 전개하여라.

(1) $(a-1)(a+1)(a^2+1)(a^4+1)$　　(2) $(a+b)^3(a-b)^3$

(3) $(x^2-2x+3)(x^2+2x+3)$　　(4) $(x+1)(x+3)(x-2)(x-4)$

풍쌤 POINT

- 곱셈 공식을 적용할 수 있는 부분만 먼저 전개해.
- 공통부분이 있을 때는 일단 한 문자로 치환한 후 곱셈 공식을 이용해.
- (　)(　)(　)(　)의 꼴은 공통부분이 나오도록 짝을 짓고 곱셈 공식을 이용해.

풀이

(1) $(a-1)(a+1)(a^2+1)(a^4+1)$ ❶

$=(a^2-1)(a^2+1)(a^4+1)$

$=(a^4-1)(a^4+1)$

$=a^8-1$

❶ $(a-1)(a+1)$을 먼저 전개한다.

(2) $(a+b)^3(a-b)^3$

$=\{(a+b)(a-b)\}^3$ ❷

$=(a^2-b^2)^3$

$=a^6-3a^4b^2+3a^2b^4-b^6$

❷ $(a+b)(a-b)$를 먼저 전개한다.

(3) $(x^2-2x+3)(x^2+2x+3)$

$=(\underline{x^2+3}-2x)(\underline{x^2+3}+2x)$ ❸

$=(X-2x)(X+2x)$　　← $(a+b)(a-b)=a^2-b^2$

$=X^2-(2x)^2$ ❹

$=(x^2+3)^2-(2x)^2$

$=x^4+6x^2+9-4x^2$

$=x^4+2x^2+9$

❸ $x^2+3=X$로 치환한다.

❹ X 대신 x^2+3을 대입한다.

(4) $(x+1)(x+3)(x-2)(x-4)$

$=\{(x+1)(x-2)\}\{(x+3)(x-4)\}$ ❺

$=(\underline{x^2-x}-2)(\underline{x^2-x}-12)$ ❻

$=(X-2)(X-12)$

$=X^2-14X+24$ ❼

$=(x^2-x)^2-14(x^2-x)+24$

$=x^4-2x^3+x^2-14x^2+14x+24$

$=x^4-2x^3-13x^2+14x+24$

❺ 전개식에서 공통부분이 생기도록 2개씩 묶는다.

❻ $x^2-x=X$로 치환한다.

❼ X 대신 x^2-x를 대입한다.

답 (1) a^8-1　(2) $a^6-3a^4b^2+3a^2b^4-b^6$　(3) x^4+2x^2+9　(4) $x^4-2x^3-13x^2+14x+24$

풍쌤 강의 NOTE

복잡한 식을 전개할 때는 어떻게 접근할 지 먼저 찾아내는 게 중요하다. 동일한 유형의 문제를 많이 풀어 봄으로써 풀이 방법에 익숙해지고, 식에서 특정 부분을 먼저 전개하거나 어떤 것을 치환해야 하는 지 판단하는 능력을 길러야 한다.

04-1 유사

다음 식을 전개하여라.

(1) $(x-y)(x+y)(x^2+y^2)(x^4+y^4)$

(2) $(x+2)^3(x-2)^3$

(3) $(x+1)^3(x^2-x+1)^3$

04-2 유사

다음 식을 전개하여라.

(1) $(x-y+z)(x+y-z)$

(2) $(x^2+3x+2)(x^2+3x-3)$

(3) $(x+1)(x-2)(x^2-x+2)$

04-3 유사

다음 식을 전개하여라.

(1) $(x-1)(x-2)(x+2)(x+3)$

(2) $(x-1)(x+2)(x+3)(x+6)$

(3) $(x-1)(x-2)(x+5)(x+6)$

04-4 변형

$(x^2+x+1)(x^2-x+1)(x^4-x^2+1)$을 전개하여라.

04-5 변형

$(x^2-y^2)(x^2+xy+y^2)(x^2-xy+y^2)$을 전개하여라.

04-6 변형

$(x-1)(x-2)(x-4)(x-5)-3x^2+6x-12$를 전개한 식이 $x^4+ax^3+bx^2+cx+28$일 때, 상수 a, b, c에 대하여 $a+b+c$의 값을 구하여라.

필수유형 05 곱셈 공식을 이용한 식 또는 수의 계산

다음 물음에 답하여라.

(1) $(2+1)(2^2+1)(2^4+1)(2^8+1)(2^{16}+1)$의 값이 2^m-1일 때, 자연수 m의 값을 구하여라.

(2) $101\times(100^2-100+1)$의 값이 10^m+1일 때, 자연수 m의 값을 구하여라.

(3) $x^8=16$일 때, $(x-1)(x+1)(x^2+1)(x^4+1)$의 값을 구하여라.

풍쌤 POINT 복잡한 식 또는 수의 계산은 곱셈 공식을 이용할 수 있도록 주어진 식을 변형해!

풀이

(1) STEP 1 주어진 식에 $(2-1)$을 곱하기

$(2+1)(2^2+1)(2^4+1)(2^8+1)(2^{16}+1)$❶

$=(2-1)(2+1)(2^2+1)(2^4+1)(2^8+1)(2^{16}+1)$

$=(2^2-1)(2^2+1)(2^4+1)(2^8+1)(2^{16}+1)$

$=(2^4-1)(2^4+1)(2^8+1)(2^{16}+1)$

$=(2^8-1)(2^8+1)(2^{16}+1)$

$=(2^{16}-1)(2^{16}+1)$

$=2^{32}-1$

❶ $2-1=1$이므로 $(2+1)$을 $(2-1)(2+1)$로 변형하여 적용한다.

STEP 2 m의 값 구하기

따라서 m의 값은 32이다.

(2) STEP 1 주어진 식을 변형하여 간단히 하기

$101\times(100^2-100+1)$❷$=(100+1)(100^2-100+1)$❸

$=100^3+1$

$=10^6+1$

❷ $101=100+1$로 생각한다.

❸ 100이 반복되므로 한 문자로 생각한다.

STEP 2 m의 값 구하기

따라서 m의 값은 6이다.

(3) $(x-1)(x+1)(x^2+1)(x^4+1)$

$=(x^2-1)(x^2+1)(x^4+1)$

$=(x^4-1)(x^4+1)$

$=x^8-1$❹

$=16-1$

$=15$

❹ $x^8=16$을 대입한다.

답 (1) 32 (2) 6 (3) 15

풍쌤 강의 NOTE

수를 보다 빠르게 계산하는 방법으로 곱셈 공식

$(a+b)(a-b)=a^2-b^2$, $(a+b)(a^2-ab+b^2)=a^3+b^3$, $(a-b)(a^2+ab+b^2)=a^3-b^3$

이 자주 쓰인다. 또한, 위의 문제 (1)에서처럼 1을 $(2-1)$로 바꾸어 생각하는 센스도 필요하다.

05-1 유사

$(6+5)(6^2+5^2)(6^4+5^4)$의 값이 6^m-5^n일 때, 자연수 m, n의 값을 각각 구하여라.

05-2 유사

$99\times(10000+100+1)$의 값이 10^m-1일 때, 자연수 m의 값을 구하여라.

05-3 변형

$x^3=10$일 때,
$(x+2)(x-2)(x^2+2x+4)(x^2-2x+4)$의 값을 구하여라.

05-4 변형

$(4+1)(4^2+1)(4^4+1)(4^8+1)\cdots(4^{64}+1)=\frac{1}{a}(4^b-1)$ 일 때, 자연수 a, b에 대하여 $a+b$의 값을 구하여라.

05-5 변형

$\frac{2023\times(2022^2-2022+1)}{2021\times2022+1}$을 계산하여라.

05-6 실력

곱셈 공식을 이용하면 $103^2+499\times501$은 n자리의 자연수라고 한다. 이때 n의 값을 구하여라.

필수유형 06 미지수가 2개인 곱셈 공식의 변형

다음 물음에 답하여라.

(1) $x+y=4$, $x^2+y^2=10$일 때, x^3+y^3의 값을 구하여라.

(2) $x^2+\frac{1}{x^2}=14$일 때, $x^3+\frac{1}{x^3}$의 값을 구하여라. (단, $x>0$)

(3) $x^2-2x-1=0$일 때, $x^3-\frac{1}{x^3}$의 값을 구하여라.

풍쌤 POINT

두 수의 합과 곱을 알면 곱셈 공식의 변형을 이용하여 두 수에 대한 식의 값을 구할 수 있어.

먼저 주어진 조건을 이용하여 (1)은 xy의 값, (2)는 $x+\frac{1}{x}$의 값을 구해야 하고

(3)은 $x^2-2x-1=0$에서 $x-\frac{1}{x}$의 값을 구해야 해.

풀이

(1) STEP 1 **xy의 값 구하기**

$(x+y)^2=x^2+y^2+2xy$에서 $4^2=10+2xy$ $\therefore xy=3$

STEP 2 **x^3+y^3의 값 구하기**

$\therefore x^3+y^3=(x+y)^3-3xy(x+y)=4^3-3\times3\times4=28$

(2) STEP 1 **$x+\frac{1}{x}$의 값 구하기**

$\left(x+\frac{1}{x}\right)^2=x^2+\frac{1}{x^2}+2$에서

$\left(x+\frac{1}{x}\right)^2=14+2=16$ $\therefore x+\frac{1}{x}=4$ ($\because x>0$)

STEP 2 **$x^3+\frac{1}{x^3}$의 값 구하기**

$\therefore x^3+\frac{1}{x^3}=\left(x+\frac{1}{x}\right)^3-3\left(x+\frac{1}{x}\right)$❶$=4^3-3\times4=52$

(3) STEP 1 **양변을 x로 나누기**

$x^2-2x-1=0$에서 $x\neq0$❷이므로 양변을 x로 나누면

$x-2-\frac{1}{x}=0$ $\therefore x-\frac{1}{x}=2$

STEP 2 **$x^3-\frac{1}{x^3}$의 값 구하기**

$\therefore x^3-\frac{1}{x^3}=\left(x-\frac{1}{x}\right)^3+3\left(x-\frac{1}{x}\right)=2^3+3\times2=14$

❶ a^3+b^3
$=(a+b)^3-3ab(a+b)$

❷ $x^2-2x-1=0$에 $x=0$을 대입하면 성립하지 않으므로 $x\neq0$

답 (1) 28 (2) 52 (3) 14

풍쌤 강의 NOTE

$x^2+\frac{1}{x^2}$, $x^3+\frac{1}{x^3}$의 값을 구할 때는 $x+\frac{1}{x}$, $x-\frac{1}{x}$의 값을 이용할 수 있도록 식을 변형한다.

(1) $x^2+\frac{1}{x^2}=\left(x+\frac{1}{x}\right)^2-2=\left(x-\frac{1}{x}\right)^2+2$

(2) $x^3+\frac{1}{x^3}=\left(x+\frac{1}{x}\right)^3-3\left(x+\frac{1}{x}\right)$, $x^3-\frac{1}{x^3}=\left(x-\frac{1}{x}\right)^3+3\left(x-\frac{1}{x}\right)$

06-1 유사

$x-y=3$, $x^2+y^2=17$일 때, 다음 식의 값을 구하여라.
(단, $x>0$, $y>0$)

(1) xy

(2) x^3-y^3

(3) $x+y$

06-2 유사

$x-\frac{1}{x}=3$일 때, 다음 식의 값을 구하여라.
(단, $x>1$)

(1) $x^2+\frac{1}{x^2}$

(2) $x^3-\frac{1}{x^3}$

(3) $x+\frac{1}{x}$

06-3 변형

$x=2+\sqrt{3}$, $y=2-\sqrt{3}$일 때, 다음 식의 값을 구하여라.

(1) x^3+y^3

(2) x^3-y^3

06-4 변형

$x^2-3x+1=0$일 때, $x^3+3x^2+\frac{3}{x^2}+\frac{1}{x^3}$의 값을 구하여라.

06-5 실력

$a+b=3$, $a^3+b^3=9$일 때, 다음 식의 값을 구하여라.

(1) a^4+b^4

(2) a^5+b^5

06-6 실력

오른쪽 그림과 같이 지름의 길이가 15 cm인 원에 둘레의 길이가 42 cm인 직사각형이 내접할 때, 이 직사각형의 넓이를 구하여라.

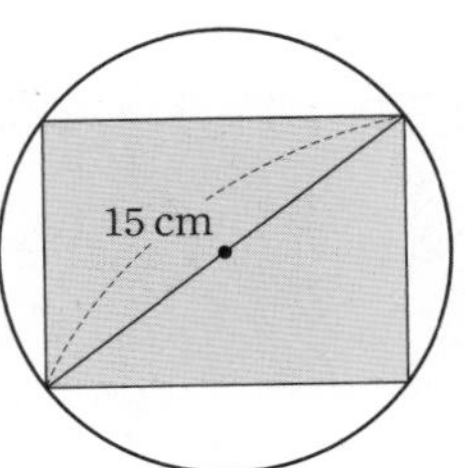

발전유형 07 미지수가 3개인 곱셈 공식의 변형

$a+b+c=2$, $a^2+b^2+c^2=12$, $abc=-16$일 때, 다음 식의 값을 구하여라.

(1) $ab+bc+ca$

(2) $a^3+b^3+c^3$

(3) $\frac{1}{a}+\frac{1}{b}+\frac{1}{c}$

(4) $a^2b^2+b^2c^2+c^2a^2$

풍쌤 POINT

세 문자에 대한 식의 값을 구하려면 적당한 곱셈 공식의 변형을 이용해!

풀이

(1) $(a+b+c)^2=a^2+b^2+c^2+2(ab+bc+ca)$에서

$2^2=12+2(ab+bc+ca)$

$\therefore ab+bc+ca=-4$

(2) $a^3+b^3+c^3=(a+b+c)(a^2+b^2+c^2-ab-bc-ca)+3abc$ ❶

$=2\times(12+4)+3\times(-16)$

$=-16$

❶ (1)에서 $ab+bc+ca=-4$

(3) $\frac{1}{a}+\frac{1}{b}+\frac{1}{c}=\frac{bc+ca+ab}{abc}$

$=\frac{-4}{-16}=\frac{1}{4}$

(4) $a^2b^2+b^2c^2+c^2a^2=(ab)^2+(bc)^2+(ca)^2$

$=(ab+bc+ca)^2$

$-2(ab\times bc+bc\times ca+ca\times ab)$

$=(ab+bc+ca)^2-2(ab^2c+abc^2+a^2bc)$

$=(ab+bc+ca)^2-2abc(a+b+c)$

$=(-4)^2-2\times(-16)\times2$

$=80$

답 (1) -4 (2) -16 (3) $\frac{1}{4}$ (4) 80

풍쌤 강의 NOTE

곱셈 공식을 적용하기 위해서는 주어진 조건을 이용할 수 있도록 식의 형태를 변형하는 과정이 필요하다.

07-1 기본

$x+y+z=4$, $xy+yz+zx=5$, $xyz=2$일 때, 다음 식의 값을 구하여라.

(1) $x^2+y^2+z^2$

(2) $x^3+y^3+z^3$

07-2 유사

$x+y+z=5$, $x^2+y^2+z^2=11$, $xyz=-3$일 때, 다음 식의 값을 구하여라.

(1) $xy+yz+zx$

(2) $\frac{1}{x}+\frac{1}{y}+\frac{1}{z}$

(3) $x^2y^2+y^2z^2+z^2x^2$

07-3 변형

$a+b+c=6$, $a^2+b^2+c^2=20$, $a^3+b^3+c^3=60$일 때, abc의 값을 구하여라.

07-4 변형

$a+b+c=1$, $a^2+b^2+c^2=5$, $abc=-2$일 때, $(a+b)(b+c)(c+a)$의 값을 구하여라.

07-5 실력

$a-b=-5$, $b-c=-1$일 때, $a^2+b^2+c^2-ab-bc-ca$의 값을 구하여라.

07-6 실력 기출

다음 그림과 같이 모든 모서리 길이의 합이 20인 직육면체 ABCD−EFGH가 있다. $\overline{AG}=\sqrt{13}$일 때, 직육면체 ABCD−EFGH의 겉넓이를 구하여라.

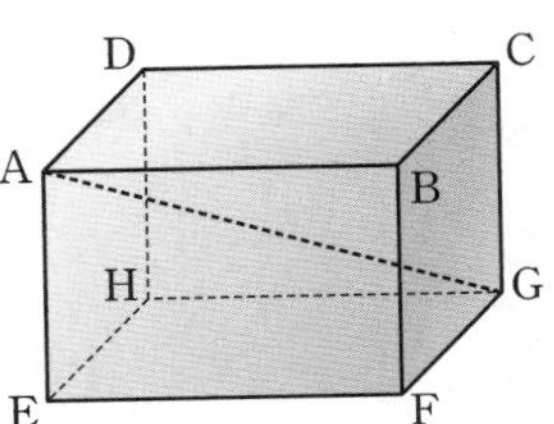

필수유형 08 다항식의 나눗셈

다음 물음에 답하여라.

(1) 다항식 $2x^3+x^2-x+5$를 다항식 $P(x)$로 나누었을 때의 몫이 $2x-3$이고 나머지가 $11x-4$일 때, 다항식 $P(x)$를 구하여라.

(2) 다항식 $f(x)$를 다항식 x^2+3x-2로 나누었을 때의 몫이 $3x-7$이고 나머지가 $26x-9$일 때, 다항식 $f(x)$를 x^2-x+1로 나누었을 때의 몫과 나머지를 각각 구하여라.

풍쌤 POINT

$A \div B$ $(B \neq 0)$의 몫이 Q, 나머지가 R일 때, $A=BQ+R$이므로 $A-R=BQ$
즉, $A-R$를 Q로 나누면 나누는 식 B를 찾을 수 있어!

풀이

(1) **STEP1 나눗셈을 등식으로 나타내기**

$2x^3+x^2-x+5=P(x)(2x-3)+11x-4$이므로

$P(x)(2x-3)=2x^3+x^2-x+5-(11x-4)$
$=2x^3+x^2-12x+9$

STEP2 다항식을 직접 나누어 $P(x)$ 구하기

따라서 $2x^3+x^2-12x+9$를 $2x-3$으로 나누면 오른쪽과 같으므로

$P(x)=(2x^3+x^2-12x+9)\div(2x-3)$
$=x^2+2x-3$

$$\begin{array}{r|l} & x^2+2x-3 \\ 2x-3 & 2x^3+x^2-12x+9 \\ & 2x^3-3x^2 \\ \hline & 4x^2-12x \\ & 4x^2-6x \\ \hline & -6x+9 \\ & -6x+9 \\ \hline & 0 \end{array}$$

(2) **STEP1 $f(x)$ 구하기**

$f(x)=(x^2+3x-2)(3x-7)+26x-9$
$=3x^3-7x^2+9x^2-21x-6x+14+26x-9$
$=3x^3+2x^2-x+5$

STEP2 $f(x)$를 x^2-x+1로 나누어 몫과 나머지 구하기

다항식 $f(x)$를 x^2-x+1로 나누면 오른쪽과 같으므로 몫은 $3x+5$, 나머지는 x이다.

$$\begin{array}{r|l} & 3x+5 \\ x^2-x+1 & 3x^3+2x^2-x+5 \\ & 3x^3-3x^2+3x \\ \hline & 5x^2-4x+5 \\ & 5x^2-5x+5 \\ \hline & x \end{array}$$

답 (1) x^2+2x-3 (2) 몫: $3x+5$, 나머지: x

풍쌤 강의 NOTE

- 자연수의 나눗셈에서 자릿수를 맞춰서 계산하듯이 다항식의 나눗셈에서는 차수를 맞춰서 계산해야 한다. 이때 항이 없는 차수는 그 자리를 비워 두고 계산한다.
- 자연수의 나눗셈에서 나머지가 나누는 수보다 작듯이 다항식의 나눗셈에서는 나머지의 차수가 나누는 식의 차수보다 작아야 한다. 즉, 나머지의 차수가 나누는 수의 차수보다 작을 때까지 나눈다.

08-1 유사

다항식 $x^4-3x^3+x^2+12x-8$을 다항식 $P(x)$로 나누었을 때의 몫이 x^2-2x+3이고 나머지가 $7x+4$일 때, 다항식 $P(x)$를 구하여라.

08-2 유사

다항식 $f(x)$를 다항식 $3x^2-x+1$로 나누었을 때의 몫이 $2x-3$이고 나머지가 $-3x+4$일 때, 다항식 $f(x)$를 $2x^2-3x+1$로 나누었을 때의 몫과 나머지를 각각 구하여라.

08-3 변형

다항식 $x^4+2x^3-4x^2+ax-5$를 x^2-x+4로 나눌 때의 몫이 x^2+bx-5이고 나머지가 15일 때, 상수 a, b에 대하여 $a-b$의 값을 구하여라.

08-4 변형

다항식 $2x^3+x^2+ax+6$이 x^2-x+b로 나누어떨어질 때, 상수 a, b에 대하여 $a+b$의 값을 구하여라.

08-5 실력

$x^2+8x+2=0$일 때, $2x^3+15x^2-4x+6$의 값을 구하여라.

08-6 실력

다항식 $f(x)$를 x^2+3x+1로 나눌 때의 몫이 x^2-3x+2, 나머지가 $-3x-3$이다. 다항식 $f(x)$를 x^2-x+1로 나눌 때의 몫을 $Q(x)$, 나머지를 $R(x)$라고 할 때, $Q(-2)+R(6)$의 값을 구하여라.

실전 연습 문제

01

세 다항식 $A=x^2-2xy$, $B=x^2-xy+y^2$, $C=-2x^2-3xy+4y^2$에 대하여 $A-(2B-C)$를 계산하면?

① $-3x^2-6xy+5y^2$ ② $-3x^2-3xy+2y^2$
③ $3xy-3x^2$ ④ $x^2+3xy-6y^2$
⑤ $3x^2+3xy-6y^2$

02

두 다항식 $A=x^3-2x^2+5x$, $B=-2x^3+x^2-3x+4$에 대하여 $A-2(X+B)=-3A$를 만족시키는 다항식 X를 구하여라.

03 서술형

두 다항식 A, B에 대하여 $A+B=2x^3+5x^2-2x+3$, $A-B=3x^2-4x+1$일 때, $3A-2B$를 계산하여라.

04

$(x+1)(x+2)(x+3)(x+4)(x+5)$의 전개식에서 x^4의 계수는?

① 10 ② 12 ③ 15
④ 18 ⑤ 20

05

다음 식의 전개가 옳지 않은 것은?

① $(a+b-1)^2=a^2+b^2+1+2ab-2a-2b$
② $(x-2y)^3=x^3-6x^2y-12xy^2-8y^3$
③ $(3a+b)(9a^2-3ab+b^2)=27a^3+b^3$
④ $(x^2+3x+9)(x^2-3x+9)=x^4+9x^2+81$
⑤ $(a-2)(a+2)(a^2+4)=a^4-16$

06

다항식 $(2x+3)^2(2x-1)^3$의 전개식에서 x^2의 계수를 a, x^3의 계수를 b라고 할 때, $a-b$의 값은?

① 2 ② 4 ③ 6
④ 8 ⑤ 10

07

기출

서로 다른 두 양수 a, b에 대하여 한 변의 길이가 각각 a, $2b$인 두 개의 정사각형과 가로와 세로의 길이가 각각 a, b이고 넓이가 4인 직사각형이 있다. 두 정사각형의 넓이의 합이 가로와 세로의 길이가 각각 a, b인 직사각형의 넓이의 5배와 같을 때, 한 변의 길이가 $a+2b$인 정사각형의 넓이는?

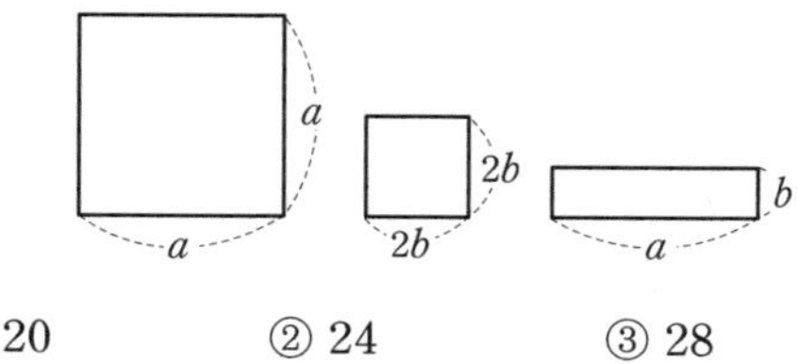

① 20 ② 24 ③ 28
④ 32 ⑤ 36

08

$(x+1)(x-2)(x-5)(x+10)$을 전개한 식이 $x^4+ax^3+bx^2+cx+100$일 때, 상수 a, b, c에 대하여 $a+b+c$의 값을 구하여라.

09

$x^2-3x-2=0$일 때, $x^3-2x^2-\frac{8}{x^2}-\frac{8}{x^3}$의 값은?

① 17 ② 18 ③ 19
④ 20 ⑤ 21

10

서술형

두 양수 x, y에 대하여 $x^2+xy+y^2=7$, $x^2-xy+y^2=3$일 때, x^5+y^5의 값을 구하여라.

11

오른쪽 그림과 같이 반지름의 길이가 15 cm인 사분원에 내접하는 직사각형이 있다. 이 직사각형의 넓이가 108 cm^2일 때, 직사각형의 둘레의 길이는?

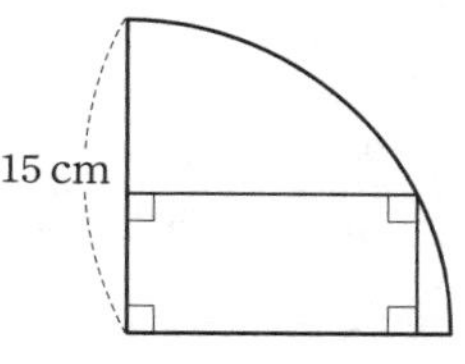

① 30 cm ② 33 cm ③ 36 cm
④ 39 cm ⑤ 42 cm

12

$a+b+c=-8$, $a^2+b^2+c^2=54$, $abc=50$일 때, $\frac{1}{a}+\frac{1}{b}+\frac{1}{c}$의 값은?

① $-\frac{1}{10}$ ② $-\frac{1}{25}$ ③ $\frac{1}{15}$
④ $\frac{1}{10}$ ⑤ $\frac{1}{5}$

13

$x+y+z=4$, $xy+yz+zx=4$, $xyz=1$일 때, $(x+y)(y+z)(z+x)$의 값은?

① 15 ② 18 ③ 21
④ 24 ⑤ 27

14

$x-y=1+\sqrt{3}$, $y-z=1-\sqrt{3}$일 때, $x^2+y^2+z^2-xy-yz-zx$의 값은?

① 4 ② 6 ③ 8
④ 10 ⑤ 12

15

세 변의 길이가 a, b, c인 삼각형에 대하여 $a^2+b^2+c^2=108$, $a^3+b^3+c^3=3abc$를 만족시킬 때, 삼각형의 둘레의 길이는?

① 16 ② 18 ③ 20
④ 22 ⑤ 24

16

다항식 x^3+3x^2+a가 x^2+x+b로 나누어떨어질 때, 상수 a, b에 대하여 $a-b$의 값은?

① -2 ② -1 ③ 0
④ 1 ⑤ 2

17

기출

두 다항식 $P(x)=3x^3+x+11$, $Q(x)=x^2-x+1$에 대하여 다항식 $P(x)+4x$를 다항식 $Q(x)$로 나눈 나머지가 $5x+a$일 때, 상수 a의 값은?

① 5 ② 6 ③ 7
④ 8 ⑤ 9

18 서술형

다항식 $f(x)$를 $x-1$로 나눌 때의 몫이 $2x^2+5$이고, 나머지가 $3x+1$이다. 다항식 $f(x)$를 x^2+x+1로 나누었을 때의 몫을 $Q(x)$, 나머지를 $R(x)$라고 할 때, $Q(-1)+R(1)$의 값을 구하여라.

상위권 도약 문제

정답과 풀이 16쪽

01

기출

가로 세 칸, 세로 세 칸으로 이루어진 표에 세 다항식 $2x-2$, $2x^2+4x$, $-x^2+x-3$을 다음 그림과 같이 한 칸에 하나씩 써넣었다. 가로, 세로, 대각선으로 배열된 각각의 세 다항식의 합이 $6x^2+12x$와 같도록 나머지 칸에 써넣으려 할 때, (가)의 위치에 알맞은 다항식은 $f(x)$이다. $f(10)$의 값을 구하여라.

$2x-2$	$2x^2+4x$	
(가)		$-x^2+x-3$

02

두 다항식 $(1+3x+5x^2)^3$, $(1+3x+5x^2+7x^3)^3$의 전개식에서 x의 계수를 각각 a, b라고 할 때, $a-b$의 값을 구하여라.

03

세 실수 x, y, z가 다음 조건을 만족시킬 때, xyz의 값을 구하여라.

> (가) x, y, z 중 적어도 하나는 3이다.
> (나) $3(x+y+z)=xy+yz+zx$

04

기출

다음 그림과 같이 $\angle C=90°$인 직각삼각형 ABC가 있다. $\overline{AB}=2\sqrt{6}$이고 삼각형 ABC의 넓이가 3일 때, $\overline{AC}^3+\overline{BC}^3$의 값을 구하여라.

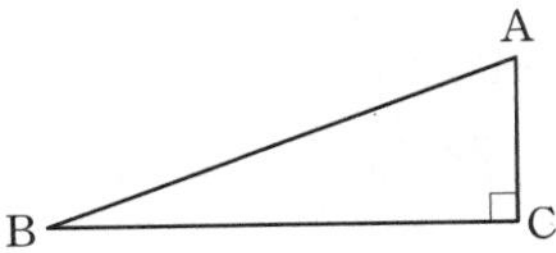

05

기출

오른쪽 그림과 같이 선분 AB 위의 점 C에 대하여 선분 AC를 한 모서리로 하는 정육면체와 선분 BC를 한 모서리로 하는 정육면체를 만든다. $\overline{AB}=8$이고 두 정육면체의 부피의 합이 224일 때, 두 정육면체의 겉넓이의 합을 구하여라.

(단, 두 정육면체는 한 모서리에서 만난다.)

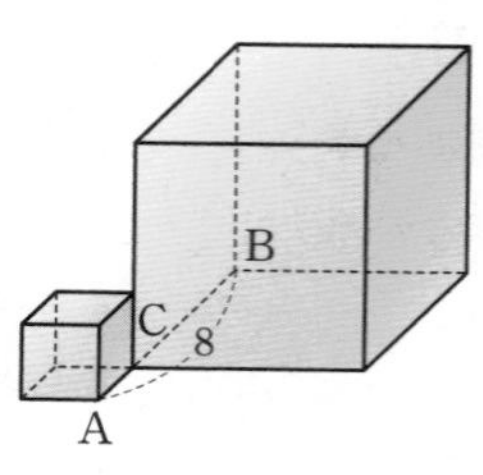

06

$x^3+y^3+z^3=41+3xyz$를 만족시키는 자연수의 순서쌍 (x, y, z)를 구하여라. (단, $x \ge y \ge z$)

07

기출

정삼각형 ABC에서 두 변 AB와 AC의 중점을 각각 M, N이라고 하자. 다음 그림과 같이 점 P는 반직선 MN이 삼각형 ABC의 외접원과 만나는 점이고 $\overline{NP}=1$이다. $\overline{MN}=x$라고 할 때, $10\left(x^2+\frac{1}{x^2}\right)$의 값을 구하여라.

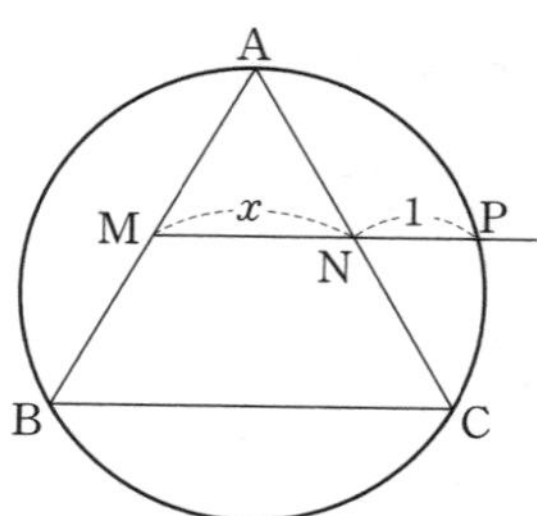

08

$x=\frac{1+\sqrt{5}}{2}$일 때, $3x^4-6x^3+4x^2-7x+5$의 값을 구하여라.

02 나머지정리

유형의 이해에 따라 ▢ 안에 ○, × 표시를 하고 반복하여 학습합니다.

		1st	2nd
필수유형 01	미정계수법	▢	▢
필수유형 02	항등식의 뜻과 성질	▢	▢
필수유형 03	다항식의 나눗셈과 항등식	▢	▢
필수유형 04	나머지정리 – 일차식으로 나누었을 때의 나머지	▢	▢
필수유형 05	나머지정리 – 이차식으로 나누었을 때의 나머지	▢	▢
필수유형 06	나머지정리 – 삼차식으로 나누었을 때의 나머지	▢	▢
발전유형 07	나머지정리 – 몫을 다시 나누었을 때의 나머지	▢	▢
필수유형 08	인수정리	▢	▢
필수유형 09	조립제법	▢	▢

02 나머지정리

개념 01 항등식의 뜻

(1) **항등식:** 주어진 식의 문자에 어떤 값을 대입해도 항상 성립하는 등식
(2) 다음은 모두 x에 대한 항등식을 나타낸다.
① 모든(임의의) x에 대하여 성립하는 등식
② x의 값에 관계없이 항상 성립하는 등식
③ 어떤 x의 값에 대하여도 항상 성립하는 등식

> **주의** 다항식의 곱셈 공식은 모두 항등식이다.

> 등식: 등호(=)를 사용하여 수 또는 식이 같다는 것을 나타낸 식
> 등식 ─ 방정식 / 항등식

中1 수학 방정식
주어진 식의 문자에 특정한 값을 대입하였을 때에만 성립하는 등식

확인 01 **다음 중 x에 대한 항등식인 것에는 ○표, 항등식이 아닌 것에는 ×표를 하여라.**

(1) $2x^2+3x-1=0$ (　　)
(2) $a+b=b+a$ (　　)
(3) $(x-2)(x+5)=x^2+3x-10$ (　　)
(4) $x^2+x+5=x(x+1)+3$ (　　)
(5) $(x+y)^3=x^3+3x^2y+3xy^2+y^3$ (　　)

개념 02 항등식의 성질

(1) $ax^2+bx+c=0$이 x에 대한 항등식이면 $a=0$, $b=0$, $c=0$
또한, $a=0$, $b=0$, $c=0$이면 $ax^2+bx+c=0$은 x에 대한 항등식이다.
(2) $ax^2+bx+c=a'x^2+b'x+c'$이 x에 대한 항등식이면
$a=a'$, $b=b'$, $c=c'$
또한, $a=a'$, $b=b'$, $c=c'$이면 $ax^2+bx+c=a'x^2+b'x+c'$은 x에 대한 항등식이다.
(3) $ax+by+c=0$이 x, y에 대한 항등식이면 $a=0$, $b=0$, $c=0$
또한, $a=0$, $b=0$, $c=0$이면 $ax+by+c=0$은 x, y에 대한 항등식이다.

> 항등식의 성질은 차수에 관계없이 모든 다항식에 대하여 성립한다.

확인 02 **다음 등식이 x에 대한 항등식일 때, 상수 a, b의 값을 각각 구하여라.**

(1) $ax^2+bx=0$
(2) $2x^2+ax-1=2x^2+3x+b$

확인 03 **다음 등식이 x, y에 대한 항등식일 때, 상수 a, b, c의 값을 각각 구하여라.**

(1) $(a+1)x+(b-2)y+c=0$
(2) $3x+4y-2=ax+by+c$

개념 03 미정계수법

항등식의 뜻과 성질을 이용하여 주어진 등식에서 미지의 계수와 상수항을 정하는 방법을 미정계수법이라고 한다.

(1) **계수비교법**

항등식의 양변의 동류항의 계수를 비교하여 미정계수를 정하는 방법

(2) **수치대입법**

항등식의 문자에 적당한 수를 대입하여 미정계수를 정하는 방법

예 등식 $ax+b(x-1)=x+2$가 x에 대한 항등식이 되도록 하는 상수 a, b의 값 구하기

(1) 계수비교법: 주어진 등식의 양변을 x에 대하여 정리하면 $(a+b)x-b=x+2$

양변의 동류항의 계수를 비교하면 $a+b=1$, $-b=2$ $\quad\therefore a=3, b=-2$

(2) 수치대입법: 주어진 등식의 양변에 적당한 수를 대입하면 등식이 성립하므로

양변에 $x=0$을 대입하면 $-b=2$ $\quad\therefore b=-2$

양변에 $x=1$을 대입하면 $a=3$

> 일반적으로 양변의 식이 쉽게 정리가 가능하면 계수비교법을 이용하고, 다항식의 차수가 높아 전개가 어려운 경우나 괄호가 있어 복잡한 경우에는 수치대입법을 이용하는 것이 좋다.

> 수치대입법을 이용할 때는 미정계수의 개수만큼의 수를 대입한다. 즉, 미정계수가 2개이면 2개를 대입하고, 미정계수가 3개이면 3개를 대입한다.

확인 04 **다음 등식이 x에 대한 항등식일 때, 계수비교법을 이용하여 상수 a, b의 값을 각각 구하여라.**

(1) $(x+1)(2x+1)=ax^2+bx+1$

(2) $(x+1)^2-3=x^2+ax+b$

(3) $x^3+2x^2+5x+4=(ax+1)(x^2+x+b)$

확인 05 **다음 등식이 x에 대한 항등식일 때, 수치대입법을 이용하여 상수 a, b의 값을 각각 구하여라.**

(1) $a(x-1)+b(x+2)=x+5$

(2) $x^2+ax-2=(x-1)^2+b(x+1)$

(3) $3x^2-x+2=ax(x-1)+b(x+1)$

개념 04 다항식의 나눗셈과 항등식

다항식 A를 다항식 B $(B\neq 0)$로 나누었을 때의 몫을 Q, 나머지를 R라고 하면

$$A=BQ+R \ ((R\text{의 차수})<(B\text{의 차수}))$$

이고, 이 등식은 항등식이다.

확인 06 **다음 물음에 답하여라.**

(1) 다항식 A를 x^2-x-1로 나누었을 때의 몫은 $x+1$이고, 나머지는 $-2x+1$이다. 이때 다항식 A를 구하여라.

(2) x에 대한 다항식 x^3+x^2+ax+2를 x^2-x+1로 나누었을 때의 몫이 $x+2$, 나머지가 $3x$가 되도록 하는 상수 a의 값을 구하여라.

개념 05 나머지정리

다항식을 일차식으로 나누었을 때의 나머지를 구할 때, 직접 나눗셈을 하지 않고 항등식의 성질을 이용하여 나머지를 구하는 방법을 나머지정리라고 한다.

(1) 다항식 $f(x)$를 일차식 $x-\alpha$로 나누었을 때의 나머지를 R라고 하면

$R=f(\alpha)$

(2) 다항식 $f(x)$를 일차식 $ax+b$로 나누었을 때의 나머지를 R라고 하면

$R=f\left(-\dfrac{b}{a}\right)$

> 나머지정리는 다항식을 일차식으로 나누었을 때의 나머지만을 구할 때 이용된다.

> 다항식을 일차식으로 나누었을 때의 나머지는 상수이다.

확인 07 **다항식 x^3-2x^2+3x-1을 다음 일차식으로 나누었을 때의 나머지를 구하여라.**

(1) $x+1$

(2) $x-3$

확인 08 **다항식 $8x^3-4x^2+4x-1$을 다음 일차식으로 나누었을 때의 나머지를 구하여라.**

(1) $2x+1$

(2) $4x-1$

개념 06 인수정리

(1) 인수정리

다항식 $f(x)$에 대하여

① $f(x)$가 일차식 $x-\alpha$로 나누어떨어지면 $f(\alpha)=0$이다.

② $f(\alpha)=0$이면 다항식 $f(x)$는 일차식 $x-\alpha$로 나누어떨어진다.

(2) $f(\alpha)=0$을 나타내는 표현

① $f(x)$가 $x-\alpha$로 나누어떨어진다.

② $f(x)$를 $x-\alpha$로 나누었을 때의 나머지가 0이다.

③ $f(x)$는 $x-\alpha$를 인수로 갖는다.

④ $f(x)=(x-\alpha)Q(x)$ 꼴이다. (단, $Q(x)$는 다항식)

> 인수정리는 나머지정리에서 나머지가 0인 경우이다.

> 인수정리를 이용하면 나눗셈을 직접하지 않아도 다항식이 어떤 일차식으로 나누어떨어지는지 알 수 있다.

확인 09 **다음 물음에 답하여라.**

(1) 다항식 x^3+ax^2+3x+a가 $x+1$로 나누어떨어질 때, 상수 a의 값을 구하여라.

(2) 다항식 $2x^3-x^2+3x+2b$가 $x-1$로 나누어떨어질 때, 상수 b의 값을 구하여라.

개념 07 조립제법

다항식을 $x-a$ 꼴의 일차식으로 나눌 때, 다음과 같이 계수만을 이용하여 몫과 나머지를 구하는 방법을 조립제법이라고 한다.

> 조립제법을 이용할 때는 차수별로 모든 항의 계수를 빠짐없이 적어야 한다. 어떤 차수의 항이 없을 때는 그 항의 계수를 0으로 생각하여 해당하는 자리에 0을 쓴다.

예 다항식 $2x^3+x^2-3x-1$을 일차식 $x+1$로 나눌 때, 다음과 같이 조립제법을 이용하면 몫은 $2x^2-x-2$이고 나머지는 1이다.

$x+1$	$2x^3$	$+x^2$	$-3x$	-1
↓	↓	↓	↓	↓
-1	2	1	-3	-1
		$+$	$+$	$+$
	$\times(-1)$	-2 $\times(-1)$	1 $\times(-1)$	2
	2	-1	-2	1
	몫: $2x^2-x-2$			나머지: 1

즉, $2x^3+x^2-3x-1=(x+1)(2x^2-x-2)+1$

개념+ 조립제법의 확장

조립제법을 이용하여 다항식 $f(x)$를 일차식 $ax+b$로 나누었을 때의 몫과 나머지도 구할 수 있다.

➡ $f(x)$를 $x+\dfrac{b}{a}$로 나누었을 때의 몫을 $Q(x)$, 나머지를 R라고 하면

$$f(x)=\left(x+\frac{b}{a}\right)Q(x)+R$$
$$=a\times\frac{1}{a}\times\left(x+\frac{b}{a}\right)Q(x)+R$$
$$=(ax+b)\frac{1}{a}Q(x)+R$$

즉, $f(x)$를 $ax+b$로 나누면 몫은 $\dfrac{1}{a}Q(x)$, 나머지는 R가 된다.

➡ 나누는 식이 a배가 되면 몫은 $\dfrac{1}{a}$배가 되고, 나머지는 같다.

예 다항식 $4x^3-4x^2-x+3$을 일차식 $2x-1$로 나눌 때, 조립제법을 이용하여 몫과 나머지를 구해 보자.

$\frac{1}{2}$	4	-4	-1	3
		2	-1	-1
	4	-2	-2	2

➡ $4x^3-4x^2-x+3$
$=\left(x-\frac{1}{2}\right)(4x^2-2x-2)+2$
$=(2x-1)(2x^2-x-1)+2$

확인 10 다음 다항식의 나눗셈의 몫과 나머지를 각각 구하여라.

(1) $(x^3+x^2-3x-2)\div(x-1)$

(2) $(x^3+4x^2-2x-2)\div(x+2)$

(3) $(x^3+5x^2-2)\div(x+1)$

(4) $(2x^3+x^2+4x-2)\div(2x+1)$

필수유형 01 미정계수법

다음 등식이 x에 대한 항등식일 때, 상수 a, b, c의 값을 각각 구하여라.

(1) $(x-2)(ax+1)=2x^2+bx+c$

(2) $ax(x-1)+b(x-1)(x+1)+cx(x+1)=x^2+4x-3$

풍쌤 POINT

항등식에서 미정계수를 구할 때 주어진 등식에 따라 미정계수법 중 어떤 방법을 쓸지 결정해.

(1) 식을 전개하기 쉬운 경우 ➡ 계수비교법 ➡ 다항식을 전개하여 내림차순으로 정리한 후 계수 비교!

(2) 전개하기 힘들거나 숫자를 대입하는 것이 편한 경우

➡ 수치대입법 ➡ 괄호 안이 0이 되는 수 또는 계산하기 편리한 값, 즉 -1, 0, 1 등을 대입!

풀이

(1) **STEP 1 주어진 등식의 좌변을 전개하여 정리하기**

주어진 등식의 좌변을 전개하여 x에 대하여 내림차순으로 정리하면

$(x-2)(ax+1)=ax^2-2ax+x-2$

$=ax^2-(2a-1)x-2$ ❶

STEP 2 주어진 등식의 양변의 계수를 비교하여 a, b, c의 값 구하기

주어진 등식이 x에 대한 항등식이므로

$ax^2-(2a-1)x-2=2x^2+bx+c$에서 ❷

$a=2$, $-(2a-1)=b$, $-2=c$

$\therefore b=-2a+1=-2\times2+1=-3$

❶ 식을 전개하여 정리하기 쉬우므로 계수비교법을 이용한다.

❷ 좌변과 우변의 동류항의 계수를 비교한다.

(2) **STEP 1 주어진 등식의 양변에 $x=0$을 대입하기**

주어진 등식이 x에 대한 항등식이므로

양변에 $x=0$을 대입하면 ❸

$-b=-3$ $\quad\therefore b=3$

STEP 2 주어진 등식의 양변에 $x=1$을 대입하기

또, 양변에 $x=1$을 대입하면

$2c=1+4-3=2$ $\quad\therefore c=1$

STEP 3 주어진 등식의 양변에 $x=-1$을 대입하기

마찬가지로 양변에 $x=-1$을 대입하면

$2a=1-4-3=-6$ $\quad\therefore a=-3$

❸ 주어진 등식에서 괄호 안을 0으로 만드는 숫자를 대입한다.

답 (1) $a=2$, $b=-3$, $c=-2$ (2) $a=-3$, $b=3$, $c=1$

풍쌤 강의 NOTE

- (1)과 같이 어떠한 수를 대입하여도 미지수가 두 개 이상 남는 경우는 일반적으로 계수비교법이 편리하다.
- (2)와 같이 어떠한 수를 대입하였을 때 값이 0이 되어 항이 없어지고 미지수를 구하기 쉬운 경우는 수치대입법이 편리하다.

01-1 유사

등식 $x^3+2x^2+bx-4=(x^2-2)(ax+c)$가 x에 대한 항등식일 때, 상수 a, b, c의 값을 각각 구하여라.

01-2 유사

등식

$$2x^2+3x-2$$
$$=a(x+1)(x-2)+bx(x-2)+cx(x+1)$$

이 x에 대한 항등식일 때, 상수 a, b, c에 대하여 abc의 값을 구하여라.

01-3 변형

등식 $(x+2y)a+2(x-y)b=2x+y$가 x, y에 대한 항등식일 때, 상수 a, b의 값을 각각 구하여라.

01-4 변형

등식

$(x^3-3x^2+2x+1)^3=a_9x^9+a_8x^8+a_7x^7+\cdots+a_1x+a_0$

이 x에 대한 항등식일 때, $a_0+a_1+a_2+\cdots+a_9$의 값을 구하여라.

01-5 변형

다항식 $f(x)$에 대하여

$$(x-1)(x+1)f(x)=x^4+ax^3+3x^2-x+b$$

가 x에 대한 항등식일 때, $f(3)$의 값을 구하여라.

(단, a, b는 상수이다.)

01-6 실력

등식 $(3x^2+x-2)^5=a_0+a_1x+a_2x^2+\cdots+a_{10}x^{10}$이 x에 대한 항등식일 때, $a_0+a_2+a_4+a_6+a_8+a_{10}$의 값을 구하여라.

필수유형 02 항등식의 뜻과 성질

다음 물음에 답하여라.

(1) x의 값에 관계없이 등식 $x^2-4x+1=a(x-1)^2+bx$가 항상 성립할 때, 상수 a, b의 값을 각각 구하여라.

(2) 임의의 실수 k에 대하여 등식 $(k+1)x+(2k-1)y+2k-4=0$이 성립할 때, 상수 x, y의 값을 각각 구하여라.

풍쌤 POINT

x의 값에 관계없이 항상 성립하는 등식, 임의의 x에 대하여 성립하는 등식

➡ 주어진 등식이 x에 대한 항등식이야.

➡ 주어진 등식을 x에 대하여 정리하여 항등식의 성질, 수치대입법을 이용해.

풀이

(1) **STEP 1 주어진 등식의 양변에 $x=1$을 대입하기**

주어진 등식이 x의 값에 관계없이 항상 성립하므로 x에 대한 항등식이다.

양변에 $x=1$을 대입하면❶

$1-4+1=b \qquad \therefore b=-2$

STEP 2 주어진 등식의 양변에 $x=0$을 대입하기

또, 양변에 $x=0$을 대입하면 $a=1$

❶ 등식의 양변에 $x=1$, $x=0$을 대입하면 우변에 미지수가 하나만 남으므로 수치대입법을 이용한다.

(2) **STEP 1 주어진 식의 좌변을 k에 대하여 정리하기**

주어진 등식이 임의의 실수 k에 대하여 성립하므로 k에 대한 항등식이다.

주어진 등식의 좌변을 k에 대하여 정리하면

$kx+x+2ky-y+2k-4$

$=(x+2y+2)k+x-y-4$❷

STEP 2 항등식의 성질을 이용하여 x, y의 값 구하기

주어진 등식은 k에 대한 항등식이므로

$(x+2y+2)k+x-y-4=0$에서

$x+2y+2=0 \qquad \cdots\cdots ㉠$

$x-y-4=0 \qquad \cdots\cdots ㉡$

㉠, ㉡을 연립하여 풀면 $x=2$, $y=-2$

❷ k에 대한 항등식이므로 주어진 등식의 좌변을 k에 대하여 내림차순으로 정리한다.

답 (1) $a=1$, $b=-2$ (2) $x=2$, $y=-2$

풍쌤 강의 NOTE

다음은 모두 x에 대한 항등식을 나타낸다.

① 모든(임의의) 실수 x에 대하여 성립하는 등식

② x의 값에 관계없이 항상 성립하는 등식

③ 어떤 x의 값에 대하여도 항상 성립하는 등식

02-1 유사

x의 값에 관계없이 등식

$$2x^2+4=ax(x+1)+b(x-2)$$

가 항상 성립할 때, 상수 a, b의 값을 각각 구하여라.

02-2 유사

기출

임의의 실수 k에 대하여 등식

$$(k-2)x+(2k+1)y+2k+1=0$$

이 성립할 때, 상수 x, y의 값을 각각 구하여라.

02-3 변형

$x-y=1$을 만족시키는 모든 실수 x, y에 대하여 등식 $ax^2+bx-3=y^2-4$이 성립한다. 상수 a, b에 대하여 $a+b$의 값을 구하여라.

02-4 변형

기출

x에 대한 이차방정식

$$x^2+(k-1)x+(k+5)a+b-4=0$$

이 임의의 실수 k에 대하여 항상 -1을 근으로 가질 때, 상수 a, b에 대하여 ab^2의 값을 구하여라.

02-5 실력

x, y의 값에 관계없이 $\frac{ax-2y-4}{2x+by-2}$의 값이 항상 일정한 값을 가질 때, 상수 a, b에 대하여 $a+b$의 값을 구하여라.

02-6 실력

임의의 실수 x에 대하여 등식

$$\{f(x)\}^2=2xf(x)+2x+1$$

가 성립할 때, 일차식 $f(x)$에 대하여 $f(-1)$의 값을 구하여라.

필수유형 03 다항식의 나눗셈과 항등식

다음 물음에 답하여라.

(1) x에 대한 다항식 x^3+ax^2+b를 x^2+x-2로 나누었을 때의 몫이 $Q(x)$, 나머지가 $2x+3$일 때, 상수 a, b의 값을 각각 구하여라.

(2) 다항식 $21x^3-17x^2+19x+42$를 다항식 $g(x)$로 나누었을 때의 몫과 나머지가 각각 $7x+6$, $-7x-6$일 때, $g(x)$를 구하여라.

풍쌤 POINT

다항식 A를 다항식 B로 나누었을 때의 몫이 Q이고 나머지가 R이면

$A=BQ+R$ ((R의 차수)<(B의 차수))

➡ 주어진 조건을 $A=BQ+R$ 꼴로 나타낸 후, 이 등식이 x에 대한 항등식임을 이용해.

풀이

(1) **STEP 1 다항식의 나눗셈을 항등식으로 나타내기**

$x^3+ax^2+b=(x^2+x-2)Q(x)+2x+3$❶

$=(x+2)(x-1)Q(x)+2x+3$

❶ (나누는 식)×(몫)+(나머지)

STEP 2 a, b의 값 구하기

이 등식이 x에 대한 항등식이므로 양변에 $x=-2$❷를 대입하면

❷ 수치대입법을 이용한다.

$-8+4a+b=-1 \qquad \therefore 4a+b=7$ ······ ㉠

또, 양변에 $x=1$을 대입하면

$1+a+b=5 \qquad \therefore a+b=4$ ······ ㉡

㉠, ㉡을 연립하여 풀면 $a=1$, $b=3$

(2) **STEP 1 주어진 조건을 항등식으로 표현하기**

$21x^3-17x^2+19x+42$를 $g(x)$로 나누었을 때의 몫과 나머지가 각각 $7x+6$, $-7x-6$이므로

$21x^3-17x^2+19x+42=g(x)(7x+6)-7x-6$

$21x^3-17x^2+26x+48=(7x+6)g(x)$

STEP 2 $g(x)$ 구하기

따라서 $21x^3-17x^2+26x+48$을 $7x+6$으로 나누면 몫이 $g(x)$이므로

$g(x)=(21x^3-17x^2+26x+48)\div(7x+6)$

$=3x^2-5x+8$

$$\begin{array}{r|l} & 3x^2-5x+8 \\ 7x+6 & 21x^3-17x^2+26x+48 \\ & 21x^3+18x^2 \\ \hline & -35x^2+26x \\ & -35x^2-30x \\ \hline & 56x+48 \\ & 56x+48 \\ \hline & 0 \end{array}$$

답 (1) $a=1$, $b=3$ (2) $g(x)=3x^2-5x+8$

풍쌤 강의 NOTE

다항식의 나눗셈에 대한 등식 $A=BQ+R$는 x에 대한 항등식이 된다.
앞에서 배운 미정계수법을 이용하여 등식에서 미지수를 구하면 된다. 하지만 직접 나눗셈을 하는 방법으로 풀어도 상관없다.

03-1 기본

x에 대한 다항식 x^3+ax^2+bx+3을 x^2+3x+1로 나누었을 때의 몫이 $x-2$, 나머지가 5일 때, 상수 a, b에 대하여 $a-b$의 값을 구하여라.

03-2 유사

x에 대한 다항식 x^3+ax^2+bx+1을 x^2-3x+2로 나누었을 때의 몫이 $Q(x)$, 나머지가 $4x-1$일 때, 상수 a, b의 값을 각각 구하여라.

03-3 유사

다항식 $3x^3-2x^2+2x+1$을 $g(x)$로 나누었을 때의 몫이 $3x+4$, 나머지가 $10x+1$일 때, $g(-2)$의 값을 구하여라.

03-4 변형

x에 대한 다항식 x^8+ax^3+b가 x^2-1로 나누어떨어질 때, 상수 a, b에 대하여 $a+2b$의 값을 구하여라.

03-5 변형

x에 대한 다항식 x^3+ax^2+4x+2를 x^2+bx+1로 나누었을 때의 나머지가 $2x+1$일 때, 상수 a, b의 값을 각각 구하여라.

03-6 변형

x에 대한 다항식 x^3+x-a가 x^2+bx+2로 나누어떨어질 때, 상수 a, b에 대하여 a^2+b^2의 값을 구하여라.

(단, $b>0$)

필수유형 04 나머지정리 – 일차식으로 나누었을 때의 나머지

다음 물음에 답하여라.

(1) 다항식 $f(x)=x^3-2x^2+ax+5$를 $x-1$로 나누었을 때의 나머지가 2일 때, $f(x)$를 $x+1$로 나누었을 때의 나머지를 구하여라. (단, a는 상수이다.)

(2) 다항식 $f(x)=2x^3+ax^2+bx-2$를 $x+3$으로 나누었을 때의 나머지가 -2이고, $f(x)$를 $2x-1$로 나누었을 때의 나머지가 -2일 때, 상수 a, b에 대하여 $a+b$의 값을 구하여라.

풍쌤 POINT

다항식 $f(x)$를 일차식 $x-\alpha$로 나누었을 때의 나머지는 $f(\alpha)$야!

풀이

(1) **STEP 1 a의 값 구하기**

$f(x)$를 $x-1$로 나누었을 때의 나머지가 2이므로

$f(1)=1-2+a+5=2$ ❶

$\therefore a=-2$

STEP 2 $f(x)$를 $x+1$로 나누었을 때의 나머지 구하기

따라서 $f(x)=x^3-2x^2-2x+5$이므로

$f(x)$를 $x+1$로 나누었을 때의 나머지는

$f(-1)=-1-2+2+5=4$

❶ 나머지정리에 의하여 다항식 $f(x)$를 $x-\alpha$로 나누었을 때의 나머지는 $f(\alpha)$이다.

(2) **STEP 1 나머지정리를 이용하여 a, b 사이의 관계식 구하기**

$f(x)$를 $x+3$으로 나누었을 때의 나머지가 -2이므로

$f(-3)=-54+9a-3b-2=-2$

$\therefore 3a-b=18$ …… ㉠

또, $f(x)$를 $2x-1$로 나누었을 때의 나머지가 -2이므로

$f\left(\frac{1}{2}\right)=\frac{1}{4}+\frac{a}{4}+\frac{b}{2}-2=-2$ ❷

$\therefore a+2b=-1$ …… ㉡

STEP 2 $a+b$의 값 구하기

㉠, ㉡을 연립하여 풀면 $a=5$, $b=-3$

$\therefore a+b=5+(-3)=2$

❷ $f(x)$를 $ax+b$로 나누었을 때의 나머지는 $f\left(-\frac{b}{a}\right)$이다.

답 (1) 4 (2) 2

풍쌤 강의 NOTE

다항식을 일차식으로 나누었을 때의 나머지는 직접 나누어 구하지 않고 나머지정리를 이용한다.

➡ 일차식 $x-\alpha$를 0으로 만드는 값 α를 $f(x)$에 대입한 값, 즉 $f(\alpha)$가 나머지이다.

➡ $A=BQ+R$ 꼴을 만들 필요없이 $f(\alpha)$의 값만을 이용하여 문제를 해결하면 된다.

04-1 유사

다항식 $f(x)=4x^3-2x^2+ax+3$을 $2x-1$로 나누었을 때의 나머지가 4일 때, $f(x)$를 $x-2$로 나누었을 때의 나머지를 구하여라. (단, a는 상수이다.)

04-2 유사

다항식 $f(x)=2x^3+ax^2-bx-5$를 $x-2$로 나누었을 때의 나머지가 3이고, $f(x)$를 $x+2$로 나누었을 때의 나머지가 -5일 때, 상수 a, b에 대하여 a^2+b^2의 값을 구하여라.

04-3 변형

두 다항식 $f(x)=x^2+3x+a$, $g(x)=x^3+ax$를 $x+2$로 나누었을 때의 나머지가 서로 같을 때, 상수 a의 값을 구하여라.

04-4 변형

두 다항식 $f(x)$, $g(x)$를 $x-2$로 나누었을 때의 나머지가 각각 3, -1일 때, 다항식 $f(x)+2g(x)$를 $x-2$로 나누었을 때의 나머지를 구하여라.

04-5 실력

201^{88}을 200으로 나누었을 때의 나머지를 구하여라.

04-6 실력

기출

두 다항식 $f(x)$, $g(x)$에 대하여 $f(x)+g(x)$를 $x-2$로 나누었을 때의 나머지가 3이고, $f(x)-g(x)$를 $x-2$로 나누었을 때의 나머지가 -1이다. $f(x)$를 $x-2$로 나누었을 때의 나머지를 R_1, $g(x)$를 $x-2$로 나누었을 때의 나머지를 R_2라고 할 때, $\frac{R_2}{R_1}$의 값을 구하여라.

필수유형 05 나머지정리 – 이차식으로 나누었을 때의 나머지

다항식 $f(x)$를 $x-1$, $x+2$로 나누었을 때의 나머지가 각각 4, -2일 때, $f(x)$를 x^2+x-2로 나누었을 때의 나머지를 구하여라.

풍쌤 POINT

다항식을 이차식으로 나누었을 때의 나머지를 $R(x)$라고 하면 나머지는 일차 이하의 다항식이므로 $R(x)=ax+b$ (a, b는 상수)로 놓으면 돼.

풀이

STEP 1 $f(1)$, $f(-2)$의 값 구하기

$f(x)$를 $x-1$로 나누었을 때의 나머지가 4이므로

$f(1)=4$ ❶

$f(x)$를 $x+2$로 나누었을 때의 나머지가 -2이므로

$f(-2)=-2$

STEP 2 다항식의 나눗셈을 항등식으로 나타내기

$f(x)$를 x^2+x-2로 나누었을 때의 몫을 $Q(x)$, 나머지를 $ax+b$ (a, b는 상수) ❷ 라고 하면

$f(x)=(x^2+x-2)Q(x)+ax+b$

$\quad=(x+2)(x-1)Q(x)+ax+b$ …… ㉠

로 놓을 수 있다.

STEP 3 $f(x)$를 x^2+x-2로 나누었을 때의 나머지 구하기

㉠의 양변에 $x=1$을 대입하면

$f(1)=a+b=4$ …… ㉡

또, ㉠의 양변에 $x=-2$를 대입하면

$f(-2)=-2a+b=-2$ …… ㉢

㉡, ㉢을 연립하여 풀면

$a=2$, $b=2$

따라서 구하는 나머지는 $2x+2$이다.

❶ 나머지정리에 의하여 다항식 $f(x)$를 $x-\alpha$로 나누었을 때의 나머지는 $f(\alpha)$이다.

❷ 다항식을 이차식으로 나누었으므로 나머지는 일차 이하의 다항식으로 놓는다.

답 $2x+2$

풍쌤 강의 NOTE

다항식 $f(x)$를 다항식 $g(x)$로 나누었을 때의 나머지를 $R(x)$라고 하면 나머지의 차수는 나누는 다항식의 차수보다 작아야 한다.

(1) $g(x)$가 일차식이면 $R(x)=a$ (단, a는 상수)

(2) $g(x)$가 이차식이면 $R(x)=ax+b$ (단, a, b는 상수)

05-1 유사 기출

다항식 $f(x)$를 x, $x+1$로 나누었을 때의 나머지가 각각 3, -1일 때, $f(x)$를 x^2+x로 나누었을 때의 나머지를 구하여라.

05-2 변형

다항식 x^3-x^2+2x-1을 x^2-1로 나누었을 때의 나머지를 $R(x)$라고 할 때, $R(5)$의 값을 구하여라.

05-3 변형

다항식 $f(x)$를 $x-1$, $x+4$로 나누었을 때의 나머지가 각각 4, -1일 때, $(x^2+x+1)f(x)$를 x^2+3x-4로 나누었을 때의 나머지를 구하여라.

05-4 변형 기출

다항식 $f(x)$를 $(x-1)(x+1)$로 나누었을 때의 나머지가 $2x-1$일 때, 다항식 $f(2x-3)$을 $x-2$로 나누었을 때의 나머지를 구하여라.

05-5 변형

다항식 $f(x)$를 x^2-2x-3으로 나누었을 때의 나머지가 $2x-3$이고, x^2+2x로 나누었을 때의 나머지가 $-x+4$이다. $f(x)$를 x^2+3x+2로 나누었을 때의 나머지를 구하여라.

05-6 변형

다항식 $f(x)$를 x^2-4x+4로 나누었을 때의 나머지가 $3x-2$일 때, $(2x+1)f(2x+4)$를 $x+1$로 나누었을 때의 나머지를 구하여라.

필수유형 06 나머지정리 – 삼차식으로 나누었을 때의 나머지

다항식 $f(x)$를 $(x+2)^2$으로 나누었을 때의 나머지가 $x-1$이고, $f(x)$를 $x-2$로 나누었을 때의 나머지가 -15일 때, $f(x)$를 $(x+2)^2(x-2)$로 나누었을 때의 나머지를 구하여라.

풍쌤 POINT

다항식 $f(x)$를 삼차식으로 나누었을 때의 나머지를 $R(x)$라고 하면 나머지는 이차 이하의 다항식이므로 $R(x)=ax^2+bx+c$ (a, b, c는 상수)로 놓으면 돼.

풀이

STEP1 나눗셈을 항등식으로 나타내기

$f(x)$를 $(x+2)^2(x-2)$로 나누었을 때의 몫을 $Q(x)$라고 하면 나머지는 이차 이하의 다항식이므로

$f(x)=(x+2)^2(x-2)Q(x)+ax^2+bx+c$ (a, b, c는 상수) …… ㉠

로 놓을 수 있다.

STEP2 ㉠의 우변을 $(x+2)^2$으로 나누기

또, $f(x)$를 $(x+2)^2$으로 나누었을 때의 나머지가 $x-1$이므로 ㉠의 우변을 $(x+2)^2$으로 나누면 마찬가지로 나머지가 $x-1$이어야 한다.❶

따라서 ax^2+bx+c를 $(x+2)^2$으로 나누었을 때의 나머지가 $x-1$이어야 하므로

$ax^2+bx+c=a(x+2)^2+x-1$

$\therefore f(x)=(x+2)^2(x-2)Q(x)+a(x+2)^2+x-1$ …… ㉡

STEP3 a의 값 구하기

$f(x)$를 $x-2$로 나누었을 때의 나머지가 -15이므로 ㉡에서

$f(2)=16a+1=-15$

$\therefore a=-1$

STEP4 $f(x)$를 $(x+2)^2(x-2)$로 나누었을 때의 나머지 구하기

따라서 구하는 나머지는

$-(x+2)^2+x-1=-x^2-3x-5$

답 $-x^2-3x-5$

❶ $(x+2)^2(x-2)Q(x)$는 $(x+2)^2$으로 나누어떨어지므로 ax^2+bx+c를 $(x+2)^2$으로 나누었을 때의 나머지가 $x-1$이어야 한다.
이때 ax^2+bx+c를 $(x+2)^2$으로 나누면 몫이 a가 되므로
ax^2+bx+c
$=a(x+2)^2+x-1$

풍쌤 강의 NOTE

- 다항식을 삼차식으로 나누었을 때의 나머지는 이차 이하의 다항식이므로 나머지를 ax^2+bx+c (a, b, c는 상수)로 놓으면 미지수가 3개이므로 3개의 관계식이 필요하다.
- $f(x)=g(x)Q(x)+R(x)$에서 $g(x)$의 차수와 $R(x)$의 차수가 같을 때는
($f(x)$를 $g(x)$로 나누었을 때의 나머지)$=$($R(x)$를 $g(x)$로 나누었을 때의 나머지)

06-1 유사

기출

다항식 $f(x)$를 $(x-2)^2$으로 나누었을 때의 나머지는 $2x+10$이고, $x-3$으로 나누었을 때의 나머지는 10이다. $f(x)$를 $(x-2)^2(x-3)$으로 나누었을 때의 나머지를 구하여라.

06-2 유사

다항식 $f(x)$를 $(x-1)^2$으로 나누었을 때의 나머지는 $x+2$이고, $x-2$로 나누었을 때의 나머지는 3이다. $f(x)$를 $(x-1)^2(x-2)$로 나누었을 때의 나머지를 구하여라.

06-3 변형

다항식 $f(x)$를 x^2-1로 나누었을 때의 나머지는 $2x+3$이고, $x-2$로 나누었을 때의 나머지는 4이다. 이때 $f(x)$를 $(x^2-1)(x-2)$로 나누었을 때의 나머지를 구하여라.

06-4 변형

다항식 $f(x)$를 x^2+x+1로 나누었을 때의 나머지는 $8x+4$이고, $x-1$로 나누었을 때의 나머지는 3이다. $f(x)$를 $(x-1)(x^2+x+1)$로 나누었을 때의 나머지를 $R(x)$라 할 때, $R(2)$의 값을 구하여라.

06-5 변형

다항식 $x^{13}+x^5+2x^3+x$를 x^3-x로 나누었을 때의 나머지를 구하여라.

06-6 변형

다항식 $f(x)$를 $(x+1)(x+2)$로 나누었을 때의 나머지가 $3x-1$이고, $x-1$로 나누었을 때의 나머지가 -4이다. 이때 $f(x)$를 $(x^2-1)(x+2)$로 나누었을 때의 나머지를 구하여라.

발전유형 07 나머지정리 – 몫을 다시 나누었을 때의 나머지

다항식 $f(x)$를 $(x-1)(x+1)$로 나누었을 때의 몫이 $Q(x)$, 나머지가 $x-1$이다. $f(x)$를 $x-2$로 나누었을 때의 나머지가 4일 때, $Q(x)$를 $x-2$로 나누었을 때의 나머지를 구하여라.

풍쌤 POINT

다항식 $f(x)$를 다항식 $g(x)$로 나누었을 때의 몫을 $Q(x)$, 나머지를 $R(x)$라고 하면

$$f(x)=g(x)Q(x)+R(x)$$

이므로 주어진 조건을 이용하여 식을 세우고 나머지정리와 항등식의 성질을 이용해.

풀이

STEP 1 다항식의 나눗셈을 항등식으로 나타내기

$f(x)$를 $(x-1)(x+1)$로 나누었을 때의 몫이 $Q(x)$이고,

나머지가 $x-1$이므로

$f(x)=(x-1)(x+1)Q(x)+x-1$ …… ㉠

STEP 2 $f(2)$의 값 구하기

또, $f(x)$를 $x-2$로 나누었을 때의 나머지가 4이므로

$f(2)=4$[1]

STEP 3 $Q(x)$를 $x-2$로 나누었을 때의 나머지 구하기

$Q(x)$를 $x-2$로 나누었을 때의 나머지는 $Q(2)$이므로

㉠의 양변에 $x=2$를 대입하면

$f(2)=(2-1)(2+1)Q(2)+2-1$

$4=3Q(2)+1$

$\therefore Q(2)=1$

다른 풀이

STEP 3 $Q(x)$를 $x-2$로 나누었을 때의 나머지 이용하기

$Q(x)$를 $x-2$로 나눈 몫을 $Q'(x)$,

나머지를 $k=Q(2)$[2]라고 하면

$f(x)=(x-1)(x+1)\{(x-2)Q'(x)+k\}+x-1$

그런데, $f(2)=4$이므로

$f(2)=1\times3\times k+2-1=4$,

$3k+1=4$ $\therefore k=1$

따라서 $Q(2)=1$이므로 $Q(x)$를 $x-2$로 나눈 나머지는 1이다.

답 1

[1] 나머지정리에 의하여 다항식 $f(x)$를 $x-a$로 나누었을 때의 나머지는 $f(a)$이다.

[2] 다항식을 일차식으로 나누었을 때의 나머지는 상수이다.

풍쌤 강의 NOTE

다항식 $f(x)$를 다항식 $g(x)$로 나눈 몫이 $Q(x)$, 나머지가 $R(x)$이면

$$f(x)=g(x)Q(x)+R(x)$$

이때 $Q(x)$를 $x-a$로 나눈 몫을 $Q'(x)$, 나머지를 k라고 하면 $Q(x)=(x-a)Q'(x)+k$로 놓을 수 있다. 즉,

$$f(x)=g(x)\{(x-a)Q'(x)+k\}+R(x)$$

에서 이 유형의 문제를 대부분 해결할 수 있다.

07-1 유사 기출

다항식 $f(x)$를 $x-1$로 나누었을 때의 몫이 $Q(x)$, 나머지가 2이다. 다항식 $f(x)$를 $x+2$로 나누었을 때의 나머지가 -1일 때, $Q(x)$를 $x+2$로 나누었을 때의 나머지를 구하여라.

07-2 유사

다항식 $f(x)$를 $(x-1)(x-2)$로 나누었을 때의 몫이 $Q(x)$, 나머지는 $x+1$이다. $f(x)$를 $x-3$으로 나누었을 때의 나머지가 8일 때, $Q(x)$를 $x-3$으로 나누었을 때의 나머지를 구하여라.

07-3 변형

다항식 $x^4+x^3+x^2+x+2$를 $x+1$로 나누었을 때의 몫을 $Q(x)$라고 할 때, $Q(x)$를 $x-1$로 나누었을 때의 나머지를 구하여라.

07-4 변형

다항식 $f(x)$를 $x+3$으로 나누었을 때의 몫이 $Q(x)$, 나머지는 1이고, 다항식 $Q(x)$를 $x-4$로 나누었을 때의 나머지는 -2이다. $f(x)$를 $(x+3)(x-4)$로 나누었을 때의 나머지를 $R(x)$라고 할 때, $R(-4)$의 값을 구하여라.

07-5 변형

다항식 $f(x)$를 x^2-x+1로 나누었을 때의 몫이 $Q(x)$, 나머지가 $2x+3$이고, $Q(x)$를 $x+1$로 나누었을 때의 나머지가 3이다. $f(x)$를 x^3+1로 나누었을 때의 나머지를 $R(x)$라고 할 때, $R(1)$의 값을 구하여라.

07-6 실력

다항식 $2x^4+3x^3-3x^2+x-1$을 $x+1$로 나누었을 때의 몫을 $Q(x)$라고 할 때, $Q(x)$의 모든 문자의 계수와 상수항의 합을 구하여라.

필수유형 08 인수정리

다음 물음에 답하여라.

(1) 다항식 $f(x)=x^3-x^2+ax-2$가 $x-2$로 나누어떨어질 때, 상수 a의 값을 구하여라.

(2) 다항식 $f(x)=x^3+ax^2+bx-2$가 $(x-1)(x+1)$을 인수로 가질 때, 상수 a, b의 값을 각각 구하여라.

풍쌤 POINT

(1) 다항식 $f(x)$가 $x-\alpha$로 나누어떨어지면 $f(\alpha)=0$

(2) 다항식 $f(x)$가 $(x-\alpha)(x-\beta)$로 나누어 떨어지면 $f(\alpha)=0$, $f(\beta)=0$

풀이

(1) $f(x)$가 $x-2$로 나누어떨어지므로[❶] 인수정리에 의하여

$f(2)=0$

이때 $f(2)=8-4+2a-2=2a+2$에서

$2a+2=0 \qquad \therefore a=-1$

❶ $f(x)$가 $x-2$를 인수로 가지므로 $f(x)$를 $x-2$로 나누었을 때의 나머지가 0이다.

(2) **STEP 1 $f(1)$의 값을 이용하여 a, b 사이의 관계식 구하기**

$f(x)$가 $x-1$로 나누어떨어지므로 인수정리에 의하여

$f(1)=0$

이때 $f(1)=1+a+b-2=a+b-1$에서

$a+b-1=0$

$\therefore a+b=1 \qquad \cdots\cdots ㉠$

STEP 2 $f(-1)$의 값을 이용하여 a, b 사이의 관계식 구하기

$f(x)$가 $x+1$로 나누어떨어지므로 인수정리에 의하여

$f(-1)=0$

$f(-1)=-1+a-b-2=a-b-3$에서

$a-b-3=0$

$\therefore a-b=3 \qquad \cdots\cdots ㉡$

STEP 3 a, b의 값 구하기

㉠, ㉡을 연립하여 풀면

$a=2$, $b=-1$

답 (1) -1 (2) $a=2$, $b=-1$

풍쌤 강의 NOTE

$f(\alpha)=0$이면

① $f(x)$가 $x-\alpha$로 나누어떨어진다.

② $f(x)$를 $x-\alpha$로 나누었을 때의 나머지가 0이다.

③ $f(x)$는 $x-\alpha$를 인수로 갖는다.

④ $f(x)=(x-\alpha)Q(x)$ ($Q(x)$는 다항식) 꼴이다.

08-1 유사

다항식 $f(x)=ax^3+2x^2-10x-4$가 $x+2$로 나누어떨어질 때, 상수 a의 값을 구하여라.

08-2 유사

다항식 $f(x)=-x^3+ax^2-2x+b$가 $(x+1)(x-2)$를 인수로 가질 때, 상수 a, b에 대하여 $a-b$의 값을 구하여라.

08-3 변형

다항식 $x^3+k^2x^2+kx-1$이 $x+1$로 나누어떨어지도록 하는 모든 상수 k의 값의 합을 구하여라.

08-4 변형

다항식 x^9+ax+b를 $x-1$로 나누었을 때의 몫이 $Q(x)$이고 나머지가 7이다. $Q(x)$가 $x+1$로 나누어떨어질 때, 상수 a, b에 대하여 a^2+b^2의 값을 구하여라.

08-5 변형

기출

x에 대한 두 다항식

$$f(x)=2x^2+5x+2,\ g(x)=(a-1)x+b$$

가 있다. 다음 중 다항식 $f(x)-g(x)$가 $x+2$를 인수로 갖기 위한 a, b의 관계로 항상 옳은 것은?

(단, a, b는 실수이다.)

① $a-b=0$　② $a+b=0$
③ $a+b-2=0$　④ $2a-b-2=0$
⑤ $2a+b+2=0$

08-6 실력

다항식 $f(x)=x^3+4x^2+ax+b$에 대하여 $f(x-1)$은 $x+2$로 나누어떨어지고, $f(x-2)$는 $x-3$으로 나누어떨어질 때, 상수 a, b의 값을 각각 구하여라.

필수유형 09 조립제법

조립제법을 이용하여 다음 나눗셈의 몫과 나머지를 각각 구하여라.

(1) $(x^3+2x^2+x-1)\div(x+2)$

(2) $(x^3-7x+1)\div(x-1)$

(3) $(2x^4+x^3-3x-5)\div(2x-3)$

풍쌤 POINT

직접 나눗셈을 하지 않고 계수만을 이용하여 몫과 나머지를 구하는 방법이 조립제법이야.
몫을 구하는 문제가 나왔는데 일차식으로 나눈다? 바로 조립제법을 사용하자.

풀이

(1) 조립제법을 이용하여 $(x^3+2x^2+x-1)\div(x+2)$를 하면

-2	1	2	1	-1
		-2	0	-2
	1	0	1	-3

따라서 구하는 몫은 x^2+1, 나머지는 -3이다.

(2) 조립제법을 이용하여 $(x^3-7x+1)\div(x-1)$을 하면

1	1	0❶	-7	1
		1	1	-6
	1	1	-6	-5

❶ 계수가 0인 항은 계수를 0으로 반드시 적어 주어야 한다.

따라서 구하는 몫은 x^2+x-6, 나머지는 -5이다.

(3) 조립제법을 이용하여 $(2x^4+x^3-3x-5)\div(2x-3)$을 하면

$\frac{3}{2}$❷	2	1	0	-3	-5
		3	6	9	9
	2	4	6	6	4

❷ $2x-3=0$이므로 $x-\frac{3}{2}$으로 나눈다.

이때 $2x^4+x^3-3x-5$를 $x-\frac{3}{2}$❸으로 나누었을 때의 몫이 $2x^3+4x^2+6x+6$, 나머지가 4이므로

$$2x^4+x^3-3x-5=\left(x-\frac{3}{2}\right)(2x^3+4x^2+6x+6)+4$$
$$=2\left(x-\frac{3}{2}\right)(x^3+2x^2+3x+3)+4$$
$$=(2x-3)(x^3+2x^2+3x+3)+4$$

❸ 조립제법은 다항식을 일차항의 계수가 1인 일차식일 때만 이용할 수 있으므로 $x-\frac{3}{2}$으로 나눈다.

따라서 구하는 몫은 x^3+2x^2+3x+3, 나머지는 4이다.

답 풀이 참조

풍쌤 강의 NOTE

- 조립제법은 나누는 수가 일차식이고 일차항의 계수가 1일 경우만 가능하다.
- 조립제법을 쓸 때 항이 없는 경우에는 반드시 0을 적어 주어야 한다.
- 나머지만 구할 때는 나머지정리를, 몫과 나머지를 모두 구할 때는 조립제법을 이용한다.

09-1 유사

조립제법을 이용하여 다음 나눗셈의 몫과 나머지를 각각 구하여라.

(1) $(x^3-3x^2-2x+2)\div(x-1)$

(2) $(x^4+5x+3)\div(x+2)$

(3) $(2x^3+3x^2+4x+5)\div(2x+3)$

09-2 변형

오른쪽 그림은 다항식 x^3-2x^2+x+d를 $x-a$로 나누었을 때의 몫과 나머지를 조립제법을 이용하여 구하는 과정이다. 상수 a, b, c, d에 대하여 $a+b+c+d$의 값을 구하여라.

a	1	-2	1	d
		3	c	12
	1	b	4	2

09-3 변형

다항식 $2x^4+5x^3-6x+2$를 $2x+1$로 나누었을 때의 몫을 $Q(x)$라고 할 때, $Q(x)$를 $x+2$로 나누었을 때의 몫을 구하여라.

09-4 변형

x에 대한 다항식 x^3-x^2+ax+5를 $x-2$로 나누었을 때의 몫은 $Q(x)$, 나머지는 5이다. 이때 $Q(a)$의 값을 구하여라. (단, a는 상수이다.)

09-5 실력

기출

x에 대한 다항식 x^3+ax^2+x+b가 $(x-1)^2$으로 나누어떨어질 때, 상수 a, b에 대하여 $a-b$의 값을 구하여라.

09-6 실력

등식

$2x^3+x^2-3x-3=a(x-1)^3+b(x-1)^2+c(x-1)+d$

가 x에 대한 항등식일 때, 상수 a, b, c, d에 대하여 $a+b+c+d$의 값을 구하여라.

실전 연습 문제

01

다음 중 x에 대한 항등식인 것을 모두 고르면? (정답 2개)

① $3x^2-3x=0$
② $(x+1)^2=x^2+2x+1$
③ $2(2x-1)=-4\left(x-\frac{1}{2}\right)$
④ $2x(x+1)+1=(x+1)^2+x^2$
⑤ $3x^3+2x^2+2x-8=(3x-2)(x+1)(x+4)$

02

등식 $2x-3=a(x+1)+b(3x-2)$가 x에 대한 항등식일 때, 상수 a, b에 대하여 $a+b$의 값은?

① 0 ② 1 ③ 2
④ 3 ⑤ 4

03

등식 $(x-1)(x^2-2)f(x)=x^6+ax^4+bx^2+2$가 x에 대한 항등식일 때, 상수 a, b에 대하여 $a-b$의 값은?

① -5 ② -3 ③ -1
④ 1 ⑤ 3

04

기출

그림과 같이 8개의 다항식을 사각형 모양으로 배열하고 각 변에 배열된 3개의 다항식의 합을 각각 A, B, C, D라고 하자. 다항식 A, B, C, D가 x의 값에 관계없이 모두 같을 때, 두 다항식의 합 $P(x)+Q(x)$는?

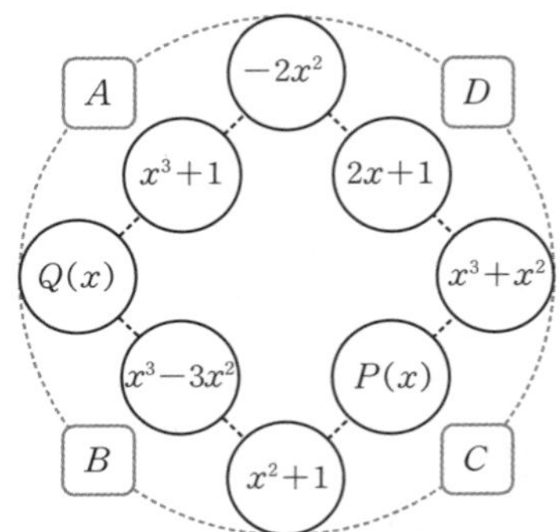

① $-3x^2+2x$ ② $-2x^2+4x$
③ $-x^2+4x+1$ ④ $2x^2+4x$
⑤ $3x^2+2x$

05 서술형

등식 $kx-x+2ky+3y+4k+1=0$이 모든 실수 k에 대하여 성립할 때, 상수 x, y에 대하여 $x+y$의 값을 구하여라.

06

다항식 $f(x)$를 x^2-6으로 나누었을 때의 몫이 $2x-1$이고, 나머지가 $2x+1$이다. 이때 다항식 $f(x)$를 $2x-5$로 나누었을 때의 나머지는?

① 4　② 7　③ 10　④ 13　⑤ 16

07

다항식 $f(x)$를 일차식 $ax-b$로 나누었을 때의 몫이 $Q(x)$, 나머지가 R일 때, $f(x)$를 $x-\frac{b}{a}$로 나누었을 때의 몫과 나머지를 순서대로 적은 것은?

① $\frac{1}{a}Q(x)$, R　② $Q(x)$, $\frac{1}{a}R$　③ $Q(x)$, R　④ $aQ(x)$, R　⑤ $aQ(x)$, aR

08

다항식 $-x^3+kx^2+9$를 $x-2$로 나누었을 때의 나머지를 R_1, $x-3$으로 나누었을 때의 나머지를 R_2라고 하자. $R_1R_2=-45$일 때, 자연수 k의 값은?

① 1　② 2　③ 3　④ 4　⑤ 5

09

두 다항식 $f(x)$, $g(x)$에 대하여 $f(x)+g(x)$를 $x-3$으로 나누었을 때의 나머지가 8이고, $f(x)g(x)$를 $x-3$으로 나누었을 때의 나머지가 6이다.
$\{f(x)\}^2+\{g(x)\}^2$을 $x-3$으로 나누었을 때의 나머지를 구하여라.

10

$6^6+6^7+6^8$을 5로 나누었을 때의 나머지는?

① 1　② 2　③ 3　④ 4　⑤ 0

11

다항식 $(x-1)^{10}$을 x^2+x-2로 나누었을 때의 나머지를 $R(x)$라고 할 때, $R(0)$의 값은?

① -3^9　② -2^9　③ 2^9　④ 3^9　⑤ 3^{10}

12 서술형

다항식 $f(x)$를 $x-2$로 나누었을 때의 나머지가 3이고, x^2+4로 나누었을 때의 나머지가 $x-1$이다. 이때 $f(x)$를 $(x-2)(x^2+4)$로 나누었을 때의 나머지를 구하여라.

13 기출

다항식 $P(x)$를 $x-2$로 나누었을 때의 몫이 $Q(x)$, 나머지는 3이고, 다항식 $Q(x)$를 $x-1$로 나누었을 때의 나머지는 2이다. $P(x)$를 $(x-1)(x-2)$로 나누었을 때의 나머지를 $R(x)$라고 하자. $R(3)$의 값은?

① 5　② 7　③ 9　④ 11　⑤ 13

14 기출

다항식 $f(x)$에 대하여 $f(x)+4$는 $x-3$으로 나누어떨어지고, $f(x)-1$는 $x+2$로 나누어떨어진다고 한다. $f(x)$를 x^2-x-6으로 나누었을 때의 나머지를 $R(x)$라고 할 때, $R(-3)$의 값은?

① -6　② -4　③ -2　④ 0　⑤ 2

15 서술형

다항식 x^3+ax^2-3x+b가 $(x-3)(x+1)$로 나누어떨어질 때, 이 다항식을 $x-2$로 나누었을 때의 나머지를 구하여라. (단, a, b는 상수이다.)

16

다항식 $2x^3+x^2-3x-3$을 $2x-1$로 나누었을 때의 나머지를 $Q(x)$, 나머지를 R라고 할 때, $Q(2)+R$의 값을 구하여라.

17

등식

$$x^3-x^2-3x+4=a(x-2)^3+b(x-2)^2+c(x-2)+d$$

가 x에 대한 항등식이 되도록 상수 a, b, c, d의 값을 정할 때, $abcd$의 값은?

① 25　② 36　③ 48　④ 50　⑤ 100

상위권 도약 문제

정답과 풀이 37쪽

01

다항식 $f(x)=x^3-3x^2+2x-8$에 대하여 등식 $f(x+a)=x^3+bx+c$가 x의 값에 관계없이 항상 성립한다. 상수 a, b, c에 대하여 $a+b+c$의 값은?

① -12　② -11　③ -10　④ -9　⑤ -8

02

다항식 $f(x)=x^3+x^2+2x+1$에 대하여 $f(x)$를 $x-a$로 나누었을 때의 나머지를 R_1, $f(x)$를 $x+a$로 나누었을 때의 나머지를 R_2라고 하자. $R_1+R_2=6$일 때, $f(x)$를 $x-a^2$으로 나누었을 때의 나머지를 구하여라.

03

기출

세 다항식 $f(x)=x^2+x$, $g(x)=x^2-2x-1$, $h(x)$에 대하여

$$\{f(x)\}^3+\{g(x)\}^3=(2x^2-x-1)h(x)$$

가 x에 대한 항등식일 때, $h(x)$를 $x-1$로 나누었을 때의 나머지를 구하여라.

04

3^{2023}을 8로 나누었을 때의 나머지는?

① 1　② 2　③ 3　④ 4　⑤ 5

05

삼차다항식 $f(x)$에 대하여 $f(x)$는 x^2+x+1로 나누어떨어지고, $f(x)+12$는 x^2+2로 나누어떨어진다. $f(0)=4$일 때, $f(1)$의 값을 구하여라.

06

두 이차다항식 $P(x)$, $Q(x)$가 다음 조건을 만족시킨다.

> (가) 모든 실수 x에 대하여 $2P(x)+Q(x)=0$이다.
> (나) $P(x)Q(x)$는 x^2-3x+2로 나누어떨어진다.

$P(0)=-4$일 때, $Q(4)$의 값을 구하여라.

07

기출

최고차항의 계수가 1인 이차식 $f(x)$를 $x-1$로 나누었을 때의 몫을 $Q_1(x)$라 하고, $f(x)$를 $x-2$로 나누었을 때의 몫을 $Q_2(x)$라고 하면 $Q_1(x)$, $Q_2(x)$는 다음 조건을 만족시킨다.

> (가) $Q_2(1)=f(2)$
> (나) $Q_1(1)+Q_2(1)=6$

$f(3)$의 값은?

① 7 ② 8 ③ 9 ④ 10 ⑤ 11

08

최고차항의 계수가 양수인 다항식 $f(x)$가 모든 실수 x에 대하여

$$\{f(x)\}^3=4x^2f(x)+8x^2+6x+1$$

을 만족시킬 때, 옳은 것만을 |보기|에서 있는 대로 고른 것은?

|보기|

ㄱ. 다항식 $f(x)$를 x로 나눈 나머지는 1이다.
ㄴ. 다항식 $f(x)$의 최고차항의 계수는 4이다.
ㄷ. 다항식 $\{f(x)\}^3$을 x^2-1로 나누었을 때의 나머지는 $14x+13$이다.

① ㄱ ② ㄴ ③ ㄱ, ㄷ ④ ㄴ, ㄷ ⑤ ㄱ, ㄴ, ㄷ

03 인수분해

유형의 이해에 따라 ☐ 안에 ○, × 표시를 하고 반복하여 학습합니다.

유형	내용	1st	2nd
필수유형 01	인수분해(1)	☐	☐
필수유형 02	인수분해(2)	☐	☐
필수유형 03	치환을 이용한 인수분해	☐	☐
필수유형 04	복잡한 식의 인수분해	☐	☐
필수유형 05	인수정리를 이용한 고차식의 인수분해	☐	☐
필수유형 06	인수분해의 활용(1) – 수의 계산, 식의 값	☐	☐
발전유형 07	인수분해의 활용(2) – 도형에서의 활용	☐	☐

03 인수분해

개념 01 인수분해

하나의 다항식을 상수가 아닌 두 개 이상의 다항식의 곱으로 나타내는 것을 인수분해라고 한다. 이때 인수분해한 식에서 곱을 이루는 각 다항식을 인수라고 한다.

$$x^2+3x+2 \underset{\text{전개}}{\overset{\text{인수분해}}{\rightleftarrows}} (x+1)(x+2)$$

中3 수학 다항식의 전개
다항식의 곱셈에서 분배법칙을 이용하여 하나의 다항식으로 나타내는 것

확인 01 다음 식을 인수분해하여라.

(1) $4a^2+6ab$

(2) $ax+bx-3x$

(3) $3x^2y+6xy^2-9xy$

> 일반적으로 계수가 유리수인 다항식의 인수분해는 계수가 유리수인 범위까지만 한다.

개념 02 인수분해의 기본 공식

인수분해의 기본 공식은 다음과 같다.

(1) $ma+mb-mc=m(a+b-c)$

(2) $a^2+2ab+b^2=(a+b)^2$
$a^2-2ab+b^2=(a-b)^2$

(3) $a^2-b^2=(a+b)(a-b)$ ← 합차 공식

(4) $x^2+(a+b)x+ab=(x+a)(x+b)$

(5) $acx^2+(ad+bc)x+bd=(ax+b)(cx+d)$

[(1)~(5): 중학교에서 배운 인수분해 공식]

(6) $a^2+b^2+c^2+2ab+2bc+2ca=(a+b+c)^2$

(7) $a^3+3a^2b+3ab^2+b^3=(a+b)^3$
$a^3-3a^2b+3ab^2-b^3=(a-b)^3$

(8) $a^3+b^3=(a+b)(a^2-ab+b^2)$
$a^3-b^3=(a-b)(a^2+ab+b^2)$ [세제곱의 합차 공식]

(9) $a^3+b^3+c^3-3abc=(a+b+c)(a^2+b^2+c^2-ab-bc-ca)$

(10) $a^4+a^2b^2+b^4=(a^2+ab+b^2)(a^2-ab+b^2)$

> 인수분해 공식은 다항식의 전개 과정을 거꾸로 생각한 것이므로 곱셈 공식의 좌변과 우변을 바꾸면 인수분해 공식을 얻을 수 있다.

> $a^4+a^2b^2+b^4$
> $=(a^4+2a^2b^2+b^4)-a^2b^2$
> $=(a^2+b^2)^2-(ab)^2$
> $=(a^2+ab+b^2)(a^2-ab+b^2)$

확인 02 다음 식을 인수분해하여라.

(1) a^2+6a+9

(2) $x^2-8x+16$

(3) a^2-9b^2

(4) $x^2-4x-12$

(5) $3a^2-8a+4$

확인 03 **다음 식을 인수분해하여라.**

(1) $a^2+4b^2+c^2+4ab+4bc+2ca$

(2) $x^3+6x^2+12x+8$

(3) a^3-3a^2+3a-1

(4) a^3+8

(5) x^3-27

(6) $x^3+8y^3+z^3-6xyz$

(7) x^4+4x^2+16

> 인수분해 공식 중 어느 것을 이용해야 할지 판단하고 적용해 본다.

개념 03 치환을 이용한 인수분해

(1) 공통부분이 있는 다항식의 인수분해

❶ 공통부분을 t로 치환하여 주어진 식을 t에 대한 식으로 나타낸다.

❷ ❶의 식을 인수분해한다.

❸ t에 원래의 식을 대입하여 정리하거나 다시 인수분해한다.

(2) $(x+a)(x+b)(x+c)(x+d)+k$ 꼴의 인수분해

❶ $(x+a)(x+b)(x+c)(x+d)+k$에서 일차식을 두 개씩 짝 짓는다.

❷ 묶은 일차식을 전개한 후 공통부분을 치환하여 인수분해한다.

❸ 치환한 부분을 원래의 식을 대입하여 정리하거나 다시 인수분해한다.

> 일차식을 두 개씩 짝 지을 때에는 이차항과 일차항 또는 이차항과 상수항이 공통부분이 되도록 짝 짓는다.

(3) x^4+ax^2+b 꼴의 인수분해

❶ $x^2=t$로 치환하여 t^2+at+b를 인수분해한다.

❷ 치환한 부분을 원래의 식을 대입하여 정리하거나 다시 인수분해한다.

> 차수가 짝수인 항과 상수항만으로 이루어진 다항식을 복이차식이라고 한다.

> **참고** 공통부분을 한 문자로 치환하는 것은 식을 간단하게 하거나 차수가 낮아지게 하여 적용할 수 있는 인수분해 공식을 쉽게 파악하기 위한 것이다.
> 그러나 인수분해할 때, 주어진 식이 복잡하지 않으면 공통부분을 반드시 치환할 필요는 없다.

확인 04 **다음은 다항식 $(a+b)(a+b+4)+3$을 인수분해하는 과정이다. □ 안에 알맞은 것을 써넣어라.**

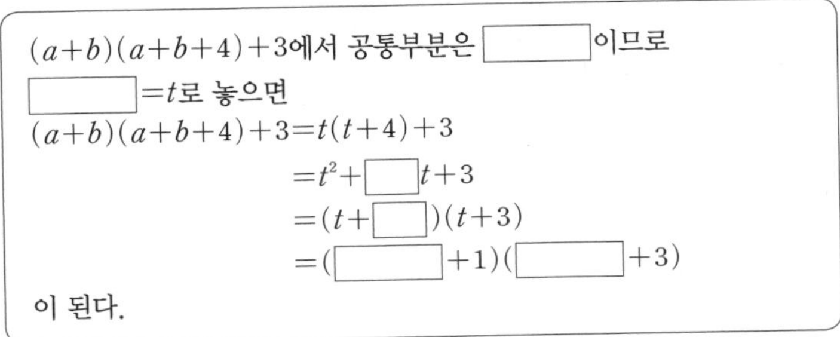

$(a+b)(a+b+4)+3$에서 공통부분은 □이므로

□$=t$로 놓으면

$(a+b)(a+b+4)+3=t(t+4)+3$

$=t^2+$□$t+3$

$=(t+$□$)(t+3)$

$=($□$+1)($□$+3)$

이 된다.

확인 05 다음은 다항식 x^4-2x^2-3을 인수분해하는 과정이다. □ 안에 알맞은 것을 써넣어라.

> x^4-2x^2-3에서 $\square=t$로 놓으면
> (주어진 식)$=t^2-2t-3=(t-\square)(t+1)$
> 위 식에 $t=\square$을 대입하면
> $x^4-2x^2-3=(\square-3)(\square+1)$

개념 04 합차 공식을 이용한 인수분해

(1) **공통부분이 없는 다항식의 인수분해**

❶ 3개의 항을 묶어 완전제곱식으로 나타낼 수 있는지 확인한다.

❷ 완전제곱식으로 바꿀 수 있는 경우 3개의 항을 묶어 완전제곱식으로 나타낸다.

❸ 남은 항도 제곱의 꼴로 나타낸다.

❹ A^2-B^2 꼴을 만들어 합차 공식을 이용한다.

(2) **x^4+ax^2+b 꼴에서 치환으로 인수분해가 안 되는 경우**

❶ ax^2을 적당한 두 식의 합과 차로 나타낸다.

❷ A^2-B^2 꼴을 만들어 합차 공식을 이용한다.

> 합차 공식
> $a^2-b^2=(a+b)(a-b)$

확인 06 다음은 다항식 $a^2+2a+1-b^2$을 인수분해하는 과정이다. □ 안에 알맞은 것을 써넣어라.

> $a^2+2a+1-b^2=(a^2+2a+1)-\square$
> $=(a+1)^2-\square$
> $=\{(a+1)+\square\}\{(a+1)-\square\}$
> $=(a+\square+1)(a-\square+1)$

확인 07 다음은 다항식 x^4-3x^2+1을 인수분해하는 과정이다. □ 안에 알맞은 것을 써넣어라.

> x^4-3x^2+1이 완전제곱식이 되도록 $-3x^2$을 적당히 나누면
> $x^4-3x^2+1=x^4-2x^2+1-\square$
> $=(x^4-2x^2+1)-\square$
> $=(x^2-1)^2-(\square)^2$
> $=\{(x^2-\square)+x\}\{(x^2-\square)-x\}$
> $=(x^2+x-\square)(x^2-x-\square)$

개념 05 항이 여러 개인 복잡한 식의 인수분해

(1) 가장 차수가 낮은 문자에 대하여 내림차순으로 정리한 후 공통인수로 묶어 낸다.

(2) 차수가 모두 같을 때는 어느 한 문자에 대하여 내림차순으로 정리한다.

> 모든 문자의 차수가 같을 경우에는 한 문자를 골라 내림차순으로 정리한다.

확인 08 **다음은 다항식 $x^2+xy-2x-3y-3$을 인수분해하는 과정이다. □ 안에 알맞은 것을 써넣어라.**

$x^2+xy-2x-3y-3$을 y에 대하여 내림차순으로 정리하면
$x^2+xy-2x-3y-3=\square(x-3)+x^2-2x-3$
위 식에서 x^2-2x-3을 인수분해하면
$x^2-2x-3=(x+\square)(x-\square)$
$(\text{주어진 식})=\square(x-3)+(x+\square)(x-\square)$
$\qquad\qquad=(x-3)(x+y+\square)$

개념 06 인수정리를 이용한 고차식의 인수분해

$f(x)$가 삼차 이상의 다항식이면

❶ $f(a)=0$을 만족시키는 상수 a의 값을 찾는다.

> **참고** 대입하면 0이 되는 수를 찾는 순서

±1을 대입 ➡ $\pm$(상수항의 약수)를 대입 ➡ $\pm\dfrac{(\text{상수항의 약수})}{(\text{최고차항의 계수의 약수})}$를 대입

❷ 조립제법을 이용하여 $f(x)$를 $x-a$로 나누고, 그 몫인 $Q(x)$를 구한다.

❸ $f(x)=(x-a)Q(x)$로 나타내고, $Q(x)$가 인수분해되면 인수분해한다.

> 인수분해 공식을 이용할 수 없는 삼차 이상의 다항식은 인수정리를 이용하여 일차식인 인수를 찾아서 인수분해한다.

확인 09 **다음은 다항식 x^3+2x^2-x-2를 인수분해하는 과정이다. □ 안에 알맞은 것을 써넣어라.**

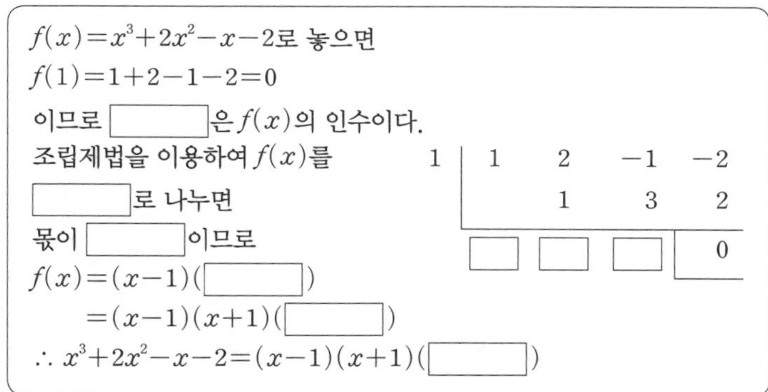

$f(x)=x^3+2x^2-x-2$로 놓으면
$f(1)=1+2-1-2=0$
이므로 $\square$은 $f(x)$의 인수이다.
조립제법을 이용하여 $f(x)$를
$\square$로 나누면
몫이 $\square$이므로

1	1	2	−1	−2
		1	3	2
	□	□	□	0

$f(x)=(x-1)(\square)$
$\quad=(x-1)(x+1)(\square)$
$\therefore x^3+2x^2-x-2=(x-1)(x+1)(\square)$

필수유형 01 인수분해(1)

다음 식을 인수분해하여라.

(1) $(a-b)^2-(a-b)$

(2) $5a^2-20a+20$

(3) $27x^2-3$

(4) x^3-5x^2-14x

(5) x^3-2x^2-4x+8

풍쌤 POINT

- 공통인수가 있으면 공통인수로 먼저 묶고, 남은 식을 인수분해해.
- (5)와 같이 항이 4개인 경우 둘씩 짝 지어 공통인수를 찾아 인수분해할 수 있어.

풀이

(1) 공통인수인 $a-b$로 묶고 인수분해하면

$$(a-b)^2-(a-b)=(a-b)\{(a-b)-1\}$$
$$=(a-b)(a-b-1)$$

(2) 공통인수인 5로 묶고 인수분해하면

$$5a^2-20a+20=5(a^2-4a+4)$$
$$=5(a-2)^2$$

(3) 공통인수인 3으로 묶고 인수분해하면

$$27x^2-3=3(9x^2-1) \text{ ❶}$$
$$=3\{(3x)^2-1^2\}$$
$$=3(3x+1)(3x-1)$$

❶ 공통인수로 묶어서 A^2-B^2 꼴로 변형한 후 제곱의 합차 공식을 이용한다.

(4) 공통인수인 x로 묶고 인수분해하면

$$x^3-5x^2-14x=x(x^2-5x-14)$$
$$=x(x-7)(x+2)$$

(5) 둘씩 짝 지어 공통인수를 찾아 인수분해하면

$$x^3-2x^2-4x+8=(x^3-2x^2)+(-4x+8)$$
$$=x^2(x-2)-4(x-2)$$
$$=(x-2)(x^2-4)$$
$$=(x-2)(x-2)(x+2)$$
$$=(x-2)^2(x+2)$$

답 (1) $(a-b)(a-b-1)$ (2) $5(a-2)^2$ (3) $3(3x+1)(3x-1)$
(4) $x(x-7)(x+2)$ (5) $(x-2)^2(x+2)$

풍쌤 강의 NOTE

인수분해할 때 공통인수가 있으면 가장 먼저 공통인수로 묶어서 정리한다.

01-1 유사

다음 식을 인수분해하여라.

(1) $(x+y)-(a-b)(x+y)$

(2) $3x^2-18x+27$

(3) $2a^3-2a$

(4) $ax^2+3ax-10a$

(5) $a^3-3a^2-4a+12$

01-2 변형

$x^2-3x^2y+3xy^2-y^2=(x+ay)(x+y+bxy)$일 때, 상수 a, b에 대하여 $a-b$의 값을 구하여라.

01-3 변형

$(2x-3)^2-(x+4)^2=(ax+1)(x+b)$일 때, 상수 a, b에 대하여 $a+b$의 값을 구하여라.

01-4 변형

기출

x에 대한 다항식 $x(x+2)+a$가 이차식 $(x+b)^2$으로 인수분해될 때, 상수 a, b에 대하여 ab의 값을 구하여라.

01-5 변형

일차항의 계수가 자연수인 세 일차식의 곱이 $3x^3-4x^2-4x$일 때, 세 일차식의 합을 구하여라.

01-6 실력

다항식 $x^2+Ax+18$이 $(x+a)(x+b)$로 인수분해될 때, A의 값이 될 수 있는 수의 개수를 구하여라.

(단, $a<b$인 정수이다.)

필수유형 02 인수분해(2)

다음 식을 인수분해하여라.

(1) $4x^2+9y^2+z^2-12xy-6yz+4zx$

(2) $8x^3-36x^2y+54xy^2-27y^3$

(3) $27x^3-64y^3$

(4) $a^3+8b^3+27-18ab$

(5) $81a^4+36a^2b^2+16b^4$

풍쌤 POINT

- 인수분해 공식을 완벽히 외우고 비슷한 형태가 보이면 적용해 봐.
- (3)과 같이 항이 2개이고 세제곱인 식은 세제곱의 합차 공식을 이용해.

풀이

(1) $4x^2+9y^2+z^2-12xy-6yz+4zx$ ❶

$=(2x)^2+(-3y)^2+z^2+2\times2x\times(-3y)+2\times(-3y)\times z+2\times z\times 2x$

$=(2x-3y+z)^2$

(2) $8x^3-36x^2y+54xy^2-27y^3$

$=(2x)^3-3\times(2x)^2\times3y+3\times2x\times(3y)^2-(3y)^3$

$=(2x-3y)^3$

(3) $27x^3-64y^3$

$=(3x)^3-(4y)^3$

$=(3x-4y)\{(3x)^2+3x\times4y+(4y)^2\}$

$=(3x-4y)(9x^2+12xy+16y^2)$

(4) $a^3+8b^3+27-18ab$

$=a^3+(2b)^3+3^3-3\times a\times 2b\times 3$

$=(a+2b+3)\{a^2+(2b)^2+3^2-a\times2b-2b\times3-3\times a\}$

$=(a+2b+3)(a^2+4b^2+9-2ab-6b-3a)$

(5) $81a^4+36a^2b^2+16b^4$

$=(3a)^4+(3a)^2\times(2b)^2+(2b)^4$

$=\{(3a)^2+3a\times2b+(2b)^2\}\{(3a)^2-3a\times2b+(2b)^2\}$

$=(9a^2+6ab+4b^2)(9a^2-6ab+4b^2)$

❶ y를 포함한 항이 음수이므로 인수분해할 때에도 y를 포함한 항을 음수로 나타낸다.

답 (1) $(2x-3y+z)^2$

(2) $(2x-3y)^3$

(3) $(3x-4y)(9x^2+12xy+16y^2)$

(4) $(a+2b+3)(a^2+4b^2+9-2ab-6b-3a)$

(5) $(9a^2+6ab+4b^2)(9a^2-6ab+4b^2)$

풍쌤 강의 NOTE

- 일반적으로 계수가 유리수인 다항식의 인수분해는 계수가 유리수인 범위까지만 한다.
- 곱셈 공식은 외우지 않아도 분배법칙을 이용하여 전개할 수 있지만, 인수분해는 공식을 모르면 빠르게 인수분해를 할 수 없으므로 반드시 암기한다.

02-1 유사

다음 식을 인수분해하여라.

(1) $4a^2+9b^2+1+12ab-4a-6b$

(2) $64x^3+48x^2+12x+1$

(3) $8a^3+b^3$

(4) $8x^3-y^3+27z^3+18xyz$

(5) $256x^4+16x^2+1$

02-2 변형

다음 식을 인수분해하여라.

(1) $x^2+y^2+2xy-4x-4y+4$

(2) x^4-27x

(3) $a^3-b^3-27-9ab$

02-3 변형

다음 인수분해한 것 중 옳지 않은 것은?

① $8a^3+27=(2a+3)(4a^2-6a+9)$

② $a^3-27b^3=(a-3b)(a^2+6ab+9b^2)$

③ $16a^4+4a^2b^2+b^4$
$=(4a^2+2ab+b^2)(4a^2-2ab+b^2)$

④ $a^3+6a^2b+12ab^2+8b^3=(a+2b)^3$

⑤ $a^3+b^3-27c^3+9abc$
$=(a+b-3c)(a^2+b^2+9c^2-ab+3bc+3ca)$

02-4 변형

기출

다항식 x^3-8이 $(x-a)(x^2+bx+4)$로 인수분해될 때, 상수 a, b에 대하여 $a+b$의 값을 구하여라.

02-5 변형

x^6-y^6을 인수분해하여라.

02-6 실력

다음 등식에서 □ 안에 알맞은 식을 구하여라.

$$a^2(a+1)+b^2(b+1)-ab$$
$$=(a+b+1)(\square)$$

필수유형 03 치환을 이용한 인수분해

다음 식을 인수분해하여라.

(1) $(x^2-2x-5)(x^2-2x-6)-6$

(2) $x(x+1)(x+2)(x+3)-8$

풍쌤 POINT

• (1)과 같이 공통부분이 있는 복잡한 식의 인수분해

공통부분 찾기 ➡ 치환 ➡ 인수분해 ➡ 원래대로 돌리기

• (2)와 같이 $(\quad)(\quad)(\quad)(\quad)+k$ 꼴의 인수분해

둘씩 짝 짓기 ➡ 공통부분 찾기 ➡ 치환 ➡ 인수분해 ➡ 원래대로 돌리기

풀이

(1) **STEP1 치환한 식을 인수분해하기**

$x^2-2x=t$❶로 치환하여 인수분해하면

$(x^2-2x-5)(x^2-2x-6)-6=(t-5)(t-6)-6$

$=t^2-11t+24$

$=(t-3)(t-8)$

STEP2 원래의 식으로 되돌리고 다시 인수분해하기

위의 식에 $t=x^2-2x$를 대입하면

$(t-3)(t-8)=(x^2-2x-3)(x^2-2x-8)$

$=(x-3)(x+1)(x-4)(x+2)$

(2) **STEP1 둘씩 짝 지어 전개하기**

전개했을 때 x^2+3x가 나오도록 짝 지어 전개하면❷

$x(x+1)(x+2)(x+3)-8$

$=\{x(x+3)\}\{(x+1)(x+2)\}-8$

$=(x^2+3x)(x^2+3x+2)-8$

STEP2 치환한 식을 인수분해하기

$x^2+3x=t$로 치환하여 인수분해하면

$(x^2+3x)(x^2+3x+2)-8=t(t+2)-8=t^2+2t-8$

$=(t-2)(t+4)$

STEP3 원래의 식으로 되돌리기

위의 식에 $t=x^2+3x$를 대입하면

$(t-2)(t+4)=(x^2+3x-2)(x^2+3x+4)$

❶ 공통부분을 한 문자로 치환한다.

❷ 두 일차식의 상수항의 합이 같게 짝을 지어 전개한다.

답 (1) $(x-3)(x+1)(x-4)(x+2)$ (2) $(x^2+3x-2)(x^2+3x+4)$

풍쌤 강의 NOTE

치환하여 인수분해한 후 원래 문자로 되돌려 놓을 때, 부호가 틀리지 않도록 주의한다.
또, 각각의 인수가 더 인수분해가 되는지 반드시 확인한다.

03-1 기본

다음 식을 인수분해하여라.

(1) x^4-5x^2+4

(2) $(x-y)(x-y-2)-24$

(3) $(x^2-3x)^2-2(x^2-3x)-8$

03-2 유사

다음 식을 인수분해하여라.

(1) $(x^2-x+1)(x^2-x-3)-5$

(2) $(x+1)(x+2)(x-3)(x-4)+4$

03-3 변형

다항식 $(x^2+x-10)(x^2+x-16)-40$이 $(x+a)(x-4)(x+b)(x-2)$로 인수분해될 때, 상수 a, b에 대하여 ab의 값을 구하여라.

03-4 변형

다항식 $(x+1)(x+2)(x+3)(x+4)-24$가 계수가 정수인 일차식 2개와 이차식 1개로 인수분해될 때, 세 식의 합을 구하여라.

03-5 변형

기출

다항식 $(x^2+x)^2+2(x^2+x)-3$이 $(x^2+ax-1)(x^2+x+b)$로 인수분해될 때, 상수 a, b에 대하여 $a+b$의 값을 구하여라.

03-6 실력

x의 계수가 1인 이차식 $f(x)$에 대하여 다항식 $(x-1)(x-3)(x+2)(x+4)+k$가 $\{f(x)\}^2$ 꼴로 나타내어질 때, $kf(1)$의 값을 구하여라.

(단, k는 상수이다.)

필수유형 04 복잡한 식의 인수분해

다음 식을 인수분해하여라.

(1) $x^2-y^2+8x+16$

(2) a^4-13a^2+4

(3) $x^2-y^2-4x-2y+3$

풍쌤 POINT

- (1) 항 나누기 ➡ 완전제곱식으로 바꾸기 ➡ 합차 공식 적용
- (2) a^2항을 적당히 나누기 ➡ A^2-B^2 꼴로 만들기 ➡ 합차 공식 적용
- (3)과 같이 문자가 여러 개인 다항식의 경우, 한 문자에 대하여 내림차순으로 정리한 후 다른 문자 부분을 먼저 인수분해해.

풀이

(1) **STEP 1 1개의 항과 3개의 항으로 나누기**

3개의 항이 완전제곱식이 되도록 자리를 바꾸면

$x^2-y^2+8x+16=(x^2+8x+16)-y^2$

STEP 2 3개의 항을 완전제곱식으로 바꾼 후, 합차 공식 적용하기

$$(x^2+8x+16)-y^2=(x+4)^2-y^2$$
$$=\{(x+4)+y\}\{(x+4)-y\}$$
$$=(x+y+4)(x-y+4)$$

(2) **STEP 1 완전제곱식이 되도록 a^2항을 적당히 나누기**

$$a^4-13a^2+4=a^4-4a^2-9a^2+4$$
$$=(a^4-4a^2+4)-9a^2$$

STEP 2 3개의 항을 완전제곱식으로 바꾼 후, 합차 공식 적용하기

$$(a^4-4a^2+4)-9a^2=(a^2-2)^2 ❶ -9a^2$$
$$=\{(a^2-2)+3a\}\{(a^2-2)-3a\}$$
$$=(a^2+3a-2)(a^2-3a-2)$$

❶ a^4-4a^2+4
$=a^4-2\times a^2\times 2+2^2$
$=(a^2-2)^2$

(3) $x^2-y^2-4x-2y+3$을 x에 대하여 내림차순으로 정리한 후 인수분해하면

$$x^2-4x-y^2-2y+3=x^2-4x-(y^2+2y-3)$$
$$=x^2-4x-(y+3)(y-1) ❷$$
$$=\{x-(y+3)\}\{x+(y-1)\}$$
$$=(x-y-3)(x+y-1)$$

❷ 합이 $-4=-(y+3)+(y-1)$, 곱이 $-(y+3)(y-1)$인 두 다항식 $-(y+3)$, $y-1$을 찾는다.

답 (1) $(x+y+4)(x-y+4)$ (2) $(a^2+3a-2)(a^2-3a-2)$ (3) $(x-y-3)(x+y-1)$

풍쌤 강의 NOTE

x^4+ax^2+b에서 kx^2을 적당히 빼거나 더하여 $x^4+(a+k)x^2+b$가 완전제곱식이 되도록 k의 값을 정한 후, $x^4+(a+k)x^2+b-kx^2$의 형태로 나타내어야 한다.

04-1 유사

다음 식을 인수분해하여라.

(1) a^2-b^2+6b-9

(2) x^4-8x^2+4

(3) $x^2+4xy+3y^2-x+y-2$

04-2 변형

기출

다항식 x^4+9x^2+25가 $(x^2+ax+b)(x^2-ax+b)$로 인수분해될 때, 양수 a, b에 대하여 $a+b$의 값을 구하여라.

04-3 변형

다음 식을 인수분해하여라.

$$2x^2-3xy-2y^2-x+7y-3$$

04-4 변형

다항식 $x^6-7x^4+9x^2$이 3개의 이차식으로 인수분해될 때, 세 이차식의 합을 구하여라.

04-5 실력

다음 식을 인수분해하여라.

$$xy(x+y)-yz(y+z)-zx(z-x)$$

04-6 실력

다항식 $4x^3+4(y+1)x^2+(y^2+4y-9)x+y^2-9$가 $(x+a)(2x+by+c)(2x+by-c)$로 인수분해될 때, 양수 a, b, c에 대하여 $a+b+c$의 값을 구하여라.

필수유형 05 인수정리를 이용한 고차식의 인수분해

다음 식을 인수분해하여라.

(1) x^3-3x^2-6x+8

(2) $x^4-x^3-7x^2+x+6$

풍쌤 POINT

인수정리를 이용하여 고차식을 인수분해하는 방법

인수정리로 인수 찾기 ➡ 조립제법으로 몫 구하기 ➡ 몫을 인수분해하기

풀이

(1) **STEP 1 인수정리로 인수 찾기**

$f(x)=x^3-3x^2-6x+8$이라고 하면

$f(1)=1-3-6+8=0$

이므로 $x-1$은 $f(x)$의 인수이다.

STEP 2 조립제법을 이용하여 몫 구하기

조립제법을 이용하여 $f(x)$를 $x-1$로 나누면

$f(x)=x^3-3x^2-6x+8=(x-1)(x^2-2x-8)$

1	1	−3	−6	8
		1	−2	−8
	1	−2	−8	0

STEP 3 몫을 인수분해하기

x^2-2x-8을 인수분해하면 $x^2-2x-8=(x+2)(x-4)$

$\therefore x^3-3x^2-6x+8=(x-1)(x+2)(x-4)$

(2) **STEP 1 인수정리로 인수 찾기**

$f(x)=x^4-x^3-7x^2+x+6$이라고 하면

$f(1)=1-1-7+1+6=0$,

$f(-1)=1+1-7-1+6=0$

이므로 $x-1$, $x+1$은 $f(x)$의 인수이다.

STEP 2 조립제법을 이용하여 몫 구하기

조립제법을 이용하여 $f(x)$를 $x-1$, $x+1$로 나누면

$f(x)=x^4-x^3-7x^2+x+6$

$=(x-1)(x^3-7x-6)$ ❶

$=(x-1)(x+1)(x^2-x-6)$

1	1	−1	−7	1	6
		1	0	−7	−6
−1	1	0	−7	−6	0
		−1	1	6	
	1	−1	−6	0	

STEP 3 몫을 인수분해하기

x^2-x-6을 인수분해하면 $x^2-x-6=(x+2)(x-3)$

$\therefore x^4-x^3-7x^2+x+6=(x-1)(x+1)(x+2)(x-3)$

❶ 몫이 삼차 이상인 다항식이면 몫이 이차 이하가 될 때까지 계속 나눈다.

답 (1) $(x-1)(x+2)(x-4)$ (2) $(x-1)(x+1)(x+2)(x-3)$

풍쌤 강의 NOTE

- 다항식 $f(x)$에서 $f(a)=0$인 a의 값을 찾을 때, 계산하기 쉬운 -1, 0, 1부터 차례대로 대입해 본다.
- 고차식을 인수분해할 때, 더 이상 인수분해되지 않을 때까지 계속 해야 한다.

05-1 유사

다음 식을 인수분해하여라.

(1) x^3-4x^2+x+6

(2) $6x^3-5x^2-2x+1$

05-2 유사

다음 식을 인수분해하여라.

(1) $x^4+6x^3+13x^2-20$

(2) $x^4-2x^3-7x^2+8x+12$

05-3 변형

기출

모든 실수 x에 대하여 등식

$$x^3-2x^2-x+14=(x+a)(x^2+bx+7)$$

이 성립할 때, $a+b$의 값을 구하여라.

(단, a, b는 상수이다.)

05-4 변형

다항식 $x^4+2x^3-7x^2+ax+b$가 x^2-2x-3을 인수로 가질 때, 다음 중 이 다항식의 인수가 될 수 있는 것은? (단, a, b는 상수이다.)

① $(x-3)^2$　② $(x+2)^2$　③ $(x-1)(x+2)$　④ $(x+1)(x+3)$　⑤ $(x+2)(x+3)$

05-5 실력

다항식 $x^4+ax^3+bx^2+x-2$를 인수분해하면 $(x+1)(x+2)\,Q(x)$가 될 때, 다항식 $Q(x)$를 구하여라.

05-6 실력

삼차식 $x^3-(n+1)x+n$이 $(x-\alpha)(x-\beta)(x-\gamma)$ 꼴로 인수분해될 때, 다음 중 자연수 n의 값이 될 수 있는 것은? (단, α, β, γ는 서로 다른 상수이다.)

① 8　② 10　③ 12　④ 15　⑤ 18

필수유형 06 인수분해의 활용(1) – 수의 계산, 식의 값

다음 물음에 답하여라.

(1) $10^2-12^2+14^2-16^2+18^2-20^2$의 값을 구하여라.

(2) $\dfrac{206^3+1}{206\times205+1}$의 값을 구하여라.

(3) $x+y=2$, $x^3+y^3+x^2y+xy^2=4$일 때, $\dfrac{1}{x}+\dfrac{1}{y}$의 값을 구하여라.

풍쌤 POINT

- (2)와 같이 복잡한 수를 계산할 때, 반복적으로 나타나는 수를 치환하여 인수분해한 후 치환한 수를 돌려놓고 수를 계산해.
- (3)과 같은 식의 값은 주어진 식을 인수분해하여 나온 식에 값을 대입해.

풀이

(1) 각 항을 둘씩 짝 짓고 합차 공식을 이용하여 인수분해하면

$$\begin{aligned}&10^2-12^2+14^2-16^2+18^2-20^2\\&=(10^2-12^2)+(14^2-16^2)+(18^2-20^2)\\&=\{(10-12)(10+12)\}+\{(14-16)(14+16)\}\\&\qquad+\{(18-20)(18+20)\}^{❶}\\&=\{(-2)\times22\}+\{(-2)\times30\}+\{(-2)\times38\}\\&=-2(22+30+38)\\&=-2\times90=-180\end{aligned}$$

❶ 합차 공식
$a^2-b^2=(a+b)(a-b)$

(2) $206=k$로 놓으면 $205=k-1$

$$\frac{206^3+1}{206\times205+1}=\frac{k^3+1}{k(k-1)+1}=\frac{(k+1)(k^2-k+1)}{k^2-k+1}$$
$$=k+1=206+1=207$$

(3) **STEP 1 주어진 조건을 이용하여 xy의 값 구하기**

$$\begin{aligned}x^3+y^3+x^2y+xy^2&=(x^3+y^3)+(x^2y+xy^2)\\&=(x+y)(x^2-xy+y^2)+xy(x+y)\\&=(x+y)(x^2+y^2)\\&=(x+y)\{(x+y)^2-2xy\}^{❷}\\&=2(4-2xy)=4\end{aligned}$$

이므로 $xy=1$

❷ 곱셈 공식의 변형
x^2+y^2
$=(x+y)^2-2xy$

STEP 2 $\dfrac{1}{x}+\dfrac{1}{y}$의 값 구하기

$$\therefore \frac{1}{x}+\frac{1}{y}=\frac{x+y}{xy}=\frac{2}{1}=2$$

답 (1) -180 (2) 207 (3) 2

풍쌤 강의 NOTE

인수분해를 활용한 수의 계산이나 식의 계산에서 자주 이용되는 인수분해 공식

① $a^2-b^2=(a+b)(a-b)$
② $x^2+(a+b)x+ab=(x+a)(x+b)$
③ $a^3+b^3=(a+b)(a^2-ab+b^2)$
④ $a^3-b^3=(a-b)(a^2+ab+b^2)$

06-1 유사

$16^2-15^2+14^2-13^2+12^2-11^2$의 값을 구하여라.

06-2 유사

기출

$\frac{365^3+1}{365^2-365+1}$의 값을 구하여라.

06-3 변형

$51^2+52^2+53^2+54^2-(46^2+47^2+48^2+49^2)$의 값을 구하여라.

06-4 실력

$a=\frac{1}{\sqrt{5}-\sqrt{3}}$, $b=\frac{1}{\sqrt{5}+\sqrt{3}}$일 때, a^6-b^6의 값을 구하여라.

06-5 실력

$x=2-\sqrt{2}$일 때, $\frac{x^4-x^3-8x+8}{x^2+2x+4}$의 값을 구하여라.

06-6 실력

기출

$\sqrt{10\times13\times14\times17+36}$의 값을 구하여라.

발전유형 07 인수분해의 활용(2) - 도형에서의 활용

다음 물음에 답하여라.

(1) 삼각형의 세 변의 길이 a, b, c에 대하여 $a^3+b^3+c^3=3abc$가 성립할 때, 이 삼각형은 어떤 삼각형인지 말하여라.

(2) 삼각형의 세 변의 길이 a, b, c에 대하여 $a^3+a^2b-ac^2+ab^2+b^3-bc^2=0$이 성립할 때, 이 삼각형은 어떤 삼각형인지 말하여라.

풍쌤 POINT

여러 개의 문자를 포함한 식을 차수가 가장 낮은 문자에 대하여 내림차순으로 정리하고 인수분해한 후, 삼각형의 모양을 판단한다.

풀이

(1) **STEP 1 주어진 식을 인수분해하기**

등식의 모든 항을 좌변으로 이항하여 인수분해하면

$a^3+b^3+c^3-3abc$

$=(a+b+c)(a^2+b^2+c^2-ab-bc-ca)$

$=\frac{1}{2}(a+b+c)(2a^2+2b^2+2c^2-2ab-2bc-2ca)$

$=\frac{1}{2}(a+b+c)\{(a-b)^2+(b-c)^2+(c-a)^2\}=0$

STEP 2 a, b, c 사이의 관계식 구하기

그런데 $a+b+c>0$❶이므로

$(a-b)^2+(b-c)^2+(c-a)^2=0$

즉, $a-b=0$, $b-c=0$, $c-a=0$❷이므로 $a=b=c$

따라서 정삼각형이다.

(2) **STEP 1 주어진 식의 좌변을 인수분해하기**

주어진 방정식의 좌변을 인수분해하면

$a^3+a^2b-ac^2+ab^2+b^3-bc^2$

$=-(a+b)c^2+a^3+a^2b+ab^2+b^3$❸

$=-(a+b)c^2+a^2(a+b)+b^2(a+b)$

$=(a+b)(-c^2+a^2+b^2)=0$

STEP 2 a, b, c 사이의 관계식 구하기

그런데 $a+b>0$❹이므로 $-c^2+a^2+b^2=0$에서 $a^2+b^2=c^2$

따라서 빗변의 길이가 c인 직각삼각형이다.

❶ a, b, c는 삼각형의 변의 길이이므로 모두 양수이다.

❷ $A^2+B^2=0$이면 $A=0$이고 $B=0$

❸ 문자가 여러 개일 때에는 보통 차수가 낮은 문자에 대하여 내림차순으로 정리한다.

❹ a, b는 삼각형의 변의 길이이므로 모두 양수이다.

답 (1) 정삼각형 (2) 빗변의 길이가 c인 직각삼각형

풍쌤 강의 NOTE

삼각형의 세 변의 길이가 a, b, c일 때

① $a=b=c$이면 정삼각형이고, $a=b$ 또는 $b=c$ 또는 $c=a$이면 이등변삼각형이다.

② 가장 긴 변의 길이가 c일 때

(i) $c^2>a^2+b^2$이면 둔각삼각형

(ii) $c^2=a^2+b^2$이면 직각삼각형

(iii) $c^2<a^2+b^2$이면 예각삼각형

07-1 유사

삼각형 ABC의 세 변의 길이 a, b, c에 대하여 $a^4+b^2c^2=a^2c^2+b^4$이 성립할 때, 이 삼각형은 어떤 삼각형인지 말하여라.

07-2 유사

세 변의 길이가 a, b, c인 삼각형에서

$$a^3+8b^3+8c^3=12abc$$

가 성립할 때, 이 삼각형은 어떤 삼각형인지 말하여라.

07-3 변형

c를 빗변의 길이로 하는 직각삼각형의 세 변의 길이 a, b, c에 대하여 $a^2b+b^2c-b^3-a^2c=0$이 성립할 때, c를 a에 대한 식으로 나타내어라.

07-4 변형

삼각형의 세 변의 길이 a, b, c가

$$(b-c)a^2+(c-a)b^2+(a-b)c^2=0$$

을 만족시킬 때, 이 삼각형은 어떤 삼각형인지 말하여라.

07-5 변형

기출

오른쪽 그림과 같이 한 변의 길이가 $a+6$인 정사각형 모양의 색종이에서 한 변의 길이가 a인 정사각형 모양의 색종이를 오려 내었다. 오려 낸 후 남아 있는 ▣ 모양의 색종이의 넓이가 $k(a+3)$일 때, 상수 k의 값을 구하여라.

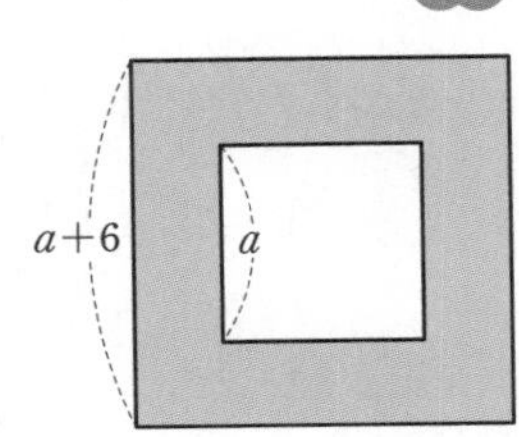

07-6 실력

기출

두 양수 a, b $(a>b)$에 대하여 다음 그림과 같은 직육면체 P, Q, R, S, T의 부피를 각각 p, q, r, s, t라고 하자.

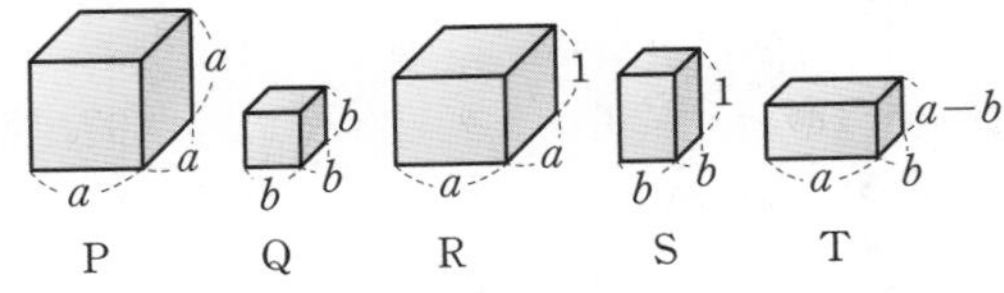

$p=q+r+s+t$일 때, $a-b$의 값을 구하여라.

실전 연습 문제

01

다음 인수분해한 것 중 옳은 것은?

① $x-2y+4x(2y-x)=(x-2y)(4x-1)$

② $x^3+8y^3=(x-2y)(x^2+2xy-4y^2)$

③ $a^2+b^2+c^2-2ab+2bc-2ca=(a+b-c)^2$

④ $x^3+8y^3-6xy+1$
$=(x+2y+1)(x^2+4y^2+1-2xy-x-2y)$

⑤ $a^3-ab^2-b^2c+a^2c=(a+b)(a-b)(a-c)$

02

다음 중 x^8-y^8의 인수가 아닌 것은?

① $x+y$ ② x^2+y^2 ③ x^2-y^2
④ x^3+y^3 ⑤ x^4+y^4

03 서술형

$x^3+y^3+3xy-1=20$, $x^2+y^2-xy+x+y=9$일 때, $x+y$의 값을 구하여라.

04 기출

다항식 x^3+27이 $(x+3)(x^2+ax+b)$로 인수분해될 때, 상수 a, b에 대하여 $a+b$의 값은?

① -4 ② -2 ③ 2
④ 4 ⑤ 6

05

x, y에 대한 서로 다른 두 일차식 A, B에 대하여 $AB=(x+y)(x+y+4)+3$일 때, $A+B$를 구하여라.

06

다항식 x^4-8x^2+16을 인수분해하면 $(x+a)^2(x+b)^2$이다. $\dfrac{2024}{a-b}$의 값을 구하여라.

(단, $a>b$)

07

다음 중 다항식 $(x^2+x-3)(x^2-4x-3)+6x^2$의 인수가 아닌 것은?

① $x-3$ ② $x+1$ ③ x^2-x-3
④ x^2-2x-3 ⑤ x^2-2x+3

08 서술형

다항식 x^4+2x^2+9를 인수분해하면 $(x^2+ax+b)(x^2+cx+d)$일 때, 상수 a, b, c, d에 대하여 $a+b+c+d$의 값을 구하여라.

09 기출

다항식 $x^2+y^2-2(xy+x-y)-3$을 인수분해하면 $(x-y+a)(x+by+1)$일 때, 상수 a, b에 대하여 $a+b$의 값은?

① -4 ② -3 ③ -2
④ -1 ⑤ 0

10

다음 중 다항식 $x^2y^2-x^2-y^2+1-4xy$의 인수인 것은?

① $xy-x-y+1$ ② $xy-x+y+1$
③ $xy+x-y-1$ ④ $xy+x+y-1$
⑤ $xy+x+y+1$

11 기출

다항식 $2x^3-3x^2-12x-7$을 인수분해하면 $(x+a)^2(bx+c)$일 때, $a+b+c$의 값은?
(단, a, b, c는 상수이다.)

① -6 ② -5 ③ -4
④ -3 ⑤ -2

12

다항식 $2x^3+3x^2+6x-4$를 인수분해하면 $(2x+a)(x^2+bx+c)$일 때, 상수 a, b, c에 대하여 abc의 값은?

① -8 ② -4 ③ 1
④ 4 ⑤ 8

13 기출

$x=\sqrt{3}+\sqrt{2}$, $y=\sqrt{3}-\sqrt{2}$일 때,
x^2y+xy^2+x+y의 값을 구하여라.

14 기출

1이 아닌 두 자연수 a, b $(a<b)$에 대하여

$$11^4-6^4=a\times b\times 157$$

로 나타낼 때, $a+b$의 값은?

① 21 ② 22 ③ 23
④ 24 ⑤ 25

15 서술형

세 실수 a, b, c에 대하여

$$[a, b, c]=(a-b)(a-c)$$

로 정의할 때, $[a, b, b]+4[c, a, b]$를 인수분해하여라.

16

$x^3-y^3+x^2z+xz^2-y^2z-yz^2=0$일 때, 다음 중 실수 x, y, z 사이의 관계식으로 옳은 것은? (단, $xyz\neq0$)

① $x+2y=0$ ② $x=y$ ③ $y=z$
④ $x=y=z$ ⑤ $x+y+z=0$

17

삼각형 ABC의 세 변의 길이 a, b, c에 대하여

$$a^4+b^4+a^2c^2-2a^2b^2-b^2c^2=0$$

이 성립할 때, 삼각형 ABC의 모양으로 옳은 것만을 |보기|에서 있는 대로 고른 것은?

|보기|
ㄱ. 정삼각형
ㄴ. b가 빗변인 직각삼각형
ㄷ. $a=b$인 이등변삼각형
ㄹ. $b=c$인 이등변삼각형

① ㄱ ② ㄱ, ㄴ ③ ㄴ, ㄷ
④ ㄴ, ㄹ ⑤ ㄴ, ㄷ, ㄹ

정답과 풀이 54쪽

01

100개의 다항식

$x^2-x-1,\ x^2-x-2,\ \cdots,\ x^2-x-100$

중에서 계수가 정수인 두 일차식의 곱으로 인수분해되는 것의 개수를 구하여라.

02

n^4-6n^2+25의 값이 소수가 되게 하는 정수 n의 개수는?

① 1 ② 2 ③ 3
④ 4 ⑤ 5

03

임의의 실수 a, b, c에 대하여

$b^2c^2(b-c)+c^2a^2(c-a)+a^2b^2(a-b)$

$=(a-b)(b-c)(c-a)$

$\times\{A(a^2+b^2+c^2)+B(ab+bc+ca)\}$

가 성립할 때, $A+B$의 값을 구하여라.

(단, A, B는 상수이다.)

04

2018^3-27을 $2018\times2021+9$로 나눈 몫은?

① 2015 ② 2025 ③ 2035
④ 2045 ⑤ 2055

05

다항식 $x^3+x^2y+xy^2-3y^3$에 대하여 다음 물음에 답하여라.

(1) 주어진 다항식을 x에 대한 다항식 $f(x)$로 생각할 때, $f(y)$의 값을 구하여라.

(2) (1)의 결과와 인수정리를 이용하여 주어진 다항식을 인수분해하여라.

06

다음 식을 인수분해하여라.

$$(xy-yz)^3+(yz-zx)^3+(zx-xy)^3$$

07

기출

등식

$$(182\sqrt{182}+13\sqrt{13})\times(182\sqrt{182}-13\sqrt{13})$$
$$=13^4\times m$$

을 만족시키는 자연수 m의 값은?

① 211　② 217　③ 223　④ 229　⑤ 235

08

기출

다음 그림과 같이 여덟 개의 정삼각형으로 이루어진 정팔면체가 있다. 여섯 개의 꼭짓점에는 자연수를 적고 여덟 개의 정삼각형의 면에는 각각의 삼각형의 꼭짓점에 적힌 세 수의 곱을 적는다. 여덟 개의 면에 적힌 수들의 합이 105일 때, 여섯 개의 꼭짓점에 적힌 수들의 합을 구하여라.

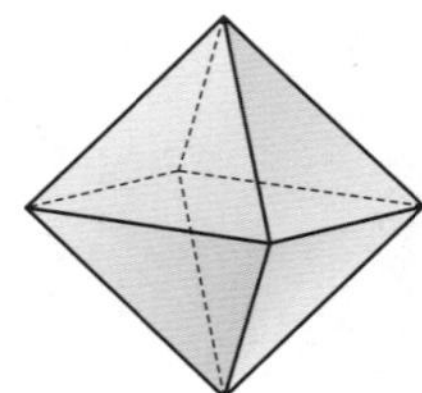

04 복소수

유형의 이해에 따라 ▢ 안에 O, X 표시를 하고 반복하여 학습합니다.

		1st	2nd
필수유형 01	복소수의 사칙연산	▢	▢
필수유형 02	복소수가 실수 또는 순허수가 되는 조건	▢	▢
필수유형 03	복소수가 서로 같을 조건	▢	▢
필수유형 04	켤레복소수의 성질	▢	▢
필수유형 05	복소수의 성질을 이용하여 식의 값 구하기	▢	▢
필수유형 06	등식을 만족시키는 복소수 구하기	▢	▢
필수유형 07	i의 거듭제곱	▢	▢
발전유형 08	음수의 제곱근	▢	▢

04 복소수

개념 01 복소수

(1) 제곱하여 -1이 되는 수를 기호 i로 나타내고, i를 허수단위라고 한다. 즉,
$i=\sqrt{-1}$, $i^2=-1$

(2) 실수 a, b에 대하여 $a+bi$ 꼴로 나타내어지는 수를 복소수라 하고, a를 실수부분, b를 허수부분이라고 한다.

(3) 실수가 아닌 복소수 $a+bi$ $(b\neq0)$를 허수라고 한다. 이때 실수부분이 0인 수, 즉 bi $(b\neq0)$를 순허수라고 한다.

> 복소수의 포함 관계

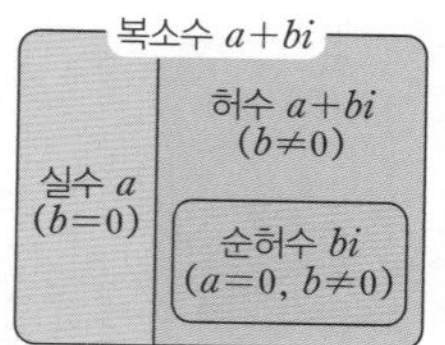

실수 a는 $a+0i$이므로 실수도 복소수이다.

확인 01 다음 복소수의 실수부분과 허수부분을 각각 구하여라.

(1) $-1+i$ (2) $-2-3i$ (3) $5i$

확인 02 다음 수 중 실수, 허수, 순허수를 각각 구하여라.

$$0,\quad \sqrt{2}-i,\quad \sqrt{5}i,\quad 1+\sqrt{2},\quad \sqrt{(-2)^2},\quad i,\quad \frac{i}{\sqrt{3}},\quad i+\sqrt{3}$$

개념 02 복소수가 서로 같을 조건

두 복소수 $a+bi$, $c+di$ (a, b, c, d는 실수)에 대하여

(1) $a=c$, $b=d$이면 $a+bi=c+di$
$a+bi=c+di$이면 $a=c$, $b=d$

(2) $a=0$, $b=0$이면 $a+bi=0$
$a+bi=0$이면 $a=0$, $b=0$

中3 수학 무리수가 서로 같을 조건
a, b, c, d가 유리수이고 $\sqrt{m}$이 무리수일 때, $a+b\sqrt{m}=c+d\sqrt{m}$이면 $a=c$, $b=d$이다.

확인 03 다음 등식을 만족시키는 실수 x, y의 값을 각각 구하여라.

(1) $x+(2y-1)i=3+5i$

(2) $(x+3y)+(x-y)i=5+i$

개념 03 켤레복소수

(1) 복소수 $a+bi$ (a, b는 실수)에 대하여 $a-bi$를 $a+bi$의 켤레복소수라고 하며, 기호로 $\overline{a+bi}$와 같이 나타낸다.

(2) **켤레복소수의 성질**

두 복소수 z_1, z_2와 그 켤레복소수 $\overline{z_1}$, $\overline{z_2}$에 대하여

① $\overline{(\overline{z_1})}=z_1$

② $\overline{z_1+z_2}=\overline{z_1}+\overline{z_2}$, $\overline{z_1-z_2}=\overline{z_1}-\overline{z_2}$

③ $\overline{z_1z_2}=\overline{z_1}\times\overline{z_2}$

④ $\overline{\left(\frac{z_1}{z_2}\right)}=\frac{\overline{z_1}}{\overline{z_2}}$ (단, $z_2\neq0$)

> 복소수와 그 켤레복소수의 합과 곱은 항상 실수이다.
> $z+\overline{z}=$(실수), $z\overline{z}=$(실수)

> $\overline{z_1z_2}=\overline{z_1}\times\overline{z_2}$에서 $z_1=z_2$이면 $\overline{z_1^2}=(\overline{z_2})^2$이 성립한다.
> 일반적으로 자연수 n에 대하여 $\overline{z^n}=(\overline{z})^n$이 성립한다.

확인 04 다음 복소수의 켤레복소수를 구하여라.

(1) $-2+3i$ (2) $3-\sqrt{5}i$ (3) -4 (4) $2i$

개념 04 복소수의 사칙연산

(1) **복소수의 사칙연산:** a, b, c, d가 실수일 때

① 덧셈: $(a+bi)+(c+di)=(a+c)+(b+d)i$

② 뺄셈: $(a+bi)-(c+di)=(a-c)+(b-d)i$

③ 곱셈: $(a+bi)(c+di)=(ac-bd)+(ad+bc)i$

④ 나눗셈: $\dfrac{a+bi}{c+di}=\dfrac{(a+bi)(c-di)}{(c+di)(c-di)}=\dfrac{ac+bd}{c^2+d^2}+\dfrac{bc-ad}{c^2+d^2}i$

(단, $c+di\neq0$)

(2) **복소수의 연산에 대한 성질:** 세 복소수 z_1, z_2, z_3에 대하여

① 교환법칙: $z_1+z_2=z_2+z_1$, $z_1z_2=z_2z_1$

② 결합법칙: $(z_1+z_2)+z_3=z_1+(z_2+z_3)$, $(z_1z_2)z_3=z_1(z_2z_3)$

③ 분배법칙: $z_1(z_2+z_3)=z_1z_2+z_1z_3$, $(z_1+z_2)z_3=z_1z_3+z_2z_3$

> 복소수의 덧셈, 뺄셈은 허수단위 i를 문자처럼 생각하여 다항식의 덧셈, 뺄셈과 같은 방법으로 계산한다. 즉, 실수부분은 실수부분끼리, 허수부분은 허수부분끼리 계산한다.

中2 수학 분배법칙

$(a+b)(c+d)$
$=a(c+d)+b(c+d)$
$=ac+ad+bc+bd$

확인 05 다음을 계산하여라.

(1) $(5-2i)+(2-3i)$　　(2) $(1-i)-(2+4i)$

(3) $(1+2i)(5-2i)$　　(4) $\dfrac{2+3i}{2-i}$

개념 05 i의 거듭제곱

i^n (n은 자연수)은 i, -1, $-i$, 1이 반복되어 나타나므로 다음과 같은 규칙성을 찾을 수 있다.

자연수 k에 대하여

$i^{4k-3}=i$, $i^{4k-2}=-1$, $i^{4k-1}=-i$, $i^{4k}=1$

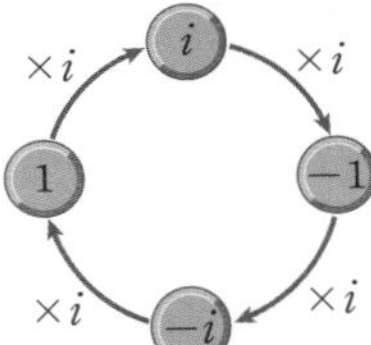

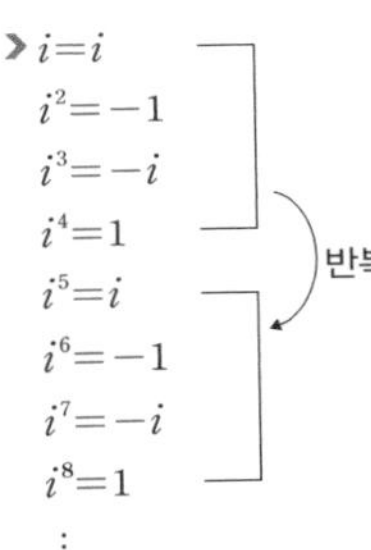

i^n의 값은 n을 4로 나누었을 때의 나머지가 같으면 그 값이 같다.

확인 06 다음을 계산하여라.

(1) i^9　　(2) $(-i)^{11}$　　(3) $-i^{21}$　　(4) $1+i+i^2+i^3$

개념 06 음수의 제곱근

(1) **음수의 제곱근:** $a>0$일 때

① $\sqrt{-a}=\sqrt{a}i$

② $-a$의 제곱근은 $\sqrt{a}i$와 $-\sqrt{a}i$이다.

(2) **음수의 제곱근의 성질**

① $a<0$, $b<0$이면 $\sqrt{a}\sqrt{b}=-\sqrt{ab}$

② $a>0$, $b<0$이면 $\dfrac{\sqrt{a}}{\sqrt{b}}=-\sqrt{\dfrac{a}{b}}$

> $a<0$, $b<0$인 경우를 제외하면 $\sqrt{a}\sqrt{b}=\sqrt{ab}$가 성립한다.

> $a>0$, $b<0$인 경우를 제외하면 $\dfrac{\sqrt{a}}{\sqrt{b}}=\sqrt{\dfrac{a}{b}}$ $(b\neq0)$가 성립한다.

확인 07 다음을 계산하여라.

(1) $\sqrt{2}\times\sqrt{-8}$　　(2) $\sqrt{-2}\times\sqrt{-8}$

(3) $\dfrac{\sqrt{8}}{\sqrt{-2}}$　　(4) $\dfrac{\sqrt{-8}}{\sqrt{-2}}$

필수유형 01 복소수의 사칙연산

다음을 계산하여라.

(1) $(2-3i)^2$

(2) $(i-2)(1-2i)$

(3) $(1+2i)(2-3i)+\dfrac{1+i}{1-i}$

(4) $\dfrac{2i}{2+i}-\dfrac{1-i}{i}$

풍쌤 POINT

복소수의 사칙연산은 허수단위 i를 문자로 생각하고 다항식의 사칙연산과 같은 방법으로 계산해!

풀이

(1) $(2-3i)^2=4-12i+9i^2$ ❶

$=4-12i-9$

$=(4-9)-12i$

$=-5-12i$

❶ i^2이 있으면 $i^2=-1$로 고친다.

(2) $(i-2)(1-2i)=i-2i^2-2+4i$

$=i+2-2+4i$

$=5i$

(3) $(1+2i)(2-3i)+\dfrac{1+i}{1-i}$

$=2-3i+4i-6i^2+\dfrac{(1+i)^2}{(1-i)(1+i)}$ ❷

$=2-3i+4i+6+\dfrac{1+2i+i^2}{1-i^2}$

$=(2+6)+(-3i+4i)+\dfrac{2i}{2}$

$=8+i+i$

$=8+2i$

❷ 분모에 $a+bi$ (a, b는 실수)가 있을 때는 분모, 분자에 각각 $a-bi$를 곱한다.

(4) $\dfrac{2i}{2+i}-\dfrac{1-i}{i}=\dfrac{2i(2-i)}{(2+i)(2-i)}-\dfrac{(1-i)i}{i^2}$ ❸

$=\dfrac{4i-2i^2}{4-i^2}+i-i^2$

$=\dfrac{4i+2}{5}+i+1$

$=\left(\dfrac{2}{5}+1\right)+\left(\dfrac{4}{5}+1\right)i$

$=\dfrac{7}{5}+\dfrac{9}{5}i$

❸ 분모에 순허수가 있을 때는 i를 분모와 분자에 각각 곱한다.

답 (1) $-5-12i$ (2) $5i$ (3) $8+2i$ (4) $\dfrac{7}{5}+\dfrac{9}{5}i$

풍쌤 강의 NOTE

- 복소수의 덧셈과 뺄셈은 실수부분은 실수부분끼리, 허수부분은 허수부분끼리 계산한다.
- 복소수와 그 켤레복소수의 곱은 실수이므로 분모의 켤레복소수를 분자, 분모에 각각 곱하여 계산하면 분모가 실수가 된다.

01-1 유사

다음을 계산하여라.

(1) $(3+2i)+(2-i)$

(2) $3(2-i)+2(3+2i)$

(3) $(1-i)(-2+i)-(2+i)(1-i)$

(4) $(2+3i)^2-(1-2i)^2$

01-2 유사

다음을 계산하여라.

(1) $\dfrac{1+7i}{2-i}$

(2) $\dfrac{3}{1+2i}+\dfrac{5}{2-i}$

(3) $\dfrac{1-i}{1+i}+\dfrac{1+i}{1-i}$

01-3 변형

$3-5i-\dfrac{2-i}{1-3i}+\dfrac{1-2i}{1-i}-2+2i$를 계산하여 $a+bi$ 꼴로 나타낼 때, 실수 a, b에 대하여 $a+b$의 값을 구하여라.

01-4 변형

$(3+2i)(2-i)+(5-i)(-2-3i)$의 실수부분을 a, 허수부분을 b라고 할 때, $a-b$의 값을 구하여라.

01-5 변형

임의의 두 복소수 α, β에 대하여 연산 $\oplus$를 $\alpha\oplus\beta=\alpha+\beta+\alpha\beta$라고 정의할 때, $(2+i)\oplus(-1+i)$의 값을 구하여라.

01-6 실력 기출

복소수 0, i, $-2i$, $3i$, $-4i$, $5i$가 적힌 다트판에 3개의 다트를 던져 맞히는 게임이 있다. 3개의 다트를 모두 다트판에 맞혔을 때, 얻을 수 있는 세 복소수를 a, b, c라 고 하자. a^2-bc의 최솟값을 구하여라.

(단, $i=\sqrt{-1}$이고, 경계에 맞는 경우는 없다.)

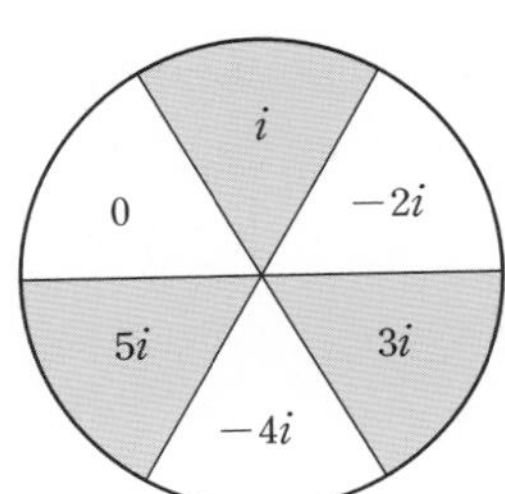

필수유형 02 복소수가 실수 또는 순허수가 되는 조건

다음 물음에 답하여라.

(1) 복소수 $(1+i)x^2+(3-i)x+2-2i$가 실수일 때, 실수 x의 값을 모두 구하여라.

(2) 복소수 $x^2+(1+2xi)(-1+2i)+4$가 순허수일 때, 실수 x의 값을 구하여라.

(3) 복소수 $z=(x^2-3x+2)+(x-2)i$에 대하여 z^2이 음의 실수가 되도록 하는 실수 x의 값을 구하여라.

풍쌤 POINT

주어진 복소수를 (실수부분)+(허수부분)i 꼴로 정리한 후, 실수 또는 순허수가 되는 조건을 이용하여 x에 대한 방정식을 만들자!

풀이

(1) (주어진 식)$=x^2+x^2i+3x-xi+2-2i$

$=(x^2+3x+2)+(x^2-x-2)i$

이 복소수가 실수이므로❶ $x^2-x-2=0$

$(x+1)(x-2)=0$ $\quad\therefore x=-1$ 또는 $x=2$

따라서 x의 값은 -1, 2이다.

(2) (주어진 식)$=x^2-1+2i-2xi-4x+4$

$=(x^2-4x+3)+(-2x+2)i$

이 복소수가 순허수이므로❷

$x^2-4x+3=0$, $-2x+2\neq0$

(i) $x^2-4x+3=0$에서

$(x-1)(x-3)=0$ $\quad\therefore x=1$ 또는 $x=3$

(ii) $-2x+2\neq0$에서 $x\neq1$

(i), (ii)에 의하여 $x=3$

(3) z^2이 음의 실수가 되려면 z는 순허수이어야 하므로❸

$x^2-3x+2=0$, $x-2\neq0$

(i) $x^2-3x-2=0$에서

$(x-1)(x-2)=0$ $\quad\therefore x=1$ 또는 $x=2$

(ii) $x-2\neq0$에서 $x\neq2$

(i), (ii)에 의하여 $x=1$

❶ 복소수가 실수이면 (허수부분)$=0$

❷ 복소수가 순허수이면 (실수부분)$=0$, (허수부분)$\neq0$

❸ $z=a+bi$일 때 $z^2=(a^2-b^2)+2abi$이므로 z^2이 음의 실수이면 $a^2-b^2<0$, $2ab=0$ 즉, $a=0$, $b\neq0$이므로 $z=bi$ (순허수) 꼴이어야 한다.

답 (1) -1, 2 (2) 3 (3) 1

풍쌤 강의 NOTE

복소수 $z=a+bi$ (a, b는 실수)에 대하여

① $z=a+bi$가 실수이면 ➡ $b=0$, 즉 $z=a$ (실수)

② $z=a+bi$가 순허수이면 ➡ $a=0$, $b\neq0$, 즉 $z=bi$ (순허수)

③ z^2이 실수이면 ➡ z는 실수 $(b=0)$ 또는 순허수 $(a=0,\ b\neq0)$

④ z^2이 양의 실수이면 ➡ z는 0이 아닌 실수 $(b=0)$

⑤ z^2이 음의 실수이면 ➡ z는 순허수 $(a=0,\ b\neq0)$

02-1 유사

복소수 $z=(1+i)x^2-xi-9-6i$에 대하여 다음 물음에 답하여라.

(1) 복소수 z가 실수일 때, 실수 x의 값을 모두 구하여라.

(2) 복소수 z가 순허수일 때, 실수 x의 값을 구하여라.

02-2 유사

복소수 $z=(x^2-5x+6)+(x^2-4)i$에 대하여 z^2이 음의 실수가 되도록 하는 실수 x의 값을 구하여라.

02-3 변형

복소수 $z=(x+3i)(-2+i)$에 대하여 z^2이 양의 실수가 되도록 하는 실수 x의 값을 구하여라.

02-4 변형

복소수 $z=2i(a-3i)^2$이 실수가 되도록 하는 양수 a의 값을 m, 그때의 z의 값을 n이라고 할 때, $m+n$의 값을 구하여라.

02-5 변형

복소수 $z=(a+2i)(-1+ai)+(-2+ai)$에 대하여 $z^2<0$이 되도록 하는 실수 a의 값을 구하여라.

02-6 실력

복소수 $z=x^2+(i+4)x+3+3i$에 대하여 z^2과 $z-2i$가 모두 실수가 되도록 하는 실수 x의 값을 구하여라.

필수유형 03 복소수가 서로 같을 조건

다음 등식을 만족시키는 실수 x, y의 값을 각각 구하여라.

(1) $(2x-y)+(x-y)i=1-i$

(2) $(1+i)x+(1-i)y=4+2i$

(3) $\dfrac{2x}{1+i}+\dfrac{4y}{1-i}=3+i$

풍쌤 POINT

주어진 등식의 좌변을 (실수부분)+(허수부분)i 꼴로 정리한 후, 복소수가 서로 같을 조건을 이용하여 연립방정식을 만들자!

복소수가 서로 같을 조건: $a+bi=c+di$이면 $a=c$, $b=d$ (단, a, b, c, d는 실수)
실수부분끼리 같다. 허수부분끼리 같다.

풀이

(1) 복소수가 서로 같을 조건에 의하여[1]

$2x-y=1$, $x-y=-1$

두 식을 연립하여 풀면 $x=2$, $y=3$

[1] $2x-y$, $x-y$가 실수이므로 복소수가 서로 같을 조건을 이용한다.

(2) 주어진 등식의 좌변을 전개하여 $a+bi$ 꼴로 정리하면

$(1+i)x+(1-i)y=(x+y)+(x-y)i$

이므로 $(x+y)+(x-y)i=4+2i$

복소수가 서로 같을 조건에 의하여

$x+y=4$, $x-y=2$

두 식을 연립하여 풀면 $x=3$, $y=1$

(3) 주어진 등식의 좌변의 분모를 실수화하여 $a+bi$ 꼴로 정리하면

$$\begin{aligned}\frac{2x}{1+i}+\frac{4y}{1-i}&=\frac{2x(1-i)}{(1+i)(1-i)}+\frac{4y(1+i)}{(1-i)(1+i)}\\&=\frac{2x-2xi}{2}+\frac{4y+4yi}{2}\\&=x-xi+2y+2yi\\&=(x+2y)+(-x+2y)i\end{aligned}$$[2]

[2] 분모에 복소수가 있을 때는 분모의 켤레복소수를 분모, 분자에 각각 곱한다.

이므로 $(x+2y)+(-x+2y)i=3+i$

복소수가 서로 같을 조건에 의하여

$x+2y=3$, $-x+2y=1$

두 식을 연립하여 풀면 $x=1$, $y=1$

답 (1) $x=2$, $y=3$ (2) $x=3$, $y=1$ (3) $x=1$, $y=1$

풍쌤 강의 NOTE

복소수 $a+bi$와 복소수 $c+di$가 서로 같다면 실수부분 a와 c가 서로 같고 허수부분 b와 d가 서로 같다. (단, 복소수가 서로 같을 조건은 a, b, c, d가 모두 실수일 때 성립한다.)

03-1 유사

다음 등식을 만족시키는 실수 x, y의 값을 각각 구하여라.

(1) $\left(-\frac{1}{2}x+\frac{2}{3}\right)+\left(\frac{4}{3}y-\frac{1}{2}\right)i=0$

(2) $(x+y)+(x-y)i=8-2i$

(3) $(2-3i)x-(1-i)y=3-2i$

(4) $\frac{2x}{1+2i}+\frac{y}{1-2i}=-1+6i$

03-2 유사

다음 등식을 만족시키는 실수 x, y의 값을 각각 구하여라.

(1) $(3-x)+(2+x)i=4+yi$

(2) $(2x-y)+(x-2y)=1-2i$

(3) $(2+i)x-(3-4i)y=2-10i$

(4) $\frac{x}{3+i}-\frac{2y}{-1+3i}=2-3i$

03-3 유사

두 실수 x, y가 등식 $(x+i)^2+(2+3i)^2=y+20i$를 만족시킬 때, $x+y$의 값을 구하여라.

03-4 변형

등식 $(2+i)^2x+(3-2i)^2y=2-16i$를 만족시키는 실수 x, y에 대하여 x^2+y^2의 값을 구하여라.

03-5 변형

$f(x)=x^2+ax+b$에 대하여 $f(2+i)=0$일 때, $f(1)$의 값을 구하여라. (단, a, b는 실수이다.)

03-6 실력

기출

$xy<0$인 두 실수 x, y가 등식

$$|x-y|+(x-1)i=3-2i$$

를 만족시킬 때, $x+y$의 값을 구하여라. (단, $i=\sqrt{-1}$)

필수유형 04 켤레복소수의 성질

복소수 z의 켤레복소수를 $\overline{z}$라고 할 때, 다음 중 옳지 않은 것은?

① $z\overline{z}$는 실수이다.

② z가 순허수이면 $\overline{z}$도 순허수이다.

③ $\frac{1}{z}+\frac{1}{\overline{z}}$은 허수이다. (단, $z\neq0$)

④ $z=-\overline{z}$이면 z는 순허수이다.

⑤ $z=\overline{z}$이면 z는 실수이다.

풍쌤 POINT
$z=a+bi$로 놓으면 $\overline{z}=a-bi$이므로 z, $\overline{z}$를 주어진 식에 대입하여 각 보기가 참 또는 거짓이 되는지 확인해 봐!

풀이

$z=a+bi$ (a, b는 실수)로 놓으면

$\overline{z}=a-bi$

① $z\overline{z}=(a+bi)(a-bi)=a^2+b^2$ ❶

즉, $z\overline{z}$는 실수이다.

② z가 순허수이면 $z=bi$이므로

$\overline{z}=-bi$ ❷

즉, $\overline{z}$도 순허수이다.

③ $\frac{1}{z}+\frac{1}{\overline{z}}=\frac{1}{a+bi}+\frac{1}{a-bi}$

$=\frac{a-bi+a+bi}{a^2+b^2}=\frac{2a}{a^2+b^2}$

즉, $\frac{1}{z}+\frac{1}{\overline{z}}$은 실수이다.

④ $z=-\overline{z}$이면 $a+bi=-(a-bi)$이므로

$2a=0 \quad \therefore a=0$

즉, $z=bi$이므로 z는 순허수이다.

⑤ $z=\overline{z}$이면 $a+bi=a-bi$

$2bi=0 \quad \therefore b=0$

즉, $z=a$이므로 z는 실수이다.

따라서 옳지 않은 것은 ③이다.

❶ (허수부분)$=0$이므로 실수이다.

❷ (실수부분)$=0$이므로 순허수이다.

답 ③

풍쌤 강의 NOTE
복소수 $z=a+bi$ (a, b는 실수)라고 할 때
① $b=0$이면 $z=a$이므로 z는 실수이다.
② $a=0$이면 $z=bi$이므로 z는 순허수이다.

04-1 유사

복소수 z의 켤레복소수를 $\overline{z}$라고 할 때, 다음 중 옳은 것은?

① $z-\overline{z}$는 실수이다.
② $\overline{z}^2$은 순허수이다.
③ $\frac{1}{z}+\frac{1}{\overline{z}}$은 실수이다.
④ $\overline{z}$가 순허수이면 $\frac{1}{z}$은 실수이다.
⑤ $z\overline{z}=0$이면 z는 순허수이다.

04-2 변형

0이 아닌 복소수 z에 대하여 항상 실수인 것만을 |보기|에서 있는 대로 골라라. (단, $\overline{z}$는 z의 켤레복소수이다.)

|보기|

ㄱ. $z+\overline{z}$　　ㄴ. $\frac{2}{z}-\frac{2}{\overline{z}}$
ㄷ. $z^2+\overline{z}^2$　　ㄹ. $(z+2)(\overline{z+2})$

04-3 변형

복소수 $z=(1+i)a-3a+4-i$에 대하여 $z=\overline{z}$를 만족시키는 실수 a의 값을 구하여라.
(단, $\overline{z}$는 z의 켤레복소수이다.)

04-4 변형

0이 아닌 복소수 $z=(2-i)x^2-4xi-4i-8$이 $z+\overline{z}=0$을 만족시킬 때, 실수 x의 값을 구하여라.
(단, $\overline{z}$는 z의 켤레복소수이다.)

04-5 변형

5 이하의 두 자연수 a, b에 대하여 복소수 z를 $z=a+bi$라고 할 때, $\frac{z}{\overline{z}}$의 실수부분이 0이 되게 하는 모든 복소수 z의 개수를 구하여라.
(단, $i=\sqrt{-1}$이고, $\overline{z}$는 z의 켤레복소수이다.)

04-6 변형

복소수 z에 대하여 $\frac{z}{z+1}$가 실수일 때, 다음 중 옳은 것은? (단, $\overline{z}$는 z의 켤레복소수이다.)

① $z=0$　② $z+\overline{z}=0$　③ $z-\overline{z}=0$
④ $z\overline{z}<0$　⑤ $\frac{1}{z}=1$

필수유형 05 복소수의 성질을 이용하여 식의 값 구하기

$\alpha=2-i$, $\beta=-1+3i$일 때, 다음 값을 구하여라. (단, $\overline{\alpha}$, $\overline{\beta}$는 각각 α, β의 켤레복소수이다.)

(1) $\alpha\overline{\alpha}+\alpha\overline{\beta}+\overline{\alpha}\beta+\beta\overline{\beta}$

(2) $\overline{\alpha}\beta-\alpha\overline{\beta}-\overline{\alpha\beta}+\alpha\beta$

풍쌤 POINT

복소수와 그 켤레복소수로 이루어진 식의 값을 구할 때는 먼저 식을 간단히 해야 해!

식 간단히 하기 ➡ $\alpha+\beta$, $\overline{\alpha+\beta}$의 값 구하기 ➡ 대입하기

풀이

(1) **STEP 1** 켤레복소수의 성질을 이용하여 식 간단히 하기

$$\begin{aligned}\alpha\overline{\alpha}+\alpha\overline{\beta}+\overline{\alpha}\beta+\beta\overline{\beta}&=\alpha(\overline{\alpha}+\overline{\beta})+\beta(\overline{\alpha}+\overline{\beta})\\&=(\alpha+\beta)(\overline{\alpha}+\overline{\beta})^{❶}\\&=(\alpha+\beta)(\overline{\alpha+\beta})\end{aligned}$$

STEP 2 $\alpha+\beta$, $\overline{\alpha+\beta}$의 값 구하기

$\alpha+\beta=(2-i)+(-1+3i)=1+2i$

$\overline{\alpha+\beta}=\overline{1+2i}=1-2i$

STEP 3 $\alpha+\beta$, $\overline{\alpha+\beta}$의 값을 대입하여 식의 값 구하기

$$\begin{aligned}\therefore\ \alpha\overline{\alpha}+\alpha\overline{\beta}+\overline{\alpha}\beta+\beta\overline{\beta}&=(\alpha+\beta)(\overline{\alpha+\beta})\\&=(1+2i)(1-2i)\\&=1+4=5\end{aligned}$$

❶ 복소수에서도 실수에서의 인수분해 공식을 이용하여 식을 간단히 할 수 있다.

(2) **STEP 1** 켤레복소수의 성질을 이용하여 식 간단히 하기

$$\begin{aligned}\overline{\alpha}\beta-\alpha\overline{\beta}-\overline{\alpha\beta}+\alpha\beta&=\beta(\overline{\alpha}+\alpha)-\overline{\beta}(\overline{\alpha}+\alpha)\\&=(\beta-\overline{\beta})(\overline{\alpha}+\alpha)\end{aligned}$$

STEP 2 $\beta-\overline{\beta}$, $\overline{\alpha}+\alpha$의 값 구하기

$\beta-\overline{\beta}=(-1+3i)-(-1-3i)=6i$

$\overline{\alpha}+\alpha=(2+i)+(2-i)=4$

STEP 3 $\beta-\overline{\beta}$, $\overline{\alpha}+\alpha$의 값을 대입하여 식의 값 구하기

$$\begin{aligned}\therefore\ \overline{\alpha}\beta-\alpha\overline{\beta}-\overline{\alpha\beta}+\alpha\beta&=(\beta-\overline{\beta})(\overline{\alpha}+\alpha)\\&=6i\times4=24i\end{aligned}$$

답 (1) 5 (2) $24i$

풍쌤 강의 NOTE

- 위의 문제에서 켤레복소수의 성질 $\overline{\alpha}+\overline{\beta}=\overline{\alpha+\beta}$임이 기억나지 않으면 $\overline{\alpha}$, $\overline{\beta}$를 각각 구하여 더해도 되므로 당황하지 않도록 한다.
- 식에 켤레복소수가 포함되어 있으면 켤레복소수의 성질을 이용할 때, 계산이 훨씬 간단해질 수 있으므로 켤레복소수의 성질을 꼭 기억하도록 한다.

05-1 유사

$\alpha=-2+i$, $\beta=1-2i$일 때, 다음 값을 구하여라.

(단, $\overline{\alpha}$, $\overline{\beta}$는 각각 α, β의 켤레복소수이다.)

(1) $\overline{\alpha}\alpha+\overline{\alpha}\beta+\alpha\overline{\beta}+\beta\overline{\beta}$

(2) $\alpha\overline{\alpha}-\alpha\overline{\beta}-\overline{\alpha}\beta+\beta\overline{\beta}$

05-2 변형

두 복소수 α, β에 대하여 $\alpha+\beta=4-2i$가 성립할 때, $\alpha\overline{\alpha}+\alpha\overline{\beta}+\overline{\alpha}\beta+\beta\overline{\beta}$의 값을 구하여라.

(단, $\overline{\alpha}$, $\overline{\beta}$는 각각 α, β의 켤레복소수이다.)

05-3 변형

기출

두 복소수 $\alpha=3+i$, $\beta=1-2i$에 대하여 $(\alpha-\beta)(\overline{\alpha}-\overline{\beta})$의 값을 구하여라.

(단, $i=\sqrt{-1}$이고, $\overline{\alpha}$, $\overline{\beta}$는 각각 α, β의 켤레복소수이다.)

05-4 변형

두 복소수 α, β에 대하여

$\overline{\alpha}-\overline{\beta}=3-2i$, $\overline{\alpha}\,\overline{\beta}=2+5i$

일 때, $(\alpha-2)(\beta+2)$의 값을 구하여라.

(단, $\overline{\alpha}$, $\overline{\beta}$는 각각 α, β의 켤레복소수이다.)

05-5 변형

두 복소수 α, β에 대하여 $\overline{\alpha\beta}=1$, $\alpha+\dfrac{1}{\overline{\alpha}}=2i$일 때, $\beta+\dfrac{1}{\overline{\beta}}$의 값을 구하여라.

(단, $\overline{\alpha}$, $\overline{\beta}$는 각각 α, β의 켤레복소수이다.)

05-6 실력

$x=2-3i$일 때, $x^3-4x^2+11x+4$의 값을 구하여라.

필수유형 06 등식을 만족시키는 복소수 구하기

복소수 z와 그 켤레복소수 $\overline{z}$에 대하여 다음을 만족시키는 복소수 z를 구하여라.

(1) $2z+(2+i)\overline{z}=9+2i$

(2) $\dfrac{z}{1+i}+\dfrac{\overline{z}}{1-2i}=\dfrac{1-i}{2}$

풍쌤 POINT 등식에 복소수 z와 $\overline{z}$가 있으면 $z=a+bi$, $\overline{z}=a-bi$로 놓고 식에 대입하면 돼!

$z=a+bi$로 놓기 ➡ 식에 대입 ➡ 복소수가 서로 같을 조건 이용

풀이

(1) STEP1 **$z=a+bi$로 놓고 주어진 식에 대입하기**

$z=a+bi$ (a, b는 실수)로 놓으면 $\overline{z}=a-bi$이므로

$$\begin{aligned}2z+(2+i)\overline{z}&=2(a+bi)+(2+i)(a-bi)\\&=2a+2bi+(2a-2bi+ai-bi^2)\\&=(4a+b)+ai\end{aligned}$$

STEP2 **복소수가 서로 같을 조건 이용하기**

$(4a+b)+ai=9+2i$에서

$4a+b=9$, $a=2$❶ $\quad\therefore b=1$

$\therefore z=2+i$

❶ 복소수가 서로 같을 조건
a, b, c, d가 실수일 때
$a+bi=c+di$이면
$a=c, b=d$

(2) STEP1 **$z=a+bi$로 놓고 주어진 식에 대입하기**

$z=a+bi$ (a, b는 실수)로 놓으면 $\overline{z}=a-bi$이므로

$$\begin{aligned}\frac{z}{1+i}+\frac{\overline{z}}{1-2i}&=\frac{a+bi}{1+i}+\frac{a-bi}{1-2i}\\&=\frac{(a+bi)(1-i)}{2}+\frac{(a-bi)(1+2i)}{5}❷\\&=\frac{a-ai+bi-bi^2}{2}+\frac{a+2ai-bi-2bi^2}{5}\\&=\frac{(7a+9b)+(-a+3b)i}{10}\end{aligned}$$

❷ 분모에 복소수가 있을 때는 분모의 켤레복소수를 분모와 분자에 각각 곱한다.
$(1+i)(1-i)=1-i^2=2$
$(1-2i)(1+2i)=1-4i^2=5$

STEP2 **복소수가 서로 같을 조건 이용하기**

$\dfrac{(7a+9b)+(-a+3b)i}{10}=\dfrac{1-i}{2}$에서

$\dfrac{7a+9b}{10}=\dfrac{1}{2}$, $\dfrac{-a+3b}{10}=-\dfrac{1}{2}$

$7a+9b=5$, $-a+3b=-5$

$\therefore a=2$, $b=-1$

$\therefore z=2-i$

답 (1) $2+i$ (2) $2-i$

풍쌤 강의 NOTE 복소수 z가 포함된 등식이 주어지면 $z=a+bi$로 놓고 식에 대입하여 정리하면 복소수가 서로 같을 조건을 이용하는 문제로 바뀐다.

06-1 유사

복소수 z와 그 켤레복소수 $\overline{z}$에 대하여 다음을 만족시키는 복소수 z를 구하여라.

(1) $(-1+2i)z-2i\overline{z}=5-i$

(2) $\dfrac{2z}{2-i}+\dfrac{\overline{z}}{3+i}=-3-4i$

06-2 변형

복소수 z와 그 켤레복소수 $\overline{z}$에 대하여 $z+\overline{z}=4$, $z\overline{z}=13$이 성립할 때, 복소수 z를 모두 구하여라.

06-3 변형

등식 $(2+3i)z+(2-3i)\overline{z}=14$를 만족시키는 복소수 z만을 |보기|에서 있는 대로 골라라.

(단, $\overline{z}$는 z의 켤레복소수이다.)

|보기|

ㄱ. $2-i$　　ㄴ. $1-3i$　　ㄷ. $5+i$

06-4 변형

두 복소수 z_1, z_2에 대하여 $z_1\overline{z_1}=3$, $z_2\overline{z_2}=3$이고 $z_1+z_2=3+9i$일 때, $\dfrac{1}{z_1}+\dfrac{1}{z_2}$의 값을 구하여라.

(단, $\overline{z_1}$, $\overline{z_2}$는 각각 z_1, z_2의 켤레복소수이다.)

06-5 변형

기출

등식 $z^2=3+4i$를 만족시키는 복소수 z에 대하여 $z\overline{z}$의 값을 구하여라.

(단, $i=\sqrt{-1}$이고 $\overline{z}$는 z의 켤레복소수이다.)

06-6 실력

$\dfrac{z+i}{z}=\overline{\left(\dfrac{z-i}{z}\right)}$를 만족시키는 순허수가 아닌 복소수 z에 대하여 $\dfrac{z}{\overline{z}}$의 값을 구하여라.

(단, $\overline{z}$는 z의 켤레복소수이다.)

필수유형 07 i의 거듭제곱

다음 식을 간단히 하여라.

(1) $i+i^2+i^3+i^4+\cdots+i^{29}+i^{30}$

(2) $\frac{1}{i}+\frac{1}{i^2}+\frac{1}{i^3}+\cdots+\frac{1}{i^{30}}$

(3) $(1+i)^{12}$

(4) $\left(\frac{1+i}{\sqrt{2}}\right)^{52}+\left(\frac{1-i}{\sqrt{2}}\right)^{52}$

풍쌤 POINT 복소수의 거듭제곱 문제는 답이 간단하게 나오게 되어 있어. $i^4=1$임을 알고 지수법칙을 이용하여 i의 지수를 모두 4 이하로 변형하여 계산을 해 봐!

풀이

(1) $i+i^2+i^3+i^4=i-1-i+1=0$❶이므로

$$i+i^2+i^3+i^4+\cdots+i^{29}+i^{30}$$
$$=(i+i^2+i^3+i^4)+i^4(i+i^2+i^3+i^4)+\cdots+i^{24}(i+i^2+i^3+i^4)+i^{28}(i+i^2)$$
$$=i^{28}(i+i^2)=(i^4)^7\times(i-1)=-1+i$$

(2) $\frac{1}{i}+\frac{1}{i^2}+\frac{1}{i^3}+\frac{1}{i^4}=\frac{1}{i}-1-\frac{1}{i}+1=0$이므로

$$\frac{1}{i}+\frac{1}{i^2}+\frac{1}{i^3}+\cdots+\frac{1}{i^{30}}$$
$$=\left(\frac{1}{i}+\frac{1}{i^2}+\frac{1}{i^3}+\frac{1}{i^4}\right)+\cdots+\frac{1}{i^{24}}\left(\frac{1}{i}+\frac{1}{i^2}+\frac{1}{i^3}+\frac{1}{i^4}\right)+\frac{1}{i^{28}}\left(\frac{1}{i}+\frac{1}{i^2}\right)$$
$$=\frac{1}{i^{28}}\left(\frac{1}{i}+\frac{1}{i^2}\right)\text{❷}=\frac{1}{(i^4)^7}\times(-i-1)=-1-i$$

(3) $(1+i)^2=1+2i+i^2=2i$이므로

$$(1+i)^{12}=\{(1+i)^2\}^6$$
$$=(2i)^6=2^6\times i^6\text{❸}=-64$$

(4) $(1+i)^2=2i$, $(1-i)^2=-2i$이므로

$$\left(\frac{1+i}{\sqrt{2}}\right)^{52}+\left(\frac{1-i}{\sqrt{2}}\right)^{52}=\frac{\{(1+i)^2\}^{26}}{(\sqrt{2})^{52}}+\frac{\{(1-i)^2\}^{26}}{(\sqrt{2})^{52}}$$
$$=\frac{(2i)^{26}}{2^{26}}+\frac{(-2i)^{26}}{2^{26}}$$
$$=i^{26}+i^{26}=2\times(i^4)^6\times i^2=-2$$

답 (1) $-1+i$ (2) $-1-i$ (3) -64 (4) -2

❶ 자연수 k에 대하여 $i^{4k-3}=i$, $i^{4k-2}=-1$, $i^{4k-1}=-i$, $i^{4k}=1$이고 $i^{4k-3}+i^{4k-2}+i^{4k-1}+i^{4k}=0$이므로 항을 4개씩 묶어 해결한다.

❷ $\frac{1}{i}=\frac{i}{i\times i}=\frac{i}{i^2}=-i$

❸ $i^6=i^4\times i^2=1\times(-1)=-1$

풍쌤 강의 NOTE

복소수의 거듭제곱을 계산할 때, 다음이 자주 사용된다.

① $i+i^2+i^3+i^4=i-1-i+1=0$, $\frac{1}{i}+\frac{1}{i^2}+\frac{1}{i^3}+\frac{1}{i^4}=\frac{1}{i}-1-\frac{1}{i}+1=0$

② $\frac{1+i}{1-i}=\frac{(1+i)^2}{(1-i)(1+i)}=\frac{2i}{2}=i$, $\frac{1-i}{1+i}=\frac{(1-i)^2}{(1+i)(1-i)}=\frac{-2i}{2}=-i$

07-1 유사

다음 식을 간단히 하여라.

(1) $i+i^2+i^3+i^4+\cdots+i^{90}+i^{91}$

(2) $\frac{1}{i}+\frac{1}{i^2}+\frac{1}{i^3}+\cdots+\frac{1}{i^{100}}$

(3) $(1+i)^{16}+(1-i)^{16}$

(4) $\left(\frac{1+i}{1-i}\right)^{30}+\left(\frac{1-i}{1+i}\right)^{30}$

07-2 변형 기출

$i+2i^2+3i^3+4i^4+5i^5=a+bi$일 때, $3a+2b$의 값을 구하여라. (단, $i=\sqrt{-1}$이고 a, b는 실수이다.)

07-3 변형

$z=\frac{1-i}{1+i}$일 때, $1+z+z^2+z^3+z^4+\cdots+z^{49}+z^{50}$의 값을 구하여라.

07-4 변형

$z=\frac{1}{i}+\frac{1}{i^2}+\frac{1}{i^3}+\cdots+\frac{1}{i^{21}}$일 때, $2z^2-\frac{2}{\bar{z}}$의 값을 구하여라. (단, $\bar{z}$는 z의 켤레복소수이다.)

07-5 변형

복소수 $\left(\frac{1-i}{1+i}\right)^n$이 실수가 되는 10보다 작은 모든 자연수 n의 값의 합을 구하여라.

07-6 실력

복소수 $z=\frac{1-\sqrt{3}i}{2}$에 대하여 $z^{2023}+\frac{1}{z^{2023}}$의 값을 구하여라.

발전유형 08 음수의 제곱근

다음 물음에 답하여라.

(1) $\sqrt{-2}\sqrt{-8}+2\sqrt{-8}+\dfrac{\sqrt{-32}}{\sqrt{-8}}$를 계산하여라.

(2) 두 실수 a, b에 대하여 $\sqrt{a}\sqrt{b}=-\sqrt{ab}$일 때, $\sqrt{a^2}+\sqrt{b^2}+\sqrt{(a+b)^2}$을 간단히 하여라. (단, $ab\neq0$)

(3) 두 실수 a, b에 대하여 $\dfrac{\sqrt{a}}{\sqrt{b}}=-\sqrt{\dfrac{a}{b}}$일 때, $\sqrt{a^2}+\sqrt{b^2}+\sqrt{(a-b)^2}$을 간단히 하여라.

풍쌤 POINT 음수의 제곱근의 성질을 이용하여 문자를 포함한 식을 계산할 때는 그 문자의 부호를 잘 파악해야 해!

풀이

(1) $\sqrt{-2}\sqrt{-8}+2\sqrt{-8}+\dfrac{\sqrt{-32}}{\sqrt{-8}}=\sqrt{2}i\times\sqrt{8}i+2\sqrt{8}i+\dfrac{\sqrt{32}i}{\sqrt{8}i}$

$=\sqrt{16}i^2+2\sqrt{8}i+\sqrt{4}$

$=-4+4\sqrt{2}i+2$

$=-2+4\sqrt{2}i$

(2) $\sqrt{a}\sqrt{b}=-\sqrt{ab}$이므로

$a<0$, $b<0$ 또는 $a=0$ 또는 $b=0$

그런데 $ab\neq0$이므로

$a<0$, $b<0$

$\therefore \sqrt{a^2}+\sqrt{b^2}+\sqrt{(a+b)^2}=|a|+|b|+|a+b|$ ❶

$=-a-b-(a+b)$

$=-2a-2b$

❶ $a<0$, $b<0$이므로 $a+b<0$

(3) $\dfrac{\sqrt{a}}{\sqrt{b}}=-\sqrt{\dfrac{a}{b}}$이므로

$a>0$, $b<0$

$\therefore \sqrt{a^2}+\sqrt{b^2}+\sqrt{(a-b)^2}=|a|+|b|+|a-b|$ ❷

$=a-b+a-b$

$=2a-2b$

❷ $a>0$, $b<0$이므로 $a-b>0$

답 (1) $-2+4\sqrt{2}i$　(2) $-2a-2b$　(3) $2a-2b$

풍쌤 강의 NOTE

- a, b가 실수일 때
  (1) $\sqrt{a}\sqrt{b}=-\sqrt{ab}$이면 $a<0$, $b<0$ 또는 $a=0$, $b=0$
  (2) $\dfrac{\sqrt{a}}{\sqrt{b}}=-\sqrt{\dfrac{a}{b}}$이면 $a>0$, $b<0$ 또는 $a=0$, $b\neq0$
- (1)의 성질을 이용하면 $\sqrt{-2}\sqrt{-8}=-\sqrt{16}=-4$와 같이 계산할 수 있다.

08-1 유사

$\sqrt{3}\sqrt{-3}+\sqrt{-27}\sqrt{-3}+\dfrac{\sqrt{27}}{\sqrt{-3}}+\dfrac{\sqrt{-8}}{\sqrt{-2}}$을 계산하여라.

08-2 유사

0이 아닌 두 실수 a, b에 대하여 $\sqrt{a}\sqrt{b}=-\sqrt{ab}$일 때, $\sqrt{(a+b)^2}+\sqrt{a^2}-\sqrt{(-a-b)^2}$을 간단히 하여라.

08-3 변형

다음 중 옳지 않은 것을 모두 고르면? (정답 2개)

① $\sqrt{-5}\sqrt{-7}=-\sqrt{35}$ ② $\sqrt{-5}\sqrt{7}=\sqrt{-35}$

③ $\dfrac{\sqrt{-5}}{\sqrt{7}}=-\sqrt{\dfrac{5}{7}}$ ④ $\dfrac{\sqrt{5}}{\sqrt{-7}}=-\sqrt{-\dfrac{5}{7}}$

⑤ $\dfrac{\sqrt{-7}}{\sqrt{-5}}=-\sqrt{\dfrac{7}{5}}$

08-4 변형

0이 아닌 세 실수 a, b, c에 대하여

$\dfrac{\sqrt{a}}{\sqrt{b}}=-\sqrt{\dfrac{a}{b}}$, $\sqrt{b}\sqrt{c}=-\sqrt{bc}$일 때,

$\sqrt{a^2}-\sqrt{c^2}+\sqrt{(b+c)^2}-\sqrt{(a-c)^2}$을 간단히 하여라.

08-5 변형

0이 아닌 실수 a, b, c가 다음 조건을 만족시킨다.

> (가) $\dfrac{\sqrt{b}}{\sqrt{a}}=-\sqrt{\dfrac{b}{a}}$
>
> (나) $|a+b|+|a+c-1|=0$

세 수 a, b, c의 대소 관계로 옳은 것은?

① $a<b<c$ ② $a<c<b$ ③ $b<a<c$

④ $b<c<a$ ⑤ $c<a<b$

08-6 실력

$2<x<4$일 때,

$\sqrt{x-4}\times\sqrt{4-x}-\dfrac{\sqrt{4-x}}{\sqrt{x-4}}\times\sqrt{\dfrac{x-4}{4-x}}+\sqrt{x}\times\sqrt{-x}$

를 $a+bi$ (a, b는 실수) 꼴로 나타내려고 한다. 이때 $a+b$의 값을 구하여라.

실전 연습 문제

01

다음 중 옳지 않은 것은?

① $\sqrt{-9}=3i$

② $-2i$는 순허수이다.

③ 제곱하여 -3이 되는 수는 $\sqrt{3}i$ 또는 $-\sqrt{3}i$이다.

④ -5의 허수부분은 0이다.

⑤ 실수 a, b에 대하여 $a+bi$가 실수이면 $a\neq0$, $b=0$이다.

02

기출

두 복소수 $\alpha=\frac{1+i}{2i}$, $\beta=\frac{1-i}{2i}$에 대하여 $(2\alpha^2+3)(2\beta^2+3)$의 값은? (단, $i=\sqrt{-1}$)

① 6 ② 10 ③ 14 ④ 18 ⑤ 22

03

기출

x가 양수일 때,

$$z=(1+i)x^2+(3-3i)x-8-10i$$

가 실수가 되도록 하는 x의 값을 a, 이때의 z의 값을 b라고 하자. 이때 $a+b$의 값을 구하여라.

04 서술형

두 실수 x, y가 등식 $x^2+y^2i-3x-5yi+2-6i=0$을 만족시킬 때, $x+y$의 값이 될 수 있는 것을 모두 구하여라.

05

0이 아닌 복소수 z에 대하여 항상 실수인 것만을 |보기|에서 있는 대로 고른 것은?

(단, $\bar{z}$는 z의 켤레복소수이다.)

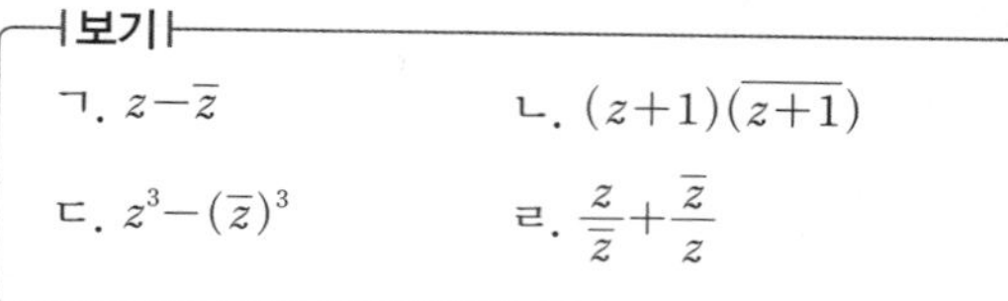

|보기|

ㄱ. $z-\bar{z}$

ㄴ. $(z+1)(\overline{z+1})$

ㄷ. $z^3-(\bar{z})^3$

ㄹ. $\frac{z}{\bar{z}}+\frac{\bar{z}}{z}$

① ㄱ, ㄴ ② ㄱ, ㄷ ③ ㄴ, ㄷ ④ ㄴ, ㄹ ⑤ ㄷ, ㄹ

06 서술형

두 실수 a, b에 대하여 등식

$$a(\overline{1-2i})+b(1-i)^2=2$$

가 성립할 때, ab의 값을 구하여라.

07 서술형

복소수 $w=1-2i$에 대하여 $z=\dfrac{w-1}{2w+3i}$일 때, $\dfrac{z}{\overline{z}}$의 값을 구하여라. (단, $\overline{z}$는 z의 켤레복소수이다.)

08 기출

복소수 $z=a+bi$ (a, b는 0이 아닌 실수)에 대하여 $iz=\overline{z}$일 때, 옳은 것만을 |보기|에서 있는 대로 고른 것은? (단, $i=\sqrt{-1}$이고, $\overline{z}$는 z의 켤레복소수이다.)

|보기|

ㄱ. $z+\overline{z}=-2b$

ㄴ. $i\overline{z}=-z$

ㄷ. $\dfrac{\overline{z}}{z}+\dfrac{z}{\overline{z}}=0$

① ㄱ ② ㄷ ③ ㄱ, ㄴ
④ ㄴ, ㄷ ⑤ ㄱ, ㄴ, ㄷ

09

$\alpha\overline{\beta}$가 실수가 아닐 때, 두 복소수 α, β에 대하여 $\alpha\overline{\beta}-\overline{\alpha}\beta$는 순허수임을 보여라.

(단, $\overline{\alpha}$, $\overline{\beta}$는 각각 α, β의 켤레복소수이다.)

10 기출

0이 아닌 복소수 $z=(i-2)x^2-3xi-4i+32$가 $z+\overline{z}=0$을 만족시킬 때, 실수 x의 값은?

(단, $i=\sqrt{-1}$이고, $\overline{z}$는 z의 켤레복소수이다.)

① -4 ② -1 ③ 1
④ 3 ⑤ 4

11

복소수 z와 그 켤레복소수 $\overline{z}$에 대하여 $(1-2i)z+(1+2i)\overline{z}=6$을 만족시키는 복소수 z의 개수를 구하여라.

12 서술형

복소수 z가 다음 조건을 모두 만족시킬 때, $\dfrac{z+\overline{z}}{2}$의 값을 구하여라. (단, $\overline{z}$는 z의 켤레복소수이다.)

(가) $(2-3i)+z$는 양의 실수이다.

(나) $z\overline{z}=18$

13

기출

등식

$(i+i^2)+(i^2+i^3)+(i^3+i^4)+\cdots+(i^{18}+i^{19})$
$=a+bi$

를 만족시키는 실수 a, b에 대하여 $4(a+b)^2$의 값을 구하여라.

14

100 이하의 자연수 n에 대하여 $\left(\frac{\sqrt{3}+i}{2}\right)^n=-1$을 만족시키는 n의 개수를 구하여라.

15

두 실수 a, b에 대하여

$\sqrt{-5}\sqrt{5}+\frac{\sqrt{75}}{\sqrt{-3}}i+\frac{\sqrt{3}-\sqrt{-1}}{1+\sqrt{-3}}=a+bi$일 때, ab의 값은?

① 14 ② 17 ③ 20
④ 23 ⑤ 26

16

0이 아닌 두 실수 x, y에 대하여 $\sqrt{x}\sqrt{y}=-\sqrt{xy}$이고, $x^2+5x-(2y+7)i=14+3i$일 때, xy의 값은?

① 5 ② 15 ③ 25
④ 35 ⑤ 45

17 서술형

등식 $\sqrt{-3}\sqrt{x-2}=-\sqrt{6-3x}$를 만족시키는 자연수 x의 개수를 구하여라.

18

등식 $(a+b+3)x+ab-1=0$이 x의 값에 관계없이 항상 성립할 때, $(\sqrt{a}+\sqrt{b})^2$의 값은?

(단, a, b는 실수이다.)

① -5 ② -2 ③ 1
④ 4 ⑤ 7

상위권 도약 문제

정답과 풀이 73쪽

01

두 복소수 α, β가 $\alpha^2=i$, $\beta^2=-i$를 만족시킬 때, |보기|에서 옳은 것만을 있는 대로 고른 것은?

|보기|

ㄱ. $\alpha\beta$는 순허수이다.

ㄴ. $\alpha\overline{\alpha}\beta\overline{\beta}=1$

ㄷ. $(\alpha+\beta)^4=2i$

① ㄴ ② ㄷ ③ ㄱ, ㄴ

④ ㄱ, ㄷ ⑤ ㄴ, ㄷ

02

기출

복소수 $z=a+bi$ (a, b는 0이 아닌 실수)에 대하여 z^2-z가 실수일 때, |보기|에서 옳은 것만을 있는 대로 고른 것은? (단, $\overline{z}$는 z의 켤레복소수이다.)

|보기|

ㄱ. $\overline{z^2-z}$는 실수이다.

ㄴ. $z+\overline{z}=1$

ㄷ. $z\overline{z}>\frac{1}{4}$

① ㄱ ② ㄴ ③ ㄱ, ㄴ

④ ㄱ, ㄷ ⑤ ㄱ, ㄴ, ㄷ

03

자연수 x에 대하여 복소수 z가 다음 조건을 만족시킨다.

(가) $z=2(x+1)+(x+4)i$

(나) $z^2+(\overline{z})^2$은 음수이다.

이때 자연수 x의 값을 구하여라.

(단, $i=\sqrt{-1}$이고 $\overline{z}$는 z의 켤레복소수이다.)

04

$a=4-\sqrt{5}$일 때, $\sqrt{a-2}\sqrt{a-2}+\frac{\sqrt{2-a}}{\sqrt{a-2}}+i$의 값을 구하여라.

05

복소수 $z=a-i$에 대하여 $\frac{z}{\overline{z}}$가 실수일 때, $1+z+z^2+z^3+\cdots+z^{50}$의 값을 구하여라.

(단, a는 실수이고, $\overline{z}$는 z의 켤레복소수이다.)

06

기출

등식 $\frac{1}{i}-\frac{1}{i^2}+\frac{1}{i^3}-\frac{1}{i^4}+\cdots+\frac{(-1)^{n+1}}{i^n}=1-i$가 성립하도록 하는 100 이하의 자연수 n의 개수를 구하여라. (단, $i=\sqrt{-1}$)

07

다음 그림과 같이 숫자가 표시되는 화면과 A, B 두 개의 버튼으로 구성된 장치가 있다.

A버튼을 누르면 화면에 표시된 수와 $\frac{\sqrt{2}+\sqrt{2}i}{2}$를 곱한 결과가, B버튼을 누르면 화면에 표시된 수와 $\frac{-\sqrt{2}+\sqrt{2}i}{2}$를 곱한 결과가 화면에 나타난다. 화면에 표시된 수가 1일 때, A 또는 B버튼을 여러 번 눌렀더니 다시 1이 나타났다. 버튼을 누른 횟수의 최솟값은?

(단, $i=\sqrt{-1}$)

① 3 ② 4 ③ 5 ④ 6 ⑤ 7

05 이차방정식

유형의 이해에 따라 ■ 안에 ○, × 표시를 하고 반복하여 학습합니다.

유형	내용	1st	2nd
필수유형 01	방정식 $ax=b$의 풀이		
필수유형 02	이차방정식의 풀이		
발전유형 03	절댓값 기호를 포함한 방정식의 풀이		
필수유형 04	이차방정식의 활용		
필수유형 05	이차방정식의 판별식		
필수유형 06	이차식이 완전제곱식이 될 조건		
필수유형 07	이차방정식의 근과 계수의 관계		
필수유형 08	두 근의 조건이 주어진 이차방정식		
필수유형 09	두 수를 근으로 하는 이차방정식의 작성		
필수유형 10	이차방정식의 켤레근		

이차방정식

개념 01 방정식 $ax=b$의 풀이

(1) **방정식**

미지수의 값에 따라 참이 되기도 하고 거짓이 되기도 하는 등식을 방정식이라 하고, 방정식을 참이 되게 하는 미지수의 값을 해 또는 근이라고 한다. 또, 방정식의 해를 구하는 것을 방정식을 푼다고 한다.

(2) **방정식 $ax=b$의 풀이**

x에 대한 방정식을 $ax=b$ 꼴로 정리한 후 $a\neq0$일 때와 $a=0$일 때로 나누어 생각한다.

① $a\neq0$일 때, $x=\dfrac{b}{a}$

② $a=0$일 때

(i) $b\neq0$이면 해가 없다. (불능)

(ii) $b=0$이면 해가 무수히 많다. (부정)

中1 수학 | 일차방정식

방정식의 모든 항을 좌변으로 이항하여 정리하였을 때,
(x에 대한 일차식)$=0$
꼴로 나타나는 방정식, 즉
$ax+b=0$ (a, b는 상수, $a\neq0$)

> $ax=b$에서
> - $a=0$일 때 $b\neq0$이면 $0\times x=b$가 참이 되는 x의 값은 없다.
> - $a=0$일 때 $b=0$이면 $0\times x=0$이 참이 되는 x의 값은 무수히 많다.

> - 불능(不能): 해를 구할 수 없는 상태(해가 없음.)
> - 부정(不定): 해가 너무 많아 그 중 하나로 정할 수 없는 상태 (해가 무수히 많음.)

확인 01 다음 방정식을 풀어라.

(1) $9x+7=43$

(2) $3x+3=3x-3$

(3) $x-(5-5x)=6x-5$

개념 02 절댓값 기호가 있는 방정식

(1) **절댓값 기호가 있는 방정식의 풀이**

❶ 절댓값 기호가 있는 방정식은 절댓값 기호 안의 식이 0이 되는 기준으로 구간을 나누어 절댓값 기호를 없앤다.

이때 $|A|=\begin{cases} A & (A\geq0) \\ -A & (A<0) \end{cases}$임을 이용한다.

❷ 각 구간에서 해를 구한 후에 해당 구간에 해가 속하는지 확인한다.

(2) **절댓값 기호가 있는 간단한 방정식의 풀이**

① $|x|=a$이면　$x=\pm a$ (단, $a>0$)

➡ $|x-p|=a$이면 $x-p=\pm a$

② $|x|=|y|$이면　$x=\pm y$

中1 수학 | 절댓값

수직선 위에서 어떤 수에 대응하는 점과 원점 사이의 거리

확인 02 다음 방정식을 풀어라.

(1) $|x-1|=8$

(2) $|x-2|=-2x-4$

개념 03 이차방정식의 풀이

(1) **이차방정식의 실근과 허근**

계수가 실수인 이차방정식은 복소수의 범위에서 반드시 근을 가지며, 이 중 실수인 것을 실근, 허수인 것을 허근이라고 한다.

(2) **이차방정식의 풀이**

① 인수분해를 이용한 풀이

x에 대한 이차방정식 $(ax-b)(cx-d)=0$의 근은

$ax-b=0$ 또는 $cx-d=0$

$\therefore x=\dfrac{b}{a}$ 또는 $x=\dfrac{d}{c}$

② 근의 공식을 이용한 풀이

(i) 계수가 실수인 이차방정식 $ax^2+bx+c=0$의 근은

$$x=\frac{-b\pm\sqrt{b^2-4ac}}{2a}$$

(ii) x의 계수가 짝수인 x에 대한 이차방정식 $ax^2+2b'x+c=0$의 근은

$$x=\frac{-b'\pm\sqrt{b'^2-ac}}{a}$$

> 특별한 언급이 없으면 이차방정식의 해는 복소수의 범위에서 구한다.

中3수학 이차방정식

방정식의 모든 항을 좌변으로 이항하여 정리하였을 때,

(x에 대한 이차식)$=0$

꼴로 나타나는 방정식, 즉

$ax^2+bx+c=0$

(a, b, c는 상수, $a\neq0$)

> x의 계수가 짝수일 때 근의 공식을 사용하면
>
> $ax^2+2b'x+c=0$에서
>
> $x=\dfrac{-2b'\pm\sqrt{(2b')^2-4ac}}{2a}$
>
> $=\dfrac{-2b'\pm2\sqrt{b'^2-ac}}{2a}$
>
> $=\dfrac{-b'\pm\sqrt{b'^2-ac}}{a}$
>
> 이므로 짝수 공식이 유도된다.

확인 03 **다음 이차방정식을 풀고, 그 근이 실근인지 허근인지 말하여라.**

(1) $x^2+5x-14=0$

(2) $x^2-2x-1=0$

(3) $2x^2+3x+4=0$

개념 04 이차방정식의 활용

이차방정식의 활용 문제를 푸는 순서는 다음과 같다.

❶ 구하려는 것을 미지수 x로 놓는다.

❷ 문제의 뜻에 맞게 이차방정식을 세운다.

❸ 이차방정식을 푼다.

❹ 구한 해 중에서 문제의 조건을 만족시키는 것을 택한다.

> 활용 문제에서 답을 구할 때, 사람의 수, 개수, 나이 등은 자연수이고, 길이, 넓이, 부피, 시간, 거리 등은 양수가 되어야 한다.

확인 04 **연속하는 두 자연수의 곱이 30일 때, 두 수를 구하여라.**

확인 05 **넓이가 108 cm^{2}이고, 세로의 길이가 가로의 길이보다 3 cm만큼 더 긴 직사각형의 가로의 길이와 세로의 길이를 각각 구하여라.**

개념 05 이차방정식의 근의 판별

(1) 이차방정식의 판별식

계수가 실수인 이차방정식 $ax^2+bx+c=0$의 근 $x=\frac{-b\pm\sqrt{b^2-4ac}}{2a}$가 실근인지 허근인지는 근호 안의 식 b^2-4ac의 부호에 따라 판별할 수 있으므로 b^2-4ac를 이 방정식의 판별식이라 하고, 이것을 기호 D로 나타낸다. 즉, $D=b^2-4ac$이다.

(2) 이차방정식의 근의 판별

계수가 실수인 이차방정식 $ax^2+bx+c=0$에서 $D=b^2-4ac$라고 할 때

① $D>0 \Longleftrightarrow$ 서로 다른 두 실근을 갖는다.
② $D=0 \Longleftrightarrow$ 중근(서로 같은 두 실근)을 갖는다.
③ $D<0 \Longleftrightarrow$ 서로 다른 두 허근을 갖는다.

(①, ②: $D\ge0$이면 실근을 갖는다.)

> 이차방정식 $ax^2+2b'x+c=0$과 같이 x의 계수가 짝수인 경우 판별식 D 대신 $\frac{D}{4}=b'^2-ac$를 이용할 수 있다.

> 이차방정식에서 중근이란 서로 같은 두 근을 말하므로 서로 다른 두 실근을 가질 조건은 $D>0$이고, 두 실근을 가질 조건은 $D\ge0$이다.

확인 06 다음 이차방정식의 근을 판별하여라.

(1) $x^2-3x-10=0$

(2) $3x^2-2x+8=0$

(3) $x^2-8x+16=0$

개념 06 이차방정식의 근과 계수의 관계

이차방정식 $ax^2+bx+c=0$의 두 근을 α, β라고 하면

(1) 두 근의 합: $\alpha+\beta=-\frac{b}{a}$

(2) 두 근의 곱: $\alpha\beta=\frac{c}{a}$

> 근과 계수의 관계를 이용하면 두 근 α, β를 직접 구하지 않고도 두 근의 합과 곱을 구할 수 있다.

설명 이차방정식 $ax^2+bx+c=0$의 두 근 α, β를

$\alpha=\frac{-b+\sqrt{b^2-4ac}}{2a}$, $\beta=\frac{-b-\sqrt{b^2-4ac}}{2a}$라고 하면

$$\alpha+\beta=\frac{-b+\sqrt{b^2-4ac}}{2a}+\frac{-b-\sqrt{b^2-4ac}}{2a}=\frac{-2b}{2a}=-\frac{b}{a}$$

$$\alpha\beta=\frac{-b+\sqrt{b^2-4ac}}{2a}\times\frac{-b-\sqrt{b^2-4ac}}{2a}=\frac{4ac}{4a^2}=\frac{c}{a}$$

$$|\alpha-\beta|=\left|\frac{-b+\sqrt{b^2-4ac}}{2a}-\frac{-b-\sqrt{b^2-4ac}}{2a}\right|=\frac{\sqrt{b^2-4ac}}{|a|}$$

확인 07 다음 이차방정식의 두 근의 합과 곱을 각각 구하여라.

(1) $x^2+4x+3=0$

(2) $2x^2-x-1=0$

개념 07 이차방정식의 작성

(1) **이차방정식의 작성**

① 두 수 α, β를 근으로 하고 이차항의 계수가 1인 이차방정식은

$(x-\alpha)(x-\beta)=0$, 즉 $x^2-(\alpha+\beta)x+\alpha\beta=0$

② 이차방정식 $ax^2+bx+c=0$의 두 근을 α, β라고 하면

$a(x-\alpha)(x-\beta)=0$, 즉 $a\{x^2-(\alpha+\beta)x+\alpha\beta\}=0$

(2) **이차식의 인수분해**

x에 대한 이차식 ax^2+bx+c는 다음과 같은 방법으로 인수분해할 수 있다.

① 이차방정식 $ax^2+bx+c=0$의 두 근 α, β를 구한다.

② $ax^2+bx+c=a(x-\alpha)(x-\beta)$로 인수분해한다.

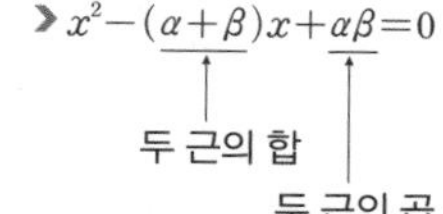

꼴로 이차방정식을 작성하기 위해서는 이차항의 계수가 항상 1이어야 함에 주의한다.

확인 08 **다음 두 수를 근으로 하고 이차항의 계수가 1인 이차방정식을 구하여라.**

(1) -1, 2

(2) -3, 5

개념 08 이차방정식의 켤레근

이차방정식 $ax^2+bx+c=0$에서

(1) a, b, c가 유리수일 때, 한 근이 $p+q\sqrt{m}$이면 다른 한 근은 $p-q\sqrt{m}$이다.

(단, p, q는 유리수, $q\neq0$, $\sqrt{m}$은 무리수이다.)

(2) a, b, c가 실수일 때, 한 근이 $p+qi$이면 다른 한 근은 $p-qi$이다.

(단, p, q는 실수, $q\neq0$, $i=\sqrt{-1}$이다.)

설명 이차방정식 $ax^2+bx+c=0$의 두 근 α, β를

$$\alpha=-\frac{b}{2a}+\frac{\sqrt{b^2-4ac}}{2a},\ \beta=-\frac{b}{2a}-\frac{\sqrt{b^2-4ac}}{2a}$$

라고 할 때

(1) a, b, c가 유리수이고, $b^2-4ac>0$이면

$\alpha=p+q\sqrt{m}$, $\beta=p-q\sqrt{m}$ 꼴이다. (단, p, q는 유리수, $q\neq0$, $\sqrt{m}$은 무리수이다.)

(2) a, b, c가 실수이고, $b^2-4ac<0$이면

$\alpha=p+qi$, $\beta=p-qi$ 꼴이다. (단, p, q는 실수, $q\neq0$, $i=\sqrt{-1}$이다.)

계수가 모두 유리수라는 조건이 없으면 $p+q\sqrt{m}$이 방정식의 한 근일 때, 다른 한 근이 반드시 $p-q\sqrt{m}$이 되는 것이 아님에 주의한다.

예 $x^2+\sqrt{3}x-1+\sqrt{3}=0$의 두 근은 -1, $1-\sqrt{3}$이다.

$q\neq0$일 때 $p+q\sqrt{m}$과 $p-q\sqrt{m}$, $p+qi$와 $p-qi$는 각각 켤레근이라고 한다.

확인 09 **이차방정식 $x^2+ax+b=0$의 한 근이 $1+\sqrt{2}$일 때, 다른 한 근과 유리수 a, b의 값을 각각 구하여라.**

확인 10 **이차방정식 $x^2+ax+b=0$의 한 근이 $1+i$일 때, 다른 한 근과 실수 a, b의 값을 각각 구하여라.**

필수유형 01 방정식 $ax=b$의 풀이

x에 대한 방정식 $m(x-1)=m^2(x+1)$의 해가 다음과 같을 때, 상수 m의 값 또는 m의 조건을 구하여라.

(1) 해가 없다.

(2) 해가 무수히 많다.

(3) 해가 오직 한 개이다.

풍쌤 POINT

- $ax=b$ 꼴로 정리한 후, 주어진 조건을 만족시키는 상수 m의 값 또는 m의 조건을 구하자!
- x에 대한 방정식 $ax=b$에서
  (i) $a=0$, $b\neq0$이면 해가 없다.
  (ii) $a=0$, $b=0$이면 해가 무수히 많다.
  (iii) $a\neq0$이면 해가 오직 한 개이다.

풀이 주어진 방정식을 x에 대하여 정리하면

$m(x-1)=m^2(x+1)$에서

$mx-m=m^2x+m^2$, $m^2x-mx=-m^2-m$

$(m^2-m)x=-(m^2+m)$

$\therefore m(m-1)x=-m(m+1)$ ❶ …… ㉠

(1) ㉠이 $0\times x=$(0이 아닌 상수) ❷ 꼴이어야 하므로

(i) $m(m-1)=0$에서 $m=0$ 또는 $m=1$

(ii) $-m(m+1)\neq0$이어야 하므로 $m\neq0$, $m\neq-1$

(i), (ii)에서 $m=1$

(2) ㉠이 $0\times x=0$ ❸ 꼴이어야 하므로

(i) $m(m-1)=0$에서 $m=0$ 또는 $m=1$

(ii) $-m(m+1)=0$이어야 하므로 $m=0$ 또는 $m=-1$

(i), (ii)에서 $m=0$

(3) ㉠에서 $m(m-1)\neq0$이어야 하므로

$m\neq0$, $m\neq1$

답 (1) $m=1$ (2) $m=0$ (3) $m\neq0$, $m\neq1$

❶ m의 값 또는 m의 조건을 구하므로 m을 최대한 간단히 표현한다.

❷ $ax=b$에서 $a=0$, $b\neq0$이면 해가 없다.

❸ $ax=b$에서 $a=0$, $b=0$이면 해가 무수히 많다.

풍쌤 강의 NOTE

'일차방정식 $ax=b$'에는 $a\neq0$이라는 뜻이 포함되어 있다.
하지만 '방정식 $ax=b$'에는 $a\neq0$이라는 뜻이 포함되어 있지 않다.
따라서 방정식 $ax=b$를 풀 때는 반드시 $a\neq0$일 때와 $a=0$일 때로 나누어 풀어야 한다.

01-1 기본

x에 대한 다음 방정식을 풀어라.

(1) $a(x+1)=x+2$

(2) $m(x-2)=4x-1$

01-2 기본

x에 대한 방정식 $(a-1)x+b+2=2x+3$의 해가 다음과 같을 때, 상수 a, b의 값 또는 a, b의 조건을 구하여라.

(1) 해가 없다.

(2) 해가 무수히 많다.

(3) 해가 오직 한 개이다.

01-3 유사

x에 대한 방정식 $a^2(x-2)=a(x+4)$의 해가 다음과 같을 때, 상수 a의 값 또는 a의 조건을 구하여라.

(1) 해가 없다.

(2) 해가 무수히 많다.

(3) 해가 오직 한 개이다.

01-4 변형

x에 대한 방정식 $(a+2)^2x=9x+2(a-1)$의 설명으로 옳은 것만을 |보기|에서 있는 대로 골라라.

(단, a는 상수이다.)

|보기|

ㄱ. $a=1$일 때, 해가 없다.

ㄴ. $a=-5$일 때, 해가 무수히 많다.

ㄷ. $a\neq1$, $a\neq-5$일 때, 오직 하나의 해가 존재한다.

01-5 변형

x에 대한 다음 방정식을 풀어라. (단, p는 상수이다.)

$$(p^2+4p+3)x=p+3$$

01-6 변형

x에 대한 방정식 $(m+1)(m+4)x=m+2-2x$의 해가 무수히 많을 때, 상수 m의 값을 구하여라.

필수유형 02 이차방정식의 풀이

다음 이차방정식을 풀어라.

(1) $2x^2-15x=x-30$

(2) $(x+2)^2=4x^2-5x-2$

(3) $\frac{5x^2-4x}{3}-\frac{1}{2}=2x-3$

풍쌤 POINT

이차방정식의 풀이 방법은 다음과 같은 순서로 풀면 돼!

(x에 대한 이차식)$=0$ 꼴 만들기 ➡ 좌변을 인수분해하기 ➡ 인수분해가 안 되면 근의 공식 이용하기

풀이

(1) $2x^2-15x=x-30$에서 우변의 항을 좌변으로 이항하면

$2x^2-16x+30=0$, $x^2-8x+15=0$

좌변을 인수분해하면 $(x-3)(x-5)=0$

$\therefore x=3$ 또는 $x=5$

(2) $(x+2)^2=4x^2-5x-2$에서

$x^2+4x+4=4x^2-5x-2$

$-3x^2+9x+6=0$, $x^2-3x-2=0$ ❶

따라서 근의 공식을 이용하면

$$x=\frac{-(-3)\pm\sqrt{(-3)^2-4\times1\times(-2)}}{2\times1}=\frac{3\pm\sqrt{17}}{2}$$

❶ 좌변이 인수분해가 되지 않으므로 근의 공식을 이용한다.

(3) $\frac{5x^2-4x}{3}-\frac{1}{2}=2x-3$ ❷에서

$10x^2-8x-3=12x-18$

$10x^2-20x+15=0$, $2x^2-4x+3=0$

따라서 근의 공식을 이용하면

$$x=\frac{-(-2)\pm\sqrt{(-2)^2-2\times3}}{2}$$ ❸

$$=\frac{2\pm\sqrt{-2}}{2}=\frac{2\pm\sqrt{2}i}{2}$$

❷ 양변에 분모인 3, 2의 최소공배수 6을 곱한다.

❸ x의 계수가 짝수이므로 짝수 근의 공식을 이용한다.

답 (1) $x=3$ 또는 $x=5$ (2) $x=\frac{3\pm\sqrt{17}}{2}$ (3) $x=\frac{2\pm\sqrt{2}i}{2}$

풍쌤 강의 NOTE

- 이차방정식의 해를 구할 때, 좌변을 인수분해하거나 인수분해가 되지 않으면 근의 공식을 이용한다.
- 특별한 언급이 없으면 이차방정식의 해는 복소수의 범위까지 구한다.

02-1 기본

이차방정식 $x^2-3x+5=0$의 근이 $x=\frac{a\pm\sqrt{b}i}{2}$일 때, 정수 a, b에 대하여 $a+b$의 값을 구하여라.

02-2 유사

다음 이차방정식을 풀어라.

(1) $3(2x^2+1)=-16x+9$

(2) $(x-2)(4x+1)=13x+10$

(3) $\frac{3x^2+4}{5}-x=\frac{x^2-x}{2}$

02-3 유사

다음 이차방정식을 풀어라.

$$3(2x+1)-2x=4(1-x^2)$$

02-4 변형

기출

이차방정식 $x^2+kx+2=0$의 한 근이 1이 되도록 상수 k의 값을 정할 때, 이 방정식의 나머지 한 근을 α라 하자. 이때 $k+\alpha$의 값을 구하여라.

02-5 변형

다음 이차방정식을 풀어라.

$$(\sqrt{2}-1)x^2+x+(2-\sqrt{2})=0$$

02-6 실력

x에 대한 이차방정식

$$kx^2+(p+1)x+(k-2)q=0$$

이 0이 아닌 실수 k의 값에 관계없이 $x=1$을 근으로 가질 때, $p+q$의 값을 구하여라. (단, p, q는 실수이다.)

발전유형 03 절댓값 기호를 포함한 방정식의 풀이

다음 방정식을 풀어라.

(1) $x^2+|x-2|-4=0$　　　　(2) $x^2-5|x|+6=0$

풍쌤 POINT

절댓값 기호가 있는 방정식은 절댓값 기호 안의 식의 값이 0이 되는 x의 값을 기준으로 구간을 나누고, 이차방정식을 풀면 돼.
구간을 나누면 양수, 음수를 판단할 수 있으므로 절댓값 기호를 없앨 수 있어.

풀이

(1) 절댓값 기호 안의 식의 값이 0이 되는 x의 값은 $x-2=0$에서
$x=2$ ❶

(i) $x<2$일 때, ❷
$x^2-(x-2)-4=0$, $x^2-x-2=0$
$(x+1)(x-2)=0$　　$\therefore x=-1$ 또는 $x=2$
그런데 $x<2$이므로 $x=-1$

(ii) $x\geq 2$일 때, ❸
$x^2+x-2-4=0$, $x^2+x-6=0$
$(x+3)(x-2)=0$　　$\therefore x=-3$ 또는 $x=2$
그런데 $x\geq 2$이므로 $x=2$

(i), (ii)에서 주어진 방정식의 해는
$x=-1$ 또는 $x=2$

❶ $x=2$를 기준으로 구간을 나눈다.
❷ $x<2$, 즉 $x-2<0$이므로 $|x-2|=-(x-2)$
❸ $x\geq 2$, 즉 $x-2\geq 0$이므로 $|x-2|=x-2$

(2) 절댓값 기호 안의 식의 값이 0이 되는 x의 값은 $x=0$ ❹

(i) $x<0$일 때,
$x^2+5x+6=0$, $(x+2)(x+3)=0$
$\therefore x=-2$ 또는 $x=-3$

(ii) $x\geq 0$일 때,
$x^2-5x+6=0$, $(x-2)(x-3)=0$
$\therefore x=2$ 또는 $x=3$

(i), (ii)에서 주어진 방정식의 해는
$x=\pm 2$ 또는 $x=\pm 3$

❹ $x=0$을 기준으로 구간을 나눈다.

다른 풀이
$x^2=|x|^2$이므로 $|x|^2-5|x|+6=0$
$(|x|-2)(|x|-3)=0$, $|x|=2$ 또는 $|x|=3$
$\therefore x=\pm 2$ 또는 $x=\pm 3$

답 (1) $x=-1$ 또는 $x=2$　　(2) $x=\pm 2$ 또는 $x=\pm 3$

풍쌤 강의 NOTE

절댓값이 포함된 이차방정식을 풀 때, 절댓값 기호 안의 식의 값이 0이 되는 x의 값을 기준으로 구간을 나누어 해를 구한다. 이때 구한 해가 해당 구간에 속하는지 반드시 확인해야 한다.

03-1 기본

다음 방정식을 풀어라.

(1) $|2x+1|=5$

(2) $|3x-2|=x+1$

03-2 유사

다음 방정식을 풀어라.

(1) $x^2-2|x-1|-1=0$

(2) $x^2-12|x|+32=0$

03-3 변형

다음 방정식을 풀어라.

$$|x^2+3x+1|=1$$

03-4 변형

방정식 $x^2+|2x-1|=3$의 해가 $x=-1+\sqrt{a}$ 또는 $x=1-\sqrt{b}$일 때, 유리수 a, b에 대하여 $a+b$의 값을 구하여라.

03-5 실력

방정식 $|x^2-4|=x+2$의 모든 실근의 합을 구하여라.

03-6 실력

다음 방정식의 모든 근의 합을 구하여라.

$$x^2+\sqrt{(x-1)^2}=|x+1|+3$$

필수유형 04 이차방정식의 활용

가로의 길이가 16 cm, 세로의 길이가 12 cm인 직사각형 모양의 종이에 오른쪽 그림과 같이 폭이 일정하게 색칠하였다. 색칠한 부분의 넓이가 96 cm²일 때, 색칠한 부분의 폭은 몇 cm인지 구하여라.

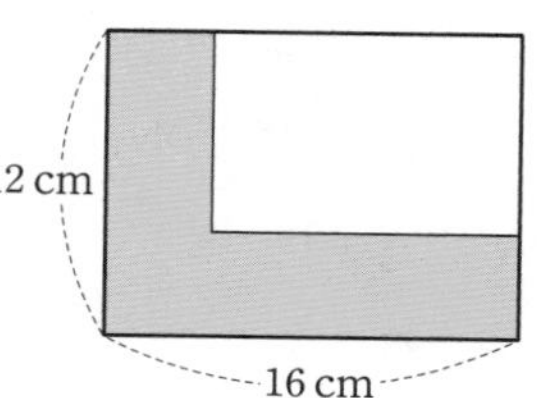

풍쌤 POINT

이차방정식의 활용 문제는 다음과 같은 순서로 해결해.

미지수 정하기 ➡ 이차방정식 세우기 ➡ 이차방정식 풀기 ➡ 답 구하기

풀이

STEP 1 미지수 x 정하기

색칠한 부분의 폭을 x cm라고 하면 색칠하지 않은 부분의 직사각형의 가로의 길이는 $(16-x)$ cm, 세로의 길이는 $(12-x)$ cm[❶]이다.

❶

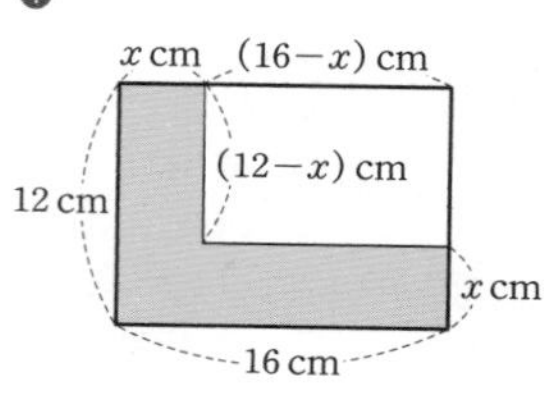

STEP 2 x에 대한 이차방정식 세우기

이때 전체 직사각형의 넓이는 $16\times12=192(\text{cm}^2)$이고,

색칠한 부분의 넓이는 96 cm²이므로

$192-(16-x)(12-x)=96$

STEP 3 이차방정식 풀기

$192-(192-28x+x^2)=96$

$x^2-28x+96=0$

$(x-4)(x-24)=0$

$\therefore x=4$ 또는 $x=24$

STEP 4 답 구하기

그런데 $0<x<12$[❷]이므로

$x=4$

따라서 색칠한 부분의 폭은 4 cm이다.

❷ x는 변의 길이이므로 $x>0$이고, 직사각형의 짧은 변, 즉 세로의 길이보다는 클 수 없으므로 $x<12$이다.

답 4 cm

풍쌤 강의 NOTE

문제의 뜻에 따라 이차방정식을 제대로 세워 풀었다고 해도 구한 해가 조건을 만족시키는지 반드시 확인해야 한다. 특히, 도형의 변의 길이는 항상 양수이어야 함을 기억하자.

04-1 유사

가로, 세로의 길이가 각각 30 m, 20 m인 직사각형 모양의 땅에 오른쪽 그림과 같이 폭이 일정한 ㄷ자 모양의 길을 만들었더니, 남은 땅의 넓이가 378 m^2가 되었다. 이때 길의 폭은 몇 m인지 구하여라.

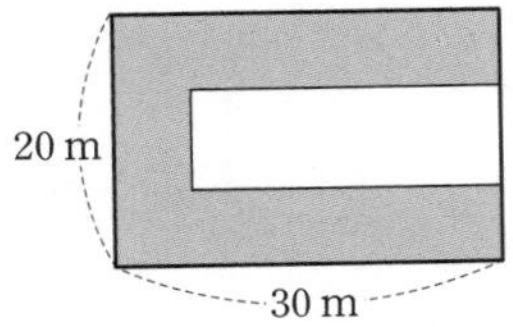

04-2 변형

오른쪽 그림과 같이 한 변의 길이가 6 cm인 정사각형 모양의 종이에서 색칠한 4개의 합동인 직각이등변삼각형을 잘라 내었더니 남은 부분의 넓이가 처음 정사각형의 넓이의 $\frac{2}{3}$가 되었다. 이때 x의 값을 구하여라.

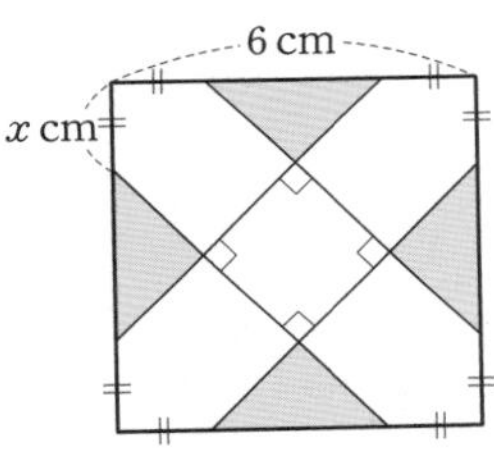

04-3 변형

크기가 서로 다른 3개의 정사각형이 있다. 이 3개의 정사각형의 한 변의 길이는 각각 2 cm씩 차이가 나고, 세 정사각형의 넓이의 합은 200 cm^2이다. 가장 작은 정사각형의 한 변의 길이를 구하여라.

04-4 변형

한 변의 길이가 10 cm인 정사각형이 있다. 정사각형의 가로의 길이는 매초 2 cm씩 늘어나고, 세로의 길이는 매초 1 cm씩 줄어든다고 할 때, 직사각형의 넓이가 88 cm^2가 되는 것은 몇 초 후인지 구하여라.

04-5 변형

다음 그림과 같이 정사각형 ABCD에서 변 AB와 변 DC의 길이를 각각 1만큼 줄이고 변 BC의 길이를 4만큼 늘려 만든 사다리꼴의 넓이는 처음 정사각형의 넓이의 $\frac{3}{4}$배이다. 처음 정사각형의 한 변의 길이를 구하여라.

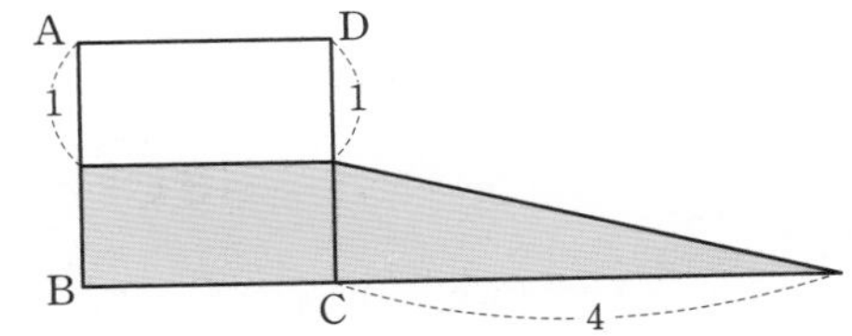

04-6 실력

오른쪽 그림과 같이 한 변의 길이가 1인 정오각형 ABCDE에서 두 대각선 AD와 EC의 교점을 P라 고 하자. 이때 선분 AD의 길이를 구하여라.

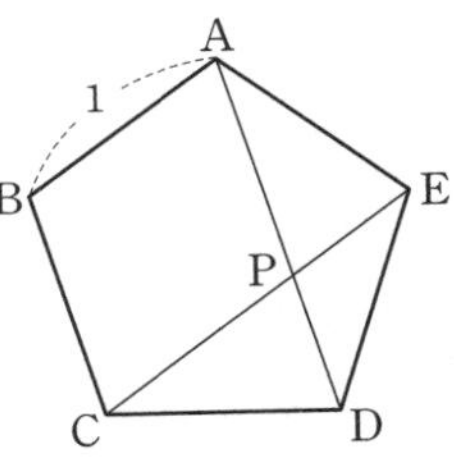

필수유형 05 이차방정식의 판별식

x에 대한 이차방정식 $x^2+2(p-1)x+p^2+p+2=0$이 다음과 같은 근을 갖도록 하는 실수 p의 값 또는 범위를 구하여라.

(1) 서로 다른 두 실근

(2) 중근

(3) 서로 다른 두 허근

(4) 실근

풍쌤 POINT

계수가 실수인 이차방정식 $ax^2+bx+c=0$의 판별식을 $D=b^2-4ac$라고 할 때

① $D>0 \Longleftrightarrow$ 서로 다른 두 실근을 갖는다.
② $D=0 \Longleftrightarrow$ 중근을 갖는다.
(①, ②: 실근을 가지려면 $D=b^2-4ac\ge 0$)
③ $D<0 \Longleftrightarrow$ 서로 다른 두 허근을 갖는다.

풀이

이차방정식 $x^2+2(p-1)x+p^2+p+2=0$의❶ 판별식을 D라고 하면

$\frac{D}{4}$❷$=(p-1)^2-(p^2+p+2)$

$=-3p-1$

(1) 서로 다른 두 실근을 가지려면 $\frac{D}{4}>0$이어야 하므로

$-3p-1>0 \quad \therefore p<-\frac{1}{3}$

(2) 중근을 가지려면 $\frac{D}{4}=0$이어야 하므로

$-3p-1=0 \quad \therefore p=-\frac{1}{3}$

(3) 서로 다른 두 허근을 가지려면 $\frac{D}{4}<0$이어야 하므로

$-3p-1<0 \quad \therefore p>-\frac{1}{3}$

(4) 실근을 가지려면 $\frac{D}{4}\ge 0$이어야 하므로

$-3p-1\ge 0 \quad \therefore p\le -\frac{1}{3}$

❶ x에 대한 이차방정식이므로 x 이외의 문자는 모두 상수이다.

❷ $ax^2+2b'x+c=0$ 꼴이므로 판별식 $\frac{D}{4}=b'^2-ac$를 이용한다.

답 (1) $p<-\frac{1}{3}$ (2) $p=-\frac{1}{3}$ (3) $p>-\frac{1}{3}$ (4) $p\le -\frac{1}{3}$

풍쌤 강의 NOTE

계수가 실수인 이차방정식은 두 실근(중근 포함) 또는 서로 다른 두 허근을 근으로 갖는다.

05-1 유사

x에 대한 이차방정식 $x^2-2(k-1)x+k^2-1=0$이 다음과 같은 근을 갖도록 하는 실수 k의 값 또는 범위를 구하여라.

(1) 서로 다른 두 실근

(2) 중근

(3) 서로 다른 두 허근

(4) 실근

05-2 변형

x에 대한 이차방정식 $x^2-k(2x-1)+6=0$이 중근을 갖도록 하는 양수 k의 값과 중근 α에 대하여 $k-\alpha$의 값을 구하여라.

05-3 변형

x에 대한 이차방정식 $x^2-2x-(k+1)=0$이 허근을 갖고, 이차방정식 $x^2-(k+3)x+k+3=0$이 중근을 가질 때, 실수 k의 값을 구하여라.

05-4 변형

x에 대한 이차방정식

$$(k-1)x^2-2(k+1)x+k-3=0$$

이 실근을 가질 때, 실수 k의 값의 범위를 구하여라.

05-5 변형

x에 대한 이차방정식 $x^2-2bx+a^2+c^2=0$이 중근을 갖는다. 실수 a, b, c가 삼각형의 세 변의 길이를 나타낼 때, 이 삼각형은 어떤 삼각형인지 구하여라.

05-6 실력

기출

x에 대한 이차방정식

$$4x^2+2(2k+m)x+k^2-k+n=0$$

이 실수 k의 값에 관계없이 항상 중근을 가질 때, $m+n$의 값을 구하여라. (단, m, n은 실수이다.)

필수유형 06 이차식이 완전제곱식이 될 조건

x에 대한 이차식 $x^2-(2a+1)x+4a^2-5$가 완전제곱식이 될 때, 양수 a의 값을 구하여라.

풍쌤 POINT

이차식이 완전제곱식이 될 조건은 다음과 같은 순서로 구해야 해!

❶ (이차식)=0인 이차방정식의 판별식을 구하자.

❷ 중근을 가질 조건인 (판별식)=0이 되는 값을 구하자.

풀이

STEP 1 이차식이 완전제곱식이 되기 위한 조건 구하기

이차식 $x^2-(2a+1)x+4a^2-5$가 완전제곱식이 되려면

이차방정식 $x^2-(2a+1)x+4a^2-5=0$이 중근을 가져야 한다.❶

이 이차방정식의 판별식을 D라고 하면

$D=\{-(2a+1)\}^2-4(4a^2-5)=0$

STEP 2 조건에 맞는 a의 값 구하기

$4a^2+4a+1-16a^2+20=0$

$12a^2-4a-21=0$, $(6a+7)(2a-3)=0$

$\therefore a=-\frac{7}{6}$ 또는 $a=\frac{3}{2}$

이때 $a>0$이므로 $a=\frac{3}{2}$

❶ $a(x-\alpha)^2$ ← 완전제곱식
$\Longleftrightarrow$ 이차방정식 $a(x-\alpha)^2=0$이 중근 α를 갖는다.

다른 풀이

STEP 1 이차식이 완전제곱식이 되기 위한 조건 구하기

이차식 $x^2-(2a+1)x+4a^2-5$가 완전제곱식이 되려면

$\left\{\frac{-(2a+1)}{2}\right\}^2=4a^2-5$❷

STEP 2 조건에 맞는 a의 값 구하기

$\frac{4a^2+4a+1}{4}=4a^2-5$

$4a^2+4a+1=16a^2-20$

$12a^2-4a-21=0$, $(6a+7)(2a-3)=0$

$\therefore a=-\frac{7}{6}$ 또는 $a=\frac{3}{2}$

이때 $a>0$이므로 $a=\frac{3}{2}$

❷ 이차식 x^2+mx+n이 완전제곱식이 되려면 $\left(\frac{m}{2}\right)^2=n$이 되어야 한다.

답 $\frac{3}{2}$

이차식 ax^2+bx+c가 완전제곱식이면 이차방정식 $ax^2+bx+c=0$은 중근을 가지므로 판별식 $D=0$이다.

06-1 유사

x에 대한 이차식 $2x^2+(3a+1)x+a^2+a+2$가 완전제곱식이 될 때, 양수 a의 값을 구하여라.

06-2 유사

x에 대한 이차식 $x^2-2(k-1)x+2k^2-6k+4$가 완전제곱식이 될 때, 모든 실수 k의 값의 합을 구하여라.

06-3 변형

x에 대한 이차식 $x^2-2(k+a)x+(k+1)^2+a^2-b-3$이 실수 k의 값에 관계없이 항상 완전제곱식이 될 때, 실수 a, b에 대하여 $a+b$의 값을 구하여라.

06-4 변형

x에 대한 이차식 $x^2-4x-a+b$가 완전제곱식이 될 때, 이차방정식 $x^2-2(a-1)x+a^2+3b=5a-4$의 근을 판별하여라. (단, a, b는 실수이다.)

06-5 실력

x에 대한 이차식 $(x-a)(x-c)+(x-b)(2x-a-c)$가 완전제곱식이 될 때, 양수 a, b, c를 세 변의 길이로 하는 삼각형은 어떤 삼각형인지 구하여라.

06-6 실력

이차식 $x^2+xy-ky^2+2x+7y-3$이 x, y에 대한 두 일차식의 곱으로 인수분해될 때, 상수 k의 값을 구하여라.

필수유형 07 이차방정식의 근과 계수의 관계

이차방정식 $x^2+4x+2=0$의 두 근을 α, β라고 할 때, 다음 식의 값을 구하여라.

(1) $\alpha^2+\beta^2$

(2) $|\alpha-\beta|$

(3) $\frac{\beta}{\alpha}+\frac{\alpha}{\beta}$

(4) $\alpha^3+\beta^3$

풍쌤 POINT

이차방정식 $ax^2+bx+c=0$의 두 근을 α, β라고 하면

$\alpha+\beta=-\frac{b}{a}$, $\alpha\beta=\frac{c}{a}$

풀이

이차방정식 $x^2+4x+2=0$의 두 근이 α, β이므로

근과 계수의 관계에 의하여

$\alpha+\beta=-\frac{4}{1}=-4$, $\alpha\beta=\frac{2}{1}=2$

(1) $\alpha^2+\beta^2=(\alpha+\beta)^2-2\alpha\beta$ ❶

$=(-4)^2-2\times2=12$

❶ 주어진 식을 곱셈 공식을 이용하여 $\alpha+\beta$, $\alpha\beta$에 대한 식으로 변형해야 한다.

(2) $(\alpha-\beta)^2=(\alpha+\beta)^2-4\alpha\beta$

$=(-4)^2-4\times2=8$

$\therefore |\alpha-\beta|=\sqrt{(\alpha-\beta)^2}=\sqrt{8}=2\sqrt{2}$

다른 풀이

$|\alpha-\beta|=\frac{\sqrt{4^2-4\times1\times2}}{|1|}$ ❷ $=\sqrt{8}=2\sqrt{2}$

❷ $|\alpha-\beta|=\frac{\sqrt{b^2-4ac}}{|a|}$

(3) $\frac{\beta}{\alpha}+\frac{\alpha}{\beta}=\frac{\alpha^2+\beta^2}{\alpha\beta}$ ❸ $=\frac{12}{2}=6$

❸ (1)에서 $\alpha^2+\beta^2=12$

(4) $\alpha^3+\beta^3=(\alpha+\beta)^3-3\alpha\beta(\alpha+\beta)$

$=(-4)^3-3\times2\times(-4)=-40$

다른 풀이

$\alpha^3+\beta^3=(\alpha+\beta)(\alpha^2-\alpha\beta+\beta^2)$

$=(-4)\times(12-2)=-40$

답 (1) 12 (2) $2\sqrt{2}$ (3) 6 (4) -40

풍쌤 강의 NOTE

이차방정식 $ax^2+bx+c=0$의 두 근을 α, β라고 할 때, 근과 계수의 관계를 이용하여 두 근의 합과 곱을 구하고, 곱셈 공식의 변형을 이용하여 주어진 식의 값을 구한다. 이때 자주 이용되는 곱셈 공식의 변형은 다음과 같다.

① $a^2+b^2=(a+b)^2-2ab=(a-b)^2+2ab$

② $(a+b)^2=(a-b)^2+4ab$, $(a-b)^2=(a+b)^2-4ab$

③ $a^3+b^3=(a+b)^3-3ab(a+b)$, $a^3-b^3=(a-b)^3+3ab(a-b)$

07-1 유사

이차방정식 $x^2+x-4=0$의 두 근을 α, β라고 할 때, 다음 식의 값을 구하여라.

(1) $\alpha^2+\beta^2$

(2) $|\alpha-\beta|$

(3) $\frac{\beta}{\alpha}+\frac{\alpha}{\beta}$

(4) $\alpha^3+\beta^3$

07-2 변형

이차방정식 $2x^2+6x-3=0$의 두 근을 α, β라고 할 때, $|\alpha^2-\beta^2|$의 값을 구하여라.

07-3 변형

이차방정식 $2x^2-4x-1=0$의 두 근을 α, β라고 할 때, $\frac{\beta}{\alpha+1}+\frac{\alpha}{\beta+1}$의 값을 구하여라.

07-4 변형

이차방정식 $x^2-3x+5=0$의 두 근을 α, β라고 할 때, $\alpha^3+\beta^3-2(\alpha^2+\beta^2)+\alpha+\beta$의 값을 구하여라.

07-5 변형 기출

이차방정식 $x^2+4x-3=0$의 두 근을 α, β라고 할 때, $\frac{6\beta}{\alpha^2+4\alpha-4}+\frac{6\alpha}{\beta^2+4\beta-4}$의 값을 구하여라.

07-6 변형 기출

이차방정식 $x^2-3x-2=0$의 두 근을 α, β라고 할 때, $\alpha^3-3\alpha^2+\alpha\beta+2\beta$의 값을 구하여라.

필수유형 08 두 근의 조건이 주어진 이차방정식

이차방정식 $x^2-mx+24=0$에 대하여 다음 조건에 맞는 실수 m의 값을 모두 구하여라.

(1) 두 근의 비가 2 : 3일 때

(2) 두 근의 차가 5일 때

(3) 한 근이 다른 근의 6배일 때

풍쌤 POINT

(1) 두 근의 비가 2 : 3일 때 ➡ 두 근을 2α, 3α로 놓으면 돼.

(2) 두 근의 차가 5일 때 ➡ 두 근을 α, $\alpha+5$로 놓으면 돼.

(3) 한 근이 다른 근의 6배일 때 ➡ 두 근을 α, 6α로 놓으면 돼.

풀이

이차방정식의 근과 계수의 관계에 의하여

(두 근의 합)$=m$, (두 근의 곱)$=24$

(1) 두 근의 비가 2 : 3이므로 두 근을 각각 2α, 3α $(\alpha\neq0)$라고 하면

$2\alpha+3\alpha=m \quad \therefore m=5\alpha$ …… ㉠

$2\alpha\times3\alpha=24$, $6\alpha^2=24$, $\alpha^2=4 \quad \therefore \alpha=\pm2$ …… ㉡

㉡을 ㉠에 대입하면 $m=-10$ 또는 $m=10$

(2) 두 근의 차가 5이므로 두 근을 각각 α, $\alpha+5$라고 하면[1]

$\alpha+(\alpha+5)=m \quad \therefore m=2\alpha+5$ …… ㉠

$\alpha(\alpha+5)=24$, $\alpha^2+5\alpha-24=0$

$(\alpha+8)(\alpha-3)=0 \quad \therefore \alpha=-8$ 또는 $\alpha=3$ …… ㉡

㉡을 ㉠에 대입하면 $m=-11$ 또는 $m=11$

다른 풀이

두 근을 α, β라고 하면 이차방정식의 근과 계수의 관계에 의하여

$\alpha+\beta=m$, $\alpha\beta=24$

두 근의 차가 5이므로 $|\alpha-\beta|=5$

이때 $|\alpha-\beta|^2=(\alpha-\beta)^2=(\alpha+\beta)^2-4\alpha\beta$이므로

$5^2=m^2-4\times24$, $m^2=121 \quad \therefore m=\pm11$

(3) 한 근이 다른 근의 6배이므로 두 근을 각각 α, 6α $(\alpha\neq0)$라고 하면

$\alpha+6\alpha=m \quad \therefore m=7\alpha$ …… ㉠

$\alpha\times6\alpha=24$, $6\alpha^2=24$, $\alpha^2=4 \quad \therefore \alpha=\pm2$ …… ㉡

㉡을 ㉠에 대입하면 $m=-14$ 또는 $m=14$

[1] 두 근의 차가 k $(k>0)$일 때는 두 근을 α, $\alpha+k$ 또는 $\alpha-k$, α로 놓을 수 있다.

답 (1) -10, 10 (2) -11, 11 (3) -14, 14

풍쌤 강의 NOTE

두 근의 조건이 주어진 경우에는 두 근을 α, β로 놓지 말고 주어진 조건을 이용하여 한 문자 (α 또는 β)로 두 근을 나타낸다.

08-1 유사

이차방정식 $x^2-10x+m+3=0$에 대하여 다음 조건에 맞는 실수 m의 값을 구하여라.

(1) 두 근의 비가 $2:3$일 때

(2) 두 근의 차가 4일 때

(3) 한 근이 다른 근의 4배일 때

08-2 변형

이차방정식 $x^2-(k+2)x+2k=0$의 두 근의 비가 $1:3$일 때, 실수 k의 값을 모두 구하여라.

08-3 유사

이차방정식 $x^2+2(k+2)x+k=0$의 두 근의 차가 4일 때, 실수 k의 값을 모두 구하여라.

08-4 변형

이차방정식 $x^2+3(m+1)x-18=0$의 두 실근의 절댓값의 비가 $1:2$가 되도록 하는 모든 실수 m의 값의 합을 구하여라.

08-5 변형

x에 대한 이차방정식 $x^2+(m^2+2m-8)x-3m+1=0$의 두 실근의 절댓값이 같고 부호가 서로 다를 때, 실수 m의 값을 구하여라.

08-6 실력

기출

x에 대한 이차방정식 $x^2+(1-3m)x+2m^2-4m-7=0$의 두 근의 차가 4가 되도록 하는 모든 실수 m의 값의 곱을 구하여라.

필수유형 09 두 수를 근으로 하는 이차방정식의 작성

이차방정식 $x^2+6x+4=0$의 두 근을 α, β라고 할 때, 다음을 두 근으로 하고 x^2의 계수가 1인 이차방정식을 구하여라.

(1) $\alpha+\beta$, $\alpha\beta$ (2) $\frac{1}{\alpha}$, $\frac{1}{\beta}$ (3) $\alpha+1$, $\beta+1$

풍쌤 POINT

두 수 α, β를 근으로 하고 이차항의 계수가 1인 이차방정식은 $(x-\alpha)(x-\beta)=0$, 즉 $x^2-(\alpha+\beta)x+\alpha\beta=0$이야.

풀이

이차방정식 $x^2+6x+4=0$의 두 근이 α, β이므로
근과 계수의 관계에 의하여
$\alpha+\beta=-6$, $\alpha\beta=4$

(1) $\alpha+\beta$, $\alpha\beta$를 두 근으로 하는 이차방정식의 두 근의 합과 곱을 각각 구하면

$(\alpha+\beta)+\alpha\beta=-6+4=-2$

$(\alpha+\beta)\times\alpha\beta=(-6)\times4=-24$

따라서 구하는 이차방정식은 $x^2+2x-24=0$❶이다.

❶ $x^2-2x-24=0$으로 쓰지 않도록 주의하자.

(2) $\frac{1}{\alpha}$, $\frac{1}{\beta}$을 두 근으로 하는 이차방정식의 두 근의 합과 곱을 각각 구하면

$\frac{1}{\alpha}+\frac{1}{\beta}=\frac{\alpha+\beta}{\alpha\beta}=\frac{-6}{4}=-\frac{3}{2}$

$\frac{1}{\alpha}\times\frac{1}{\beta}=\frac{1}{\alpha\beta}=\frac{1}{4}$

따라서 구하는 이차방정식은 $x^2+\frac{3}{2}x+\frac{1}{4}=0$❷이다.

❷ x^2의 계수가 1인 이차방정식을 구하는 것이므로 계수가 정수인 $4x^2+6x+1=0$으로 쓰지 않는다.

(3) $\alpha+1$, $\beta+1$을 두 근으로 하는 이차방정식의 두 근의 합과 곱을 각각 구하면

$(\alpha+1)+(\beta+1)=\alpha+\beta+2=-6+2=-4$

$(\alpha+1)(\beta+1)=\alpha\beta+\alpha+\beta+1=4+(-6)+1=-1$

따라서 구하는 이차방정식은 $x^2+4x-1=0$이다.

답 (1) $x^2+2x-24=0$ (2) $x^2+\frac{3}{2}x+\frac{1}{4}=0$ (3) $x^2+4x-1=0$

풍쌤 강의 NOTE

주어진 두 근의 형태가 어떠하든지 두 근의 합과 두 근의 곱에 대한 식을 세우고 각각의 값을 구하면 이 두 값을 두 근으로 하는 이차방정식을 세울 수 있다.

09-1 유사

이차방정식 $x^2+5x-3=0$의 두 근을 α, β라고 할 때, 다음을 두 근으로 하고 x^2의 계수가 1인 이차방정식을 구하여라.

(1) $\alpha+\beta$, $\alpha\beta$

(2) $\dfrac{2}{\alpha}$, $\dfrac{2}{\beta}$

(3) $\alpha-1$, $\beta-1$

09-2 변형

이차방정식 $x^2+x+2=0$의 두 근을 α, β라고 할 때, $\dfrac{1}{\alpha^2}$, $\dfrac{1}{\beta^2}$을 두 근으로 하고 이차항의 계수가 4인 이차방정식을 구하여라.

09-3 변형

이차방정식 $x^2-3x+1=0$의 두 근을 α, β라고 할 때, $\sqrt{\alpha}$, $\sqrt{\beta}$를 두 근으로 하는 이차방정식이 $x^2+bx+c=0$이다. 상수 b, c에 대하여 b^2+c^2의 값을 구하여라.

09-4 변형

이차방정식 $ax^2+bx+c=0$의 두 근을 α, β라고 할 때, $a\alpha+b$, $a\beta+b$를 두 근으로 하고, x^2의 계수가 1인 이차방정식을 구하여라. (단, a, b, c는 상수이다.)

09-5 변형

이차방정식 $x^2+px+q=0$의 두 근이 α, -1이고, 이차방정식 $x^2+qx+p=0$의 두 근이 β, -2일 때, α, β를 두 근으로 하는 이차방정식은 $x^2+ax+b=0$이다. 이때 상수 a, b에 대하여 $b-a$의 값을 구하여라.

09-6 실력

이차항의 계수가 1인 이차식 $f(x)$는 다음 조건을 만족시킨다.

> (가) 이차방정식 $f(x)=0$의 두 근의 곱은 7이다.
> (나) 이차방정식 $x^2-3x+1=0$의 두 근 α, β에 대하여 $f(\alpha)+f(\beta)=3$이다.

$f(7)$의 값을 구하여라.

필수유형 10 이차방정식의 켤레근

이차방정식 $x^2+ax+b=0$에 대하여 다음을 구하여라.

(1) 한 근이 $1+\sqrt{3}$일 때, 유리수 a, b의 값

(2) 한 근이 $3+2i$일 때, 실수 a, b의 값

풍쌤 POINT

(1) 계수가 유리수인 이차방정식의 근이 $p+q\sqrt{m}$이면 다른 한 근은 $p-q\sqrt{m}$이야.
(단, p, q는 유리수, $q\neq0$, $\sqrt{m}$은 무리수이다.)

(2) 계수가 실수인 이차방정식의 한 근이 $p+qi$이면 다른 한 근은 $p-qi$야.
(단, p, q는 실수, $q\neq0$, $i=\sqrt{-1}$)

풀이

(1) **STEP 1 이차방정식의 다른 한 근 구하기**

계수가 유리수이고, 주어진 이차방정식의 한 근이 $1+\sqrt{3}$이므로 다른 한 근은 $1-\sqrt{3}$❶이다.

STEP 2 근과 계수의 관계를 이용하여 a, b의 값 구하기

따라서 이차방정식의 근과 계수의 관계에 의하여❷

두 근의 합은

$(1+\sqrt{3})+(1-\sqrt{3})=-a$

$2=-a \qquad \therefore a=-2$

두 근의 곱은

$(1+\sqrt{3})(1-\sqrt{3})=b$

$1-3=b \qquad \therefore b=-2$

❶ $p+q\sqrt{3}$의 켤레근은 $p-q\sqrt{3}$이다.

❷ 이차방정식 $x^2+ax+b=0$의 두 근을 α, β라고 할 때, $\alpha+\beta=-a$, $\alpha\beta=b$

(2) **STEP 1 이차방정식의 다른 한 근 구하기**

계수가 실수이고, 주어진 이차방정식의 한 근이 $3+2i$이므로 다른 한 근은 $3-2i$❸이다.

STEP 2 근과 계수의 관계를 이용하여 a, b의 값 구하기

따라서 이차방정식의 근과 계수의 관계에 의하여

두 근의 합은

$(3+2i)+(3-2i)=-a$

$6=-a \qquad \therefore a=-6$

두 근의 곱은

$(3+2i)(3-2i)=b$❹

$9+4=b \qquad \therefore b=13$

❸ $p+qi$의 켤레근은 $p-qi$이다.

❹ $i^2=-1$이므로

$$\begin{aligned}2i\times(-2i)&=-4i^2\\&=-4\times(-1)\\&=4\end{aligned}$$

답 (1) $a=-2$, $b=-2$ (2) $a=-6$, $b=13$

풍쌤 강의 NOTE

이차방정식의 계수 조건이 주어지면 켤레근을 알 수 있다. 이때 이차방정식의 켤레근을 구하는 과정에서 계수의 조건이 유리수 또는 실수로 한정됨을 반드시 확인해야 한다.

10-1 유사

이차방정식 $x^2+ax+b=0$에 대하여 다음을 구하여라.

(1) 한 근이 $3-\sqrt{2}$일 때, 유리수 a, b의 값

(2) 한 근이 $-1-3i$일 때, 실수 a, b의 값

10-2 변형

이차방정식 $x^2-ax+b=0$의 한 근이 $\frac{2}{\sqrt{3}-1}$일 때, 유리수 a, b에 대하여 $a+b$의 값을 구하여라.

10-3 변형

이차방정식 $x^2+ax-b=0$의 한 근이 $\frac{1+i}{1-i}$일 때, 실수 a, b에 대하여 $a-b$의 값을 구하여라.

10-4 변형

이차방정식 $x^2+mx+n=0$의 한 근이 $-1+2i$일 때, $\frac{1}{m}$, $\frac{1}{n}$을 두 근으로 하는 이차방정식이 $x^2+ax+b=0$이다. 이때 실수 a, b에 대하여 $a+b$의 값을 구하여라.

(단, m, n은 실수이다.)

10-5 실력

기출

다항식 $f(x)=x^2+px+q$ (p, q는 실수)가 다음 두 조건을 만족시킨다.

> (가) 다항식 $f(x)$를 $x-1$로 나눈 나머지는 1이다.
> (나) 실수 a에 대하여 이차방정식 $f(x)=0$의 한 근은 $a+i$이다.

$p+2q$의 값을 구하여라. (단, $i=\sqrt{-1}$)

10-6 실력

복소수 α는 이차방정식 $x^2+ax+b=0$의 근이고, $\alpha+1$은 이차방정식 $x^2-bx+a=0$의 근이다. 이때 실수 a, b에 대하여 ab의 값을 구하여라.

풍산자 유형 특강

가우스 기호를 포함한 방정식의 풀이

가우스 기호를 이해하면 가우스 기호를 포함한 방정식의 해를 구할 수 있어.

먼저 가우스 기호가 무엇인지 알아보자.

실수 x에 대하여 x보다 크지 않은 최대의 정수를 $[x]$로 나타낼 때 기호 [ ]를 가우스 기호라고 한다. 즉, 정수 n에 대하여

$n \le x < n+1 \iff [x]=n$

따라서 함수 $y=[x]$의 그래프는 다음 그림과 같이 계단 모양으로 나타난다.

$$y=[x]\begin{cases} \vdots \\ -1\le x<0 \Rightarrow y=-1 \\ 0\le x<1 \Rightarrow y=0 \\ 1\le x<2 \Rightarrow y=1 \\ 2\le x<3 \Rightarrow y=2 \\ \vdots \end{cases}$$

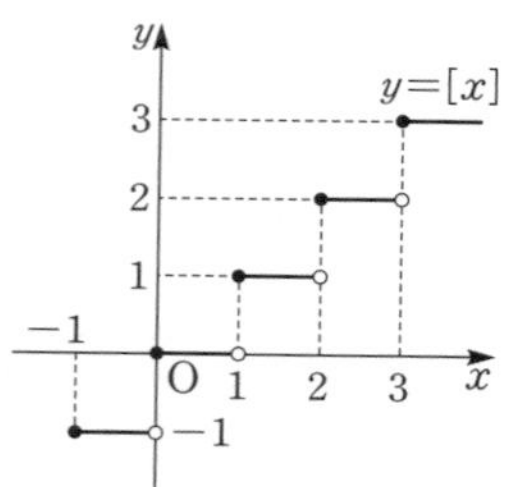

$[x]$는 실수 x를 정수부분과 소수부분으로 나눌 때, x의 정수부분, 즉 x의 양의 소수부분을 버린 정수를 나타낸다.
예를 들어
$[1.2]=[1+0.2]=1$
$[-1.2]=[-2+0.8]=-2$
이때
$[-1.2]=[-1-0.2]\ne -1$
에 주의한다.

즉, 가우스 기호를 포함한 방정식은 정수의 구간에 따라 $[x]$의 값이 달라지므로 주어진 x의 값의 범위를 정수의 구간으로 나누어 생각해야 한다.

예시 1 가우스 기호를 포함한 방정식(1)

$1\le x<4$일 때, 방정식 $[x]+4=3x$를 풀어라.
(단, $[x]$는 x보다 크지 않은 최대의 정수이다.)

풍산자 풀이 흐름

❶ $n\le x<n+1$(n은 정수)일 때, $[x]=n$임을 이용하여 $[x]$의 값에 따라 경우를 나누어 풀기

❷ 방정식의 해 구하기

❶ (i) $1\le x<2$일 때, $[x]=1$이므로 $1+4=3x$ $\quad\therefore x=\frac{5}{3}$

주어진 범위를 만족하므로 근이다.

(ii) $2\le x<3$일 때, $[x]=2$이므로 $2+4=3x$ $\quad\therefore x=2$

주어진 범위를 만족하므로 근이다.

(iii) $3\le x<4$일 때, $[x]=3$이므로 $3+4=3x$ $\quad\therefore x=\frac{7}{3}$

그런데 주어진 범위를 만족하지 않으므로 근이 아니다.

❷ (i)~(iii)에서 주어진 방정식의 해는 $x=\frac{5}{3}$ 또는 $x=2$

근을 구한 후, 구한 근이 주어진 범위에 포함되는지 반드시 확인해야 한다.

확인 1

정답과 풀이 92쪽

$-1\le x<2$일 때, 방정식 $[x]+1=2x$를 풀어라.
(단, $[x]$는 x보다 크지 않은 최대의 정수이다.)

예시 2 가우스 기호를 포함한 방정식(2)

방정식 $2[x]^2+3[x]+1=0$을 풀어라.

(단, $[x]$는 x보다 크지 않은 최대의 정수이다.)

❶ $2[x]^2+3[x]+1=0$에서 $([x]+1)(2[x]+1)=0$

$\therefore [x]=-1$ 또는 $[x]=-\frac{1}{2}$

이때 $[x]$는 정수이므로 $[x]=-1$

❷ $\therefore -2\le x<-1$

풍산자 풀이 흐름

❶ $[x]$를 한 문자로 생각하고 방정식을 풀어 정수 $[x]$의 값을 구하기

❷ $[x]=n$(단, n은 정수) $\Longleftrightarrow$ $n\le x<n+1$임을 이용하여 x의 값의 범위를 구하기

$[x]=n$ (n은 정수)이므로 $[x]=-\frac{1}{2}$을 만족하는 x의 값은 없다.

확인 2

정답과 풀이 92쪽

다음 방정식을 풀어라. (단, $[x]$는 x보다 크지 않은 최대의 정수이다.)

(1) $3[x]^2+4[x]-4=0$

(2) $[x]^2-12[x]+32=0$

예시 3 가우스 기호를 포함한 방정식(3)

$0\le x<3$일 때, 방정식 $x^2-[x]^2=x-[x]$를 풀어라.

(단, $[x]$는 x보다 크지 않은 최대의 정수이다.)

❶ $0\le x<3$을 정수 단위로 구간을 나누면 $0\le x<1$, $1\le x<2$, $2\le x<3$일 때이다.

(i) $0\le x<1$일 때, $[x]=0$이므로 $x^2-0=x-0$

$x^2-x=0$, $x(x-1)=0$

$\therefore x=0$ 또는 $x=1$

그런데 x는 $0\le x<1$이므로 $x=0$

(ii) $1\le x<2$일 때, $[x]=1$이므로 $x^2-1=x-1$

$x^2=x$, $x^2-x=0$, $x(x-1)=0$

$\therefore x=0$ 또는 $x=1$

그런데 x는 $1\le x<2$이므로 $x=1$

❷ (i), (ii)에서 주어진 방정식의 해는 $x=0$ 또는 $x=1$

풍산자 풀이 흐름

❶ $n\le x<n+1$(n은 정수)일 때, $[x]=n$임을 이용하여 $[x]$의 값에 따라 경우를 나누어 풀기

❷ 방정식의 해 구하기

확인 3

정답과 풀이 92쪽

다음 방정식을 풀어라. (단, $[x]$는 x보다 크지 않은 최대의 정수이다.)

(1) $x^2+4[x]-5=0$ $(0\le x<2)$

(2) $x^2-[x]^2=2x-2[x]$ $(0\le x<3)$

실전 연습 문제

01

x에 대한 방정식 $a^2x-(3x+1)a+2x+2=0$의 해가 무수히 많을 때의 a의 값을 m, 해가 없을 때의 a의 값을 n이라고 하자. $m+n$의 값을 구하여라.

(단, a는 상수이다.)

02

이차방정식 $x^2+ax=3x-b$의 한 근이 1이고, 이차방정식 $x^2+abx+4=0$의 한 근이 2일 때, 상수 a, b에 대하여 a^2+b^2의 값은?

① 2　② 4　③ 8　④ 12　⑤ 16

03

다음 이차방정식을 풀어라. (단, $i=\sqrt{-1}$)

$$ix^2+(2+i)x-i(1+i)=0$$

04

이차방정식 $x^2+|2x-1|-4=0$의 두 근 α, β $(\alpha<\beta)$에 대하여 $\beta-\alpha$의 값은?

① $-4-\sqrt{6}$　② $-2\sqrt{6}$　③ $-\sqrt{6}$　④ $\sqrt{6}$　⑤ $2\sqrt{6}$

05 서술형

두 이차방정식 $x^2+4|x|-5=0$과 $x^2-mx+m=0$이 공통근을 가질 때, 상수 m의 값을 구하여라.

06 기출

오른쪽 그림과 같이 한 변의 길이가 1인 정사각형 ABCD가 있다. 두 변 BC, CD 위에 각각 두 점 P, Q를 잡아 삼각형 APQ가 정삼각형이 되도록 하였다. 이때 선분 BP의 길이를 구하여라.

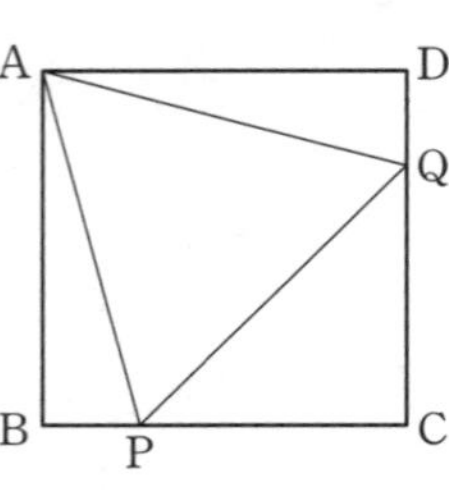

07

길이가 12 cm인 철사를 두 조각으로 잘라서 각각의 철사로 정삼각형을 만들었다. 두 정삼각형의 넓이의 합이 $\frac{5\sqrt{3}}{2}$ cm^2일 때, 큰 정삼각형의 한 변의 길이는?

① 3 cm　② 4 cm　③ 5 cm　④ 6 cm　⑤ 7 cm

08

이차방정식 $x^2+4x+k-3=0$이 허근을 갖도록 하는 가장 작은 자연수 k의 값은?

① 5　② 6　③ 7　④ 8　⑤ 9

09

기출

x에 대한 이차방정식 $4x^2-4(k+1)x-6+k^2=0$이 실근을 갖도록 하는 모든 음의 정수 k의 값의 합을 구하여라.

10

서술형

x에 대한 이차방정식 $x^2-2ax+b^2+1=0$이 중근을 가질 때, 이차방정식 $x^2+4ax-2b-1=0$의 근을 판별하여라. (단, a, b는 실수이다.)

11

x에 대한 이차식 $a(1+x^2)+2bx+c(1-x^2)$이 완전제곱식이 될 때, 실수 a, b, c를 세 변의 길이로 하는 삼각형은 어떤 모양인가?

① 정삼각형
② $b=c$인 이등변삼각형
③ $a=c$인 이등변삼각형
④ 빗변의 길이가 a인 직각삼각형
⑤ 빗변의 길이가 b인 빗변인 직각삼각형

12

이차방정식 $(x-1)(x+2)=2$의 두 근을 α, β라고 할 때, 다음 식의 값 중 옳지 않은 것은?

① $\alpha+\beta+1=0$　② $\alpha^2+\beta^2=9$
③ $\alpha^3+\beta^3=11$　④ $\frac{1}{\alpha}+\frac{1}{\beta}=\frac{1}{4}$
⑤ $\frac{\beta}{\alpha}+\frac{\alpha}{\beta}=-\frac{9}{4}$

13

이차방정식 $2x^2+6x-9=0$의 두 근을 α, β라고 할 때, $2(2\alpha^2+\beta^2)+6(2\alpha+\beta)-\alpha-\beta$의 값을 구하여라.

14

이차방정식 $x^2+(k+3)x+2k+7=0$의 두 근의 제곱의 합이 11일 때, 상수 k에 대하여 k^2+2k의 값은?

① -16 ② -8 ③ 1
④ 8 ⑤ 16

15

x에 대한 이차방정식 $x^2-3px+4q-2=0$의 두 실근의 비가 $1:2$가 되도록 하는 두 실수 p, q에 대하여 q의 값의 범위는? (단, $p\neq0$)

① $q<-\frac{1}{2}$ ② $q<\frac{1}{2}$
③ $-\frac{1}{2}<q<\frac{1}{2}$ ④ $q>\frac{1}{2}$
⑤ $q>-\frac{1}{2}$

16 서술형

이차방정식 $x^2-4x+1=0$ 의 두 근을 α, β라고 할 때, $\alpha^2+\frac{1}{\beta}$, $\beta^2+\frac{1}{\alpha}$을 두 근으로 하고, x^2의 계수가 1인 이차방정식을 구하여라.

17

이차방정식 $x^2-6x+2k=0$의 두 근의 비가 $1:2$이고, 이차식 x^2-kx-k가 일차항의 계수가 1인 두 일차식의 곱으로 인수분해될 때, 두 일차식의 합은?

(단, k는 상수이다.)

① $-2x-4$ ② $2x-4$ ③ $x+2$
④ $-2x+4$ ⑤ $2x+4$

18

x에 대한 이차방정식 $x^2+(m+n)x-mn=0$의 한 근이 $4+\sqrt{2}i$일 때, m^2+n^2의 값을 구하여라.

(단, $i=\sqrt{-1}$이고 m, n은 실수이다.)

상위권 도약 문제

정답과 풀이 98쪽

01

이차방정식 $x^2-2007x-2008=0$의 근 중에서 큰 것을 a라 하고, 이차방정식 $2008^2x^2+2007\times2009x-1=0$의 근 중에서 작은 것을 b라고 할 때, $a-b$의 값은?

① -2009 ② -2007 ③ 0
④ 2007 ⑤ 2009

02

x에 대한 방정식 $|x^2+2x+2k-2|=k^2+5$의 모든 실근의 곱을 m이라고 할 때, m의 최댓값은?
(단, k는 실수이다.)

① -12 ② -7 ③ -6
④ -2 ⑤ -1

03

아이스크림 1개의 값이 1000원인 어느 아이스크림 전문점에서 하루 평균 1000개의 아이스크림을 판다고 한다. 어느 날부터 아이스크림의 값을 x % 만큼 올려서 팔았더니 판매량이 $2x$ % 만큼 줄어 하루 평균 매출은 48 %만큼 감소하였다고 할 때, x의 값을 구하여라.

04

x에 대한 이차방정식 $(a^2-9)x^2=a+3$이 서로 다른 두 실근을 갖도록 하는 10보다 작은 자연수 a의 개수는?

① 3 ② 4 ③ 5
④ 6 ⑤ 7

05

이차항의 계수가 1인 이차방정식에서 상수항을 1만큼 크게 하면 두 근이 같게 되고, 상수항을 3만큼 작게 하면 한 근이 다른 근의 두 배가 된다고 한다. 이때 처음 이차방정식의 두 근의 제곱의 합을 구하여라.

06

x에 대한 이차방정식 $x^2+(m+1)x+2m-1=0$의 두 근이 정수가 되도록 하는 모든 정수 m의 값의 합은?

① 6　　② 7　　③ 8
④ 9　　⑤ 10

07

기출

한 변의 길이가 10인 정사각형 ABCD가 있다. 그림과 같이 정사각형 ABCD의 내부에 한 점 P를 잡고, 점 P를 지나고 정사각형의 각 변에 평행한 두 직선이 정사각형의 네 변과 만나는 점을 각 E, F, G, H라고 하자.

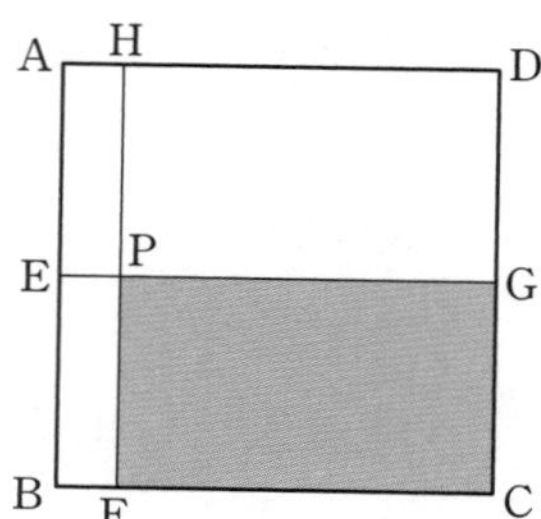

직사각형 PFCG의 둘레의 길이가 28이고 넓이가 46일 때, 두 선분 AE와 AH의 길이를 두 근으로 하는 이차방정식을 구하여라.

(단, 이차방정식의 이차항의 계수는 1이다.)

08

세 유리수 a, b, c에 대하여 x에 대한 이차방정식 $ax^2+\sqrt{3}bx+c=0$의 한 근이 $\alpha=2+\sqrt{3}$이다. 다른 한 근을 β라고 할 때, $\alpha+\frac{1}{\beta}$의 값은?

① -4　　② $-2\sqrt{3}$　　③ 0
④ $2\sqrt{3}$　　⑤ 4

06 이차방정식과 이차함수

유형의 이해에 따라 □ 안에 ○, × 표시를 하고 반복하여 학습합니다.		1st	2nd
필수유형 01	이차함수의 그래프	□	□
필수유형 02	이차함수의 그래프와 계수의 부호	□	□
필수유형 03	이차함수의 그래프와 x축의 교점 및 위치 관계	□	□
필수유형 04	이차함수의 그래프와 직선의 교점	□	□
필수유형 05	이차함수의 그래프와 직선의 위치 관계	□	□
필수유형 06	이차함수의 그래프에 접하는 직선의 방정식	□	□
필수유형 07	이차함수의 최대 · 최소	□	□
필수유형 08	제한된 범위에서의 이차함수의 최대 · 최소	□	□
필수유형 09	공통부분이 있는 함수의 최대 · 최소	□	□
발전유형 10	조건을 만족시키는 이차식의 최댓값과 최솟값	□	□
필수유형 11	이차함수의 최대 · 최소의 활용	□	□

06 이차방정식과 이차함수

개념 01 이차함수의 그래프

(1) 이차함수 $y=a(x-m)^2+n$의 그래프 ← 표준형

이차함수 $y=a(x-m)^2+n$의 그래프는 이차함수 $y=ax^2$의 그래프를 x축의 방향으로 m만큼, y축의 방향으로 n만큼 평행이동한 그래프이다.

$a>0$

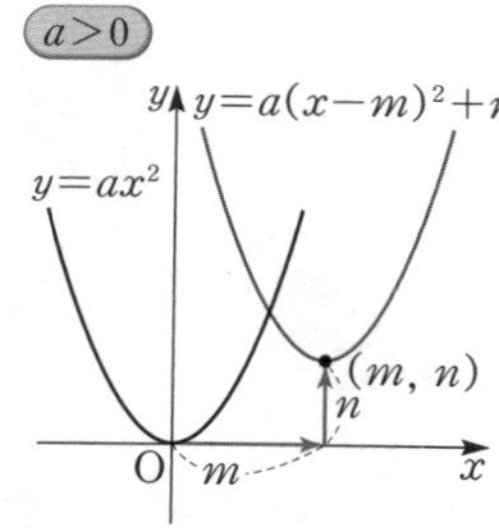

$a<0$

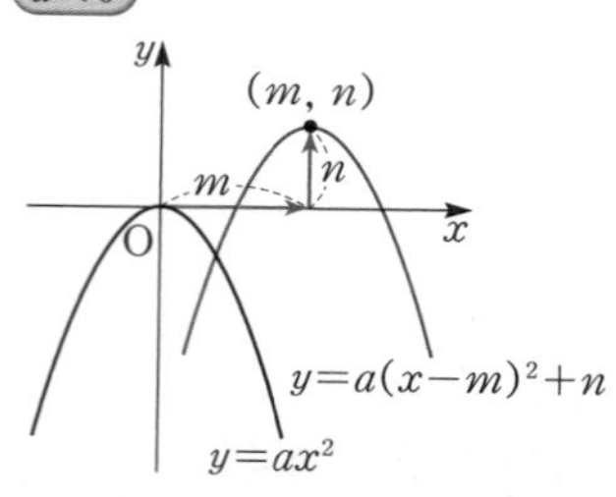

① 꼭짓점의 좌표: (m, n)

② 축의 방정식: $x=m$

(2) 이차함수 $y=ax^2+bx+c$의 그래프 ← 일반형

이차함수 $y=ax^2+bx+c$의 그래프는

$$y=a\left(x+\frac{b}{2a}\right)^2-\frac{b^2-4ac}{4a}$$

꼴로 고쳐서 그린 그래프와 같다.

따라서 이차함수 $y=ax^2$의 그래프를 x축의 방향으로 $-\frac{b}{2a}$만큼, y축의 방향으로 $-\frac{b^2-4ac}{4a}$만큼 평행이동한 그래프이다.

① 꼭짓점의 좌표: $\left(-\frac{b}{2a}, -\frac{b^2-4ac}{4a}\right)$

② 축의 방정식: $x=-\frac{b}{2a}$

③ y축과 만나는 점의 y좌표: c

참고 이차함수 $y=ax^2+bx+c$의 그래프에서 a, b, c의 부호

① 아래로 볼록: $a>0$, 위로 볼록: $a<0$

② 축이 y축의 왼쪽: $-\frac{b}{2a}<0 \Longleftrightarrow ab>0$, 축이 y축의 오른쪽: $-\frac{b}{2a}>0 \Longleftrightarrow ab<0$

③ y축과 만나는 점의 y좌표가 양수: $c>0$, y축과 만나는 점의 y좌표가 음수: $c<0$

확인 01 다음 이차함수의 그래프의 꼭짓점의 좌표와 축의 방정식을 구하여라.

(1) $y=x^2-2$

(2) $y=(x+1)^2$

(3) $y=(x+2)^2-3$

(4) $y=2(x-1)^2+4$

(5) $y=x^2-6x$

(6) $y=2x^2+8x+9$

中3 수학 | 이차함수

함수 $y=f(x)$에서 $f(x)$가 x에 대한 이차식일 때, 즉 $y=ax^2+bx+c$ (a, b, c는 상수, $a\neq0$)로 나타내어질 때, 이 함수를 x에 대한 이차함수라고 한다.

中3 수학 | 이차함수의 그래프

이차함수 $y=ax^2$의 그래프

① 꼭짓점의 좌표: $(0, 0)$

② 축의 방정식: $x=0$ (y축)

③ $a>0$이면 아래로 볼록하다.
$a<0$이면 위로 볼록하다.

개념 02 이차방정식과 이차함수의 관계

(1) 이차방정식의 해와 이차함수의 그래프의 관계

이차함수 $y=ax^2+bx+c$의 그래프와 x축의 교점의 x좌표는 이차방정식 $ax^2+bx+c=0$의 실근과 같다.

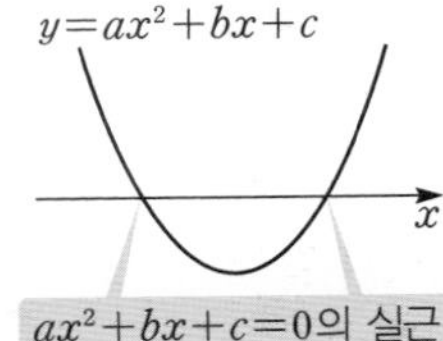

> 이차함수 $y=ax^2+bx+c$의 그래프와 x축의 교점의 x좌표는 $y=0$일 때의 x의 값이므로 이차방정식 $ax^2+bx+c=0$의 해와 같다.

(2) 이차함수의 그래프와 x축의 위치 관계

이차함수 $y=ax^2+bx+c$의 그래프와 x축의 위치 관계는 이차방정식 $ax^2+bx+c=0$의 판별식 $D=b^2-4ac$의 값의 부호에 따라 다음과 같이 결정된다.

판별식의 부호		$D>0$	$D=0$	$D<0$
이차방정식 $ax^2+bx+c=0$의 해		서로 다른 두 실근	중근	서로 다른 두 허근
이차함수 $y=ax^2+bx+c$의 그래프	x축의 교점의 개수	2	1	0
	x축의 위치 관계	서로 다른 두 점에서 만난다.	한 점에서 만난다. (접한다.)	만나지 않는다.
	$a>0$			
	$a<0$			

> 이차함수 $y=ax^2+bx+c$의 그래프와 x축의 교점의 x좌표는 이차방정식 $ax^2+bx+c=0$의 실근과 같으므로 교점의 개수는 실근의 개수와 같다.

> $D\geq0$이면 이차함수의 그래프가 x축과 만난다.

확인 02 다음 이차함수의 그래프와 x축의 교점의 x좌표를 구하여라.

(1) $y=x^2-6x+5$

(2) $y=2x^2-x-3$

(3) $y=-4x^2+4x-1$

확인 03 다음 이차함수의 그래프와 x축의 교점의 개수를 구하여라.

(1) $y=3x^2-5x+1$

(2) $y=-x^2+3x-4$

(3) $y=2x^2-8x+8$

개념 03 이차함수의 그래프와 직선의 위치 관계

(1) 이차함수의 그래프와 직선의 교점

이차함수 $y=ax^2+bx+c$의 그래프와 직선 $y=mx+n$의 교점의 x좌표는 두 식을 연립한 이차방정식 $ax^2+bx+c=mx+n$, 즉 $ax^2+(b-m)x+c-n=0$의 실근과 같다.

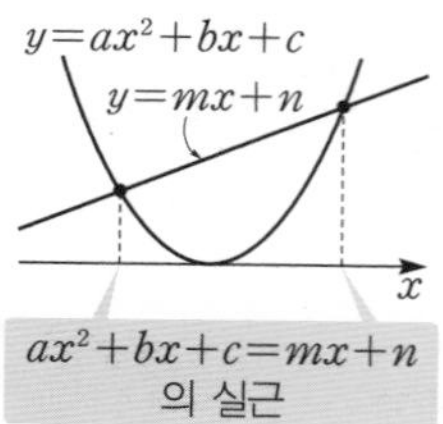

(2) 이차함수의 그래프와 직선의 위치 관계

이차함수 $y=ax^2+bx+c$의 그래프와 직선 $y=mx+n$의 위치 관계는 두 식을 연립한 이차방정식 $ax^2+bx+c=mx+n$, 즉

$$ax^2+(b-m)x+c-n=0 \quad \cdots\cdots ㉠$$

의 판별식 D의 값의 부호에 따라 다음과 같다.

① $D>0 \Longleftrightarrow$ ㉠이 서로 다른 두 실근을 갖는다.
$\Longleftrightarrow$ 서로 다른 두 점에서 만난다.

② $D=0 \Longleftrightarrow$ ㉠이 중근을 갖는다.
$\Longleftrightarrow$ 한 점에서 만난다. (접한다.)

③ $D<0 \Longleftrightarrow$ ㉠이 서로 다른 두 허근을 갖는다.
$\Longleftrightarrow$ 만나지 않는다.

$a>0$, $m>0$
$y=ax^2+bx+c$
$D>0$
$D=0$
$D<0$
$y=mx+n$

> 두 함수 $y=f(x)$, $y=g(x)$의 그래프의 교점의 개수는 x에 대한 방정식 $f(x)=g(x)$의 실근의 개수와 같다.

> $D\geq0$이면 이차함수의 그래프가 직선과 만난다.

확인 04 다음 이차함수의 그래프와 직선의 위치 관계를 말하여라.

(1) $y=x^2-x+2$, $y=x-6$

(2) $y=x^2-7x+7$, $y=x-9$

(3) $y=x^2-3x+1$, $y=-4x+3$

개념 04 이차함수의 최대・최소

x의 값의 범위가 실수 전체일 때, 이차함수 $y=a(x-p)^2+q$는

(1) $a>0$이면 $x=p$에서 최솟값 q를 갖고, 최댓값은 없다.

(2) $a<0$이면 $x=p$에서 최댓값 q를 갖고, 최솟값은 없다.

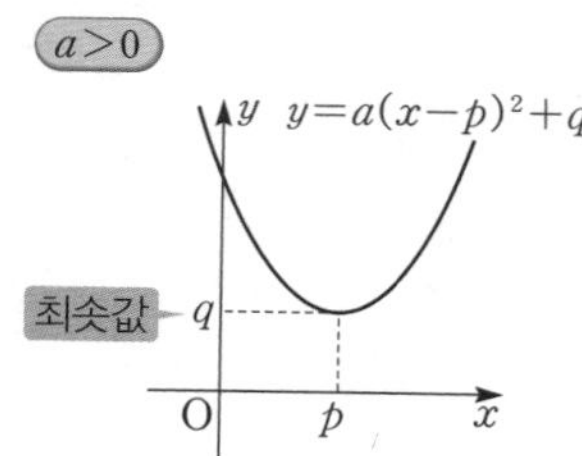

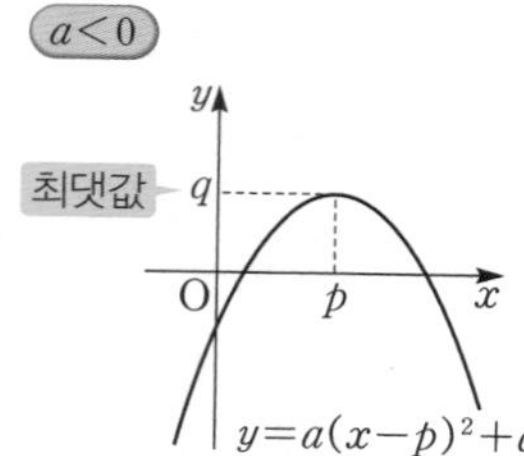

> x가 모든 실수의 값을 가질 때, 이차함수는 꼭짓점에서 최댓값 또는 최솟값을 갖는다.

> 이차함수 $y=ax^2+bx+c$의 최댓값 또는 최솟값은 이차함수의 식을 $y=a(x-p)^2+q$ 꼴로 변형하여 구한다.

확인 05 다음 이차함수의 최댓값과 최솟값을 구하여라.

(1) $y=(x-2)^2$

(2) $y=-3x^2-6$

(3) $y=-(x-1)^2+3$

(4) $y=2(x+2)^2-1$

개념 05 제한된 범위에서의 이차함수의 최대 • 최소

x의 값의 범위가 $\alpha\le x\le\beta$일 때, 이차함수 $f(x)=a(x-p)^2+q$의 최댓값과 최솟값은 다음과 같이 그래프를 그려서 확인한다.

(1) 꼭짓점의 x좌표 p가 x의 값의 범위에 속하는 경우 $(\alpha\le p\le\beta)$

➡ $f(\alpha)$, $f(\beta)$, $f(p)$ 중 가장 큰 값이 최댓값, 가장 작은 값이 최솟값이다.
→ 범위의 양 끝 값의 함숫값, 꼭짓점의 y좌표 조사

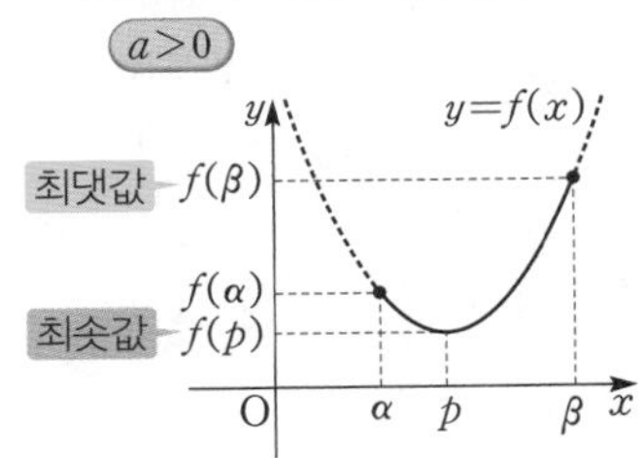

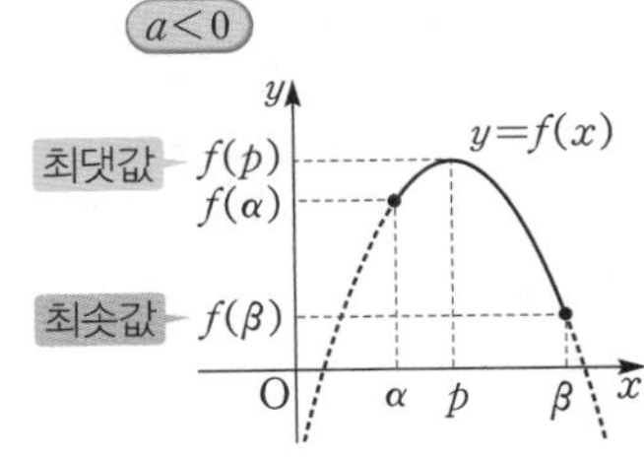

(2) 꼭짓점의 x좌표 p가 x의 값의 범위에 속하지 않는 경우

➡ $f(\alpha)$, $f(\beta)$ 중 큰 값이 최댓값, 작은 값이 최솟값이다. → 범위의 양 끝 값의 함숫값 조사

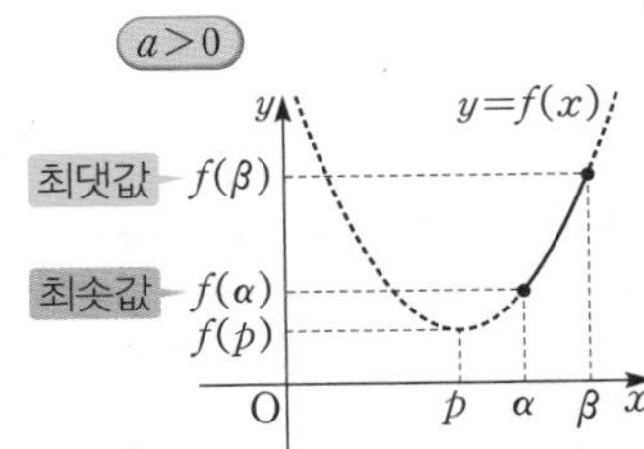

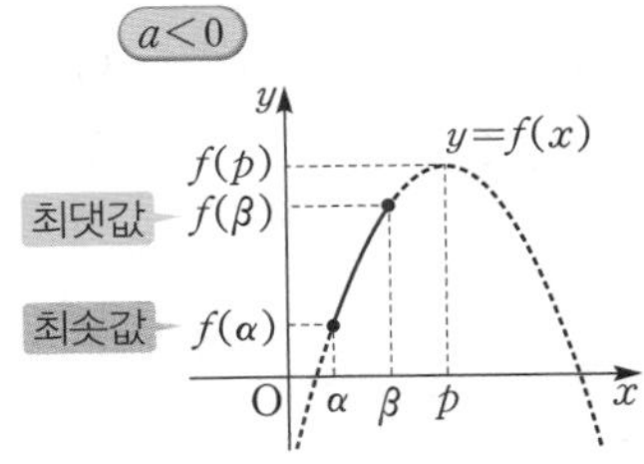

확인 06 다음은 $-1\le x\le 2$일 때, 이차함수 $y=x^2-2x-2$의 최댓값과 최솟값을 구하는 과정이다. □ 안에 알맞은 수를 써넣어라.

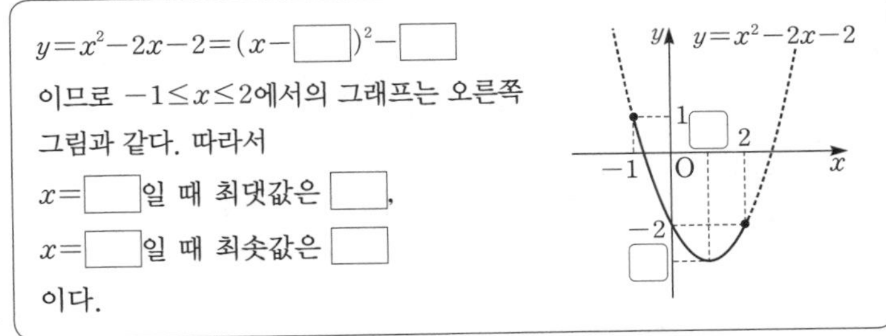

$y=x^2-2x-2=(x-□)^2-□$

이므로 $-1\le x\le 2$에서의 그래프는 오른쪽 그림과 같다. 따라서

$x=□$일 때 최댓값은 □,

$x=□$일 때 최솟값은 □

이다.

> x의 값의 범위가 $\alpha\le x\le\beta$와 같이 제한되어 있을 때, 이차함수는 최댓값과 최솟값을 모두 갖는다.

> x의 값의 범위에 제한이 있는 이차함수의 최대·최소는 꼭짓점의 x좌표가 주어진 범위에 속하는지 속하지 않는지에 주의해야 한다.

개념 06 이차함수의 최대 • 최소의 활용

이차함수의 최대·최소의 활용 문제는 다음 순서로 푼다.

❶ 변수 x를 정하고, x의 값의 범위를 구한다.

❷ 주어진 상황을 x에 대한 이차함수로 나타낸다.

❸ ❶의 제한된 범위에서 x에 대한 이차함수의 최댓값 또는 최솟값을 구한다.

필수유형 01 이차함수의 그래프

다음 이차함수의 그래프의 꼭짓점의 좌표, 축의 방정식, y축과 만나는 점의 좌표를 구하고, 그 그래프를 그려라.

(1) $y=x^2-6x+8$

(2) $y=-2x^2+8x-6$

풍쌤 POINT

이차함수 $y=ax^2+bx+c$의 그래프는 $y=a(x-m)^2+n$ 꼴로 변형하여 다음을 구하면 그래프를 쉽게 그릴 수 있어.

① 꼭짓점의 좌표: (m, n)

② 축의 방정식: $x=m$

③ y축과 만나는 점의 좌표: $(0, c)$

풀이

(1) $y=x^2-6x+8$

$=(x^2-6x+9-9)+8$

$=(x-3)^2-1$

이때 꼭짓점의 좌표는 $(3, -1)$,
축의 방정식은 $x=3$이고
y축과 만나는 점의 좌표는 $(0, 8)$❶
이다.
따라서 이차함수 $y=x^2-6x+8$의 그래프는 오른쪽 그림과 같다.

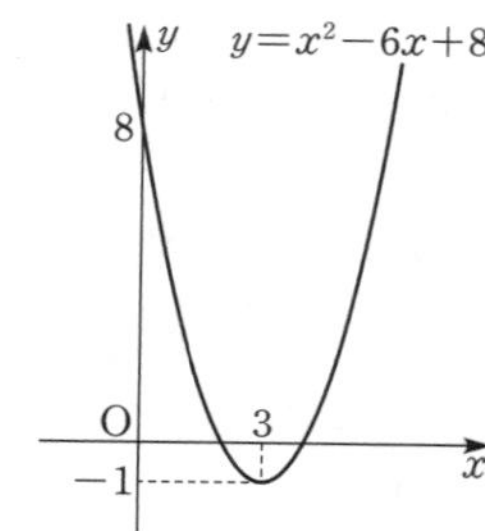

❶ y축과 만나는 점의 y좌표는 일반형 $y=ax^2+bx+c$ 꼴에 $x=0$을 대입한 것과 같다.

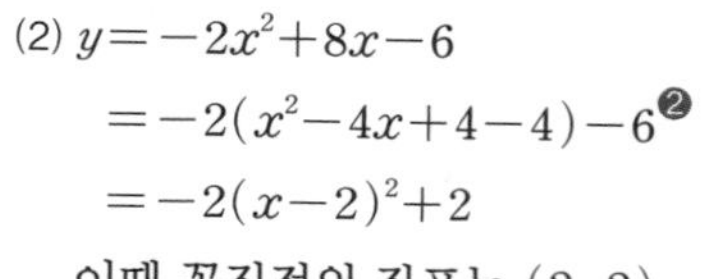

(2) $y=-2x^2+8x-6$

$=-2(x^2-4x+4-4)-6$❷

$=-2(x-2)^2+2$

❷ 먼저 x^2의 계수를 묶어 낸다.

이때 꼭짓점의 좌표는 $(2, 2)$,
축의 방정식은 $x=2$이고,
y축과 만나는 점의 좌표는 $(0, -6)$❶
이다.
따라서 이차함수 $y=-2x^2+8x-6$의 그래프는 오른쪽 그림과 같다.

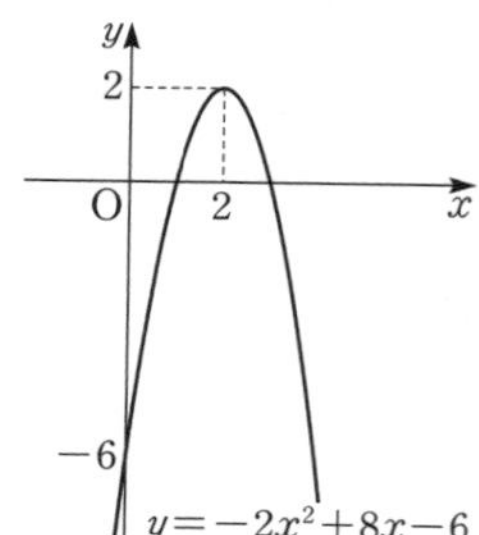

답 (1) 풀이 참조　　(2) 풀이 참조

풍쌤 강의 NOTE

이차함수의 그래프는 주어진 식을 완전제곱식이 들어간 $y=a(x-m)^2+n$ 꼴로 변형하여 그린다.

01-1 유사

다음 이차함수의 그래프의 꼭짓점의 좌표, 축의 방정식, y축과 만나는 점의 좌표를 구하고, 그 그래프를 그려라.

(1) $y=2x^2-8x+10$

(2) $y=-x^2+6x-9$

(3) $y=\frac{1}{2}x^2+4x+5$

(4) $y=-2x^2-4x+1$

01-2 변형

이차함수 $y=2x^2+8x+a$의 그래프의 꼭짓점의 좌표가 $(b, 3)$일 때, $a+b$의 값을 구하여라.

(단, a는 상수이다.)

01-3 변형

이차함수 $y=3x^2+12x+2$의 그래프를 x축의 방향으로 m만큼, y축의 방향으로 n만큼 평행이동하면 이차함수 $y=3x^2-18x+10$의 그래프와 일치한다. 이때 $m+n$의 값을 구하여라.

01-4 변형

오른쪽 그림과 같이 이차함수 $y=-x^2+4x+2$의 그래프가 y축과 만나는 점을 A, 꼭짓점을 B라고 할 때, 삼각형 AOB의 넓이를 구하여라.

(단, O는 원점이다.)

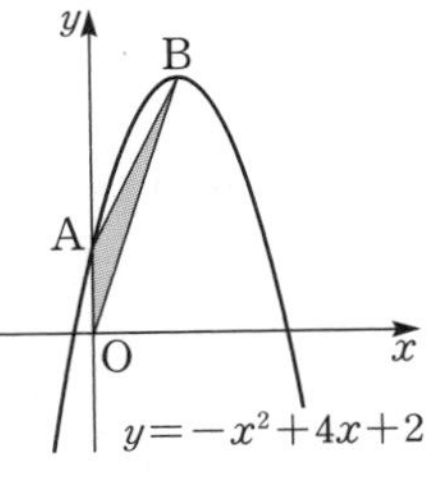

01-5 변형

꼭짓점의 좌표가 $(2, 1)$이고, y축과 만나는 점의 y좌표가 9인 포물선을 그래프로 하는 이차함수의 식을 $y=ax^2+bx+c$라고 할 때, 상수 a, b, c에 대하여 $a+b+c$의 값을 구하여라.

01-6 변형

이차함수 $y=ax^2+bx+c$의 그래프가 세 점 $(0, -1)$, $(-2, 3)$, $(1, -6)$을 지날 때, 상수 a, b, c에 대하여 abc의 값을 구하여라.

필수유형 02 이차함수의 그래프와 계수의 부호

이차함수 $y=ax^2+bx+c$의 그래프가 오른쪽 그림과 같을 때, 다음 값의 부호를 정하여라. (단, a, b, c는 상수이다.)

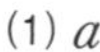

(1) a (2) b

(3) c (4) $a+b+c$

(5) $4a-2b+c$ (6) $a+2b+4c$

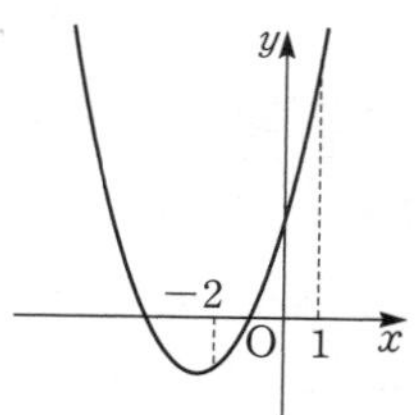

풍쌤 POINT

이차함수 $y=ax^2+bx+c$의 그래프에서 a의 부호는 그래프의 모양, b의 부호는 축의 위치, c의 부호는 y축과 만나는 점의 위치로 알 수 있어.

(4), (5), (6)과 같이 이차함수의 계수로 이루어진 식의 부호는 특정한 함숫값의 부호를 조사해!

풀이 $f(x)=ax^2+bx+c$라고 하면

(1) 주어진 이차함수의 그래프가 아래로 볼록하므로 $a>0$

(2) 축이 y축의 왼쪽에 있으므로

$-\frac{b}{2a}<0 \quad \therefore b>0$ ❶

(3) y축과 만나는 점의 y좌표가 양수이므로 $c>0$

(4) $f(1)=a+b+c$이고,

그래프에서 $x=1$일 때, y의 값은 양수이므로

$a+b+c>0$

(5) $f(-2)=4a-2b+c$이고,

그래프에서 $x=-2$일 때, y의 값은 음수이므로

$4a-2b+c<0$

(6) $f\left(\frac{1}{2}\right)=\frac{1}{4}a+\frac{1}{2}b+c$이고,

그래프에서 $x=\frac{1}{2}$일 때, y의 값은 양수이므로

$\frac{1}{4}a+\frac{1}{2}b+c>0$, $\frac{1}{4}(a+2b+4c)>0$

$\therefore a+2b+4c>0$

❶ $y=ax^2+bx+c$

$=a\left(x+\frac{b}{2a}\right)^2-\frac{b^2-4ac}{4a}$

➡ 축이 y축의 왼쪽에 있으면

$-\frac{b}{2a}<0$이므로 $\frac{b}{2a}>0$

즉, a, b의 부호가 같다.

답 (1) $a>0$ (2) $b>0$ (3) $c>0$ (4) $a+b+c>0$
(5) $4a-2b+c<0$ (6) $a+2b+4c>0$

풍쌤 강의 NOTE

이차함수 $y=ax^2+bx+c$에서

a의 부호		b의 부호		c의 부호	
그래프의 모양		축의 위치		y축과 만나는 점의 위치	
아래로 볼록(∨)	위로 볼록(∧)	축이 y축의 오른쪽	축이 y축의 왼쪽	x축의 위쪽	x축의 아래쪽
$a>0$	$a<0$	a, b는 서로 다른 부호	a, b는 서로 같은 부호	$c>0$	$c<0$

02-1 기본

이차함수 $y=ax^2+bx+c$의 그래프가 오른쪽 그림과 같을 때, 상수 a, b, c의 부호를 정하여라.

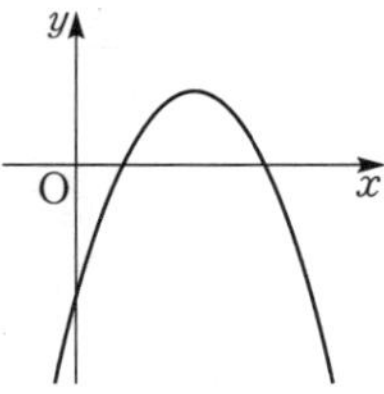

02-2 유사 기출

이차함수 $y=ax^2+bx+c$의 그래프가 오른쪽 그림과 같을 때, 다음 값의 부호를 정하여라.

(단, a, b, c는 상수이다.)

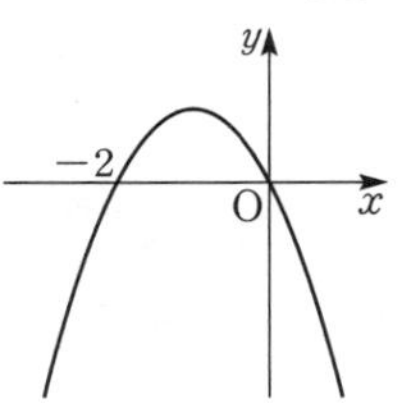

(1) a

(2) b

(3) c

(4) $a+b+c$

(5) $9a-3b+c$

(6) $a-2b+4c$

02-3 변형

$a>0$, $b<0$, $c<0$일 때, 이차함수 $y=ax^2-bx-c$의 그래프에 대한 설명으로 |보기|에서 옳은 것만을 있는 대로 골라라.

|보기|

ㄱ. 그래프는 아래로 볼록하다.

ㄴ. 그래프의 축은 y축의 오른쪽에 있다.

ㄷ. 그래프는 y축과 x축의 아래쪽에서 만난다.

02-4 변형

이차함수 $y=ax^2+bx+c$의 그래프가 오른쪽 그림과 같을 때, |보기|에서 옳은 것만을 있는 대로 골라라.

(단, a, b, c는 상수이다.)

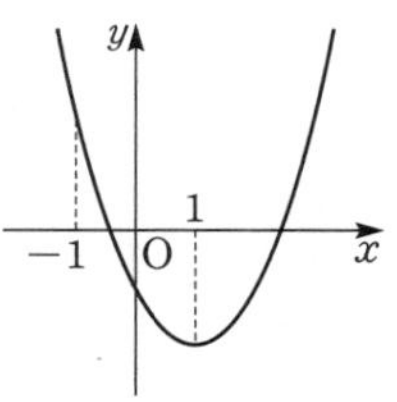

|보기|

ㄱ. $ab<0$　　ㄴ. $ac>0$

ㄷ. $a+b+c<0$　　ㄹ. $a-b+c<0$

ㅁ. $a+3b+9c<0$

02-5 변형 기출

일차함수 $y=ax+b$의 그래프가 오른쪽 그림과 같을 때, 다음 중 이차함수 $y=a(x+b)^2$의 그래프로 알맞은 것은?

(단, a, b는 상수이다.)

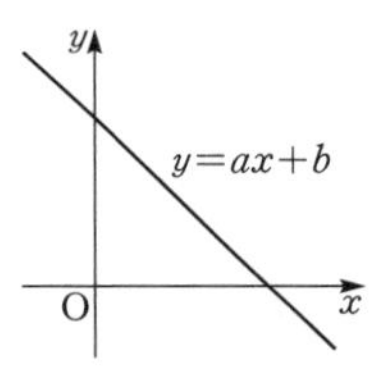

①
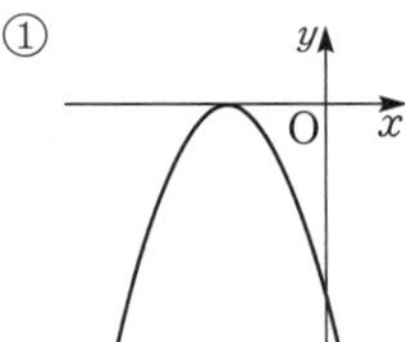

②
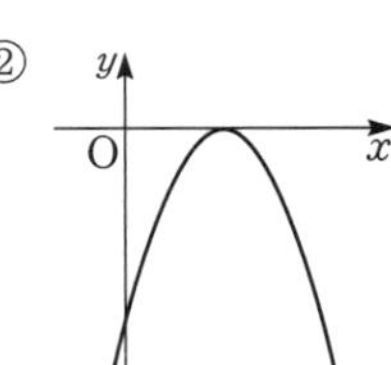

③
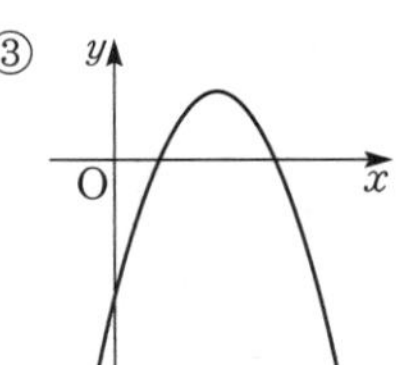

④
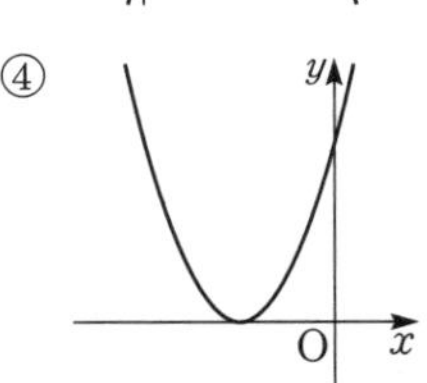

⑤
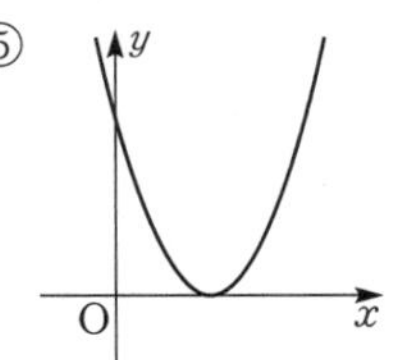
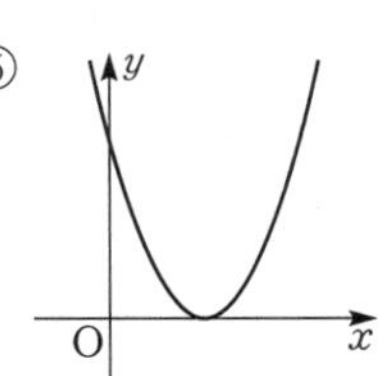

필수유형 03 이차함수의 그래프와 x축의 교점 및 위치 관계

다음 물음에 답하여라.

(1) 이차함수 $y=-x^2+mx+n$의 그래프와 x축의 교점의 x좌표가 -4, 6일 때, 상수 m, n의 값을 각각 구하여라.

(2) 이차함수 $y=x^2-2x-k$의 그래프가 x축과 서로 다른 두 점에서 만날 때, 실수 k의 값의 범위를 구하여라.

풍쌤 POINT

이차함수 $y=ax^2+bx+c$의 그래프와 x축의 위치 관계는 이차방정식 $ax^2+bx+c=0$의 판별식 D의 값의 부호를 조사해.

① 서로 다른 두 점에서 만난다. ➡ $D>0$

② 한 점에서 만난다. (접한다.) ➡ $D=0$

③ 만나지 않는다. ➡ $D<0$

풀이

(1) STEP 1 **이차함수와 이차방정식의 관계 이해하기**

이차함수 $y=-x^2+mx+n$의 그래프와 x축의 교점❶의 x좌표가 -4, 6이므로 이차방정식 $-x^2+mx+n=0$의 두 근이 -4, 6이다.

STEP 2 **$m+n$의 값 구하기**

따라서 이차방정식의 근과 계수의 관계에 의하여❷

$-4+6=-\dfrac{m}{-1}$ $\quad\therefore m=2$

$(-4)\times 6=\dfrac{n}{-1}$ $\quad\therefore n=24$

다른 풀이

STEP 2 **$x=-4$, 6을 대입하여 m, n의 값 구하기**

이차방정식 $-x^2+mx+n=0$의 두 근이 -4, 6이므로

$x=-4$를 대입하면 $-16-4m+n=0$ …… ㉠

$x=6$을 대입하면 $-36+6m+n=0$ …… ㉡

㉠, ㉡을 연립하여 풀면 $m=2$, $n=24$

(2) 이차함수 $y=x^2-2x-k$의 그래프가 x축과 서로 다른 두 점에서 만나려면 이차방정식 $x^2-2x-k=0$은 서로 다른 두 실근을 가져야 한다.

이차방정식 $x^2-2x-k=0$의 판별식을 D라고 하면

$\dfrac{D}{4}=(-1)^2-(-k)>0$, $\quad 1+k>0$ $\quad\therefore k>-1$

답 (1) $m=2$, $n=24$ (2) $k>-1$

❶ $y=-x^2+mx+n$
$=-(x+4)(x-6)$
임을 알 수 있다.

❷ 이차방정식 $ax^2+bx+c=0$의 두 근이 α, β이면
$\alpha+\beta=-\dfrac{b}{a}$, $\alpha\beta=\dfrac{c}{a}$

풍쌤 강의 NOTE

이차함수 $y=ax^2+bx+c$의 그래프가 x축과 만나려면 이차방정식 $ax^2+bx+c=0$이 실근을 가져야 하므로 이차방정식 $ax^2+bx+c=0$의 판별식을 D라고 할 때, $D\geq 0$이어야 한다.

03-1 유사

이차함수 $y=2x^2-ax+b$의 그래프와 x축의 교점의 x좌표가 $-\frac{1}{2}$, 1일 때, 상수 a, b에 대하여 $a+b$의 값을 구하여라.

03-2 유사

이차함수 $y=x^2+4x+2m-1$의 그래프가 x축과 서로 다른 두 점에서 만날 때, 실수 m의 값의 범위를 구하여라.

03-3 변형

이차함수 $y=-x^2+2(k-2)x-k^2$의 그래프가 x축과 만날 때, 실수 k의 값의 범위를 구하여라.

03-4 변형

이차함수 $y=-x^2+mx+m^2-5$의 그래프가 x축과 접하도록 하는 상수 m의 값을 모두 구하여라.

03-5 변형

기출

이차함수 $y=x^2+2(a-4)x+a^2+a-1$의 그래프가 x축과 만나지 않도록 하는 정수 a의 최솟값을 구하여라.

03-6 실력

이차함수 $y=x^2-2ax+(a+4)k+b$의 그래프가 k의 값에 관계없이 항상 x축에 접할 때, 상수 a, b에 대하여 $a+b$의 값을 구하여라.

필수유형 04 이차함수의 그래프와 직선의 교점

다음 물음에 답하여라.

(1) 이차함수 $y=2x^2-6x+8$의 그래프와 직선 $y=-2x+6$의 교점의 x좌표를 구하여라.

(2) 이차함수 $y=x^2+ax+3$의 그래프와 직선 $y=2x+b$의 교점의 x좌표가 1, 2일 때, 상수 a, b의 값을 각각 구하여라.

풍쌤 POINT

이차함수 $y=ax^2+bx+c$의 그래프와 직선 $y=mx+n$의 교점의 x좌표는
➡ 이차방정식 $ax^2+bx+c=mx+n$의 실근이야.

풀이

(1) 이차함수 $y=2x^2-6x+8$의 그래프와 직선 $y=-2x+6$의 교점의 x좌표는 이차방정식 $2x^2-6x+8=-2x+6$, 즉

$x^2-2x+1=0$

의 실근과 같으므로

$(x-1)^2=0 \quad \therefore x=1$

따라서 교점의 x좌표는 1이다.

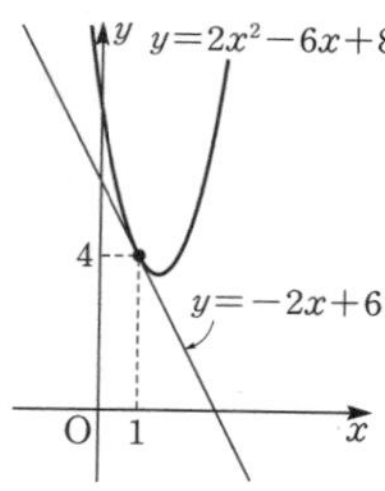

(2) **STEP1 이차함수와 이차방정식의 관계 이해하기**

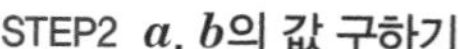

이차함수 $y=x^2+ax+3$의 그래프와 직선 $y=2x+b$의 교점의 x좌표는 이차방정식 $x^2+ax+3=2x+b$, 즉

$x^2+(a-2)x+3-b=0$ …… ㉠

의 실근과 같으므로 1, 2는 이차방정식 ㉠의 두 근이다.

STEP2 a, b의 값 구하기

따라서 이차방정식의 근과 계수의 관계에 의하여

$1+2=-(a-2) \quad \therefore a=-1$

$1\times2=3-b \quad \therefore b=1$

다른 풀이

이차방정식 ㉠의 두 근이 1, 2이므로

$x=1$을 대입하면 $1+(a-2)+3-b=0$

$\therefore a-b=-2$ …… ㉡

$x=2$를 대입하면 $4+2(a-2)+3-b=0$

$\therefore 2a-b=-3$ …… ㉢

㉡, ㉢을 연립하여 풀면 $a=-1$, $b=1$

답 (1) 1 (2) $a=-1$, $b=1$

풍쌤 강의 NOTE

이차함수의 그래프와 직선의 교점을 구하려면 두 식을 연립한 이차방정식의 두 근을 구하거나 근과 계수의 관계를 이용한다.

04-1 유사

다음 이차함수의 그래프와 직선의 교점의 x좌표를 모두 구하여라.

(1) $y=-x^2+4x+2$, $y=2x+3$

(2) $y=2x^2-4x+5$, $y=x+2$

(3) $y=-4x^2-3x+1$, $y=3x+1$

04-2 유사

이차함수 $y=-x^2+ax+1$의 그래프와 직선 $y=3x+b$의 교점의 x좌표가 -3, 2일 때, 상수 a, b의 값을 각각 구하여라.

04-3 변형

이차함수 $y=2x^2-5x+a$의 그래프와 직선 $y=x+12$가 서로 다른 두 점에서 만나고 두 교점의 x좌표의 곱이 -4일 때, 상수 a의 값을 구하여라.

04-4 변형

이차함수 $y=x^2-5x+5$의 그래프와 직선 $y=x+k$가 서로 다른 두 점 P, Q에서 만난다. 점 P의 x좌표가 2일 때, 두 점 P, Q의 좌표를 각각 구하여라.

(단, k는 상수이다.)

04-5 변형

이차함수 $y=x^2-2x+3$의 그래프는 직선 $y=ax+b$와 서로 다른 두 점에서 만난다. 이 중 한 점의 x좌표가 $3-\sqrt{6}$일 때, 유리수 a, b의 값을 각각 구하여라.

04-6 실력 기출

원점을 지나고 기울기가 양수 m인 직선이 이차함수 $y=x^2-2$의 그래프와 서로 다른 두 점 A, B에서 만난다. 두 점 A, B에서 x축에 내린 수선의 발을 각각 A′, B′이라고 하자. 선분 AA′과 선분 BB′의 길이의 차가 16일 때, m의 값을 구하여라.

필수유형 05 이차함수의 그래프와 직선의 위치 관계

다음 이차함수의 그래프와 직선의 교점의 개수를 구하여라.

(1) $y=2x^2-3x+4$, $y=2x+2$

(2) $y=4x^2-10x+7$, $y=6x-9$

(3) $y=-3x^2+5x-10$, $y=15x-1$

풍쌤 POINT

이차함수 $y=ax^2+bx+c$의 그래프와 직선 $y=mx+n$의 위치 관계는 이차방정식 $ax^2+bx+c=mx+n$, 즉 $ax^2+(b-m)x+c-n=0$의 판별식의 값의 부호를 조사해.

① $D>0$ ➡ 서로 다른 두 점에서 만난다.

② $D=0$ ➡ 한 점에서 만난다. (접한다.)

③ $D<0$ ➡ 만나지 않는다.

풀이

(1) 이차방정식 $2x^2-3x+4=2x+2$, 즉 $2x^2-5x+2=0$의 판별식을 D라고 하면

$D=(-5)^2-4\times2\times2=9>0$ ❶

따라서 주어진 이차함수의 그래프와 직선의 교점은 2개이다.

❶ $2x^2-5x+2=0$은 서로 다른 두 실근을 갖는다.

(2) 이차방정식 $4x^2-10x+7=6x-9$, 즉 $x^2-4x+4=0$의 판별식을 D라고 하면

$\frac{D}{4}=(-2)^2-1\times4=0$ ❷

따라서 주어진 이차함수의 그래프와 직선의 교점은 1개이다.

❷ $x^2-4x+4=0$은 중근을 갖는다.

(3) 이차방정식 $-3x^2+5x-10=15x-1$, 즉 $3x^2+10x+9=0$의 판별식을 D라고 하면

$\frac{D}{4}=5^2-3\times9=-2<0$ ❸

따라서 주어진 이차함수의 그래프와 직선의 교점은 없다.

❸ $3x^2+10x+9=0$은 허근을 갖는다.

답 (1) 2　(2) 1　(3) 0

풍쌤 강의 NOTE

이차함수의 그래프와 직선의 교점의 개수를 구하려면 두 식을 연립한 이차방정식의 판별식을 이용한다. 또한, 교점의 개수가 주어지거나 위치 관계가 주어진 경우에도 이차방정식의 판별식을 이용하여 해결한다.

05-1 유사

다음 이차함수의 그래프와 직선의 교점의 개수를 구하여라.

(1) $y=-2x^2-2x+4,\ y=-3x+2$

(2) $y=3x^2-4x+1,\ y=2x-2$

(3) $y=-x^2+2x-5,\ y=x+1$

05-2 변형

이차함수 $y=x^2+5x+2$의 그래프와 직선 $y=-x+k$가 서로 다른 두 점에서 만나도록 하는 정수 k의 최솟값을 구하여라.

05-3 변형

이차함수 $y=x^2+kx$의 그래프와 직선 $y=3x-k$가 접할 때, 실수 k의 값을 모두 구하여라.

05-4 변형

이차함수 $y=x^2-2x+k$의 그래프와 직선 $y=3x+1$이 만나지 않도록 하는 자연수 k의 최솟값을 구하여라.

05-5 변형

이차함수 $y=x^2+2ax+a^2-3a+6$의 그래프와 직선 $y=2x+1$이 적어도 한 점에서 만나도록 하는 실수 a의 값의 범위를 구하여라.

05-6 변형

이차함수 $y=-x^2-2kx-1$의 그래프가 직선 $y=2x+k^2-k-3$보다 항상 아래쪽에 있도록 하는 실수 k의 값의 범위를 구하여라.

필수유형 06 이차함수의 그래프에 접하는 직선의 방정식

다음 물음에 답하여라.

(1) 이차함수 $y=x^2+5x+2$의 그래프에 접하고, 기울기가 2인 직선의 방정식을 구하여라.

(2) 점 $(-1,\ 2)$를 지나고 이차함수 $y=x^2+4x+5$의 그래프에 접하는 직선의 기울기를 구하여라.

풍쌤 POINT

- 이차함수 $y=f(x)$의 그래프에 접하고 기울기가 a인 직선 ➡ $y=ax+b$로 놓고, 이차방정식 $f(x)=ax+b$의 판별식 D가 $D=0$임을 이용하여 b의 값을 구해.
- 이차함수 $y=f(x)$의 그래프에 접하고 점 $(p,\ q)$를 지나는 직선 ➡ $y=a(x-p)+q$로 놓고, 이차방정식 $f(x)=a(x-p)+q$의 판별식 D가 $D=0$임을 이용하여 a의 값을 구해.

풀이

(1) 기울기가 2인 직선의 방정식을 $y=2x+k$❶라고 하자.
이 직선이 이차함수 $y=x^2+5x+2$의 그래프에 접하므로
이차방정식 $x^2+5x+2=2x+k$, 즉 $x^2+3x+2-k=0$의
판별식을 D라고 하면

$D=3^2-4(2-k)=0$

$4k+1=0 \qquad \therefore k=-\frac{1}{4}$

따라서 구하는 직선의 방정식은

$y=2x-\frac{1}{4}$

❶ $y=2x+k$ (2: 기울기, k: y절편)

(2) 점 $(-1,\ 2)$를 지나는 직선의 방정식을 $y=a(x+1)+2$❷라고 하자.
이 직선이 이차함수 $y=x^2+4x+5$의 그래프에 접하므로
이차방정식 $x^2+4x+5=a(x+1)+2$, 즉
$x^2+(4-a)x+3-a=0$의 판별식을 D라고 하면

$D=(4-a)^2-4(3-a)=0$

$a^2-8a+16-12+4a=0$, $a^2-4a+4=0$

$(a-2)^2=0 \qquad \therefore a=2$

따라서 접하는 직선의 기울기는 2이다.

❷ $a(x+1)+2-y=0$은 a의 값의 관계없이 항상 점 $(-1,\ 2)$를 지난다.

답 (1) $y=2x-\frac{1}{4}$ (2) 2

풍쌤 강의 NOTE

이차함수 $y=ax^2+bx+c$의 그래프와 직선 $y=mx+n$이 접하면 이차방정식 $ax^2+bx+c=mx+n$, 즉 $ax^2+(b-m)x+(c-n)=0$의 판별식을 D라고 할 때, $D=0$임을 이용한다.

06-1 유사

다음 물음에 답하여라.

(1) 이차함수 $y=x^2-x+3$의 그래프에 접하고, 기울기가 1인 직선의 방정식을 구하여라.

(2) 이차함수 $y=2x^2+2x+1$의 그래프에 접하고, 기울기가 -2인 직선의 방정식을 구하여라.

06-2 유사

점 $(-2,\ 1)$을 지나고, 이차함수 $y=x^2-2x+1$의 그래프에 접하는 두 직선의 기울기의 곱을 구하여라.

06-3 변형

이차함수 $y=x^2-2x+9$의 그래프에 접하고 직선 $2x-y+1=0$과 평행한 직선의 y절편을 구하여라.

06-4 변형

직선 $y=3x+1$을 y축의 방향으로 k만큼 평행이동하였더니 이차함수 $y=-2x^2-x-5$의 그래프에 접하였다. 이때 k의 값을 구하여라.

06-5 변형

이차함수 $y=2x^2-3x+3$의 그래프 위의 점 $(1,\ 2)$에서 이 그래프에 접하는 직선의 방정식이 $y=ax+b$일 때, 상수 a, b에 대하여 $a-b$의 값을 구하여라.

06-6 실력

기출

x에 대한 이차함수 $y=x^2-4kx+4k^2+k$의 그래프와 직선 $y=2ax+b$가 실수 k의 값에 관계없이 항상 접할 때, $a+b$의 값을 구하여라. (단, a, b는 상수이다.)

필수유형 07 이차함수의 최대 • 최소

다음 물음에 답하여라.

(1) 이차함수 $y=-x^2+6x+2$의 최댓값과 최솟값을 구하여라.

(2) 이차함수 $y=x^2+2x+k$의 최솟값이 5일 때, 상수 k의 값을 구하여라.

(3) 이차함수 $y=-3x^2+ax-39$가 $x=-4$일 때 최댓값 b를 갖는다. 이때 상수 a, b의 값을 각각 구하여라.

풍쌤 POINT

x의 값의 범위가 실수 전체일 때, 이차함수 $y=ax^2+bx+c$의 최대·최소는 $y=a(x-p)^2+q$ 꼴로 변형한 후 다음과 같이 구해.

① $a>0$이면 $x=p$에서 최솟값 q를 갖고, 최댓값은 없다.

② $a<0$이면 $x=p$에서 최댓값 q를 갖고, 최솟값은 없다.

풀이

(1) $y=-x^2+6x+2$ ❶

$=-(x^2-6x+9-9)+2$

$=-(x-3)^2+11$ ❷

따라서 주어진 이차함수는 $x=3$일 때 최댓값 11을 갖고, 최솟값은 없다.

(2) $y=x^2+2x+k$ ❸

$=(x^2+2x+1-1)+k$

$=(x+1)^2+k-1$

따라서 주어진 이차함수는 $x=-1$일 때 최솟값 $k-1$을 가지므로

$k-1=5 \quad \therefore k=6$

(3) 이차함수 $y=-3x^2+ax-39$가 $x=-4$일 때 최댓값 b ❹를 가지므로

$y=-3(x+4)^2+b$

$=-3(x^2+8x+16)+b$

$=-3x^2-24x-48+b$

이것이 $y=-3x^2+ax-39$와 같아야 하므로

$a=-24,\ -48+b=-39 \quad \therefore b=9$

❶ x^2의 계수가 음수이면 그래프가 위로 볼록하므로 최솟값은 없고, 최댓값만 갖는다.

❷ 이차함수를 표준형으로 고쳤을 때, 꼭짓점의 y좌표가 최댓값 또는 최솟값이다.

❸ x^2의 계수가 양수이면 그래프가 아래로 볼록하므로 최댓값은 없고, 최솟값만 갖는다.

❹ 꼭짓점의 좌표가 $(-4, b)$이다.

답 (1) 최댓값: 11, 최솟값: 없다. (2) 6 (3) $a=-24$, $b=9$

풍쌤 강의 NOTE

x의 값의 범위가 실수 전체일 때

(1) 이차함수 $y=ax^2+bx+c$는 a의 부호에 따라 최댓값과 최솟값 중 하나만 갖는다.

(2) 이차함수의 최댓값 또는 최솟값은 그래프의 꼭짓점의 y좌표이다.

07-1 유사

다음 이차함수의 최댓값과 최솟값을 구하여라.

(1) $y=x^2+10x+11$

(2) $y=-x^2-4x+1$

(3) $y=4x^2-8x+9$

(4) $y=-2x^2+20x-42$

07-2 유사 기출

이차함수 $y=-x^2-4x+k$의 최댓값이 20일 때, 상수 k의 값을 구하여라.

07-3 유사

이차함수 $y=ax^2+6x-2a+1$은 $x=1$일 때 최댓값 b를 갖는다. 이때 $a+b$의 값을 구하여라.

(단, a는 상수이다.)

07-4 변형

이차함수 $y=2x^2-8x-k+4$의 최솟값과 이차함수 $y=-\frac{1}{2}x^2-4x+3k$의 최댓값이 같을 때, 상수 k의 값을 구하여라.

07-5 변형

이차함수 $f(x)=ax^2+bx+c$가 $x=2$일 때 최솟값 -3을 갖는다. $f(0)=5$일 때, 상수 a, b, c에 대하여 $a+b+c$의 값을 구하여라.

07-6 변형

이차함수 $f(x)=x^2-2ax+2a+1$의 최솟값을 $g(a)$라고 할 때, $g(a)$의 최댓값을 구하여라.

(단, a는 상수이다.)

필수유형 08 제한된 범위에서의 이차함수의 최대 • 최소

다음 주어진 범위에서 이차함수의 최댓값과 최솟값을 구하여라.

(1) $y=x^2-6x+11$ $(0\le x\le 4)$

(2) $y=-x^2-4x-2$ $(-3\le x\le 1)$

(3) $y=2x^2-4x+5$ $(2\le x\le 3)$

풍쌤 POINT

x의 값의 범위가 $\alpha\le x\le\beta$일 때, 이차함수 $f(x)=a(x-p)^2+q$의 최대·최소는 꼭짓점의 x좌표 p가 주어진 범위에 포함되는지 확인하고 다음과 같이 구해.

① $\alpha\le p\le\beta$이면 $f(\alpha)$, $f(\beta)$, $f(p)$ 중 가장 큰 값이 최댓값, 가장 작은 값이 최솟값

② $p<\alpha$ 또는 $p>\beta$이면 $f(\alpha)$, $f(\beta)$ 중 큰 값이 최댓값, 작은 값이 최솟값

풀이

(1) $y=x^2-6x+11=(x-3)^2+2$

이므로 $0\le x\le 4$에서 주어진 이차함수의 그래프는 오른쪽 그림과 같다.

이때 꼭짓점의 x좌표 3이 $0\le x\le 4$에 포함되므로 주어진 이차함수는 $x=0$일 때 최댓값 11, $x=3$일 때 최솟값 2를 갖는다.

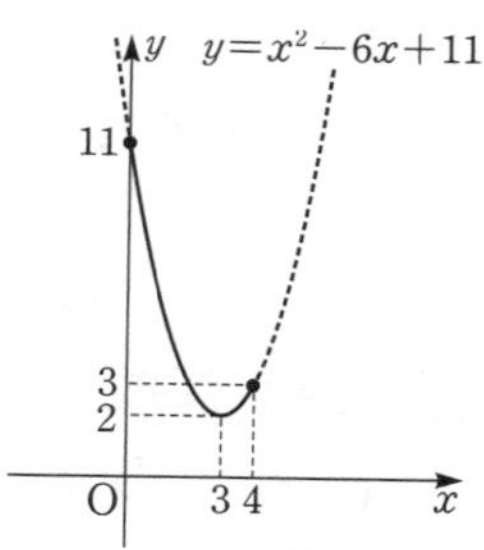

(2) $y=-x^2-4x-2=-(x+2)^2+2$

이므로 $-3\le x\le 1$에서 주어진 이차함수의 그래프는 오른쪽 그림과 같다.

이때 꼭짓점의 x좌표 -2가 $-3\le x\le 1$에 포함되므로 주어진 이차함수는 $x=-2$일 때 최댓값 2, $x=1$일 때 최솟값 -7을 갖는다.

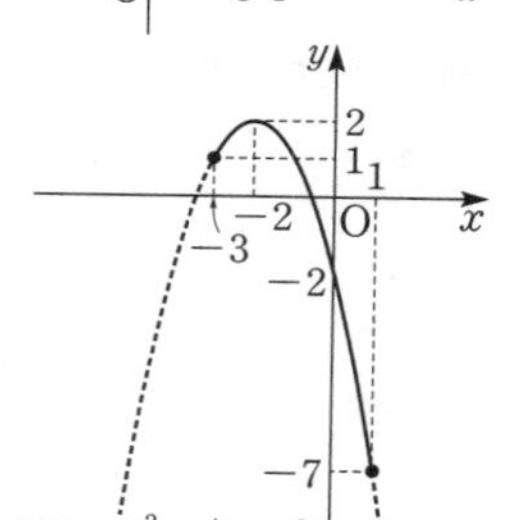

(3) $y=2x^2-4x+5=2(x-1)^2+3$

이므로 $2\le x\le 3$에서 주어진 이차함수의 그래프는 오른쪽 그림과 같다.

이때 꼭짓점의 x좌표 1이 $2\le x\le 3$에 포함되지 않으므로 주어진 이차함수는 $x=3$일 때 최댓값 11, $x=2$일 때 최솟값 5를 갖는다.

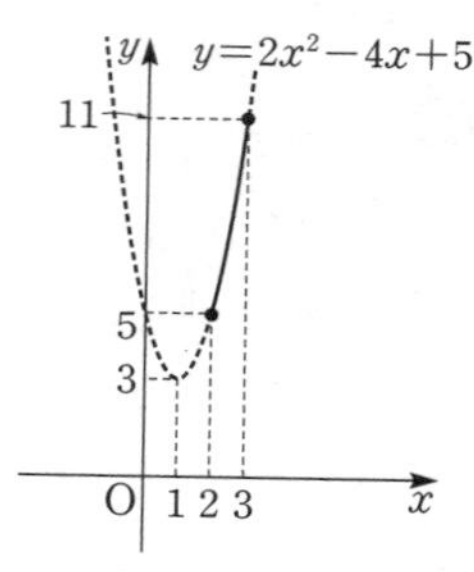

답 (1) 최댓값: 11, 최솟값: 2 (2) 최댓값: 2, 최솟값: -7 (3) 최댓값: 11, 최솟값: 5

풍쌤 강의 NOTE

x의 값의 범위가 $\alpha\le x\le\beta$이고, 이차함수 $f(x)=a(x-p)^2+q$의 꼭짓점의 x좌표 p가 범위에 포함되면 $f(p)$의 값은 $a>0$일 때 최솟값, $a<0$일 때 최댓값이다.

08-1 유사

다음 주어진 범위에서 이차함수의 최댓값과 최솟값을 구하여라.

(1) $y=x^2+8x+12$ $(-5\le x\le -2)$

(2) $y=-x^2+4x-1$ $(-1\le x\le 1)$

(3) $y=-2x^2-12x-12$ $(-4\le x\le -1)$

08-2 변형

$-1\le x\le 1$에서 이차함수 $f(x)=-x^2+4x+k$의 최댓값이 -1일 때, 상수 k의 값을 구하여라.

08-3 변형

$-2\le x\le 3$일 때, 이차함수 $f(x)=2x^2-4x+k$의 최솟값은 1이고 최댓값은 M이다. $k+M$의 값을 구하여라. (단, k는 상수이다.)

08-4 변형

이차함수 $f(x)=ax^2-2ax+b$가 $-2\le x\le 2$에서 최댓값 5, 최솟값 -4를 가질 때, 상수 a, b에 대하여 $a+b$의 값을 구하여라. (단, $a<0$)

08-5 변형

이차함수 $f(x)=x^2+ax+b$의 그래프는 직선 $x=2$에 대하여 대칭이다. $0\le x\le 3$에서 함수 $f(x)$의 최댓값이 8일 때, $a+b$의 값을 구하여라. (단, a, b는 상수이다.)

08-6 실력

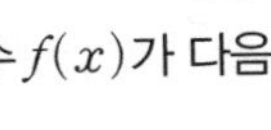

최고차항의 계수가 a $(a>0)$인 이차함수 $f(x)$가 다음 조건을 만족시킨다.

> (가) 직선 $y=4ax-10$과 함수 $y=f(x)$의 그래프가 만나는 두 점의 x좌표는 1과 5이다.
> (나) $1\le x\le 5$에서 $f(x)$의 최솟값은 -8이다.

$100a$의 값을 구하여라.

필수유형 09 공통부분이 있는 함수의 최대 • 최소

다음 물음에 답하여라.

(1) 함수 $y=(x^2+2x-2)^2+4(x^2+2x-2)+3$의 최솟값을 구하여라.

(2) $1\le x\le 3$에서 함수 $y=(x-2)^2-6(x-2)+8$의 최댓값과 최솟값을 구하여라.

풍쌤 POINT

함수 $y=\{f(x)\}^2+af(x)+b$의 최댓값 또는 최솟값은

$f(x)=t$로 놓고 t의 값의 범위 구하기 ➡ $y=t^2+at+b$를 표준형으로 변형하기 ➡ t의 값의 범위에서 최댓값 또는 최솟값 구하기

풀이

(1) STEP1 $x^2+2x-2=t$로 놓고 t의 값의 범위 구하기

$x^2+2x-2=t$로 놓으면

$t=(x^2+2x+1-1)-2=(x+1)^2-3$ ❶

이므로 $t\ge -3$

STEP2 t의 값의 범위에서 함수의 최솟값 구하기

이때 주어진 함수를 t에 대한 함수로 나타내면

$y=(x^2+2x-2)^2+4(x^2+2x-2)+3$

$=t^2+4t+3$

$=(t+2)^2-1\ (t\ge -3)$

따라서 오른쪽 그림과 같이 주어진 함수는 $t=-2$일 때 최솟값 -1을 갖는다.

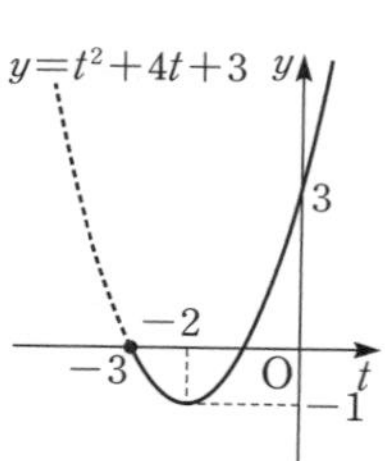

❶ x^2의 계수는 양수이고 꼭짓점의 x좌표가 -1이므로 t는 $x=-1$일 때 최솟값 -3을 갖는다.

(2) STEP1 $x-2=t$로 놓고 t의 값의 범위 구하기

$x-2=t$로 놓으면 $1\le x\le 3$이므로 $-1\le t\le 1$ ❷

STEP2 t의 값의 범위에서 함수의 최댓값과 최솟값 구하기

이때 주어진 함수를 t에 대한 함수로 나타내면

$y=(x-2)^2-6(x-2)+8$

$=t^2-6t+8$

$=(t-3)^2-1\ (-1\le t\le 1)$

따라서 오른쪽 그림과 같이 주어진 함수는 $t=-1$일 때 최댓값 15, $t=1$일 때 최솟값 3을 갖는다.

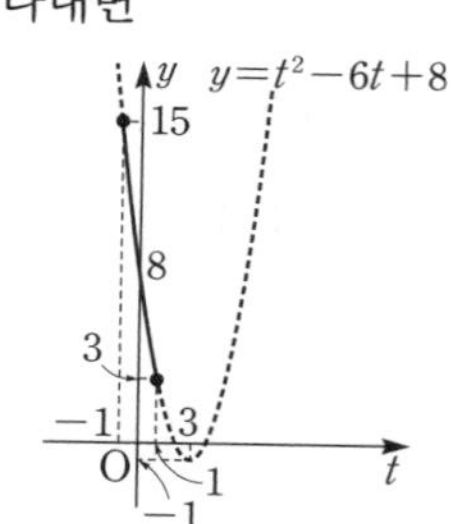

❷ $x=1$일 때 $t=1-2=-1$, $x=3$일 때 $t=3-2=1$ 이므로 $-1\le t\le 1$

답 (1) -1 (2) 최댓값: 15, 최솟값: 3

풍쌤 강의 NOTE

공통부분이 있는 함수의 최댓값과 최솟값을 구하려면 공통부분을 t로 치환한다.
이때 t의 값의 범위에 주의해야 한다.

09-1 유사

함수 $y=(x^2+4x)^2-2(x^2+4x)-5$의 최솟값을 구하여라.

09-2 유사 기출

$-2\leq x\leq 1$에서 함수

$$y=(x^2+2x-1)^2-4(x^2+2x-1)+3$$

의 최댓값과 최솟값을 구하여라.

09-3 변형

함수 $y=(x^2-2x)^2+2x^2-4x$가 $x=\alpha$일 때 최솟값 β를 갖는다. 이때 $\alpha-\beta$의 값을 구하여라.

09-4 변형

$1\leq x\leq 4$에서 함수

$$y=(x^2-6x+8)^2-4(x^2-6x+8)+k$$

의 최댓값이 1일 때, 상수 k의 값을 구하여라.

09-5 변형 기출

실수 x에 대하여 함수

$$f(x)=(x^2+4x+6)(x^2+4x+2)+2x^2+8x+10$$

의 최솟값을 구하여라.

09-6 실력

함수 $y=2(x^2+1)^2-6x^2+5$는 $x=\alpha$ $(\alpha>0)$일 때 최솟값 β를 갖는다고 한다. 이때 $\alpha^2+\beta$의 값을 구하여라.

발전유형 10 조건을 만족시키는 이차식의 최댓값과 최솟값

다음 물음에 답하여라.

(1) x, y가 실수일 때, $x^2+2y^2-4x+4y+9$의 최솟값을 구하여라.

(2) 두 실수 x, y가 $x+y=4$를 만족시킬 때, x^2+y^2의 최솟값을 구하여라.

풍쌤 POINT

- x, y가 실수일 때, x, y에 대한 이차식의 최대·최소는
  ➡ 완전제곱식 꼴로 변형한 후 $(\text{실수})^2\geq 0$임을 이용하면 돼.
  (x에 대한 완전제곱식)+(y에 대한 완전제곱식)+(상수)
- x, y에 대한 등식이 조건으로 주어졌을 때의 이차식의 최대·최소는
  ➡ 조건식을 한 문자에 대하여 정리한 후 최솟값을 구하는 이차식에 대입하여 이차함수의 최대·최소를 이용하면 돼.

풀이

(1) STEP1 **주어진 식을 완전제곱식 꼴로 변형하기**

$x^2+2y^2-4x+4y+9$

$=(x^2-4x+4-4)+2(y^2+2y+1-1)+9$

$=(x-2)^2+2(y+1)^2+3$

STEP2 **(실수)$^2\geq 0$임을 이용하여 최솟값 구하기**

이때 x, y는 실수이므로

$(x-2)^2\geq 0$, $(y+1)^2\geq 0$❶

따라서 주어진 식은 $x=2$, $y=-1$일 때 최솟값 3을 갖는다.

❶ $x=2$, $y=-1$일 때에만 각각의 값은 0이 되고 그 이외의 값에서는 모두 0보다 크다.
$(x-2)^2\geq 0$, $(y+1)^2\geq 0$

(2) STEP1 **$x+y=4$를 한 문자에 대하여 정리하기**

$x+y=4$에서 $y=-x+4$ ⋯⋯ ㉠

STEP2 **STEP1에서 정리한 식을 이차식에 대입하기**

㉠을 x^2+y^2에 대입하면❷

$x^2+y^2=x^2+(-x+4)^2$

$=2x^2-8x+16$

$=2(x^2-4x+4-4)+16$

$=2(x-2)^2+8$

❷ x^2+y^2을 한 문자에 대한 식으로 나타낸다.

STEP3 **최솟값 구하기**

이때 x, y는 실수이고 $(x-2)^2\geq 0$이므로

x^2+y^2은 $x=2$일 때 최솟값 8을 갖는다.

답 (1) 3 (2) 8

풍쌤 강의 NOTE

조건을 만족시키는 이차식의 최대·최소 문제는 이차식을 완전제곱식 꼴로 변형하여 문제를 해결한다.

10-1 유사

x, y가 실수일 때, $2x^2+4x+y^2-6y+5$의 최솟값을 구하여라.

10-2 유사

두 실수 x, y가 $2x+y=2$를 만족시킬 때, $-2x^2+y^2$의 최솟값을 구하여라.

10-3 변형

기출

두 실수 x, y에 대하여 $x^2+2y^2+8x+8y+100$은 $x=a$, $y=b$일 때, 최솟값 c를 갖는다. 이때 $a+b+c$의 값을 구하여라.

10-4 변형

$x+y+3=0$ $(-3\le x\le 0)$을 만족시키는 두 실수 x, y에 대하여 x^2+2y^2의 최댓값과 최솟값의 합을 구하여라.

10-5 실력

두 실수 x, y가 $x-y^2=1$을 만족시킬 때, x^2+4y^2+2의 최솟값을 구하여라.

10-6 실력

기출

직선 $y=-\frac{1}{4}x+1$이 y축과 만나는 점을 A, x축과 만나는 점을 B라고 하자. 점 $\mathrm{P}(a, b)$가 점 A에서 직선 $y=-\frac{1}{4}x+1$을 따라 점 B까지 움직일 때, a^2+8b의 최솟값을 구하여라.

필수유형 11 이차함수의 최대 · 최소의 활용

길이가 16 m인 철망을 사용하여 오른쪽 그림과 같이 한 면이 벽면인 직사각형 모양의 꽃밭을 만들려고 한다. 이때 꽃밭의 넓이의 최댓값을 구하여라. (단, 철망의 두께는 무시한다.)

풍쌤 POINT

이차함수의 최대 · 최소의 활용 문제는 다음과 같이 구해.

변수 x를 정하고, x의 값의 범위 구하기 ➡ 주어진 상황을 x에 대한 이차함수의 식으로 나타내기 ➡ 최댓값 또는 최솟값 구하기

풀이

STEP1 변수 x를 정하고, x의 값의 범위 구하기

꽃밭의 세로의 길이를 x m라고 하면 가로의 길이는 $(16-2x)$❶m이다.

이때 $x>0$, $16-2x>0$❷이므로

$0<x<8$

STEP2 꽃밭의 넓이를 x에 대한 식으로 나타내기

꽃밭의 넓이를 $S(x)$ m^2라고 하면

$$S(x)=x(16-2x)$$
$$=-2x^2+16x$$
$$=-2(x-4)^2+32$$

STEP3 제한된 범위에서 꽃밭의 넓이의 최댓값 구하기

이때 $0<x<8$이므로 $S(x)$는 $x=4$일 때 최댓값 32를 갖는다.

따라서 꽃밭의 넓이의 최댓값은 32 m^2이다.

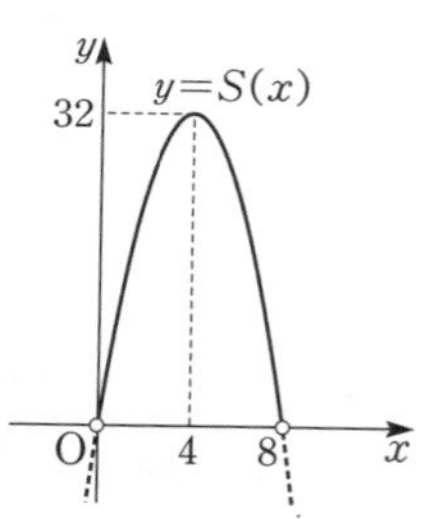

❶ $x+$(가로의 길이)$+x=16$이므로 가로의 길이는 $16-2x$이다.

❷ 가로, 세로의 길이는 양수이다.

답 32 m^2

풍쌤 강의 NOTE

문제에서 주어진 조건들을 이용하여 식을 정확히 세운다.
이때 문자의 조건이나 변수의 범위를 확인하여 문제를 해결한다.
필요한 경우, 구한 답이 문자나 변수의 조건에 맞는지 확인한다.

11-1 유사

둘레의 길이가 60인 직사각형 중에서 넓이가 최대인 직사각형의 대각선의 길이를 구하여라.

11-2 변형

지면에서 30 m 높이에서 위로 똑바로 쏘아 올린 공의 t초 후의 지면으로부터의 높이를 h m라고 하면 $h=-5t^2+20t+30$이다. 이 공은 a초 후에 가장 높이 올라가고 이때의 지면에서부터의 높이가 b m라고 할 때, $a+b$의 값을 구하여라.

11-3 변형

기출

오른쪽 그림과 같이 도로로 둘러싸인 직각삼각형 모양의 땅에 직사각형 모양의 주차장을 만들려고 한다. 이 땅의 직각을 낀 두 변의 길이가 30 m, 60 m일 때, 주차장의 넓이의 최댓값을 구하여라.

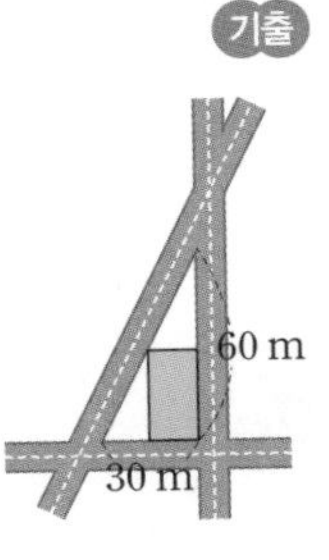

11-4 변형

길이가 20인 선분 AB를 오른쪽 그림과 같이 둘로 나누어 $\overline{AP}$, $\overline{PB}$를 각각 한 변으로 하는 정사각형을 만들려고 한다. 넓이의 합이 최소가 되도록 하는 선분 AP의 길이를 구하여라.

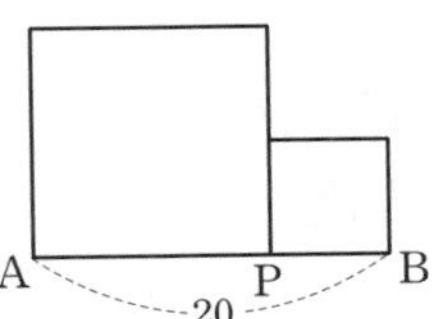

11-5 변형

오른쪽 그림과 같이 포물선 $y=-x^2+16x$에 접하고 한 변이 x축 위에 놓여 있는 직사각형 ABCD의 둘레의 길이의 최댓값을 구하여라.

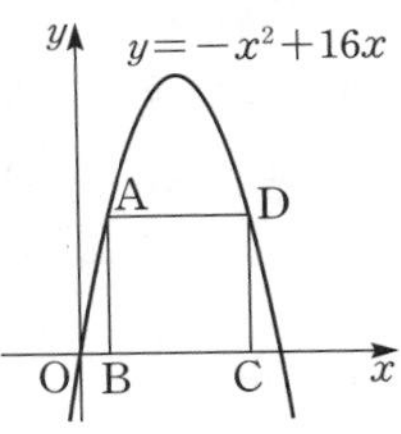

11-6 실력

기출

오른쪽 그림과 같이 $\angle B=90°$, $\overline{AB}=2$, $\overline{BC}=2\sqrt{3}$인 직각삼각형 ABC에서 점 P가 변 AC 위를 움직일 때, $\overline{PB}^2+\overline{PC}^2$의 최솟값을 구하여라.

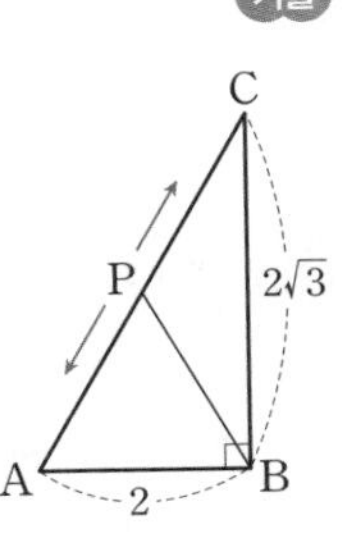

실전 연습 문제

01

다음 이차함수 중 그 그래프가 모든 사분면을 지나는 것은?

① $y=2x^2+12x+19$ ② $y=-2x^2-1$
③ $y=x^2+2x-6$ ④ $y=-x^2+4x-2$
⑤ $y=x^2-4x+4$

02

이차함수 $y=ax^2+bx+c$의 그래프가 오른쪽 그림과 같을 때, 다음 중 옳은 것은?
(단, a, b, c는 상수이다.)

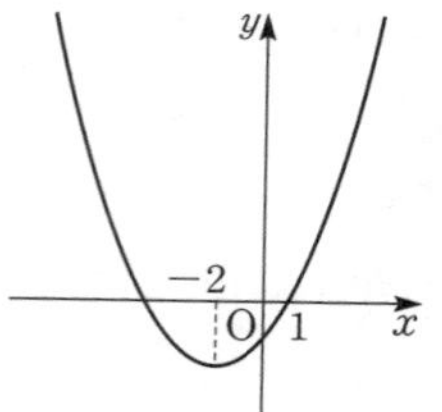

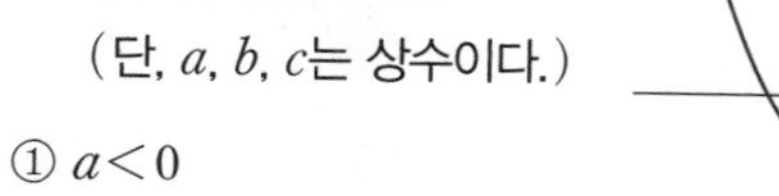

① $a<0$
② $b<0$
③ $c>0$
④ $4a-2b+c>0$
⑤ $a+b+c=0$

03 서술형 기출

이차함수 $y=x^2+ax+b$의 그래프가 x축과 두 점 A, B에서 만난다. 한 점의 x좌표가 $1-2\sqrt{2}$일 때, 두 유리수 a, b에 대하여 $a+b$의 값을 구하여라.

04

오른쪽 그림과 같이 이차함수 $y=x^2-4x+2$의 그래프가 x축과 만나는 두 점을 각각 A, B라 하고 꼭짓점을 C라고 할 때, 삼각형 ABC의 넓이는?

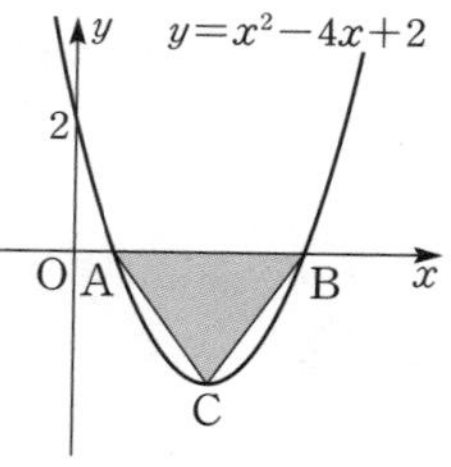

① $2\sqrt{2}$ ② $2\sqrt{3}$ ③ $3\sqrt{2}$
④ $2\sqrt{5}$ ⑤ $3\sqrt{3}$

05 기출

오른쪽 그림과 같이 이차함수 $y=x^2+ax-3$의 그래프와 직선 $y=x+b$가 서로 다른 두 점에서 만날 때, $\frac{b}{a}$의 값을 구하여라.
(단, a, b는 상수이다.)

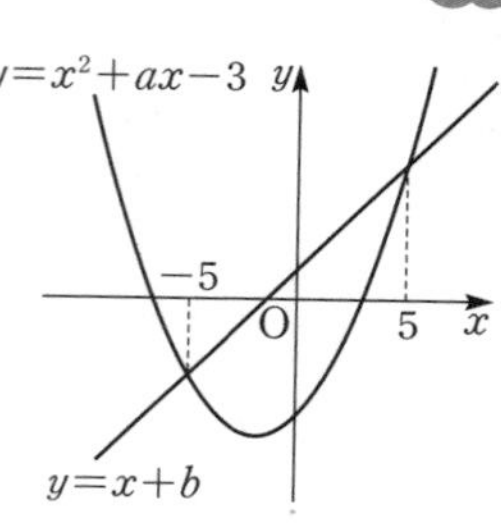

06

이차함수 $f(x)=x^2+4x+3$의 그래프와 직선 $y=2x+k$가 서로 다른 두 점 P, Q에서 만난다. 점 P가 이차함수 $y=f(x)$의 그래프의 꼭짓점일 때, 점 Q의 좌표를 구하여라. (단, k는 상수이다.)

07

기출

직선 $y=-x+a$가 이차함수 $y=x^2+bx+3$의 그래프에 접하도록 하는 a의 최댓값은?
(단, a, b는 실수이다.)

① 1 ② 2 ③ 3
④ 4 ⑤ 5

08

기출

이차함수 $y=-2x^2+5x$의 그래프와 직선 $y=2x+k$가 적어도 한 점에서 만나도록 하는 실수 k의 최댓값은?

① $\frac{3}{8}$ ② $\frac{3}{4}$ ③ $\frac{9}{8}$
④ $\frac{3}{2}$ ⑤ $\frac{15}{8}$

09

기출

함수 $f(x)=x^2-x-5$와 $g(x)=x+3$의 그래프가 서로 다른 두 점에서 만난다. 방정식
$f(2x-k)=g(2x-k)$의 두 실근의 합이 3일 때, 상수 k의 값은?

① 1 ② 2 ③ 3
④ 4 ⑤ 5

10

이차방정식 $ax^2+bx+c=0$의 두 근이 -3, 1이고, 이차함수 $y=ax^2+bx+c$의 최댓값이 8일 때, abc의 값을 구하여라. (단, a, b, c는 상수이다.)

11

함수 $f(x)=2x^2+ax-3+a$의 최솟값을 $g(a)$라고 하자. $g(a)$가 최댓값을 가질 때의 a의 값은?

① 1 ② 2 ③ 3
④ 4 ⑤ 5

12 서술형

$-2\leq x\leq 0$에서 이차함수 $f(x)=ax^2-2ax+b$의 최댓값이 3, 최솟값이 1일 때, 상수 a, b에 대하여 $a+b$의 값을 구하여라. (단, $a<0$)

13

$-2\le x\le 2$에서 정의된 이차함수 $f(x)=x^2-2x+a$의 최댓값과 최솟값의 합이 21일 때, 상수 a의 값은?

① 6 ② 7 ③ 8
④ 9 ⑤ 10

14

$0\le x\le 4$에서 정의된 이차함수 $f(x)=x^2-6x+k$의 최댓값이 17일 때, 이차함수 $f(x)$의 최솟값을 구하여라. (단, k는 상수이다.)

15 서술형

$-1\le x\le 2$에서 정의된 함수

$$y=(x^2-2x-1)^2-2(x^2-2x-1)+3$$

의 최댓값을 M, 최솟값을 m이라고 할 때, $M-m$의 값을 구하여라.

16

x, y가 실수이고 $2x^2+y^2-4x+6y+k+7$의 최솟값이 4일 때, 상수 k의 값은?

① -8 ② -4 ③ 0
④ 4 ⑤ 8

17

$x+y=3$을 만족시키는 두 실수 x, y에 대하여 $x\ge 0$, $y\ge 0$일 때, $2x^2+y^2$의 최댓값과 최솟값을 각각 구하여라.

18

두 이차함수 $f(x)=x^2-7$과 $g(x)=-2x^2+5$가 있다. 오른쪽 그림과 같이 네 점 $\mathrm{A}(a, f(a))$, $\mathrm{B}(a, g(a))$, $\mathrm{C}(-a, g(-a))$, $\mathrm{D}(-a, f(-a))$를 꼭짓점으로 하는 직사각형 ABCD의 둘레의 길이가 최대가 되도록 하는 a의 값을 구하여라. (단, $0<a<2$)

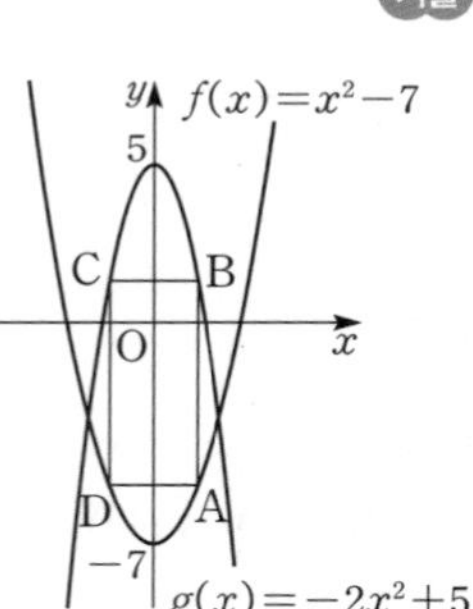

정답과 풀이 123쪽

01

기출

이차함수 $y=x^2+3x+2k+3$의 그래프가 제4사분면만을 지나지 않을 때, 상수 k의 값의 범위를 구하여라.

02

두 이차함수

$f(x)=x^2+ax+b$,

$g(x)=-x^2+cx+d$

에 대하여 오른쪽 그림과 같이 함수 $y=f(x)$의 그래프는 x축에 접하고, 두 함수 $y=f(x)$와 $y=g(x)$의 그래프는 제1사분면과 제2사분면에서 만난다. |보기|에서 옳은 것만을 있는 대로 골라라. (단, a, b, c, d는 상수이다.)

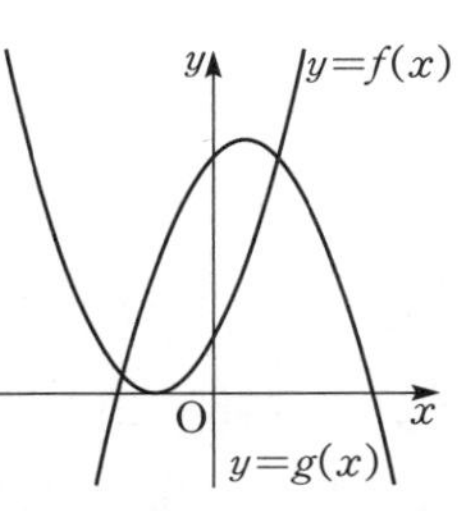

|보기|

ㄱ. $a^2-4b=0$

ㄴ. $a^2-4d<0$

ㄷ. $(a-c)^2-8(b-d)>0$

03

직선 $y=2mx+m^2+2m+1$은 실수 m의 값에 관계없이 이차함수 $y=ax^2+bx+c$의 그래프와 접한다. 이때 상수 a, b, c에 대하여 $a^2+b^2+c^2$의 값은?

① 1 ② 2 ③ 3 ④ 4 ⑤ 5

04

기출

이차함수 $f(x)=x^2+ax-(b-7)^2$이 다음 조건을 만족시킨다.

(가) $x=-1$에서 최솟값을 갖는다.

(나) 이차함수 $y=f(x)$의 그래프와 직선 $y=cx$가 한 점에서만 만난다.

상수 a, b, c에 대하여 $a+b+c$의 값을 구하여라.

05

두 양수 p, q에 대하여 이차함수 $f(x)=-x^2+px-q$가 다음 조건을 만족시킬 때, p^2+q^2의 값을 구하여라.

> (가) 함수 $y=f(x)$의 그래프는 x축에 접한다.
> (나) $-p\le x\le p$에서 $f(x)$의 최솟값은 -54이다.

06

기출

실수 x, y에 대하여

$$x^2-2xy+y^2-\sqrt{3}(x+y)+12=0$$

을 만족시킬 때, $x+y$의 최솟값을 구하여라.

07

다음은 어느 휴대폰 제조 회사에서 신제품 A의 가격을 정하기 위하여 시장 조사를 한 결과이다.

> (가) A의 가격을 100만 원으로 정하면 판매량은 2400대이다.
> (나) A의 가격을 만 원 인상할 때마다 판매량은 20대씩 줄어든다.

신제품 A를 판매하여 얻은 전체 판매 금액이 최대가 되도록 하는 신제품 A의 가격은 a만 원이다. a의 값을 구하여라. (단, A의 가격은 100만 원 이상이다.)

08

기출

오른쪽 그림과 같이 한 변의 길이가 20인 정삼각형 ABC에 대하여 변 AB 위의 점 D, 변 AC 위의 점 G, 변 BC 위의 두 점 E, F를 꼭짓점으로 하는 직사각형 DEFG가 있다. 직사각형 DEFG의 넓이가 최대일 때, 삼각형 DBE에 내접하는 원의 둘레의 길이는 $(p\sqrt{3}+q)\pi$이다. p^2+q^2의 값은?

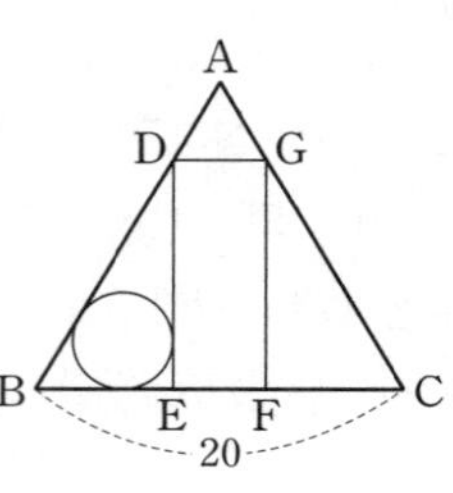

(단, p, q는 유리수이다.)

① 10 ② 20 ③ 30 ④ 40 ⑤ 50

07 여러 가지 방정식

유형의 이해에 따라 ☐ 안에 ○, × 표시를 하고 반복하여 학습합니다.		1st	2nd
필수유형 01	인수정리를 이용한 삼·사차방정식의 풀이	☐	☐
필수유형 02	치환을 이용한 사차방정식의 풀이	☐	☐
필수유형 03	특수한 형태의 사차방정식의 풀이	☐	☐
필수유형 04	근이 주어진 삼·사차방정식	☐	☐
필수유형 05	삼차방정식의 근의 조건	☐	☐
필수유형 06	삼차방정식의 근과 계수의 관계	☐	☐
필수유형 07	세 수를 근으로 하는 삼차방정식	☐	☐
필수유형 08	삼차방정식과 사차방정식의 켤레근	☐	☐
필수유형 09	방정식 $x^3=1$의 허근의 성질	☐	☐
발전유형 10	삼·사차방정식의 활용	☐	☐

여러 가지 방정식

개념 01 삼차방정식과 사차방정식의 풀이

(1) 삼차방정식과 사차방정식

다항식 $f(x)$가 x에 대한 삼차식, 사차식일 때, 방정식 $f(x)=0$을 각각 x에 대한 삼차방정식, 사차방정식이라고 한다.

> 삼차 이상의 방정식을 통틀어 고차방정식이라고 한다.

예 $x^3-x^2-7x-5=0$은 x에 대한 삼차방정식이고,
$x^4-x^3+5x-3=0$은 x에 대한 사차방정식이다.

> 특별한 언급이 없으면 삼차방정식과 사차방정식의 근은 복소수의 범위에서 구한다.

> 계수가 실수인 삼차방정식과 사차방정식은 복소수의 범위에서 각각 3개, 4개의 근을 갖는다.

(2) 삼·사차방정식 $f(x)=0$의 풀이

① 인수분해를 이용한 풀이

방정식 $f(x)=0$은 $f(x)$를 인수분해한 후, 다음을 이용하여 푼다.

(i) $ABC=0$이면 $A=0$ 또는 $B=0$ 또는 $C=0$

(ii) $ABCD=0$이면 $A=0$ 또는 $B=0$ 또는 $C=0$ 또는 $D=0$

② 인수정리와 조립제법을 이용한 풀이

다항식 $f(x)$에 대하여 $f(\alpha)=0$이면 $f(x)=(x-\alpha)Q(x)$임을 이용하여 $f(x)$를 인수분해한다. 이때 몫 $Q(x)$는 조립제법을 이용하여 찾는다.

> $f(\alpha)=0$을 만족시키는 α의 값을 찾을 때는 α에 1 또는 -1을 먼저 대입해 보도록 한다.

> **참고** 다항식 $f(x)$의 계수가 모두 정수일 때, $f(\alpha)=0$을 만족시키는 α는
> $\pm\dfrac{(f(x)\text{의 상수항의 약수})}{(f(x)\text{의 최고차항의 계수의 약수})}$ 중에서 찾을 수 있다.

③ 치환을 이용한 풀이

방정식에 공통부분이 있으면 공통부분을 한 문자로 치환하여 그 문자에 대한 방정식으로 변형한 후 인수분해한다.

(3) 특수한 형태의 사차방정식의 풀이

① $x^4+ax^2+b=0\ (a\neq0)$ 꼴의 방정식

$x^2=X$로 치환하여 $X^2+aX+b=0$으로 변형한 후

(i) 좌변이 인수분해가 되면 인수분해한다.

(ii) 좌변이 인수분해가 되지 않으면 항을 적당히 분리하여 A^2-B^2 꼴로 변형한 후 인수분해한다.

> $x^4+ax^2+b=0$ (a, b는 상수)과 같이 차수가 짝수인 항과 상수항으로만 이루어진 방정식을 복이차방정식이라고 한다.

② $ax^4+bx^3+cx^2+bx+a=0\ (a\neq0)$ 꼴의 방정식: 양변을 x^2으로 나눈 후 $x+\dfrac{1}{x}=X$로 치환하여 X에 대한 이차방정식을 푼다.

> 내림차순 또는 오름차순으로 정리하였을 때, 가운데 항을 중심으로 계수가 서로 대칭인 방정식을 상반방정식이라고 한다.

확인 01 인수분해를 이용하여 다음 방정식을 풀어라.

(1) $x^3-8=0$ (2) $x^4-x^3-6x^2=0$

확인 02 다음 방정식을 풀어라.

(1) $x^3-2x^2-5x+6=0$ (2) $(x^2-1)^2+x^2-1-6=0$

(3) $x^4+3x^2-4=0$ (4) $x^4-6x^2+1=0$

(5) $x^4-2x^3-x^2-2x+1=0$

개념 02 삼차방정식의 근과 계수의 관계

(1) 삼차방정식 $ax^3+bx^2+cx+d=0$의 세 근을 α, β, γ라고 하면

$$\alpha+\beta+\gamma=-\frac{b}{a},\ \alpha\beta+\beta\gamma+\gamma\alpha=\frac{c}{a},\ \alpha\beta\gamma=-\frac{d}{a}$$

(2) 세 수 α, β, γ를 세 근으로 하고, x^3의 계수가 1인 삼차방정식은

$(x-\alpha)(x-\beta)(x-\gamma)=0$, 즉

$x^3-(\alpha+\beta+\gamma)x^2+(\alpha\beta+\beta\gamma+\gamma\alpha)x-\alpha\beta\gamma=0$

> 세 수 α, β, γ를 세 근으로 하고 x^3의 계수가 a인 삼차방정식은
> $a\{x^3-(\alpha+\beta+\gamma)x^2+(\alpha\beta+\beta\gamma+\gamma\alpha)x-\alpha\beta\gamma\}=0$

확인 03 **삼차방정식 $2x^3-x^2+5x+3=0$의 세 근을 α, β, γ라고 할 때, 다음 식의 값을 구하여라.**

(1) $\alpha+\beta+\gamma$　　(2) $\alpha\beta+\beta\gamma+\gamma\alpha$　　(3) $\alpha\beta\gamma$

확인 04 **세 수 -5, 1, 2를 근으로 하고 x^3의 계수가 1인 삼차방정식을 구하여라.**

개념 03 삼차방정식의 켤레근의 성질

삼차방정식 $ax^3+bx^2+cx+d=0$에 대하여

(1) a, b, c, d가 유리수일 때, 한 근이 $p+q\sqrt{m}$이면 $p-q\sqrt{m}$도 근이다.

(단, p, q는 유리수, $q\neq0$, $\sqrt{m}$은 무리수)

(2) a, b, c, d가 실수일 때, 한 근이 $p+qi$이면 $p-qi$도 근이다.

(단, p, q는 실수, $q\neq0$, $i=\sqrt{-1}$)

> 계수가 유리수인 삼차방정식에서 세 근 중 두 근이 서로 켤레무리수이면, 나머지 한 근은 유리수이다.

> 계수가 실수인 삼차방정식에서 세 근 중 두 근이 서로 켤레복소수이면, 나머지 한 근은 실수이다.

확인 05 **삼차방정식 $x^3+ax^2+bx+c=0$의 두 근이 1, $2-\sqrt{5}$일 때, 나머지 한 근을 구하여라. (단, a, b, c는 유리수이다.)**

개념 04 방정식 $x^3=1$의 허근 ω의 성질

방정식 $x^3=1$의 한 허근을 ω라고 하면 다음 성질이 성립한다.

(단, $\overline{\omega}$는 ω의 켤레복소수이다.)

(1) $\omega^3=1$, $\omega^2+\omega+1=0$

(2) $\omega+\overline{\omega}=-1$, $\omega\overline{\omega}=1$

(3) $\omega^2=\overline{\omega}=\frac{1}{\omega}$

> 방정식 $x^3=-1$의 한 허근을 ω라고 하면 다음 성질이 성립한다.
> (단, $\overline{\omega}$는 ω의 켤레복소수이다.)
> ① $\omega^3=-1$, $\omega^2-\omega+1=0$
> ② $\omega+\overline{\omega}=1$, $\omega\overline{\omega}=1$
> ③ $\omega^2=-\overline{\omega}=-\frac{1}{\omega}$

확인 06 **방정식 $x^3=1$의 한 허근을 ω라고 할 때, 다음 식의 값을 구하여라.**

(1) $\omega^{10}+\omega^5+1$　　(2) $\frac{\omega^{10}}{\omega^5+1}$

필수유형 01 인수정리를 이용한 삼·사차방정식의 풀이

다음 방정식을 풀어라.

(1) $2x^3+3x^2-8x+3=0$

(2) $2x^4-3x^3-12x^2+7x+6=0$

풍쌤 POINT

인수분해 공식을 이용하여 주어진 삼·사차방정식의 좌변을 인수분해할 수 없는 경우에는 인수정리를 이용하여 해결해!

방정식 $f(x)=0$에서 $f(\alpha)=0$이면 $f(x)=(x-\alpha)Q(x)$ 꼴로 인수분해

풀이

(1) **STEP 1 $f(x)=2x^3+3x^2-8x+3$으로 놓고 $f(\alpha)=0$을 만족시키는 α의 값 구하여 $f(x)$를 인수분해하기**

$f(x)=2x^3+3x^2-8x+3$으로 놓으면 $f(1)=0$[1]이므로 조립제법을 이용하여 $f(x)$를 인수분해하면

$f(x)=(x-1)(2x^2+5x-3)=(x-1)(x+3)(2x-1)$

STEP 2 주어진 방정식의 근 구하기

따라서 주어진 방정식은 $(x-1)(x+3)(2x-1)=0$

$\therefore x=-3$ 또는 $x=\frac{1}{2}$ 또는 $x=1$

[1] $f(1)=2+3-8+3=0$

1	2	3	−8	3
		2	5	−3
	2	5	−3	0

(2) **STEP 1 $f(x)=2x^4-3x^3-12x^2+7x+6$으로 놓고 $f(\alpha)=0$을 만족시키는 α의 값 구하여 $f(x)$를 인수분해하기**

$f(x)=2x^4-3x^3-12x^2+7x+6$으로 놓으면

$f(1)=0$, $f(-2)=0$[2]이므로 조립제법을 이용하여 $f(x)$를 인수분해하면

$f(x)=(x-1)(x+2)(2x^2-5x-3)$

$\quad=(x-1)(x+2)(2x+1)(x-3)$

STEP 2 주어진 방정식의 근 구하기

따라서 주어진 방정식은

$(x-1)(x+2)(2x+1)(x-3)=0$

$\therefore x=-2$ 또는 $x=-\frac{1}{2}$ 또는 $x=1$ 또는 $x=3$

[2] $f(1)=2-3-12+7+6=0$

$f(-2)=32+24-48-14+6=0$

1	2	−3	−12	7	6
		2	−1	−13	−6
−2	2	−1	−13	−6	0
		−4	10	6	
	2	−5	−3	0	

답 (1) $x=-3$ 또는 $x=\frac{1}{2}$ 또는 $x=1$ (2) $x=-2$ 또는 $x=-\frac{1}{2}$ 또는 $x=1$ 또는 $x=3$

풍쌤 강의 NOTE

다항식 $f(x)$에서 $f(\alpha)=0$이면 $f(x)$는 $x-\alpha$를 인수로 가지므로 조립제법을 이용하여 $f(x)=(x-\alpha)Q(x)$ 꼴로 나타낸다.

01-1 유사

다음 방정식을 풀어라.

(1) $x^3-x^2-4x+4=0$

(2) $x^3-6x^2+3x+10=0$

(3) $6x^3-17x^2+11x-2=0$

01-2 유사

다음 방정식을 풀어라.

(1) $x^4-10x^2+9=0$

(2) $x^4+2x^3-16x^2-2x+15=0$

(3) $4x^4-16x^3+15x^2+4x-4=0$

01-3 변형

사차방정식 $x^4+x^3-x^2-7x-6=0$의 모든 실근의 곱을 구하여라.

01-4 변형

기출

사차방정식 $x^4-6x^3+15x^2-22x+12=0$의 모든 실근의 합을 구하여라.

01-5 변형

삼차방정식 $x^3-x^2+2=0$의 두 허근을 α, β라고 할 때, $\frac{1}{\alpha}+\frac{1}{\beta}$의 값을 구하여라.

01-6 실력

사차방정식 $x^4-4x+3=0$의 두 허근을 α, β라고 할 때, $\alpha^3+\beta^3$의 값을 구하여라.

필수유형 02 치환을 이용한 사차방정식의 풀이

다음 방정식을 풀어라.

(1) $(x^2-6x)(x^2-6x+1)-56=0$

(2) $(x-1)(x-2)(x+2)(x+3)=60$

풍쌤 POINT

(1) 공통부분이 있는 방정식은 공통부분을 치환하여 차수가 낮은 방정식으로 변형해!

(2) 공통부분이 보이지 않는 방정식은 공통부분이 나오도록 변형하여 전개해!

풀이

(1) **STEP 1 $x^2-6x=X$로 치환한 후 X에 대한 방정식 풀기**

$x^2-6x=X$로 놓으면 주어진 방정식은

$X(X+1)-56=0$❶, $X^2+X-56=0$

$(X+8)(X-7)=0$ $\quad\therefore X=-8$ 또는 $X=7$

STEP 2 주어진 방정식 풀기

(i) $X=-8$일 때, $x^2-6x=-8$에서 $x^2-6x+8=0$

$(x-2)(x-4)=0$ $\quad\therefore x=2$ 또는 $x=4$

(ii) $X=7$일 때, $x^2-6x=7$에서 $x^2-6x-7=0$

$(x+1)(x-7)=0$ $\quad\therefore x=-1$ 또는 $x=7$

(i), (ii)에 의하여 $x=-1$ 또는 $x=2$ 또는 $x=4$ 또는 $x=7$

(2) **STEP 1 공통부분이 나오도록 주어진 방정식 변형하기**

$(x-1)(x-2)(x+2)(x+3)=60$에서

$\{(x-1)(x+2)\}\{(x-2)(x+3)\}=60$❷

$(x^2+x-2)(x^2+x-6)=60$

STEP 2 $x^2+x=X$로 치환한 후 X에 대한 방정식 풀기

$x^2+x=X$로 놓으면 주어진 방정식은

$(X-2)(X-6)=60$, $X^2-8X-48=0$

$(X+4)(X-12)=0$ $\quad\therefore X=-4$ 또는 $X=12$

STEP 3 주어진 방정식 풀기

(i) $X=-4$일 때, $x^2+x=-4$에서

$x^2+x+4=0$ $\quad\therefore x=\frac{-1\pm\sqrt{15}i}{2}$

(ii) $X=12$일 때, $x^2+x=12$에서 $x^2+x-12=0$

$(x+4)(x-3)=0$ $\quad\therefore x=-4$ 또는 $x=3$

(i), (ii)에 의하여 $x=-4$ 또는 $x=3$ 또는 $x=\frac{-1\pm\sqrt{15}i}{2}$

❶ x에 대한 사차방정식을 X에 대한 이차방정식으로 변형한다.

❷ 두 일차식의 상수항의 합이 같게 짝을 짓는다.

답 (1) $x=-1$ 또는 $x=2$ 또는 $x=4$ 또는 $x=7$ (2) $x=-4$ 또는 $x=3$ 또는 $x=\frac{-1\pm\sqrt{15}i}{2}$

풍쌤 강의 NOTE

( )( )( )( )$=k$ (k는 상수) 꼴은 두 일차식의 상수항의 합 또는 곱이 서로 같아지도록 두 개씩 짝을 지어 전개한 후 공통부분을 치환한다.

02-1 유사

다음 방정식을 풀어라.

(1) $(x^2-3x)(x^2-3x+3)+2=0$

(2) $(x^2+2x)(x^2+2x-10)-75=0$

02-2 유사

다음 방정식을 풀어라.

(1) $(x+1)(x+2)(x+3)(x+4)=24$

(2) $x(x+2)(x+4)(x+6)=33$

02-3 변형

사차방정식 $(x^2+4x+5)^2-12(x^2+4x)-40=0$의 모든 실근의 곱을 구하여라.

02-4 변형

사차방정식 $(x^2+2x+4)(x^2-3x+4)+4x^2=0$의 모든 근의 합을 구하여라.

02-5 변형

사차방정식

$$(x+1)(x-2)(x-3)(x+6)-28x^2=0$$

의 모든 근의 합을 구하여라.

02-6 실력 기출

사차방정식 $(x^2+x-1)(x^2+x+3)-5=0$의 서로 다른 두 허근을 α, β라고 할 때, $\alpha\overline{\alpha}+\beta\overline{\beta}$의 값을 구하여라. (단, $\overline{z}$는 z의 켤레복소수이다.)

필수유형 03 특수한 형태의 사차방정식의 풀이

다음 방정식을 풀어라.

(1) $x^4-12x^2+16=0$

(2) $x^4-6x^3+11x^2-6x+1=0$

풍쌤 POINT

(1) $x^4+ax^2+b=0$ 꼴에서 좌변이 인수분해되지 않을 때는 A^2-B^2 꼴로 변형해야 해!

(2) $ax^4+bx^3+cx^2+bx+a=0$ 꼴은 $x^2+\frac{1}{x^2}=\left(x+\frac{1}{x}\right)^2-2$임을 이용할 수 있도록 변형해야 해!

풀이

(1) STEP1 **주어진 방정식을 $A^2-B^2=0$❶ 꼴로 변형하기**

$x^4-12x^2+16=0$에서 $(x^4-8x^2+16)-4x^2=0$

$(x^2-4)^2-(2x)^2=0$

STEP2 **주어진 방정식 풀기**

$(x^2+2x-4)(x^2-2x-4)=0$

$x^2+2x-4=0$ 또는 $x^2-2x-4=0$

$\therefore x=-1\pm\sqrt{5}$ 또는 $x=1\pm\sqrt{5}$

(2) STEP1 **양변을 x^2으로 나누어 정리하기**

$x\neq0$이므로 $x^4-6x^3+11x^2-6x+1=0$의 양변을 x^2으로 나누면❷

$x^2-6x+11-\frac{6}{x}+\frac{1}{x^2}=0$, $x^2+\frac{1}{x^2}-6\left(x+\frac{1}{x}\right)+11=0$❸

$\left(x+\frac{1}{x}\right)^2-2-6\left(x+\frac{1}{x}\right)+11=0$

$\left(x+\frac{1}{x}\right)^2-6\left(x+\frac{1}{x}\right)+9=0$

STEP2 **$x+\frac{1}{x}=X$로 치환한 후 X에 대한 방정식 풀기**

$x+\frac{1}{x}=X$로 놓으면 주어진 방정식은

$X^2-6X+9=0$, $(X-3)^2=0$ $\quad\therefore X=3$(중근)

STEP3 **주어진 방정식 풀기**

즉, $x+\frac{1}{x}=3$에서 $x^2-3x+1=0$ $\quad\therefore x=\frac{3\pm\sqrt{5}}{2}$

❶ $A^2-B^2=0$
⇨ $(A+B)(A-B)=0$

❷ $x=0$일 때 등식이 성립하지 않으므로 $x\neq0$이다. 따라서 양변을 x^2으로 나눌 수 있다.

❸ 분수 형태의 곱셈 공식의 변형을 이용한다.

답 (1) $x=-1\pm\sqrt{5}$ 또는 $x=1\pm\sqrt{5}$ (2) $x=\frac{3\pm\sqrt{5}}{2}$

풍쌤 강의 NOTE

(1) $x^4+ax^2+b=0$ 꼴은 $x^2=X$로 치환하고, 좌변이 인수분해가 되면 인수분해하고 인수분해가 되지 않으면 $A^2-B^2=0$ 꼴로 변형한다.

(2) $ax^4+bx^3+cx^2+bx+a=0$ 꼴은 양변을 x^2으로 나눈 후 $x+\frac{1}{x}=X$로 치환하여 방정식을 푼다.

03-1 유사

다음 방정식을 풀어라.

(1) $x^4+x^2-72=0$

(2) $x^4+4=0$

(3) $x^4+8x^3+17x^2+8x+1=0$

03-2 변형

사차방정식 $x^4+2x^2-8=0$의 모든 실근의 곱을 구하여라.

03-3 변형

사차방정식 $x^4-14x^2+25=0$의 네 실근 중 가장 큰 근을 α, 가장 작은 근을 β라고 할 때, $\alpha-\beta$의 값을 구하여라.

03-4 변형

사차방정식 $x^4+5x^3-4x^2+5x+1=0$의 모든 실근의 합을 구하여라.

03-5 변형

사차방정식 $x^4+8x^3+18x^2+8x+1=0$의 한 실근을 α라고 할 때, $\alpha+\frac{1}{\alpha}$의 값을 구하여라.

03-6 실력

사차방정식 $x^4+6x^3-5x^2+6x+1=0$의 한 실근을 α라고 할 때, $\left(\alpha-\frac{1}{\alpha}\right)^2$의 값을 구하여라.

필수유형 04 근이 주어진 삼·사차방정식

삼차방정식 $x^3-kx^2-(k+5)x+2k=0$의 한 근이 -3일 때, 나머지 두 근의 곱을 구하여라. (단, k는 상수이다.)

풍쌤 POINT 방정식 $f(x)=0$의 한 근이 α이면 $f(\alpha)=0$임을 이용하여 미정계수를 구한 후, 인수정리와 조립제법을 이용하여 방정식의 좌변을 $f(x)=(x-\alpha)Q(x)$ 꼴로 인수분해할 수 있어!

풀이

STEP 1 주어진 방정식에 $x=-3$을 대입하여 k의 값 구하기

$x^3-kx^2-(k+5)x+2k=0$의 한 근이 -3이므로 $x=-3$을 대입하면

$-27-9k+3k+15+2k=0$

$-4k=12 \qquad \therefore k=-3$

STEP 2 주어진 방정식의 좌변을 인수분해하기

즉, 주어진 방정식은 $x^3+3x^2-2x-6=0$

$f(x)=x^3+3x^2-2x-6$으로 놓으면

$f(-3)=0$❶

이므로 조립제법을 이용하여 $f(x)$를 인수분해하면

-3	1	3	-2	-6
		-3	0	6
	1	0	-2	0

$f(x)=(x+3)(x^2-2)$

따라서 주어진 방정식은 $(x+3)(x^2-2)=0$

STEP 3 나머지 두 근의 곱 구하기

이때 나머지 두 근은 이차방정식 $x^2-2=0$의 근이므로

이차방정식의 근과 계수의 관계❷에 의하여 두 근의 곱은 -2이다.

❶ 삼차방정식 $f(x)=0$의 한 근이 -3 이므로 $f(-3)=0$이다.

❷ 이차방정식 $ax^2+bx+c=0$의 두 근을 α, β라고 하면 $\alpha+\beta=-\dfrac{b}{a}$, $\alpha\beta=\dfrac{c}{a}$

답 -2

풍쌤 강의 NOTE 삼차방정식에서 한 근이 주어졌을 때, 나머지 두 근의 곱은 나머지 두 근을 구해서 그 곱의 값을 알 수도 있지만 이차방정식의 두 근의 곱을 구하는 것이므로 이차방정식의 근과 계수의 관계를 이용하면 편리하다.

04-1 유사

삼차방정식 $x^3-kx^2+(k+2)x-9=0$의 한 근이 3일 때, 나머지 두 근의 합을 구하여라.

(단, k는 상수이다.)

04-2 유사 기출

x에 대한 삼차방정식 $ax^3+x^2+x-3=0$의 한 근이 1일 때, 나머지 두 근의 곱을 구하여라.

(단, a는 상수이다.)

04-3 유사

삼차방정식 $x^3-(a+4)x^2+(4a+1)x-2a=0$의 한 근이 2이고 나머지 두 근이 α, β일 때, $a+\alpha+\beta$의 값을 구하여라. (단, a는 상수이다.)

04-4 변형

사차방정식 $2x^4+ax^3+bx^2-x+a=0$의 두 근이 1, -2일 때, 상수 a, b에 대하여 ab의 값을 구하여라.

04-5 변형

사차방정식 $x^4+ax^3+3x^2+x+b=0$의 두 근이 -1, 2일 때, 나머지 두 근의 합을 구하여라.

(단, a, b는 상수이다.)

04-6 실력 기출

x에 대한 삼차방정식 $x^3-x^2+kx-k=0$이 허근 $3i$와 실근 α를 가질 때, $k+\alpha$의 값을 구하여라.

(단, k는 실수이다.)

필수유형 05 삼차방정식의 근의 조건

삼차방정식 $x^3-(3k+1)x+3k=0$이 중근을 갖도록 하는 모든 실수 k의 값의 합을 구하여라.

풍쌤 POINT

인수정리를 이용하여 삼차방정식을 $(x-\alpha)(ax^2+bx+c)=0$ 꼴로 변형한 후 이차방정식의 판별식을 이용해!

풀이

STEP 1 주어진 방정식의 좌변을 인수분해하기

$f(x)=x^3-(3k+1)x+3k$로 놓으면

$f(1)=1-(3k+1)+3k=0$

이므로 조립제법을 이용하여 $f(x)$를 인수분해하면

$$\begin{array}{c|cccc} 1 & 1 & 0 & -(3k+1) & 3k \\ & & 1 & 1 & -3k \\ \hline & 1 & 1 & -3k & 0 \end{array}$$

$f(x)=(x-1)(x^2+x-3k)$

따라서 주어진 방정식은 $(x-1)(x^2+x-3k)=0$

STEP 2 중근을 갖는 경우를 나누어 생각하기

이때 방정식 $f(x)=0$이 중근을 가지려면

(i) 이차방정식 $x^2+x-3k=0$이 $x=1$을 근으로 갖는 경우❶

$1+1-3k=0 \qquad \therefore k=\frac{2}{3}$

(ii) 이차방정식 $x^2+x-3k=0$이 중근을 갖는 경우❷

이차방정식 $x^2+x-3k=0$의 판별식을 D라고 하면

$D=1^2-4\times1\times(-3k)=0$

$1+12k=0 \qquad \therefore k=-\frac{1}{12}$

STEP 3 모든 실수 k의 값의 합 구하기

(i), (ii)에서 구하는 모든 실수 k의 값의 합은

$\frac{2}{3}+\left(-\frac{1}{12}\right)=\frac{7}{12}$

❶ $x=1$(중근) 또는 $x=\alpha$, 즉 $f(x)=(x-1)^2(x-\alpha)$인 경우이다.

❷ $x=1$ 또는 $x=\beta$(중근), 즉 $f(x)=(x-1)(x-\beta)^2$인 경우이다.

답 $\frac{7}{12}$

풍쌤 강의 NOTE

삼차방정식 $(x-\alpha)(ax^2+bx+c)=0$이 중근을 갖는 경우는 다음 두 가지이다.

① 이차방정식 $ax^2+bx+c=0$이 $x=\alpha$를 근으로 갖는다.

② 이차방정식 $ax^2+bx+c=0$이 중근을 갖는다.

05-1 유사

삼차방정식 $x^3+(2k-1)x+2k=0$이 중근을 갖도록 하는 모든 실수 k의 값의 합을 구하여라.

05-2 변형

삼차방정식 $x^3-3x^2+(a+2)x-a=0$이 한 개의 실근과 두 개의 허근을 갖도록 하는 실수 a의 값의 범위를 구하여라.

05-3 변형

삼차방정식 $x^3-2x^2+(a-3)x+a=0$의 근이 모두 실수일 때, 정수 a의 최댓값을 구하여라.

05-4 변형

기출

삼차방정식 $x^3+(8-a)x^2+(a^2-8a)x-a^3=0$이 서로 다른 세 실근을 갖기 위한 정수 a의 개수를 구하여라.

05-5 변형

삼차방정식 $(x-2)(x^2-4kx+3k+1)=0$이 서로 다른 두 실근을 갖도록 하는 실수 k의 값을 구하여라.

05-6 실력

삼차방정식 $x^3-5x^2+2(k-3)x+2k=0$의 실근이 오직 하나뿐일 때, 실수 k의 값의 범위를 구하여라.

필수유형 06 삼차방정식의 근과 계수의 관계

삼차방정식 $x^3-x^2+5x-3=0$의 세 근을 α, β, γ라고 할 때, 다음 식의 값을 구하여라.

(1) $\frac{1}{\alpha}+\frac{1}{\beta}+\frac{1}{\gamma}$

(2) $(1+\alpha)(1+\beta)(1+\gamma)$

(3) $\alpha^2+\beta^2+\gamma^2$

풍쌤 POINT

'삼차방정식의 세 근을 α, β, γ라고 할 때, ~'라고 주어지면 삼차방정식의 근과 계수의 관계를 가장 먼저 떠올려야 해!

풀이

STEP 1 $\alpha+\beta+\gamma$, $\alpha\beta+\beta\gamma+\gamma\alpha$, $\alpha\beta\gamma$의 값 구하기

삼차방정식의 근과 계수의 관계에 의하여

$\alpha+\beta+\gamma=1$, $\alpha\beta+\beta\gamma+\gamma\alpha=5$, $\alpha\beta\gamma=3$

STEP 2 주어진 식의 값 구하기

(1) $\frac{1}{\alpha}+\frac{1}{\beta}+\frac{1}{\gamma}=\frac{\alpha\beta+\beta\gamma+\gamma\alpha}{\alpha\beta\gamma}=\frac{5}{3}$

(2) $(1+\alpha)(1+\beta)(1+\gamma)$

$=1+(\alpha+\beta+\gamma)+(\alpha\beta+\beta\gamma+\gamma\alpha)+\alpha\beta\gamma$

$=1+1+5+3=10$

(3) $\alpha^2+\beta^2+\gamma^2=(\alpha+\beta+\gamma)^2-2(\alpha\beta+\beta\gamma+\gamma\alpha)$ ❶

$=1^2-2\times5=-9$

❶ $(\alpha+\beta+\gamma)^2$
$=\alpha^2+\beta^2+\gamma^2$
$+2(\alpha\beta+\beta\gamma+\gamma\alpha)$

답 (1) $\frac{5}{3}$ (2) 10 (3) -9

풍쌤 강의 NOTE

삼차방정식 $ax^3+bx^2+cx+d=0$ $(a\neq0)$의 세 근을 α, β, γ라고 하면

$\alpha+\beta+\gamma=-\frac{b}{a}$, $\alpha\beta+\beta\gamma+\gamma\alpha=\frac{c}{a}$, $\alpha\beta\gamma=-\frac{d}{a}$

이를 이용하여 다음의 식의 값을 변형하여 구할 수 있다.

① $\frac{1}{\alpha}+\frac{1}{\beta}+\frac{1}{\gamma}=\frac{\alpha\beta+\beta\gamma+\gamma\alpha}{\alpha\beta\gamma}$

② $\frac{1}{\alpha\beta}+\frac{1}{\beta\gamma}+\frac{1}{\gamma\alpha}=\frac{\alpha+\beta+\gamma}{\alpha\beta\gamma}$

③ $\alpha^2+\beta^2+\gamma^2=(\alpha+\beta+\gamma)^2-2(\alpha\beta+\beta\gamma+\gamma\alpha)$

④ $\alpha^3+\beta^3+\gamma^3=(\alpha+\beta+\gamma)(\alpha^2+\beta^2+\gamma^2-\alpha\beta-\beta\gamma-\gamma\alpha)+3\alpha\beta\gamma$

06-1 기본

삼차방정식 $x^3-2x^2+3x-1=0$의 세 근을 α, β, γ라고 할 때, $\frac{1}{\alpha\beta}+\frac{1}{\beta\gamma}+\frac{1}{\gamma\alpha}$의 값을 구하여라.

06-2 유사

삼차방정식 $6x^3+2x^2-3x-4=0$의 세 근을 α, β, γ라고 할 때, 다음 식의 값을 구하여라.

(1) $\frac{1}{\alpha}+\frac{1}{\beta}+\frac{1}{\gamma}$

(2) $(1+\alpha)(1+\beta)(1+\gamma)$

(3) $\alpha^2+\beta^2+\gamma^2$

06-3 변형

삼차방정식 $x^3-6x^2+11x-6=0$의 세 근을 α, β, γ라고 할 때, |보기|에서 옳은 것만을 있는 대로 골라라.

|보기|

ㄱ. $\alpha+\beta+\gamma=-6$
ㄴ. $\alpha\beta+\beta\gamma+\gamma\alpha=11$
ㄷ. $\alpha\beta\gamma=6$
ㄹ. $\alpha^2+\beta^2+\gamma^2=14$
ㅁ $\alpha^3+\beta^3+\gamma^3=32$

06-4 변형

기출

삼차방정식 $x^3+2x^2-3x+4=0$의 세 근을 α, β, γ라고 할 때, $(3+\alpha)(3+\beta)(3+\gamma)$의 값을 구하여라.

06-5 변형

삼차방정식 $12x^3-19x^2+ax-1=0$의 세 근을 α, β, γ라고 할 때, $\alpha : \beta : \gamma=3 : 4 : 12$를 만족시키는 상수 a의 값을 구하여라.

06-6 실력

삼차방정식 $x^3-2x^2+kx+6=0$의 세 근을 α, β, γ라고 할 때,

$$(\alpha+\beta)(\beta+\gamma)(\gamma+\alpha)=-8$$

을 만족시키는 상수 k의 값을 구하여라.

필수유형 07 세 수를 근으로 하는 삼차방정식

삼차방정식 $x^3-3x^2+2x+1=0$의 세 근을 α, β, γ라고 할 때, $\frac{1}{\alpha}$, $\frac{1}{\beta}$, $\frac{1}{\gamma}$을 세 근으로 하고 x^3의 계수가 1인 삼차방정식을 구하여라.

풍쌤 POINT

세 수를 근으로 하는 삼차방정식을 구하려면 삼차방정식의 근과 계수의 관계를 이용하여 세 근의 합, 두 근끼리의 곱의 합, 세 근의 곱을 구해야 해!

풀이

STEP 1 $\alpha+\beta+\gamma$, $\alpha\beta+\beta\gamma+\gamma\alpha$, $\alpha\beta\gamma$의 값 구하기

삼차방정식 $x^3-3x^2+2x+1=0$의 세 근이 α, β, γ이므로

근과 계수의 관계에 의하여

$\alpha+\beta+\gamma=3$, $\alpha\beta+\beta\gamma+\gamma\alpha=2$, $\alpha\beta\gamma=-1$

STEP 2 $\frac{1}{\alpha}+\frac{1}{\beta}+\frac{1}{\gamma}$, $\frac{1}{\alpha\beta}+\frac{1}{\beta\gamma}+\frac{1}{\gamma\alpha}$, $\frac{1}{\alpha\beta\gamma}$의 값 구하기

구하는 삼차방정식의 세 근이 $\frac{1}{\alpha}$, $\frac{1}{\beta}$, $\frac{1}{\gamma}$이므로

(세 근의 합)$=\frac{1}{\alpha}+\frac{1}{\beta}+\frac{1}{\gamma}=\frac{\alpha\beta+\beta\gamma+\gamma\alpha}{\alpha\beta\gamma}=\frac{2}{-1}=-2$

(두 근끼리의 곱의 합)

$=\frac{1}{\alpha}\times\frac{1}{\beta}+\frac{1}{\beta}\times\frac{1}{\gamma}+\frac{1}{\gamma}\times\frac{1}{\alpha}$

$=\frac{\alpha+\beta+\gamma}{\alpha\beta\gamma}=\frac{3}{-1}=-3$

(세 근의 곱)$=\frac{1}{\alpha}\times\frac{1}{\beta}\times\frac{1}{\gamma}=\frac{1}{\alpha\beta\gamma}=\frac{1}{-1}=-1$

STEP 3 $\frac{1}{\alpha}$, $\frac{1}{\beta}$, $\frac{1}{\gamma}$을 세 근으로 하고 x^3의 계수가 1인 삼차방정식 구하기

따라서 $\frac{1}{\alpha}$, $\frac{1}{\beta}$, $\frac{1}{\gamma}$을 세 근으로 하고 x^3의 계수가 1인 삼차방정식은

$x^3-(-2)x^2-3x-(-1)=0$❶, 즉 $x^3+2x^2-3x+1=0$

❶ 이차항의 계수 ⇨ −(세 근의 합), 상수항 ⇨ −(세 근의 곱) 임에 주의한다.

답 $x^3+2x^2-3x+1=0$

풍쌤 강의 NOTE

세 수 α, β, γ를 근으로 하고 x^3의 계수가 1인 삼차방정식은

$$x^3-(\alpha+\beta+\gamma)x^2+(\alpha\beta+\beta\gamma+\gamma\alpha)x-\alpha\beta\gamma=0$$

세 수 $\frac{1}{\alpha}$, $\frac{1}{\beta}$, $\frac{1}{\gamma}$을 근으로 하고 x^3의 계수가 1인 삼차방정식은

$$x^3-\left(\frac{1}{\alpha}+\frac{1}{\beta}+\frac{1}{\gamma}\right)x^2+\left(\frac{1}{\alpha\beta}+\frac{1}{\beta\gamma}+\frac{1}{\gamma\alpha}\right)x-\frac{1}{\alpha\beta\gamma}=0$$

즉, $x^3-\frac{\alpha\beta+\beta\gamma+\gamma\alpha}{\alpha\beta\gamma}x^2+\frac{\alpha+\beta+\gamma}{\alpha\beta\gamma}x-\frac{1}{\alpha\beta\gamma}=0$

07-1 유사

삼차방정식 $x^3+2x^2+3x+1=0$의 세 근을 α, β, γ라 고 할 때, $\frac{1}{\alpha}$, $\frac{1}{\beta}$, $\frac{1}{\gamma}$을 세 근으로 하고 x^3의 계수가 1인 삼차방정식을 구하여라.

07-2 유사

삼차방정식 $x^3+4x^2+7x-2=0$의 세 근을 α, β, γ라 고 할 때, $\frac{1}{\alpha}$, $\frac{1}{\beta}$, $\frac{1}{\gamma}$을 세 근으로 하고 x^3의 계수가 1인 삼차방정식은 $x^3+ax^2+bx+c=0$이다. 상수 a, b, c에 대하여 $a+b+c$의 값을 구하여라.

07-3 변형

삼차방정식 $x^3-3x^2-2x-4=0$의 세 근을 α, β, γ라 고 할 때, $\alpha+1$, $\beta+1$, $\gamma+1$을 세 근으로 하고 x^3의 계수가 1인 삼차방정식을 구하여라.

07-4 변형

삼차방정식 $x^3-4x^2+2x-3=0$의 세 근을 α, β, γ라 고 할 때, $\alpha+\beta$, $\beta+\gamma$, $\gamma+\alpha$를 세 근으로 하고 x^3의 계수가 1인 삼차방정식은 $x^3+ax^2+bx+c=0$이다.
세 상수 a, b, c에 대하여 $a+b+c$의 값을 구하여라.

07-5 변형

삼차방정식 $x^3+2x^2+6x+3=0$의 세 근을 α, β, γ라 고 할 때, $\alpha\beta$, $\beta\gamma$, $\gamma\alpha$를 세 근으로 하고 x^3의 계수가 1인 삼차방정식을 구하여라.

07-6 실력

x^3의 계수가 1인 삼차식 $P(x)$에 대하여

$$P(1)=P(3)=P(5)=1$$

이 성립할 때, 방정식 $P(x)=0$의 모든 근의 곱을 구하여라.

필수유형 08 삼차방정식과 사차방정식의 켤레근

다음 물음에 답하여라.

(1) 삼차방정식 $x^3-2x^2+px+q=0$의 한 근이 $2+\sqrt{3}$일 때, p, q의 값을 각각 구하여라.
(단, p, q는 유리수이다.)

(2) 삼차방정식 $x^3+px^2+qx+6=0$의 한 근이 $1+i$일 때, p, q의 값을 각각 구하여라.
(단, p, q는 실수이고, $i=\sqrt{-1}$이다.)

풍쌤 POINT

삼차방정식에서 무리수 또는 허수인 한 근과 계수의 조건이 주어져 있으면 삼차방정식의 켤레근의 성질을 떠올려야 해!

풀이

(1) STEP 1 **켤레근의 성질 이용하기**

주어진 삼차방정식의 계수가 모두 유리수이므로 한 근이 $2+\sqrt{3}$이면 $2-\sqrt{3}$도 근이다.

STEP 2 **p, q의 값 구하기**

나머지 한 근을 α라고 하면 삼차방정식의 근과 계수의 관계❶에 의하여

$(2+\sqrt{3})+(2-\sqrt{3})+\alpha=2$ $\therefore \alpha=-2$❷

$(2+\sqrt{3})(2-\sqrt{3})+(2+\sqrt{3})\alpha+(2-\sqrt{3})\alpha=p$에서

$1+4\alpha=p$ $\therefore p=-7$

$(2+\sqrt{3})(2-\sqrt{3})\alpha=-q$에서

$\alpha=-q$ $\therefore q=2$

❶ $x^3-2x^2+px+q=0$의 세 근을 α, β, γ라고 하면
$\alpha+\beta+\gamma=2$
$\alpha\beta+\beta\gamma+\gamma\alpha=p$
$\alpha\beta\gamma=-q$

(2) STEP 1 **켤레근의 성질 이용하기**

주어진 삼차방정식의 계수가 모두 실수이므로 한 근이 $1+i$이면 $1-i$도 근이다.

STEP 2 **p, q의 값 구하기**

나머지 한 근을 α라고 하면 삼차방정식의 근과 계수의 관계에 의하여

$(1+i)+(1-i)+\alpha=-p$ $\therefore p=-\alpha-2$

$(1+i)(1-i)+(1+i)\alpha+(1-i)\alpha=q$ $\therefore q=2\alpha+2$

$(1+i)(1-i)\alpha=-6$에서 $2\alpha=-6$ $\therefore \alpha=-3$❷

$\therefore p=-(-3)-2=1$, $q=2\times(-3)+2=-4$

❷ 삼차방정식의 두 근이 서로 켤레근이면 나머지 한 근은 (1)의 경우 유리수 (2)의 경우 실수 이다.

답 (1) $p=-7$, $q=2$ (2) $p=1$, $q=-4$

풍쌤 강의 NOTE

(1) 계수가 유리수인 방정식의 한 근이 $a+b\sqrt{m}$이면 $a-b\sqrt{m}$도 근이다.
(단, a, b는 유리수, $b\neq0$, $\sqrt{m}$은 무리수)

(2) 계수가 실수인 방정식의 한 근이 $a+bi$이면 $a-bi$도 근이다. (단, a, b는 실수, $b\neq0$, $i=\sqrt{-1}$)

08-1 유사

삼차방정식 $x^3-4x^2+mx+n=0$의 한 근이 $1-\sqrt{2}$일 때, 유리수 m, n에 대하여 $m+n$의 값을 구하여라.

08-2 유사

삼차방정식 $x^3+ax^2+bx-10=0$의 한 근이 $2+i$일 때, 실수 a, b에 대하여 $b-a$의 값을 구하여라.
(단, $i=\sqrt{-1}$)

08-3 변형

사차방정식 $x^4+ax^3+29x^2-22x+b=0$의 네 실근 중 두 근이 $2+\sqrt{3}$, $3+\sqrt{5}$일 때, 유리수 a, b에 대하여 ab의 값을 구하여라.

08-4 변형

삼차방정식 $x^3+ax+b=0$의 한 근이 $\frac{1}{2-\sqrt{3}}$일 때, 유리수 a, b에 대하여 $a+b$의 값을 구하여라.

08-5 변형

사차방정식 $x^4-4x^3+ax^2+bx+2=0$의 한 허근이 $\frac{2}{1-i}$이고 실근이 중근일 때, 실수 a, b에 대하여 ab의 값을 구하여라. (단, $i=\sqrt{-1}$)

08-6 실력 기출

x에 대한 삼차방정식 $x^3+(k-1)x^2-k=0$의 한 허근을 z라고 할 때, $z+\overline{z}=-2$이다. 실수 k의 값을 구하여라. (단, $\overline{z}$는 z의 켤레복소수이다.)

필수유형 09 방정식 $x^3=1$의 허근의 성질

방정식 $x^3=1$의 한 허근을 ω라고 할 때, 다음 식의 값을 구하여라. (단, $\overline{\omega}$는 ω의 켤레복소수이다.)

(1) $\omega^{10}+\dfrac{1}{\omega^{10}}$

(2) $\omega^{100}+\omega^{98}+1$

(3) $(1+\omega)(1+\overline{\omega})$

풍쌤 POINT

$x^3=1$의 한 허근이 ω이므로 ω에 대한 여러 가지 식을 얻은 후 이를 이용할 수 있도록 구하고자 하는 식을 변형해야 해!

풀이

STEP 1 방정식 $x^3=1$의 여러 가지 허근의 성질 구하기

$x^3=1$의 한 허근이 ω이므로 $\omega^3=1$

$x^3=1$에서 $x^3-1=0$, 즉 $(x-1)(x^2+x+1)=0$

이때 ω는 허근이므로 이차방정식 $x^2+x+1=0$의 근이고, 이차방정식의 계수가 모두 실수이고 한 허근이 ω이므로 다른 한 근은 $\overline{\omega}$이다.

$\therefore \omega^2+\omega+1=0$, $\overline{\omega}^2+\overline{\omega}+1=0$,

$\omega+\overline{\omega}=-1$, $\omega\overline{\omega}=1$ ❶

STEP 2 ω에 대한 관계식을 이용하여 주어진 식의 값 구하기

(1) $\omega^{10}+\dfrac{1}{\omega^{10}}=(\omega^3)^3\times\omega+\dfrac{1}{(\omega^3)^3\times\omega}=\omega+\dfrac{1}{\omega}$

$=\dfrac{\omega^2+1}{\omega}=\dfrac{-\omega}{\omega}$ ❷ $=-1$

(2) $\omega^{100}+\omega^{98}+1=(\omega^3)^{33}\times\omega+(\omega^3)^{32}\times\omega^2+1$

$=\omega^2+\omega+1=0$

(3) $(1+\omega)(1+\overline{\omega})=1+\omega+\overline{\omega}+\omega\overline{\omega}$

$=1+(-1)+1=1$

❶ 이차방정식 $x^2+x+1=0$의 근과 계수의 관계에 의하여 알 수 있다.

❷ $\omega^2+\omega+1=0$이므로 $\omega^2+1=-\omega$

답 (1) -1 (2) 0 (3) 1

풍쌤 강의 NOTE

- 방정식 $x^3=1$의 한 허근을 ω라고 하면
  $\omega^3=1$, $\omega^2+\omega+1=0$, $\omega+\overline{\omega}=-1$, $\omega\overline{\omega}=1$
- 방정식 $x^3=-1$은 $(x+1)(x^2-x+1)=0$이므로 한 허근을 ω'라고 하면
  $\omega'^3=-1$, $\omega'^2-\omega'+1=0$, $\omega'+\overline{\omega'}=1$, $\omega'\overline{\omega'}=1$

(단, $\overline{\omega}$는 ω의 켤레복소수이고, $\overline{\omega'}$는 ω'의 켤레복소수이다.)

09-1 유사

방정식 $x^3=1$의 한 허근을 ω라고 할 때, 다음 식의 값을 구하여라. (단, $\overline{\omega}$는 ω의 켤레복소수이다.)

(1) $\overline{\omega}^2+\dfrac{1}{\overline{\omega}^2}$

(2) $\omega^{2005}+\omega^{2003}+1$

(3) $(1-\omega)(1-\overline{\omega})$

09-2 변형

방정식 $x^3=1$의 한 허근을 ω라고 할 때,

$$1+\omega+\omega^2+\omega^3+\omega^4+\omega^5+\cdots+\omega^{2021}$$

의 값을 구하여라.

09-3 변형

방정식 $x^3=1$의 한 허근을 ω라고 할 때,

$\dfrac{\omega^5}{\omega+1}+\dfrac{1+\omega^2}{\omega^4}+\dfrac{\omega^3}{\omega^2+\omega}$의 값을 구하여라.

09-4 변형

기출

방정식 $x^3=-1$의 한 허근을 ω라고 할 때,

$1-\omega+\omega^2-\omega^3+\cdots+\omega^{28}$을 간단히 하여라.

09-5 변형

방정식 $x^2+x+1=0$의 한 허근을 ω라고 할 때,

$$1+2\omega+3\omega^2+4\omega^3+5\omega^4+6\omega^5=a\omega+b$$

이다. 실수 a, b에 대하여 $a-b$의 값을 구하여라.

09-6 실력

방정식 $x^2-x+1=0$의 한 허근을 ω라 하고

$$z=\frac{1+\omega^{100}}{1-\omega^{125}}$$

이라고 할 때, $z\overline{z}$의 값을 구하여라.

(단, $\overline{z}$는 z의 켤레복소수이다.)

발전유형 10 삼·사차방정식의 활용

한 변의 길이가 24 cm인 정사각형 모양의 종이가 있다. 다음 그림과 같이 이 종이의 네 귀퉁이에서 한 변의 길이가 x cm인 정사각형을 잘라 내고, 부피가 640 cm^3인 뚜껑이 없는 상자를 만들려고 한다. 이때 자연수 x의 값을 구하여라.

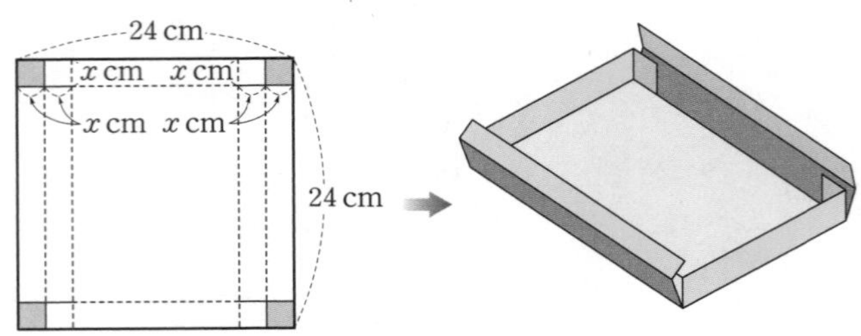

풍쌤 POINT

삼·사차방정식의 활용 문제는 다음 순서로 풀면 돼.

문제의 의미를 파악하여 구하는 것을 x로 놓기 ➡ 주어진 조건을 이용하여 방정식 세우기 ➡ 방정식을 풀고 구한 해가 문제의 조건에 맞는지 확인하기

풀이

STEP 1 주어진 조건을 x에 대한 방정식으로 나타내기

상자의 가로의 길이는 $(24-4x)$ cm, 세로의 길이는 $(24-2x)$ cm, 높이는 x cm이므로 상자의 부피는

$x(24-4x)(24-2x)=640$

STEP 2 x에 대한 방정식 풀기

$8x(6-x)(12-x)=640$

$x^3-18x^2+72x-80=0$

$(x-2)(x^2-16x+40)=0$ ❶

$\therefore x=2$ 또는 $x=8\pm2\sqrt{6}$

STEP 3 주어진 조건을 만족시키는 x의 값 구하기

그런데 x는 $0<x<6$인 자연수이어야 하므로 ❷

$x=2$

❶ $f(x)=x^3-18x^2+72x-80$으로 놓으면 $f(2)=0$이므로 조립제법을 이용하여 $f(x)$를 인수분해하면
$f(x)=(x-2)(x^2-16x+40)$

❷ 상자의 가로, 세로의 길이는 모두 양수이므로
$24-4x>0$, $24-2x>0$, $x>0$
$\therefore 0<x<6$

답 2

풍쌤 강의 NOTE

삼·사차방정식의 활용 문제는 구하는 값을 미지수로 놓고 주어진 조건을 이용하여 방정식을 세워야 한다. 이때 방정식을 풀어 구한 x의 값 중에서 문제의 뜻에 맞는 것만 택해야 한다.

10-1 유사

오른쪽 그림과 같이 가로의 길이, 세로의 길이가 각각 40 cm, 30 cm인 직사각형 모양의 종이가 있다. 이 종이의 네 귀퉁이에서 한 변의 길이가 x cm인 정사각형을 잘라 내어 점선을 따라 접었더니 부피가 3000 cm^3인 뚜껑 없는 상자가 되었다. 이때 자연수 x의 값을 구하여라.

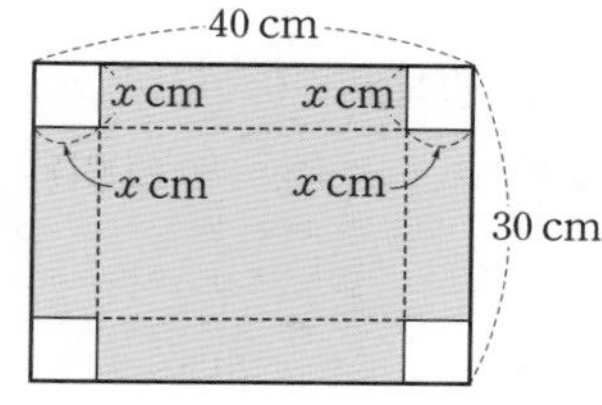

10-2 변형

정육면체의 밑면의 가로의 길이를 1 cm 줄이고 세로의 길이와 높이를 각각 2 cm, 3 cm 늘였더니 이 직육면체의 부피가 처음 정육면체의 부피의 $\frac{5}{2}$배가 되었다. 처음 정육면체의 한 모서리의 길이를 x cm라고 할 때, 자연수 x의 값을 구하여라.

10-3 변형

어떤 정육면체의 밑면의 가로의 길이, 세로의 길이를 각각 1 cm, 2 cm 늘이고 높이를 $\frac{1}{2}$배가 되도록 줄여서 직육면체를 만들었더니 부피가 처음 정육면체의 부피의 $\frac{3}{2}$배가 되었다. 처음 정육면체의 한 모서리의 길이를 구하여라.

10-4 변형

반지름의 길이가 각각 1 cm씩 차이 나는 3개의 구가 있다. 이 세 구의 부피를 합한 것과 부피가 같은 구를 새로 하나 만들 때, 새로 만든 구의 반지름의 길이는 처음 3개의 구 중 가장 큰 구의 반지름의 길이보다 1 cm만큼 더 길다. 이때 새로 만든 구의 반지름의 길이를 구하여라.

10-5 실력

다음 그림과 같이 원 밖의 한 점 P에서 원에 그은 접선의 접점을 A라 하고, 점 P를 지나는 직선이 원과 만나는 두 점을 각각 B, C라고 하자. $\overline{PB}=x^2-2x+6$, $\overline{BC}=4x$, $\overline{PA}=\sqrt{21}x$가 되도록 하는 모든 x의 값의 곱을 구하여라.

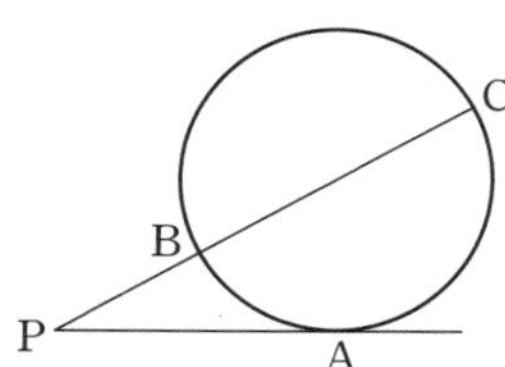

실전 연습 문제

01

삼차방정식 $x^3-3x^2+2x+6=0$의 해가 $x=a$ 또는 $x=b\pm ci$일 때, 실수 a, b, c에 대하여 $a^2+b^2+c^2$의 값은? (단, $i=\sqrt{-1}$)

① 5 ② 6 ③ 7
④ 8 ⑤ 9

02

기출

삼차방정식 $2x^3+x^2+2x+3=0$의 한 허근을 α라고 할 때, $4\alpha^2-2\alpha+7$의 값은?

① 1 ② 3 ③ 5
④ 7 ⑤ 9

03

기출

사차방정식 $(x^2-5x)(x^2-5x+13)+42=0$의 모든 실근의 곱을 구하여라.

04

사차방정식 $x^4+3x^2-10=0$의 네 근을 α, β, γ, δ라고 할 때, $\alpha^2+\beta^2+\gamma^2+\delta^2$의 값은?

① -8 ② -6 ③ 0
④ 6 ⑤ 8

05

사차방정식 $x^4-10x^3+26x^2-10x+1=0$의 모든 실근의 합은?

① 10 ② 11 ③ 12
④ 13 ⑤ 14

06

기출

x에 대한 사차방정식 $x^4-x^3+ax^2+x+6=0$의 한 근이 -2일 때, 네 실근 중 가장 큰 것을 b라고 하자. $a+b$의 값은? (단, a는 상수이다.)

① -7 ② -6 ③ -5
④ -4 ⑤ -3

07 서술형

삼차방정식 $x^3-7x^2+(k+6)x-k=0$이 서로 다른 세 실근을 갖도록 하는 정수 k의 개수를 구하여라.

08 기출

삼차방정식 $(x-3)(x-1)(x+2)+1=x$의 세 근을 α, β, γ라고 할 때, $\alpha^3+\beta^3+\gamma^3$의 값은?

① 21 ② 23 ③ 25
④ 27 ⑤ 29

09

삼차방정식 $x^3+2x^2-5x+3=0$의 세 근을 α, β, γ라고 할 때, $(3-\alpha)(3-\beta)(3-\gamma)$의 값은?

① 31 ② 33 ③ 35
④ 37 ⑤ 39

10

삼차방정식 $x^3+ax^2+2bx+24=0$의 한 근이 -3이고 다른 두 근의 제곱의 합이 20일 때, 음수 a, b에 대하여 ab의 값은?

① 15 ② 25 ③ 35
④ 45 ⑤ 55

11

삼차방정식 $x^3+3x-1=0$의 세 근을 α, β, γ라고 할 때, α^2, β^2, γ^2을 세 근으로 하고 x^3의 계수가 1인 삼차방정식을 구하여라.

12 서술형

x에 대한 삼차방정식 $x^3+ax^2+bx+c=0$의 세 근을 α, β, γ라고 할 때, $\alpha+1$, $\beta+1$, $\gamma+1$을 세 근으로 하는 삼차방정식은 $x^3-6x^2+7x-3=0$이다. 이때 상수 a, b, c에 대하여 abc의 값을 구하여라.

13 서술형

삼차방정식 $x^3+ax^2+bx-7=0$의 한 근이 $2+\sqrt{3}i$일 때, 나머지 두 근 중 실근을 α라고 하자. 이때 $a+b+\alpha$의 값을 구하여라. (단, a, b는 실수이고, $i=\sqrt{-1}$이다.)

14

세 실수 a, b, c에 대하여 x에 대한 삼차식 $f(x)=x^3+ax^2+bx+c$가 다음 조건을 만족시킨다.

> (가) $f(x)$는 $x-8$을 인수로 갖는다.
> (나) 삼차방정식 $f(x)=0$의 한 근이 $4i$이다.

이때 삼차방정식 $f(4x)=0$의 세 근의 합은? (단, $i=\sqrt{-1}$)

① 5 ② 4 ③ 3
④ 2 ⑤ 1

15

이차방정식 $x^2+x+1=0$의 한 허근을 ω라고 할 때,
$\frac{1}{\omega+1}+\frac{1}{\omega^2+1}+\frac{1}{\omega^3+1}+\cdots+\frac{1}{\omega^{60}+1}$의 값은?

① 50 ② 45 ③ 40
④ 35 ⑤ 30

16

$\omega=\frac{1-\sqrt{3}i}{2}$일 때, $\omega^{2020}+\frac{1}{\omega^{2020}}$의 값은?

(단, $i=\sqrt{-1}$)

① -1 ② 1 ③ 3
④ 5 ⑤ 7

17

방정식 $x^3=1$의 한 허근을 ω라고 할 때, |보기|에서 옳은 것만을 있는 대로 골라라.

(단, $\overline{\omega}$는 ω의 켤레복소수이다.)

|보기|

ㄱ. $\omega+\overline{\omega}+1=0$
ㄴ. $\frac{1}{\omega}+\frac{1}{\omega^2}=1$
ㄷ. $\omega^{2021}+\frac{1}{\omega^{2021}}=-1$
ㄹ. $\overline{\omega}=\omega^2=\frac{1}{\omega}$
ㅁ. $1+\omega^2+\omega^4+\omega^6+\omega^8+\omega^{10}+\omega^{12}=-1$

18

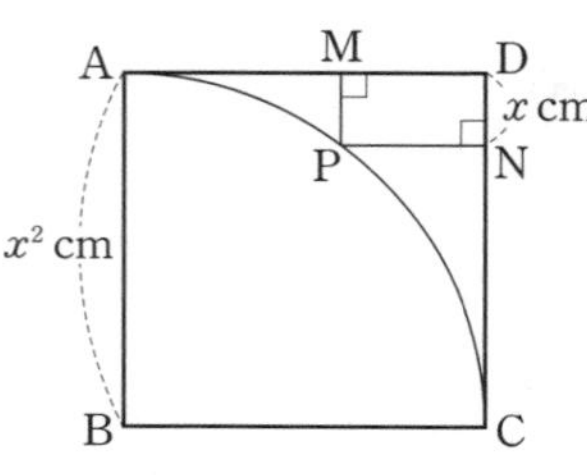

오른쪽 그림과 같이 한 변의 길이가 x^2 cm인 정사각형 ABCD가 있다. 점 B를 중심으로 하고 변 AB를 반지름으로 하는 부채꼴의 호 AC 위에 한 점 P가 있을 때, 점 P에서 선분 AD, CD에 내린 수선의 발을 각각 M, N이라고 하자. $\overline{MD}:\overline{ND}=2:1$이고 $\overline{ND}=x$ cm일 때, x의 값을 구하여라.

정답과 풀이 150쪽

01

기출

복소수 $z=a+bi$ (a, b는 실수)가 다음 조건을 만족시킬 때, $a+b$의 값은?

(단, $i=\sqrt{-1}$이고, $\overline{z}$는 z의 켤레복소수이다.)

> (가) z는 방정식 $x^3-3x^2+9x+13=0$의 근이다.
>
> (나) $\dfrac{z-\overline{z}}{i}$는 음의 실수이다.

① -3　② -1　③ 1　④ 3　⑤ 5

02

삼차방정식 $x^3-(4+a)x^2+5ax-a^2=0$이 1과 두 개의 양의 정수인 근을 갖도록 하는 상수 a의 값을 구하여라.

03

기출

세 실수 a, b, c에 대하여 한 근이 $1+\sqrt{3}i$인 삼차방정식 $x^3+ax^2+bx+c=0$과 이차방정식 $x^2+ax+2=0$이 공통인 근 m을 가질 때, m의 값은? (단, $i=\sqrt{-1}$)

① 2　② 1　③ 0　④ -1　⑤ -2

04

자연수 a, b, c가 $a^3+b^3+c^3-3abc=0$을 만족시킨다. 이차방정식 $ax^2+bx+c=0$의 한 근을 α라고 할 때, $\alpha^{1000}+\alpha^{1001}$의 값을 구하여라.

05

이차방정식 $x^2+x+1=0$의 한 허근을 ω라고 할 때, 자연수 n에 대하여 $f(n)$을 $f(n)=\dfrac{\omega^n}{1+\omega^{2n}}$으로 정의한다. $f(1)+f(2)+f(3)+\cdots+f(21)$의 값을 구하여라.

06

방정식 $x^3=1$의 한 허근을 ω라고 할 때, |보기|에서 옳은 것만을 있는 대로 고른 것은?

(단, $\overline{\omega}$는 ω의 켤레복소수이다.)

|보기|

ㄱ. $\overline{\omega}^3=1$

ㄴ. $\dfrac{1}{\omega}+\left(\dfrac{1}{\omega}\right)^2=\dfrac{1}{\overline{\omega}}+\left(\dfrac{1}{\overline{\omega}}\right)^2$

ㄷ. $(-\omega-1)^n=\left(\dfrac{\overline{\omega}}{\omega+\overline{\omega}}\right)^n$을 만족시키는 100 이하의 자연수 n의 개수는 50이다.

① ㄱ ② ㄷ ③ ㄱ, ㄴ
④ ㄴ, ㄷ ⑤ ㄱ, ㄴ, ㄷ

08 연립방정식

유형의 이해에 따라 ■ 안에 ○, ×표시를 하고 반복하여 학습합니다.		1st	2nd
필수유형 01	일차방정식과 이차방정식으로 이루어진 연립이차방정식		
필수유형 02	두 이차방정식으로 이루어진 연립이차방정식		
필수유형 03	x, y에 대한 대칭식인 연립방정식		
필수유형 04	연립이차방정식의 해의 조건		
필수유형 05	연립이차방정식의 활용		
필수유형 06	공통근		
발전유형 07	부정방정식		

08 연립방정식

개념 01 미지수가 2개인 연립이차방정식의 풀이

(1) 미지수가 2개인 연립방정식에서 차수가 가장 높은 방정식이 이차방정식일 때, 이것을 연립이차방정식이라고 한다.

예 $\begin{cases} x+y=1 \\ x^2+3y^2=6 \end{cases}$, $\begin{cases} x^2-y^2=1 \\ x^2+xy+y^2=8 \end{cases}$

(2) **일차방정식과 이차방정식으로 이루어진 연립이차방정식의 풀이**

$\begin{cases} (\text{일차방정식}) \\ (\text{이차방정식}) \end{cases}$ 꼴의 연립방정식은 다음과 같이 푼다.

❶ 일차방정식을 한 문자에 대하여 정리한다.

❷ ❶에서 얻은 식을 이차방정식에 대입하여 푼다.

(3) **이차방정식과 이차방정식으로 이루어진 연립이차방정식의 풀이**

$\begin{cases} (\text{이차방정식}) \\ (\text{이차방정식}) \end{cases}$ 꼴의 연립방정식은 다음과 같이 푼다.

❶ 인수분해가 되는 이차방정식에서 이차식을 두 일차식의 곱으로 인수분해하여 두 개의 일차방정식을 얻는다.

❷ ❶에서 얻은 일차방정식과 이차방정식으로 이루어진 연립이차방정식으로 만들어 푼다.

> 연립이차방정식에서 두 이차방정식 모두 인수분해가 되지 않으면 이차항이나 상수항을 소거한다.

확인 01 다음 연립방정식을 풀어라.

(1) $\begin{cases} x-y=3 \\ x^2+y^2=17 \end{cases}$ (2) $\begin{cases} x^2+xy-2y^2=0 \\ x^2+y^2=30 \end{cases}$

개념 02 x, y에 대한 대칭식인 연립방정식

연립방정식을 이루는 두 방정식이 모두 x, y에 대한 대칭식이면 다음과 같이 푼다.

❶ $x+y=a$, $xy=b$로 놓고 주어진 연립방정식을 a, b에 대한 연립방정식으로 변형한다.

❷ ❶의 연립방정식을 풀어 a, b의 값을 각각 구한다.

❸ x, y는 t에 대한 이차방정식 $t^2-at+b=0$의 두 근임을 이용하여 x, y의 값을 구한다.

> **참고** t에 대한 이차방정식을 풀었을 때 $t=\alpha$ 또는 $t=\beta$이고 x, y에 대한 조건이 없으면 $\begin{cases} x=\alpha \\ y=\beta \end{cases}$ 또는 $\begin{cases} x=\beta \\ y=\alpha \end{cases}$이다.

> $x+y$, x^2+xy+y^2은 x와 y를 서로 바꾸어도 $y+x$, y^2+yx+x^2이 되어 원래의 식과 같아진다. 이와 같이 두 문자를 서로 바꾸어도 원래의 식과 같아지는 식을 대칭식이라고 한다.

> t에 대한 이차방정식의 두 근을 x, y라고 하면 두 근의 합과 두 근의 곱이 주어진 꼴이라고 할 수 있다.

확인 02 연립방정식 $\begin{cases} x+y=1 \\ xy=-6 \end{cases}$을 풀어라.

개념 03 연립이차방정식의 해의 조건

일차방정식과 이차방정식으로 이루어진 연립이차방정식의 해가 오직 한 쌍 존재하거나 실근인 경우에는 다음과 같이 푼다.

❶ 일차방정식을 정리하여 이차방정식에 대입한다.

❷ 해의 조건을 만족시키도록 ❶에서 구한 이차방정식의 판별식을 이용한다.

> 이차방정식 $ax^2+bx+c=0$의 판별식 $D=b^2-4ac$에서
> ① $D>0 \Leftrightarrow$ 서로 다른 두 실근
> ② $D=0 \Leftrightarrow$ 중근 (서로 같은 두 실근)
> ③ $D<0 \Leftrightarrow$ 서로 다른 두 허근

확인 03 다음 물음에 답하여라.

(1) 연립방정식 $\begin{cases} x^2+y^2=5 \\ 2x+y=k \end{cases}$를 만족시키는 해가 오직 한 쌍만 존재하도록 하는 모든 실수 k의 값의 곱을 구하여라.

(2) 연립방정식 $\begin{cases} x+y=2(a-3) \\ xy=a^2+4 \end{cases}$가 실근을 갖도록 하는 실수 a의 값의 범위를 구하여라.

개념 04 공통근

두 방정식 $f(x)=0$, $g(x)=0$의 공통근은 다음과 같이 구한다.

(1) **인수분해 이용하기:** $f(x)$, $g(x)$를 인수분해하여 두 방정식의 근을 각각 구한 후 공통근을 찾는다.

(2) **최고차항 또는 상수항 소거하기**

❶ 공통근을 α라 하고, $x=\alpha$를 주어진 방정식에 각각 대입한다.

❷ α에 대한 두 방정식을 연립하여 최고차항 또는 상수항을 소거한다.

❸ ❷에서 얻은 방정식의 해 중에서 공통근 α를 구한다.

> 두 개 이상의 방정식을 동시에 만족시키는 미지수의 값을 이들 방정식의 공통근이라고 한다.

> 최고차항 또는 상수항을 소거하여 얻은 방정식의 해 중에는 공통근이 아닌 근이 있을 수 있으므로 두 방정식을 동시에 만족시키는지 반드시 확인해야 한다.

확인 04 두 이차방정식 $x^2-3x-10=0$, $x^2-6x-16=0$의 공통근을 구하여라.

개념 05 부정방정식

(1) **정수 조건이 있는 부정방정식:** (일차식)×(일차식)=(정수) 꼴로 변형한 후 곱해서 정수가 되는 두 일차식의 값을 구한다.

(2) **실수 조건이 있는 부정방정식**

[방법1] $A^2+B^2=0$ 꼴로 변형한 후 실수 A, B에 대하여 $A=0$, $B=0$임을 이용한다.

[방법2] 한 문자에 대하여 내림차순으로 정리한 후 이차방정식의 판별식 $D\geq 0$임을 이용한다.

> 방정식의 개수가 미지수의 개수보다 적을 때는 근이 무수히 많아서 그 근을 정할 수 없는 경우가 있는데 이러한 방정식을 부정방정식이라고 한다.

확인 05 방정식 $xy-2x-y-5=0$을 만족시키는 정수 x, y의 값을 모두 구하여라.

필수유형 01 일차방정식과 이차방정식으로 이루어진 연립이차방정식

다음 연립방정식을 풀어라.

(1) $\begin{cases} x+y=2 \\ 2x^2+y^2=19 \end{cases}$ (2) $\begin{cases} x-y=-1 \\ x^2+y^2=5 \end{cases}$

풍쌤 POINT

$\begin{cases} \text{(일차방정식)} \\ \text{(이차방정식)} \end{cases}$ 꼴이면 일차방정식을 한 문자에 대하여 정리한 후 이차방정식에 대입해!

풀이 (1) STEP1 일차방정식을 이차방정식에 대입하여 풀기

$\begin{cases} x+y=2 & \cdots\cdots ㉠ \\ 2x^2+y^2=19 & \cdots\cdots ㉡ \end{cases}$

㉠에서 $y=2-x$ ⋯⋯ ㉢

㉢을 ㉡에 대입하면 $2x^2+(2-x)^2=19$

$3x^2-4x-15=0$, $(3x+5)(x-3)=0$

$\therefore x=-\frac{5}{3}$ 또는 $x=3$

STEP2 연립방정식의 해 구하기

이것을 ㉢에 대입하면 $y=\frac{11}{3}$ 또는 $y=-1$❶

따라서 주어진 연립방정식의 해는 $\begin{cases} x=-\frac{5}{3} \\ y=\frac{11}{3} \end{cases}$ 또는 $\begin{cases} x=3 \\ y=-1 \end{cases}$

❶ $x=-\frac{5}{3}$를 ㉢에 대입하면 $y=2-\left(-\frac{5}{3}\right)=\frac{11}{3}$
$x=3$을 ㉢에 대입하면 $y=-1$

(2) STEP1 일차방정식을 이차방정식에 대입하여 풀기

$\begin{cases} x-y=-1 & \cdots\cdots ㉠ \\ x^2+y^2=5 & \cdots\cdots ㉡ \end{cases}$

㉠에서 $x=y-1$ ⋯⋯ ㉢

㉢을 ㉡에 대입하면 $(y-1)^2+y^2=5$

$y^2-y-2=0$, $(y+1)(y-2)=0$ $\therefore y=-1$ 또는 $y=2$

STEP2 연립방정식의 해 구하기

이것을 ㉢에 대입하면 $x=-2$ 또는 $x=1$

따라서 주어진 연립방정식의 해는 $\begin{cases} x=-2 \\ y=-1 \end{cases}$ 또는 $\begin{cases} x=1 \\ y=2 \end{cases}$

답 (1) $\begin{cases} x=-\frac{5}{3} \\ y=\frac{11}{3} \end{cases}$ 또는 $\begin{cases} x=3 \\ y=-1 \end{cases}$ (2) $\begin{cases} x=-2 \\ y=-1 \end{cases}$ 또는 $\begin{cases} x=1 \\ y=2 \end{cases}$

풍쌤 강의 NOTE

일차방정식을 한 문자에 대하여 정리할 때는 대입할 이차방정식의 형태에 따라 계산이 간단해지는 문자에 대하여 정리한다.

01-1 유사

다음 연립방정식을 풀어라.

(1) $\begin{cases} 2x+y=1 \\ x^2+y^2=13 \end{cases}$ (2) $\begin{cases} x-y=1 \\ x^2+y^2=25 \end{cases}$

01-2 유사

연립방정식 $\begin{cases} x+2y=5 \\ 2x^2+y^2=19 \end{cases}$를 만족시키는 정수 x, y에 대하여 xy의 값을 구하여라.

01-3 변형

기출

연립방정식 $\begin{cases} x=y+5 \\ x^2-2y^2=50 \end{cases}$의 해를 $x=\alpha, y=\beta$라고 할 때, $\alpha+\beta$의 값을 구하여라.

01-4 변형

연립방정식 $\begin{cases} x-y-1=0 \\ x^2-xy+2y=4 \end{cases}$의 해를 $x=\alpha, y=\beta$라고 할 때, $\alpha\beta$의 값을 구하여라.

01-5 변형

연립방정식 $\begin{cases} x-y+2=0 \\ x^2+y^2-xy=12 \end{cases}$를 만족시키는 x, y에 대하여 $x+y$의 최댓값을 구하여라.

01-6 실력

기출

x, y에 대한 두 연립방정식

$$\begin{cases} 3x+y=a \\ 2x+2y=1 \end{cases}, \begin{cases} x^2-y^2=-1 \\ x-y=b \end{cases}$$

의 해가 일치할 때, 상수 a, b에 대하여 ab의 값을 구하여라.

필수유형 02 두 이차방정식으로 이루어진 연립이차방정식

다음 연립방정식을 풀어라.

(1) $\begin{cases} x^2+2xy-3y^2=0 \\ x^2+y^2=40 \end{cases}$　　　(2) $\begin{cases} 3x^2+2y-5x=4 \\ 2x^2-5y+3x=9 \end{cases}$

풍쌤 POINT

$\begin{cases} \text{(이차방정식)} \\ \text{(이차방정식)} \end{cases}$ 꼴이면 ➡ (i) 두 식 중 인수분해가 되는 식을 인수분해해!
(ii) 두 식이 모두 인수분해가 되지 않으면 이차항이나 상수항을 소거해!

풀이

(1) STEP1 **인수분해가 되는 이차방정식을 인수분해하기**

$\begin{cases} x^2+2xy-3y^2=0 \text{❶} & \cdots\cdots ㉠ \\ x^2+y^2=40 & \cdots\cdots ㉡ \end{cases}$

㉠에서 $(x-y)(x+3y)=0$　　$\therefore x=y$ 또는 $x=-3y$

STEP2 **인수분해하여 얻은 일차방정식을 이차방정식에 대입하여 풀기**

(i) $x=y$를 ㉡에 대입하면 $y^2+y^2=40$, $y^2=20$

$\therefore x=\pm2\sqrt{5}$, $y=\pm2\sqrt{5}$ (복부호 동순)

(ii) $x=-3y$를 ㉡에 대입하면 $(-3y)^2+y^2=40$, $y^2=4$

$\therefore x=\mp6$, $y=\pm2$ (복부호 동순)

$\therefore \begin{cases} x=2\sqrt{5} \\ y=25 \end{cases}$ 또는 $\begin{cases} x=-2\sqrt{5} \\ y=-2\sqrt{5} \end{cases}$ 또는 $\begin{cases} x=-6 \\ y=2 \end{cases}$ 또는 $\begin{cases} x=6 \\ y=-2 \end{cases}$

❶ 이차방정식 중 주로 상수항이 없는 이차방정식이 인수분해된다.

(2) STEP1 **이차항 소거하기**

$\begin{cases} 3x^2+2y-5x=4 & \cdots\cdots ㉠ \\ 2x^2-5y+3x=9 & \cdots\cdots ㉡ \end{cases}$

㉠×2−㉡×3을 하면

$19y-19x=-19$　　$\therefore y=x-1$❷　　$\cdots\cdots$ ㉢

STEP2 **일차방정식을 이차방정식에 대입하여 풀기**

㉢을 ㉠에 대입하면 $3x^2+2(x-1)-5x=4$

$x^2-x-2=0$, $(x+1)(x-2)=0$　　$\therefore x=-1$ 또는 $x=2$

이것을 ㉢에 대입하면 $y=-2$ 또는 $y=1$

$\therefore \begin{cases} x=-1 \\ y=-2 \end{cases}$ 또는 $\begin{cases} x=2 \\ y=1 \end{cases}$

❷ 이차항을 소거하여 얻은 일차방정식을 이차방정식에 대입하면 두 이차방정식의 연립이차방정식이 일차방정식과 이차방정식의 연립이차방정식으로 바뀐다.

답 (1) $\begin{cases} x=2\sqrt{5} \\ y=2\sqrt{5} \end{cases}$ 또는 $\begin{cases} x=-2\sqrt{5} \\ y=-2\sqrt{5} \end{cases}$ 또는 $\begin{cases} x=-6 \\ y=2 \end{cases}$ 또는 $\begin{cases} x=6 \\ y=-2 \end{cases}$　(2) $\begin{cases} x=-1 \\ y=-2 \end{cases}$ 또는 $\begin{cases} x=2 \\ y=1 \end{cases}$

풍쌤 강의 NOTE

인수분해가 되지 않는 연립이차방정식의 풀이

(1) 이차항을 소거 ➡ (일차식)$=0$ 꼴로 만든 후 푼다.

(2) 상수항을 소거 ➡ 이차방정식을 만들고 이를 인수분해하여 푼다.

02-1 유사

다음 연립방정식을 풀어라.

(1) $\begin{cases} x^2-xy-2y^2=0 \\ x^2+2y^2=24 \end{cases}$

(2) $\begin{cases} 2x^2-3xy-2y^2=0 \\ 2x^2+y^2=36 \end{cases}$

02-2 유사

다음 연립방정식을 풀어라.

(1) $\begin{cases} 4x^2-9xy+5y^2=6 \\ x^2-xy+y^2=3 \end{cases}$

(2) $\begin{cases} x^2-y^2+2x+y=8 \\ 2x^2-2y^2+x+y=9 \end{cases}$

02-3 변형 기출

연립방정식 $\begin{cases} x^2-2xy-3y^2=0 \\ x^2+y^2=20 \end{cases}$의 해를 $x=a$, $y=b$라고 할 때, $a+b$의 값을 구하여라. (단, $a>0$, $b>0$)

02-4 변형

연립방정식 $\begin{cases} 2x^2+y^2=9 \\ x^2-xy-2y^2=0 \end{cases}$의 해를 $x=a$, $y=b$라고 할 때, $a+b$의 최댓값을 구하여라.

02-5 변형

연립방정식 $\begin{cases} x^2+y^2+2y=1 \\ x^2+y^2+x+y=2 \end{cases}$의 해를 $x=\alpha$, $y=\beta$라고 할 때, $\alpha^2+\beta^2$의 최댓값을 구하여라.

02-6 실력

연립방정식 $\begin{cases} x^2-3xy+2y^2=0 \\ x^2+y^2+3x+1=0 \end{cases}$을 만족시키는 실수 x, y의 순서쌍 (x, y)의 개수를 구하여라.

필수유형 03 x, y에 대한 대칭식인 연립방정식

다음 연립방정식을 풀어라.

(1) $\begin{cases} x+y=4 \\ x^2+y^2=10 \end{cases}$ (2) $\begin{cases} xy+x+y=-5 \\ x^2+xy+y^2=7 \end{cases}$

풍쌤 POINT

x, y에 대한 대칭식인 연립방정식은

❶ $x+y$, xy의 값을 구해!

❷ $x+y$, xy의 값을 이용하여 x, y가 근인 이차방정식을 만들어 풀어!

풀이 (1) $x+y=a$, $xy=b$로 놓으면 주어진 연립방정식은

$\begin{cases} a=4 \\ a^2-2b=10 \end{cases}$❶ $\therefore a=4,\ b=3$

$a=4$, $b=3$, 즉 $x+y=4$, $xy=3$일 때, x, y는 t에 대한 이차방정식 $t^2-4t+3=0$의 두 근이므로❷

$(t-1)(t-3)=0$ $\therefore t=1$ 또는 $t=3$

따라서 구하는 해는 $\begin{cases} x=1 \\ y=3 \end{cases}$ 또는 $\begin{cases} x=3 \\ y=1 \end{cases}$

(2) $x+y=a$, $xy=b$로 놓으면 주어진 연립방정식은

$\begin{cases} b+a=-5 \\ a^2-b=7 \end{cases}$❸ $\therefore a=-2,\ b=-3$ 또는 $a=1,\ b=-6$

(i) $a=-2$, $b=-3$, 즉 $x+y=-2$, $xy=-3$일 때,

x, y는 t에 대한 이차방정식 $t^2+2t-3=0$의 두 근이므로

$(t+3)(t-1)=0$ $\therefore t=-3$ 또는 $t=1$

$\therefore \begin{cases} x=-3 \\ y=1 \end{cases}$ 또는 $\begin{cases} x=1 \\ y=-3 \end{cases}$

(ii) $a=1$, $b=-6$, 즉 $x+y=1$, $xy=-6$일 때,

x, y는 t에 대한 이차방정식 $t^2-t-6=0$의 두 근이므로

$(t+2)(t-3)=0$ $\therefore t=-2$ 또는 $t=3$

$\therefore \begin{cases} x=-2 \\ y=3 \end{cases}$ 또는 $\begin{cases} x=3 \\ y=-2 \end{cases}$

(i), (ii)에서 구하는 해는

$\begin{cases} x=-3 \\ y=1 \end{cases}$ 또는 $\begin{cases} x=1 \\ y=-3 \end{cases}$ 또는 $\begin{cases} x=-2 \\ y=3 \end{cases}$ 또는 $\begin{cases} x=3 \\ y=-2 \end{cases}$

답 (1) $\begin{cases} x=1 \\ y=3 \end{cases}$ 또는 $\begin{cases} x=3 \\ y=1 \end{cases}$ (2) $\begin{cases} x=-3 \\ y=1 \end{cases}$ 또는 $\begin{cases} x=1 \\ y=-3 \end{cases}$ 또는 $\begin{cases} x=-2 \\ y=3 \end{cases}$ 또는 $\begin{cases} x=3 \\ y=-2 \end{cases}$

❶ $x^2+y^2=(x+y)^2-2xy$
$=a^2-2b$

❷ α, β를 두 근으로 하고 최고차항의 계수가 1인 이차방정식은
$(x-\alpha)(x-\beta)=0$
$\Leftrightarrow x^2-(\alpha+\beta)x+\alpha\beta=0$

❸ x^2+xy+y^2
$=(x+y)^2-xy$
$=a^2-b$

풍쌤 강의 NOTE

$x+y=a$, $xy=b$로 놓으면 주어진 연립방정식은 a, b에 대한 연립방정식으로 변형해서 풀 수 있다.

03-1 유사

다음 연립방정식을 풀어라.

(1) $\begin{cases} x^2+y^2=34 \\ xy=15 \end{cases}$

(2) $\begin{cases} x^2+y^2+x+y=4 \\ x^2+xy+y^2=3 \end{cases}$

03-2 변형

연립방정식 $\begin{cases} x^2+y^2=13 \\ xy=-6 \end{cases}$을 만족시키는 x, y의 순서쌍 (x, y)의 개수를 구하여라.

03-3 변형

연립방정식 $\begin{cases} x+y-xy=-1 \\ x^2-2xy+y^2=1 \end{cases}$을 만족시키는 자연수 x, y의 순서쌍 (x, y)의 개수를 구하여라.

03-4 변형

연립방정식 $\begin{cases} x+y+xy=11 \\ x^2+y^2-xy=7 \end{cases}$을 만족시키는 자연수 x, y에 대하여 x^2+y^2의 값을 구하여라.

03-5 변형

연립방정식 $\begin{cases} xy+x+y=9 \\ x^2y+xy^2=20 \end{cases}$을 만족시키는 자연수 x, y에 대하여 x^2+y^2의 값을 구하여라.

03-6 실력

연립방정식 $\begin{cases} xy=8 \\ \dfrac{1}{x}+\dfrac{1}{y}=\dfrac{3}{4} \end{cases}$의 해를 $x=a$, $y=b$라고 할 때, 이차방정식 $bx^2+ax-1=0$의 두 근의 합을 구하여라. (단, $a<b$)

필수유형 04 연립이차방정식의 해의 조건

다음 물음에 답하여라.

(1) 연립방정식 $\begin{cases} x+y=a \\ x^2+y^2=18 \end{cases}$ 이 오직 한 쌍의 해를 갖도록 하는 양수 a의 값을 구하여라.

(2) 연립방정식 $\begin{cases} x+y=2a+1 \\ xy=a^2+2 \end{cases}$ 가 실근을 갖도록 하는 실수 a의 값의 범위를 구하여라.

풍쌤 POINT

연립이차방정식의 해가

① 모두 실근이면 ➡ 연립하여 얻은 이차방정식의 판별식 $D \geq 0$

② 오직 한 쌍이면 ➡ 연립하여 얻은 이차방정식의 판별식 $D=0$

③ 실근이 존재하지 않으면 ➡ 연립하여 얻은 이차방정식의 판별식 $D<0$

풀이

(1) **STEP1 일차방정식을 이차방정식에 대입한 후 정리하기**

$\begin{cases} x+y=a & \cdots\cdots ㉠ \\ x^2+y^2=18 & \cdots\cdots ㉡ \end{cases}$

㉠에서 $y=-x+a$ ...... ㉢

㉢을 ㉡에 대입하면 $x^2+(-x+a)^2=18$

$\therefore 2x^2-2ax+a^2-18=0$

STEP2 주어진 해의 조건을 만족시키는 a의 값 구하기

주어진 연립방정식이 오직 한 쌍의 해를 가지므로

이차방정식 $2x^2-2ax+a^2-18=0$의 판별식을 D라고 하면

$\frac{D}{4}=(-a)^2-2(a^2-18)=0$ ❶

$a^2=36 \quad \therefore a=6 \ (\because a>0)$

(2) **STEP1 주어진 조건을 만족시키는 이차방정식 구하기**

$\begin{cases} x+y=2a+1 \\ xy=a^2+2 \end{cases}$ 를 만족시키는 실수 x, y는 t에 대한 이차방정식 $t^2-(2a+1)t+a^2+2=0$의 두 근이다. ❷

STEP2 해의 조건을 만족시키는 a의 값의 범위 구하기

주어진 연립방정식이 실근을 가지려면 이 이차방정식이 실근을 가져야 하므로 이 이차방정식의 판별식을 D라고 하면

$D=\{-(2a+1)\}^2-4(a^2+2) \geq 0$

$4a-7 \geq 0 \quad \therefore a \geq \frac{7}{4}$

❶ 주어진 연립방정식이 오직 한 쌍의 해를 가지므로 x의 값도 1개, y의 값도 1개이다. 즉, x에 대한 이차방정식이 중근을 가져야 하므로 판별식 $D=0$이다.

❷ 두 실수 x, y의 합과 곱이 주어졌으므로 x, y를 두 근으로 하는 이차방정식을 세울 수 있다.

답 (1) 6 (2) $a \geq \frac{7}{4}$

풍쌤 강의 NOTE

연립이차방정식의 해의 조건은 연립하여 얻은 이차방정식의 해의 조건과 같음을 이해하고 이차방정식의 판별식을 이용하여 문제를 해결한다.

04-1 유사

다음 물음에 답하여라.

(1) 연립방정식 $\begin{cases} x+y=a \\ x^2+y^2=8 \end{cases}$ 이 오직 한 쌍의 해를 갖도록 하는 양수 a의 값을 구하여라.

(2) 연립방정식 $\begin{cases} x+y=2a-16 \\ xy=a^2+4 \end{cases}$ 가 실근을 갖도록 하는 실수 a의 값의 범위를 구하여라.

04-2 변형

기출

x, y에 대한 연립방정식 $\begin{cases} 2x-y=5 \\ x^2-2y=k \end{cases}$ 가 오직 한 쌍의 해 $x=\alpha$, $y=\beta$를 가질 때, $\alpha+\beta+k$의 값을 구하여라.

(단, k는 실수이다.)

04-3 변형

연립방정식 $\begin{cases} x+y=2(a-2) \\ xy=a^2+2a \end{cases}$ 가 실근을 갖도록 하는 정수 a의 최댓값을 구하여라.

04-4 변형

연립방정식 $\begin{cases} x^2+2x-2y=0 \\ x+y=a \end{cases}$ 가 실근을 갖지 않도록 하는 실수 a의 값의 범위를 구하여라.

04-5 변형

연립방정식 $\begin{cases} x+y=6 \\ x+y+xy=3k-1 \end{cases}$ 이 실근을 갖도록 하는 양의 정수 k의 개수를 구하여라.

04-6 변형

연립방정식 $\begin{cases} x+y=k \\ 2x^2+x-y^2=5-2k^2 \end{cases}$ 이 실근을 갖지 않도록 하는 정수 k의 최댓값을 구하여라.

필수유형 05 연립이차방정식의 활용

직사각형 모양의 꽃밭이 있다. 꽃밭의 둘레의 길이가 $10\ \mathrm{m}$이고, 대각선의 길이가 $\sqrt{13}\ \mathrm{m}$일 때, 이 꽃밭의 가로의 길이와 세로의 길이의 차를 구하여라.

풍쌤 POINT

연립이차방정식의 활용 문제는 다음과 같은 순서로 해결해.

미지수 정하기 ➡ 연립방정식 세우기 ➡ 연립방정식 풀기 ➡ 답 구하기

풀이

STEP1 미지수 정하기

꽃밭의 가로의 길이를 x m, 세로의 길이를 y m로 놓자.

STEP2 연립방정식 세우기

둘레의 길이가 10 m이므로

$2(x+y)=10$❶

$\therefore\ x+y=5$ ⋯⋯ ㉠

대각선의 길이가 $\sqrt{13}$ m이므로

$\sqrt{x^2+y^2}=\sqrt{13}$

$\therefore\ x^2+y^2=13$ ⋯⋯ ㉡

STEP3 연립방정식 풀기

㉠에서 $y=5-x$ ⋯⋯ ㉢

㉢을 ㉡에 대입하면

$x^2+(5-x)^2=13$

$x^2-5x+6=0$

$(x-2)(x-3)=0$

$\therefore\ x=2$ 또는 $x=3$

이것을 ㉢에 대입하면

$x=2$일 때 $y=3$, $x=3$일 때 $y=2$

STEP4 답 구하기

따라서 꽃밭의 가로의 길이와 세로의 길이의 차는

$3-2=1(\mathrm{m})$

답 1 m

❶ (직사각형의 둘레의 길이)
=(가로의 길이)×2
+(세로의 길이)×2
=2×{(가로의 길이
+세로의 길이)}

풍쌤 강의 NOTE

연립이차방정식의 활용 문제는 문제에서 구하는 것에 대한 공식이나 정보를 먼저 파악한 후 필요한 값을 각각 미지수 x, y로 놓고 주어진 조건에 따라 연립방정식을 세우면 쉽게 해결할 수 있다. 이때 연립방정식을 풀어 구한 미지수의 값 중 문제의 조건에 맞는 것만 택해야 함에 유의한다.

05-1 유사

직사각형 모양의 꽃밭이 있다. 꽃밭의 둘레의 길이가 12 m이고, 대각선의 길이가 $2\sqrt{5}\text{ m}$일 때, 이 꽃밭의 가로의 길이와 세로의 길이의 차를 구하여라.

05-2 변형

대각선의 길이가 10 m인 직사각형 모양의 땅이 있다. 이 땅의 가로의 길이를 1 m 줄이고, 세로의 길이를 2 m 늘이면 땅의 넓이는 처음 땅의 넓이보다 8 m^2만큼 넓어진다고 하다. 처음 땅의 넓이를 구하여라.

05-3 변형

넓이가 $25\pi\text{ cm}^2$인 원에 내접하는 직각삼각형이 있다. 이 직각삼각형의 둘레의 길이가 24 cm일 때, 빗변이 아닌 두 변의 길이의 차를 구하여라.

05-4 변형

반지름의 길이가 서로 다른 두 원 O_1, O_2에서 두 원의 둘레의 길이의 합은 12π이고, 넓이의 합은 20π라고 한다. 이때 두 원의 반지름의 길이의 차를 구하여라.

05-5 변형

두 자리의 정수가 있다. 각 자리의 숫자의 제곱의 합은 73이고, 일의 자리 숫자와 십의 자리 숫자를 바꾼 정수와 처음 정수의 합은 121이라고 한다. 처음 정수를 구하여라.

(단, 십의 자리 숫자가 일의 자리 숫자보다 크다.)

05-6 실력

기출

오른쪽 그림과 같이 한 모서리의 길이가 a인 정육면체 모양의 입체도형이 있다. 이 입체도형에서 밑면에 반지름의 길이가 b이고 높이가 a인 원기둥 모양의 구멍을 뚫었다. 남아 있는 입체도형의 겉넓이가 $216+16\pi$일 때, 두 유리수 a, b에 대하여 $15(a-b)$의 값을 구하여라. (단, $a>2b$)

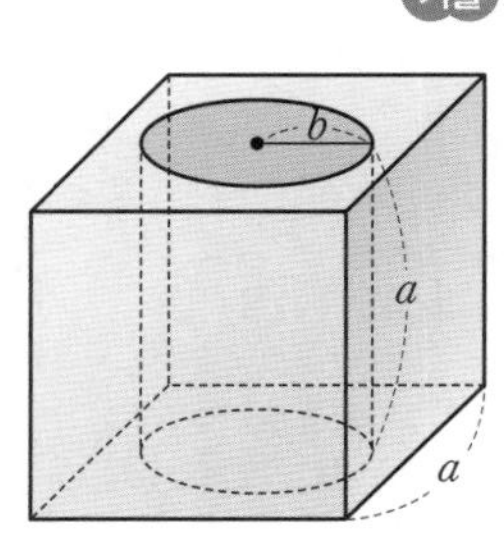

필수유형 06 공통근

다음 물음에 답하여라.

(1) 두 이차방정식 $x^2+kx-2=0$, $x^2+2x-k=0$이 공통근을 가질 때, 실수 k의 값을 모두 구하여라.

(2) 두 이차방정식 $x^2-(k+4)x+8k=0$, $x^2+(k-2)x-8k=0$이 0이 아닌 공통근을 가질 때, 실수 k의 값을 구하여라.

풍쌤 POINT

두 방정식의 공통근은

❶ 두 방정식의 공통근을 α라 하고, $x=\alpha$를 주어진 방정식에 각각 대입해!

❷ α에 대한 두 방정식을 연립하여 최고차항 또는 상수항을 소거해!

❸ ❷에서 얻은 방정식의 해 중에서 공통근 α를 구해!

풀이

(1) **STEP1 두 이차방정식의 공통근 α에 대한 연립방정식 세우기**

두 이차방정식의 공통근을 α라고 하면

$$\begin{cases} \alpha^2+k\alpha-2=0 & \cdots\cdots ㉠ \\ \alpha^2+2\alpha-k=0 & \cdots\cdots ㉡ \end{cases}$$

STEP2 실수 k의 값 구하기

㉠$-$㉡을 하면❶ $(k-2)\alpha+k-2=0$

$(k-2)(\alpha+1)=0$ $\therefore k=2$ 또는 $\alpha=-1$

(i) $k=2$일 때, 두 이차방정식이 모두 $x^2+2x-2=0$으로 일치하므로 공통근을 갖는다.❷

(ii) $\alpha=-1$일 때, 이것을 ㉠에 대입하면

$1-k-2=0$ $\therefore k=-1$

(i), (ii)에서 $k=2$ 또는 $k=-1$

(2) **STEP1 두 이차방정식의 공통근 α에 대한 연립방정식 세우기**

두 이차방정식의 공통근을 α라고 하면

$$\begin{cases} \alpha^2-(k+4)\alpha+8k=0 & \cdots\cdots ㉠ \\ \alpha^2+(k-2)\alpha-8k=0 & \cdots\cdots ㉡ \end{cases}$$

STEP2 실수 k의 값 구하기

㉠$+$㉡을 하면❸ $2\alpha^2-6\alpha=0$

$\alpha(\alpha-3)=0$ $\therefore \alpha=3$ ($\because \alpha\neq0$)

$\alpha=3$을 ㉠에 대입하면

$9-(k+4)\times3+8k=0$ $\therefore k=\frac{3}{5}$

❶ 최고차항을 소거한다.

❷ $x^2+2x-2=0$의 판별식 D에 대하여

$\frac{D}{4}=1^2+2=3>0$

이므로 서로 다른 두 근을 가진다. 따라서 공통근은 2개이다.

❸ 상수항을 소거한다.

답 (1) $k=2$ 또는 $k=-1$ (2) $\frac{3}{5}$

풍쌤 강의 NOTE

최고차항 또는 상수항을 소거하는 경우에는 소거하여 얻은 방정식은 보통 인수분해가 되거나 한 문자에 대한 방정식으로 표현되므로 경우에 따라 적절하게 선택하여 소거한다.

06-1 유사

다음 물음에 답하여라.

(1) 두 이차방정식

$$x^2+(k+2)x-3=0,\ x^2-x+k=0$$

이 공통근을 가질 때, 실수 k의 값을 모두 구하여라.

(2) 두 이차방정식

$$x^2+3(k-1)x-7k=0,$$
$$x^2-(3k+1)x+7k=0$$

이 0이 아닌 공통근을 가질 때, 실수 k의 값을 구하여라.

06-2 변형

두 이차방정식

$$2x^2+2mx-1=0,\ 2x^2+mx+m-1=0$$

이 오직 하나의 공통근 α를 가질 때, $m+\alpha$의 값을 구하여라. (단, m은 실수이다.)

06-3 변형

x에 대한 두 이차방정식

$$3x^2+(2k-1)x+k=0,$$
$$3x^2-(k+1)x+4k=0$$

이 오직 하나의 공통근 α를 가질 때, $k\alpha$의 값을 구하여라.

06-4 변형

x에 대한 두 이차방정식

$$x^2-2x-3=0,$$
$$x^3-(a+2)x^2+(2a+1)x-a=0$$

이 공통근을 갖도록 하는 모든 실수 a의 값의 합을 구하여라.

06-5 변형

x에 대한 서로 다른 두 이차방정식

$$x^2+a^2x+b^2-2a=0,\ x^2-2ax+a^2+b^2=0$$

이 오직 하나의 공통근을 가질 때, 실수 a, b에 대하여 $a+b$의 값을 구하여라.

06-6 실력

x에 대한 서로 다른 두 삼차방정식

$$x^3+ax^2+bx+1=0,\ x^3+bx^2+ax+1=0$$

이 오직 하나의 공통근을 갖고 $ab=-6$일 때, 실수 a, b에 대하여 a^2+b^2의 값을 구하여라.

발전유형 07 부정방정식

다음 물음에 답하여라.

(1) 방정식 $xy+2x-y-7=0$을 만족시키는 정수 x, y의 값을 구하여라.

(2) 방정식 $x^2+4xy+5y^2-6y+9=0$을 만족시키는 실수 x, y의 값을 구하여라.

풍쌤 POINT

- 정수 조건이 있는 부정방정식
  ➡ (일차식) × (일차식) = (정수) 꼴로 변형한 후 약수와 배수의 성질을 이용!
- 실수 조건이 있는 부정방정식
  ➡ ① 실수 A, B에 대하여 $A^2+B^2=0$이면 $A=0$, $B=0$
  ② x가 실수이면 x에 대한 이차방정식의 판별식 $D\geq0$

풀이

(1) **STEP 1 주어진 방정식을 (일차식) × (일차식) = (정수) 꼴로 정리하기**

$xy+2x-y-7=0$에서

$x(y+2)-y=7$, $x(y+2)-(y+2)=5$ ❶

$\therefore (x-1)(y+2)=5$

STEP 2 x, y가 정수임을 이용하여 x, y의 값 구하기

이때 x, y가 정수이므로 $x-1$, $y+2$도 정수이고 $x-1$, $y+2$의 곱이 5인 경우는 다음 표와 같다.

$x-1$	-5	-1	1	5
$y+2$	-1	-5	5	1

$\therefore x=-4$, $y=-3$ 또는 $x=0$, $y=-7$
또는 $x=2$, $y=3$ 또는 $x=6$, $y=-1$

❶ $y+2$를 공통인수로 만들기 위해 양변에서 각각 2를 뺀다.

(2) **STEP 1 주어진 방정식을 A^2+B^2 꼴로 정리하기**

$x^2+4xy+5y^2-6y+9=0$에서

$x^2+4xy+4y^2+y^2-6y+9=0$ ❷

$\therefore (x+2y)^2+(y-3)^2=0$

STEP 2 x, y가 실수임을 이용하여 x, y의 값 구하기

이때 x, y가 실수이므로 $(\text{실수})^2\geq0$

즉, 주어진 방정식이 성립하려면

$x+2y=0$, $y-3=0$ $\quad\therefore x=-6$, $y=3$

❷ $5y^2=4y^2+y^2$

답 (1) $x=-4$, $y=-3$ 또는 $x=0$, $y=-7$ 또는 $x=2$, $y=3$ 또는 $x=6$, $y=-1$
(2) $x=-6$, $y=3$

풍쌤 강의 NOTE

방정식의 개수보다 미지수의 개수가 많으면 근이 무수히 많아서 정할 수 없지만
근이 정수 또는 실수라는 조건이 주어지면 그 근을 구할 수 있다.

07-1 유사

다음 물음에 답하여라.

(1) 방정식 $xy+2x+2y+3=0$을 만족시키는 정수 x, y의 값을 구하여라.

(2) 방정식 $x^2-4xy+5y^2+2y+1=0$을 만족시키는 실수 x, y의 값을 구하여라.

07-2 변형

방정식 $xy-2x+y-8=0$을 만족시키는 양의 정수 x, y의 값을 구하여라.

07-3 변형

방정식 $ab=a^2+b+3$을 만족시키는 양의 정수 a, b에 대하여 $a+b$의 최댓값을 구하여라.

07-4 변형

x에 대한 이차방정식 $x^2-kx+k+2=0$의 두 근이 모두 정수가 되도록 하는 모든 상수 k의 값의 합을 구하여라.

07-5 변형

방정식 $3x^2+y^2+2xy-8y+24=0$을 만족시키는 실수 x, y의 값을 구하여라.

07-6 실력

기출

두 자연수 a, b $(a<b)$와 모든 실수 x에 대하여 등식

$$(x^2-x)(x^2-x+3)+k(x^2-x)+8 =(x^2-x+a)(x^2-x+b)$$

를 만족시키는 모든 상수 k의 값의 합을 구하여라.

실전 연습 문제

01

기출

x, y에 대한 연립방정식 $\begin{cases} 2x-y=3 \\ x^2-y=2 \end{cases}$의 해를 $x=\alpha$, $y=\beta$라고 할 때, $\alpha+\beta$의 값은?

① -4 ② -2 ③ 0
④ 2 ⑤ 4

02

연립방정식 $\begin{cases} x-y=3 \\ x^2+3xy+y^2=-1 \end{cases}$의 해를 $x=\alpha$, $y=\beta$라고 할 때, $3\alpha-\beta$의 값은? (단, $|\alpha|<|\beta|$)

① 1 ② 3 ③ 5
④ 7 ⑤ 9

03

x, y에 대한 두 연립방정식

$$\begin{cases} x+y=7 \\ ax-y=1 \end{cases}, \begin{cases} x-y=b \\ x^2+y^2=25 \end{cases}$$

의 공통인 해가 존재할 때, 자연수 a, b에 대하여 $a-b$의 값을 구하여라.

04

연립방정식 $\begin{cases} x^2-y^2=0 \\ x^2+xy+2y^2=4 \end{cases}$의 해를 $x=\alpha$, $y=\beta$라고 할 때, $\alpha+\beta$의 최댓값은?

① 2 ② 4 ③ 6
④ 8 ⑤ 10

05

기출

연립방정식 $\begin{cases} x^2+y^2=40 \\ 4x^2+y^2=4xy \end{cases}$의 해를 $x=\alpha$, $y=\beta$라고 할 때, $\alpha\beta$의 값은?

① 16 ② 17 ③ 18
④ 19 ⑤ 20

06 서술형

연립방정식 $\begin{cases} x^2-xy=12 \\ xy-y^2=4 \end{cases}$의 해를 $x=\alpha$, $y=\beta$라고 할 때, $\alpha^2+\beta^2$의 값을 구하여라.

07

연립방정식 $\begin{cases} 2x^2+3y-2x=9 \\ x^2+y-3x=-1 \end{cases}$의 해를 $x=\alpha$, $y=\beta$라고 할 때, $(\alpha-\beta)^2$의 최댓값은?

① 45 ② 54 ③ 63
④ 72 ⑤ 81

08

기출

연립방정식 $\begin{cases} x^2-y^2=6 \\ (x+y)^2-2(x+y)=3 \end{cases}$을 만족시키는 양수 x, y에 대하여 $20xy$의 값을 구하여라.

09

연립방정식 $\begin{cases} x^2+y^2=20 \\ xy=-8 \end{cases}$을 만족시키는 실수 x, y에 대하여 $x-y$의 최댓값과 최솟값을 각각 M, m이라고 할 때, $M-m$의 값은?

① 12 ② 15 ③ 20
④ 25 ⑤ 30

10

연립방정식 $\begin{cases} xy+x+y=7 \\ x^2y+xy^2=12 \end{cases}$를 만족시키는 실수 x, y에 대하여 $x-y$의 값은? (단, $x>y$)

① 10 ② 8 ③ 6
④ 4 ⑤ 2

11 서술형

연립방정식 $\begin{cases} x+y=2a+4 \\ xy=3a^2+4 \end{cases}$가 실근을 갖도록 하는 모든 정수 a의 값의 합을 구하여라.

12

연립방정식 $\begin{cases} x+y=2a \\ 2x^2+y^2=b \end{cases}$가 오직 한 쌍의 해를 가질 때, 실수 a, b에 대하여 $4a+3b$의 최솟값은?

① -2 ② $-\frac{3}{2}$ ③ -1
④ $-\frac{1}{2}$ ⑤ 0

13

길이가 160 cm인 철사를 잘라서 한 변의 길이가 각각 a cm, b cm $(a>b)$인 두 개의 정사각형을 만들었다. 이 두 정사각형의 넓이의 합이 1000 cm^{2}일 때, a의 값을 구하여라.

(단, 철사는 모두 사용하고 굵기는 무시한다.)

14

다음 그림과 같이 밑면의 반지름의 길이가 r, 높이가 h인 원기둥 모양의 용기에 대하여 $r+2h=8$, $r^2-2h^2=8$일 때, 이 용기의 부피는?

(단, 용기의 두께는 무시한다.)

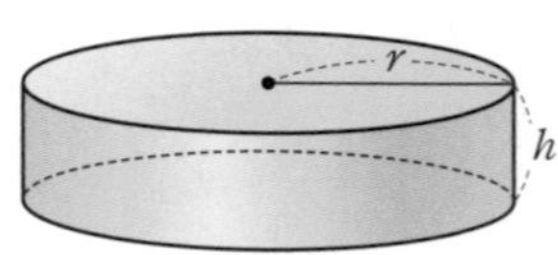

① 16π ② 20π ③ 24π
④ 28π ⑤ 32π

15 서술형

x에 대한 두 이차방정식

$2x^2+(2k-1)x+k=0,$

$2x^2-(k+1)x+4k=0$

이 오직 한 개의 공통근 α를 가질 때, $6k+\alpha$의 값을 구하여라. (단, k는 실수이다.)

16

두 이차방정식

$px^2+x+1=0,\ x^2+px+1=0$

이 공통인 실근을 가질 때, 실수 p의 값은?

① -5 ② -4 ③ -3
④ -2 ⑤ -1

17

x에 대한 이차방정식 $x^2-mx+m+5=0$의 두 근이 모두 음의 정수일 때, 상수 m의 값은?

① -5 ② -3 ③ -1
④ 1 ⑤ 3

18

방정식 $x^2y^2+x^2+4y^2-6xy+1=0$을 만족시키는 실수 x, y에 대하여 x^2+y^2의 값은?

① 3 ② $\frac{5}{2}$ ③ 2
④ $\frac{3}{2}$ ⑤ 1

상위권 도약 문제

정답과 풀이 172쪽

01

실수 x, y에 대하여 $<x,\ y>=\begin{cases} x & (x \geq y) \\ -y & (x<y) \end{cases}$라고 하자. 연립방정식

$$\begin{cases} 2x-4y^2=<x,\ y> \\ x-y+5=<x,\ y> \end{cases}$$

의 해를 $x=\alpha$, $y=\beta$라고 할 때, $\frac{\alpha}{\beta}$의 값을 구하여라.

02

연립방정식 $\begin{cases} (x-y)^2+xy=1 \\ (x-y)^2+3xy=3 \end{cases}$의 해를 $x=\alpha$, $y=\beta$라고 할 때, $\alpha\beta$의 값을 구하여라.

03

x, y에 대한 연립방정식 $\begin{cases} (x+1)(y+1)=k \\ (x-2)(y-2)=k \end{cases}$가 실근을 갖도록 하는 자연수 k의 개수를 구하여라.

04

기출

$x^2-8x+10$이 어떤 자연수의 제곱이 되도록 하는 모든 자연수 x의 값의 합을 구하여라.

05

$\angle B=90^\circ$인 직각삼각형 ABC의 외접원의 반지름의 길이가 3, 내접원의 반지름의 길이가 1일 때, 직각삼각형 ABC의 세 변 중 가장 짧은 변의 길이를 구하여라.

06

두 이차방정식 $x^2+px+q=0$, $x^2+qx+p=0$이 오직 한 개의 공통근을 갖고, 공통이 아닌 두 근의 비가 $1:3$일 때, 상수 p, q에 대하여 $64(p^2-q^2)$의 값을 구하여라. (단, $p>q$)

07

방정식 $\frac{1}{a}+\frac{1}{b}=\frac{2}{9}$를 만족시키는 자연수 a, b에 대하여 $a+b$의 최댓값을 M, 최솟값을 m이라고 할 때, $M-m$의 값을 구하여라.

08

기출

x에 대한 삼차방정식 $ax^3+2bx^2+4bx+8a=0$이 서로 다른 세 정수를 근으로 갖는다. 두 정수 a, b가 $|a|\leq 50$, $|b|\leq 50$일 때, 순서쌍 (a, b)의 개수를 구하여라.

09 연립일차부등식

유형의 이해에 따라 ▢ 안에 ○, × 표시를 하고 반복하여 학습합니다.

		1st	2nd
필수유형 01	부등식 $ax>b$의 풀이	▢	▢
필수유형 02	연립일차부등식의 풀이	▢	▢
필수유형 03	$A<B<C$ 꼴의 부등식의 풀이	▢	▢
필수유형 04	해가 주어진 연립일차부등식	▢	▢
필수유형 05	해의 조건이 주어진 연립일차부등식	▢	▢
필수유형 06	절댓값 기호를 포함한 일차부등식의 풀이	▢	▢
발전유형 07	연립일차부등식의 활용	▢	▢

연립일차부등식

개념 01 부등식의 기본 성질

세 실수 a, b, c에 대하여 ← 부등호 $<$, $>$를 $\le$, $\ge$로 바꾸어도 부등식의 성질은 성립한다.

(1) $a>b$, $b>c$이면 $a>c$

(2) $a>b$이면 $a+c>b+c$, $a-c>b-c$

(3) $a>b$, $c>0$이면 $ac>bc$, $\frac{a}{c}>\frac{b}{c}$

(4) $a>b$, $c<0$이면 $ac<bc$, $\frac{a}{c}<\frac{b}{c}$

中2 수학 부등식의 성질

부등식의 양변에 음수를 곱하거나 나누면 부등호의 방향이 바뀐다.

> 허수에서는 대소 관계를 생각할 수 없으므로 부등식에 포함된 문자는 모두 실수로 생각한다.

확인 01 **$a<b$일 때, 다음 ○ 안에 알맞은 부등호를 써넣어라.**

(1) $a+2$ ○ $b+2$

(2) $3a-4$ ○ $3b-4$

(3) $-a+3$ ○ $-b+3$

(4) $\frac{a}{2}-1$ ○ $\frac{b}{2}-1$

개념+ 두 실수 x, y에 대하여 $a<x<b$, $c<y<d$일 때, 부등식의 사칙계산은 다음과 같이 구할 수 있다. (단, 나눗셈의 경우 $cd>0$이어야 한다.)

(1) 덧셈

$$\begin{array}{rccccc} & a & < & x & < & b \\ +) & c & < & y & < & d \\ \hline & a+c & < & x+y & < & b+d \end{array}$$

(2) 뺄셈

$$\begin{array}{rccccc} & a & < & x & < & b \\ -) & c & < & y & < & d \\ \hline & a-d & < & x-y & < & b-c \end{array}$$

(3) 곱셈

$$\begin{array}{rccccc} & a & < & x & < & b \\ \times) & c & < & y & < & d \\ \hline & A & < & xy & < & B \end{array}$$

ad, bc, ac, bd 중에서 가장 작은 값이 A이고 가장 큰 값이 B이다.

(4) 나눗셈

$$\begin{array}{rccccc} & a & < & x & < & b \\ \div) & c & < & y & < & d \\ \hline & C & < & \frac{x}{y} & < & D \end{array}$$

$\frac{a}{d}$, $\frac{b}{c}$, $\frac{a}{c}$, $\frac{b}{d}$ 중에서 가장 작은 값이 C이고 가장 큰 값이 D이다.

> (2)는 다음과 같이 생각한다.
> $x-y$의 최솟값
> ⇨ (x의 최솟값)$-$(y의 최댓값)
> $x-y$의 최댓값
> ⇨ (x의 최댓값)$-$(y의 최솟값)

> (3), (4)는 양수, 음수인 경우가 있으므로 왼쪽과 같이 생각한다.

개념 02 부등식 $ax>b$의 풀이

부등식 $ax>b$의 해는

(1) $a>0$일 때, $x>\frac{b}{a}$ ← 부등호의 방향 그대로

(2) $a<0$일 때, $x<\frac{b}{a}$ ← 부등호의 방향 반대로

(3) $a=0$일 때, $\begin{cases} b\ge0\text{이면 해는 없다.} & \leftarrow 0\times x>(0\text{ 또는 양수}) \\ b<0\text{이면 해는 모든 실수이다.} & \leftarrow 0\times x>(\text{음수}) \end{cases}$

> 방정식에서 불능, 부정이란 표현을 쓴 것과 달리 부등식에서는 '해는 없다', '해는 모든 실수이다'라는 표현을 쓴다.

확인 02 **a의 값의 범위가 다음과 같을 때, x에 대한 부등식 $ax<a+1$을 풀어라.**

(1) $a>0$

(2) $a<0$

(3) $a=0$

개념 03 연립일차부등식

(1) **연립부등식:** 두 개 이상의 부등식을 한 쌍으로 묶어서 나타낸 것

(2) **연립일차부등식:** 일차부등식으로만 이루어진 연립부등식

(3) **연립부등식의 해**

연립부등식에서 각 부등식을 동시에 만족시키는 미지수의 값 또는 범위

(4) **연립일차부등식의 풀이**

❶ 각각의 일차부등식의 해를 구한다.

❷ ❶에서 구한 해를 각각 수직선 위에 나타낸다.

❸ 공통부분을 찾아 연립부등식의 해를 구한다.

(5) **$A<B<C$ 꼴의 부등식:** 연립부등식 $\begin{cases} A<B \\ B<C \end{cases}$ 꼴로 바꾸어 푼다.

> **주의** $A<B<C$ 꼴의 부등식을 $\begin{cases} A<B \\ A<C \end{cases}$ 또는 $\begin{cases} A<C \\ B<C \end{cases}$ 꼴로 바꾸지 않도록 주의한다.

확인 03 다음 연립부등식을 풀어라.

(1) $\begin{cases} x>-4 \\ x<3 \end{cases}$ (2) $\begin{cases} x>2 \\ x\le4 \end{cases}$ (3) $\begin{cases} x>-3 \\ x\ge1 \end{cases}$ (4) $\begin{cases} x<2 \\ x\le5 \end{cases}$

확인 04 다음 연립부등식을 풀어라.

(1) $\begin{cases} x-3<1 \\ 2x+1\ge3 \end{cases}$ (2) $\begin{cases} x-4\le-5 \\ 3x-2>7 \end{cases}$ (3) $1<2x-1<3x-4$

中2 수학 | 일차부등식

부등식의 모든 항을 좌변으로 이항하여 정리하였을 때, 좌변이 x에 대한 일차식인 부등식을 x에 대한 일차부등식이라고 한다.

> 연립부등식에서 각 부등식의 해를 하나씩 수직선 위에 나타냈을 때, 다음과 같이 공통부분이 없으면 연립부등식의 해는 없다고 한다.

① $\begin{cases} x\le a \\ x\ge b \end{cases}$ (단, $a<b$)

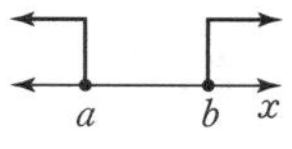

② $\begin{cases} x<a \\ x\ge a \end{cases}$

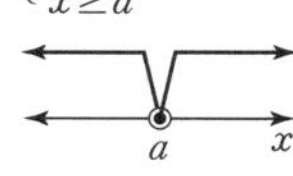

③ $\begin{cases} x<a \\ x>a \end{cases}$

a x

개념 04 절댓값 기호를 포함한 부등식

(1) $a>0$일 때

① $|x|<a$의 해는 $-a<x<a$

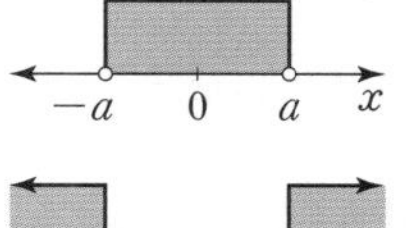

② $|x|>a$의 해는 $x<-a$ 또는 $x>a$

−a 0 a x

(2) **절댓값 기호를 포함한 부등식의 풀이**

절댓값 기호를 포함한 부등식은 다음과 같은 순서로 푼다.

❶ 절댓값 기호 안의 식의 값이 0이 되는 x의 값을 경계로 x의 값의 범위를 나눈다.

❷ 각 범위에서 절댓값 기호를 없앤 후 식을 정리하여 해를 구한다.

이때 $|x-a|=\begin{cases} x-a & (x\ge a) \\ -(x-a) & (x<a) \end{cases}$임을 이용한다.

❸ ❷에서 구한 해를 합한 x의 값의 범위를 구한다.

확인 05 다음 부등식을 풀어라.

(1) $|x+3|\le7$ (2) $|1-x|\ge3$ (3) $|x+1|+|x-2|\le5$

中1 수학 | 절댓값 $|x|$의 의미

x의 절댓값 $|x|$는 수직선 위의 원점과 실수 x 사이의 거리를 의미한다.

$|x|=\begin{cases} x & (x\ge0) \\ -x & (x<0) \end{cases}$

> $|x-a|+|x-b|<c$ $(a<b,\ c>0)$이면 $x=a$, $x=b$를 기준으로 하여 x의 값의 범위를 다음과 같이 나누어 푼다.
>
> (i) $x<a$
> (ii) $a\le x<b$
> (iii) $x\ge b$
>
> 이때 각 범위에서 해를 구한 후에는 반드시 해당 구간과의 공통부분을 구해야 한다.

필수유형 01 부등식 $ax>b$의 풀이

다음 물음에 답하여라.

(1) x에 대한 부등식 $(a-b)x+a-3b\le 0$의 해가 없을 때, x에 대한 부등식 $(a-2b)x+a-4b>0$의 해를 구하여라.

(2) x에 대한 부등식 $(2-a)x>3a+b$의 해가 $x<-1$일 때, x에 대한 부등식 $(2a+b)x\ge 2$의 해를 구하여라.

풍쌤 POINT

(1) $ax>b$에서 $a=0$이면 $0\times x>b$이므로 $\begin{cases} b\ge 0\text{이면 해는 없어.} \\ b<0\text{이면 해는 모든 실수야.} \end{cases}$

(2) 주어진 부등식의 부등호와 그 해의 부등호의 방향이 $\begin{cases} \text{같으면 } x\text{의 계수가 양수!} \\ \text{다르면 } x\text{의 계수가 음수!} \end{cases}$

풀이

(1) STEP 1 **a, b의 조건 구하기**

$(a-b)x+a-3b\le 0$에서 $(a-b)x\le -a+3b$

이 부등식의 해가 없으려면❶ $a-b=0$, $-a+3b<0$이어야 한다.

$a-b=0$에서 $b=a$ ······ ㉠

㉠을 $-a+3b<0$에 대입하면

$-a+3a<0$ $\therefore a<0$ ······ ㉡

STEP 2 **$(a-2b)x+a-4b>0$의 해 구하기**

㉠을 $(a-2b)x+a-4b>0$에 대입하면

$(a-2a)x+a-4a>0$, $-ax>3a$

이때 ㉡에서 $a<0$, 즉 $-a>0$이므로 $x>-3$

(2) STEP 1 **a, b 사이의 관계식 구하기**

$(2-a)x>3a+b$의 해가 $x<-1$❷이므로

$2-a<0$ $\therefore x<\dfrac{3a+b}{2-a}$

따라서 $\dfrac{3a+b}{2-a}=-1$이므로 $3a+b=a-2$ $\therefore 2a+b=-2$

STEP 2 **$(2a+b)x\ge 2$의 해 구하기**

이를 부등식 $(2a+b)x\ge 2$에 대입하면

$-2x\ge 2$ $\therefore x\le -1$

❶ 부등식 $ax\le b$에서 $a=0$일 때, $b<0$이면 해는 없다.

❷ 주어진 부등식의 부등호와 그 해의 부등호의 방향이 다르므로 (x의 계수)<0

답 (1) $x>-3$ (2) $x\le -1$

풍쌤 강의 NOTE

부등식 $ax>b$는 $a>0$, $a<0$, $a=0$일 때로 나누어서 생각한다.

$a>0$일 때	$a<0$일 때	$a=0$일 때
$x>\dfrac{b}{a}$	$x<\dfrac{b}{a}$	$b\ge 0$이면 해는 없다. $b<0$이면 해는 모든 실수이다.

01-1 기본

$a>b$, $c>0>d$일 때, |보기|에서 옳은 것만을 있는 대로 골라라.

|보기|

ㄱ. $a-c>b-c$　　ㄴ. $\frac{1}{c}<\frac{1}{d}$

ㄷ. $ad>bd$　　ㄹ. $\frac{a}{d}-c<\frac{b}{d}-c$

01-2 기본

다음 부등식을 풀어라.

(1) $ax-2>x+3a$

(2) $a(x+a)>1-x$

01-3 유사

다음 물음에 답하여라.

(1) x에 대한 부등식 $bx-a>ax-2b$의 해가 없을 때, x에 대한 부등식 $-2bx-2a<3bx+5a$의 해를 구하여라.

(2) x에 대한 부등식 $a^2x-1>x+3a$의 해가 없을 때, x에 대한 부등식 $a(a-2)x>3x+a$의 해를 구하여라.

01-4 유사

다음 물음에 답하여라.

(1) x에 대한 부등식 $(a-b)x+2a-b>0$의 해가 $x<1$일 때, x에 대한 부등식 $(a+2b)x+2a-4b>0$의 해를 구하여라.

(2) $a-b=0$인 두 실수 a, b에 대하여 부등식 $(a+2b)x>5a-4b+8$의 해가 $x<-1$일 때, $a+b$의 값을 구하여라.

01-5 변형

x에 대한 부등식 $a^2x-a>9x-3$이 모든 실수 x에 대하여 성립하도록 하는 실수 a의 값을 구하여라.

01-6 변형

x에 대한 부등식 $a^2x+a(x-1)-1\leq 6x$가 모든 실수 x에 대하여 성립하도록 하는 실수 a의 값을 구하여라.

필수유형 02 연립일차부등식의 풀이

다음 연립부등식을 풀어라.

(1) $\begin{cases} 3(x+4)>6x \\ x-2>0 \end{cases}$　　(2) $\begin{cases} 0.2x+1>0.3(x-2) \\ \dfrac{x-1}{4}<\dfrac{1}{2}x-1 \end{cases}$

풍쌤 POINT

연립부등식의 해는 각 부등식의 해의 공통부분이야.

(1) 괄호가 있는 부등식은 분배법칙을 이용하여 괄호를 풀자!

(2) 계수가 분수 또는 소수인 경우는 양변에 적당한 수를 곱하여 계수를 정수가 되도록 고치자!

풀이

(1) **STEP 1 각각의 일차부등식의 해 구하기**

$3(x+4)>6x$❶에서 $3x+12>6x$

$-3x>-12$　　$\therefore x<4$ …… ㉠

$x-2>0$에서 $x>2$ …… ㉡

STEP 2 연립부등식의 해 구하기

㉠, ㉡을 수직선 위에 나타내면 오른쪽 그림과 같으므로❷

주어진 연립부등식의 해는

$2<x<4$

(2) **STEP 1 각각의 일차부등식의 해 구하기**

$0.2x+1>0.3(x-2)$의 양변에 10❸을 곱하여 정리하면

$2x+10>3(x-2)$, $-x>-16$

$\therefore x<16$ …… ㉠

$\dfrac{x-1}{4}<\dfrac{1}{2}x-1$의 양변에 분모의 최소공배수인 4❹를 곱하여 정리하면

$x-1<2x-4$, $-x<-3$

$\therefore x>3$ …… ㉡

STEP 2 연립부등식의 해 구하기

㉠, ㉡을 수직선 위에 나타내면 오른쪽 그림과 같으므로 주어진 연립부등식의 해는

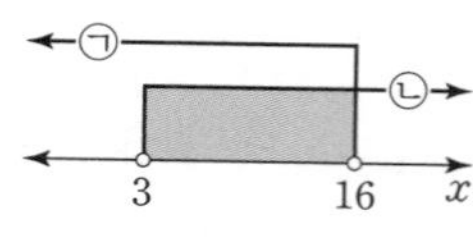

$3<x<16$

❶ 분배법칙을 이용하여 괄호를 푼다.

❷ 하나의 수직선 위에 각 부등식의 해의 범위를 나타내어 공통부분을 찾는다.

❸ 계수가 모두 소수점 아래 첫째 자리까지인 소수이므로 양변에 10을 곱한다.

❹ 분모인 4와 2의 최소공배수 4를 곱한다.

답 (1) $2<x<4$　(2) $3<x<16$

풍쌤 강의 NOTE

연립부등식의 각 부등식을 풀 때

① 계수가 분수이면 양변에 분모의 최소공배수를 곱한다.

② 계수가 소수이면 양변에 10의 거듭제곱을 곱한다.

이때 계수가 분수 또는 소수인 항에만 곱하지 말고 모든 항에 곱해야 함에 주의한다.

02-1 유사

다음 연립부등식을 풀어라.

(1) $\begin{cases} 4x+8>3(x+2) \\ 2(x-2)+1<3-x \end{cases}$

(2) $\begin{cases} 0.4(-3-x)+1>0.2x-5 \\ \dfrac{x-3}{6} \le \dfrac{3x+7}{2} \end{cases}$

02-2 유사

연립부등식 $\begin{cases} 2x+1<10-x \\ 3x+5 \ge 4x+9 \end{cases}$를 만족시키는 x의 최댓값을 구하여라.

02-3 유사

다음 연립부등식을 풀어라.

(1) $\begin{cases} 6x-1<x-2 \\ \dfrac{2}{3}x-\dfrac{1}{2} \ge \dfrac{2x-3}{12} \end{cases}$

(2) $\begin{cases} x-1 \ge -2(x-4) \\ 3(x-1) \le -2(x-6) \end{cases}$

02-4 변형

연립부등식 $\begin{cases} 0.3(x+4) \le 0.4x+2 \\ \dfrac{x}{2}-1 \le \dfrac{x}{3}+1 \end{cases}$을 만족시키는 x의 최댓값을 M, 최솟값을 m이라고 할 때, $M+m$의 값을 구하여라.

02-5 변형

연립부등식 $\begin{cases} 2(4-x)+8>6x-8 \\ \dfrac{x}{4}+2 \le \dfrac{5x+13}{2} \end{cases}$의 해가 $a \le x < b$일 때, 다음 중 부등식 $bx-a<0$의 해가 아닌 것은?

① -4 ② -3 ③ -2 ④ -1 ⑤ 0

02-6 실력 기출

x에 대한 연립부등식 $\begin{cases} x+2>3 \\ 3x<a+1 \end{cases}$을 만족시키는 정수 x의 값의 합이 9가 되도록 하는 자연수 a의 최댓값을 구하여라.

필수유형 03 $A<B<C$ 꼴의 부등식의 풀이

다음 부등식을 풀어라.

(1) $3(x-1)-5<x+4\leq 4+4(x-3)$

(2) $x-4<\dfrac{3x-1}{2}\leq\dfrac{x}{3}-4$

풍쌤 POINT

$A<B<C$ 꼴의 부등식은 $\begin{cases}A<B\\B<C\end{cases}$ 꼴로 바꾸어 연립부등식을 풀면 돼!

풀이

(1) STEP1 두 일차부등식으로 나타내어 각각의 해 구하기

$3(x-1)-5<x+4\leq 4+4(x-3)$에서

$\begin{cases}3(x-1)-5<x+4\\x+4\leq 4+4(x-3)\end{cases}$

$3(x-1)-5<x+4$에서 $3x-8<x+4$

$2x<12\qquad\therefore x<6$ ...... ㉠

$x+4\leq 4+4(x-3)$에서 $x+4\leq 4x-8$

$-3x\leq -12\qquad\therefore x\geq 4$ ...... ㉡

STEP2 주어진 부등식의 해 구하기

㉠, ㉡을 수직선 위에 나타내면 오른쪽 그림과 같으므로 주어진 부등식의 해는 $4\leq x<6$

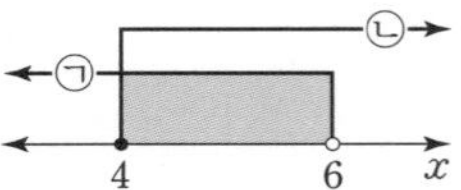

(2) STEP1 두 일차부등식으로 나타내어 각각의 해 구하기

$x-4<\dfrac{3x-1}{2}\leq\dfrac{x}{3}-4$에서 $\begin{cases}x-4<\dfrac{3x-1}{2}\\\dfrac{3x-1}{2}\leq\dfrac{x}{3}-4\end{cases}$

$2(x-4)<3x-1,\ -x<7\qquad\therefore x>-7$ ...... ㉠

$\dfrac{3x-1}{2}\leq\dfrac{x}{3}-4$ ❶에서 $3(3x-1)\leq 2x-24,\ 9x-3\leq 2x-24$

$7x\leq -21\qquad\therefore x\leq -3$ ...... ㉡

❶ 분모 2, 3의 최소공배수인 6을 곱하여 x의 계수를 정수로 바꾼다.

STEP2 주어진 부등식의 해 구하기

㉠, ㉡을 수직선 위에 나타내면 오른쪽 그림과 같으므로 주어진 부등식의 해는 $-7<x\leq -3$

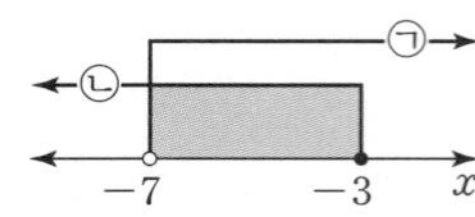

답 (1) $4\leq x<6$ (2) $-7<x\leq -3$

풍쌤 강의 NOTE

$A<B<C$ 꼴의 부등식을 $\begin{cases}A<B\\A<C\end{cases}$ 또는 $\begin{cases}A<C\\B<C\end{cases}$ 꼴로 바꾸어 풀지 않도록 주의한다.

03-1 유사

다음 부등식을 풀어라.

(1) $x<2x+4\le 5x-2$

(2) $x+1\le 3-x\le 2x$

(3) $x-2<-5+2x\le x-3$

03-2 유사

다음 부등식을 풀어라.

(1) $0.4x-5<0.2x-3<0.5x-\frac{9}{5}$

(2) $5(x-1)\le -x+4<\frac{2x+13}{5}$

03-3 변형

기출

부등식 $-2<\frac{1}{2}x-3<2$를 만족시키는 정수 x의 개수를 구하여라.

03-4 변형

부등식 $0<-\frac{1}{2}a+1<3$을 만족시키는 자연수 a에 대하여 부등식 $-3x-a\le -4(x-1)<2x+a$를 만족시키는 x의 값의 범위를 구하여라.

03-5 변형

연립부등식 $\begin{cases} 5x-3<2x+9 \\ \frac{2(x-1)}{3}+\frac{3}{2}\le \frac{4x+7}{2} \end{cases}$ 의 해 중에서 가장 큰 정수를 M이라고 할 때, 부등식 $a-6<M<\frac{a+2}{3}$를 만족시키는 정수 a의 값을 구하여라.

03-6 실력

부등식 $3x-b\le x+2a\le 5x+a$를 연립부등식 $\begin{cases} 3x-b\le x+2a \\ 3x-b\le 5x+a \end{cases}$로 잘못 변형하여 풀었더니 해가 $-3\le x\le 2$이었다. 처음 부등식의 해를 구하여라.

(단, a, b는 실수이다.)

필수유형 04 해가 주어진 연립일차부등식

다음 물음에 답하여라.

(1) 연립부등식 $\begin{cases} 8-x\ge a \\ 2x+7>5 \end{cases}$ 의 해가 $b<x\le 4$일 때, 실수 a, b의 값을 각각 구하여라.

(2) 연립부등식 $\begin{cases} \dfrac{x+a}{2}\le\dfrac{x}{4}+2 \\ -x+1\le x+b \end{cases}$ 의 해가 $x=2$일 때, 실수 a, b의 값을 각각 구하여라.

풍쌤 POINT

각 일차부등식을 풀어 x의 값의 범위를 구한 후, 이 x의 값의 범위를 주어진 연립부등식의 해와 비교하여 미지수의 값을 구하면 돼.

풀이

(1) **STEP 1 각 일차부등식의 해 구하기**

$8-x\ge a$에서 $-x\ge a-8$ $\quad\therefore x\le 8-a$

$2x+7>5$에서 $2x>-2$ $\quad\therefore x>-1$

STEP 2 a, b의 값 구하기

이때 주어진 연립부등식의 해가 $b<x\le 4$❶이므로

$-1<x\le 8-a$에서 $b=-1$, $8-a=4$

$\therefore a=4$, $b=-1$

❶ b는 $2x+7=5$의 해이고, 4는 $8-x=a$의 해이다.

(2) **STEP 1 각 일차부등식의 해 구하기**

$\dfrac{x+a}{2}\le\dfrac{x}{4}+2$❷에서 $2(x+a)\le x+8$

$2x+2a\le x+8$ $\quad\therefore x\le -2a+8$

$-x+1\le x+b$에서 $-2x\le b-1$ $\quad\therefore x\ge\dfrac{1-b}{2}$

❷ 양변에 분모 2와 4의 최소공배수인 4를 곱한다.

STEP 2 a, b의 값 구하기

이때 주어진 연립부등식의 해가 $x=2$❸이므로

$-2a+8=2$, $\dfrac{1-b}{2}=2$

$\therefore a=3$, $b=-3$

❸ 연립부등식의 해가 한 개이므로 각각의 일차부등식의 공통부분이 $x=2$뿐이다.

답 (1) $a=4$, $b=-1$ (2) $a=3$, $b=-3$

풍쌤 강의 NOTE

- 연립부등식 $\begin{cases} f(x)>0 \\ g(x)>0 \end{cases}$ 의 해는 두 부등식 $f(x)>0$, $g(x)>0$의 각각의 해의 공통부분이다.
- 연립부등식 $\begin{cases} ax+b>0 \\ cx+d\le 0 \end{cases}$ 의 해가 $\alpha<x\le\beta$이면 α는 방정식 $ax+b=0$의 해이고, β는 방정식 $cx+d=0$의 해이다. (단, $a>0$, $c>0$)

04-1 기본

연립부등식 $\begin{cases} \dfrac{x-a}{2} > \dfrac{1}{3}x - \dfrac{1}{6} \\ 0.3x+1 > 0.5x \end{cases}$ 의 해가 $2<x<5$일 때, 실수 a의 값을 구하여라.

04-2 유사

기출

x에 대한 연립부등식 $\begin{cases} 2x-a>3 \\ -2x+4>b \end{cases}$ 의 해가 $2<x<3$이 되도록 두 수 a, b의 값을 정할 때, $a+b$의 값을 구하여라.

04-3 유사

연립부등식 $\begin{cases} x-\dfrac{x-1}{2} \geq \dfrac{x}{4}+a \\ 0.4(x+b) \geq 0.6x-1 \end{cases}$ 의 해가 $x=-1$일 때, 실수 a, b에 대하여 $4a-b$의 값을 구하여라.

04-4 변형

부등식 $3x+a \leq -x+5 \leq b(x+2)$의 해가 $-1 \leq x \leq 3$일 때, 실수 a, b의 값을 각각 구하여라.

04-5 변형

부등식 $4x-a \leq x+6 < 2x-b$의 해가 $-2<x\leq 5$가 되도록 하는 실수 a, b에 대하여 부등식 $b(x+2) < -5.5x+a$의 해를 구하여라.

04-6 실력

연립부등식 $\begin{cases} ax+4 \leq -2(x+a) \\ bx+24 < -2ax+5b \end{cases}$ 의 해가 $x<3$일 때, 실수 a, b에 대하여 $a+b$의 값을 구하여라.

필수유형 05 해의 조건이 주어진 연립일차부등식

다음 물음에 답하여라.

(1) 연립부등식 $\begin{cases} 2x+1<3(x-2) \\ x+3a<1 \end{cases}$이 해를 갖기 위한 실수 a의 값의 범위를 구하여라.

(2) 연립부등식 $\begin{cases} 3x-3\le 9 \\ x+5\ge 3a \end{cases}$가 해를 갖지 않도록 하는 실수 a의 값의 범위를 구하여라.

풍쌤 POINT

연립일차부등식 $\begin{cases} x>a \\ x<b \end{cases}$에서

① 해를 갖기 위한 조건 ➡ $a<b$

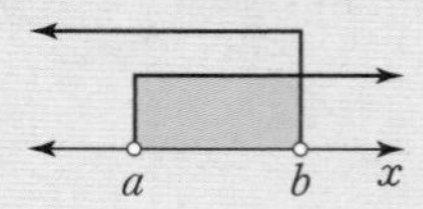

② 해를 갖지 않기 위한 조건 ➡ $a\ge b$

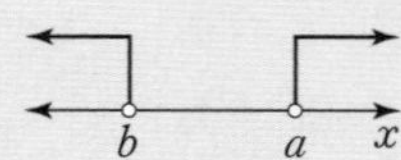

풀이

(1) **STEP 1 각 일차부등식의 해 구하기**

$2x+1\le 3(x-2)$에서

$2x+1\le 3x-6,\ -x\le -7 \quad \therefore x\ge 7$ ······ ㉠

$x+3a<1$에서 $x<-3a+1$ ······ ㉡

STEP 2 해의 조건에 맞는 실수 a의 값의 범위 구하기

주어진 연립부등식이 해를 가지려면❶ 오른쪽 그림에서

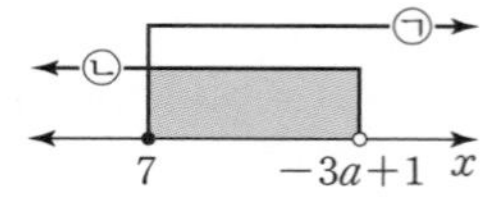

$-3a+1>7$❷, $-3a>6$

$\therefore a<-2$

❶ 연립부등식을 이루는 두 일차부등식의 공통부분이 존재해야 한다.

❷ $-3a+1=7$이면 ㉠은 7을 포함하고 ㉡은 7을 포함하지 않으므로 해가 존재하지 않는다. 따라서 $-3a+1>7$이다.

(2) **STEP 1 각 일차부등식의 해 구하기**

$3x-3\le 9$에서 $3x\le 12 \quad \therefore x\le 4$ ······ ㉠

$x+5\ge 3a$에서 $x\ge 3a-5$ ······ ㉡

STEP 2 해의 조건에 맞는 실수 a의 값의 범위 구하기

주어진 연립부등식이 해를 갖지 않으려면❸ 오른쪽 그림에서

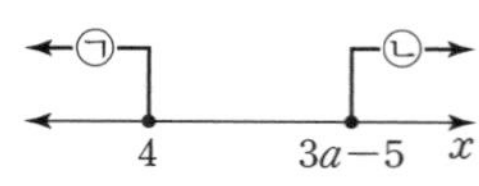

$3a-5>4,\ 3a>9$

$\therefore a>3$

❸ 연립부등식이 해를 갖지 않으려면 각 부등식의 해의 공통부분이 없어야 한다.

답 (1) $a<-2$ (2) $a>3$

풍쌤 강의 NOTE

연립일차부등식에서 각각의 일차부등식의 해를 구한 후, 이를 주어진 해의 조건에 맞게 수직선 위에 나타낸다.

(1) 연립부등식이 해를 갖는 경우 ➡ 공통부분이 존재하도록 해를 수직선 위에 나타낸다.

(2) 연립부등식이 해를 갖지 않는 경우 ➡ 공통부분이 없도록 해를 수직선 위에 나타낸다.

05-1 유사

다음 물음에 답하여라.

(1) 연립부등식 $\begin{cases} 0.4x-2.6 \le 1 \\ 2(x-5) \le 3x-k \end{cases}$가 해를 갖도록 하는 실수 k의 값의 범위를 구하여라.

(2) 연립부등식 $\begin{cases} 3x+2 \le 2(x+3) \\ \dfrac{3x+k}{3} > \dfrac{4x-k}{5}+2 \end{cases}$가 해를 갖지 않도록 하는 실수 k의 값의 범위를 구하여라.

05-2 유사

부등식 $\dfrac{7x+4}{3} < 3x+2 < 2x-a$가 해를 갖도록 하는 실수 a의 값의 범위를 구하여라.

05-3 변형

부등식 $\dfrac{x-a}{2} \le \dfrac{5-x}{3} < 3x-5$가 해를 갖지 않도록 하는 실수 a의 값의 범위를 구하여라.

05-4 변형

연립부등식 $\begin{cases} x-2 \le 2x-a \\ \dfrac{3x-4}{2} \le 12+0.1x \end{cases}$가 해를 갖지 않도록 하는 정수 a의 최솟값을 구하여라.

05-5 변형 기출

연립부등식 $\begin{cases} 3x-5 < 4 \\ x \ge a \end{cases}$를 만족시키는 정수 x의 값이 2개일 때, 실수 a의 값의 범위를 구하여라.

05-6 실력 기출

x에 대한 부등식 $3x-1 < 5x+3 \le 4x+a$를 만족시키는 정수 x의 개수가 8이 되도록 하는 자연수 a의 값을 구하여라.

필수유형 06 절댓값 기호를 포함한 일차부등식의 풀이

다음 부등식을 풀어라.

(1) $2<|x-3|<6$ (2) $|x+1|+|x-3|<6$

풍쌤 POINT

절댓값 기호를 포함한 부등식을 풀 때는 절댓값 기호 안의 식의 값이 0이 되는 x의 값을 기준으로 범위를 나누어 풀면 돼.

풀이

(1) STEP1 x의 값의 범위에 따라 경우를 나누어 부등식 풀기

절댓값 기호 안의 식 $x-3$이 0이 되는 $x=3$을 기준으로 구간을 나누면❶

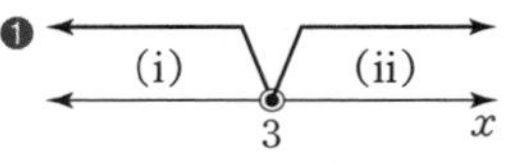

(i) $x<3$❷일 때, $2<-(x-3)<6$이므로

$-6<x-3<-2$ $\therefore -3<x<1$

그런데 $x<3$이므로 $-3<x<1$

(ii) $x\geq 3$❸일 때, $2<x-3<6$ $\therefore 5<x<9$

그런데 $x\geq 3$이므로 $5<x<9$

STEP2 주어진 부등식의 해 구하기

(i), (ii)에서 주어진 부등식의 해는

$-3<x<1$ 또는 $5<x<9$

(2) STEP1 x의 값의 범위에 따라 경우를 나누어 부등식 풀기

절댓값 기호 안의 식 $x+1$, $x-3$이 0이 되는 $x=-1$, $x=3$을 기준으로 구간을 나누면❹

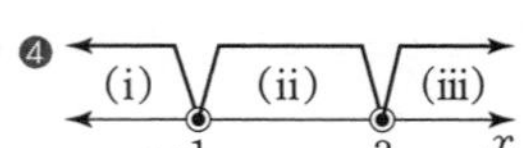

(i) $x<-1$일 때, $-(x+1)-(x-3)<6$이므로

$-2x<4$ $\therefore x>-2$

그런데 $x<-1$이므로 $-2<x<-1$

(ii) $-1\leq x<3$일 때, $(x+1)-(x-3)<6$이므로

$0\times x<2$❺

따라서 해는 모든 실수이다.

그런데 $-1\leq x<3$이므로 $-1\leq x<3$

(iii) $x\geq 3$일 때, $(x+1)+(x-3)<6$이므로

$2x<8$ $\therefore x<4$

그런데 $x\geq 3$이므로 $3\leq x<4$

STEP2 주어진 부등식의 해 구하기

(i)~(iii)에서 주어진 부등식의 해는 $-2<x<4$❻

❷ $x-3<0$

❸ $x-3\geq 0$

❺ x에 어느 값을 대입하여도 부등식이 항상 성립하므로 해는 모든 실수이다.

❻ (i)~(iii)의 해를 모두 합한다.

답 (1) $-3<x<1$ 또는 $5<x<9$ (2) $-2<x<4$

풍쌤 강의 NOTE

절댓값 기호를 1개 포함하는 일차부등식은 x의 값의 범위를 2개로 나누어 풀고, 절댓값 기호를 2개 포함하는 일차부등식은 x의 값의 범위를 3개로 나누어 푼다.

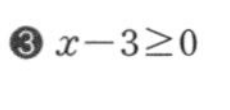

정답과 풀이 183쪽

06-1 유사

다음 부등식을 풀어라.

(1) $|2x-1|>5$

(2) $|3x-2|-1\le x$

(3) $|x|+|x-1|\ge 3$

06-2 유사

부등식 $1<|x-2|<7$을 만족시키는 모든 정수 x의 값의 합을 구하여라.

06-3 변형

기출

연립부등식 $\begin{cases} 2x+5\le 9 \\ |x-3|\le 7 \end{cases}$을 만족시키는 정수 x의 개수를 구하여라.

06-4 변형

부등식 $|2x-3|\le\sqrt{x^2-4x+4}+6$의 해가 $\alpha\le x\le\beta$일 때, $\beta-\alpha$의 값을 구하여라.

06-5 변형

부등식 $|x+1|+|x-4|\le 6$의 해가 부등식 $|x-a|\le 3$의 해와 일치할 때, 상수 a의 값을 구하여라.

06-6 실력

연립부등식 $\begin{cases} |4-2x|<x+1 \\ a(x+3)>a^2+3x \end{cases}$가 해를 갖지 않도록 하는 실수 a의 값의 범위를 구하여라.

발전유형 07 연립일차부등식의 활용

두 종류의 영양제 A, B를 각각 1개씩 만드는 데 필요한 비타민 C, 비타민 D의 양은 오른쪽 표와 같다. 비타민 C 1700 mg과 비타민 D 1200 mg으로 20개의 영양제를 만들려고 할 때, 영양제 A는 최대 몇 개까지 만들 수 있는지 구하여라.

영양제	비타민 C(mg)	비타민 D(mg)
A	100	40
B	120	35

풍쌤 POINT

A, B의 영양제의 개수를 각각 x, $20-x$로 놓고, 이때 비타민 C와 비타민 D의 용량을 비교하는 부등식을 각각 세운다.

풀이

STEP 1 미지수 정하기

영양제 A의 개수를 x[1]라고 하면 영양제 B의 개수는 $20-x$이다.

STEP 2 연립부등식 세우기

문제에서 주어진 조건으로 연립부등식을 세우면

$$\begin{cases} 100x+120(20-x)\le 1700 \\ 40x+35(20-x)\le 1200 \end{cases}$$

STEP 3 연립부등식의 해 구하기

$100x+120(20-x)\le 1700$에서

$100x+2400-120x\le 1700$

$-20x\le -700$

$\therefore x\ge 35$ …… ㉠

$40x+35(20-x)\le 1200$에서

$40x+700-35x\le 1200$

$5x\le 500$

$\therefore x\le 100$ …… ㉡

㉠, ㉡에서 연립부등식의 해는

$35\le x\le 100$

STEP 4 조건에 맞는 답 구하기

따라서 영양제 A는 최대 100개[2]까지 만들 수 있다.

❶ 구해야 하는 것이 영양제 A이므로 영양제 A의 개수를 미지수 x로 놓는다.

❷ 영양제의 개수는 자연수이므로 구한 범위에 있는 수 중에서 자연수만 생각한다.

답 100개

풍쌤 강의 NOTE

연립부등식의 활용 문제를 푸는 순서

❶ 구하려는 것을 미지수 x로 놓기

❷ 주어진 조건을 만족시키는 연립부등식 세우기

❸ 연립부등식을 풀기

❹ 구한 해가 문제의 뜻에 맞는지 확인하기

07-1 유사

두 종류의 식품 A, B의 100 g에 들어 있는 열량과 단백질의 양은 다음 표와 같다. 두 식품 A, B를 합해 200 g의 식품을 섭취하여 열량은 360 kcal 이상, 단백질은 14 g 이상을 얻으려고 한다. 섭취해야 하는 식품 B의 양의 범위를 구하여라.

식품	열량(kcal)	단백질(g)
A	120	8
B	300	6

07-2 변형

연속하는 세 짝수의 합이 87보다 크고 93보다 작을 때, 세 짝수 중 가장 큰 수를 구하여라.

07-3 변형

학생들에게 공책을 나누어 주는데 한 명에게 4권씩 나누어 주면 공책 3권이 남고, 8권씩 나누어 주면 세 명의 학생은 받지 못하고 한 명의 학생은 공책을 3권 이상 6권 이하 받는다고 한다. 이때 공책은 모두 몇 권인지 구하여라.

07-4 변형

세 변의 길이가 각각 x, $18-3x$, $3x+1$인 세 선분을 이용하여 삼각형을 만들려고 할 때, x의 값의 범위를 구하여라.

07-5 변형

어느 고등학교 학생들이 강당의 긴 의자에 앉으려고 한다. 한 의자에 6명씩 앉으면 학생이 24명 남고, 7명씩 앉으면 의자가 8개 남는다고 한다. 이때 의자의 최대 개수를 구하여라.

07-6 실력

다음은 어느 반의 두 학생이 친구들에게 나눠 줄 사탕을 상자에 담으면서 나눈 대화의 일부이다.

하영: 상자에 사탕을 몇 개씩 담을까?
민수: 모든 상자에 12개씩 담으면 사탕이 45개 남아.
하영: 그러면 한 상자에 사탕을 15개씩 담으면 어떨까?
민수: 15개가 채워지지 않는 상자가 1개 있고 빈 상자가 2개 남게 돼.

위 학생들의 대화를 만족시키는 상자의 개수의 최댓값을 M, 최솟값을 m이라고 할 때, $M+m$의 값을 구하여라.

풍산자 유형 특강

그래프를 이용한 절댓값 기호를 포함한 부등식의 풀이

여기서는 절댓값 기호를 포함한 함수의 그래프를 그리는 방법을 알아보고, 이를 이용하여 부등식을 푸는 방법을 알아보자.

절댓값 기호를 포함한 함수의 그래프는 어떻게 그릴까?

절댓값 기호 안의 식으로 구간을 정하는 것이 문제 해결의 첫 걸음!

예시 1 절댓값 기호를 포함한 함수의 그래프 그리기

다음 함수의 그래프를 그려라.

(1) $y=|x+2|$ (2) $y=|x|+|x-1|$

풍산자 풀이 흐름

❶ 절댓값 기호 안의 식의 값이 0이 되는 x의 값 구하기

❷ x의 값의 범위를 나누어 함수 구하기

❸ ❷에서 그린 그래프를 x의 값의 범위에 따라 나누어 그려서 함수의 그래프 완성하기

$x=-2$를 기준으로 $x<-2$, $x\geq-2$로 나누어진다.

(1) ❶ 절댓값 기호 안의 식의 값이 0이 되는 x의 값은

$x+2=0$에서 $x=-2$

❷ (i) $x<-2$일 때, $y=-(x+2)$ $\quad\therefore y=-x-2$

(ii) $x\geq-2$일 때, $y=x+2$

❸ x의 값의 범위에 따라 그래프를 그려서 합치면 $y=|x+2|$의 그래프가 되고 다음 그림과 같다.

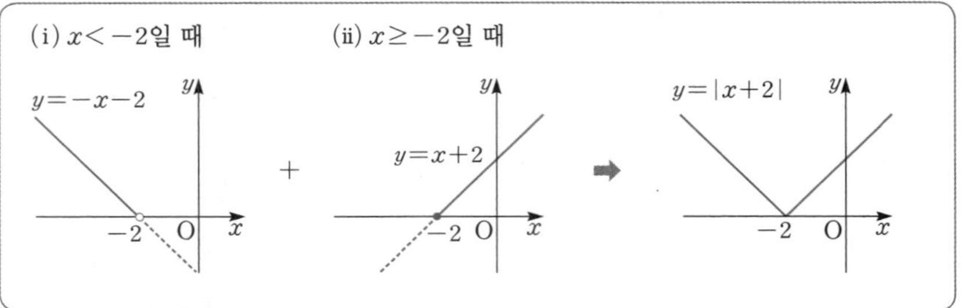

$x=0$, $x=1$을 기준으로 $x<0$, $0\leq x<1$, $x\leq1$로 나뉘어진다.

(2) ❶ 절댓값 기호 안의 식의 값이 0이 되는 x의 값은

$x=0$, $x-1=0$에서 $x=1$

❷ (i) $x<0$일 때, $y=-x-(x-1)$ $\quad\therefore y=-2x+1$

(ii) $0\leq x<1$일 때, $y=x-(x-1)$ $\quad\therefore y=1$

(iii) $x\geq1$일 때, $y=x+x-1$ $\quad\therefore y=2x-1$

❸ x의 값의 범위에 따라 그래프를 그려서 합치면 $y=|x|+|x-1|$의 그래프는 다음 그림과 같다.

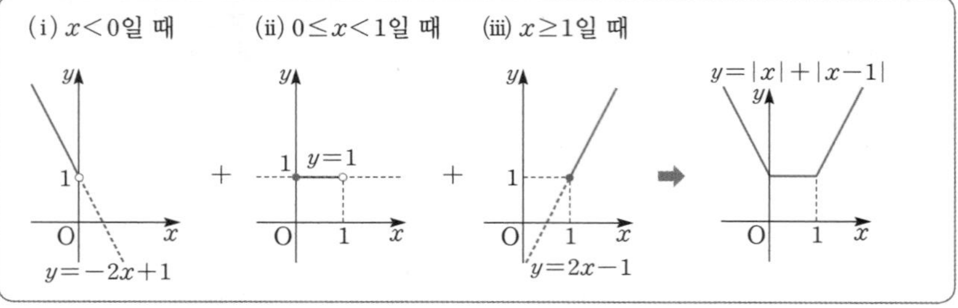

예시 2 그래프를 이용한 절댓값 기호를 포함한 부등식 풀기

함수의 그래프를 이용하여 다음 부등식의 해를 구하여라.

(1) $1<|x+2|\leq 3$　　　　(2) $|x|+|x-1|\leq 5$

그래프를 이용하면 답이 한 눈에 보여~

(1) ❶ 예시 1의 (1)에 의하여 함수 $y=|x+2|$의 그래프는 오른쪽 그림과 같다.

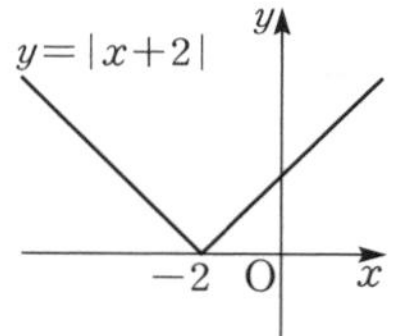

❷ $y=|x+2|$의 그래프와 직선 $y=1$의 교점의 x좌표는

(i) $x<-2$일 때, $-x-2=1$　　$\therefore x=-3$

(ii) $x\geq -2$일 때, $x+2=1$　　$\therefore x=-1$

$y=|x+2|$의 그래프와 직선 $y=3$의 교점의 x좌표는

(iii) $x<-2$일 때, $-x-2=3$　　$\therefore x=-5$

(iv) $x\geq -2$일 때, $x+2=3$　　$\therefore x=1$

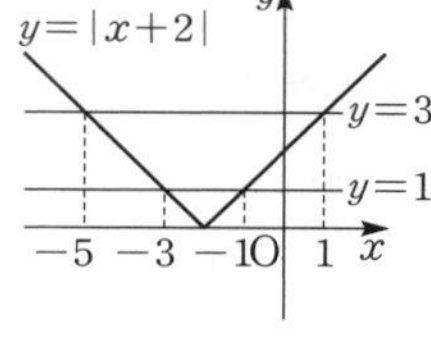

❸ $1<|x+2|\leq 3$의 해는 $y=|x+2|$의 그래프가 직선 $y=1$의 위쪽, 직선 $y=3$과 만나거나 그 아래쪽에 있는 x의 값의 범위이다.

따라서 구하는 해는 $-5\leq x<-3$ 또는 $-1<x\leq 1$

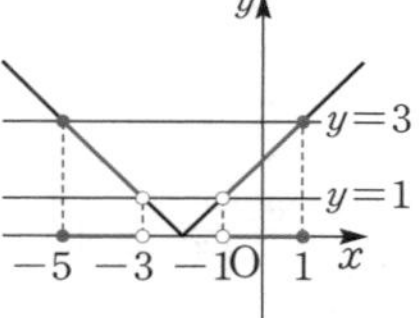

(2) ❶ 예시 1의 (2)에 의하여 함수 $y=|x|+|x-1|$의 그래프는 오른쪽 그림과 같다.

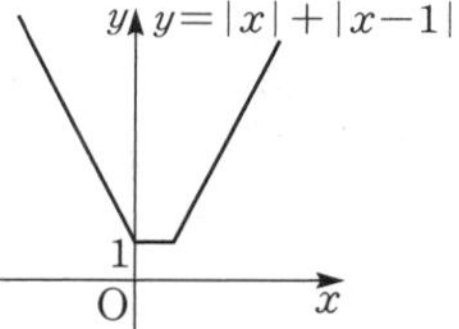

❷ $y=|x|+|x-1|$의 그래프와 직선 $y=5$의 교점의 x좌표는

(i) $x<0$일 때, $-2x+1=5$　　$\therefore x=-2$

(ii) $0\leq x<1$일 때, $1\neq 5$이므로 교점은 없다.

(iii) $x\geq 1$일 때, $2x-1=5$　　$\therefore x=3$

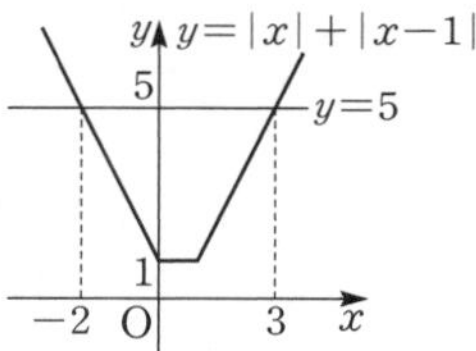

❸ $|x|+|x-1|\leq 5$의 해는 $y=|x|+|x-1|$의 그래프가 직선 $y=5$와 만나거나 그 아래쪽에 있는 x의 값의 범위이다.

따라서 구하는 해는 $-2\leq x\leq 3$

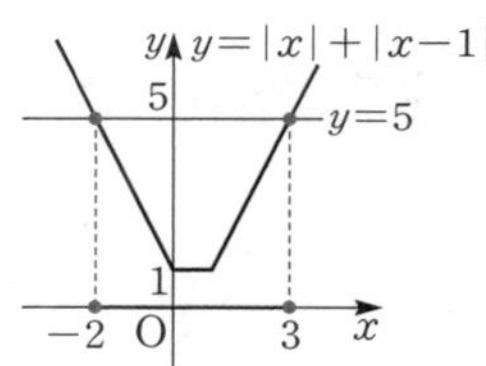

풍산자 풀이 흐름

❶ 절댓값 기호를 포함한 함수의 그래프를 그리기

❷ 두 함수의 그래프의 교점의 x좌표 구하기

❸ 함수의 그래프를 이용하여 부등식의 해 구하기

확인

정답과 풀이 187쪽

함수의 그래프를 이용하여 다음 부등식의 해를 구하여라.

(1) $|x+1|>3$　　(2) $1<|-2x+3|\leq 3$　　(3) $|x+2|+|x-2|\leq 6$

실전 연습 문제

01

기출

$ab<0$을 만족시키는 두 실수 a, b에 대하여 |보기|에서 옳은 것만을 있는 대로 고른 것은?

|보기|

ㄱ. $a+b<0$

ㄴ. $|a-b|>|a+b|$

ㄷ. $\frac{a-b}{a}>\frac{a+b}{b}$

① ㄱ ② ㄷ ③ ㄱ, ㄴ

④ ㄴ, ㄷ ⑤ ㄱ, ㄴ, ㄷ

02

x에 대한 부등식 $a(3x-2)>b(2x-1)$의 해가 모든 실수일 때, x에 대한 부등식 $ax+4b>3a-2bx$의 해는?

① $x<-\frac{3}{4}$ ② $x<-\frac{1}{3}$ ③ $x>-\frac{1}{4}$

④ $x<\frac{3}{4}$ ⑤ $x<\frac{2}{3}$

03

연립부등식 $\begin{cases} \frac{x}{3}-1\geq\frac{x-1}{2} \\ 0.3x-2<0.4x+1 \end{cases}$ 을 만족시키는 x에 대하여 $A=-\frac{1}{3}x+5$일 때, A의 값의 범위는?

① $5<A\leq8$ ② $6\leq A<9$

③ $6\leq A<15$ ④ $9\leq A<12$

⑤ $10<A\leq13$

04

연립부등식 $\begin{cases} 0.1x+\frac{2}{5}\leq0.3x \\ 4(x-2)+5\geq3x+1 \end{cases}$ 의 해가 부등식 $4x+a>2$를 만족시키는 정수 a의 최솟값을 구하여라.

05 서술형

a가 자연수이고 $0<-\frac{3}{4}a+1<2$를 만족시킬 때, x에 대한 부등식 $2+3x+a\leq\frac{8}{3}(x+1)<3x-a$를 풀어라.

06

부등식 $0.2x-0.9\leq-\frac{1}{5}x+0.3<\frac{3}{10}x+1.8$을 만족시키는 x의 값 중에서 가장 큰 정수를 M, 가장 작은 정수를 m이라고 할 때, $M+m$의 값을 구하여라.

07

연립부등식 $\begin{cases} 4x-1 \geq 2x+a \\ -x+2>b \end{cases}$ 의 해가 $-2 \leq x < 4$일 때, 다음 중 부등식 $\frac{a}{5}x+b>0$의 해가 될 수 없는 것은? (단, a, b는 상수이다.)

① -6 ② -5 ③ -4
④ -3 ⑤ -2

08 서술형

부등식 $5a+2b-1<(2a+b)x<2a+b-5$를 만족시키는 x의 값의 범위가 $2<x<6$이 되도록 하는 정수 a, b의 값을 각각 구하여라. (단, $2a+b \neq 0$)

09

연립부등식 $\begin{cases} \frac{x+1}{3} \geq k-x \\ \frac{x-3}{2} < \frac{1-2x}{3} \end{cases}$ 를 만족시키는 음의 정수 x가 3개가 되도록 하는 모든 정수 k의 값의 합은?

① -8 ② -7 ③ -6
④ -5 ⑤ -4

10

연립부등식 $\begin{cases} \frac{1}{3}x+2>\frac{3x-2}{6} \\ 2(x-k)<x-3 \end{cases}$ 을 만족시키는 x의 값 중 자연수가 없을 때, 실수 k의 최댓값은?

① $\frac{1}{2}$ ② 1 ③ $\frac{3}{2}$
④ 2 ⑤ $\frac{5}{2}$

11

연립부등식 $\begin{cases} 3x+7>x+1 \\ 2-x \leq a-5x \end{cases}$ 의 해가 없을 때, 실수 a의 값의 범위를 구하여라.

12

부등식 $5x+a<3x-5<9x+17$의 해가 존재하도록 하는 정수 a의 최댓값은?

① 1 ② 2 ③ 3
④ 4 ⑤ 5

13

기출

x에 대한 부등식 $|3x-1|<x+a$의 해가 $-1<x<3$일 때, 양수 a의 값은?

① 4 ② $\frac{17}{4}$ ③ $\frac{9}{2}$
④ $\frac{19}{4}$ ⑤ 5

14

부등식 $|3x+1|+|x|\le a$와 부등식 $0\le x-b\le 2$의 해가 서로 같을 때, 실수 a, b에 대하여 ab의 값을 구하여라. (단, $a>1$)

15 서술형

연립부등식 $\begin{cases} 20|x-10|<a \\ 20x-a<20 \end{cases}$의 해가 없을 때, 양수 a의 최댓값을 구하여라.

16

상자에 과자를 6봉지씩 담으면 과자가 7봉지 남고, 과자를 9봉지씩 담으면 상자가 2개 남는다. 가능한 상자의 개수를 모두 구하여라.

17 서술형

일의 자리의 숫자가 십의 자리의 숫자보다 4만큼 큰 두 자리 자연수가 있다. 이 자연수의 각 자리의 숫자의 합은 14 이상이고, 십의 자리의 숫자와 일의 자리의 숫자를 바꾼 수는 처음 수의 2배에서 34를 뺀 수보다 크다. 처음 자연수를 구하여라.

18

3 %의 소금물에 12 %의 소금물을 섞어서 6 % 이상 8 % 이하의 소금물 900 g을 얻었다. 3 %의 소금물이 몇 g 들어 있는지 구하여라.

상위권 도약 문제

정답과 풀이 194쪽

01

임의의 양의 실수 x에 대하여 $[x]$는 x보다 크지 않은 최대의 정수, $<x>$는 x보다 작지 않은 최소의 정수를 나타낸다고 하자. 예를 들어 $[1.3]=1$, $<1.6>=2$이다. 부등식 $[x]+<x>\le 9$의 해가 $a<x<b$일 때, 정수 a, b에 대하여 $a+b$의 값을 구하여라.

02

연립부등식 $\begin{cases} 4x+2k\le 5x-4 \\ 2x+13>6x-5 \end{cases}$를 만족시키는 정수 x가 6개 이상 10개 미만일 때, 실수 k의 값의 범위를 구하여라.

03

부등식 $\frac{1}{2}x+\frac{3}{2}<x-\frac{2a+3}{4}\le\frac{3}{4}x-\frac{a-2}{4}$를 만족시키는 정수 x의 값이 오직 7뿐일 때, 정수 a의 값을 구하여라.

04

x에 대한 이차방정식 $ax^2+b=0$이 서로 다른 두 실근을 가질 때, x에 대한 부등식 $|ax+4|\ge b$의 해가 $x\le -4$ 또는 $x\ge 8$이다. 실수 a, b에 대하여 ab의 값을 구하여라.

05

부등식 $|x|-4n<x<-|x|+4n$을 만족하는 모든 정수 x의 개수가 15개일 때, 자연수 n의 값을 구하여라.

06

부등식 $|x|+\sqrt{16x^2+8x+1}\le a$의 해가 $b\le x\le b+2$일 때, 실수 a, b에 대하여 $a+b$의 값은? (단, $a>1$)

① $\frac{11}{5}$ ② $\frac{13}{5}$ ③ 3
④ $\frac{17}{5}$ ⑤ $\frac{19}{5}$

07

x에 대한 부등식 $|(a-b)x+4|\le b$의 해가 $-4\le x\le 8$이다. 이때 실수 a, b에 대하여 $a+b$의 값을 구하여라.

08

기출

어떤 이동 통신 회사에서는 휴대폰의 사용 시간에 따라 매월 다음과 같은 요금 체계를 적용한다고 한다.

요금제	기본 요금	무료 통화	사용 시간 (1분)당 요금
A	10000원	0분	150원
B	20200원	60분	120원
C	28900원	120분	90원

(단, 매월 총 사용 시간은 분 단위로 계산한다.)

예를 들어, B 요금제를 사용하여 한 달 동안의 통화 시간이 80분인 경우 사용 요금은 다음과 같이 계산한다.

$$20200+120\times(80-60)=22600$$

B 요금제를 사용하는 사람이 A 요금제와 C 요금제를 사용할 때보다 저렴한 요금을 내기 위한 한 달 동안의 통화 시간은 a분 초과 b분 미만이다. 이때 $b-a$의 최댓값은?

① 70 ② 80 ③ 90
④ 100 ⑤ 110

10 이차부등식

유형의 이해에 따라 ▢ 안에 ○, × 표시를 하고 반복하여 학습합니다.

유형	내용	1st	2nd
필수유형 01	이차부등식과 이차함수의 관계	▢	▢
필수유형 02	이차부등식의 풀이	▢	▢
필수유형 03	해가 주어진 이차부등식	▢	▢
필수유형 04	이차부등식이 해를 가질 조건	▢	▢
필수유형 05	이차부등식이 항상 성립할 조건	▢	▢
필수유형 06	두 그래프의 위치 관계와 이차부등식	▢	▢
필수유형 07	제한된 범위에서 항상 성립하는 이차부등식	▢	▢
필수유형 08	이차부등식의 활용	▢	▢
필수유형 09	연립이차부등식의 풀이	▢	▢
필수유형 10	해가 주어진 연립이차부등식	▢	▢
발전유형 11	연립이차부등식의 활용	▢	▢
필수유형 12	이차방정식의 근의 판별과 이차부등식	▢	▢
필수유형 13	이차방정식의 실근의 부호	▢	▢
필수유형 14	이차방정식의 근의 분리	▢	▢

10 이차부등식

개념 01 이차부등식과 이차함수의 관계

(1) **이차부등식**

부등식의 모든 항을 좌변으로 이항하여 정리하였을 때,

$ax^2+bx+c>0$, $ax^2+bx+c<0$,

$ax^2+bx+c\geq 0$, $ax^2+bx+c\leq 0$ ($a\neq 0$, a, b, c는 상수)

과 같이 좌변이 x에 대한 이차식이 되는 부등식을 x에 대한 이차부등식이라고 한다.

(2) **이차부등식과 이차함수의 관계**

이차부등식의 해와 이차함수의 그래프 사이에는 다음과 같은 관계가 있다.

① 이차부등식 $ax^2+bx+c>0$의 해

➡ 이차함수 $y=ax^2+bx+c$에서 $y>0$을 만족시키는 x의 값의 범위

➡ 이차함수 $y=ax^2+bx+c$의 그래프에서 x축보다 위쪽에 있는 부분의 x의 값의 범위

② 이차부등식 $ax^2+bx+c<0$의 해

➡ 이차함수 $y=ax^2+bx+c$에서 $y<0$을 만족시키는 x의 값의 범위

➡ 이차함수 $y=ax^2+bx+c$의 그래프에서 x축보다 아래쪽에 있는 부분의 x의 값의 범위

> $ax^2+bx+c\geq 0$의 해
> ➡ $y=ax^2+bx+c$의 그래프가 x축보다 위쪽에 있거나 x축과 만나는 부분의 x의 값의 범위

> $ax^2+bx+c\leq 0$의 해
> ➡ $y=ax^2+bx+c$의 그래프가 x축보다 아래쪽에 있거나 x축과 만나는 부분의 x의 값의 범위

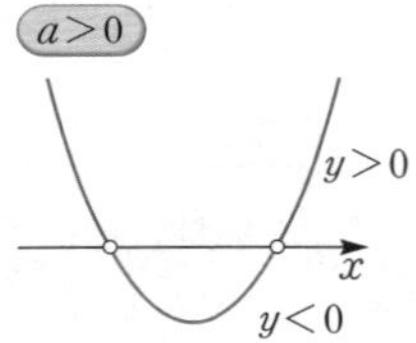

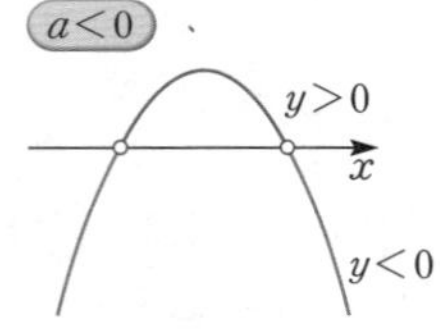

참고 부등식의 해와 두 함수 $y=f(x)$, $y=g(x)$의 그래프 사이에는 다음과 같은 관계가 있다.

① 부등식 $f(x)>g(x)$의 해는 $y=f(x)$의 그래프가 $y=g(x)$의 그래프보다 위쪽에 있는 부분의 x의 값의 범위이다.

② 부등식 $f(x)<g(x)$의 해는 $y=f(x)$의 그래프가 $y=g(x)$의 그래프보다 아래쪽에 있는 부분의 x의 값의 범위이다.

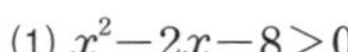

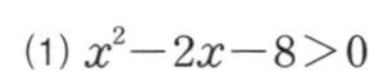

확인 01 **이차함수 $y=x^2-2x-8$의 그래프가 오른쪽 그림과 같을 때, 다음 이차부등식의 해를 구하여라.**

(1) $x^2-2x-8>0$

(2) $x^2-2x-8\leq 0$

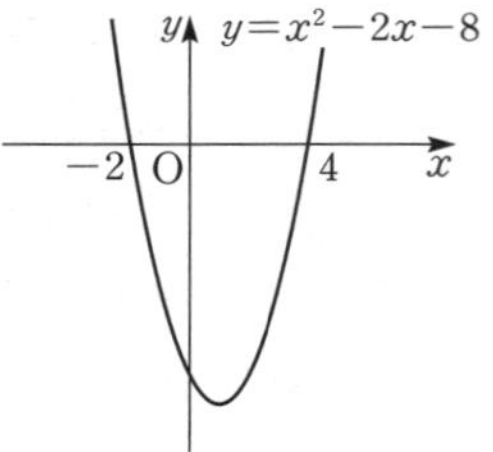

개념 02 이차부등식의 풀이

$a>0$일 때, 이차방정식 $ax^2+bx+c=0$의 판별식을 D라 하고 실근을 갖는 경우 그 근을 α, β $(\alpha \le \beta)$라고 하자. 이때 D의 부호에 따라 이차함수 $y=ax^2+bx+c$의 그래프와 x축의 위치 관계가 달라지므로 이차부등식의 해는 다음과 같다.

	$D>0$	$D=0$	$D<0$
이차함수 $y=ax^2+bx+c$ $(a>0)$의 그래프			
$ax^2+bx+c>0$의 해	$x<\alpha$ 또는 $x>\beta$	$x\ne\alpha$인 모든 실수	모든 실수
$ax^2+bx+c\ge0$의 해	$x\le\alpha$ 또는 $x\ge\beta$	모든 실수	모든 실수
$ax^2+bx+c<0$의 해	$\alpha<x<\beta$	없다.	없다.
$ax^2+bx+c\le0$의 해	$\alpha\le x\le\beta$	$x=\alpha$	없다.

참고 이차방정식 $f(x)=0$의 판별식을 D라고 할 때, 이차부등식 $f(x)>0$의 해는 $D>0$이면 인수분해하거나 근의 공식을 이용하고, $D=0$ 또는 $D<0$이면 완전제곱식이 포함된 꼴로 변형하여 구한다.

주의 $a<0$인 경우에는 주어진 이차부등식의 양변에 -1을 곱하여 x^2의 계수를 양수로 바꾸어서 푼다. 이때 부등호의 방향이 바뀜에 주의한다.

확인 02 다음 이차부등식을 풀어라.

(1) $x^2-2x-3>0$

(2) $x^2-3x-10<0$

(3) $-3x^2+2x+1\ge0$

(4) $x^2-2x+1\ge0$

$\alpha<\beta$일 때

① $(x-\alpha)(x-\beta)>0$의 해는 $x<\alpha$ 또는 $x>\beta$

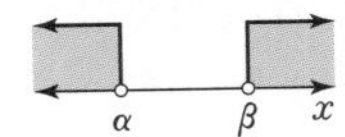

➡ 0보다 크면 날개 범위

② $(x-\alpha)(x-\beta)<0$의 해는 $\alpha<x<\beta$

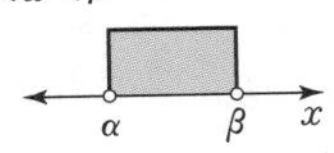

➡ 0보다 작으면 사이 범위

개념 03 이차부등식의 작성

이차부등식의 해가 주어졌을 때, 다음과 같이 이차부등식을 구할 수 있다.

(1) 해가 $\alpha<x<\beta$이고 x^2의 계수가 1인 이차부등식은

$(x-\alpha)(x-\beta)<0$

즉, $x^2-(\alpha+\beta)x+\alpha\beta<0$

(2) 해가 $x<\alpha$ 또는 $x>\beta$이고 x^2의 계수가 1인 이차부등식은

$(x-\alpha)(x-\beta)>0$

즉, $x^2-(\alpha+\beta)x+\alpha\beta>0$

참고 ① 해가 $x=\alpha$이고 x^2의 계수가 1인 이차부등식은 $(x-\alpha)^2\le0$, $(x-\alpha)^2\ge0$

② 해가 $x\ne\alpha$인 모든 실수이고 x^2의 계수가 1인 이차부등식은 $(x-\alpha)^2>0$

확인 03 x^2의 계수가 1이고, 다음과 같은 해를 가지는 이차부등식을 구하여라.

(1) $1<x<5$

(2) $x\le-2$ 또는 $x\ge4$

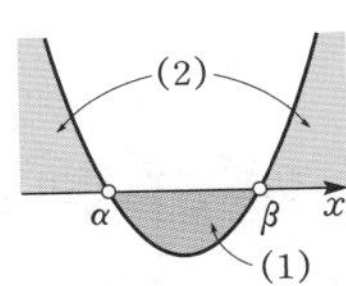

이차항의 계수가 a인 이차부등식을 구할 때는 이차항의 계수를 1로 놓고 이차부등식을 구한 후 양변에 a를 곱한다. 이때 $a<0$이면 부등호의 방향이 바뀌는 것에 주의한다.

개념 04 이차부등식이 항상 성립할 조건

모든 실수 x에 대하여 이차부등식이 항상 성립할 조건은 이차함수 $y=ax^2+bx+c$의 그래프의 모양과 위치에 따라 다음과 같다.

(단, 이차방정식 $ax^2+bx+c=0$ $(a\neq0)$의 판별식은 $D=b^2-4ac$이다.)

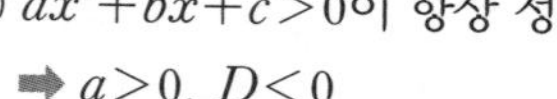

(1) $ax^2+bx+c>0$이 항상 성립한다.
➡ $a>0$, $D<0$

(2) $ax^2+bx+c\geq0$이 항상 성립한다.
➡ $a>0$, $D\leq0$

(3) $ax^2+bx+c<0$이 항상 성립한다.
➡ $a<0$, $D<0$

(4) $ax^2+bx+c\leq0$이 항상 성립한다.
➡ $a<0$, $D\leq0$

(1)
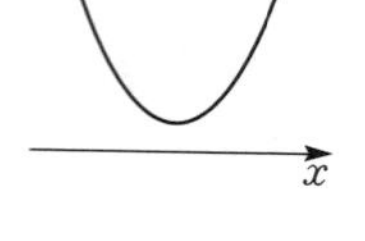

(2)
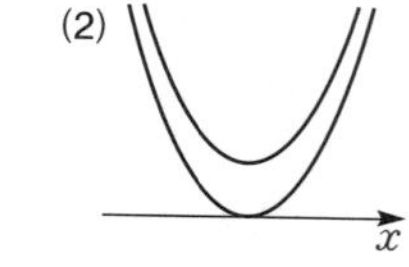

(3) x　(4) x

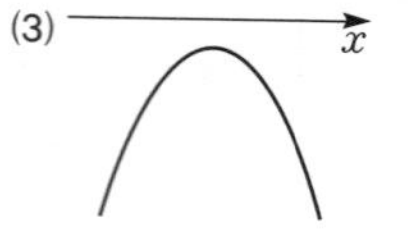

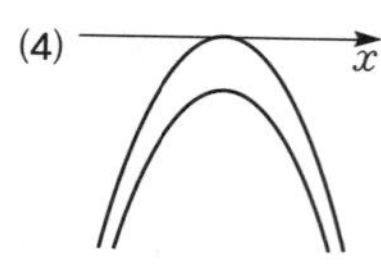

확인 04 **모든 실수 x에 대하여 다음 이차부등식이 성립할 때, 실수 m의 값의 범위를 구하여라.**

(1) $x^2-mx+4>0$　　(2) $-x^2-mx+m-3\leq0$

> 이차부등식의 해가 없을 조건은 이차부등식이 항상 성립할 조건으로 바꾸어 생각한다.
> ① $ax^2+bx+c>0$의 해가 없다.
> ➡ $ax^2+bx+c\leq0$이 항상 성립한다.
> ② $ax^2+bx+c\geq0$의 해가 없다.
> ➡ $ax^2+bx+c<0$이 항상 성립한다.

> 다음은 모두 같은 표현이다.
> ① 모든 실수 x에 대하여 이차부등식 $ax^2+bx+c>0$이 성립한다.
> ② x의 값에 관계없이 이차부등식 $ax^2+bx+c>0$이 성립한다.
> ③ 이차부등식 $ax^2+bx+c>0$의 해는 모든 실수이다.

개념 05 연립이차부등식

(1) **연립이차부등식:** 차수가 가장 높은 부등식이 이차부등식일 때, 이 연립부등식을 연립이차부등식이라고 한다.

(2) **연립이차부등식의 풀이**

❶ 연립부등식을 이루는 각 부등식의 해를 구한다.

❷ ❶에서 구한 해를 수직선 위에 나타낸다.

❸ 구한 해의 공통부분을 구한다.

확인 05 **다음 연립부등식을 풀어라.**

(1) $\begin{cases} 5x-6>3x+4 \\ x^2-7x-8<0 \end{cases}$　　(2) $\begin{cases} x^2-x-12>0 \\ x^2+2x-3\leq0 \end{cases}$

> 연립이차부등식은
> $\begin{cases} \text{일차부등식} \\ \text{이차부등식} \end{cases}$ 또는 $\begin{cases} \text{이차부등식} \\ \text{이차부등식} \end{cases}$ 꼴이다.

> 수직선 위에 각 부등식의 해를 나타냈을 때 겹쳐지는 부분이 연립부등식의 해이다.

개념 06 이차방정식의 실근의 부호

계수가 실수인 이차방정식 $ax^2+bx+c=0$의 두 실근을 α, β, 판별식을 D라고 하면 다음과 같이 두 실근의 부호를 판별할 수 있다.

(1) **두 근이 모두 양수** ➡ $D\geq0$, $\alpha+\beta>0$, $\alpha\beta>0$

(2) **두 근이 모두 음수** ➡ $D\geq0$, $\alpha+\beta<0$, $\alpha\beta>0$

(3) **두 근이 서로 다른 부호** ➡ $\alpha\beta<0$

확인 06 **이차방정식 $x^2+(k+1)x+1=0$의 두 근이 다음과 같을 때, 실수 k의 값의 범위를 구하여라.**

(1) 두 근이 모두 양수　　(2) 두 근이 모두 음수

> 이차방정식의 근의 부호는 실근인 경우에만 생각한다.

> 두 근이 서로 다른 부호이면 항상 $D>0$이므로 판별식을 확인하지 않아도 된다.
> $\alpha\beta<0$이면 $\frac{c}{a}<0$에서 $ac<0$이므로 항상 $D=b^2-4ac>0$이다.

개념 07 이차방정식의 근의 분리

계수가 실수인 이차방정식 $ax^2+bx+c=0$ $(a>0)$의 판별식을 D, $f(x)=ax^2+bx+c$라고 하면 이차함수 $y=f(x)$의 그래프를 이용하여 이차방정식의 근의 위치를 판별할 수 있다.

> 이차방정식 $f(x)=0$의 근의 위치를 판별하기 위해서는 이차함수 $y=f(x)$의 그래프를 그린 후 다음 세 가지 조건을 생각한다.
> (i) $f(x)=0$의 판별식 D의 부호
> (ii) $y=f(x)$의 그래프의 축의 위치
> (iii) 경계점 $x=p$에서의 함숫값의 부호

(1) **두 근이 모두 p보다 클 조건**

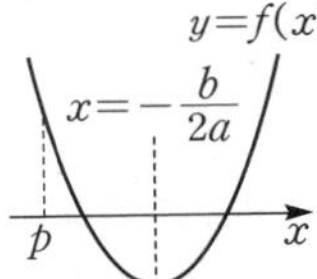

(i) 이차방정식이 실근을 가져야 하므로 $D\ge0$

(ii) 축이 직선 $x=p$의 오른쪽에 있어야 하므로

$$-\frac{b}{2a}>p$$

(iii) $x=p$에서의 함숫값이 0보다 커야 하므로 $f(p)>0$

(2) **두 근이 모두 p보다 작을 조건**

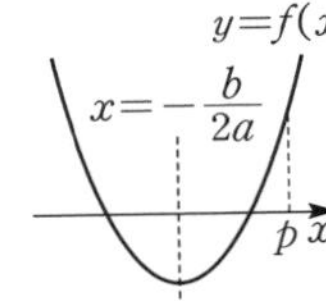

(i) 이차방정식이 실근을 가져야 하므로 $D\ge0$

(ii) 축이 직선 $x=p$의 왼쪽에 있어야 하므로

$$-\frac{b}{2a}<p$$

(iii) $x=p$에서의 함숫값이 0보다 커야 하므로 $f(p)>0$

(3) **두 근 사이에 p가 있을 조건**

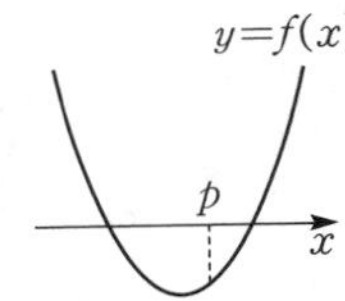

➡ $x=p$에서의 함숫값이 0보다 작아야 하므로 $f(p)<0$

> 두 근 사이에 p가 있는 경우
> (i) $a>0$일 때 $f(p)<0$이면 이차함수 $y=f(x)$의 그래프는 $x=p$의 좌우에서 x축과 만나게 된다. 즉, 항상 $D>0$이 되어 판별식의 부호를 따질 필요가 없다.
> (ii) 축을 기준으로 p의 위치가 왼쪽이든 오른쪽이든 상관없이 두 근 사이에 p가 있다. 즉, 축의 위치를 따질 필요가 없다.

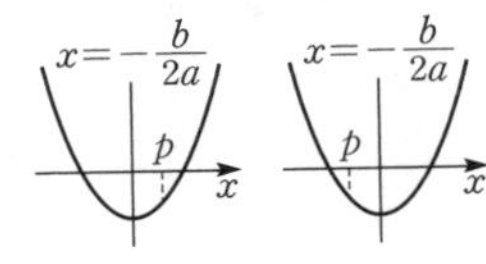

(4) **두 근이 모두 p, q $(p<q)$ 사이에 있을 조건**

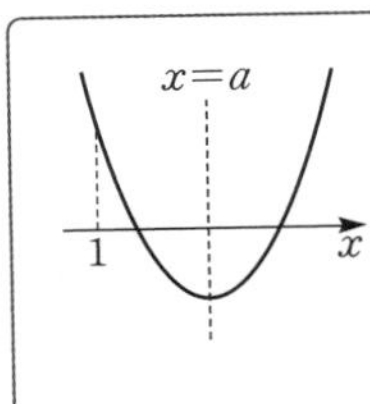

(i) 이차방정식이 실근을 가져야 하므로 $D\ge0$

(ii) 축이 직선 $x=p$와 직선 $x=q$ 사이에 있어야 하므로

$$p<-\frac{b}{2a}<q$$

(iii) $x=p$, $x=q$에서의 함숫값이 모두 0보다 커야 하므로

$$f(p)>0,\ f(q)>0$$

확인 07 **최고차항의 계수가 양수인 이차방정식 $f(x)=0$의 두 근이 모두 1보다 클 때, 다음 □ 안에 알맞은 부등호를 써넣어라.**

(i) 이차방정식 $f(x)=0$의 판별식을 D라고 하면 실근을 가지므로 D□0

(ii) 이차함수 $y=f(x)$의 그래프의 축의 방정식을 $x=a$라고 하면 이 축이 직선 $x=1$의 오른쪽에 있으므로 a□1

(iii) $f(1)$□0

필수유형 01 이차부등식과 이차함수의 관계

두 이차함수 $y=f(x)$, $y=g(x)$의 그래프가 오른쪽 그림과 같을 때, 다음 부등식의 해를 구하여라.

(1) $f(x)>g(x)$

(2) $f(x)g(x)>0$

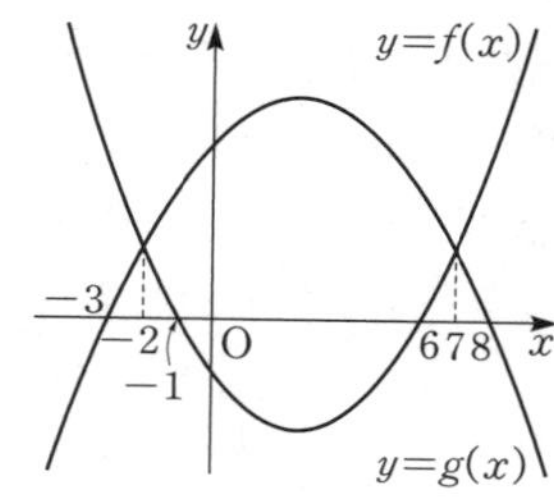

풍쌤 POINT

(1) $f(x)>g(x)$는 $y=f(x)$의 그래프가 $y=g(x)$의 그래프보다 위쪽에 있는 부분

(2) $f(x)g(x)>0$는 $f(x)>0$, $g(x)>0$ 또는 $f(x)<0$, $g(x)<0$을 만족시키는 부분

➡ 주어진 이차함수의 그래프에서 각각의 경우를 만족시키는 x의 값의 범위를 구해.

풀이

(1) **STEP1 주어진 부등식을 만족시키는 x의 값의 범위 파악하기**

부등식 $f(x)>g(x)$의 해는 $y=f(x)$의 그래프가 $y=g(x)$의 그래프보다 위쪽에 있는 부분의 x의 값의 범위❶이다.

STEP2 부등식의 해 구하기

따라서 구하는 해는

$x<-2$ 또는 $x>7$

❶

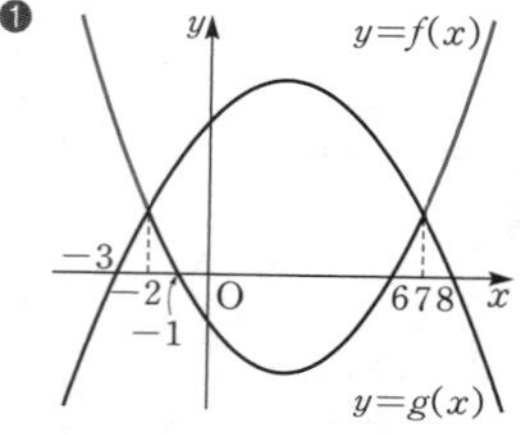

(2) **STEP1 주어진 부등식을 만족시키는 두 함수의 부호 정하기**

부등식 $f(x)g(x)>0$의 해는 $f(x)>0$, $g(x)>0$ 또는 $f(x)<0$, $g(x)<0$을 만족시키는 x의 값의 범위이다.

STEP2 부등식의 해 구하기

(i) $f(x)>0$❷, $g(x)>0$을 만족시키는 x의 값의 범위는

$f(x)>0$에서 $x<-1$ 또는 $x>6$ …… ㉠

$g(x)>0$에서 $-3<x<8$ …… ㉡

㉠, ㉡의 공통부분을 구하면 $-3<x<-1$ 또는 $6<x<8$

(ii) $f(x)<0$, $g(x)<0$을 만족시키는 x의 값의 범위는

$f(x)<0$에서 $-1<x<6$ …… ㉢

$g(x)<0$에서 $x<-3$ 또는 $x>8$ …… ㉣

㉢, ㉣의 공통부분이 없으므로 해는 없다.

(i), (ii)에 의하여 부등식 $f(x)g(x)>0$의 해는

$-3<x<-1$ 또는 $6<x<8$

❷ $y=f(x)$의 그래프에서 x축보다 위쪽에 있는 부분의 x의 값의 범위를 구한다.

답 (1) $x<-2$ 또는 $x>7$ (2) $-3<x<-1$ 또는 $6<x<8$

풍쌤 강의 NOTE

함수의 그래프를 이용하여 이차부등식을 풀 때는 주어진 함수의 그래프에서 조건을 만족시키는 위치 관계를 찾고, 그 부분의 x의 값의 범위를 구한다.
이때 함수의 그래프에서 교점의 x좌표, x축과 만나는 점의 x좌표를 이용한다.

01-1 유사

두 이차함수 $y=f(x)$, $y=g(x)$의 그래프가 오른쪽 그림과 같을 때, 다음 부등식의 해를 구하여라.

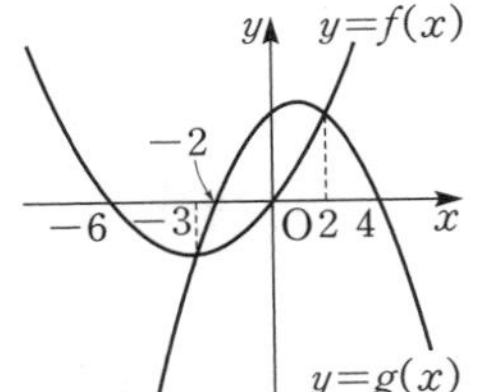

(1) $f(x)<g(x)$

(2) $f(x)g(x)<0$

01-2 유사

두 이차함수 $y=f(x)$, $y=g(x)$의 그래프가 오른쪽 그림과 같을 때, 부등식 $f(x)-g(x)\geq 0$의 해를 구하여라.

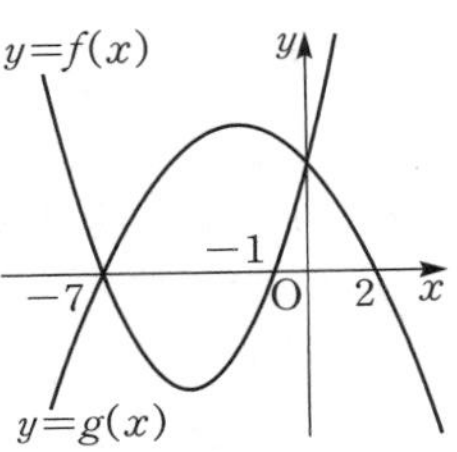

01-3 유사

두 이차함수 $y=f(x)$, $y=g(x)$의 그래프가 오른쪽 그림과 같을 때, 부등식 $0<g(x)<f(x)$의 해는 $\alpha<x<\beta$이다. 이때 $\alpha+\beta$의 값을 구하여라.

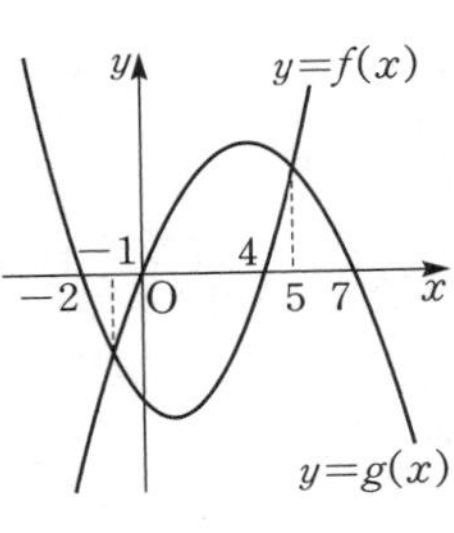

01-4 변형 기출

이차함수 $y=ax^2+bx+c$의 그래프와 직선 $y=mx+n$이 오른쪽 그림과 같을 때, 이차부등식 $ax^2+(b-m)x+c-n\leq 0$의 해를 구하여라.

(단, a, b, c, m, n은 상수이다.)

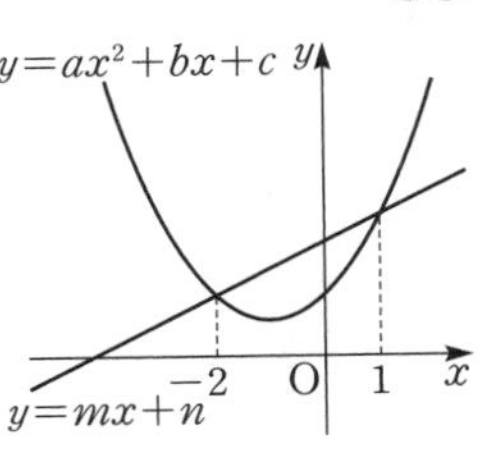

01-5 변형

세 함수 $y=f(x)$, $y=g(x)$, $y=h(x)$의 그래프가 오른쪽 그림과 같을 때, 부등식 $f(x)\geq h(x)\geq g(x)$의 해를 구하여라.

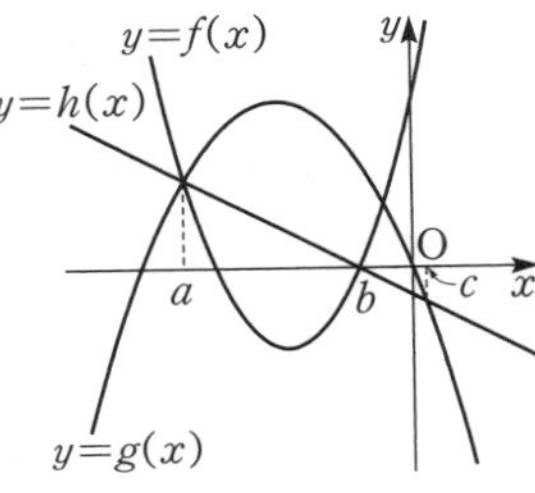

01-6 실력

0이 아닌 실수 p에 대하여 이차함수 $f(x)=x^2+px+p$의 그래프의 꼭짓점을 A, 이 이차함수의 그래프가 y축과 만나는 점을 B라고 할 때, 두 점 A, B를 지나는 직선 l의 방정식을 $y=g(x)$라고 하자. 부등식 $f(x)-g(x)\leq 0$을 만족시키는 정수 x의 개수가 3이 되도록 하는 정수 p의 최댓값을 M, 최솟값을 m이라고 할 때, $M-m$의 값을 구하여라.

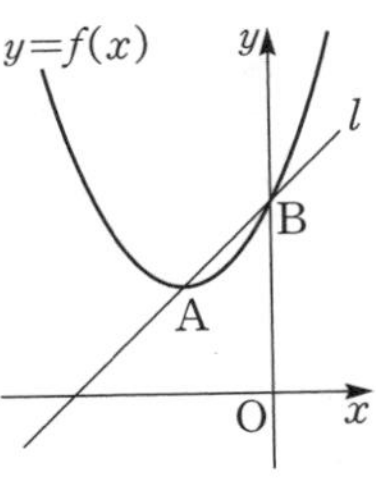

필수유형 02 이차부등식의 풀이

다음 이차부등식을 풀어라.

(1) $x^2-2x-15>0$

(2) $x^2+2x+1\le 0$

(3) $x^2-4x+4>0$

(4) $2x+1\ge x^2+6x$

(5) $-x^2-1\le x$

(6) $-9x^2+6x-1>0$

풍쌤 POINT

$a>0$일 때

- $a(x-\alpha)(x-\beta)>0$ $(\alpha<\beta)$이면 해는 $x<\alpha$ 또는 $x>\beta$
- $a(x-\alpha)(x-\beta)<0$ $(\alpha<\beta)$이면 $\alpha<x<\beta$
- $a(x-\alpha)^2>0$이면 해는 $x\ne\alpha$인 모든 실수
- $a(x-p)^2+q>0$ $(q>0)$이면 해는 모든 실수

풀이

(1) $x^2-2x-15>0$에서 $(x+3)(x-5)>0$❶

$\therefore$ $x<-3$ 또는 $x>5$

(2) $x^2+2x+1\le 0$에서 $(x+1)^2\le 0$

그런데 $(x+1)^2\ge 0$이므로 주어진 부등식의 해는 $x=-1$

(3) $x^2-4x+4>0$에서 $(x-2)^2>0$❷

그런데 $(x-2)^2\ge 0$이므로 주어진 부등식의 해는 $x\ne 2$인 모든 실수이다.

(4) $2x+1\ge x^2+6x$에서 $x^2+4x-1\le 0$ ······ ㉠

이차방정식 $x^2+4x-1=0$의 해는 $x=-2\pm\sqrt{5}$❸이므로

㉠에서 $(x+2+\sqrt{5})(x+2-\sqrt{5})\le 0$

$\therefore$ $-2-\sqrt{5}\le x\le -2+\sqrt{5}$

(5) $-x^2-1\le x$에서 $x^2+x+1\ge 0$

좌변을 완전제곱식 꼴로 변형하면

$$x^2+x+1=\left(x+\frac{1}{2}\right)^2+\frac{3}{4}\ge\frac{3}{4}$$

따라서 주어진 부등식의 해는 모든 실수이다.

(6) $-9x^2+6x-1>0$에서 $9x^2-6x+1<0$

$\therefore$ $(3x-1)^2<0$

그런데 $(3x-1)^2\ge 0$이므로 주어진 부등식의 해는 없다.

❶ 인수분해가 되면 인수분해하여 해를 구한다.

❷ $ax^2+bx+c=a(x-p)^2$ 꼴은 부등식의 등호 포함 여부에 따라 근이 달라지므로 주의한다.

❸ 짝수 근의 공식을 이용하면
$x=-2\pm\sqrt{(-2)^2-1\times(-1)}$
$=-2\pm\sqrt{5}$

답 (1) $x<-3$ 또는 $x>5$ (2) $x=-1$ (3) $x\ne 2$인 모든 실수
(4) $-2-\sqrt{5}\le x\le -2+\sqrt{5}$ (5) 모든 실수 (6) 해는 없다.

풍쌤 강의 NOTE

이차방정식 $f(x)=0$의 판별식을 D라고 할 때, 이차부등식의 해는 다음과 같이 구한다.

(1) $D>0$이면 $f(x)$를 인수분해하거나 근의 공식을 이용한다.

(2) $D=0$ 또는 $D<0$이면 $f(x)$를 $a(x-p)^2+q$ 꼴로 변형한다.

02-1 유사

다음 이차부등식을 풀어라.

(1) $x^2-6x+9>0$

(2) $x^2+4x+4\leq 0$

(3) $9x^2\geq 6x-1$

(4) $12x-9>4x^2$

(5) $x^2+2x-3\leq 0$

(6) $x^2<8x-18$

02-2 변형

|보기| 이차부등식 중 해가 없는 것을 모두 골라라.

|보기|

ㄱ. $3x^2+12x+12>0$

ㄴ. $x^2+3x-10>0$

ㄷ. $4x\geq x^2+7$

ㄹ. $-x^2+8x-16>0$

02-3 변형

이차부등식 $x^2-7x+1\geq 0$의 해가 $x\leq\alpha$ 또는 $x\geq\beta$ 일 때, $\beta-\alpha$의 값을 구하여라.

02-4 변형

부등식 $x^2-2x-4<4|x-1|$을 만족시키는 정수 x의 개수를 구하여라.

02-5 변형

이차부등식 $x^2-x-8>2|x-2|$의 해가 $x<\alpha$ 또는 $x>\beta$일 때, $\beta-2\alpha$의 값을 구하여라.

02-6 실력

x에 대한 이차부등식 $x^2-2(a-3)x+a^2-6a\leq 0$을 만족시키는 모든 정수 x의 값의 합이 7일 때, 정수 a의 값을 구하여라.

필수유형 03 해가 주어진 이차부등식

다음 물음에 답하여라.

(1) 이차부등식 $x^2+ax+b\geq 0$의 해가 $x\leq -3$ 또는 $x\geq 4$일 때, 실수 a, b의 값을 각각 구하여라.

(2) 이차부등식 $ax^2+(b-1)x+1>0$의 해가 $-1<x<5$일 때, 실수 a, b의 값을 각각 구하여라.

풍쌤 POINT

x^2의 계수가 1이고

- 해가 $\alpha<x<\beta$인 이차부등식 ➡ $(x-\alpha)(x-\beta)<0$
- 해가 $x<\alpha$ 또는 $x>\beta$ $(\alpha<\beta)$인 이차부등식 ➡ $(x-\alpha)(x-\beta)>0$

풀이

(1) STEP1 **주어진 해를 이용하여 이차부등식 구하기**

해가 $x\leq -3$ 또는 $x\geq 4$이고 x^2의 계수가 1인 이차부등식❶은

$(x+3)(x-4)\geq 0$ $\qquad \therefore x^2-x-12\geq 0$

STEP2 **a, b의 값 구하기**

이 부등식이 $x^2+ax+b\geq 0$과 같으므로

$a=-1$, $b=-12$

❶ 이차방정식 $x^2+ax+b=0$의 두 근이 -3과 4이므로 근과 계수의 관계에 의하여
$-3+4=-a$
$(-3)\times 4=b$
$\therefore a=-1$, $b=-12$

(2) STEP1 **주어진 해를 이용하여 이차부등식 구하기**

해가 $-1<x<5$이고 x^2의 계수가 1인 이차부등식은

$(x+1)(x-5)<0$

$\therefore x^2-4x-5<0$ $\qquad \cdots\cdots$ ㉠

㉠과 주어진 이차부등식 $ax^2+(b-1)x+1>0$의 부등호의 방향이 다르므로

$a<0$

㉠의 양변에 a를 곱하면 $ax^2-4ax-5a>0$❷

STEP2 **a, b의 값 구하기**

이 부등식이 $ax^2+(b-1)x+1>0$과 같으므로

$-4a=b-1$, $-5a=1$

$\therefore a=-\frac{1}{5}$, $b=\frac{9}{5}$

❷ 음수인 a를 곱하면 부등호의 방향이 바뀜을 주의한다.

답 (1) $a=-1$, $b=-12$ $\qquad$ (2) $a=-\frac{1}{5}$, $b=\frac{9}{5}$

풍쌤 강의 NOTE

주어진 이차부등식에서 x^2의 계수가 a $(a\neq 1)$일 때는

❶ 주어진 해를 이용하여 x^2의 계수가 1인 이차부등식을 작성한다.

❷ 이 이차부등식과 주어진 부등식의 부등호의 방향을 비교하여 a의 부호를 구한다.

❸ 두 부등식이 일치하도록 양변에 a를 곱한다. 이때 $a<0$이면 부등호의 방향이 바뀌는 것에 주의한다.

03-1 유사

이차부등식 $3x^2-(a+1)x+b>0$의 해가 $x<2$ 또는 $x>3$일 때, 실수 a, b에 대하여 $b-a$의 값을 구하여라.

03-2 유사

이차부등식 $ax^2+6x+b>0$의 해가 $-\frac{1}{3}<x<\frac{7}{3}$이 되도록 하는 실수 a, b에 대하여 ab의 값을 구하여라.

03-3 변형

이차부등식 $x^2+ax+b\le0$의 해가 $x=4$일 때, 이차부등식 $bx^2-ax+1\le0$의 해를 구하여라.

(단, a, b는 실수이다.)

03-4 변형

x에 대한 이차부등식 $f(x)>0$의 해가 $-3<x<5$일 때, 부등식 $f(400-x)\le0$을 만족시키는 x의 값의 범위를 구하여라.

03-5 변형

이차부등식 $ax^2+bx+c>0$의 해가 $x<-3$ 또는 $x>6$일 때, 부등식 $ax^2+cx-24b<0$을 만족시키는 정수 x의 최댓값을 구하여라. (단, a, b, c는 실수이다.)

03-6 실력

두 부등식 $5-x<3|x+1|$, $ax^2+7x+b>0$의 해가 일치하도록 a, b의 값을 정할 때, 두 실수 a, b에 대하여 ab의 값을 구하여라.

필수유형 04 이차부등식이 해를 가질 조건

다음 물음에 답하여라.

(1) 이차부등식 $ax^2+8x+a>0$이 해를 갖도록 하는 실수 a의 값의 범위를 구하여라.

(2) 이차부등식 $x^2-6x+a+3\leq 0$의 해가 오직 한 개 존재할 때, 실수 a의 값을 구하여라.

풍쌤 POINT

이차부등식 $ax^2+bx+c>0$이 해를 가질 조건

(i) $a>0$이면 이차부등식은 항상 해를 갖게 돼.

(ii) $a<0$이면 이차방정식 $ax^2+bx+c=0$의 판별식을 D라고 할 때, $D>0$이어야 해.

풀이

(1) STEP1 **a가 양수일 때와 음수일 때로 나누어 해 구하기**

(i) $a>0$일 때,

이차함수 $y=ax^2+8x+a$의 그래프는 아래로 볼록하므로❶ 주어진 이차부등식은 항상 해를 갖는다.

❶ 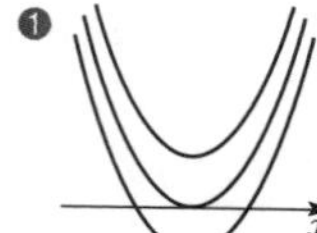

(ii) $a<0$일 때,

이차부등식 $ax^2+8x+a>0$이 해를 가지려면 이차방정식 $ax^2+8x+a=0$이 서로 다른 두 실근을 가져야 하므로❷ 이 이차방정식의 판별식을 D라고 하면

❷ 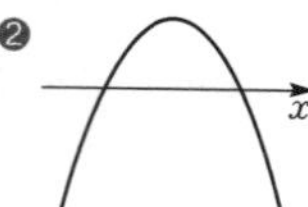

$\frac{D}{4}=4^2-a^2>0$, $a^2-16<0$

$(a+4)(a-4)<0$

$\therefore\ -4<a<4$

그런데 $a<0$이므로 $-4<a<0$

STEP2 **a의 값의 범위 구하기**

(i), (ii)에 의하여 a의 값의 범위는

$-4<a<0$ 또는 $a>0$❸

❸ $a=0$이면 주어진 부등식은 이차부등식이 아니므로 $a\neq 0$

(2) 이차부등식 $x^2-6x+a+3\leq 0$의 해가 오직 한 개 존재하므로❹

이차방정식 $x^2-6x+a+3=0$의 판별식을 D라고 하면

$\frac{D}{4}=(-3)^2-(a+3)=0$, $9-a-3=0$

$\therefore\ a=6$

❹ 해가 오직 한 개존재하려면 이 이차방정식이 중근을 가져야 한다.

답 (1) $-4<a<0$ 또는 $a>0$ (2) 6

풍쌤 강의 NOTE

이차방정식 $ax^2+bx+c=0$의 판별식을 D라고 할 때, 이차부등식의 해가 한 개일 조건

① $ax^2+bx+c\geq 0$의 해가 한 개이다. ➡ $a<0$, $D=0$

② $ax^2+bx+c\leq 0$의 해가 한 개이다. ➡ $a>0$, $D=0$

04-1 유사

이차부등식 $2ax^2+ax-3>0$이 해를 갖도록 하는 실수 a의 값의 범위를 구하여라.

04-2 유사

이차부등식 $x^2-(k-6)x+2k\le0$의 해가 오직 한 개 존재할 때, 실수 k의 값을 구하여라.

04-3 변형

두 함수

$f(x)=x^2+2x+a+2$, $g(x)=2x^2-2ax+a+6$

에 대하여 부등식 $f(x)>g(x)$이 해를 갖도록 하는 실수 a의 값의 범위를 구하여라.

04-4 변형

이차부등식 $(a+2)x^2-8x+2a\ge0$의 해가 오직 한 개 존재할 때, 실수 a의 값을 구하여라.

04-5 변형

이차부등식 $(a-3)x^2+2(a-3)x-5>0$이 해를 갖도록 하는 실수 a의 값의 범위를 구하여라.

04-6 실력

이차부등식 $-ax^2+24x-4a<0$을 만족시키지 않는 x의 값이 오직 m뿐일 때, am의 값을 구하여라.

(단, a는 실수이다.)

필수유형 05 이차부등식이 항상 성립할 조건

다음 물음에 답하여라.

(1) 모든 실수 x에 대하여 이차부등식 $ax^2+2ax+5\geq0$이 성립하도록 하는 실수 a의 값의 범위를 구하여라.

(2) 이차부등식 $-x^2+2(n+2)x+2(n+2)>0$의 해가 존재하지 않도록 하는 실수 n의 값의 범위를 구하여라.

풍쌤 POINT

이차방정식 $ax^2+bx+c=0$의 판별식을 D라고 할 때, 모든 실수 x에 대하여

- 이차부등식 $ax^2+bx+c>0$이 항상 성립하려면 $a>0$, $D<0$
- 이차부등식 $ax^2+bx+c\geq0$이 항상 성립하려면 $a>0$, $D\leq0$

풀이

(1) 모든 실수 x에 대하여 이차부등식 $ax^2+2ax+5\geq0$이 성립하려면 이차함수 $y=ax^2+2ax+5$의 그래프가 아래로 볼록해야 하므로 $a>0$ …… ㉠

이차방정식 $ax^2+2ax+5=0$의 판별식을 D라고 하면

$\frac{D}{4}=a^2-5a\leq0$ ❶

$a(a-5)\leq0$ $\quad\therefore 0\leq a\leq5$ …… ㉡

㉠, ㉡의 공통부분을 구하면 $0<a\leq5$

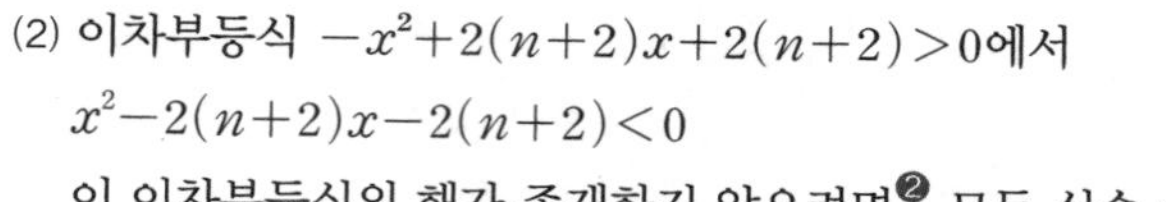

(2) 이차부등식 $-x^2+2(n+2)x+2(n+2)>0$에서

$x^2-2(n+2)x-2(n+2)<0$

이 이차부등식의 해가 존재하지 않으려면❷ 모든 실수 x에 대하여 이차부등식 $x^2-2(n+2)x-2(n+2)\geq0$이 성립해야 한다.

즉, 이차방정식 $x^2-2(n+2)x-2(n+2)=0$의 판별식을 D라고 하면

$\frac{D}{4}=\{-(n+2)\}^2+2(n+2)\leq0$

$n^2+6n+8\leq0$, $(n+4)(n+2)\leq0$

$\therefore -4\leq n\leq-2$

답 (1) $0<a\leq5$ (2) $-4\leq n\leq-2$

❶ 모든 실수 x에 대하여 $f(x)\geq0$이려면 $y=f(x)$의 그래프가 x축에 접하거나 x축보다 위쪽에 있어야 한다.

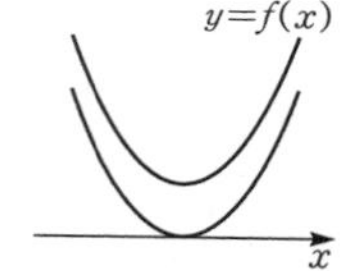

❷ 이차부등식이 항상 성립할 조건으로 바꾼다.

풍쌤 강의 NOTE

이차부등식의 해가 존재하지 않을 조건이 주어진 경우에는 다음과 같이 이차부등식이 항상 성립할 조건으로 바꾸어 이해한다.

- 이차부등식 $ax^2+bx+c>0$을 만족시키는 실수 x의 값이 없다.
  ➡ 모든 실수 x에 대하여 이차부등식 $ax^2+bx+c\leq0$이 성립한다.
- 이차부등식 $ax^2+bx+c\geq0$을 만족시키는 실수 x의 값이 없다.
  ➡ 모든 실수 x에 대하여 이차부등식 $ax^2+bx+c<0$이 성립한다.

05-1 기본

이차부등식 $x^2-2kx+2k+8>0$이 실수 x의 값에 관계없이 항상 성립할 때, 실수 k의 값의 범위를 구하여라.

05-2 유사

모든 실수 x에 대하여 이차부등식 $ax^2-2(2a-1)x+2a-1\geq 0$이 성립할 때, 실수 a의 값의 범위를 구하여라.

05-3 유사

이차부등식 $x^2-(k+3)x+2(k+3)\leq 0$의 해가 존재하지 않을 때, 실수 k의 값의 범위를 구하여라.

05-4 변형

모든 실수 x에 대하여 $\sqrt{x^2+2(k-1)x-k+3}$이 실수가 되도록 하는 실수 k의 값의 범위를 구하여라.

05-5 변형

부등식 $(k-3)x^2-2(k-3)x-4>0$의 해가 존재하지 않도록 하는 실수 k의 값의 범위를 구하여라.

05-6 실력

모든 실수 x에 대하여 $ax^2+7ax+1$이 $2(3ax+1)$보다 항상 작기 위한 실수 a의 값의 범위를 구하여라.

필수유형 06 두 그래프의 위치 관계와 이차부등식

다음 물음에 답하여라.

(1) 이차함수 $y=x^2-2x+4$의 그래프가 직선 $y=ax-5$보다 항상 위쪽에 있을 때, 실수 a의 값의 범위를 구하여라.

(2) 이차함수 $y=-x^2+3x+2$의 그래프가 직선 $y=ax+6$보다 항상 아래쪽에 있을 때, 실수 a의 값의 범위를 구하여라.

풍쌤 POINT

- 함수 $y=f(x)$의 그래프가 함수 $y=g(x)$의 그래프보다 항상 위쪽에 있으면
  ➡ 모든 실수 x에 대하여 부등식 $f(x)>g(x)$, 즉 $f(x)-g(x)>0$이 성립해.
- 함수 $y=f(x)$의 그래프가 함수 $y=g(x)$의 그래프보다 항상 아래쪽에 있으면
  ➡ 모든 실수 x에 대하여 부등식 $f(x)<g(x)$, 즉 $f(x)-g(x)<0$이 성립해.

풀이

(1) STEP1 두 그래프의 위치 관계를 부등식으로 나타내기

이차함수 $y=x^2-2x+4$의 그래프가 직선 $y=ax-5$보다 항상 위쪽❶에 있으므로 모든 실수 x에 대하여 $x^2-2x+4>ax-5$, 즉 $x^2-(a+2)x+9>0$이 성립한다.

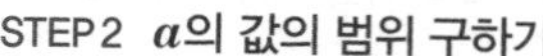

STEP2 a의 값의 범위 구하기

이차방정식 $x^2-(a+2)x+9=0$의 판별식을 D라고 하면

$D=\{-(a+2)\}^2-36<0$

$a^2+4a-32<0$, $(a+8)(a-4)<0$

$\therefore -8<a<4$

❶

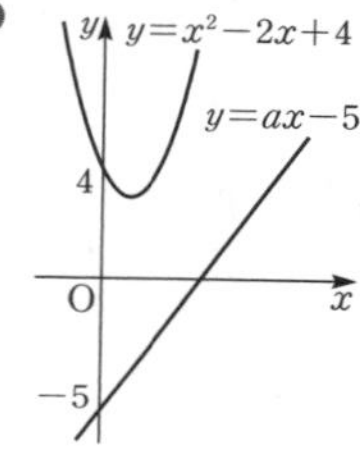

(2) STEP1 두 그래프의 위치 관계를 부등식으로 나타내기

이차함수 $y=-x^2+3x+2$의 그래프가 직선 $y=ax+6$보다 항상 아래쪽❷에 있으므로 모든 실수 x에 대하여 $-x^2+3x+2<ax+6$, 즉 $x^2+(a-3)x+4>0$이 성립한다.

STEP2 a의 값의 범위 구하기

이차방정식 $x^2+(a-3)x+4=0$의 판별식을 D라고 하면

$D=(a-3)^2-16<0$

$a^2-6a-7<0$, $(a+1)(a-7)<0$

$\therefore -1<a<7$

❷

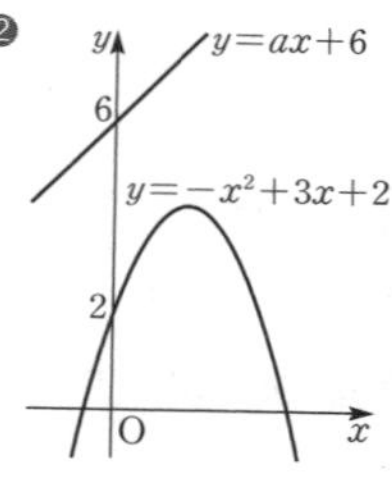

답 (1) $-8<a<4$ (2) $-1<a<7$

풍쌤 강의 NOTE

두 함수 $y=f(x)$와 $y=g(x)$의 그래프가 만날 때, $y=f(x)$의 그래프가 $y=g(x)$의 그래프보다 위쪽에 있는 부분의 x의 값의 범위는 $f(x)>g(x)$, 즉 $f(x)-g(x)>0$의 해이다.

06-1 유사

이차함수 $y=x^2+(k+1)x+3$의 그래프가 직선 $y=x-1$보다 항상 위쪽에 있도록 하는 실수 k의 값의 범위를 구하여라.

06-2 유사

이차함수 $y=ax^2-8x-3$의 그래프가 직선 $y=2ax-1$보다 항상 아래쪽에 있을 때, 실수 a의 값의 범위를 구하여라.

06-3 변형

이차함수 $y=-x^2+2(a-2)x+a^2-5a$의 그래프가 직선 $y=4x+1$과 만나지 않도록 하는 정수 a의 최댓값을 구하여라.

06-4 변형

이차함수 $y=-x^2+ax+b$의 그래프가 직선 $y=2x+1$보다 위쪽에 있는 부분의 x의 값의 범위가 $1<x<4$일 때, 상수 a, b의 값을 각각 구하여라.

06-5 변형

이차함수 $y=2x^2-3x-7$의 그래프가 이차함수 $y=x^2+2ax+b$의 그래프보다 위쪽에 있는 부분의 x의 값의 범위가 $x<-3$ 또는 $x>2$일 때, 상수 a, b에 대하여 ab의 값을 구하여라.

06-6 실력 기출

이차함수 $y=mx^2+2x-5$의 그래프가 이차함수 $y=x^2+2mx-8$의 그래프보다 항상 위쪽에 있을 때, 모든 정수 m의 값의 합을 구하여라.

필수유형 07 제한된 범위에서 항상 성립하는 이차부등식

다음 물음에 답하여라.

(1) $0 \le x \le 5$에서 이차부등식 $x^2-4x+a-1 \ge 0$이 항상 성립하도록 하는 실수 a의 값의 범위를 구하여라.

(2) $0 \le x \le 2$에서 이차부등식 $x^2-ax+a^2-4 \le 0$이 항상 성립하도록 하는 실수 a의 값의 범위를 구하여라.

풍쌤 POINT

이차항의 계수가 양수인 이차식 $f(x)$에 대하여

- $\alpha \le x \le \beta$에서 이차부등식 $f(x)>0$이 항상 성립 ➡ ($f(x)$의 최솟값)>0
- $\alpha \le x \le \beta$에서 이차부등식 $f(x)<0$이 항상 성립 ➡ ($f(x)$의 최댓값)<0

풀이

(1) STEP1 **이차부등식의 조건에 맞는 그래프 그리기**

$f(x)=x^2-4x+a-1$이라고 하면

$f(x)=(x-2)^2+a-5$

$0 \le x \le 5$에서 $f(x) \ge 0$이 항상 성립하려면 이차함수 $y=f(x)$의 그래프는 오른쪽 그림과 같아야 한다.

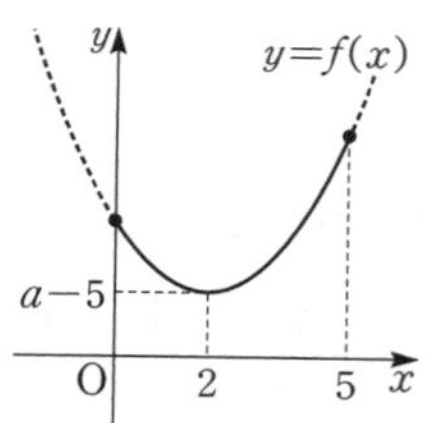

STEP2 **a의 값의 범위 구하기**

즉, $f(2) \ge 0$❶이어야 하므로 $a-5 \ge 0$ $\quad \therefore a \ge 5$

❶ $0 \le x \le 5$에서 $f(x) \ge 0$이려면 ($f(x)$의 최솟값)≥ 0 이어야 한다.

(2) STEP1 **이차부등식의 조건에 맞는 그래프 그리기**

$f(x)=x^2-ax+a^2-4$라고 하면

$0 \le x \le 2$에서 $f(x) \le 0$❷이 항상 성립하려면 이차함수 $y=f(x)$의 그래프가 오른쪽 그림과 같아야 한다.

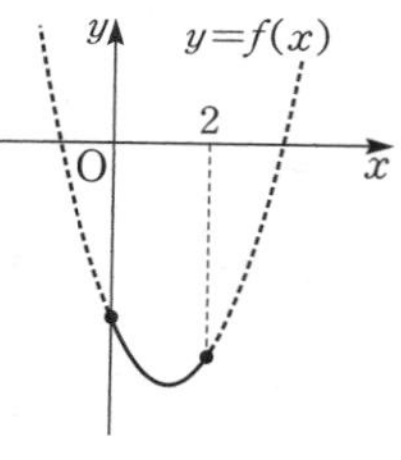

❷ $0 \le x \le 2$에서 $f(x) \le 0$이 항상 성립하려면 ($f(x)$의 최댓값)≤ 0 이어야 한다.

STEP2 **a의 값의 범위 구하기**

즉, $f(0) \le 0$, $f(2) \le 0$❸이어야 하므로

(i) $f(0) \le 0$에서 $a^2-4 \le 0$

$(a+2)(a-2) \le 0 \quad \therefore -2 \le a \le 2 \quad \cdots\cdots$ ㉠

(ii) $f(2) \le 0$에서 $4-2a+a^2-4 \le 0$

$a^2-2a \le 0$, $a(a-2) \le 0 \quad \therefore 0 \le a \le 2 \quad \cdots\cdots$ ㉡

㉠, ㉡의 공통부분을 구하면 $0 \le a \le 2$

❸ $f(0)$, $f(2)$의 대소 관계를 알 수는 없다. 따라서 $f(0)$, $f(2)$의 값이 모두 음수이면 조건을 만족시킨다.

답 (1) $a \ge 5$ (2) $0 \le a \le 2$

풍쌤 강의 NOTE

$\alpha \le x \le \beta$에서 이차부등식 $f(x)>0$ 또는 $f(x)<0$이 항상 성립하려면

➡ 이차함수 $y=f(x)$의 그래프를 그려서 $\alpha \le x \le \beta$에서의 $f(x)$의 최솟값 또는 최댓값의 부호를 확인한다.

➡ 꼭짓점의 y좌표 또는 범위의 양 끝 값에서의 함숫값, 즉 $f(\alpha)$, $f(\beta)$의 부호를 확인한다.

07-1 유사

$2 \le x \le 4$에서 이차부등식 $x^2-2x-3a+2>0$이 항상 성립하도록 하는 실수 a의 값의 범위를 구하여라.

07-2 유사

기출

$3 \le x \le 5$인 실수 x에 대하여 이차부등식 $x^2-4x-4k+3 \le 0$이 항상 성립하도록 하는 상수 k의 최솟값을 구하여라.

07-3 유사

$-1 \le x \le 3$에서 이차부등식 $-x^2+4x+a^2-20<0$이 항상 성립하도록 하는 정수 a의 개수를 구하여라.

07-4 유사

$-1 \le x \le 2$에서 이차부등식 $x^2-2(a-3)x-a<0$이 항상 성립하도록 하는 실수 a의 값의 범위가 $\alpha<a<\beta$일 때, $\alpha\beta$의 값을 구하여라.

07-5 변형

$1 \le x \le 3$에서 이차부등식 $x^2+a^2-5<2x^2+6x+a$가 항상 성립할 때, 실수 a의 값의 범위를 구하여라.

07-6 실력

함수 $f(x)=x^2-4ax+4a+3$이 $0 \le x \le 4$인 어떤 x의 값을 대입해도 $f(x)>0$이 성립하도록 하는 실수 a의 값의 범위를 구하여라.

필수유형 08 이차부등식의 활용

가로의 길이가 30 m, 세로의 길이가 15 m인 직사각형 모양의 땅에 오른쪽 그림과 같이 폭이 x m인 도로를 만들려고 한다. 이때 도로를 제외한 땅의 넓이가 $250\ \text{m}^2$ 이상이 되도록 하는 도로의 폭의 범위를 구하여라.

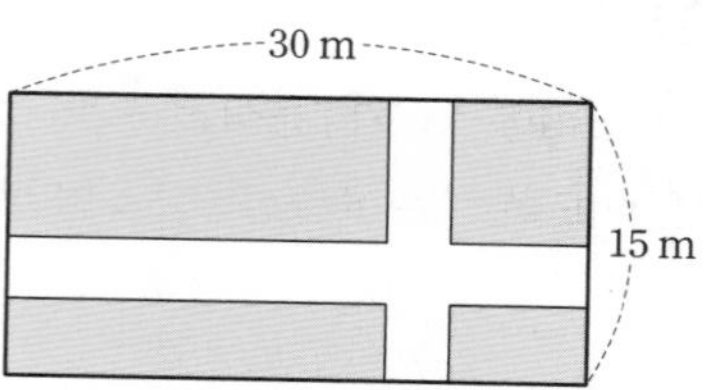

풍쌤 POINT

이차부등식의 활용 문제는 다음의 순서로 해결한다.

❶ 미지수를 정하고, 주어진 조건에 맞게 이차부등식을 세운다.

❷ 부등식을 풀어 해를 구한다. 이때 미지수의 범위에 유의한다.

풀이

STEP 1 **이차부등식 세우기**

도로의 폭을 x m라고 하면 도로를 제외한 땅의 넓이는 가로의 길이가 $(30-x)$ m, 세로의 길이가 $(15-x)$ m인 직사각형의 넓이와 같으므로❶

$(30-x)(15-x)\ \text{m}^2$

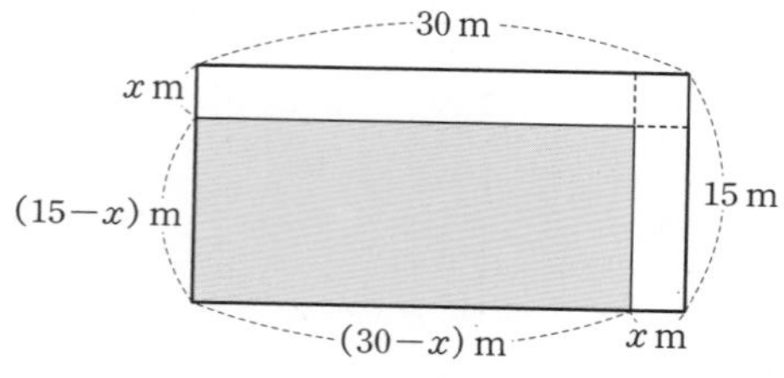

❶ 폭과 길이가 같을 도로는 도로의 위치와 관계없이 넓이가 일정하다.
따라서 길은 한쪽으로 몰아서 생각한다.

이 땅의 넓이가 $250\ \text{m}^2$ 이상이 되어야 하므로

$(30-x)(15-x)\geq 250$

STEP 2 **이차부등식의 해 구하기**

$x^2-45x+200\geq 0$

$(x-5)(x-40)\geq 0$

$\therefore x\leq 5$ 또는 $x\geq 40$

STEP 3 **주어진 조건에 맞는 값 구하기**

그런데 $0<x<15$❷이어야 하므로

$0<x\leq 5$

따라서 조건을 만족시키는 도로의 폭의 범위는

0 m 초과 5 m 이하이다.

❷ 도로의 폭이 가로 또는 세로의 길이보다 작으므로 x는 항상 양수이고 길이가 짧은 15보다는 작아야 한다.

답 0 m 초과 5 m 이하

풍쌤 강의 NOTE

이차부등식의 활용 문제에서는 구해야 하는 것이 무엇인지 파악하는 것이 중요하다.
이때 구해야 하는 것이 금액, 길이, 넓이, 부피, 시간 등의 값이면 항상 0보다 크다는 조건을 기억하자.

08-1 유사

가로, 세로의 길이가 각각 50 cm, 20 cm인 직사각형이 있다. 다음 그림과 같이 가로의 길이를 x cm만큼 줄이고 세로의 길이를 x cm만큼 늘여서 만든 직사각형의 넓이가 600 cm^2 이상이 되도록 하는 x의 최댓값을 구하여라.

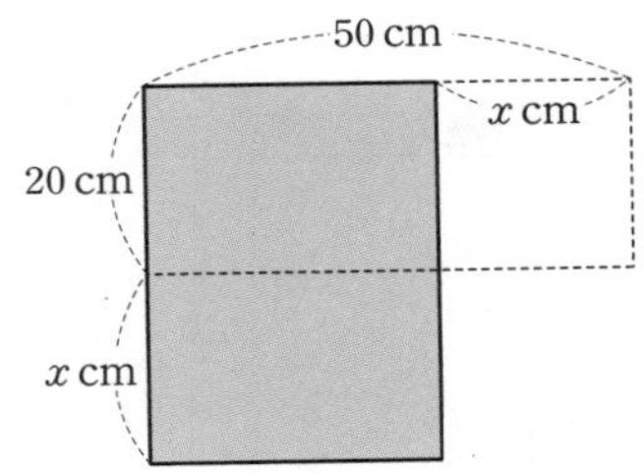

08-2 유사

한 모서리의 길이가 k cm인 정육면체의 가로의 길이는 3 cm 줄이고, 높이는 6 cm 늘여서 새로운 직육면체를 만들었다. 이때 직육면체의 부피가 정육면체의 부피보다 작게 되도록 하는 모든 자연수 k의 값의 합을 구하여라.

08-3 변형

좌표평면 위의 네 점 $\mathrm{A}(m,\ m^2+3m+2)$, $\mathrm{B}(m,\ -2)$, $\mathrm{C}(m+2,\ -2)$, $\mathrm{D}(m+2,\ m^2+2)$에 대하여 사각형 ABCD의 넓이가 28 이하가 되도록 하는 실수 m의 값의 범위를 구하여라.

08-4 변형

기출

어느 라면 전문점에서 라면 한 그릇의 가격이 2000원이면 하루에 200그릇이 판매되고, 라면 한 그릇의 가격을 100원씩 내릴 때마다 하루 판매량이 20그릇씩 늘어난다고 한다. 하루의 라면 판매액의 합계가 442000원 이상이 되기 위한 라면 한 그릇의 가격의 최댓값을 구하여라.

08-5 변형

지면에서 던져 올린 공이 t초 후에 지면으로부터 y m 높이에 도달한다고 할 때, $y=-6t^2+17t$의 관계가 성립한다고 한다. 공의 지면으로부터의 높이가 5 m 이상인 시간은 몇 초 동안인지 구하여라.

08-6 실력

올해 어떤 상품의 가격을 x % 올렸더니 판매량이 $\frac{x}{2}$ % 감소하였다. 하지만 매출은 작년 대비 12 % 이상 증가하였다. x의 값의 범위를 $\alpha \le x \le \beta$라고 할 때, $\alpha+\beta$의 값을 구하여라.

필수유형 09 연립이차부등식의 풀이

다음 연립부등식을 풀어라.

(1) $\begin{cases} x^2+10x+24\ge0 \\ x^2+4x-5\le0 \end{cases}$

(2) $4x+12<x^2\le10x-21$

풍쌤 POINT

연립이차부등식은 다음과 같은 순서로 풀어.

각 이차부등식의 해 구하기 ➡ 구한 해를 수직선 위에 나타내기 ➡ 구한 해의 공통부분 구하기

풀이

(1) **STEP1 각 이차부등식의 해 구하기**

$x^2+10x+24\ge0$에서 $(x+6)(x+4)\ge0$

$\therefore x\le-6$ 또는 $x\ge-4$ ······ ㉠

$x^2+4x-5\le0$에서 $(x+5)(x-1)\le0$

$\therefore -5\le x\le1$ ······ ㉡

STEP2 연립부등식의 해 구하기

㉠, ㉡을 수직선 위에 나타내면 오른쪽 그림과 같으므로 ㉠, ㉡의 공통부분을 구하면

$-4\le x\le1$

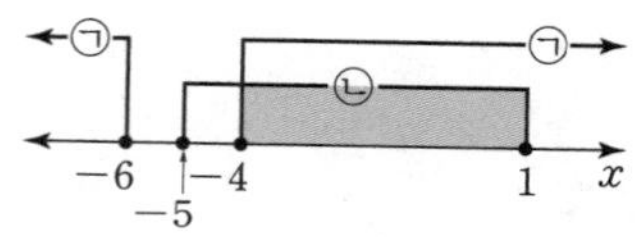

(2) **STEP1 각 이차부등식의 해 구하기**

$4x+12<x^2\le10x-21$에서 $\begin{cases} 4x+12<x^2 \\ x^2\le10x-21 \end{cases}$ ❶

$4x+12<x^2$에서 $x^2-4x-12>0$

$(x+2)(x-6)>0$ $\therefore x<-2$ 또는 $x>6$ ······ ㉠

$x^2\le10x-21$에서 $x^2-10x+21\le0$

$(x-3)(x-7)\le0$ $\therefore 3\le x\le7$ ······ ㉡

❶ $\begin{cases} 4x+12<x^2 \\ 4x+12<10x-21 \end{cases}$, $\begin{cases} 4x+12<10x-21 \\ x^2\le10x-21 \end{cases}$ 과 같이 풀면 안 된다.

STEP2 연립부등식의 해 구하기

㉠, ㉡을 수직선 위에 나타내면 오른쪽 그림과 같으므로 ㉠, ㉡의 공통부분을 구하면

$6<x\le7$

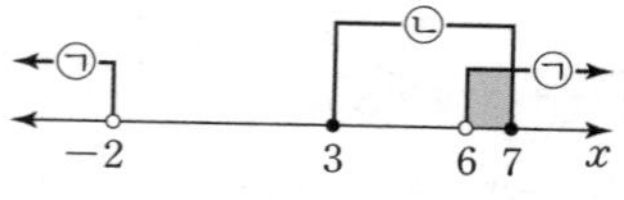

답 (1) $-4\le x\le1$ (2) $6<x\le7$

풍쌤 강의 NOTE

- 연립부등식 $\begin{cases} f(x)>0 \\ g(x)>0 \end{cases}$의 풀이는 두 부등식 $f(x)>0$, $g(x)>0$의 해를 각각 구한 후, 수직선 위에 나타내어 공통부분을 구한다.
- 부등식 $f(x)<g(x)<h(x)$는 연립부등식 $\begin{cases} f(x)<g(x) \\ g(x)<h(x) \end{cases}$로 나타낸 후 (1)과 같은 방법으로 푼다.

09-1 유사

다음 연립부등식을 풀어라.

(1) $\begin{cases} x^2-x-2\le 0 \\ x^2+2x-15<0 \end{cases}$

(2) $2x^2-4x+2\le x^2+3x+10<3x^2-9x+26$

09-2 유사

기출

연립부등식 $\begin{cases} x^2-x-56\le 0 \\ 2x^2-3x-2>0 \end{cases}$ 을 만족시키는 정수 x의 개수를 구하여라.

09-3 유사

부등식 $2x^2-4x-1\le x^2+3x+7<3x^2-11x+27$ 을 만족시키는 모든 자연수 x의 값의 합을 구하여라.

09-4 변형

연립부등식 $\begin{cases} x^2+3x-10>0 \\ x^2-7|x|+12\le 0 \end{cases}$ 의 해가 $\alpha\le x\le\beta$일 때, $\alpha\beta$의 값을 구하여라.

09-5 변형

기출

$a<0$일 때, x에 대한 연립부등식 $\begin{cases} (x-a)^2<a^2 \\ x^2+a<(a+1)x \end{cases}$ 의 해가 $b<x<b+1$이다. $a+b$의 값을 구하여라.

(단, a, b는 상수이다.)

09-6 실력

연립부등식 $\begin{cases} x^2+x-12\le 0 \\ x^2+12\ge 2x^2+4x \end{cases}$ 의 해가 이차부등식 $ax^2+bx+16\ge 0$의 해와 같을 때, 상수 a, b에 대하여 $a+b$의 값을 구하여라.

필수유형 10 해가 주어진 연립이차부등식

다음 물음에 답하여라.

(1) 연립부등식 $\begin{cases} x^2-6x+8\geq 0 \\ x^2-(a+6)x+6a<0 \end{cases}$의 해가 $4\leq x<6$일 때, 실수 a의 값의 범위를 구하여라.

(2) 연립부등식 $\begin{cases} x^2-6x-7>0 \\ x^2-2ax+a^2-4\leq 0 \end{cases}$을 만족시키는 정수 x의 값이 8뿐일 때, 실수 a의 값의 범위를 구하여라.

풍쌤 POINT

연립부등식을 이루는 각 부등식의 해를 구하고 연립부등식의 주어진 해 또는 해에 대한 조건을 만족시키도록 각 부등식의 해를 하나의 수직선 위에 나타내 봐!

풀이

(1) STEP1 **각 이차부등식의 해 구하기**

$x^2-6x+8\geq 0$에서 $(x-2)(x-4)\geq 0$

$\therefore x\leq 2$ 또는 $x\geq 4$ ...... ㉠

$x^2-(a+6)x+6a<0$에서 $(x-a)(x-6)<0$ ❶ ...... ㉡

(i) $a<6$일 때, $a<x<6$

(ii) $a=6$일 때, 해는 없다. ($\because (x-6)^2\geq 0$)

(iii) $a>6$일 때, $6<x<a$

❶ a의 값에 따라 해가 달라지므로 6과 9를 비교하여 세 가지 경우를 생각한다.

STEP2 **조건을 만족시키는 a의 값의 범위 구하기**

이때 ㉠, ㉡의 공통부분이 $4\leq x<6$이 되려면 오른쪽 그림과 같아야 하므로 ㉡의 해는 $a<x<6$이어야 한다.

따라서 a의 값의 범위는 $2\leq a<4$

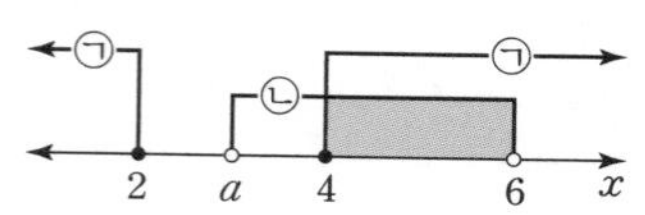

(2) STEP1 **각 이차부등식의 해 구하기**

$x^2-6x-7>0$에서 $(x+1)(x-7)>0$

$\therefore x<-1$ 또는 $x>7$ ...... ㉠

$x^2-2ax+a^2-4\leq 0$에서 $\{x-(a-2)\}\{x-(a+2)\}\leq 0$

$\therefore a-2\leq x\leq a+2$ ...... ㉡

STEP2 **조건을 만족시키는 a의 값의 범위 구하기**

㉠, ㉡을 동시에 만족시키는 정수 x의 값이 8뿐이려면 오른쪽 그림과 같아야 하므로

$8\leq a+2<9$ $\quad\therefore 6\leq a<7$

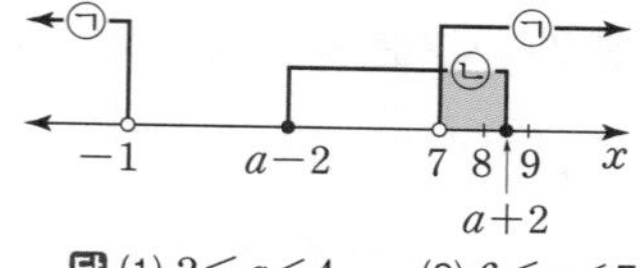

답 (1) $2\leq a<4$ (2) $6\leq a<7$

풍쌤 강의 NOTE

실수 a의 값의 범위를 구할 때 경계가 되는 값의 포함 여부가 헛갈리는 경우에는 그 값을 부등식에 대입하여 주어진 조건을 만족시키는지 확인한다.

(1)번 문제에서 $a=4$일 때, ㉡의 해는 $4<x<6$이므로 연립부등식의 해는 $4\leq x<6$을 만족시키지 않는다.

10-1 유사

연립부등식 $\begin{cases} x^2-3x-4\le 0 \\ x^2-(3+a)x+3a>0 \end{cases}$의 해가 $3<x\le 4$일 때, 실수 a의 값의 범위를 구하여라.

10-2 유사

연립부등식 $\begin{cases} x^2-3x>0 \\ x^2-(a+2)x+2a<0 \end{cases}$을 만족시키는 정수 x의 값이 4뿐일 때, 실수 a의 값의 범위를 구하여라.

10-3 변형

x에 대한 두 이차부등식 $x^2+ax+b\ge 0$, $x^2+cx+d\le 0$을 동시에 만족시키는 x의 값의 범위가 $2\le x\le 3$, $x=4$일 때, 이차부등식 $x^2+ax-d<0$의 해를 구하여라. (단, a, b, c, d는 상수이다.)

10-4 변형

두 이차함수

$f(x)=3x^2+ax+b$, $g(x)=x^2+(b-a)x+b+5$

에 대하여 연립부등식 $\begin{cases} f(x)<0 \\ g(x)\le 0 \end{cases}$의 해가 $-1\le x<3$일 때, 부등식 $4f(x)-9g(x)<0$을 만족시키는 실수 x의 값의 범위를 구하여라. (단, a, b는 상수이다.)

10-5 변형

연립부등식 $\begin{cases} 2|x-2|<a \\ x^2+8x+15<0 \end{cases}$이 해를 갖지 않도록 하는 양수 a의 값의 범위를 구하여라.

10-6 실력

연립부등식 $\begin{cases} x^2+x-30>0 \\ |x-a|\le 2 \end{cases}$이 항상 해를 갖기 위한 실수 a의 값의 범위를 구하여라.

발전유형 11 연립이차부등식의 활용

오른쪽 그림과 같이 가로의 길이가 **9 m**, 세로의 길이가 **5 m**인 화단의 둘레에 폭이 x **m**인 길을 만들려고 한다. 길의 넓이가 **120 m²** 이상 **176 m²** 이하가 되도록 할 때, x의 값의 범위를 구하여라.

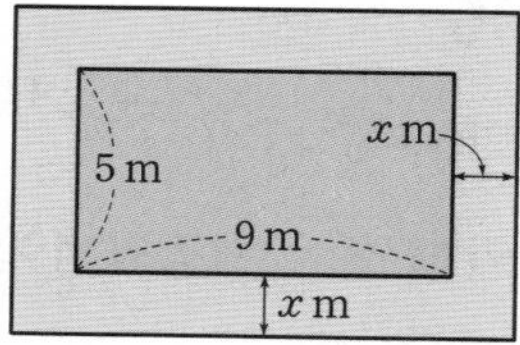

풍쌤 POINT

연립이차부등식의 활용 문제는 다음과 같은 순서로 해결한다.

❶ 구하는 것을 x로 놓고, x에 대한 연립부등식을 세운다.

❷ 연립부등식을 풀고 구한 해가 문제의 뜻에 맞는지 확인한다.

풀이

STEP1 **길을 한쪽으로 몰아서 식 세우기**

오른쪽 그림과 같이 길을 한쪽으로 몰아서 생각하면

길의 넓이는

$(2x+9)(2x+5)-9\times5=4x^2+28x(\text{m}^2)$

길의 넓이가 120 m² 이상 176 m² 이하이어야 하므로

$120\le 4x^2+28x\le 176$

$\therefore\ 30\le x^2+7x\le 44$❶

9 m　2x m　5 m　화단　2x m　길

❶ $\begin{cases} 30\le x^2+7 \\ x^2+7\le 44 \end{cases}$

STEP2 **연립부등식의 해 구하기**

(i) $30\le x^2+7x$에서 $x^2+7x-30\ge 0$

$(x+10)(x-3)\ge 0$

$\therefore\ x\le -10$ 또는 $x\ge 3$

그런데 $x>0$이므로 $x\ge 3$ …… ㉠

(ii) $x^2+7x\le 44$에서 $x^2+7x-44\le 0$

$(x+11)(x-4)\le 0$　　$\therefore\ -11\le x\le 4$

그런데 $x>0$이므로 $0<x\le 4$ …… ㉡

㉠, ㉡의 공통부분을 구하면 $3\le x\le 4$

다른 풀이

오른쪽 그림과 같이 길을 네 개의 직사각형으로 나누어 길의 넓이를 구할 수도 있다.

$2\times x(x+9)+2\times x(x+5)$

$=4x^2+28x(\text{m}^2)$

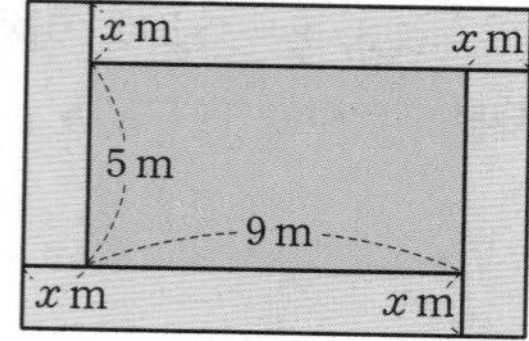

답 $3\le x\le 4$

풍쌤 강의 NOTE

금액, 길이, 넓이, 부피, 시간 등은 음의 값을 가질 수 없는 것에 주의한다.

11-1 유사

둘레의 길이가 60 m이고, 넓이가 144 m^2 이상 216 m^2 이하인 직사각형 모양의 화단을 만들려고 한다. 직사각형 모양의 화단의 짧은 변의 길이의 최댓값과 최솟값의 합을 구하여라. (단, 길이의 단위는 m이다.)

11-2 유사

길이가 40 cm인 끈으로 직사각형을 만들려고 한다. 넓이를 36 cm^2 이상 75 cm^2 이하로 하려고 할 때, 짧은 변의 길이를 얼마로 하면 되는지 구하여라.

11-3 변형

세 수 x^2, $3x+1$, $2x+1$이 삼각형의 세 변의 길이를 나타내도록 하는 정수 x의 개수를 구하여라.

11-4 변형

세 변의 길이가 각각 $3x-1$, x, $3x+1$인 삼각형이 둔각삼각형이 되도록 하는 정수 x의 개수를 구하여라.

11-5 실력 기출

다음 그림과 같이 $\overline{AC}=\overline{BC}=12$인 직각이등변삼각형 ABC가 있다. 빗변 AB 위의 점 P에서 변 BC와 변 AC에 내린 수선의 발을 각각 Q, R라고 할 때, 직사각형 PQCR의 넓이는 두 삼각형 APR와 PBQ의 각각의 넓이보다 크다. $\overline{QC}=a$일 때, 모든 자연수 a의 값의 합을 구하여라.

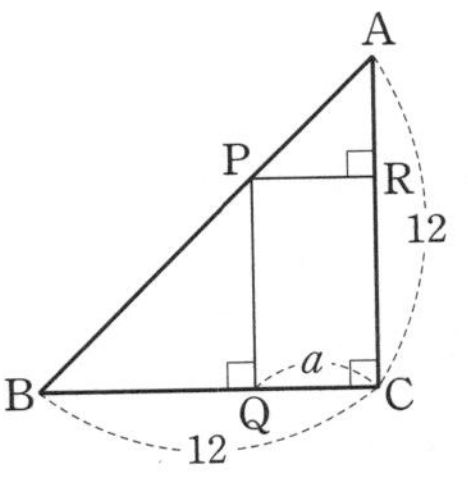

필수유형 12 이차방정식의 근의 판별과 이차부등식

이차방정식 $2x^2-2(a-1)x-a^2+3=0$은 실근을 갖고, 이차방정식 $x^2+(a+1)x-a+2=0$은 허근을 갖도록 하는 실수 a의 값의 범위를 구하여라.

풍쌤 POINT

계수가 실수인 이차방정식이 서로 다른 두 실근, 중근, 서로 다른 두 허근을 가질 조건은 판별식을 이용하면 알 수 있어.

풀이

STEP1 $2x^2-2(a-1)x-a^2+3=0$이 실근을 가질 조건 구하기

이차방정식 $2x^2-2(a-1)x-a^2+3=0$의 판별식을 D_1이라고 하면

$\frac{D_1}{4}=(a-1)^2-2(-a^2+3)\geq 0$❶

$3a^2-2a-5\geq 0$

$(a+1)(3a-5)\geq 0$

$\therefore a\leq -1$ 또는 $a\geq \frac{5}{3}$ …… ㉠

❶ 실근을 갖는다는 것은 서로 다른 두 실근 또는 중근을 갖는 것이므로 판별식 D가 $D\geq 0$이어야 한다.

STEP2 $x^2+(a+1)x-a+2=0$이 허근을 가질 조건 구하기

이차방정식 $x^2+(a+1)x-a+2=0$의 판별식을 D_2라고 하면

$D_2=(a+1)^2-4(-a+2)<0$

$a^2+6a-7<0$

$(a+7)(a-1)<0$

$\therefore -7<a<1$ …… ㉡

STEP3 각 조건의 공통부분 구하기

㉠, ㉡을 수직선 위에 나타내면 오른쪽 그림과 같으므로 ㉠, ㉡의 공통부분을 구하면

$-7<a\leq -1$

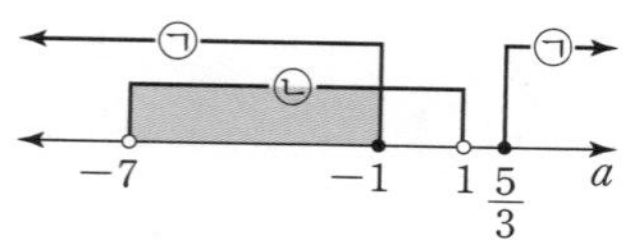

답 $-7<a\leq -1$

풍쌤 강의 NOTE

계수가 실수인 x에 대한 이차방정식 $ax^2+bx+c=0$의 판별식을 D라고 하면

① 서로 다른 두 실근을 가질 조건 ➡ $D>0$

② 중근(서로 같은 두 실근)을 가질 조건 ➡ $D=0$

③ 서로 다른 두 허근을 가질 조건 ➡ $D<0$

12-1 기본

이차방정식 $x^2+2(k-3)x+k-1=0$의 근이 다음 조건을 만족시킬 때, 실수 k의 값의 범위를 구하여라.

(1) 실근을 갖는 경우

(2) 허근을 갖는 경우

12-2 유사

기출

이차방정식 $x^2-kx+1=0$은 실근을 갖고, 이차방정식 $x^2+2kx+4k+5=0$은 허근을 갖도록 하는 실수 k의 값의 범위를 구하여라.

12-3 변형

이차방정식 $x^2+2(a-1)x+a^2+2a-3=0$은 중근을 갖고, 이차방정식 $x^2-(b+4)x+5a+2b=0$은 허근을 가질 때, 자연수 b의 최솟값을 구하여라.

12-4 변형

이차방정식 $x^2+2\sqrt{2}x-m(m+1)=0$은 실근을 갖고, 이차방정식 $x^2-(m-2)x+4=0$은 허근을 갖도록 하는 실수 m의 값의 범위를 구하여라.

12-5 변형

두 이차방정식

$$x^2-2ax+5a=0,\ x^2+ax-a^2+5a=0$$

중 적어도 하나가 실근을 가질 때, 실수 a의 값의 범위를 구하여라.

12-6 변형

이차방정식 $x^2+4kx+k^2+k=0$이 허근을 가질 때, 이차방정식 $x^2-2kx+k^2+2k+1=0$의 근을 판별하여라. (단, k는 실수이다.)

필수유형 13 이차방정식의 실근의 부호

이차방정식 $x^2+2(m-1)x+m+5=0$의 두 근의 조건이 다음과 같을 때, 실수 m의 값의 범위를 구하여라.

(1) 두 근이 모두 음수

(2) 두 근이 서로 다른 부호

(3) 두 근이 모두 양수

풍쌤 POINT

계수가 실수인 이차방정식이 두 실근을 가질 때, 판별식 D의 값의 부호, 두 근의 합의 부호, 두 근의 곱의 부호를 조사하여 얻은 각 부등식의 공통부분을 찾아야 해.

풀이

STEP 1 이차방정식의 판별식 구하기

이차방정식 $x^2+2(m-1)x+m+5=0$의 두 근을 α, β라 하고, 판별식을 D라고 하면

$$\frac{D}{4}=(m-1)^2-(m+5)$$
$$=m^2-3m-4=(m+1)(m-4)$$

STEP 2 두 근의 부호에 따른 m의 값의 범위 구하기

(1) 두 근이 모두 음수이므로

(i) $\frac{D}{4}=(m+1)(m-4)\geq 0$ ❶

$\therefore m\leq -1$ 또는 $m\geq 4$

(ii) $\alpha+\beta=-2(m-1)<0$ $\quad\therefore m>1$

(iii) $\alpha\beta=m+5>0$ $\quad\therefore m>-5$

(i)~(iii)에서 공통부분을 구하면 $m\geq 4$ ❷

(2) 두 근의 부호가 서로 다르므로

$\alpha\beta<0$에서 $m+5<0$ $\quad\therefore m<-5$

(3) 두 근이 모두 양수이므로

(i) $\frac{D}{4}=(m+1)(m-4)\geq 0$ ❶

$\therefore m\leq -1$ 또는 $m\geq 4$

(ii) $\alpha+\beta=-2(m-1)>0$ $\quad\therefore m<1$

(iii) $\alpha\beta=m+5>0$ $\quad\therefore m>-5$

(i)~(iii)에서 공통부분을 구하면 $-5<m\leq -1$ ❸

답 (1) $m\geq 4$ (2) $m<-5$ (3) $-5<m\leq -1$

❶ 두 실근 α, β에 '서로 다른'이라는 조건이 없으면 판별식 D는 $D\geq 0$이다.

❷

❸
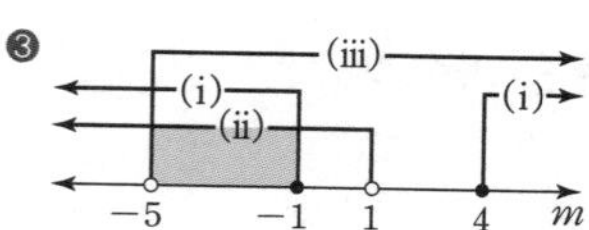

풍쌤 강의 NOTE

이차방정식 $ax^2+bx+c=0$ (a, b, c는 실수)의 두 실근을 α, β라 하고, 판별식을 D라고 하면

① 두 실근이 모두 양수 ➡ $D\geq 0$, $\alpha+\beta>0$, $\alpha\beta>0$

② 두 실근이 모두 음수 ➡ $D\geq 0$, $\alpha+\beta<0$, $\alpha\beta>0$

③ 두 실근이 서로 다른 부호 ➡ $\alpha\beta<0$

13-1 유사

이차방정식 $x^2+2ax+2-a=0$의 두 근의 조건이 다음과 같을 때, 실수 a의 값의 범위를 구하여라.

(1) 두 근이 모두 음수

(2) 두 근이 서로 다른 부호

(3) 두 근이 모두 양수

13-2 유사

이차방정식 $x^2+2(k+2)x+(k+4)=0$의 두 근이 모두 양수가 되도록 하는 실수 k의 최댓값을 구하여라.

13-3 변형

x에 대한 이차방정식

$$3x^2+(a^2+a-12)x+a^2-16=0$$

의 두 근의 부호가 서로 다르고 절댓값이 같도록 하는 실수 a의 값을 구하여라.

13-4 변형

이차방정식 $x^2+(a-3)x-a+1=0$이 서로 다른 부호의 근을 갖고 두 근의 합이 양수가 되도록 하는 정수 a의 값을 구하여라.

13-5 변형

x에 대한 이차방정식 $x^2-(k^2-5k+4)x-3k+6=0$의 두 근의 부호가 서로 다르고 음수인 근의 절댓값이 양수인 근보다 크도록 하는 실수 k의 값의 범위를 구하여라.

13-6 실력

x에 대한 이차방정식 $x^2-2kx+k+6=0$의 두 근 중 적어도 하나는 음수가 되도록 하는 실수 k의 값의 범위를 구하여라.

필수유형 14 이차방정식의 근의 분리

다음 물음에 답하여라.

(1) 이차방정식 $x^2-2kx+k+6=0$의 두 근이 -2보다 클 때, 실수 k의 값의 범위를 구하여라.

(2) 이차방정식 $x^2-(3+k)x+k^2-2k-8=0$의 두 근 사이에 1이 있을 때, 실수 k의 값의 범위를 구하여라.

풍쌤 POINT 이차방정식의 근의 위치가 주어지면 판별식의 부호, 함숫값의 부호, 그래프의 축의 위치를 조사하면 돼.

풀이

(1) **STEP1 조건에 맞는 그래프 그리기**

$f(x)=x^2-2kx+k+6$[1]이라고 하면 이차방정식 $f(x)=0$의 두 근이 모두 -2보다 크므로 이차함수 $y=f(x)$의 그래프는 오른쪽 그림과 같아야 한다.

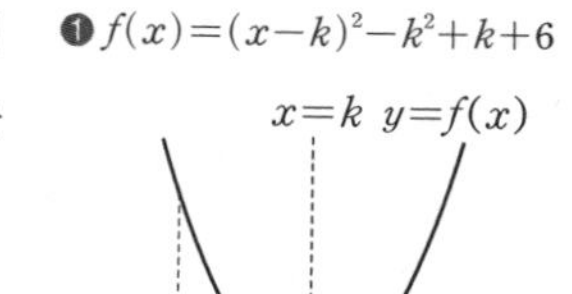

[1] $f(x)=(x-k)^2-k^2+k+6$

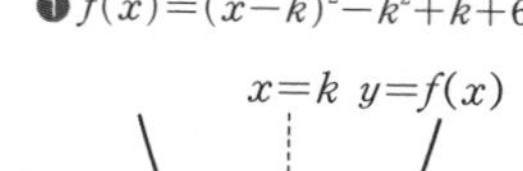

STEP2 조건을 만족시키는 k의 값의 범위 구하기

(i) 이차방정식 $f(x)=0$의 판별식을 D라고 하면

$\frac{D}{4}=(-k)^2-(k+6)\geq0$

$k^2-k-6\geq0$, $(k+2)(k-3)\geq0$

$\therefore k\leq-2$ 또는 $k\geq3$

(ii) $f(-2)=4+4k+k+6>0$에서 $k>-2$

(iii) 축의 방정식이 $x=k$이므로 $k>-2$

(i)~(iii)에서 공통부분을 구하면 $k\geq3$

(2) **STEP1 조건에 맞는 그래프 그리기**

$f(x)=x^2-(3+k)x+k^2-2k-8$이라고 하면 이차방정식 $f(x)=0$의 두 근 사이에 1이 있으므로 이차함수 $y=f(x)$의 그래프는 오른쪽 그림과 같아야 한다.

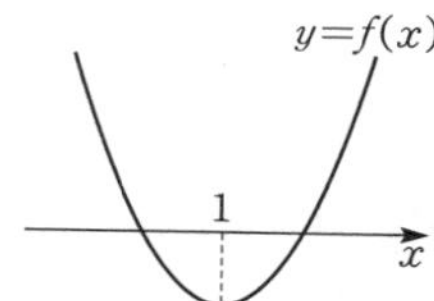

STEP2 조건을 만족시키는 k의 값의 범위 구하기

즉, $f(1)<0$이어야 하므로

$1-(3+k)+k^2-2k-8<0$, $k^2-3k-10<0$

$(k+2)(k-5)<0$ $\therefore -2<k<5$

답 (1) $k\geq3$ (2) $-2<k<5$

풍쌤 강의 NOTE

이차방정식 $ax^2+bx+c=0$ $(a>0)$의 판별식을 D라 하고 $f(x)=ax^2+bx+c$라고 할 때

① 두 근이 모두 p보다 크다. ➡ $D\geq0$, $f(p)>0$, $-\frac{b}{2a}>p$의 공통부분

② 두 근이 모두 p보다 작다. ➡ $D\geq0$, $f(p)>0$, $-\frac{b}{2a}<p$의 공통부분

③ 두 근 사이에 p가 있다. ➡ $f(p)<0$

14-1 유사

다음 물음에 답하여라.

(1) 이차방정식 $x^2-2kx+2k+3=0$의 두 근이 1보다 작을 때, 실수 k의 값의 범위를 구하여라.

(2) 이차방정식 $x^2-2kx+2k+3=0$의 두 근 사이에 2가 있을 때, 실수 k의 값의 범위를 구하여라.

14-2 유사

이차방정식 $x^2+4px+4p-1=0$의 두 근이 모두 -2보다 크도록 하는 정수 p의 최댓값을 구하여라.

14-3 변형

이차방정식 $3x^2-2(k-1)x+3k-1=0$의 한 근은 1과 2 사이에 있고 다른 한 근은 2보다 클 때, k의 값의 범위를 구하여라.

14-4 유사

x에 대한 이차방정식 $ax^2-3x+a-3=0$의 두 근을 α, β라고 할 때, $-1<\alpha<0$, $1<\beta<2$가 되도록 하는 실수 a의 값의 범위를 구하여라.

14-5 변형

이차방정식 $x^2+ax-8=0$의 두 근 중에서 한 근만이 이차방정식 $x^2-6x+8=0$의 두 근 사이에 있도록 하는 실수 a의 값의 범위를 구하여라.

14-6 실력

기출

두 다항식

$$P(x)=3x^3+x+11,\ Q(x)=x^2-x+1$$

에 대하여 x에 대한 이차방정식

$P(x)-3(x+1)Q(x)+mx^2=0$이 2보다 작은 한 근과 2보다 큰 한 근을 갖도록 하는 정수 m의 개수를 구하여라.

실전 연습 문제

01

두 이차함수 $y=f(x)$, $y=g(x)$의 그래프가 오른쪽 그림과 같을 때, 부등식 $0<f(x)<g(x)$의 해는 $\alpha<x<\beta$이다. 이때 $\alpha+\beta$의 값은?

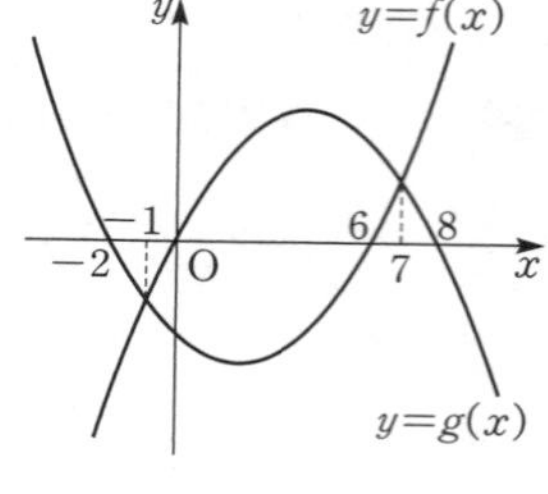

① 10　② 11　③ 12　④ 13　⑤ 14

02

x에 대한 부등식 $ax^2-4ax+10a\leq 0$에 대하여 옳은 것만을 |보기|에서 있는 대로 고른 것은?

|보기|

ㄱ. $a>0$이면 해는 없다.
ㄴ. $a=0$이면 해는 1개이다.
ㄷ. $a<0$이면 해는 모든 실수이다.

① ㄱ　② ㄱ, ㄴ　③ ㄱ, ㄷ　④ ㄴ, ㄷ　⑤ ㄱ, ㄴ, ㄷ

03 서술형

정희는 이차부등식 $ax^2+bx+c<0$에서 c를 잘못 보고 풀었더니 $-6<x<3$의 해가 나왔고, 효빈이는 a를 잘못 보고 풀었더니 $x<2$ 또는 $x>4$의 해가 나왔다. 윤아는 이 부등식을 바르게 보고 풀었더니 $\alpha<x<\beta$의 해가 나왔다고 할 때, $\alpha+\beta$의 값을 구하여라.

(단, a, b, c는 상수이다.)

04

이차부등식 $(a-1)x^2+4x+a+2>0$이 해를 갖도록 하는 정수 a의 최솟값을 구하여라.

05

이차함수 $f(x)=x^2-2ax+9a$에 대하여 이차부등식 $f(x)<0$을 만족시키는 해가 없도록 하는 정수 a의 개수는?

① 9　② 10　③ 11　④ 12　⑤ 13

06

기출

모든 실수 x에 대하여 $\sqrt{(k+1)x^2-(k+1)x+5}$의 값이 실수가 되게 하는 정수 k의 개수를 구하여라.

07

이차함수 $y=x^2+7x+a$의 그래프가 직선 $y=x+3$보다 아래쪽에 있는 부분의 x의 값의 범위가 $b<x<1$일 때, $a-b$의 값을 구하여라. (단, a는 상수이다.)

08

부등식 $x^2-7x+10<0$을 만족시키는 모든 실수 x에 대하여 이차부등식 $x^2-2x+k^2-3>0$이 성립하도록 하는 실수 k의 값의 범위는 $k\le\alpha$ 또는 $k\ge\beta$이다. 두 상수 α, β에 대하여 $\alpha\beta$의 값은?

① -1　② -2　③ -3　④ -4　⑤ -5

09

기출

$-1\le x\le 1$에서 이차부등식 $x^2-2x+3\le -x^2+k$가 항상 성립할 때, 실수 k의 최솟값을 구하여라.

10 서술형

오른쪽 그림과 같은 직각삼각형 ABC에서 직각을 낀 두 변의 길이의 합은 13 cm이다.

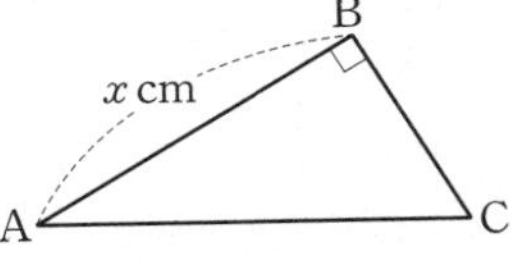

$\overline{AB}=x$ cm라고 할 때, 삼각형 ABC의 넓이가 11 cm^2 이상이 되도록 하는 x의 값의 범위를 구하여라.

11

연립부등식 $\begin{cases} |x-1|\le 3 \\ x^2-8x+15>0 \end{cases}$을 만족시키는 정수 x의 개수는?

① 1　② 2　③ 3　④ 4　⑤ 5

12

두 부등식 $x^2-4x>0$, $2x^2+(4a+3)x+6a<0$을 동시에 만족시키는 정수인 해가 $x=-1$뿐일 때, 실수 a의 값의 범위를 구하여라.

13

다음 조건을 모두 만족시키는 정수 t의 개수는?

(가) 이차부등식 $6tx^2-2tx+1\geq0$이 모든 실수 x에 대하여 성립한다.
(나) 이차방정식 $x^2+2(t-4)x+1=0$은 서로 다른 두 근이 모두 양수이다.

① 0 ② 1 ③ 2
④ 3 ⑤ 4

14 서술형

x에 대한 이차방정식 $x^2-kx+k(k-2)=0$의 두 실근을 α, β라고 할 때, $\alpha^2+\beta^2$의 최솟값을 구하여라.

(단, k는 상수이다.)

15

이차방정식 $x^2-2(a+1)x+2a-3=0$의 한 근이 -3과 -1 사이에 있고, 다른 한 근은 2와 4 사이에 있도록 하는 실수 a의 값의 범위를 구하여라.

16

폭이 40 cm인 철판의 양쪽을 구부려 단면이 등변사다리꼴 모양인 물받이용 통의 밑면과 옆면을 만들었다. 이때 옆면의 폭은 x cm이고, 단면의 윗변의 길이는 아랫변의 길이보다 옆면의 폭만큼 길다고 한다. 단면의 넓이가 $100\sqrt{3}\text{ cm}^2$ 이하가 되도록 하려면 x의 값의 범위를 얼마로 해야 하는지 구하여라. (단, $x>3$)

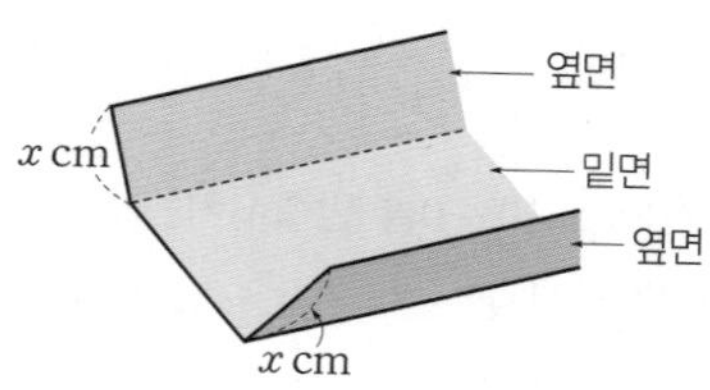

01

기출

이차항의 계수가 음수인 이차함수 $y=f(x)$의 그래프와 직선 $y=x+1$이 두 점에서 만나고 그 교점의 y좌표가 각각 3과 8이다. 이때 이차부등식 $f(x)-x-1>0$을 만족시키는 모든 정수 x의 값의 합은?

① 14　② 15　③ 16　④ 17　⑤ 18

02

다음 조건을 만족시키는 이차함수 $f(x)$에 대하여 $f(3)$의 최댓값을 M, 최솟값을 m이라고 할 때, $M-m$의 값은?

(가) 부등식 $f\left(\frac{1-x}{4}\right)\le 0$의 해가 $-7\le x\le 9$이다.

(나) 모든 실수 x에 대하여 부등식 $f(x)\ge 2x-\frac{13}{3}$이 성립한다.

① $\frac{7}{4}$　② $\frac{11}{6}$　③ $\frac{23}{12}$　④ 2　⑤ $\frac{25}{12}$

03

이차함수 $y=x^2+(2k+1)x+k+7$의 그래프가 직선 $y=x+1$과 제1사분면의 서로 다른 두 점에서 만나기 위한 조건이 $\alpha<k<\beta$이다. 이때 $\alpha\beta$의 값은?

① -12　② -9　③ 3　④ 9　⑤ 12

04

그림과 같이 일직선 위의 세 지점 A, B, C에 같은 제품을 생산하는 공장이 있다. A와 B 사이의 거리는 10 km, B와 C 사이의 거리는 30 km, A와 C 사이의 거리는 20 km이다. 이 일직선 위의 A와 C 사이에 보관창고를 지으려고 한다. 공장과 보관창고와의 거리가 x km일 때, 제품 한 개당 운송비는 x^2원이 든다고 한다. 세 지점 A, B, C의 공장에서 하루에 생산되는 제품이 각각 100개, 200개, 300개일 때, 하루에 드는 총 운송비가 155000원 이하가 되도록 하는 보관창고는 A지점에서 최대 몇 km 떨어진 지점까지 지을 수 있는가?

(단, 공장과 보관창고의 크기는 무시한다.)

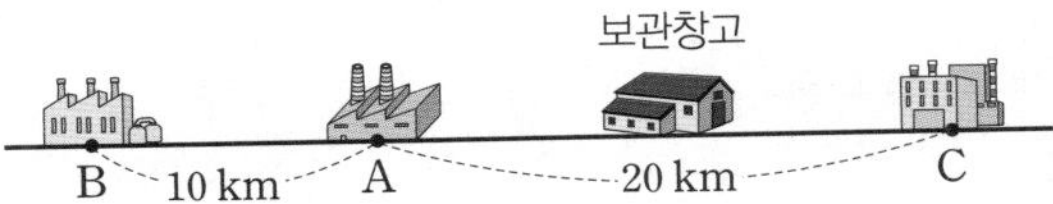

① 9 km　② 11 km　③ 13 km　④ 15 km　⑤ 17 km

05

기출

x에 대한 이차부등식 $(2x-a^2+2a)(2x-3a)\leq 0$의 해가 $\alpha\leq x\leq\beta$이다. 두 실수 α, β가 다음 조건을 만족시킬 때, 모든 실수 a의 값의 합을 구하여라.

> (가) $\beta-\alpha$는 자연수이다.
> (나) $\alpha\leq x\leq\beta$를 만족시키는 정수 x의 개수는 3이다.

06

x에 대한 연립부등식 $\begin{cases} 15x^2>2x+1 \\ x^2-(3+a)x+3a<0 \end{cases}$에 대하여 보기에서 옳은 것만을 있는 대로 고른 것은?

(단, a는 실수이다.)

보기

ㄱ. $a=3$이면 주어진 연립부등식을 만족시키는 실수 x가 존재하지 않는다.

ㄴ. $5<a\leq 6$이면 주어진 연립부등식을 만족시키는 정수 x의 값이 3, 4뿐이다.

ㄷ. 주어진 연립부등식을 만족시키는 정수 x의 값이 -1, 1, 2만 존재하도록 하는 실수 a의 값의 범위는 $-2\leq a<-1$이다.

① ㄱ　② ㄴ　③ ㄱ, ㄴ　④ ㄱ, ㄷ　⑤ ㄱ, ㄴ, ㄷ

07

기출

x에 대한 연립부등식 $\begin{cases} x^2-a^2x\geq 0 \\ x^2-4ax+4a^2-1<0 \end{cases}$을 만족시키는 정수 x의 개수가 1이 되기 위한 모든 실수 a의 값의 합은? (단, $0<a<\sqrt{2}$)

① $\frac{3}{2}$　② $\frac{25}{16}$　③ $\frac{13}{8}$　④ $\frac{27}{16}$　⑤ $\frac{7}{4}$

08

기출

다음 그림과 같이 이차함수 $f(x)=-x^2+2kx+k^2+4$ $(k>0)$의 그래프가 y축과 만나는 점을 A라 하자. 점 A를 지나고 x축에 평행한 직선이 이차함수 $y=f(x)$의 그래프와 만나는 점 중 A가 아닌 점을 B라 하고, 점 B에서 x축에 내린 수선의 발을 C라고 하자. 사각형 OCBA의 둘레의 길이는 $g(k)$라고 할 때, 부등식 $14\leq g(k)\leq 78$을 만족시키는 모든 자연수 k의 값의 합을 구하여라. (단, O는 원점이다.)

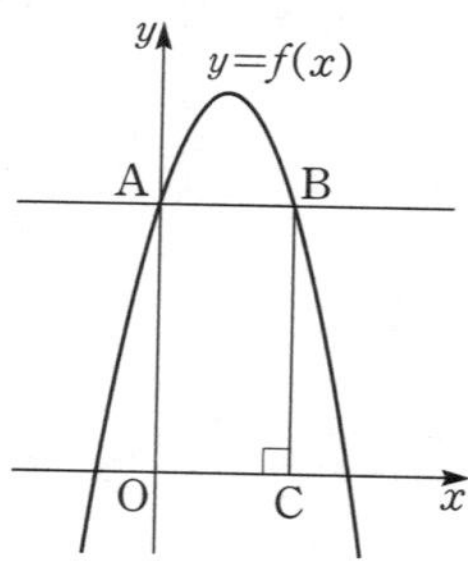

11 평면좌표

유형의 이해에 따라 ▢ 안에 ○, × 표시를 하고 반복하여 학습합니다.

유형	내용	1st	2nd
필수유형 01	두 점 사이의 거리	▢	▢
필수유형 02	같은 거리에 있는 점	▢	▢
필수유형 03	선분의 길이의 제곱의 합의 최솟값	▢	▢
필수유형 04	두 점 사이의 거리의 활용(1) - 삼각형의 모양	▢	▢
필수유형 05	두 점 사이의 거리의 활용(2) - 도형의 성질 확인하기	▢	▢
필수유형 06	선분의 내분점과 외분점	▢	▢
필수유형 07	선분의 내분점과 외분점의 활용	▢	▢
필수유형 08	삼각형의 무게중심	▢	▢
필수유형 09	사각형에서 중점의 활용	▢	▢
발전유형 10	각의 이등분선의 성질	▢	▢

평면좌표

개념 01 두 점 사이의 거리

(1) 수직선 위의 두 점 사이의 거리

수직선 위의 두 점 $\mathrm{A}(x_1)$, $\mathrm{B}(x_2)$ 사이의 거리는 $\overline{\mathrm{AB}}=|x_2-x_1|$

(2) 좌표평면 위의 두 점 사이의 거리

① 좌표평면 위의 두 점 $\mathrm{A}(x_1,\ y_1)$, $\mathrm{B}(x_2,\ y_2)$ 사이의 거리는

$$\overline{\mathrm{AB}}=\sqrt{(x_2-x_1)^2+(y_2-y_1)^2}$$

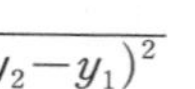

② 원점 O와 점 $\mathrm{A}(x_1,\ y_1)$ 사이의 거리는

$$\overline{\mathrm{OA}}=\sqrt{x_1^{\ 2}+y_1^{\ 2}}$$

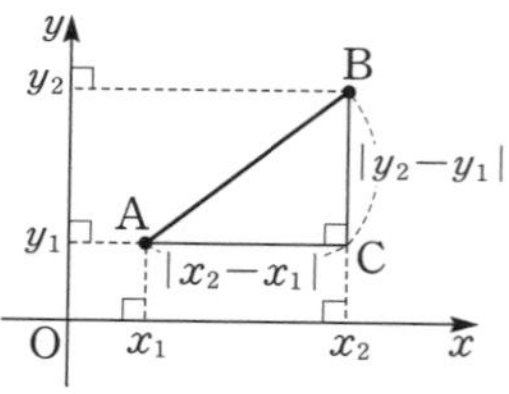

확인 01 다음 두 점 사이의 거리를 구하여라.

(1) A(-1), B(4)　　(2) A(3), B(-3)

(3) O$(0,\ 0)$, A$(3,\ -2)$　　(4) A$(1,\ 5)$, B$(5,\ 2)$

中2 수학 피타고라스 정리

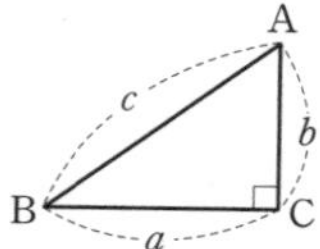

직각삼각형에서 직각을 낀 두 변의 길이를 각각 a, b, 빗변의 길이를 c라고 하면 $a^2+b^2=c^2$이 성립한다.

개념 02 선분의 내분점과 외분점

(1) 내분과 외분

① 내분: 선분 AB 위의 점 P에 대하여

$$\overline{\mathrm{AP}}:\overline{\mathrm{PB}}=m:n\ (m>0,\ n>0)$$

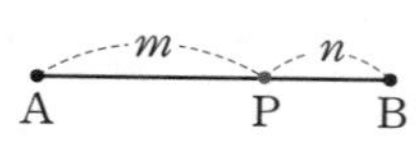

일 때, 점 P는 선분 AB를 $m:n$으로 내분한다고 하며, 점 P를 선분 AB의 내분점이라고 한다.

② 외분: 선분 AB의 연장선 위의 한 점 Q에 대하여

$$\overline{\mathrm{AQ}}:\overline{\mathrm{QB}}=m:n\ (m>0,\ n>0,\ m\neq n)$$

일 때, 점 Q는 선분 AB를 $m:n$으로 외분한다고 하며, 점 Q를 선분 AB의 외분점이라고 한다.

> 선분 AB를 1 : 1로 외분하는 점은 존재하지 않으므로 외분의 경우 $m\neq n$이다.

$m>n$

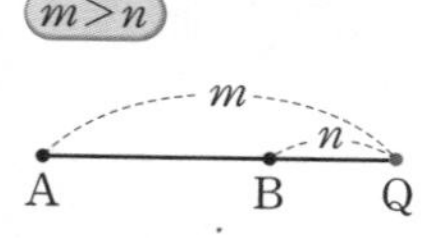

$m<n$

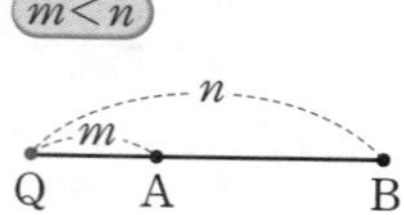

(2) 수직선 위의 선분의 내분점과 외분점

수직선 위의 두 점 $\mathrm{A}(x_1)$, $\mathrm{B}(x_2)$에 대하여

① 선분 AB를 $m:n\ (m>0,\ n>0)$으로 내분하는 점 P의 좌표는

$$\mathrm{P}\left(\frac{mx_2+nx_1}{m+n}\right)$$

② 선분 AB의 중점 M의 좌표는 $\mathrm{M}\left(\dfrac{x_1+x_2}{2}\right)$

> 선분 AB를 1 : 1로 내분하는 점이 선분 AB의 중점이다.

③ 선분 AB를 $m:n\ (m>0,\ n>0,\ m\neq n)$으로 외분하는 점 Q의 좌표는

$$\mathrm{Q}\left(\frac{mx_2-nx_1}{m-n}\right)$$

(3) **좌표평면 위의 선분의 내분점과 외분점**

좌표평면 위의 두 점 $A(x_1, y_1)$, $B(x_2, y_2)$에 대하여

① 선분 AB를 $m : n$ $(m>0, n>0)$으로 내분하는 점 P의 좌표는

$$P\left(\frac{mx_2+nx_1}{m+n}, \frac{my_2+ny_1}{m+n}\right)$$

② 선분 AB의 중점 M의 좌표는 $M\left(\frac{x_1+x_2}{2}, \frac{y_1+y_2}{2}\right)$

③ 선분 AB를 $m : n$ $(m>0, n>0, m\neq n)$으로 외분하는 점 Q의 좌표는

$$Q\left(\frac{mx_2-nx_1}{m-n}, \frac{my_2-ny_1}{m-n}\right)$$

> $m\neq n$일 때, 선분 AB를 $m : n$으로 내분하는 점과 선분 BA를 $m : n$으로 내분하는 점은 서로 다르다.

확인 02 **수직선 위의 두 점 $A(-2)$, $B(3)$에 대하여 다음을 구하여라.**

(1) 선분 AB를 $3 : 2$로 내분하는 점 P의 좌표

(2) 선분 AB를 $3 : 2$로 외분하는 점 Q의 좌표

확인 03 **좌표평면 위의 두 점 $A(-1, 3)$, $B(2, 6)$에 대하여 다음을 구하여라.**

(1) 선분 AB를 $2 : 1$로 내분하는 점 P의 좌표

(2) 선분 AB의 중점 M의 좌표

(3) 선분 AB를 $2 : 1$로 외분하는 점 Q의 좌표

개념 03 삼각형의 무게중심

좌표평면 위의 세 점 $A(x_1, y_1)$, $B(x_2, y_2)$, $C(x_3, y_3)$을 꼭짓점으로 하는 삼각형 ABC의 무게중심 G의 좌표는

$$G\left(\frac{x_1+x_2+x_3}{3}, \frac{y_1+y_2+y_3}{3}\right)$$

설명 변 BC의 중점을 M이라고 하면

$M\left(\frac{x_2+x_3}{2}, \frac{y_2+y_3}{2}\right)$

이때 삼각형 ABC의 무게중심 $G(x, y)$는 선분 AM을 $2 : 1$로 내분하는 점이므로

$$x=\frac{2\times\frac{x_2+x_3}{2}+1\times x_1}{2+1}=\frac{x_1+x_2+x_3}{3},$$

$$y=\frac{2\times\frac{y_2+y_3}{2}+1\times y_1}{2+1}=\frac{y_1+y_2+y_3}{3}$$

따라서 무게중심 G의 좌표는 $G\left(\frac{x_1+x_2+x_3}{3}, \frac{y_1+y_2+y_3}{3}\right)$

中2 수학 삼각형의 무게중심

- 중선: 삼각형에서 한 꼭짓점과 그 대변의 중점을 이은 선분
- 삼각형의 세 중선의 교점을 무게중심이라 하고, 삼각형의 무게중심은 세 중선을 꼭짓점으로부터 각각 $2 : 1$로 내분한다.

확인 04 **다음 세 점 A, B, C를 꼭짓점으로 하는 삼각형 ABC의 무게중심 G의 좌표를 구하여라.**

(1) $A(0, 2)$, $B(-2, -1)$, $C(-4, 5)$

(2) $A(2, 5)$, $B(1, -2)$, $C(3, 6)$

필수유형 01 두 점 사이의 거리

다음 물음에 답하여라.

(1) 두 점 $A(a, 5)$, $B(2, 1)$ 사이의 거리가 5일 때, a의 값을 모두 구하여라.

(2) 네 점 $A(2, -a)$, $B(2a, 4)$, $C(0, 0)$, $D(3, -1)$에 대하여 $\overline{AB}=2\overline{CD}$일 때, 양수 a의 값을 구하여라.

(3) 두 점 $A(-2, a)$, $B(a, 6)$에 대하여 선분 AB의 길이의 최솟값을 구하여라.

풍쌤 POINT

두 점 사이의 거리 공식을 이용하여 a에 대한 방정식을 세워 봐!

두 점 $A(x_1, y_1)$, $B(x_2, y_2)$ 사이의 거리는 $\overline{AB}=\sqrt{(x_2-x_1)^2+(y_2-y_1)^2}$

풀이

(1) $\overline{AB}=5$이므로

$\sqrt{(2-a)^2+(1-5)^2}=5$, $\sqrt{a^2-4a+20}=5$

양변을 제곱하면 $a^2-4a+20=25$ ❶

$a^2-4a-5=0$, $(a+1)(a-5)=0$

$\therefore a=-1$ 또는 $a=5$

❶ $\overline{AB}^2=25$

(2) $\overline{AB}=2\overline{CD}$에서 $\overline{AB}^2=4\overline{CD}^2$ ❷

$\overline{AB}^2=(2a-2)^2+(4+a)^2=5a^2+20$,

$\overline{CD}^2=3^2+(-1)^2=10$

이므로

$5a^2+20=4\times10$, $5a^2=20$, $a^2=4$

$\therefore a=2$ ($\because a>0$)

❷ 두 점 사이의 거리 공식에는 근호가 있으므로 양변을 제곱하여 정리한다.

(3) $\overline{AB}=\sqrt{(a+2)^2+(6-a)^2}$

$=\sqrt{2a^2-8a+40}$

$=\sqrt{2(a-2)^2+32}$ ❸

따라서 선분 AB의 길이는 $a=2$일 때 최솟값 $\sqrt{32}=4\sqrt{2}$를 갖는다.

❸ $2(a-2)^2+32$에서 $2(a-2)^2\geq0$이므로 $a=2$일 때 최솟값은 32이다.

답 (1) -1, 5 (2) 2 (3) $4\sqrt{2}$

풍쌤 강의 NOTE

좌표평면 위의 두 점 $A(x_1, y_1)$, $B(x_2, y_2)$에 대하여

$\overline{AB}=\sqrt{(x_2-x_1)^2+(y_2-y_1)^2}$

이때 제곱근에 문자가 포함되어 있을 때는 제곱을 하여 전개하는 것이 편리하다.

$\overline{AB}^2=(x_2-x_1)^2+(y_2-y_1)^2$

01-1 유사 기출

좌표평면 위의 두 점 $A(a, 3)$, $B(2, 1)$ 사이의 거리가 $\sqrt{13}$일 때, 양수 a의 값을 구하여라.

01-2 유사

세 점 $A(-k+4, 1)$, $B(-3, k)$, $C(1, 5)$에 대하여 $\overline{AB}=\overline{BC}$일 때, k의 값을 구하여라.

01-3 유사

네 점 $A(a, 4)$, $B(5, -a)$, $C(-2, 1)$, $D(2, 3)$에 대하여 $2\overline{AB}=3\overline{CD}$일 때, 음수 a의 값을 구하여라.

01-4 유사

두 점 $A(a, 2)$, $B(4, a)$에 대하여 선분 AB의 길이가 최소가 되도록 하는 실수 a의 값을 구하여라.

01-5 변형

두 점 $A(4, -a)$, $B(2, a)$ 사이의 거리가 10 이하가 되도록 하는 정수 a의 개수를 구하여라.

01-6 실력

오른쪽 그림과 같이 O 지점에서 수직으로 만나는 두 직선 도로에서 사람 A는 O 지점으로부터 동쪽으로 80 m 떨어진 지점에서 출발해 서쪽으로 초속 4 m의 속력으로 움직이고, 사람 B는 O 지점에서 출발하여 북쪽으로 초속 2 m의 속력으로 움직인다. 두 사람 A, B가 동시에 출발할 때, 두 사람 사이의 거리의 최솟값을 구하여라.

필수유형 02 같은 거리에 있는 점

다음 물음에 답하여라.

(1) 두 점 $A(2, 3)$, $B(0, -1)$에서 같은 거리에 있는 x축 위의 점 P의 좌표를 구하여라.

(2) 두 점 $A(-2, 0)$, $B(6, 4)$에서 같은 거리에 있는 y축 위의 점 P의 좌표를 구하여라.

(3) 두 점 $A(-2, 1)$, $B(-1, 8)$에서 같은 거리에 있는 직선 $y=x+2$ 위의 점 P의 좌표를 구하여라.

풍쌤 POINT

구하는 점 P의 좌표를 미지수를 이용하여 나타낸 후, $\overline{AP}=\overline{BP}$, 즉 $\overline{AP}^2=\overline{BP}^2$임을 이용하여 점 P의 좌표를 구해.

풀이

(1) STEP1 **점 P의 x좌표 구하기**

점 P의 좌표를 $(a, 0)$❶이라고 하면

$\overline{AP}=\overline{BP}$에서 $\overline{AP}^2=\overline{BP}^2$이므로 $(a-2)^2+(-3)^2=a^2+1^2$

$a^2-4a+13=a^2+1$, $-4a=-12$ $\quad\therefore a=3$

STEP2 **점 P의 좌표 구하기**

따라서 점 P의 좌표는 $(3, 0)$이다.

❶ 점 P가 x축 위에 있으므로 y좌표가 0이다.

(2) STEP1 **점 P의 y좌표 구하기**

점 P의 좌표를 $(0, a)$라고❷ 하면

$\overline{AP}=\overline{BP}$에서 $\overline{AP}^2=\overline{BP}^2$이므로 $2^2+a^2=(-6)^2+(a-4)^2$

$a^2+4=a^2-8a+52$, $8a=48$ $\quad\therefore a=6$

STEP2 **점 P의 좌표 구하기**

따라서 점 P의 좌표는 $(0, 6)$이다.

❷ 점 P가 y축 위에 있으므로 x좌표가 0이다.

(3) STEP1 **점 P의 x좌표 구하기**

점 P의 좌표를 $(a, a+2)$라고 하면❸

$\overline{AP}=\overline{BP}$에서 $\overline{AP}^2=\overline{BP}^2$이므로

$(a+2)^2+(a+1)^2=(a+1)^2+(a-6)^2$

$2a^2+6a+5=2a^2-10a+37$

$16a=32$ $\quad\therefore a=2$

STEP2 **점 P의 좌표 구하기**

따라서 점 P의 좌표는 $(2, 4)$이다.

❸ 점 P가 직선 $y=x+2$ 위에 있으므로 $x=a$를 대입하면 $y=a+2$이다.

답 (1) $P(3, 0)$ (2) $P(0, 6)$ (3) $P(2, 4)$

풍쌤 강의 NOTE

좌표평면 위의 점 P의 좌표를 구할 때 위치에 따라 다음과 같이 놓는다.

① 점 P가 x축 위의 점일 때, $P(a, 0)$

② 점 P가 y축 위의 점일 때, $P(0, a)$

③ 점 P가 직선 $y=mx+n$ 위의 점일 때, $P(a, ma+n)$

02-1 유사

다음 물음에 답하여라.

(1) 두 점 $A(-1,\ -1)$, $B(1,\ 3)$에서 같은 거리에 있는 x축 위의 점 P의 좌표를 구하여라.

(2) 두 점 $A(-4,\ 0)$, $B(1,\ 3)$에서 같은 거리에 있는 y축 위의 점 P의 좌표를 구하여라.

02-2 유사

두 점 $A(1,\ 1)$, $B(-1,\ 3)$에서 같은 거리에 있는 직선 $y=2x-3$ 위의 점 P의 좌표를 구하여라.

02-3 유사

좌표평면 위에 두 점 $A(-2,\ 1)$, $B(4,\ 3)$이 있다. 직선 $y=x$ 위의 점 P에 대하여 $\overline{AP}=\overline{BP}$일 때, 점 P의 좌표를 구하여라.

02-4 변형

두 점 $(2,\ 1)$, $(-1,\ 4)$에서 같은 거리에 있는 x축 위의 점을 P, y축 위의 점을 Q라고 할 때, 선분 PQ의 길이를 구하여라.

02-5 변형

세 점 $A(0,\ 2)$, $B(3,\ 1)$, $C(4,\ 4)$를 꼭짓점으로 하는 삼각형 ABC의 외심의 좌표를 구하여라.

02-6 실력

학교는 집에서 동쪽으로 4 km, 남쪽으로 2 km만큼 떨어진 위치에 있고, 도서관은 동쪽으로 3 km, 북쪽으로 1 km만큼 떨어진 위치에 있다. 집, 학교, 도서관에서 같은 거리에 있는 지점에 공원을 만든다고 할 때, 집에서 공원까지의 거리를 구하여라.

필수유형 03 선분의 길이의 제곱의 합의 최솟값

다음 물음에 답하여라.

(1) 두 점 A(4, 1), B(−2, 3)과 x축 위의 점 P에 대하여 $\overline{AP}^2+\overline{BP}^2$의 최솟값을 구하여라.

(2) 두 점 A(6, 2), B(4, 6)과 임의의 점 P에 대하여 $\overline{AP}^2+\overline{BP}^2$의 값이 최소일 때, 점 P의 좌표를 구하여라.

풍쌤 POINT

두 점 A, B와 임의의 점 P에 대하여 $\overline{AP}^2+\overline{PB}^2$의 최솟값은

❶ 점 P의 좌표를 미지수를 이용하여 나타내고, 두 점 사이의 거리 공식을 이용하여 이차식을 세운다.

❷ 완전제곱식의 꼴을 이용하여 최솟값을 구한다.

풀이

(1) STEP 1 **점 P의 좌표를 정하고, $\overline{AP}^2+\overline{BP}^2$을 식으로 나타내기**

점 P의 좌표를 $(a, 0)$❶이라고 하면

$\overline{AP}^2+\overline{BP}^2$

$=(a-4)^2+(-1)^2+(a+2)^2+(-3)^2$

$=2a^2-4a+30$

$=2(a-1)^2+28$

STEP 2 **최솟값 구하기**

따라서 $\overline{AP}^2+\overline{BP}^2$은 $a=1$일 때 최솟값 28❷을 갖는다.

❶ 점 P는 x축 위의 점이므로 y좌표가 0이다.

❷ $(a-1)^2\geq0$이므로 $2(a-1)^2+28\geq28$

(2) STEP 1 **점 P의 좌표를 정하고, $\overline{AP}^2+\overline{BP}^2$을 식으로 나타내기**

점 P의 좌표를 (a, b)❸라고 하면

$\overline{AP}^2+\overline{BP}^2$

$=(a-6)^2+(b-2)^2+(a-4)^2+(b-6)^2$

$=2a^2-20a+2b^2-16b+92$

$=2(a-5)^2+2(b-4)^2+10$

STEP 2 **조건을 만족시키는 점 P의 좌표 구하기**

따라서 $\overline{AP}^2+\overline{BP}^2$은 $a=5$, $b=4$일 때 최솟값 10❹을 가지므로, 구하는 점 P의 좌표는 $(5, 4)$이다.

❸ 좌표평면 위의 임의의 점이므로 P(a, b)라고 놓는다.

❹ $(a-5)^2\geq0$, $(b-4)^2\geq0$이므로 $2(a-5)^2+2(b-4)^2+10\geq10$

답 (1) 28 (2) P(5, 4)

풍쌤 강의 NOTE

• x에 대한 이차식 $m(x-a)^2+k$는 $x=a$에서 최솟값 k를 갖는다. (단, $m>0$)

• x, y에 대한 이차식 $m(x-a)^2+n(y-b)^2+k$는 $x=a$, $y=b$에서 최솟값 k를 갖는다. (단, $m>0$, $n>0$)

03-1 유사

두 점 $A(1, 5)$, $B(9, 3)$과 x축 위의 점 P에 대하여 $\overline{AP}^2+\overline{BP}^2$의 최솟값을 구하여라.

03-2 유사

두 점 $A(2, 3)$, $B(-2, -9)$와 임의의 점 P에 대하여 $\overline{AP}^2+\overline{BP}^2$의 값이 최소일 때, 점 P의 좌표를 구하여라.

03-3 변형

두 점 $A(-2, 2)$, $B(2, 1)$과 직선 $y=2x-1$ 위의 점 P에 대하여 $\overline{AP}^2+\overline{BP}^2$의 최솟값을 구하여라.

03-4 변형

기출

좌표평면 위의 세 점 $O(0, 0)$, $A(3, 0)$, $B(0, 6)$을 꼭짓점으로 하는 삼각형 OAB의 내부에 점 P가 있다. 이때 $\overline{OP}^2+\overline{AP}^2+\overline{BP}^2$의 값이 최소일 때, 점 P의 좌표를 구하여라.

03-5 변형

세 점 $A(-3, 1)$, $B(2, -2)$, $C(1, 4)$와 임의의 점 P에 대하여 $\overline{AP}^2+\overline{BP}^2+\overline{CP}^2$이 최솟값을 가질 때, 선분 AP의 길이를 구하여라.

03-6 실력

두 점 $A(-4, 1)$, $B(k, 5)$와 임의의 점 P에 대하여 $\overline{AP}^2+\overline{BP}^2$의 최솟값이 26이 되도록 하는 양수 k의 값을 구하여라.

필수유형 04 두 점 사이의 거리의 활용 (1) – 삼각형의 모양

다음 물음에 답하여라.

(1) 세 점 A$(-2, -2)$, B$(2, 0)$, C$(4, 4)$를 꼭짓점으로 하는 삼각형 ABC는 어떤 삼각형인지 말하여라.

(2) 세 점 A$(0, -2)$, B$(-\sqrt{3}, 1)$, C(a, b)를 꼭짓점으로 하는 삼각형 ABC가 정삼각형일 때, a, b의 값을 각각 구하여라. (단, 점 C는 제1사분면 위의 점이다.)

풍쌤 POINT

세 꼭짓점의 좌표가 주어진 삼각형의 모양을 결정할 때

❶ 두 점 사이의 거리를 구하는 공식을 이용하여 삼각형의 세 변의 길이를 구한다.

❷ 세 변의 길이 사이의 관계를 파악한다.

풀이

(1) STEP 1 삼각형의 세 변의 길이 구하기

$\overline{AB}=\sqrt{\{2-(-2)\}^2+\{0-(-2)\}^2}=2\sqrt{5}$

$\overline{BC}=\sqrt{(4-2)^2+(4-0)^2}=2\sqrt{5}$

$\overline{CA}=\sqrt{(-2-4)^2+(-2-4)^2}=6\sqrt{2}$

STEP 2 삼각형의 모양 결정하기❶

따라서 $\overline{AB}=\overline{BC}$이므로 삼각형 ABC는 $\overline{AB}=\overline{BC}$인 이등변삼각형이다.

❶ 삼각형의 모양을 결정할 때, 세 변의 길이 사이의 관계를 파악한다. 특히 직각삼각형이 되는지 파악해야 하는 경우도 있다.

(2) STEP 1 $\overline{AB}=\overline{BC}=\overline{CA}$임을 이용하여 a, b 사이의 관계식 구하기

삼각형 ABC가 정삼각형이므로 $\overline{AB}=\overline{BC}=\overline{CA}$❷

❷ $\overline{AB}=\overline{BC}$, $\overline{BC}=\overline{CA}$ 또는 $\overline{AB}=\overline{CA}$, $\overline{BC}=\overline{CA}$로 풀 수 있다.

$\overline{AB}=\overline{BC}$에서 $\overline{AB}^2=\overline{BC}^2$이므로

$(-\sqrt{3})^2+(1+2)^2=(a+\sqrt{3})^2+(b-1)^2$

$\therefore a^2+2\sqrt{3}a+b^2-2b-8=0$ …… ㉠

또, $\overline{AB}=\overline{CA}$에서 $\overline{AB}^2=\overline{CA}^2$이므로

$(-\sqrt{3})^2+(1+2)^2=a^2+(b+2)^2$

$\therefore a^2+b^2+4b-8=0$ …… ㉡

㉠−㉡을 하면 $2\sqrt{3}a-6b=0$ $\therefore a=\sqrt{3}b$

STEP 2 a, b의 값 구하기

$a=\sqrt{3}b$를 ㉠에 대입하면 $3b^2+6b+b^2-2b-8=0$

$4b^2+4b-8=0$, $b^2+b-2=0$

$(b+2)(b-1)=0$ $\therefore b=-2$ 또는 $b=1$

그런데 점 C가 제1사분면 위의 점이므로❸

$a=\sqrt{3}$, $b=1$

❸ $b>0$이므로 $b=1$ $\therefore a=\sqrt{3}$

답 (1) $\overline{AB}=\overline{BC}$인 이등변삼각형 (2) $a=\sqrt{3}$, $b=1$

풍쌤 강의 NOTE

삼각형 ABC의 세 변의 길이를 각각 a, b, c라고 할 때

① $a=b=c$이면 정삼각형

② $a=b$ 또는 $b=c$ 또는 $c=a$이면 이등변삼각형

③ $a^2+b^2=c^2$을 만족시킬 때는 $\angle C=90°$인 직각삼각형

04-1 유사

세 점 $A(\sqrt{3}, 1)$, $B(0, 4)$, $C(-\sqrt{3}, 1)$을 꼭짓점으로 하는 삼각형 ABC는 어떤 삼각형인지 말하여라.

04-2 유사

세 점 $A(-2, -3)$, $B(2, 0)$, $C(-1, 4)$를 꼭짓점으로 하는 삼각형 ABC는 어떤 삼각형인지 말하여라.

04-3 유사

세 점 $A(-6, 4)$, $B(6, -4)$, $C(-2, 10)$을 꼭짓점으로 하는 삼각형 ABC는 어떤 삼각형인지 말하여라.

04-4 변형

세 점 $A(0, 2)$, $B(6, 0)$, $C(2, a)$를 꼭짓점으로 하는 삼각형이 선분 AB를 빗변으로 하는 직각삼각형일 때, a의 값을 구하여라.

(단, 점 C는 제1사분면 위의 점이다.)

04-5 변형

세 점 $A(0, 3)$, $B(4, 1)$, $C(3, a)$를 꼭짓점으로 하는 삼각형 ABC가 이등변삼각형일 때, 정수 a의 값을 구하여라.

04-6 실력

이차함수 $y=x^2$의 그래프와 직선 $y=2x+8$이 만나는 두 점을 A, B라고 하자. 이차함수 $y=x^2$의 그래프 위의 점 P에 대하여 삼각형 ABP가 $\overline{AP}=\overline{BP}$인 이등변삼각형일 때, 점 P의 좌표를 구하여라.

(단, 점 P는 제1사분면 위의 점이다.)

필수유형 05 두 점 사이의 거리의 활용 (2) – 도형의 성질 확인하기

오른쪽 그림과 같은 삼각형 ABC에서 변 BC의 중점을 M이라고 할 때,

$$\overline{AB}^2+\overline{AC}^2=2(\overline{AM}^2+\overline{BM}^2)$$

이 성립함을 보여라.

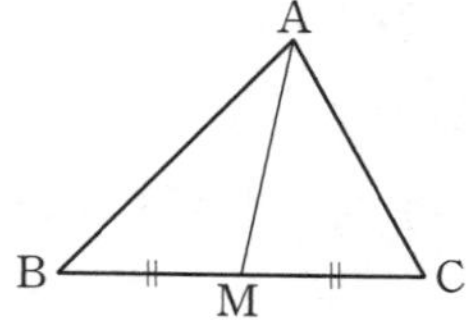

풍쌤 POINT

도형을 좌표평면 위로 옮기면 도형의 성질을 쉽게 확인할 수 있어.
주어진 점이 원점 또는 좌표축 위의 점이 되도록 좌표축을 정하면 계산이 간단해지니까 좌표축의 위치를 잘 정해야 해.

풀이

STEP1 삼각형 ABC를 좌표평면 위에 나타내기

오른쪽 그림과 같이 직선 BC를 x축으로 하고, 점 M을 지나고 직선 BC에 수직인 직선을 y축으로 하는 좌표평면을 잡으면 점 M은 원점이다.❶

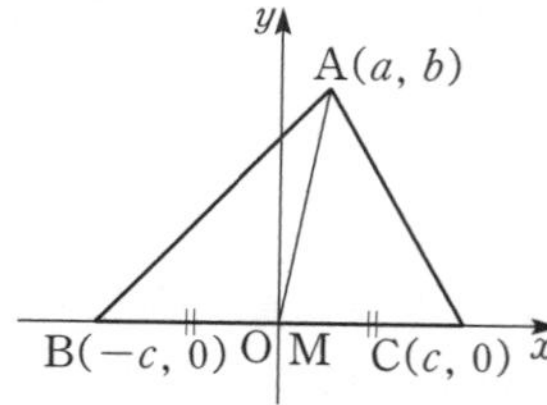

❶ 점 A, B, C, M의 좌표를 등식에 대입했을 때, 계산이 간단해지도록 좌표축을 정한다.

STEP2 점의 좌표를 대입하여 관계식이 성립함을 보이기

이때 삼각형 ABC의 세 꼭짓점의 좌표를 $A(a, b)$, $B(-c, 0)$, $C(c, 0)$이라고 하면

$$\overline{AB}^2+\overline{AC}^2=(-c-a)^2+(-b)^2+(c-a)^2+(-b)^2$$
$$=2(a^2+b^2+c^2) \quad \cdots\cdots ㉠$$
$$\overline{AM}^2+\overline{BM}^2=a^2+b^2+c^2 \quad \cdots\cdots ㉡$$

따라서 ㉠, ㉡에서

$$\overline{AB}^2+\overline{AC}^2=2(\overline{AM}^2+\overline{BM}^2)$$❷

이 성립한다.

❷ 이를 파푸스 정리 또는 삼각형의 중선 정리라고 한다.

답 풀이 참조

풍쌤 강의 NOTE

도형을 좌표평면 위로 옮길 때 가장 많이 이용되는 점을 원점, 가장 많이 이용되는 직선을 x축 또는 y축으로 정한다. 특히, 이등변삼각형, 직각삼각형, 정삼각형이 주어진 경우에는 다음 그림과 같이 좌표평면을 정하면 편리하다.

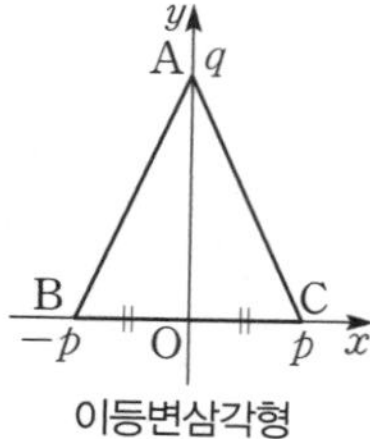

이등변삼각형

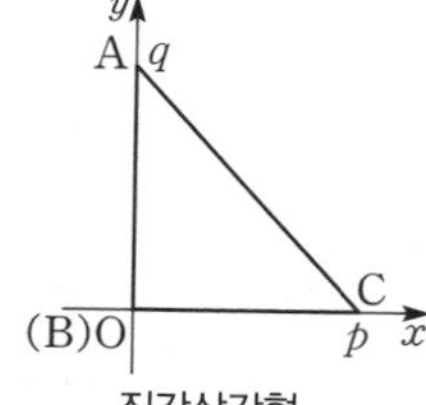

직각삼각형

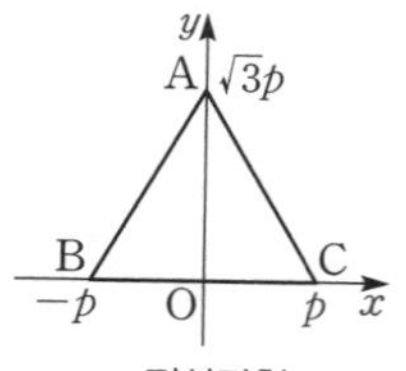

정삼각형

05-1 유사

오른쪽 그림과 같이 $\overline{AB}=\overline{AC}$인 이등변삼각형 ABC에서 변 BC의 연장선 위의 점 P에 대하여

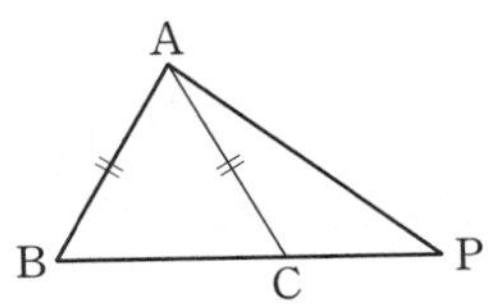

$$\overline{AP}^2-\overline{AB}^2=\overline{BP}\times\overline{CP}$$

가 성립함을 보여라.

05-2 변형

다음은 평행사변형 ABCD에서

$$\overline{AC}^2+\overline{BD}^2=\boxed{\text{(가)}}(\overline{AB}^2+\overline{BC}^2)$$

이 성립함을 보이는 과정이다.

> 오른쪽 그림과 같이 직선 BC를 x축으로 하고, 점 B를 지나고 직선 BC에 수직인 직선을 y축으로 하는 좌표평면을 잡으면 점 B는 원점이 된다.
>
> 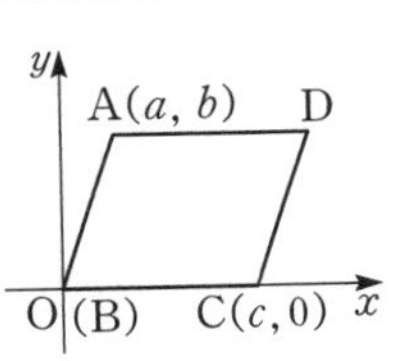
>
>
> 이때 두 점 A, C의 좌표를 각각 $A(a,\ b)$, $C(c,\ 0)$이라고 하면 점 $D(\boxed{\text{(나)}},\ b)$이므로
>
> $\overline{AC}^2+\overline{BD}^2=\boxed{\text{(다)}}$
>
> $\overline{AB}^2+\overline{BC}^2=\boxed{\text{(라)}}$
>
> $\therefore\ \overline{AC}^2+\overline{BD}^2=\boxed{\text{(가)}}(\overline{AB}^2+\overline{BC}^2)$

위의 과정에서 (가)~(라)에 알맞은 것을 구하여라.

05-3 변형

오른쪽 그림과 같이 직사각형 ABCD의 내부에 점 P가 있을 때,

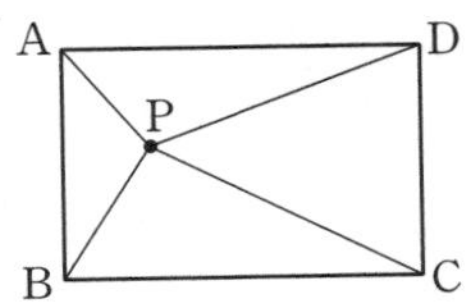

$$\overline{PA}^2+\overline{PC}^2=\overline{PB}^2+\overline{PD}^2$$

이 성립함을 보여라.

05-4 변형

다음은 삼각형 ABC의 변 BC 위의 점 D에 대하여 $\overline{BD}=2\overline{CD}$일 때,

$$\overline{AB}^2+2\overline{AC}^2=\boxed{\text{(가)}}(\overline{AD}^2+2\overline{CD}^2)$$

이 성립함을 보이는 과정이다.

> 오른쪽 그림과 같이 직선 BC를 x축, $\overline{BD}=2\overline{CD}$인 점 D가 원점 O가 되도록 좌표평면을 잡는다.
>
> 이때 삼각형 ABC의 세 꼭짓점을 $A(a,\ b)$, $B(\boxed{\text{(나)}},\ 0)$, $C(c,\ 0)$이라고 하면
>
> $\overline{AB}^2+2\overline{AC}^2=\boxed{\text{(다)}}$
>
> $\overline{AD}^2+2\overline{CD}^2=\boxed{\text{(라)}}$
>
> $\therefore\ \overline{AB}^2+2\overline{AC}^2=\boxed{\text{(가)}}(\overline{AD}^2+2\overline{CD}^2)$

위의 과정에서 (가)~(라)에 알맞은 것을 구하여라.

필수유형 06 선분의 내분점과 외분점

다음 물음에 답하여라.

(1) 두 점 $A(-2, 1)$, $B(4, 4)$에 대하여 선분 AB를 $2:1$로 내분하는 점을 P, 외분하는 점을 Q라고 할 때, 선분 PQ의 중점의 좌표를 구하여라.

(2) 두 점 $A(2, a)$, $B(0, 8)$에 대하여 선분 AB를 $1:2$로 내분하는 점 P가 x축 위에 있을 때, a의 값을 구하여라.

풍쌤 POINT

좌표평면 위의 두 점 $A(x_1, y_1)$, $B(x_2, y_2)$를 이은 선분 AB를 $m:n$ $(m>0, n>0)$으로 내분하는 점을 P, 외분하는 점을 Q라고 하면

➡ $P\left(\frac{mx_2+nx_1}{m+n}, \frac{my_2+ny_1}{m+n}\right)$, 엇갈리게 곱하여 더하거나 뺀다.

$Q\left(\frac{mx_2-nx_1}{m-n}, \frac{my_2-ny_1}{m-n}\right)$ (단, $m\neq n$)

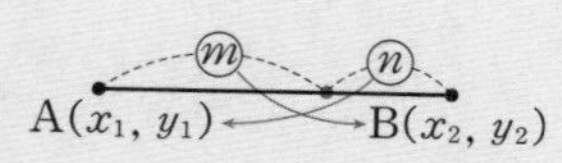

풀이

(1) **STEP1 두 점 P, Q의 좌표 구하기**

선분 AB를 $2:1$로 내분하는 점 P의 좌표는

$\left(\frac{2\times4+1\times(-2)}{2+1}, \frac{2\times4+1\times1}{2+1}\right)$❶ $\quad\therefore P(2, 3)$

선분 AB를 $2:1$로 외분하는 점 Q의 좌표는

$\left(\frac{2\times4-1\times(-2)}{2-1}, \frac{2\times4-1\times1}{2-1}\right)$ $\quad\therefore Q(10, 7)$

STEP2 선분 PQ의 중점의 좌표 구하기

따라서 선분 PQ의 중점의 좌표는

$\left(\frac{2+10}{2}, \frac{3+7}{2}\right)$❷ $\quad\therefore (6, 5)$

(2) **STEP1 점 P의 좌표 구하기**

선분 AB를 $1:2$로 내분하는 점 P의 좌표는

$\left(\frac{1\times0+2\times2}{1+2}, \frac{1\times8+2\times a}{1+2}\right)$ $\quad\therefore P\left(\frac{4}{3}, \frac{8+2a}{3}\right)$

STEP2 a의 값 구하기

점 $P\left(\frac{4}{3}, \frac{8+2a}{3}\right)$가 x축 위에 있으므로❸

$\frac{8+2a}{3}=0$ $\quad\therefore a=-4$

❶ 좌표평면에서 내분점, 외분점의 x좌표, y좌표는 서로 영향을 주지 않기 때문에 각각에 대하여 식을 만든다.

❷ 중점은 선분을 $1:1$로 내분하는 점이다.

❸ 점 P가 x축 위에 있으려면 y좌표가 0이어야 한다.

답 (1) $(6, 5)$ (2) -4

풍쌤 강의 NOTE

- 선분을 $m:n$으로 외분할 때 $m:(-n)$으로 내분하는 것으로 생각하여 내분점 공식을 적용해도 된다.
- 외분점은 $m>n$, $m<n$에 따라 위치가 달라진다.

06-1 유사

두 점 $A(3, 6)$, $B(-2, 1)$에 대하여 선분 AB를 $3:2$로 내분하는 점을 P, 외분하는 점을 Q라고 할 때, 선분 PQ의 중점의 좌표를 구하여라.

06-2 유사

기출

두 점 $A(a, 4)$, $B(-9, 0)$에 대하여 선분 AB를 $4:3$으로 내분하는 점이 y축 위에 있을 때, a의 값을 구하여라.

06-3 변형

두 점 $A(a, 1)$, $B(-3, 4)$에 대하여 선분 AB를 $2:1$로 외분하는 점의 좌표가 $(-7, b)$일 때, $a+b$의 값을 구하여라.

06-4 변형

두 점 $A(-2, 3)$, $B(4, -2)$에 대하여 선분 AB를 삼등분하는 점 중에서 점 A에 가까운 점을 P라고 할 때, 점 P의 좌표를 구하여라.

06-5 변형

두 점 $A(-4, 2)$, $B(8, 6)$에 대하여 선분 AB를 사등분하는 점 중에서 점 B에 가까운 점을 $P(a, b)$라고 할 때, $a+b$의 값을 구하여라.

06-6 실력

좌표평면 위의 두 점 $A(-6, 2)$, $B(2, 4)$에 대하여 선분 AB를 $2:1$로 내분하는 점을 P, 외분하는 점을 Q라고 할 때, 선분 PQ의 중점은 선분 AB를 $m:n$으로 외분하는 점이다. 이때 $m-n$의 값을 구하여라.

(단, m, n은 서로소인 자연수이다.)

필수유형 07 선분의 내분점과 외분점의 활용

다음 물음에 답하여라.

(1) 두 점 A$(2, 3)$, B$(-1, 6)$을 이은 선분 AB의 연장선 위의 점 C가 $\overline{AB}=3\overline{BC}$를 만족시킬 때, 점 C의 좌표를 구하여라.

(2) 두 점 A$(-2, 4)$, B$(1, 1)$에 대하여 선분 AB를 $k:5$로 외분하는 점이 직선 $y=-2x-2$ 위에 있을 때, 실수 k의 값을 구하여라. (단, $k\neq5$)

풍쌤 POINT

선분의 길이 사이의 비가 주어지면 주어진 조건을 그림으로 나타내어 선분의 길이의 비와 점의 위치를 파악하도록 해.

풀이

(1) **STEP 1 $\overline{AB}=3\overline{BC}$를 이용하여 점 C의 위치 파악하기**

$\overline{AB}=3\overline{BC}$에서 $\overline{AB}:\overline{BC}=3:1$

따라서 점 C가 선분 AB의 연장선 위의 점일 때, 점 C는 선분 AB를 $4:1$로 외분하는 점❶이다.

STEP 2 점 C의 좌표 구하기

따라서 점 C의 좌표는

$$\left(\frac{4\times(-1)-1\times2}{4-1}, \frac{4\times6-1\times3}{4-1}\right) \qquad \therefore \text{C}(-2, 7)$$

❶

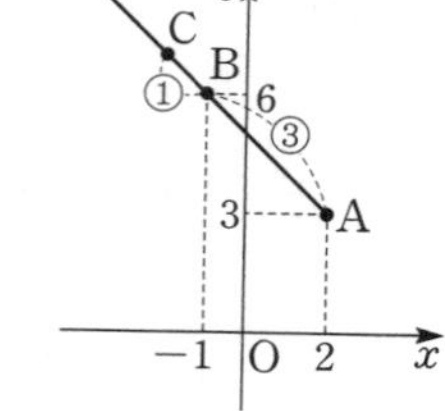

다른 풀이

$\overline{AB}:\overline{BC}=3:1$에서 점 B는 선분 AC를 $3:1$로 내분하는 점이므로 점 C의 좌표를 (a, b)라고 하면

$$\frac{3\times a+1\times2}{3+1}=-1, \quad \frac{3\times b+1\times3}{3+1}=6$$

에서 $a=-2$, $b=7$ $\qquad \therefore$ C$(-2, 7)$

(2) **STEP 1 외분하는 점의 좌표 구하기**

선분 AB를 $k:5$로 외분하는 점의 좌표는

$$\left(\frac{k\times1-5\times(-2)}{k-5}, \frac{k\times1-5\times4}{k-5}\right)$$

$$\therefore \left(\frac{k+10}{k-5}, \frac{k-20}{k-5}\right)$$

STEP 2 k의 값 구하기

이 점이 직선 $y=-2x-2$ 위에 있으므로

$$\frac{k-20}{k-5}=-2\times\frac{k+10}{k-5}-2$$

$k-20=-2k-20-2k+10$, $5k=10$ $\qquad \therefore k=2$

답 (1) C$(-2, 7)$ (2) 2

풍쌤 강의 NOTE

$m\overline{AB}=n\overline{BC}$ $(m>0, n>0)$이면 $\overline{AB}:\overline{BC}=n:m$

(1) 점 B는 선분 AC를 $n:m$으로 내분하는 점

(2) 점 C는 선분 AB를 $(m+n):m$으로 외분하는 점

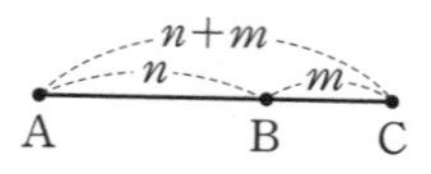

07-1 유사

두 점 $A(-3, 2)$, $B(3, 5)$를 이은 선분 AB의 연장선 위의 점 C가 $2\overline{AB}=3\overline{BC}$를 만족시킬 때, 점 C의 좌표를 구하여라.

07-2 유사

두 점 $A(-4, 2)$, $B(5, -1)$에 대하여 선분 AB를 $1:k$로 내분하는 점이 직선 $y=-x$ 위에 있을 때, 실수 k의 값을 구하여라.

07-3 변형

좌표평면 위의 두 점 $A(-5, -2)$, $B(1, 4)$를 이은 선분 AB를 $t:(1-t)$로 내분하는 점이 제2사분면 위에 있을 때, 실수 t의 값의 범위를 구하여라.

07-4 변형

두 점 $A(-3, 5)$, $B(2, 4)$와 선분 AB의 연장선 위의 점 P에 대하여 삼각형 OAP의 넓이가 삼각형 OBP의 넓이의 2배가 된다. 점 P의 좌표가 (a, b)일 때, $a+b$의 값을 구하여라. (단, O는 원점이다.)

07-5 변형

두 점 $A(-2, 0)$, $B(2, 2)$를 지나는 직선 AB 위에 있고 $\overline{AB}=2\overline{BC}$를 만족시키는 점 C의 좌표를 모두 구하여라.

07-6 실력

두 점 $A(-4, 1)$, $B(6, 6)$에 대하여 $\triangle OAP : \triangle OBP=2:3$인 점 P는 2개가 생긴다. 두 점을 P_1, P_2라고 할 때, 선분 P_1P_2의 길이를 구하여라.

(단, O는 원점이다.)

필수유형 08 삼각형의 무게중심

다음 물음에 답하여라.

(1) 세 점 $A(a, b)$, $B(-2b, 1)$, $C(2, 5)$를 꼭짓점으로 하는 삼각형 ABC의 무게중심의 좌표가 $(3, 1)$일 때, $a+b$의 값을 구하여라.

(2) 세 점 $A(3, 4)$, $B(x_1, y_1)$, $C(x_2, y_2)$를 꼭짓점으로 하는 삼각형 ABC의 무게중심의 좌표가 $(7, 8)$일 때, 변 BC의 중점의 좌표를 구하여라.

풍쌤 POINT

세 점 $A(x_1, y_1)$, $B(x_2, y_2)$, $C(x_3, y_3)$을 꼭짓점으로 하는 삼각형 ABC의 무게중심의 좌표는

➡ $\left(\frac{x_1+x_2+x_3}{3}, \frac{y_1+y_2+y_3}{3}\right)$

풀이

(1) 삼각형 ABC의 무게중심의 좌표가 $(3, 1)$이므로

$\frac{a-2b+2}{3}=3$, $\frac{b+1+5}{3}=1$ ❶

$a-2b+2=9$, $b+6=3$

두 식을 연립하여 풀면 $a=1$, $b=-3$

$\therefore a+b=-3+1=-2$

(2) 삼각형 ABC의 무게중심의 좌표가 $(7, 8)$이므로

$\frac{3+x_1+x_2}{3}=7$, $\frac{4+y_1+y_2}{3}=8$

$3+x_1+x_2=21$, $4+y_1+y_2=24$

$\therefore x_1+x_2=18$, $y_1+y_2=20$

이때 $\overline{BC}$의 중점의 좌표는 $\left(\frac{x_1+x_2}{2}, \frac{y_1+y_2}{2}\right)$이므로 $(9, 10)$

이다.

다른 풀이

$\overline{BC}$의 중점을 $M(a, b)$라고 하면 $\triangle ABC$의 무게중심은

$\overline{AM}$을 $2:1$로 내분하는 점이므로 무게중심의 좌표는

$\left(\frac{2\times a+1\times 3}{2+1}, \frac{2\times b+1\times 4}{2+1}\right)$ $\quad\therefore \left(\frac{2a+3}{3}, \frac{2b+4}{3}\right)$

이 점이 점 $(7, 8)$과 일치하므로

$\frac{2a+3}{3}=7$, $\frac{2b+4}{3}=8$ $\quad\therefore a=9$, $b=10$

따라서 $\overline{BC}$의 중점의 좌표는 $(9, 10)$이다.

❶ 삼각형의 무게중심의 좌표는 세 꼭짓점의 좌표의 평균이다.

답 (1) -2 (2) $(9, 10)$

풍쌤 강의 NOTE

삼각형의 세 중선은 한 점에서 만나고 이 점을 삼각형의 무게중심이라고 한다. 이때 무게중심은 세 중선을 각 꼭짓점으로부터 각각 $2:1$로 내분한다.
(삼각형에서 한 꼭짓점과 대변의 중점을 이은 선분을 중선이라고 하며, 삼각형에는 세 개의 중선이 있다.)

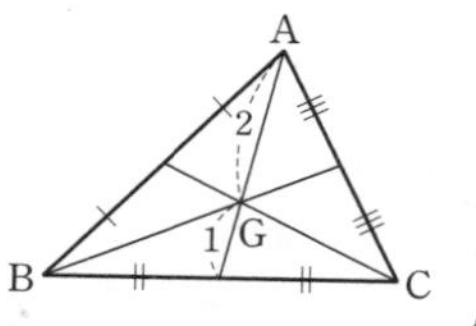

08-1 유사

세 점 $A(a, -a)$, $B(b, 3)$, $C(-2, 1)$을 꼭짓점으로 하는 삼각형 ABC의 무게중심의 좌표가 $(-3, 2)$일 때, $a-b$의 값을 구하여라.

08-2 유사

세 점 $A(4, 5)$, $B(x_1, y_1)$, $C(x_2, y_2)$를 꼭짓점으로 하는 삼각형 ABC의 무게중심의 좌표가 $(2, 1)$일 때, 변 BC의 중점의 좌표를 구하여라.

08-3 유사 기출

좌표평면 위의 세 점 A, B, C를 꼭짓점으로 하는 삼각형 ABC에서 점 A의 좌표가 $(1, 1)$, 변 BC의 중점의 좌표가 $(7, 4)$이다. 삼각형 ABC의 무게중심의 좌표가 (a, b)일 때, $a+b$의 값을 구하여라.

08-4 변형 기출

점 $A(1, 6)$을 한 꼭짓점으로 하는 삼각형 ABC의 두 변 AB, AC의 중점을 각각 $M(x_1, y_1)$, $N(x_2, y_2)$라 고 하자. $x_1+x_2=2$, $y_1+y_2=4$일 때, 삼각형 ABC의 무게중심의 좌표를 구하여라.

08-5 변형

삼각형 ABC에서 $A(2, 6)$이고 변 AB의 중점의 좌표가 $(-2, 4)$, 변 AC의 중점의 좌표가 $(3, 2)$일 때, 삼각형 ABC의 무게중심의 좌표를 구하여라.

08-6 실력

세 점 A, B, C를 꼭짓점으로 하는 삼각형 ABC에 대하여 세 변 AB, BC, CA를 $2:1$로 내분하는 점의 좌표가 각각 $P(7, 2)$, $Q(8, 7)$, $R(3, 6)$일 때, 삼각형 ABC의 무게중심의 좌표를 구하여라.

필수유형 09 사각형에서 중점의 활용

다음 물음에 답하여라.

(1) 세 점 $A(0, 4)$, $B(-3, 1)$, $D(5, 7)$에 대하여 사각형 ABCD가 평행사변형이 되도록 하는 점 C의 좌표를 구하여라.

(2) 네 점 $A(-1, 0)$, $B(a, 1)$, $C(b, 4)$, $D(0, 3)$을 꼭짓점으로 하는 사각형 ABCD가 마름모일 때, $a+b$의 값을 구하여라. (단, $a>0$)

풍쌤 POINT

사각형의 성질을 이용하여 꼭짓점의 좌표를 구할 수 있어.

(1) 평행사변형: 두 대각선은 서로 다른 것을 이등분한다.

(2) 마름모: 두 대각선은 서로 다른 것을 수직이등분한다.

평행사변형과 마름모는 모두 두 대각선의 중점이 일치해.

풀이

(1) 평행사변형의 두 대각선은 서로 다른 것을 이등분하므로

$\overline{BD}$의 중점의 좌표는 $\left(\frac{-3+5}{2}, \frac{1+7}{2}\right)$ $\quad\therefore (1, 4)$

점 C의 좌표를 (a, b)라고 하면 $\overline{AC}$의 중점의 좌표는

$\left(\frac{a}{2}, \frac{4+b}{2}\right)$

이때 $\overline{BD}$의 중점과 $\overline{AC}$의 중점이 일치❶하므로

$1=\frac{a}{2}$, $4=\frac{4+b}{2}$ $\quad\therefore a=2, b=4$

따라서 점 C의 좌표는 $(2, 4)$이다.

❶ 평행사변형은 두 대각선이 서로 다른 것을 이등분하므로 $\overline{BD}$와 $\overline{AC}$의 중점이 일치한다.

(2) STEP 1 $\overline{AB}=\overline{DA}$임을 이용하여 a의 값 구하기

$\overline{AB}=\overline{DA}$에서 $\overline{AB}^2=\overline{DA}^2$이므로

$(a+1)^2+1^2=(-1)^2+(-3)^2$

$a^2+2a+2=10$, $a^2+2a-8=0$, $(a+4)(a-2)=0$

$\therefore a=2$ ($\because a>0$)

STEP 2 대각선의 성질을 이용하여 b의 값 구하기

$\overline{BD}$의 중점의 좌표는 $\left(\frac{a+0}{2}, \frac{1+3}{2}\right)$ $\quad\therefore (1, 2)$

$\overline{AC}$의 중점의 좌표는 $\left(\frac{-1+b}{2}, \frac{0+4}{2}\right)$ $\quad\therefore \left(\frac{-1+b}{2}, 2\right)$

이때 $\overline{AC}$의 중점과 $\overline{BD}$의 중점이 일치❷하므로

$\frac{-1+b}{2}=1$ $\quad\therefore b=3$

$\therefore a+b=2+3=5$

❷ 마름모는 두 대각선이 서로 다른 것을 수직이등분하므로 $\overline{AC}$와 $\overline{BD}$의 중점이 일치한다.

답 (1) $C(2, 4)$ (2) 5

풍쌤 강의 NOTE

- 평행사변형과 직사각형은 두 쌍의 대변의 길이가 같고 두 대각선은 서로 다른 것을 이등분한다.
- 마름모와 정사각형은 네 변의 길이가 같고 두 대각선은 서로를 수직이등분한다.

09-1 유사

세 점 $A(-2, 3)$, $B(2, -1)$, $C(0, 5)$에 대하여 사각형 ABCD가 평행사변형일 때, 점 D의 좌표를 구하여라.

09-2 유사

네 점 $A(a, 1)$, $B(2, 1)$, $C(6, 4)$, $D(b, 4)$를 꼭짓점으로 하는 사각형 ABCD가 마름모일 때, $a+b$의 값을 구하여라. (단, $a<0$)

09-3 변형

네 점 $A(-3, 1)$, $B(3, a)$, $C(6, 4)$, $D(0, b)$를 꼭짓점으로 하는 사각형 ABCD가 정사각형일 때, ab의 값을 구하여라.

09-4 변형

마름모 ABCD에 대하여 $A(1, 3)$, $C(5, 1)$이고 $B(x_1, y_1)$, $D(x_2, y_2)$라고 할 때, $x_1+x_2+y_1+y_2$의 값을 구하여라.

09-5 변형

평행사변형 ABCD의 두 꼭짓점 A, B의 좌표가 각각 $(-3, -1)$, $(2, -2)$이고, 두 대각선 AC, BD의 교점의 좌표가 $(1, 1)$일 때, 두 꼭짓점 C, D의 좌표를 각각 구하여라.

09-6 실력 기출

직사각형 ABCD에서 $\overline{AB}=18$, $\overline{AD}=12$이고 두 대각선의 교점은 M이다. 삼각형 ABD의 무게중심을 G, 삼각형 CDM의 무게중심을 H라고 할 때, 두 점 G와 H 사이의 거리를 구하여라.

발전유형 10 각의 이등분선의 성질

두 점 $\mathrm{A}(8, 6)$, $\mathrm{B}(8, 0)$에 대하여 삼각형 OAB에서 $\angle\mathrm{A}$의 이등분선이 변 OB와 만나는 점 C의 좌표를 구하여라. (단, O는 원점이다.)

풍쌤 POINT

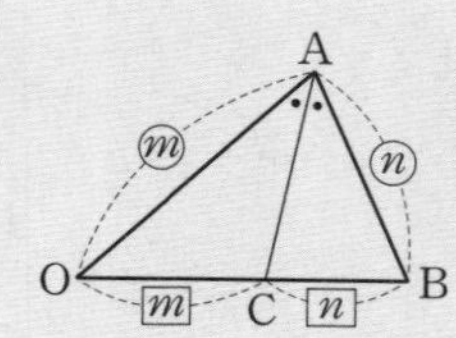

$\overline{\mathrm{AO}} : \overline{\mathrm{AB}} = \overline{\mathrm{OC}} : \overline{\mathrm{BC}} = m : n$이 성립해!
즉, 점 C는 $\overline{\mathrm{OB}}$를 $m : n$으로 내분하는 점이야!

풀이

STEP1 $\overline{\mathrm{AO}} : \overline{\mathrm{AB}}$의 비 구하기

$\overline{\mathrm{AO}} = \sqrt{8^2+6^2} = 10$, $\overline{\mathrm{AB}} = \sqrt{(8-8)^2+6^2} = 6$이므로

$\overline{\mathrm{AO}} : \overline{\mathrm{AB}} = 5 : 3$

STEP2 점 C가 선분 OB를 내분하는 비율 구하기

오른쪽 그림과 같이 삼각형 AOB에서 $\angle\mathrm{A}$의 이등분선이 변 OB와 만나는 점 C에 대하여

$\overline{\mathrm{AO}} : \overline{\mathrm{AB}} = \overline{\mathrm{OC}} : \overline{\mathrm{BC}} = 5 : 3$❶

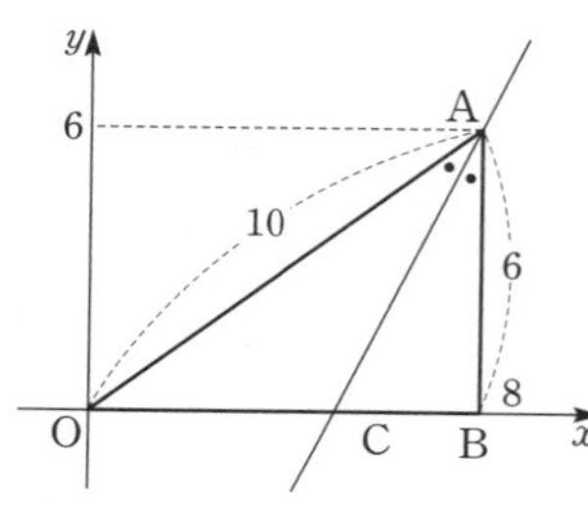

❶ 삼각형 ABC에서 $\angle\mathrm{A}$의 이등분선이 변 BC와 만나는 점을 D라고 할 때, $\overline{\mathrm{AB}} : \overline{\mathrm{AC}} = \overline{\mathrm{BD}} : \overline{\mathrm{CD}}$가 성립한다.

STEP3 점 C의 좌표 구하기

따라서 점 C는 $\overline{\mathrm{OB}}$를 $5 : 3$으로 내분하는 점이므로 점 C의 좌표는

$$\left(\frac{5\times8+3\times0}{5+3}, \frac{5\times0+3\times0}{5+3}\right)$$

$\therefore \mathrm{C}(5, 0)$

답 $\mathrm{C}(5, 0)$

풍쌤 강의 NOTE

삼각형 ABC에서 $\angle\mathrm{A}$의 이등분선이 변 BC와 만나는 점을 D라고 할 때,

$\overline{\mathrm{AB}} : \overline{\mathrm{AC}} = \overline{\mathrm{BD}} : \overline{\mathrm{CD}}$

➡ 점 D는 $\overline{\mathrm{BC}}$를 $\overline{\mathrm{AB}} : \overline{\mathrm{AC}}$로 내분하는 점이다.

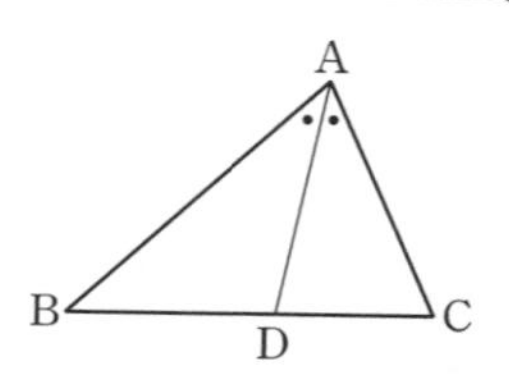

10-1 유사

오른쪽 그림과 같이 세 점 A$(0, 3)$, B$(4, 0)$, C$(5, 15)$를 꼭짓점으로 하는 삼각형 ABC에서 $\angle$A의 이등분선이 변 BC와 만나는 점을 D라고 할 때, 점 D의 좌표를 구하여라.

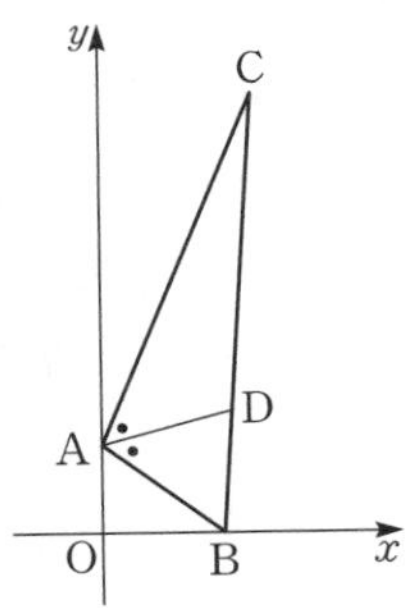

10-2 유사

세 점 A$(0, 3)$, B$(1, 0)$, C$(2, 9)$를 꼭짓점으로 하는 삼각형 ABC가 있다. $\angle$A의 이등분선이 변 BC와 만나는 점을 D(a, b)라고 할 때, $a+b$의 값을 구하여라.

10-3 유사

세 점 A$(-3, 0)$, B$(-3, -4)$, C$(1, -3)$을 꼭짓점으로 하는 삼각형 ABC에서 $\angle$A의 이등분선이 변 BC와 만나는 점을 D(a, b)라고 할 때, $a-b$의 값을 구하여라.

10-4 변형

세 점 A$(0, 12)$, B$(-9, 0)$, C$(16, 0)$을 꼭짓점으로 하는 삼각형 ABC에 내접하는 원의 중심을 점 P라 하고, 두 점 B, P를 지나는 직선이 변 AC와 만나는 점을 D라고 할 때, 선분 AD와 선분 CD의 길이의 비를 가장 간단한 정수의 비로 나타내어라.

10-5 변형

세 점 A$(-2, -1)$, B$(-7, -13)$, C$(6, 5)$를 꼭짓점으로 하는 삼각형 ABC가 있다. $\angle$A의 이등분선이 변 BC와 만나는 점을 D라고 할 때, 삼각형 ABD와 삼각형 ACD의 넓이의 비를 가장 간단한 정수의 비로 나타내어라.

10-6 실력

좌표평면 위의 두 점 P$(-3, 4)$, Q$(12, 5)$에 대하여 $\angle$POQ의 이등분선과 선분 PQ의 교점의 x좌표를 $\frac{b}{a}$라고 할 때, $a+b$의 값을 구하여라.

(단, O는 원점이고, a와 b는 서로소인 자연수이다.)

실전 연습 문제

01

두 점 $A(a, -1)$, $B(3, a)$에 대하여 선분 AB의 길이가 최소가 되도록 하는 실수 a의 값은?

① -1　② 0　③ 1
④ 2　⑤ 3

02

서로 다른 세 점 $A(a, -2)$, $B(b, 6)$, $C(a, b)$에 대하여 삼각형 ABC의 외심의 좌표가 $(4, 4)$일 때, b의 값은?

① 4　② 6　③ 8
④ 10　⑤ 12

03 서술형

세 점 $A(0, 3k)$, $B(-1, 0)$, $C(1, 0)$과 임의의 점 P에 대하여 $\overline{AP}^2+\overline{BP}^2+\overline{CP}^2$이 최솟값을 가질 때, $\dfrac{\overline{AP}}{\overline{OP}}$의 값을 구하여라. (단, $k>0$이고 O는 원점이다.)

04 기출

다음 그림과 같이 좌표평면 위의 세 점 $A(0, a)$, $B(-3, 0)$, $C(1, 0)$을 꼭짓점으로 하는 삼각형 ABC가 있다. $\angle ABC$의 이등분선이 선분 AC의 중점을 지날 때, 양수 a의 값은?

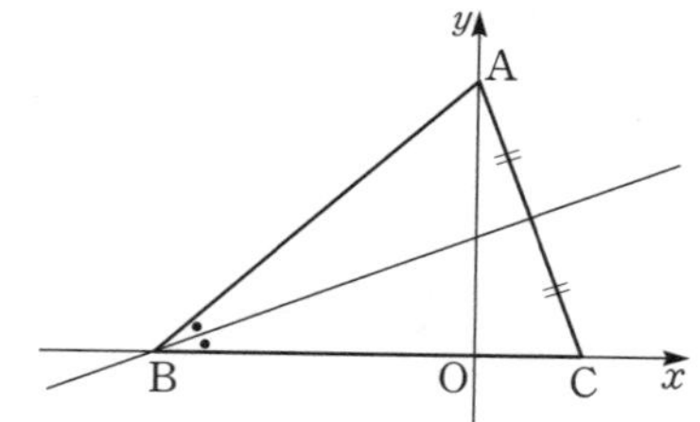

① $\sqrt{5}$　② $\sqrt{6}$　③ $\sqrt{7}$
④ $2\sqrt{2}$　⑤ 3

05

두 점 $A(-1, 2)$, $B(3, 0)$으로부터 같은 거리에 있는 점의 자취의 방정식을 구하여라.

06

세 점 $A(0, 3)$, $B(3, 1)$, $C(5, 4)$를 꼭짓점으로 하는 삼각형 ABC는 어떤 삼각형인가?

① 정삼각형
② $\overline{AB}=\overline{AC}$인 이등변삼각형
③ $\angle B=90^\circ$인 직각이등변삼각형
④ $\angle A=90^\circ$인 직각삼각형
⑤ 둔각삼각형

07

오른쪽 그림과 같이 삼각형 ABC에서 점 M은 변 BC의 중점이고 $\overline{AB}=8$, $\overline{AM}=6$, $\overline{BM}=5$일 때, $\overline{AC}^2$의 값을 구하여라.

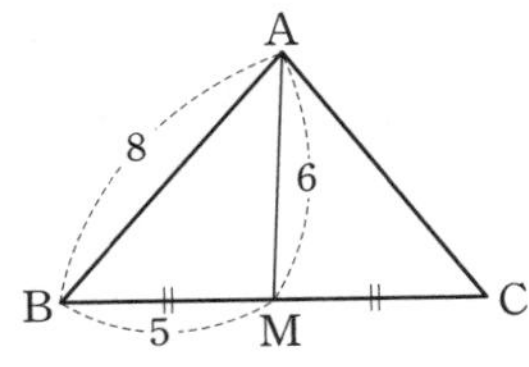

08

점 A의 좌표가 $(2, 3)$이고 선분 AB를 $3:1$로 외분하는 점의 좌표가 $(5, 0)$일 때, 점 B의 좌표는?

① $(3, 3)$ ② $(3, 5)$ ③ $(4, 1)$
④ $(4, 2)$ ⑤ $(4, 3)$

09

좌표평면 위의 두 점 $\mathrm{A}(1, 1)$, $\mathrm{B}(4, 2)$에 대하여 선분 AB를 $t:(1+t)$로 외분하는 점이 제2사분면 위에 있을 때, 실수 t의 값의 범위는? (단, $t>0$)

① $\frac{1}{4}<t<\frac{2}{3}$ ② $\frac{1}{3}<t<\frac{2}{3}$
③ $\frac{1}{3}<t<1$ ④ $\frac{2}{5}<t<\frac{4}{5}$
⑤ $\frac{2}{5}<t<1$

10 서술형

직선 $y=\frac{1}{3}x$ 위의 두 점 $\mathrm{A}(3, 1)$, $\mathrm{B}(a, b)$가 있다. 제2사분면 위의 한 점 C에 대하여 삼각형 BOC와 삼각형 OAC의 넓이의 비가 $2:1$일 때, $a+b$의 값을 구하여라. (단, $a<0$이고, O는 원점이다.)

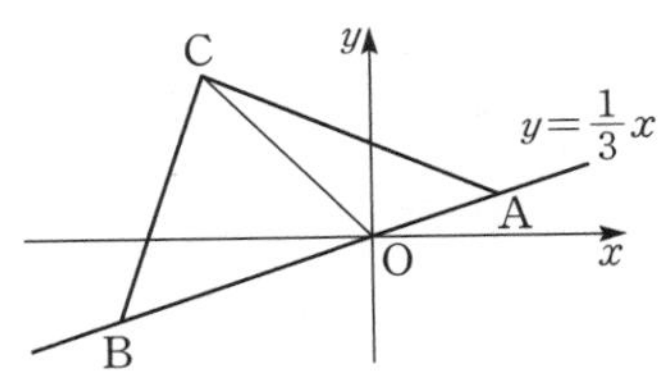

11

삼각형 ABC의 변 BC를 $3:1$로 내분하는 점을 P라 하고, 선분 AP를 $3:1$로 외분하는 점을 Q라고 할 때, $\frac{(\text{삼각형 ABC의 넓이})}{(\text{삼각형 CPQ의 넓이})}$의 값은?

① 2 ② 4 ③ 6
④ 8 ⑤ 10

12 서술형

오른쪽 그림과 같은 삼각형 ABC에서 점 D는 선분 BC를 $1:1$로 내분하는 점이고, 점 E는 $\triangle\mathrm{ABC}=8\triangle\mathrm{BDE}$를 만족시킨다.

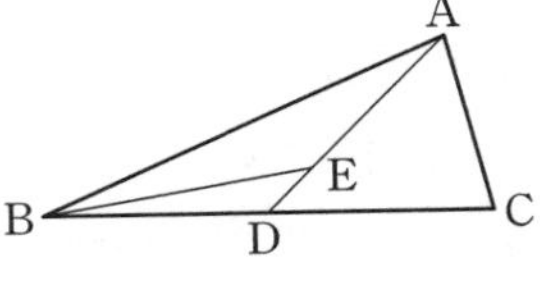

$\mathrm{A}(8, 6)$, $\mathrm{B}(-2, -4)$, $\mathrm{C}(10, 0)$일 때, 점 E의 좌표를 구하여라.

13

$\triangle$ABC에 대하여 $\overline{AB}^2+\overline{BP}^2+\overline{CP}^2$의 값이 최소가 되도록 하는 점 P의 위치는?

① 삼각형 ABC의 내심
② 삼각형 ABC의 무게중심
③ 선분 BC를 $2:1$로 내분하는 점
④ $\angle$B의 이등분선을 $2:1$로 내분하는 점
⑤ 꼭짓점 A에서 변 BC에 내린 수선을 $2:1$로 내분하는 점

14

세 점 A$(1, 7)$, B$(-5, -2)$, C$(4, -8)$을 꼭짓점으로 하는 삼각형 ABC에서 $\overline{AB}$, $\overline{BC}$, $\overline{CA}$를 $2:1$로 내분하는 점을 각각 D, E, F라고 할 때, 삼각형 DEF의 무게중심의 좌표는?

① $(-2, -1)$ ② $(-2, 1)$ ③ $(0, -2)$
④ $(0, -1)$ ⑤ $(2, -1)$

15

평행사변형 ABCD의 두 꼭짓점 A, B의 좌표는 각각 $(-1, 4)$, $(5, 8)$이다. 삼각형 ABD의 무게중심의 좌표가 $(2, 4)$일 때, 꼭짓점 C의 좌표는?

① $(8, 4)$ ② $(8, 3)$ ③ $(7, 3)$
④ $(7, 4)$ ⑤ $(6, 5)$

16 서술형

네 점 A$(0, a)$, B$(5, b)$, C$(12, c)$, D$(7, 9)$를 꼭짓점으로 하는 사각형 ABCD가 마름모이고, $a-1=b+c$일 때, $a+b$의 최솟값을 구하여라.

17

세 점 A$(3, -2)$, B$(-5, 4)$, C$(11, 13)$을 꼭짓점으로 하는 삼각형 ABC에서 $\angle$A의 이등분선이 변 BC와 만나는 점을 D라고 할 때, 삼각형 ABD와 삼각형 ACD의 넓이의 비는 $p:q$이다. 이때 $q-p$의 값을 구하여라. (단, p, q는 서로소인 자연수이다.)

18 서술형

세 점 A(a, b), B$(-5, 0)$, C$(5, 0)$에 대하여 $\overline{AB}=8$, $\overline{AC}=6$이고, 점 A는 직선 $y=7x-5$ 위에 있다. $\angle$OAC의 이등분선이 변 BC와 만나는 점을 D$(c, 0)$이라고 할 때, 세 실수 a, b, c에 대하여 abc의 값을 구하여라. (단, O는 원점이다.)

상위권 도약 문제

정답과 풀이 248쪽

01

기출

다음 그림과 같이 이차함수 $y=ax^2\ (a>0)$의 그래프와 직선 $y=\frac{1}{2}x+1$이 서로 다른 두 점 P, Q에서 만난다. 선분 PQ의 중점 M에서 y축에 내린 수선의 발을 H라고 하자. 선분 MH의 길이가 1일 때, 선분 PQ의 길이는?

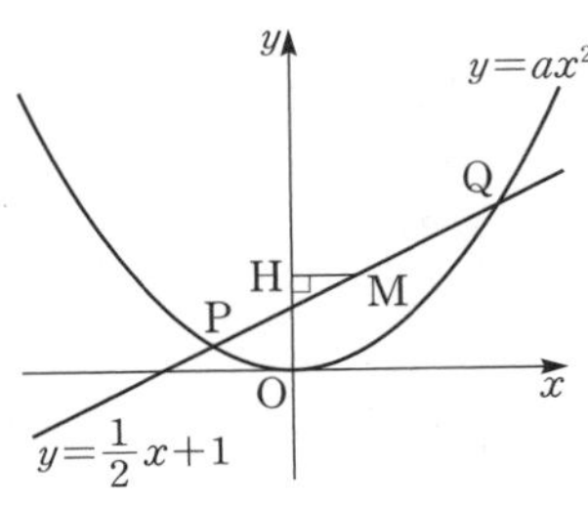

① 4　　② $\frac{9}{2}$　　③ 5

④ $\frac{11}{2}$　　⑤ 6

02

좌표평면 위의 두 점 $A(2, 5)$, $B(6, 0)$에 대하여 선분 AB를 $m : n\ (m>n>0)$으로 외분하는 점을 Q라고 하자. 삼각형 OAQ의 넓이가 40일 때, $\frac{n}{m}$의 값을 구하여라. (단, O는 원점이다.)

03

기출

삼각형 ABC에서 선분 BC를 $1 : 3$으로 내분하는 점을 D, 선분 BC를 $2 : 3$으로 외분하는 점을 E, 선분 AB를 $1 : 2$로 외분하는 점을 F라고 할 때, 삼각형 FEB의 넓이는 삼각형 ABD의 넓이의 k배이다. 이때 상수 k의 값을 구하여라.

04

평행사변형 ABCD의 꼭짓점 A의 좌표는 $(2, 1)$이고 변 AB의 중점의 좌표가 $(5, 3)$, 변 BC의 중점의 좌표가 $(9, 10)$일 때, 꼭짓점 B, C, D의 모든 좌표의 값의 합을 구하여라.

05

기출

다음 그림과 같이 좌표평면에 원점 O를 한 꼭짓점으로 하는 삼각형 OAB가 있다. 선분 OA를 $2:1$로 외분하는 점을 C, 선분 OB를 $2:1$로 외분하는 점을 D라고 할 때, 두 선분 AD와 BC의 교점을 $\mathrm{E}(p, q)$라고 하자. 삼각형 OAB의 무게중심의 좌표가 $(5, 4)$일 때, $p+q$의 값은?

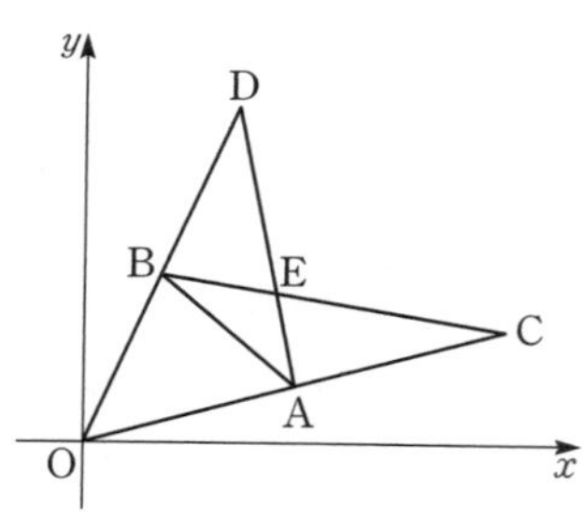

① 12 ② 14 ③ 16 ④ 18 ⑤ 20

06

삼각형 ABC에서 $\overline{\mathrm{BC}}$를 $2:1$로 내분하는 점을 D, $\overline{\mathrm{AD}}$의 중점을 E, $\overline{\mathrm{BE}}$를 $2:1$로 내분하는 점을 F라고 하자. $\overline{\mathrm{CF}}$를 $a:b$로 외분하는 점이 $\overline{\mathrm{AB}}$를 $c:d$로 내분하는 점과 같다고 할 때, $ab+cd$의 값은?

(단, a와 b, c와 d는 각각 서로소인 자연수이다.)

① 22 ② 24 ③ 26 ④ 28 ⑤ 30

07

기출

세 꼭짓점의 좌표가 $\mathrm{A}(0, 3)$, $\mathrm{B}(-5, -9)$, $\mathrm{C}(4, 0)$인 삼각형 ABC가 있다. 다음 그림과 같이 $\overline{\mathrm{AC}}=\overline{\mathrm{AD}}$가 되도록 점 D를 선분 AB 위에 잡는다. 점 A를 지나면서 선분 DC와 평행인 직선이 선분 BC의 연장선과 만나는 점을 P라고 하자. 이때 점 P의 좌표는?

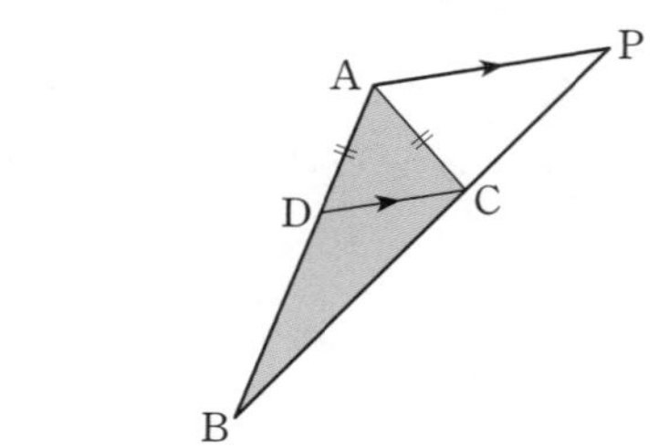

① $\left(\frac{61}{8}, \frac{29}{8}\right)$ ② $\left(\frac{65}{8}, \frac{33}{8}\right)$ ③ $\left(\frac{69}{8}, \frac{37}{8}\right)$ ④ $\left(\frac{73}{8}, \frac{41}{8}\right)$ ⑤ $\left(\frac{77}{8}, \frac{45}{8}\right)$

12 직선의 방정식

유형의 이해에 따라 □ 안에 ○, × 표시를 하고 반복하여 학습합니다.

유형	내용	1st	2nd
필수유형 01	한 점과 기울기가 주어진 직선의 방정식	□	□
필수유형 02	두 점을 지나는 직선의 방정식	□	□
필수유형 03	세 점이 한 직선 위에 있을 조건	□	□
필수유형 04	도형의 넓이를 이등분하는 직선의 방정식	□	□
필수유형 05	계수의 부호와 직선의 개형	□	□
필수유형 06	두 직선의 교점을 지나는 직선의 방정식	□	□
필수유형 07	정점을 지나는 직선의 방정식의 활용	□	□
필수유형 08	한 직선에 평행 또는 수직인 직선의 방정식	□	□
필수유형 09	두 직선의 위치 관계	□	□
필수유형 10	선분의 수직이등분선의 방정식	□	□
필수유형 11	세 직선의 위치 관계	□	□
필수유형 12	점과 직선 사이의 거리	□	□
필수유형 13	점과 직선 사이의 거리의 활용	□	□
발전유형 14	점이 나타내는 도형의 방정식	□	□

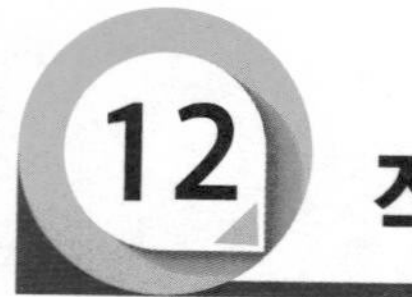

직선의 방정식

개념 01 직선의 방정식

(1) 한 점과 기울기가 주어진 직선의 방정식

점 (x_1, y_1)을 지나고 기울기가 m인 직선의 방정식은

$$y-y_1=m(x-x_1)$$

(2) 두 점을 지나는 직선의 방정식

서로 다른 두 점 $A(x_1, y_1)$, $B(x_2, y_2)$를 지나는 직선의 방정식은

① $x_1 \neq x_2$일 때,

$$y-y_1=\frac{y_2-y_1}{x_2-x_1}(x-x_1)$$

② $x_1=x_2$일 때,

$$x=x_1$$

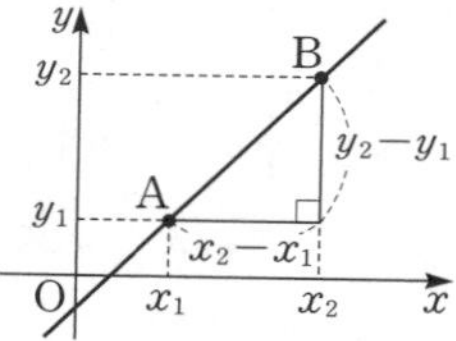

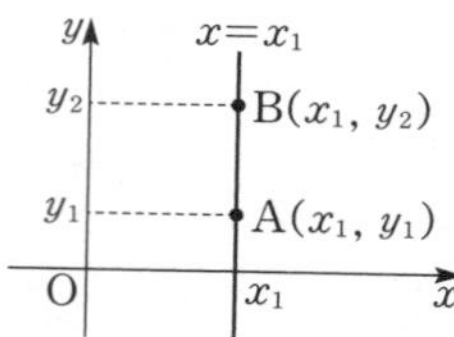

(3) 일차방정식 $ax+by+c=0$이 나타내는 도형

직선의 방정식은 모두 x, y에 대한 일차방정식 $ax+by+c=0$ ($a \neq 0$ 또는 $b \neq 0$) 꼴로 나타낼 수 있다.

① $a \neq 0$, $b \neq 0$이면 $y=-\frac{a}{b}x-\frac{c}{b}$ ➡ 기울기가 $-\frac{a}{b}$이고, y절편이 $-\frac{c}{b}$인 직선

② $a \neq 0$, $b=0$이면 $x=-\frac{c}{a}$ ➡ y축에 평행한 직선

③ $a=0$, $b \neq 0$이면 $y=-\frac{c}{b}$ ➡ x축에 평행한 직선

확인 01 다음을 구하여라.

(1) 기울기가 2이고 점 $P(2, 3)$을 지나는 직선의 방정식

(2) 두 점 $A(-2, 1)$, $B(1, 4)$를 지나는 직선의 방정식

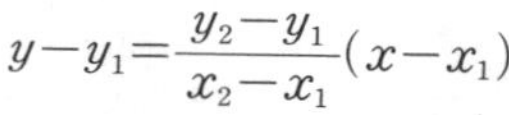

中2 수학 일차함수와 그 그래프

일차함수 $y=ax+b$의 그래프에서

$(\text{기울기})=\frac{(y\text{의 값의 증가량})}{(x\text{의 값의 증가량})}=a$

x축의 양의 방향과 이루는 각의 크기가 θ일 때 (기울기)$=\tan\theta$

› x절편이 a, y절편이 b인 직선의 방정식은

$\frac{x}{a}+\frac{y}{b}=1$ (단, $a \neq 0$, $b \neq 0$)

› $y=b$ 꼴의 직선은 기울기가 0이고, $x=a$ 꼴의 직선은 기울기가 없다.

개념 02 두 직선의 교점을 지나는 직선의 방정식

(1) 정점을 지나는 직선

직선 $ax+by+c+k(a'x+b'y+c')=0$은 실수 k의 값에 관계없이 항상 두 직선 $ax+by+c=0$, $a'x+b'y+c'=0$의 교점을 지나는 직선이다.

(2) 두 직선의 교점을 지나는 직선의 방정식

두 직선 $ax+by+c=0$, $a'x+b'y+c'=0$의 교점을 지나는 직선 중 $a'x+b'y+c'=0$을 제외한 직선의 방정식은

$$ax+by+c+k(a'x+b'y+c')=0 \text{ (단, } k\text{는 실수)}$$

확인 02 두 직선 $x+2y+1=0$, $2x-y+5=0$의 교점과 점 $(-2, 0)$을 지나는 직선의 방정식을 구하여라.

› 주어진 직선이 k의 값에 관계없이 항상 지나는 점을 구하려면 $k(\quad)+(\quad)=0$ 꼴로 정리한 후 k에 대한 항등식임을 이용한다.

개념 03 두 직선의 평행과 수직

(1) 두 직선 $y=mx+n$, $y=m'x+n'$이

① 평행하다. ➡ $m=m'$, $n\neq n'$ → 두 직선의 기울기는 같고, y절편이 다르다.

② 수직이다. ➡ $mm'=-1$ → 두 직선의 기울기의 곱이 -1이다.

(2) 두 직선 $ax+by+c=0$, $a'x+b'y+c'=0(abc\neq0,\ a'b'c'\neq0)$이

① 평행하다. ➡ $\dfrac{a}{a'}=\dfrac{b}{b'}\neq\dfrac{c}{c'}$

② 수직이다. ➡ $aa'+bb'=0$

> **참고** 두 직선이 일치하면 기울기가 같고, y절편도 같다.

확인 03 **두 직선 $y=4x-3$, $y=ax+5$의 위치 관계가 다음과 같을 때, 상수 a의 값을 구하여라.**

(1) 평행하다.

(2) 수직이다.

> 두 직선 $ax+by+c=0$, $a'x+b'y+c'=0$의 기울기가 각각 $-\dfrac{a}{b}$, $-\dfrac{a'}{b'}$이므로 두 직선이 수직이려면
>
> $\left(-\dfrac{a}{b}\right)\times\left(-\dfrac{a'}{b'}\right)=-1$
>
> 에서 $aa'=-bb'$
>
> $\therefore aa'+bb'=0$

> 두 직선 $ax+by+c=0$, $a'x+b'y+c'=0$이
>
> (1) 일치하면 $\dfrac{a}{a'}=\dfrac{b}{b'}=\dfrac{c}{c'}$
>
> (2) 한 점에서 만나면 $\dfrac{a}{a'}\neq\dfrac{b}{b'}$

개념 04 점과 직선 사이의 거리

(1) 점 $\mathrm{P}(x_1,\ y_1)$과 직선 $ax+by+c=0$ 사이의 거리는

$$\frac{|ax_1+by_1+c|}{\sqrt{a^2+b^2}}$$

특히 원점과 직선 $ax+by+c=0$ 사이의 거리는

$$\frac{|c|}{\sqrt{a^2+b^2}}$$

(2) 평행한 두 직선 l, l' 사이의 거리는 직선 l 위의 임의의 한 점과 직선 l' 사이의 거리와 같다.

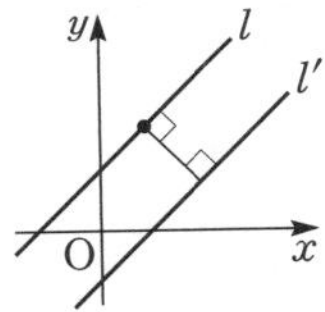

> 점과 직선 사이의 거리는 그 점에서 직선에 내린 수선의 발까지의 거리이다.

> 점과 직선 사이의 거리를 구할 때, 공식을 쓰려면 직선의 방정식을 반드시 일반형 $ax+by+c=0$으로 고쳐야 한다.

확인 04 **다음 점과 직선 사이의 거리를 구하여라.**

(1) 점 $(2,\ 1)$, 직선 $3x+4y+10=0$

(2) 원점, 직선 $2x+y-5=0$

개념+ **자취의 방정식 — 점의 자취**

(1) 어떤 조건을 만족시키는 점들이 도형을 그릴 때, 이 도형을 조건을 만족시키는 점들의 자취라고 한다.

(2) 특정한 조건을 만족시키는 임의의 점 $\mathrm{P}(x,\ y)$에 대하여 x, y 사이의 관계식을 나타낸 방정식을 자취의 방정식이라고 한다.

(3) 도형은 직선, 선분, 원, 포물선 등을 포함한다.

필수유형 01 한 점과 기울기가 주어진 직선의 방정식

다음 직선의 방정식을 구하여라.

(1) 두 점 $(-2, 4)$, $(1, 3)$을 이은 선분의 중점을 지나고 기울기가 1인 직선

(2) x축의 양의 방향과 이루는 각의 크기가 $60°$이고 점 $(0, 3)$을 지나는 직선

풍쌤 POINT

- 점 (x_1, y_1)을 지나고 기울기가 m인 직선의 방정식은 $y-y_1=m(x-x_1)$이야!
- 직선이 x축의 양의 방향과 이루는 각의 크기가 θ일 때, 기울기는 $\tan\theta$야!

풀이 (1) STEP 1 두 점의 중점의 좌표 구하기

두 점 $(-2, 4)$, $(1, 3)$의 중점의 좌표는❶

$\left(\frac{-2+1}{2}, \frac{4+3}{2}\right)$

$\therefore \left(-\frac{1}{2}, \frac{7}{2}\right)$

❶ 두 점 (x_1, y_1), (x_2, y_2)의 중점의 좌표는 $\left(\frac{x_1+x_2}{2}, \frac{y_1+y_2}{2}\right)$

STEP 2 직선의 방정식 구하기

따라서 점 $\left(-\frac{1}{2}, \frac{7}{2}\right)$을 지나고 기울기가 1인 직선의 방정식은

$y-\frac{7}{2}=x-\left(-\frac{1}{2}\right)$

$\therefore y=x+4$

(2) STEP 1 기울기 구하기

x축의 양의 방향과 이루는 각의 크기가 $60°$이므로 기울기는❷

$\tan 60°=\sqrt{3}$

STEP 2 직선의 방정식 구하기

따라서 점 $(0, 3)$을 지나고❸ 기울기가 $\sqrt{3}$인 직선의 방정식은

$y=\sqrt{3}x+3$

❷
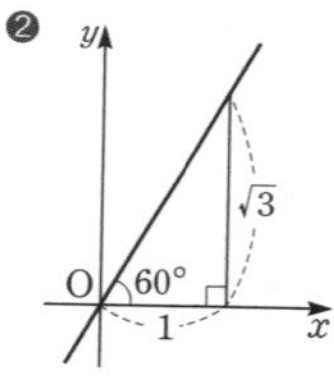

❸ y절편이 3이다.

답 (1) $y=x+4$ (2) $y=\sqrt{3}x+3$

풍쌤 강의 NOTE

점 $A(x_1, y_1)$을 지나고 기울기가 m인 직선 l의 방정식은 다음과 같이 구할 수 있다.

오른쪽 그림과 같이 직선 l 위의 임의의 점을 $P(x, y)$라고 하면

$x\neq x_1$일 때, $m=\frac{y-y_1}{x-x_1}$

이 식의 양변에 $x-x_1$을 곱하면 구하는 직선 l의 방정식은

$y-y_1=m(x-x_1)$

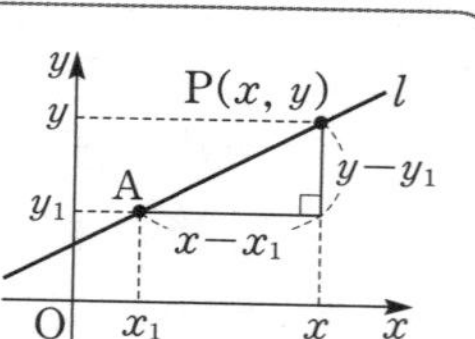

01-1 유사

두 점 $A(2, 3)$, $B(5, 0)$에 대하여 다음 물음에 답하여라.

(1) 선분 AB를 $2:1$로 내분하는 점을 지나고 기울기가 3인 직선의 방정식을 구하여라.

(2) 선분 AB를 $2:1$로 외분하는 점을 지나고 기울기가 2인 직선의 방정식을 구하여라.

01-2 유사

x축의 양의 방향과 이루는 각의 크기가 $45°$이고 점 $(4, 6)$을 지나는 직선의 방정식을 구하여라.

01-3 유사

x축의 양의 방향과 이루는 각의 크기가 $30°$이고 y절편이 $\sqrt{3}$인 직선의 방정식을 구하여라.

01-4 변형

세 점 $A(1, 4)$, $B(-1, 0)$, $C(6, -1)$을 꼭짓점으로 하는 삼각형 ABC의 무게중심을 지나고 기울기가 2인 직선의 방정식을 구하여라.

01-5 변형

x축의 양의 방향과 이루는 각의 크기가 $135°$이고 점 $(1, -3)$을 지나는 직선의 y절편을 구하여라.

01-6 실력

세 점 $O(0, 0)$, $A(4, 0)$, $B(0, 6)$에 대하여 삼각형 OAB의 외심을 지나고 기울기가 -2인 직선과 x축, y축으로 둘러싸인 삼각형의 넓이를 구하여라.

필수유형 02 두 점을 지나는 직선의 방정식

다음 직선의 방정식을 구하여라.

(1) 두 점 $(-3,\ -1)$, $(1,\ 3)$을 지나는 직선

(2) 두 점 $\mathrm{A}(-2,\ 5)$, $\mathrm{B}(6,\ 1)$에 대하여 선분 AB를 $3:1$로 내분하는 점과 점 $(2,\ 6)$을 지나는 직선

(3) x축과 만나는 점이 $(2,\ 0)$이고 y축과 만나는 점이 $(0,\ 4)$인 직선

풍쌤 POINT

지나는 두 점의 좌표를 이용해 기울기를 구한 후 주어진 두 점 중에서 아무거나 한 점을 이용해 직선의 방정식을 구하면 돼!

풀이

(1) 두 점 $(-3,\ -1)$, $(1,\ 3)$을 지나는 직선의 방정식은

$$y-3=\frac{3-(-1)}{1-(-3)}(x-1) \ ❶$$

$\therefore\ y=x+2$ ❷

(2) **STEP1 내분점의 좌표 구하기**

선분 AB를 $3:1$로 내분하는 점의 좌표는

$$\left(\frac{3\times6+1\times(-2)}{3+1},\ \frac{3\times1+1\times5}{3+1}\right) ❸ \qquad \therefore\ (4,\ 2)$$

STEP2 직선의 방정식 구하기

두 점 $(4,\ 2)$, $(2,\ 6)$을 지나는 직선의 방정식은

$$y-2=\frac{6-2}{2-4}(x-4)$$

$\therefore\ y=-2x+10$

(3) 두 점 $(2,\ 0)$, $(0,\ 4)$를 지나는 직선의 방정식은

$$y-4=\frac{4-0}{0-2}(x-0)$$

$\therefore\ y=-2x+4$

다른 풀이

x절편이 2이고 y절편이 4이므로 구하는 직선의 방정식은

$\frac{x}{2}+\frac{y}{4}=1 \qquad \therefore\ y=-2x+4$

답 (1) $y=x+2$ (2) $y=-2x+10$ (3) $y=-2x+4$

❶ 두 점 $(x_1,\ y_1)$, $(x_2,\ y_2)$를 지나는 직선의 기울기는 $\frac{y_2-y_1}{x_2-x_1}$

❷ 점 $(-3,\ -1)$을 지나고 기울기가 1인 직선의 방정식은 $y-(-1)=1\times\{x-(-3)\}$ $\therefore\ y=x+2$

❸ 두 점 $\mathrm{A}(x_1,\ y_1)$, $\mathrm{B}(x_2,\ y_2)$를 $m:n$으로 내분하는 점의 좌표는 $\left(\frac{mx_2+nx_1}{m+n},\ \frac{my_2+ny_1}{m+n}\right)$

풍쌤 강의 NOTE

- 두 점 $(x_1,\ y_1)$, $(x_2,\ y_2)$를 지나는 직선의 방정식은 $y-y_1=\frac{y_2-y_1}{x_2-x_1}(x-x_1)$ (단, $x_1\neq x_2$)
- 두 점 $(a,\ 0)$, $(0,\ b)$, 즉 x절편이 a, y절편이 b인 직선의 방정식은 $\frac{x}{a}+\frac{y}{b}=1$ (단, $a\neq0,\ b\neq0$)

02-1 유사

다음 직선의 방정식을 구하여라.

(1) 두 점 $A(2, 0)$, $B(0, 5)$를 지나는 직선

(2) 두 점 $A(3, 4)$, $B(0, 4)$를 지나는 직선

02-2 유사

기출

좌표평면에서 두 점 $(-2, 3)$, $(2, 5)$를 지나는 직선이 점 $(a, 7)$을 지날 때, 상수 a의 값을 구하여라.

02-3 변형

두 직선 $3x-2y+7=0$, $x+2y-3=0$의 교점과 한 점 $(3, 3)$을 지나는 직선의 방정식을 구하여라.

02-4 변형

세 점 $A(4, 2)$, $B(2, 6)$, $C(8, 4)$를 꼭짓점으로 하는 삼각형 ABC의 외심과 점 A를 지나는 직선의 방정식을 구하여라.

02-5 변형

세 점 $A(-2, 6)$, $B(-4, -1)$, $C(3, 4)$를 꼭짓점으로 하는 삼각형 ABC의 무게중심 G와 선분 AB를 $1:2$로 외분하는 점 P를 지나는 직선의 방정식을 구하여라.

02-6 실력

x절편의 절댓값이 y절편의 절댓값의 2배인 직선이 점 $(-4, 2)$를 지날 때, 이 직선과 x축, y축으로 둘러싸인 도형의 넓이를 구하여라.

(단, 직선은 원점을 지나지 않는다.)

필수유형 03 세 점이 한 직선 위에 있을 조건

다음 물음에 답하여라.

(1) 세 점 $A(1, 0)$, $B(0, 2)$, $C(-2, a)$가 한 직선 위에 있도록 하는 a의 값을 구하여라.

(2) 세 점 $A(-2, 1)$, $B(0, 4)$, $C(a, 7)$이 삼각형을 이루지 않도록 하는 실수 a의 값을 구하여라.

풍쌤 POINT

- 세 점이 한 직선 위에 있다면 어느 두 점을 이용해 기울기를 구해도 같은 값이 나와!
- 세 점이 삼각형을 이루지 않으려면 세 점이 같은 직선 위에 있어야 돼!

풀이

(1) 세 점 A, B, C가 한 직선 위에 있으려면 직선 AB의 기울기와 직선 AC의 기울기가 같아야 한다.

두 점 $A(1, 0)$, $B(0, 2)$❶를 지나는 직선의 기울기는

$\frac{2-0}{0-1}=-2$

직선 AC의 기울기는 $\frac{a-0}{-2-1}=-\frac{a}{3}$

즉, $-2=-\frac{a}{3}$이므로 $a=6$

다른 풀이

두 점 A, B를 지나는 직선의 방정식은

$\frac{x}{1}+\frac{y}{2}=1$❷ $\quad \therefore y=-2x+2$

이 직선 위에 점 $C(-2, a)$가 있어야 하므로

$a=-2\times(-2)+2=6$

(2) 세 점 A, B, C를 꼭짓점으로 하는 삼각형이 존재하지 않으려면 (직선 AB의 기울기)=(직선의 BC의 기울기)❸ 이어야 하므로

$\frac{4-1}{0-(-2)}=\frac{7-4}{a-0} \quad \therefore a=2$

다른 풀이

두 점 A, B를 지나는 직선의 방정식은

$y-4=\frac{4-1}{0-(-2)}(x-0) \quad \therefore y=\frac{3}{2}x+4$

이 직선이 점 $C(a, 7)$을 지나므로

$7=\frac{3}{2}a+4 \quad \therefore a=2$

답 (1) 6 (2) 2

❶ 미지수가 없는 두 점을 이용하여 기울기를 구한다.

❷ x절편이 a, y절편이 b인 직선의 방정식은 $\frac{x}{a}+\frac{y}{b}=1$ (단, $a\neq0$, $b\neq0$)

❸ (직선 AB의 기울기) =(직선 AC의 기울기) 또는 (직선 BC의 기울기) =(직선 AC의 기울기) 를 구해도 된다.

풍쌤 강의 NOTE

세 점 $A(x_1, y_1)$, $B(x_2, y_2)$, $C(x_3, y_3)$이 한 직선 위에 있으면

➡ (직선 AB의 기울기)=(직선 BC의 기울기)=(직선 AC의 기울기)

➡ $\frac{y_2-y_1}{x_2-x_1}=\frac{y_3-y_2}{x_3-x_2}=\frac{y_3-y_1}{x_3-x_1}$ (단, $x_1\neq x_2$, $x_2\neq x_3$, $x_3\neq x_1$)

03-1 유사

세 점 $\mathrm{A}(-3, k)$, $\mathrm{B}(k, 2)$, $\mathrm{C}(3, 8)$이 한 직선 위에 있도록 하는 모든 실수 k의 값의 합을 구하여라.

03-2 유사

세 점 $\mathrm{A}(-2, 2)$, $\mathrm{B}(4, 6)$, $\mathrm{C}(7, k)$를 꼭짓점으로 하는 삼각형이 존재하지 않을 때, k의 값을 구하여라.

03-3 변형

기출

좌표평면 위의 두 점 $(-1, 2)$, $(2, a)$를 지나는 직선이 y축과 점 $(0, 5)$에서 만날 때, a의 값을 구하여라.

03-4 변형

두 점 $(6, 4)$, $(-k, 7)$을 지나는 직선이 y축과 점 $(k, 0)$에서 만날 때, k의 값을 구하여라. (단, $k \neq -6$)

03-5 변형

점 $\mathrm{A}(-2, k+3)$이 두 점 $\mathrm{B}(2, k)$, $\mathrm{C}(k+3, 1)$을 지나는 직선 위에 있을 때, 직선 BC의 방정식을 구하여라.

03-6 실력

평면 위의 서로 다른 세 점

$$\mathrm{A}(-2k-1, 5),\ \mathrm{B}(1, k+3),\ \mathrm{C}(k+2, k+6)$$

이 한 직선 위에 있을 때, 상수 k의 값을 구하여라.

필수유형 04 도형의 넓이를 이등분하는 직선의 방정식

다음 물음에 답하여라.

(1) 직선 $y=mx$가 세 점 $\mathrm{O}(0,\ 0)$, $\mathrm{A}(4,\ 0)$, $\mathrm{B}(2,\ 6)$을 꼭짓점으로 하는 삼각형 OAB의 넓이를 이등분할 때, 상수 m의 값을 구하여라.

(2) 네 점 $\mathrm{O}(0,\ 0)$, $\mathrm{A}(6,\ 0)$, $\mathrm{B}(6,\ 4)$, $\mathrm{C}(0,\ 4)$를 꼭짓점으로 하는 직사각형 OABC의 넓이를 점 $(0,\ 3)$을 지나는 직선 l이 이등분할 때, 직선 l의 방정식을 구하여라.

풍쌤 POINT

삼각형의 한 꼭짓점과 그 대변의 중점을 지나는 직선은 삼각형의 넓이를 이등분해.

➡ 꼭짓점 O를 지나고 삼각형 OAB의 넓이를 이등분하는 직선은 점 O의 대변인 변 AB의 중점을 지난다.

풀이

(1) **STEP 1 $\overline{\mathrm{AB}}$의 중점의 좌표 구하기**

직선 $y=mx$❶가 삼각형 OAB의 넓이를 이등분하려면 $\overline{\mathrm{AB}}$의 중점을 지나야 한다.❷

$\overline{\mathrm{AB}}$의 중점의 좌표는

$\left(\frac{4+2}{2},\ \frac{0+6}{2}\right)$ $\qquad\therefore (3,\ 3)$

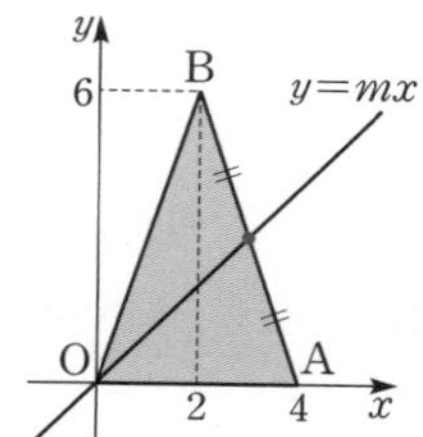

❶ 직선 $y=mx$는 원점 O를 지난다.

❷ 삼각형 OAB의 넓이를 이등분하려면 △OAB의 꼭짓점 O와 그 대변인 $\overline{\mathrm{AB}}$의 중점을 지나야 한다.

STEP 2 m의 값 구하기

따라서 직선 $y=mx$는 점 $(3,\ 3)$을 지나므로

$3=3m \qquad \therefore m=1$

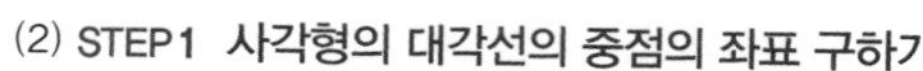

(2) **STEP 1 사각형의 대각선의 중점의 좌표 구하기**

직선 l이 직사각형 OABC의 넓이를 이등분하려면 직사각형의 두 대각선의 교점을 지나야 한다.

두 점 A, C의 중점의 좌표는❸

$\left(\frac{6+0}{2},\ \frac{0+4}{2}\right)$ $\qquad\therefore (3,\ 2)$

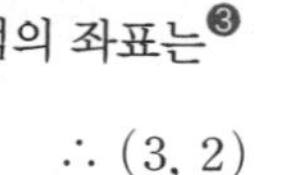

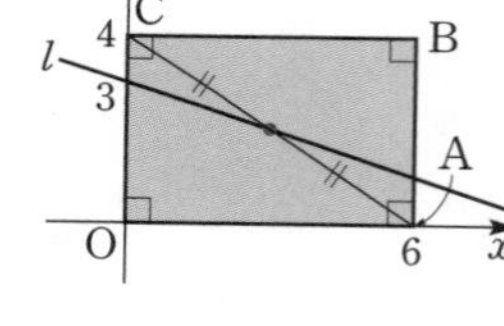

❸ 평행사변형, 마름모, 직사각형, 정사각형은 모두 두 대각선의 교점이 일치하므로 어느 한 대각선의 중점만 생각해도 된다.

STEP 2 직선 l의 방정식 구하기

따라서 직선 l은 두 점 $(0,\ 3)$, $(3,\ 2)$를 지나므로 직선 l의 방정식은

$y-3=\frac{2-3}{3-0}(x-0) \qquad \therefore y=-\frac{1}{3}x+3$

답 (1) 1 (2) $y=-\frac{1}{3}x+3$

풍쌤 강의 NOTE

평행사변형, 마름모, 직사각형, 정사각형의 넓이는 두 대각선의 교점을 지나는 직선에 의해 이등분된다.

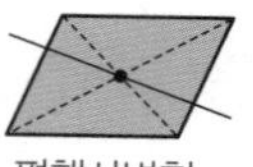

평행사변형

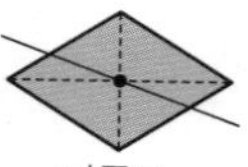

마름모

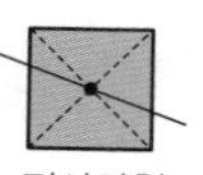

정사각형

04-1 유사

세 점 $A(-4, 1)$, $B(4, 3)$, $C(-3, 6)$을 꼭짓점으로 하는 삼각형 ABC의 넓이를 점 C를 지나는 직선 l이 이등분할 때, 직선 l의 방정식을 구하여라.

04-2 유사

네 점 $A(1, 2)$, $B(5, 2)$, $C(7, 6)$, $D(3, 6)$을 꼭짓점으로 하는 사각형의 넓이를 이등분하면서 원점을 지나는 직선의 방정식을 구하여라.

04-3 변형

기출

좌표평면에서 원점 O를 지나고 꼭짓점이 $A(2, -4)$인 이차함수 $y=f(x)$의 그래프가 x축과 만나는 점 중에서 원점이 아닌 점을 B라고 하자. 직선 $y=mx$가 삼각형 OAB의 넓이를 이등분하도록 하는 실수 m의 값을 구하여라.

04-4 변형

세 점 $A(1, -3)$, $B(6, 6)$, $C(-3, 3)$을 꼭짓점으로 하는 삼각형 ABC에서 선분 BC 위의 한 점을 P라고 하자. 삼각형 APC의 넓이가 삼각형 ABP의 넓이의 2배가 될 때, 두 점 A, P를 지나는 직선의 방정식을 구하여라.

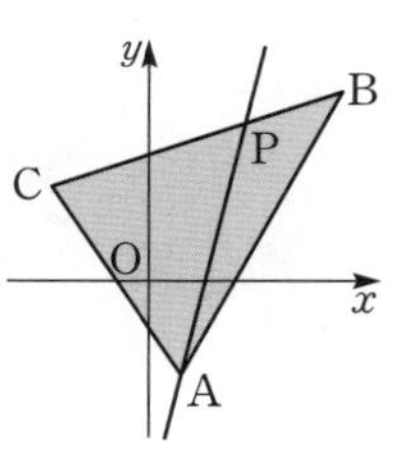

04-5 변형

네 점 $A(1, 4)$, $B(5, 4)$, $C(5, 6)$, $D(1, 6)$을 꼭짓점으로 하는 사각형의 넓이를 이등분하면서 점 $(1, 1)$을 지나는 직선의 방정식을 구하여라.

04-6 실력

오른쪽 그림에서 직선 $y=ax+b$가 직사각형과 마름모의 넓이를 동시에 이등분할 때, 상수 a, b에 대하여 $a+b$의 값을 구하여라.

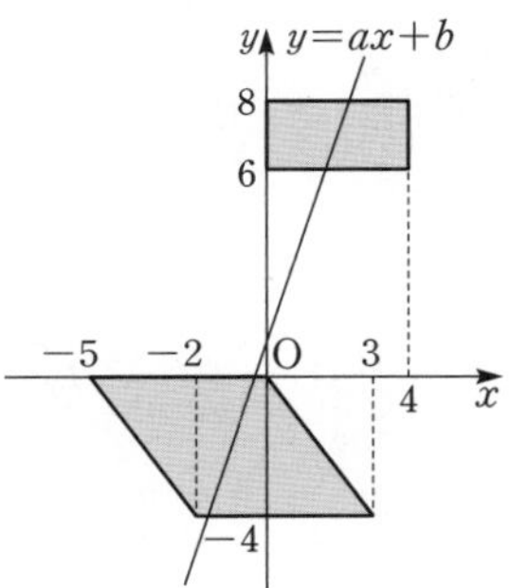

필수유형 05 계수의 부호와 직선의 개형

다음 물음에 답하여라.

(1) 세 상수 a, b, c가 $ab>0$, $bc<0$을 만족시킬 때, 직선 $ax+by+c=0$이 지나지 않는 사분면을 구하여라.

(2) 직선 $ax-2y+b=0$이 제1, 3, 4사분면을 지날 때, 직선 $bx-ay-3=0$이 지나는 사분면을 모두 구하여라.

풍쌤 POINT

❶ 직선의 방정식이 $ax+by+c=0$으로 주어지면 $y=-\frac{a}{b}x-\frac{c}{b}$로 변형해!

❷ 기울기 $-\frac{a}{b}$와 y절편 $-\frac{c}{b}$의 부호를 조사해!

풀이

(1) $ax+by+c=0$에서 $b\neq0$❶이므로

$y=-\frac{a}{b}x-\frac{c}{b}$❷

$ab>0$이므로 기울기는 $-\frac{a}{b}<0$

$bc<0$이므로 y절편은 $-\frac{c}{b}>0$

따라서 주어진 직선은 기울기가 음수이고 y절편이 양수이므로 오른쪽 그림과 같이 제3사분면을 지나지 않는다.

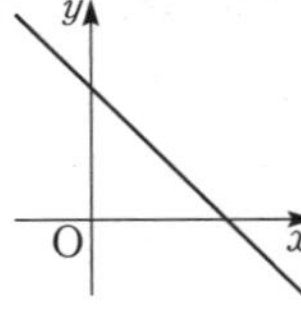

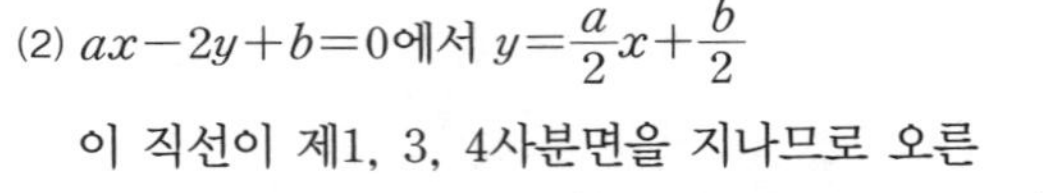

(2) $ax-2y+b=0$에서 $y=\frac{a}{2}x+\frac{b}{2}$

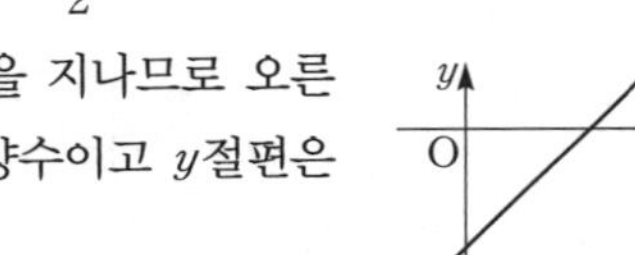

이 직선이 제1, 3, 4사분면을 지나므로 오른쪽 그림과 같이 기울기는 양수이고 y절편은 음수이다.

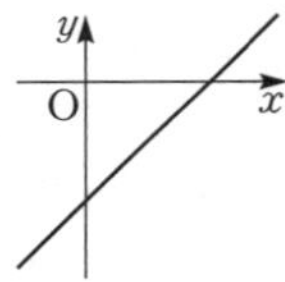

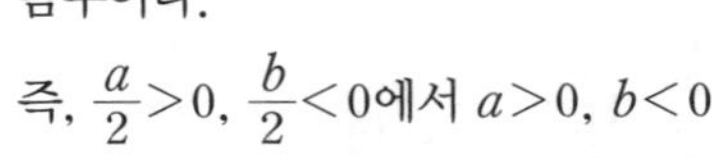

즉, $\frac{a}{2}>0$, $\frac{b}{2}<0$에서 $a>0$, $b<0$

$bx-ay-3=0$에서 $a\neq0$이므로❸

$y=\frac{b}{a}x-\frac{3}{a}$

이 직선은 기울기가 $\frac{b}{a}<0$,

y절편이 $-\frac{3}{a}<0$이므로 오른쪽 그림과 같이 제2, 3, 4사분면을 지난다.

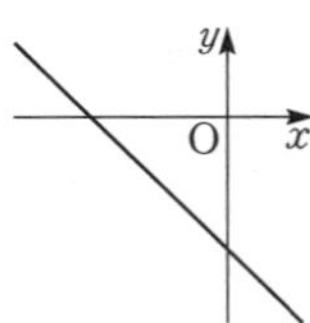

답 (1) 제3사분면 (2) 제2, 3, 4사분면

❶ $ab>0$, $bc<0$이므로 $b\neq0$

❷ $ax+by+c=0$ $(b\neq0)$을 $y=-\frac{a}{b}x-\frac{c}{b}$ 꼴로 변형한 후 기울기와 y절편의 부호를 정한다.

❸ $a>0$이므로 $a\neq0$

풍쌤 강의 NOTE

- 좌표평면에서 직선의 기울기가 양수이면 직선은 오른쪽 위로 향하고, 기울기가 음수이면 직선은 오른쪽 아래로 향하는 그래프가 그려진다.
- 직선의 y절편이 양수이면 직선은 x축보다 위에서 y축과 만나고, y절편이 음수이면 직선은 x축보다 아래에서 y축과 만난다.

05-1 유사

세 상수 a, b, c에 대하여 $c=0$, $ab<0$일 때, 직선 $ax+by+c=0$이 지나는 사분면을 모두 구하여라.

05-2 유사

직선 $ax+by+c=0$의 개형이 오른쪽 그림과 같다. $a>0$일 때, 세 상수 a, b, c에 대하여 abc의 부호를 구하여라.

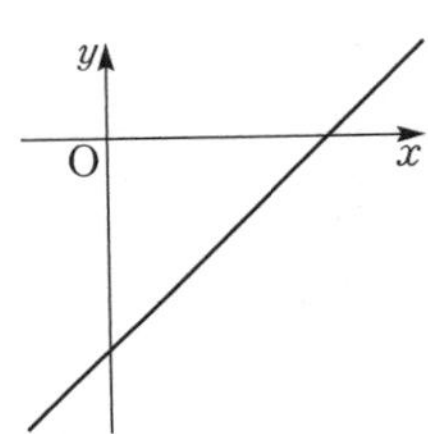

05-3 변형

직선 $y=mx+n$이 제1, 2, 3사분면을 지나고 직선 $ax+by+c=0$과 y축에서 만나고 두 직선의 x절편의 부호가 다를 때, 다음 값의 부호를 구하여라.

(단, m, n, a, b, c 상수)

(1) ab (2) bc

05-4 변형

직선 $ax+by+c=0$이 제1, 2, 3사분면을 지나고, 직선 $bcx+ay+b=0$의 x절편이 음수일 때, 이 직선이 항상 지나는 사분면을 모두 구하여라.

05-5 변형

직선 $ax+by+c=0$의 개형이 오른쪽 그림과 같을 때, 직선 $abx+bcy+ca=0$이 지나지 않는 사분면을 구하여라.

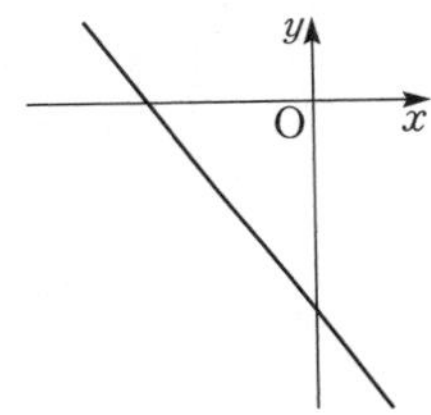

05-6 실력

직선 $ax+by+2a=0$이 제4사분면을 지나고 직선 $bx-ay+2a=0$과 제2사분면에서 만날 때, a^2과 b^2의 대소를 비교하여라. (단, $ab\neq0$)

필수유형 06 두 직선의 교점을 지나는 직선의 방정식

다음 물음에 답하여라.

(1) 직선 $kx+(k-2)y+2k+1=0$이 실수 k의 값에 관계없이 항상 점 P를 지날 때, 점 P의 좌표를 구하여라.

(2) 두 직선 $2x-3y+3=0$, $x-2y+2=0$이 만나는 점과 점 $(2,\ -1)$을 지나는 직선의 방정식을 구하여라.

풍쌤 POINT

(1) "k의 값에 관계없이"라는 말이 나오면 주어진 식이 k에 대한 항등식임을 나타내.

(2) 두 직선의 교점을 지나는 직선의 방정식은 k로 묶인 등식으로 표현될 수 있어!

풀이

(1) 주어진 식을 k에 대하여 정리하면 $(x+y+2)k-2y+1=0$

이 식이 k의 값에 관계없이 항상 성립해야 하므로[1]

$x+y+2=0$, $-2y+1=0$ $\qquad \therefore y=\frac{1}{2}$

$y=\frac{1}{2}$을 $x+y+2=0$에 대입하면 $x=-\frac{5}{2}$

따라서 주어진 직선은 실수 k의 값에 관계없이 항상

$\mathrm{P}\left(-\frac{5}{2},\ \frac{1}{2}\right)$을 지난다.

[1] $Ak+B=0$에서 k의 값에 상관없이 등식이 성립하므로 k에 대한 항등식이다.
➡ $A=0$이고 $B=0$이다.

(2) **STEP 1 교점을 지나는 방정식 세우고, k의 값 구하기**

주어진 두 직선의 교점을 지나는 직선의 방정식은

$2x-3y+3+k(x-2y+2)=0$ (단, k는 실수이다.) …… ㉠

직선 ㉠이 점 $(2,\ -1)$을 지나므로

$4+3+3+k(2+2+2)=0$ $\qquad \therefore k=-\frac{5}{3}$

STEP 2 직선의 방정식 구하기

$k=-\frac{5}{3}$를 ㉠에 대입하여 정리하면 $\frac{1}{3}x+\frac{1}{3}y-\frac{1}{3}=0$

$\therefore x+y-1=0$

다른 풀이

주어진 두 직선의 방정식을 연립하여 풀면 $x=0$, $y=1$

즉, 두 직선의 교점의 좌표는 $(0,\ 1)$이다.

따라서 두 점 $(0,\ 1)$, $(2,\ -1)$을 지나는 직선의 방정식은

$y-1=\frac{-1-1}{2-0}(x-0)$ $\qquad \therefore y=-x+1$

답 (1) $\mathrm{P}\left(-\frac{5}{2},\ \frac{1}{2}\right)$ (2) $x+y-1=0$

풍쌤 강의 NOTE

- $(a'k+a)x+(b'k+b)y+(c'k+c)=0$ 꼴의 식이 주어진 경우
$ax+by+c+k(a'x+b'y+c')=0$과 같이 k에 대한 식으로 나타낸 후, 항등식의 성질에 의해
$ax+by+c=0$, $a'x+b'y+c'=0$이라고 놓는다.
- 두 직선 $ax+by+c=0$, $a'x+b'y+c'=0$의 교점을 지나는 직선은
$ax+by+c+k(a'x+b'y+c')=0$ (k는 실수)으로 표현될 수 있다.

06-1 유사

직선 $2kx+(k-3)y-k+3=0$이 실수 k의 값에 관계없이 항상 점 P를 지날 때, 점 P의 좌표를 구하여라.

06-2 유사

기출

좌표평면에서 두 직선 $x-2y+2=0$, $2x+y-6=0$이 만나는 점과 점 $(4, 0)$을 지나는 직선의 y절편을 구하여라.

06-3 변형

직선 $(k-1)x-(2k+1)y+3=0$이 임의의 실수 k에 대하여 항상 일정한 점 P를 지날 때, 기울기가 2이고 점 P를 지나는 직선의 방정식을 구하여라.

06-4 변형

직선 $(3+k)x+(-1+2k)y+13-5k=0$이 실수 k의 값에 관계없이 항상 지나는 사분면을 구하여라.

06-5 변형

두 직선 $ax-2y+1=0$, $x+y-2=0$의 교점을 지나고 점 $(-1, b)$를 지나는 직선의 방정식이 $x-4y+5=0$일 때, $a+b$의 값을 구하여라.

(단, a는 실수이다.)

06-6 실력

직선 $y=mx-3m+2$가 실수 m의 값에 관계없이 항상 직사각형 ABCD의 넓이를 이등분한다. 점 A의 좌표가 $(2, -1)$일 때, 꼭짓점 C의 좌표를 구하여라.

필수유형 07 정점을 지나는 직선의 방정식의 활용

다음 물음에 답하여라.

(1) 두 점 A$(2,\ 2)$, B$(-2,\ 4)$를 이은 선분 AB와 직선 $y=mx+4m$이 만나도록 하는 실수 m의 값의 범위를 구하여라.

(2) 두 직선 $2x-3y+12=0$, $mx-y-2m=0$이 제2사분면에서 만나도록 하는 실수 m의 값의 범위를 구하여라.

풍쌤 POINT

미정계수 m을 포함한 직선의 방정식은 m에 대하여 식을 정리하여 m의 값에 관계없이 항상 지나는 점을 찾은 후, 두 점 A, B를 대입하여 m의 값의 범위를 구할 수 있어.

풀이

(1) 직선 $y=mx+4m$을 m에 대하여 정리하면

$y=m(x+4)$ …… ㉠

직선 ㉠은 m의 값에 관계없이 항상 점 P$(-4,\ 0)$을 지난다.

오른쪽 그림에서

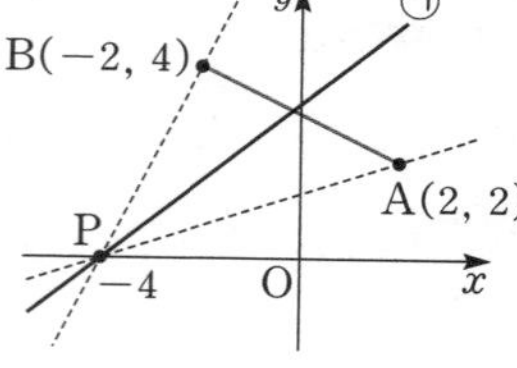

(i) 직선 ㉠이 점 A$(2,\ 2)$를 지날 때,

$2=m(2+4)$ $\quad\therefore m=\frac{1}{3}$

(ii) 직선 ㉠이 점 B$(-2,\ 4)$를 지날 때,

$4=m(-2+4)$ $\quad\therefore m=2$

(i), (ii)에서 구하는 m의 값의 범위는

$\frac{1}{3}\le m\le 2$

(2) 직선 $mx-y-2m=0$을 m에 대하여 정리하면

$y=m(x-2)$ …… ㉠

직선 ㉠은 m의 값에 관계없이 항상 점 P$(2,\ 0)$을 지난다.

직선 $2x-3y+12=0$이 $(-6,\ 0)$, $(0,\ 4)$를 지나므로

오른쪽 그림에서

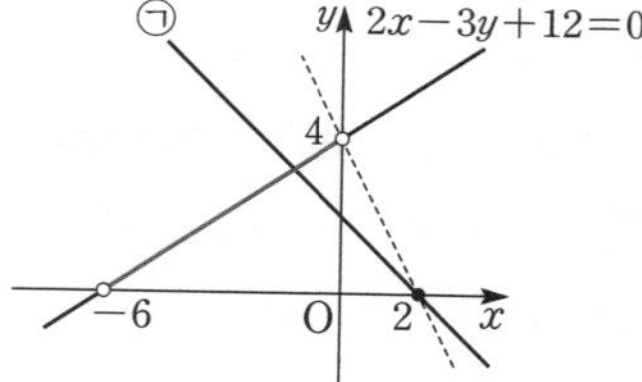

(i) 직선 ㉠이 점 $(-6,\ 0)$을 지날 때,

$0=m(-6-2)$ $\quad\therefore m=0$

(ii) 직선 ㉠이 점 $(0,\ 4)$를 지날 때,

$4=m(0-2)$ $\quad\therefore m=-2$

(i), (ii)에서 구하는 m의 값의 범위는

$-2<m<0$

답 (1) $-\frac{1}{3}\le m\le 2$ (2) $-2<m<0$

풍쌤 강의 NOTE

직선 $y-b=m(x-a)$는 m의 값에 관계없이 항상 점 $(a,\ b)$를 지난다.

07-1 유사

두 점 $A(0, -1)$, $B(0, 3)$을 이은 선분 AB와 직선 $y=kx-(2k-5)$가 만나도록 하는 실수 k의 값의 범위를 구하여라.

07-2 유사

두 직선 $y=-x-3$, $y=mx-2m+1$이 제3사분면에서 만나도록 하는 실수 m의 값의 범위를 구하여라.

07-3 변형

두 직선 $3x-2y+12=0$, $y=mx+2m-2$가 제2사분면에서 만나도록 하는 실수 m의 값의 범위가 $m<a$ 또는 $m>b$일 때, $4a^2b^2$의 값을 구하여라.

07-4 변형

직선 l과 직선 $y=kx+2k+2$가 제1사분면에서 만나도록 하는 k의 값의 범위가 $-\frac{1}{2}<k<1$일 때, 직선 l의 방정식을 구하여라.

07-5 변형

네 점 $A(4, 3)$, $B(8, 3)$, $C(7, 8)$, $D(3, 8)$을 꼭짓점으로 하는 평행사변형 ABCD에 대하여 직선 $mx-y+m=0$이 평행사변형 ABCD와 만나도록 하는 실수 m의 값의 범위를 구하여라.

07-6 실력

네 점 $A(6, 4)$, $B(5, 7)$, $C(x_1, y_1)$, $D(x_2, y_2)$를 꼭짓점으로 하는 정사각형 ABCD에 대하여 직선 BD가 x축과 만나는 점을 E라고 하자. 점 E를 지나면서 정사각형 ABCD와 만나는 직선의 방정식을 $y=m(x-k)$라고 할 때, 실수 m의 값의 범위가 $\alpha \le m \le \beta$이다. 세 실수 α, β, k에 대하여 $\alpha\beta k$의 값을 구하여라.

(단, $x_1<x_2<5$, $y_2<y_1$)

필수유형 08 한 직선에 평행 또는 수직인 직선의 방정식

다음 직선의 방정식을 구하여라.

(1) 직선 $y=-x+1$에 평행하고 점 $(1, 0)$을 지나는 직선

(2) 점 $(2, 4)$를 지나고 직선 $2x-y+1=0$에 수직인 직선

풍쌤 POINT

• 두 직선의 평행 또는 수직인 조건을 알면 기울기를 구할 수 있어!

• 두 직선이 서로 평행하면 기울기가 같고, 두 직선이 서로 수직이면 기울기의 곱이 -1이야!

풀이

(1) STEP 1 평행 조건을 이용하여 직선의 기울기 구하기

직선 $y=-x+1$에 평행한 직선의 기울기는 $-1$❶이다.

STEP 2 직선의 방정식 구하기

따라서 구하는 직선은 기울기가 -1이고, 점 $(1, 0)$을 지나므로 직선의 방정식은

$y=-(x-1)$ $\quad \therefore y=-x+1$

다른 풀이

평행한 직선은 기울기가 같으므로 구하는 직선의 방정식을 $y=-x+k$라고 할 수 있다.

이 직선이 점 $(1, 0)$을 지나므로 $0=-1+k$ $\quad \therefore k=1$

따라서 구하는 직선의 방정식은 $y=-x+1$

❶ 평행한 두 직선의 기울기는 같다.

(2) STEP 1 수직 조건을 이용하여 직선의 기울기 구하기

직선 $2x-y+1=0$❷에서 $y=2x+1$

이 직선에 수직인 직선의 기울기를 m이라고 하면

$2\times m=-1$❸ $\quad \therefore m=-\frac{1}{2}$

STEP 2 직선의 방정식 구하기

따라서 구하는 직선은 기울기가 $-\frac{1}{2}$이고 점 $(2, 4)$를 지나므로 직선의 방정식은

$y-4=-\frac{1}{2}(x-2)$ $\quad \therefore y=-\frac{1}{2}x+5$

❷ 주어진 직선의 방정식을 $y=mx+n$ 꼴로 고친다.

❸ 서로 수직인 두 직선의 기울기의 곱은 -1이다.

답 (1) $y=-x+1$ $\quad$ (2) $y=-\frac{1}{2}x+5$

풍쌤 강의 NOTE

두 직선 $y=mx+n$, $y=mx+n'$이

• 평행하다. ➡ $m=m'$, $n\neq n'$ → 두 직선의 기울기는 같고, y절편이 다르다.

• 수직이다. ➡ $mm'=-1$ → 두 직선의 기울기의 곱이 -1이다.

08-1 유사

다음 직선의 방정식을 구하여라.

(1) 직선 $y=3x-4$에 평행하고 점 $(-2, 0)$을 지나는 직선

(2) 점 $(-1, 2)$를 지나고 직선 $y=\frac{1}{2}x-1$에 수직인 직선

08-2 유사

두 점 $(1, 5)$, $(3, 0)$을 지나는 직선에 평행하고 y절편이 -1인 직선의 방정식을 구하여라.

08-3 변형

기출

좌표평면 위의 두 직선 $x-2y+2=0$, $2x+y-6=0$의 교점을 지나고 직선 $x-3y+6=0$에 수직인 직선의 y절편을 구하여라.

08-4 변형

두 점 $\mathrm{A}(-2, -4)$, $\mathrm{B}(-5, 2)$를 지나는 직선에 수직이고, 선분 AB를 $2:1$로 내분하는 점을 지나는 직선의 방정식을 구하여라.

08-5 변형

기출

세 직선 l: $x-ay+2=0$, m: $4x+by+2=0$, n: $x-(b-3)y-2=0$에 대하여 두 직선 l과 m은 수직이고 두 직선 l과 n은 평행할 때, a^2+b^2의 값을 구하여라. (단, a, b는 상수이다.)

08-6 실력

원점에서 직선 $x+2y-10=0$에 내린 수선의 발의 좌표를 구하여라.

필수유형 09 두 직선의 위치 관계

다음 물음에 답하여라.

(1) 두 직선 $ax+2y-2=0$, $(a-1)x-y+3=0$이 서로 수직이 되도록 하는 상수 a의 값을 모두 구하여라.

(2) 두 직선 $2x-y+1=0$, $(a-2)x+ay+a=0$이 만나지 않을 때, 상수 a의 값을 구하여라.

풍쌤 POINT

- 직선의 방정식 $y=ax+b$, $ax+by+c=0$의 두 가지 꼴이 모두 자주 나오므로 각 경우의 평행, 수직, 일치 등의 조건을 기억하자!
- 두 직선이 서로 평행하면 기울기가 같고, 서로 수직이면 기울기의 곱이 -1이야!

풀이

(1) 두 직선 $ax+2y-2=0$, $(a-1)x-y+3=0$이 서로 수직이므로

$a(a-1)+2\times(-1)=0$ ❶

$a^2-a-2=0$, $(a+1)(a-2)=0$

$\therefore a=-1$ 또는 $a=2$

다른 풀이

$ax+2y-2=0$에서 $y=-\frac{a}{2}x+1$

$(a-1)x-y+3=0$에서 $y=(a-1)x+3$

두 직선의 기울기의 곱이 -1이므로

$\left(-\frac{a}{2}\right)\times(a-1)=-1$

$a^2-a-2=0$, $(a+1)(a-2)=0$ $\quad\therefore a=-1$ 또는 $a=2$

(2) 두 직선이 만나지 않으므로 두 직선은 서로 평행하다. 즉,

$\frac{a-2}{2}=\frac{a}{-1}\neq\frac{a}{1}$ ❷ $\quad\therefore a=\frac{2}{3}$

다른 풀이

$2x-y+1=0$에서 $y=2x+1$

$(a-2)x+ay+a=0$에서 $y=-\frac{a-2}{a}-1$

두 직선이 평행하므로 기울기가 같다. 즉,

$2=-\frac{a-2}{a}$, $3a=2$ $\quad\therefore a=\frac{2}{3}$

❶ 두 직선 $ax+by+c=0$, $a'x+b'y+c'=0$이 서로 수직이면 $aa'+bb'=0$

❷ 두 직선 $ax+by+c=0$, $a'x+b'y+c'=0$에서 $\frac{a}{a'}=\frac{b}{b'}$만으로는 두 직선의 평행과 일치를 구분할 수 없으므로 $\frac{c}{c'}$도 반드시 비교한다.

답 (1) -1, 2 (2) $\frac{2}{3}$

풍쌤 강의 NOTE

- 두 직선 $y=mx+n$, $y=m'x+n'$이
  (1) 평행하다. ➡ $m=m'$, $n\neq n'$ (2) 수직이다. ➡ $mm'=-1$
- 두 직선 $ax+by+c=0$, $a'x+b'y+c'=0$ $(abc\neq0,\ a'b'c'\neq0)$이
  (1) 평행하다. ➡ $\frac{a}{a'}=\frac{b}{b'}\neq\frac{c}{c'}$ (2) 수직이다. ➡ $aa'+bb'=0$

09-1 유사

다음 물음에 답하여라.

(1) 두 직선 $(k-3)x-2ky+3=0$, $2x-y+4=0$ 이 서로 평행할 때, 상수 k의 값을 구하여라.

(2) 두 직선 $(2k-4)x+ky-1=0$, $x-3y+3=0$ 이 서로 수직일 때, 상수 k의 값을 구하여라.

09-2 유사

두 직선 $ax+y-b=0$, $bx-2y-a=0$이 만나지 않을 때, 직선 $bx+ay=0$의 기울기를 구하여라.

(단, a, b는 상수이다.)

09-3 변형

직선 $x-2y+1=0$이 직선 $x+(a+2)y-3=0$과 평행하고 직선 $(2-a)x+by+2=0$과 수직일 때, 상수 a, b에 대하여 ab의 값을 구하여라.

09-4 변형

직선 $ax-y+3=0$은 직선 $3x-by+1=0$과 평행하고 직선 $(b-2)x-y+2=0$과 수직일 때, 상수 a, b에 대하여 $a+b$의 값을 구하여라.

09-5 변형

두 직선 $(k-2)x+ky-2=0$, $2x-y+2=0$이 서로 평행하도록 하는 상수 k의 값을 a, 서로 수직이 되도록 상수 하는 k의 값을 b라고 할 때, $a+b$의 값을 구하여라.

09-6 실력

두 직선 $(a+1)x+(2-a)y-3a=0$, $x-(2b+3)y-1=0$이 x축에서 서로 수직으로 만날 때의 점 $\mathrm{Q}(a, b)$와 직선 $(k+1)x+(2-k)y-3k=0$이 실수 k의 값에 관계없이 항상 지나는 점 P에 대하여 $\overline{\mathrm{PQ}}^2$의 값을 구하여라.(단, a, b는 상수이다.)

필수유형 10 선분의 수직이등분선의 방정식

다음 물음에 답하여라.

(1) 두 점 $A(-1,\ 5)$, $B(1,\ 3)$을 이은 선분 AB의 수직이등분선의 방정식을 구하여라.

(2) 두 점 $A(0,\ 3)$, $B(2,\ -3)$을 이은 선분 AB의 수직이등분선이 점 $(5,\ a)$를 지날 때, a의 값을 구하여라.

풍쌤 POINT

선분 AB의 수직이등분선은 선분의 중점을 지나고 직선 AB에 수직인 직선이야!
이때 중점은 선분 AB의 1 : 1 내분점으로, 서로 수직인 두 직선은 기울기의 곱이 -1임을 이용해!

풀이

(1) **STEP 1 선분 AB의 중점의 좌표와 기울기 구하기**

선분 AB의 중점의 좌표는

$\left(\frac{-1+1}{2},\ \frac{5+3}{2}\right)$❶ $\quad\therefore (0,\ 4)$

직선 AB의 기울기는 $\frac{3-5}{1-(-1)}=-1$

STEP 2 수직이등분선의 방정식 구하기

따라서 선분 AB의 수직이등분선은 기울기가 1❷이고
점 $(0,\ 4)$를 지나므로 그 방정식은 $y=x+4$

> ❶ 두 점 $(x_1,\ y_1)$, $(x_2,\ y_2)$의 중점의 좌표는 $\left(\frac{x_1+x_2}{2},\ \frac{y_1+y_2}{2}\right)$
>
> ❷ 직선 AB에 수직이므로 구하는 직선의 기울기는 $-\frac{1}{(\text{직선 AB의 기울기})}$

(2) **STEP 1 선분 AB의 중점의 좌표와 기울기 구하기**

선분 AB의 중점의 좌표는

$\left(\frac{0+2}{2},\ \frac{3-3}{2}\right)$ $\quad\therefore (1,\ 0)$

직선 AB의 기울기는 $\frac{-3-3}{2-0}=-3$

STEP 2 수직이등분선의 방정식 구하기

따라서 선분 AB의 수직이등분선은 기울기가 $\frac{1}{3}$이고

점 $(1,\ 0)$을 지나므로 그 방정식은 $y=\frac{1}{3}x-\frac{1}{3}$❸

> ❸ $y=\frac{1}{3}(x-1)$
> $=\frac{1}{3}x-\frac{1}{3}$

STEP 3 a의 값 구하기

이 직선이 점 $(5,\ a)$를 지나므로

$a=\frac{1}{3}\times5-\frac{1}{3}=\frac{4}{3}$

답 (1) $y=x+4$ (2) $\frac{4}{3}$

풍쌤 강의 NOTE

선분 AB의 수직이등분선의 방정식은 선분 AB의 중점을 이용하여 다음 순서로 구한다.

❶ 직선이 선분 AB의 중점을 지남을 이용하여 선분 AB의 중점의 좌표를 구한다.

❷ 직선이 직선 AB와 수직이므로 두 직선의 기울기의 곱이 -1임을 이용하여 구하려는 직선의 기울기를 구한다.

❸ ❶, ❷에서 구한 중점의 좌표와 기울기를 이용하여 직선의 방정식을 구한다.

10-1 유사

두 점 $A(-1, 3)$, $B(5, 1)$을 이은 선분 AB의 수직이등분선의 방정식을 구하여라.

10-2 유사

두 점 $A(-4, 5)$, $B(0, -3)$을 이은 선분 AB의 수직이등분선이 점 $(0, a)$를 지날 때, a의 값을 구하여라.

10-3 유사

두 점 $A(-1, 2)$, $B(3, -4)$에 대하여 선분 AB의 수직이등분선의 방정식이 $ax+by-5=0$일 때, $a-b$의 값을 구하여라. (단, a, b는 상수이다.)

10-4 변형

직선 $2x-3y+12=0$이 x축, y축과 만나는 점을 각각 A, B라고 할 때, 선분 AB의 수직이등분선의 방정식을 구하여라.

10-5 변형

마름모 ABCD에서 이웃하지 않는 두 꼭짓점이 $A(0, 0)$, $C(2, 6)$이다. 이때 마름모의 나머지 두 꼭짓점 B, D를 지나는 직선의 방정식을 구하여라.

10-6 실력

기출

오른쪽 그림과 같이 함수 $f(x)=x^2-x-5$와 $g(x)=x+3$의 그래프가 만나는 두 점을 각각 A, B라고 하자.
함수 $y=f(x)$의 그래프 위의 점 P에 대하여 $\overline{AP}=\overline{BP}$일 때, 점 P의 x좌표를 구하여라.

(단, 점 P의 x좌표는 양수이다.)

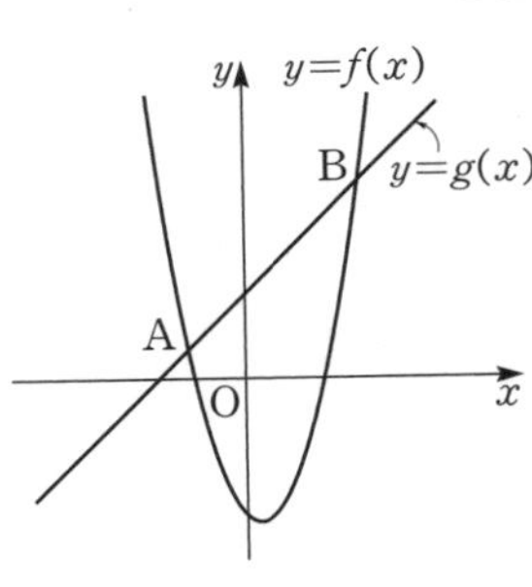

필수유형 11 세 직선의 위치 관계

세 직선 $2x+y-8=0$, $3x-2y+2=0$, $ax+2y+a-2=0$이 삼각형을 이루지 않도록 하는 상수 a의 값을 모두 구하여라.

풍쌤 POINT

세 직선이 삼각형을 이루지 않는 경우는 다음과 같아.

① 세 직선이 모두 평행할 때 ② 세 직선이 한 점에서 만날 때 ③ 세 직선 중 두 직선이 평행할 때

교점: 0개, 영역: 4개

교점: 1개, 영역: 6개

교점: 2개, 영역: 6개

풀이 주어진 세 직선이 삼각형을 이루지 않는 경우는 다음과 같다.

(i) 세 직선이 모두 평행할 때❶

두 직선 $2x+y-8=0$, $3x-2y+2=0$에서

$\frac{2}{3} \neq \frac{1}{-2}$이므로 세 직선이 모두 평행한 경우는 없다.

(ii) 세 직선이 한 점에서 만날 때❷

직선 $ax+2y+a-2=0$이 두 직선 $2x+y-8=0$, $3x-2y+2=0$의 교점을 지나야 한다.

$2x+y-8=0$, $3x-2y+2=0$을 연립하여 풀면

$x=2$, $y=4$

따라서 직선 $ax+2y+a-2=0$이 점 $(2, 4)$를 지나야 하므로

$2a+2\times4+a-2=0$

$\therefore a=-2$

(iii) 세 직선 중 두 직선이 평행할 때❸

① 두 직선 $2x+y-8=0$, $ax+2y+a-2=0$이 평행할 때

$\frac{2}{a}=\frac{1}{2}\neq\frac{-8}{a-2}$

$\therefore a=4$

② 두 직선 $3x-2y+2=0$, $ax+2y+a-2=0$이 평행할 때

$\frac{3}{a}=\frac{-2}{2}\neq\frac{2}{a-2}$

$\therefore a=-3$

(i), (ii), (iii)에 의하여 a의 값은 -3, -2, 4이다.

❶ 세 직선의 기울기가 모두 같다.

❷ 한 직선이 다른 두 직선의 교점을 지난다.

❸ 두 직선의 기울기는 같고, 다른 한 직선의 기울기는 다르다.

답 -3, -2, 4

풍쌤 강의 NOTE

세 직선 중 결정되지 않은 한 직선을 제외한 나머지 두 직선의 위치 관계를 먼저 파악한다.
두 직선이 한 점에서 만난다면 세 직선이 모두 평행한 경우는 없으므로 나머지 두 경우만 생각한다.

11-1 유사

세 직선 $x-y=0$, $x+2y=3$, $3x-ky=12$가 삼각형을 이루지 않도록 하는 모든 상수 k의 값의 합을 구하여라.

11-2 변형

세 직선 $y=1$, $ax-3y-4=0$, $x-ay+6=0$이 한 점에서 만나도록 하는 상수 a의 값을 모두 구하여라.

11-3 변형

세 직선 $x+ay+2=0$, $2x-y-6=0$, $3x+y+2=0$으로 이루어지는 삼각형이 직각삼각형일 때, 상수 a의 값을 모두 구하여라.

11-4 변형

세 직선 $ax-y=0$, $3x-y=1$, $x+ay=1$이 삼각형을 이루지 않도록 하는 모든 상수 a의 값의 곱을 구하여라.

11-5 변형

서로 다른 세 직선 $3x-y+2=0$, $(2a-1)x+2y+5=0$, $(5-4a)x+by-3=0$에 의하여 좌표평면이 4개의 영역으로 나누어질 때, 상수 a, b에 대하여 ab의 값을 구하여라.

11-6 실력

세 직선 $x-2y=0$, $ax-2y-4=0$, $x-3y+a=0$이 한 점에서 만날 때, 상수 a의 값이 a_1 또는 a_2이다. $a=a_1$일 때의 교점을 A, $a=a_2$일 때의 교점을 B라고 할 때, $\overline{AB}$의 값을 구하여라.

필수유형 12 점과 직선 사이의 거리

다음 물음에 답하여라.

(1) 점 $(-4, 2)$와 직선 $x+ay+8=0$ 사이의 거리가 $\sqrt{10}$일 때, 정수 a의 값을 구하여라.

(2) 평행한 두 직선 $2x-y+2=0$, $2x-y-3=0$ 사이의 거리를 구하여라.

풍쌤 POINT

- 점 (x_1, y_1)과 직선 $ax+by+c=0$ 사이의 거리는 $\dfrac{|ax_1+by_1+c|}{\sqrt{a^2+b^2}}$
- 평행한 두 직선 l, l' 사이의 거리는 직선 l 위의 한 점과 직선 l' 사이의 거리와 같다.

풀이

(1) **STEP1 점과 직선 사이 거리 공식을 이용하여 식 세우기**

점 $(-4, 2)$와 직선 $x+ay+8=0$ 사이의 거리가 $\sqrt{10}$이므로

$$\frac{|-4+2a+8|}{\sqrt{1^2+a^2}}=\sqrt{10}$$

STEP2 a의 값 구하기

$|2a+4|=\sqrt{10(1+a^2)}$

양변을 제곱하면

$(2a+4)^2=10a^2+10$, $2(a+2)^2=5a^2+5$

$3a^2-8a-3=0$, $(3a+1)(a-3)=0$

$\therefore a=-\dfrac{1}{3}$ 또는 $a=3$

이때 a는 정수이므로 $a=3$

(2) 주어진 두 직선은 서로 평행하므로 두 직선 사이의 거리는 직선 $2x-y+2=0$ 위의 한 점 $(-1, 0)$과 직선 $2x-y-3=0$ 사이의 거리와 같다.❶

따라서 구하는 거리는

$$\frac{|-2-3|}{\sqrt{2^2+(-1)^2}}=\sqrt{5}$$

다른 풀이

평행한 두 직선 $2x-y+2=0$, $2x-y-3=0$ 사이의 거리는

$$\frac{|2-(-3)|}{\sqrt{2^2+(-1)^2}}=\sqrt{5}$$❷

❶ 평행한 두 직선 사이의 거리는 직선 위의 한 점과 다른 직선 사이의 거리와 같다.

❷ 평행한 두 직선 $ax+by+c=0$, $ax+by+c'=0$ 사이의 거리는 $\dfrac{|c-c'|}{\sqrt{a^2+b^2}}$

답 (1) 3 (2) $\sqrt{5}$

풍쌤 강의 NOTE

평행한 두 직선 l_1: $ax+by+c=0$, l_2: $ax+by+c'=0$ 사이의 거리 d는

➡ l_2: $ax+by+c'=0$ 위의 한 점 $\mathrm{P}(x_1, y_1)$과 l_1: $ax+by+c=0$ 사이의 거리와 같으므로

$$d=\frac{|ax_1+by_1+c|}{\sqrt{a^2+b^2}}=\frac{|c-c'|}{\sqrt{a^2+b^2}}$$

12-1 기본 기출

좌표평면 위의 점 $(0, 1)$과 직선 $\sqrt{3}x+y+23=0$ 사이의 거리를 구하여라.

12-2 유사

점 $(1, 5)$와 직선 $x+ay-1=0$ 사이의 거리가 $2\sqrt{5}$일 때, 상수 a의 값을 모두 구하여라.

12-3 유사

평행한 두 직선 $3x-4y-4=0$, $3x-4y+6=0$ 사이의 거리를 구하여라.

12-4 변형

평행한 두 직선 $ax-2y-1=0$, $x-(a+1)y-1=0$ 사이의 거리를 구하여라. (단, a는 상수이다.)

12-5 변형

점 $(0, 2)$를 지나는 직선 l에 대하여 직선 l과 점 $(3, 1)$ 사이의 거리가 3일 때, 직선 l의 기울기를 구하여라.

12-6 실력

x축 위의 점 $(a, 0)$과 두 직선 $4x-3y+1=0$, $3x+4y-2=0$ 사이의 거리가 같을 때, 정수 a의 값을 구하여라.

필수유형 13 점과 직선 사이의 거리의 활용

다음 물음에 답하여라.

(1) 좌표평면 위의 세 점 A(1, 2), B(5, 0), C(4, 3)을 꼭짓점으로 하는 삼각형 ABC의 넓이를 구하여라.

(2) 세 점 A(1, 3), B(3, 0), C(5, a)를 꼭짓점으로 하는 삼각형 ABC의 넓이가 7일 때, 양수 a의 값을 구하여라.

풍쌤 POINT

좌표평면 위의 세 점을 꼭짓점으로 하는 삼각형의 넓이는 밑변의 길이와 높이를 구해야 해!
- 밑변의 길이 ➡ 두 점 사이의 거리를 이용해.
- 높이 ➡ 점과 직선 사이의 거리를 구하는 공식을 이용해.

풀이

(1) **STEP 1 삼각형의 밑변의 길이 구하기**

선분 AB를 삼각형 ABC의 밑변이라고 하면

$\overline{AB}=\sqrt{(5-1)^2+(0-2)^2}=2\sqrt{5}$

STEP 2 삼각형의 높이와 넓이 구하기

직선 AB의 방정식은 $y=\frac{0-2}{5-1}(x-5)$ ❶ $\therefore x+2y-5=0$

따라서 점 C(4, 3)과 직선 $x+2y-5=0$ 사이의 거리를 h라 고 하면 $h=\frac{|4+6-5|}{\sqrt{1^2+2^2}}=\sqrt{5}$ ❷

$\therefore \triangle ABC=\frac{1}{2}\times\overline{AB}\times h=\frac{1}{2}\times2\sqrt{5}\times\sqrt{5}=5$

❶ 두 점 A(1, 2), B(5, 0)을 지나는 직선의 방정식을 구한다.

❷ 밑변과 다른 꼭짓점 사이의 거리는 점과 직선 사이의 거리로 구한다.

(2) **STEP 1 삼각형의 밑변의 길이 구하기**

선분 AB를 삼각형 ABC의 밑변이라고 하면

$\overline{AB}=\sqrt{(3-1)^2+(0-3)^2}=\sqrt{13}$

STEP 2 넓이 조건을 이용하여 식 세우고 a의 값 구하기

직선 AB의 방정식은 $y=\frac{0-3}{3-1}(x-3)$ $\therefore 3x+2y-9=0$

이때 점 C(5, a)와 직선 $3x+2y-9=0$ 사이의 거리는

$\frac{|15+2a-9|}{\sqrt{3^2+2^2}}=\frac{|2a+6|}{\sqrt{13}}$

삼각형 ABC의 넓이가 7이므로

$\frac{1}{2}\times\sqrt{13}\times\frac{|2a+6|}{\sqrt{13}}=7$에서 $\frac{|2a+6|}{2}=7$

$|2a+6|=14$ $\therefore a=4$ ($\because a>0$)

답 (1) 5 (2) 4

풍쌤 강의 NOTE

세 꼭짓점의 좌표가 주어진 삼각형의 넓이는 다음과 같은 순서로 구해!

❶ 밑변인 선분 AB의 길이 구하기
❷ 직선 AB의 방정식 구하기
❸ 점 C와 직선 AB 사이의 거리 h 구하기

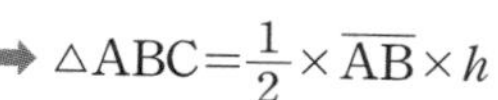
$\Rightarrow \triangle ABC=\frac{1}{2}\times\overline{AB}\times h$

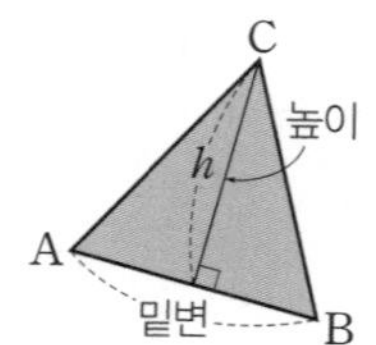

13-1 유사

좌표평면 위의 세 점 A$(4,\ 2)$, B$(7,\ 8)$, C$(-1,\ 7)$을 꼭짓점으로 하는 삼각형 ABC의 넓이를 구하여라.

13-2 유사

기출

오른쪽 그림과 같이 O$(0,\ 0)$, A$(4,\ 2)$, B$(1,\ k)$를 꼭짓점으로 하는 삼각형 OAB의 넓이가 4일 때, 양수 k의 값을 구하여라.

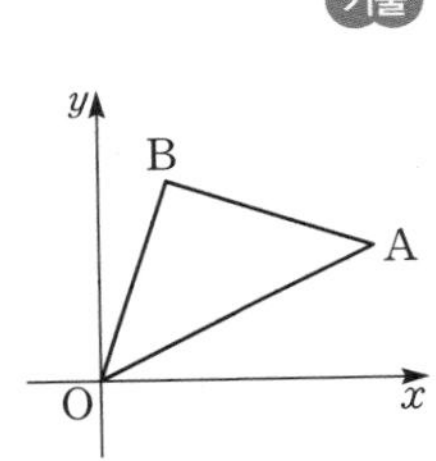

13-3 변형

네 점 O$(0,\ 0)$, A$(2,\ 2)$, B$(1,\ 6)$, C$(-1,\ 4)$를 꼭짓점으로 하는 평행사변형 OABC의 넓이를 구하여라.

13-4 변형

세 점 O$(0,\ 0)$, A$(a,\ b)$, B$(6,\ 8)$을 꼭짓점으로 하는 직각삼각형 AOB에서 $\angle$AOB$=90°$이다. 점 A$(a,\ b)$가 직선 $y=3x+15$ 위에 있을 때, 삼각형 AOB의 넓이가 c이다. $a+b+c$의 값을 구하여라.

13-5 변형

세 점 A$(6,\ 4)$, B$(4,\ 0)$, C$(3,\ 2)$를 꼭짓점으로 하는 삼각형이 있다. x축 위의 점 D에 대하여 삼각형 ABC의 넓이와 삼각형 ABD의 넓이가 같아지는 점 D의 좌표를 구하여라.

(단, 원점 O에 대하여 점 D는 선분 OB 위에 있다.)

13-6 실력

오른쪽 그림과 같이 두 직선 $y=x+3$, $y=x-2$와 수직인 선분 AB를 밑변으로 하는 삼각형 OBA의 넓이가 10일 때, 직선 AB의 방정식을 구하여라.

(단, O는 원점이고 두 점 A, B는 제1사분면 위의 점이다.)

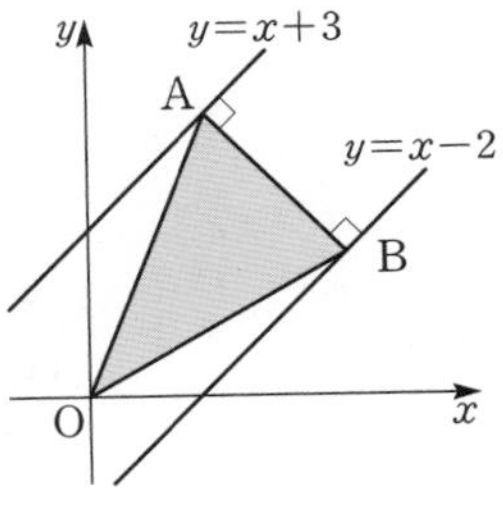

발전유형 14 점이 나타내는 도형의 방정식

다음 물음에 답하여라.

(1) 두 점 $A(1,\ 5)$, $B(5,\ 3)$으로부터 같은 거리에 있는 점 P가 나타내는 도형의 방정식을 구하여라.

(2) 두 직선 $x+2y+3=0$, $2x-y-1=0$으로부터 같은 거리에 있는 점 P가 나타내는 도형의 방정식을 구하여라.

풍쌤 POINT

점 P의 좌표를 $(x,\ y)$로 놓고 풀면 쉽게 접근할 수 있어!
이때 거리가 같다는 것을 수식으로 나타내면 관계식이 자연스럽게 나와!

풀이

(1) 점 P의 좌표를 $(x,\ y)$라고 하면

$\overline{AP}^2=(x-1)^2+(y-5)^2$

$\overline{BP}^2=(x-5)^2+(y-3)^2$

이때 점 P가 두 점 A, B로부터 같은 거리에 있으므로

$\overline{AP}^2=\overline{BP}^2$에서

$(x-1)^2+(y-5)^2=(x-5)^2+(y-3)^2$

$x^2-2x+1+y^2-10y+25=x^2-10x+25+y^2-6y+9$

$8x-4y-8=0 \qquad \therefore 2x-y-2=0$ ❶

❶ 두 점 A, B의 중점은 $(3,\ 4)$이고 직선 AB의 기울기는 $-\frac{1}{2}$이다. 이때 기울기가 2이고 점 $(3,\ 4)$를 지나는 직선의 방정식은 $y=2x-2$이므로 구한 직선은 두 점을 이은 선분의 수직이등분선이다.

(2) **STEP 1 점 P에서 두 직선에 이르는 거리가 같음을 이용하여 식 세우기**

점 P의 좌표를 $(x,\ y)$라고 하면 점 P에서 두 직선에 이르는 거리가 같으므로

$$\frac{|x+2y+3|}{\sqrt{1^2+2^2}}=\frac{|2x-y-1|}{\sqrt{2^2+(-1)^2}}$$

$\therefore |x+2y+3|=|2x-y-1|$

STEP 2 점 P가 나타내는 도형의 방정식 구하기

(i) $x+2y+3=2x-y-1$일 때, $x-3y-4=0$

(ii) $x+2y+3=-2x+y+1$일 때, $3x+y+2=0$

(i), (ii)에서 점 P가 나타내는 도형의 방정식은

$x-3y-4=0$ 또는 $3x+y+2=0$ ❷

❷ 구한 직선은 두 직선이 이루는 각의 이등분선이다.

답 (1) $2x-y-2=0$ (2) $x-3y-4=0$ 또는 $3x+y+2=0$

풍쌤 강의 NOTE

- 두 점으로부터 같은 거리에 있는 점 P가 나타내는 도형은 두 점을 이은 선분의 수직이등분선이다.
- 두 직선으로부터 같은 거리에 있는 점 P가 나타내는 도형은 두 직선이 이루는 각의 이등분선이다.

14-1 유사

두 점 $A(-4, 2)$, $B(4, 6)$으로부터 같은 거리에 있는 점 P가 나타내는 도형의 방정식을 구하여라.

14-2 유사

두 직선 $x+4y+2=0$, $4x+y+8=0$이 이루는 각의 이등분선 중 기울기가 양수인 직선의 방정식을 구하여라.

14-3 변형

직선 $2x-y+2=0$ 위의 임의의 점 P와 원점 O에 대하여 선분 OP의 중점 M의 자취의 방정식을 구하여라.

14-4 변형

점 P가 직선 $2x+y-2=0$ 위를 움직일 때, 점 $A(2, 1)$과 점 P를 이은 선분 AP를 $1:2$로 내분하는 점 Q가 나타내는 도형의 방정식을 구하여라.

14-5 변형

임의의 점 $P(x, y)$에서 직선 $4x+3y-6=0$까지의 거리가 k이고, 직선 $3x-4y+8=0$까지의 거리가 $2k$일 때, 점 P가 나타내는 도형의 방정식을 구하여라.

(단, $k>0$)

14-6 실력

임의의 점 $P(x, y)$에서 직선 $y=-1$까지의 거리와 점 $Q(0, 1)$까지의 거리가 같을 때, 점 P가 나타내는 도형의 방정식을 구하여라.

풍산자 유형 특강

삼각형의 넓이를 구하는 방법

두 점 사이의 거리, 점과 직선 사이의 거리를 이용하면 좌표평면 위에 세 꼭짓점의 좌표가 주어진 삼각형의 넓이를 구할 수 있어.

삼각형의 넓이를 구하는 특급 노하우!
익숙해지면 세상 편한 삼각형의 넓이 구하는 skill

주의!!
선생님께서 가르쳐주시지 않았다면 서술형 문제 풀 때는 적용하면 안 돼!

특강 1 세 점이 주어질 때 삼각형의 넓이 구하기

한 직선 위에 있지 않은 세 점 $\mathbf{A(x_1, y_1)}$, $\mathbf{B(x_2, y_2)}$, $\mathbf{C(x_3, y_3)}$을 꼭짓점으로 하는 삼각형 ABC의 넓이를 S라고 하면

$$S=\frac{1}{2}|(x_1y_2+x_2y_3+x_3y_1)-(x_1y_3+x_2y_1+x_3y_2)|$$

> 정말로 적용되는지 확인해 볼까?

서로 다른 세 점이 주어진 경우 교과서에서 배운 내용만 이용하면 오른쪽과 같이 풀 수 있지만 많이 번거로워!

선분 AB의 길이는

$\overline{AB}=\sqrt{(x_2-x_1)^2+(y_2-y_1)^2}$

두 점 $A(x_1, y_1)$, $B(x_2, y_2)$를 지나는 직선의 방정식은 $y-y_1=\frac{y_2-y_1}{x_2-x_1}(x-x_1)$

$\therefore\ -(y_2-y_1)x+(x_2-x_1)y+x_1y_2-x_2y_1=0$

y, $A(x_1, y_1)$, H, $C(x_3, y_3)$, $B(x_2, y_2)$, O, x

이때 점 $C(x_3, y_3)$에서 직선 AB에 내린 수선의 발을 H라고 하면 삼각형 ABC의 높이, 즉 $\overline{CH}$의 길이는 점 C와 직선 AB 사이의 거리이므로

삼각형의 세 꼭짓점 A, B, C를 동일한 평행이동으로 세 점 A′, B′, C′으로 옮겼을 때, 삼각형 ABC와 삼각형 A′B′C′은 합동이므로 그 넓이가 같다.

이때 점 $C(x_3, y_3)$와 직선 AB 사이의 거리는

$$\overline{CH}=\frac{|-(y_2-y_1)\times x_3+(x_2-x_1)\times y_3+x_1y_2-x_2y_1|}{\sqrt{\{-(y_2-y_1)\}^2+(x_2-x_1)^2}}$$

$$=\frac{|-x_3y_2+x_3y_1+x_2y_3-x_1y_3+x_1y_2-x_2y_1|}{\sqrt{(x_2-x_1)^2+(y_2-y_1)^2}}$$

$$=\frac{|(x_1y_2+x_2y_3+x_3y_1)-(x_1y_3+x_2y_1+x_3y_2)|}{\sqrt{(x_2-x_1)^2+(y_2-y_1)^2}}$$

따라서 삼각형 ABC의 넓이 S는

$$S=\frac{1}{2}\times\overline{AB}\times\overline{CH}$$

$$=\frac{1}{2}\times\sqrt{(x_2-x_1)^2+(y_2-y_1)^2}\times\frac{|(x_1y_2+x_2y_3+x_3y_1)-(x_1y_3+x_2y_1+x_3y_2)|}{\sqrt{(x_2-x_1)^2+(y_2-y_1)^2}}$$

$$=\frac{1}{2}|(x_1y_2+x_2y_3+x_3y_1)-(x_1y_3+x_2y_1+x_3y_2)|$$

▶ 다른 방법으로 설명해 줄까?

서로 다른 세 점 $A(x_1, y_1)$, $B(x_2, y_2)$, $C(x_3, y_3)$을 꼭짓점으로 하는 삼각형 ABC의 넓이 S는

점 A의 좌표를 한 번 더 쓴다.

$$S=\frac{1}{2}\left|\begin{matrix} x_1 & x_2 & x_3 & x_1 \\ y_1 & y_2 & y_3 & y_1 \end{matrix}\right|$$

$$=\frac{1}{2}|(\searrow+\searrow+\searrow)-(\swarrow+\swarrow+\swarrow)|$$

$$=\frac{1}{2}|(x_1y_2+x_2y_3+x_3y_1)-(x_2y_1+x_3y_2+x_1y_3)|$$

만약 점 A의 좌표가 $(0, 0)$이면 $x_1=0$, $y_1=0$이므로

$$S=\frac{1}{2}\left|\begin{matrix} 0 & x_2 & x_3 & 0 \\ 0 & y_2 & y_3 & 0 \end{matrix}\right|=\frac{1}{2}|x_2y_3-x_3y_2|$$

좌표평면 위의 꼭짓점의 좌표가 주어질 때, 왼쪽과 같이 다각형의 넓이를 구하는 방법을 신발끈 공식(사선공식)이라고 한다.

풍산자 풀이 흐름

❶ 세 점의 좌표를 왼쪽과 같이 배열해.

❷ 오른쪽 아래로 향한 곱에는 +부호를 붙여서 더해.

❸ 왼쪽 아래로 향한 곱에는 −부호를 붙여서 더해.

▶ 삼각형 ABC의 넓이 S를 구하는 여러 가지 공식들도 살펴 보자.

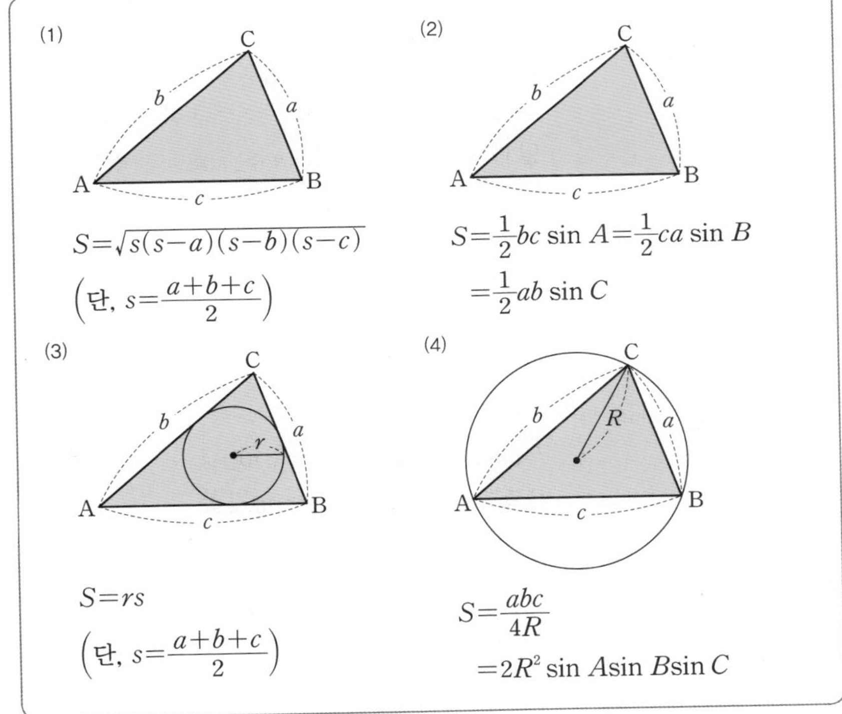

(1)
C
b
a
A
B
c
$S=\sqrt{s(s-a)(s-b)(s-c)}$
$\left(단, s=\frac{a+b+c}{2}\right)$
(2)
C
b
a
A
B
c
$S=\frac{1}{2}bc\sin A=\frac{1}{2}ca\sin B$
$=\frac{1}{2}ab\sin C$
(3)
C
b
a
r
A
B
c
$S=rs$
$\left(단, s=\frac{a+b+c}{2}\right)$
(4)
C
b
R
a
A
B
c
$S=\frac{abc}{4R}$
$=2R^2\sin A\sin B\sin C$

문제 푸는 key point

(1), (3)은 지금까지 배운 내용으로 쉽게 적용할 수 있어.
(2), (4)는 수학Ⅰ-Ⅱ. 삼각함수 단원을 배우고 적용할 수 있어.

(1)은 헤론의 공식이라고 한다.

✔ 확인

정답과 풀이 273쪽

1. 다음 세 점을 꼭짓점으로 하는 삼각형 ABC의 넓이를 구하여라.

(1) $A(-1, -1)$, $B(5, -3)$, $C(3, 1)$ (2) $A(2, 1)$, $B(8, -1)$, $C(6, 8)$

2. 세 점 $A(2, 3)$, $B(5, -3)$, $C(7, 5)$를 x축의 방향으로 -2만큼, y축의 방향으로 -3만큼 평행이동한 세 점 A', B', C'을 꼭짓점으로 하는 삼각형 $A'B'C'$의 넓이를 구하여라.

실전 연습 문제

01

두 점 $A(-2, 3)$, $B(4, 0)$에 대하여 선분 AB를 $2:1$로 내분하는 점을 지나고 기울기가 2인 직선의 방정식은?

① $x-2y+1=0$　② $x+2y-4=0$
③ $2x-y+3=0$　④ $2x-y-3=0$
⑤ $4x-2y-7=0$

02

두 점 $A(1, 2)$, $B(3, 5)$를 지나는 직선과 평행하고 점 $(-2, 4)$를 지나는 직선의 방정식을 구하여라.

03

기출

다음 그림과 같이 이차함수 $f(x)=x^2+px+p$의 그래프의 꼭짓점을 A, 이 이차함수의 그래프가 y축과 만나는 점을 B라고 할 때, 두 점 A, B를 지나는 직선을 l이라고 하자. 직선 l의 x절편은?

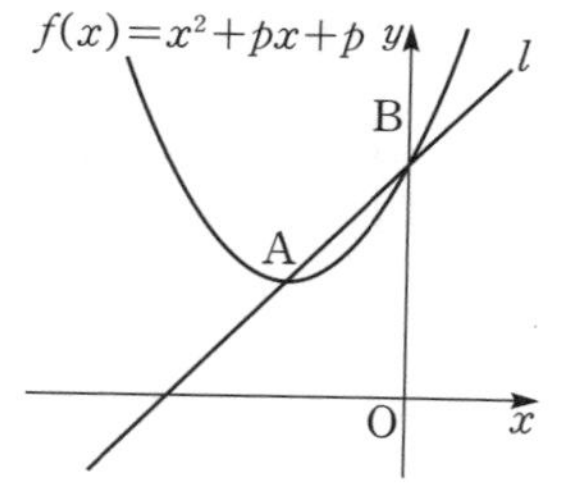

① $-\frac{5}{2}$　② -2　③ $-\frac{3}{2}$
④ -1　⑤ $-\frac{1}{2}$

04

서로 다른 세 점 $A(2-2k, -1)$, $B(0, k+4)$, $C(1, k+6)$이 삼각형을 이루지 않도록 하는 k의 값은?

① 2　② 3　③ 4
④ 5　⑤ 6

05 서술형

네 점 $A(-3, 5)$, $B(3, 4)$, $C(7, 9)$, $D(1, 10)$을 꼭짓점으로 하는 사각형의 넓이를 이등분하면서 점 $(-2, -1)$을 지나는 직선의 방정식이 $ax-y+b=0$일 때, 상수 a, b에 대하여 ab의 값을 구하여라.

06

직선 $ax+by+c=0$ $(b\neq0)$이 오른쪽 그림과 같을 때, |보기|에서 옳은 것만을 있는 대로 고른 것은?

(단, a, b, c는 상수이다.)

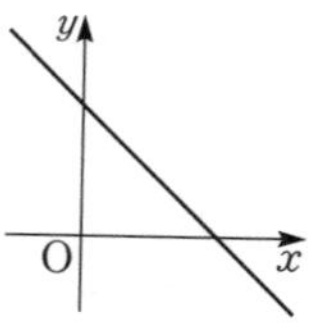

|보기|

ㄱ. $ab<0$　ㄴ. $bc<0$　ㄷ. $ac>0$

① ㄴ　② ㄱ, ㄴ　③ ㄱ, ㄷ
④ ㄴ, ㄷ　⑤ ㄱ, ㄴ, ㄷ

07

직선 $y=mx+3m-1$이 오른쪽 그림과 같은 정사각형과 만나도록 하는 실수 m의 값의 범위가 $a\le m\le b$일 때, $a+b$의 값을 구하여라.

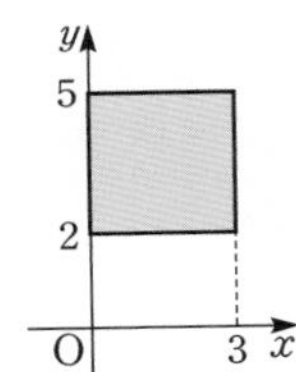

08

기출

오른쪽 그림과 같이 좌표평면에서 점 $\mathrm{A}(-2,\ 3)$과 직선 $y=m(x-2)$ 위의 서로 다른 두 점 B, C가 $\overline{\mathrm{AB}}=\overline{\mathrm{AC}}$를 만족시킨다. 선분 BC의 중점이 y축 위에 있을 때, 양수 m의 값은?

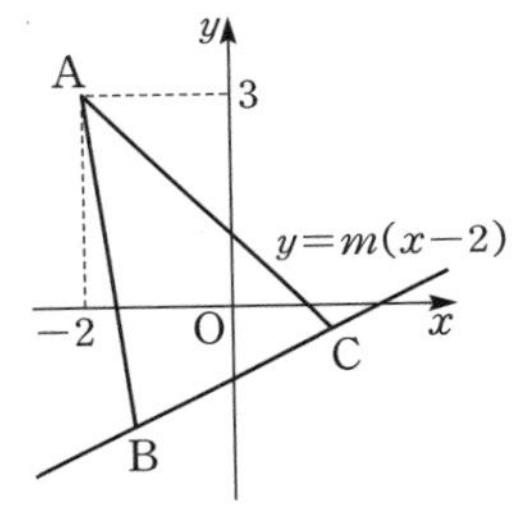

① $\dfrac{1}{3}$　② $\dfrac{5}{12}$　③ $\dfrac{1}{2}$
④ $\dfrac{7}{12}$　⑤ $\dfrac{2}{3}$

09

두 직선 $ax-3y+b=0$, $2x+3y-5=0$이 두 개 이상의 교점을 가질 때, 상수 a, b에 대하여 a^2+b^2의 값을 구하여라.

10

기출

점 $(1,\ 0)$을 지나는 직선과 직선 $(3k+2)x-y+2=0$이 y축에서 수직으로 만날 때, 상수 k의 값은?

① $-\dfrac{5}{6}$　② $-\dfrac{1}{2}$　③ $-\dfrac{1}{3}$
④ $\dfrac{1}{6}$　⑤ $\dfrac{3}{2}$

11 서술형

두 점 $\mathrm{A}(5,\ 4)$, $\mathrm{B}(-3,\ k)$를 이은 선분 AB의 수직이등분선이 점 $(0,\ 4)$를 지나도록 하는 모든 실수 k의 값의 합을 구하여라.

12

점 $(-1,\ 1)$을 지나는 직선 $ax+by-1=0$에 대하여 점 $(1,\ 4)$와 이 직선 사이의 거리가 13일 때, ab의 값은? (단, a, b는 상수이다.)

① 0　② 2　③ 4
④ 6　⑤ 8

13 서술형

두 점 $\mathrm{A}(1,\ a)$, $\mathrm{B}(-3,\ 4)$를 지나는 직선과 직선 $y=bx$가 서로 평행하고 두 직선 사이의 거리가 5일 때, $4b+a$의 값을 구하여라. (단, b는 상수이다.)

14 기출

좌표평면 위의 원점과 직선 $3x-y+2-k(x+y)=0$ 사이의 거리의 최댓값은?

① $\frac{1}{4}$　② $\frac{\sqrt{2}}{4}$　③ $\frac{1}{2}$
④ $\frac{\sqrt{2}}{2}$　⑤ $\sqrt{2}$

15

세 직선 $x-3y+9=0$, $x+y-11=0$, $2x-y+8=0$으로 둘러싸인 삼각형의 넓이는?

① 20　② 25　③ 30
④ 35　⑤ 40

16

세 점 $\mathrm{A}(5,\ 2)$, $\mathrm{B}(-2,\ 0)$, $\mathrm{C}(0,\ a)$를 꼭짓점으로 하는 삼각형 ABC의 넓이가 12일 때, 정수 a의 값은?

① -4　② -2　③ 0
④ 2　⑤ 4

17

두 점 $\mathrm{A}(-1,\ 1)$, $\mathrm{B}(1,\ 2)$에 대하여 $\overline{\mathrm{PA}}^2-\overline{\mathrm{BP}}^2=4$를 만족시키는 점 P가 나타내는 도형의 방정식을 구하여라.

18 서술형

세 점 $\mathrm{A}(-2,\ 0)$, $\mathrm{B}(5,\ 0)$, $\mathrm{C}\left(\frac{5}{2},\ 6\right)$을 꼭짓점으로 하는 삼각형 ABC의 내심의 좌표를 구하여라.

상위권 도약 문제

정답과 풀이 279쪽

01

기출

좌표평면 위에서 직선 $y=2x+2$가 x축과 만나는 점을 A라 하고 이 직선 위의 임의의 점 P에서 x축에 내린 수선의 발을 H라고 하자. 이때 삼각형 PAH의 넓이가 5가 되도록 하는 점 P는 두 개가 있다. 이 두 점의 x좌표를 각각 α, β라고 할 때, $\alpha\beta$의 값은?

① -6　② -5　③ -4
④ -3　⑤ -2

02

세 점 $\mathrm{A}(a, b)$, $\mathrm{B}(7, 5)$, $\mathrm{C}(-a, 8)$에 대하여 $a=k_1$일 때, b의 값에 관계없이 세 점을 꼭짓점으로 하는 삼각형이 생기고, $b=k_2$일 때, a의 값에 관계없이 세 점을 꼭짓점으로 하는 삼각형이 생긴다. 이때 k_1+k_2의 값은?

① -5　② -3　③ -1
④ 1　⑤ 3

03

서로 다른 세 직선 $2ax+y-(4a+3)=0$, $2x+ay-(3a+4)=0$, $x-4y+a=0$이 좌표평면을 여섯 부분으로 나눌 때, 모든 상수 a의 값의 곱은?

① 1　② 5　③ 10
④ 12　⑤ 16

04

기출

곡선 $y=-x^2+4$ 위의 점과 직선 $y=2x+k$ 사이의 거리의 최솟값이 $2\sqrt{5}$가 되도록 하는 상수 k의 값을 구하여라.

05

기출

좌표평면에서 세 직선 $y=2x$, $y=-\frac{1}{2}x$, $y=mx+5$ $(m>0)$로 둘러싸인 도형이 이등변삼각형일 때, 상수 m의 값은?

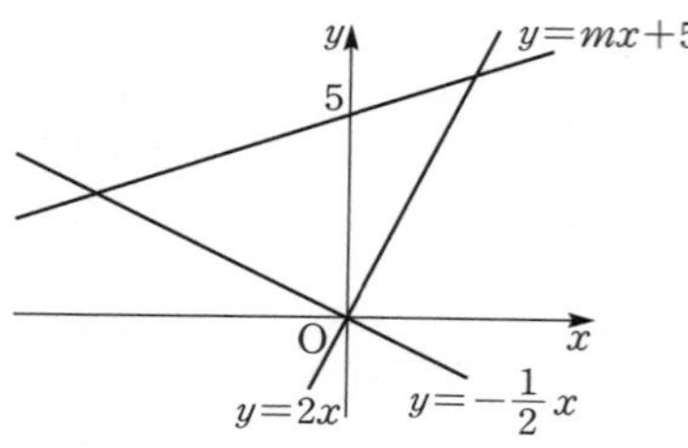

① $\frac{1}{3}$ ② $\frac{2}{5}$ ③ $\frac{7}{15}$
④ $\frac{8}{15}$ ⑤ $\frac{3}{5}$

06

네 점 $\mathrm{O}(0, 0)$, $\mathrm{A}(3, -3)$, $\mathrm{B}(6, 4)$, $\mathrm{C}(3, 5)$와 임의의 점 P에 대하여 $\overline{\mathrm{PO}}+\overline{\mathrm{PA}}+\overline{\mathrm{PB}}+\overline{\mathrm{PC}}$의 값이 최소일 때, 선분 PA의 길이를 구하여라.

07

다음 그림과 같이 직사각형 ABCD에 대하여 선분 BC의 중점을 M이라 하고 선분 AM을 접는 선으로 하여 접었을 때, 점 B가 이동한 점을 점 P라고 하자. 두 직선 BC, AP가 만나는 점을 Q라고 할 때, 선분 BQ의 길이를 구하여라.

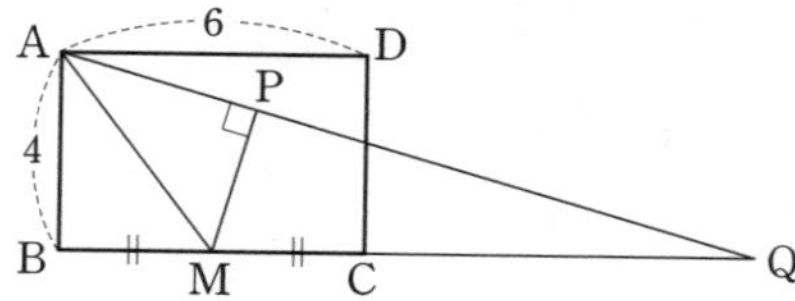

13 원의 방정식

유형의 이해에 따라 ☐ 안에 ○, × 표시를 하고 반복하여 학습합니다.

유형	내용	1st	2nd
필수유형 01	원의 방정식(1) – 표준형	☐	☐
필수유형 02	원의 방정식(1) – 원의 중심에 대한 조건이 주어진 경우	☐	☐
필수유형 03	원의 방정식(2) – 일반형	☐	☐
필수유형 04	좌표축에 접하는 원의 방정식	☐	☐
발전유형 05	자취의 방정식	☐	☐
필수유형 06	원과 직선의 위치 관계	☐	☐
필수유형 07	현의 길이	☐	☐
필수유형 08	원 밖의 한 점과 접점 사이의 거리	☐	☐
필수유형 09	원 위의 점과 직선 사이의 거리의 최대·최소	☐	☐
필수유형 10	기울기가 주어진 원의 접선의 방정식	☐	☐
필수유형 11	원 위의 점에서의 접선의 방정식	☐	☐
필수유형 12	원 밖의 한 점에서 그은 접선의 방정식	☐	☐
필수유형 13	두 원의 교점을 지나는 직선과 원의 방정식	☐	☐
필수유형 14	두 원의 교점을 지나는 직선과 원의 방정식 – 공통인 현	☐	☐
발전유형 15	두 원에 동시에 접하는 접선의 길이	☐	☐

13 원의 방정식

개념 01 원의 방정식(1)

(1) 중심이 점 $(a,\ b)$이고 반지름의 길이가 r인 원의 방정식은

$(x-a)^2+(y-b)^2=r^2$ ← 원의 방정식의 표준형

(2) 중심이 원점이고 반지름의 길이가 r인 원의 방정식은

$x^2+y^2=r^2$

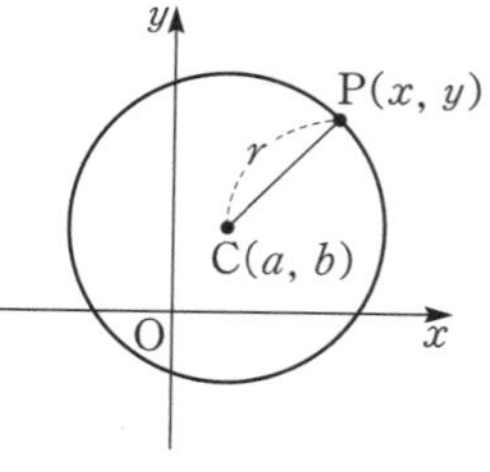

> 평면 위의 한 정점으로부터 일정한 거리에 있는 점의 자취를 원이라고 한다. 이때 정점을 원의 중심, 일정한 거리를 반지름의 길이라고 한다.

확인 01 다음 원의 방정식을 구하여라.

(1) 중심이 점 $(1,\ -2)$이고, 반지름의 길이가 3인 원

(2) 중심이 원점이고, 반지름의 길이가 2인 원

개념+ 두 점을 지름의 양 끝 점으로 하는 원의 방정식

두 점 $\mathrm{A}(x_1,\ y_1)$, $\mathrm{B}(x_2,\ y_2)$를 지름의 양 끝 점으로 하는 원의 방정식을 구할 때

[방법1] 원의 중심은 선분 AB의 중점이고, 반지름의 길이는 $\frac{1}{2}\overline{\mathrm{AB}}$이므로 원의 중심의 좌표와 반지름의 길이를 구한 후, 이를 원의 방정식의 표준형에 대입한다.

[방법2] 공식을 이용한다.

➡ $(x-x_1)(x-x_2)+(y-y_1)(y-y_2)=0$

> 중점(원의 중심)은 $\left(\frac{x_1+x_2}{2},\ \frac{y_1+y_2}{2}\right)$
> 반지름의 길이는 $\frac{\sqrt{(x_2-x_1)^2+(y_2-y_1)^2}}{2}$
> 이다.

개념 02 원의 방정식(2)

$x,\ y$에 대한 이차방정식 $x^2+y^2+Ax+By+C=0$을 변형하면 (└ 원의 방정식의 일반형)

$$\left(x+\frac{A}{2}\right)^2+\left(y+\frac{B}{2}\right)^2=\frac{A^2+B^2-4C}{4}$$

이므로 $A^2+B^2-4C>0$일 때, $x^2+y^2+Ax+By+C=0$은 중심이 점 $\left(-\frac{A}{2},\ -\frac{B}{2}\right)$이고, 반지름의 길이가 $\frac{\sqrt{A^2+B^2-4C}}{2}$인 원을 나타낸다.

> 원의 방정식은 x^2과 y^2의 계수가 같고 xy항이 없는 $x,\ y$에 대한 이차방정식이다.

> (i) $A^2+B^2-4C=0$이면 방정식 $x^2+y^2+Ax+By+C=0$은 좌표평면 위의 한 점 $\left(-\frac{A}{2},\ -\frac{B}{2}\right)$를 나타낸다.
> (ii) $A^2+B^2-4C<0$이면 주어진 이차방정식을 만족시키는 실수 $x,\ y$가 존재하지 않는다.

확인 02 다음 방정식이 나타내는 원의 중심의 좌표와 반지름의 길이를 각각 구하여라.

(1) $x^2+y^2+2x-6y=0$

(2) $x^2+y^2+4x+8y-5=0$

개념 03 좌표축에 접하는 원의 방정식

(1) 중심이 점 (a, b)이고 x축에 접하는 원

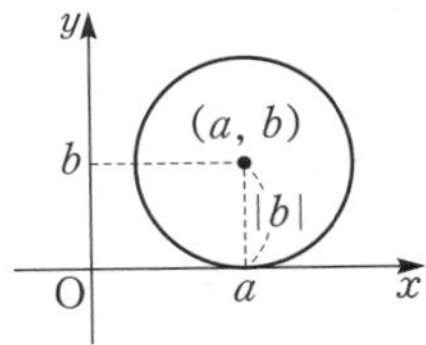

① (반지름의 길이)$=|$(중심의 y좌표)$|$

$=|b|$

② 원의 방정식은

$$(x-a)^2+(y-b)^2=b^2$$

(2) 중심이 점 (a, b)이고 y축에 접하는 원

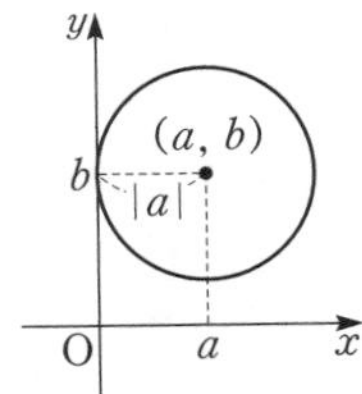

① (반지름의 길이)$=|$(중심의 x좌표)$|$

$=|a|$

② 원의 방정식은

$$(x-a)^2+(y-b)^2=a^2$$

(3) 반지름의 길이가 r이고 x축, y축에 동시에 접하는 원

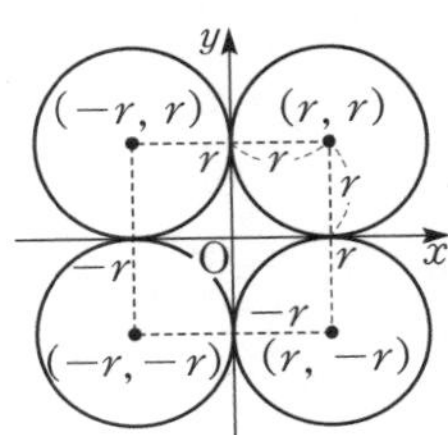

① (반지름의 길이)$=|$(중심의 x좌표)$|$

$=|$(중심의 y좌표)$|$

$=r$

② 중심이 속하는 사분면에 따라 원의 방정식은

제1사분면: $(x-r)^2+(y-r)^2=r^2$

제2사분면: $(x+r)^2+(y-r)^2=r^2$

제3사분면: $(x+r)^2+(y+r)^2=r^2$

제4사분면: $(x-r)^2+(y+r)^2=r^2$

› x축, y축에 동시에 접하는 원의 중심은 직선 $y=x$ 또는 직선 $y=-x$ 위에 있다.

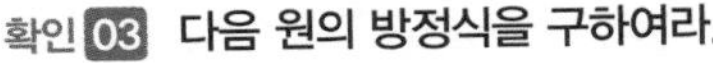

확인 03 다음 원의 방정식을 구하여라.

(1) 중심이 점 $(2, -1)$이고 x축에 접하는 원

(2) 중심이 점 $(-4, -3)$이고 y축에 접하는 원

(3) 중심이 점 $(-5, 5)$이고 x축과 y축에 동시에 접하는 원

개념 04 자취의 방정식

점이 어떤 조건을 만족시키면서 움직일 때, 그 점이 그리는 도형인 자취의 방정식을 구할 때는

❶ 조건을 만족시키는 점을 (x, y)로 놓는다.

❷ 조건을 이용하여 x와 y 사이의 관계식을 세운다.

확인 04 두 점 $\mathrm{A}(1, 0)$, $\mathrm{B}(5, 0)$에 대하여 $\overline{\mathrm{AP}}^2+\overline{\mathrm{BP}}^2=10$을 만족시키는 점 P가 나타내는 자취의 방정식을 구하여라.

개념 05 원과 직선의 위치 관계

(1) 판별식을 이용한 원과 직선의 위치 관계

원 $x^2+y^2=r^2$과 직선 $y=mx+n$을 연립하여 얻은 이차방정식 $x^2+(mx+n)^2=r^2$의 판별식을 D라고 하면

① $D>0$이면 서로 다른 두 점에서 만난다.
② $D=0$이면 한 점에서 만난다. (접한다.)
③ $D<0$이면 만나지 않는다.

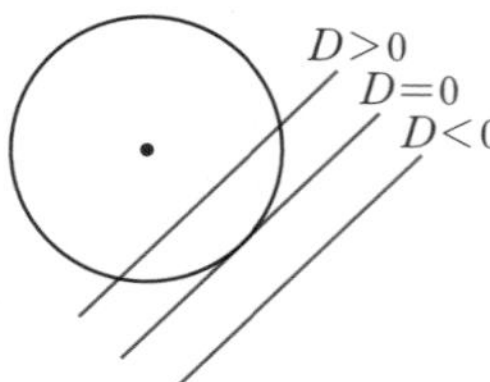

> 원과 직선의 교점의 개수는 원과 직선의 방정식으로 만든 이차방정식의 실근의 개수와 같다.

(2) 원의 중심과 직선 사이의 거리를 이용한 원과 직선의 위치 관계

원의 중심과 직선 사이의 거리를 d, 원의 반지름의 길이를 r라고 하면

① $d<r$이면 서로 다른 두 점에서 만난다.
② $d=r$이면 한 점에서 만난다. (접한다.)
③ $d>r$이면 만나지 않는다.

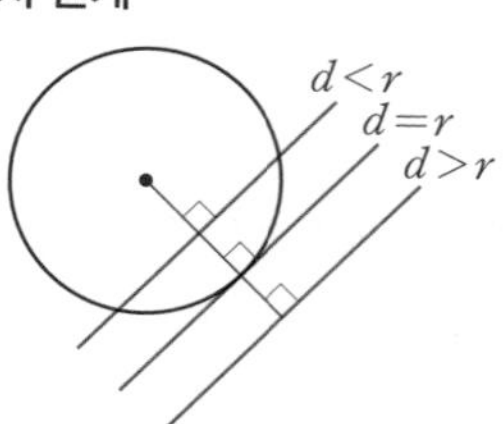

> 원과 직선의 위치 관계는 원의 중심이 원점이 아닌 경우 (1)의 방법은 계산이 복잡해지므로 (2)의 방법을 이용하여 구하는 것이 편리하다.

확인 05 판별식을 이용하여 원 $x^2+y^2=1$과 다음 직선의 위치 관계를 구하여라.

(1) $y=x+1$ (2) $y=x+4$ (3) $y=-x+\sqrt{2}$

개념 06 원의 접선의 방정식

(1) 기울기가 주어진 원의 접선의 방정식

원 $x^2+y^2=r^2$에 접하고 기울기가 m인 접선의 방정식은

$$y=mx\pm r\sqrt{m^2+1}$$

(2) 원 위의 점에서의 접선의 방정식

원 $x^2+y^2=r^2$ 위의 점 (x_1, y_1)에서의 접선의 방정식은

$$x_1x+y_1y=r^2$$

(3) 원 밖의 점에서 그은 접선의 방정식

원 $x^2+y^2=r^2$ 밖의 점 (a, b)에서 그은 접선의 방정식은

[방법1] 접점을 (x_1, y_1)이라고 하면 접선의 방정식은 $x_1x+y_1y=r^2$이므로 이 직선이 점 (a, b)를 지남을 이용하여 구한다.

[방법2] 접선의 기울기를 m으로 놓으면 접선의 방정식은 $y-b=m(x-a)$이므로 원의 중심과 접선 사이의 거리와 반지름의 길이가 같음을 이용하여 구한다.

> 원과 직선이 한 점에서 만날 때, 그 직선을 원의 접선이라 하고 그 교점을 접점이라고 한다.

> 한 원에서 기울기가 같은 접선은 두 개이다.

> 원 $(x-a)^2+(y-b)^2=r^2$ 위의 점 (x_1, y_1)에서의 접선의 방정식은
> $(x_1-a)(x-a)+(y_1-b)(y-b)=r^2$

> 원 밖의 점에서 한 원에 그은 접선은 두 개이다.

확인 06 다음 접선의 방정식을 구하여라.

(1) 원 $x^2+y^2=9$에 접하고 기울기가 -2인 직선
(2) 원 $x^2+y^2=25$ 위의 점 $(3, -4)$에서의 접선

개념 07 두 원의 교점을 지나는 직선과 원의 방정식

두 점에서 만나는 두 원 C: $x^2+y^2+ax+by+c=0$,
C': $x^2+y^2+a'x+b'y+c'=0$의 교점을 지나는 도형의 방정식

$$x^2+y^2+ax+by+c+k(x^2+y^2+a'x+b'y+c')=0 \ (k\text{는 임의의 실수})$$

은

(1) $k=-1$일 때, 두 원 C, C'의 교점을 지나는 직선의 방정식이다.
└ 두 원의 공통인 현의 방정식

(2) $k\neq-1$일 때, 두 원 C, C'의 교점을 지나는 원의 방정식이다.
(단, 원 C'은 제외)

> 두 원 C, C'의 교점이 2개이고, $k=-1$일 때, 두 원의 교점을 지나는 직선은 하나이고, $k\neq-1$일 때, 두 원의 교점을 지나는 원은 무수히 많다.

확인 07 두 원 $x^2+y^2=4$, $(x+2)^2+(y-1)^2=5$의 교점을 지나는 직선의 방정식을 구하여라.

확인 08 두 원 $x^2+y^2=9$, $x^2+y^2-2x+4y-3=0$의 교점을 지나고 점 $(1, 0)$을 지나는 원의 방정식을 구하여라.

개념+ 두 원의 위치 관계

한 평면 위에서 반지름의 길이가 r인 원 O와 반지름의 길이가 r' $(r\geq r')$인 원 O'의 중심 사이의 거리 d에 대하여 두 원 O, O'의 위치 관계는 다음과 같다.

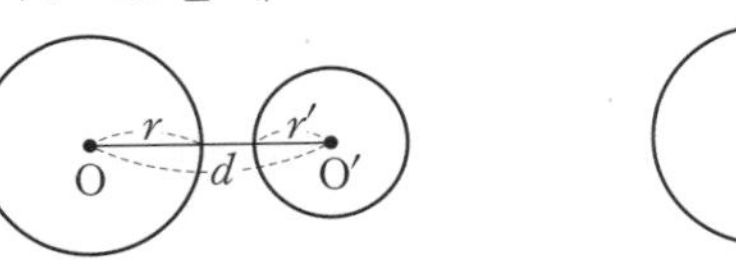

(1) $r+r'<d$일 때

서로 다른 원의 외부에 있다.

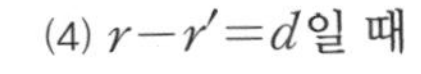

(2) $r+r'=d$일 때

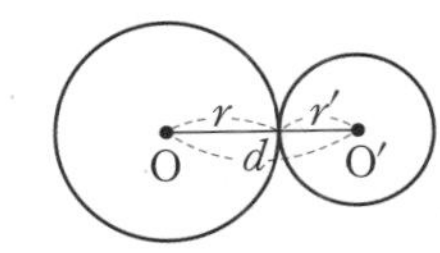

두 원이 서로 외접한다.

(3) $r-r'<d<r+r'$일 때

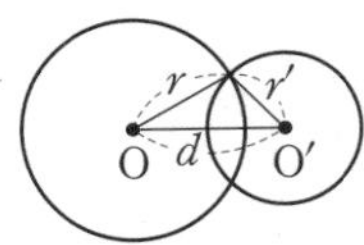

두 점에서 만난다.

(4) $r-r'=d$일 때

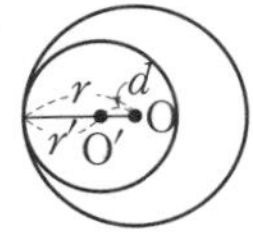

원 O'이 원 O에 내접한다.

(5) $r-r'>d$일 때

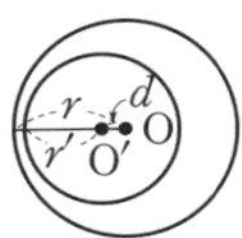

원 O'이 원 O의 내부에 있다.

> 그림과 같이 두 원 O, O'이 두 점 A, B에서 만날 때, 두 원의 교점을 연결한 선분 AB를 이 두 원의 공통인 현이라고 한다.

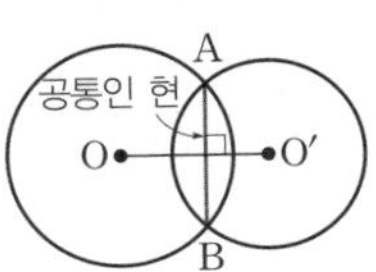

> $r^2+r'^2=d^2$일 때

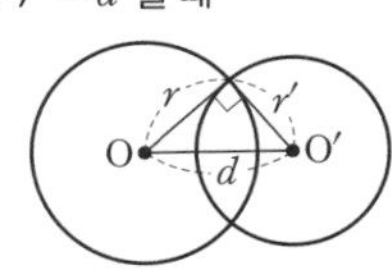

두 원의 교점에서의 접선이 서로 직교한다.

필수유형 01 원의 방정식(1) – 표준형

다음 원의 방정식을 구하여라.

(1) 중심이 점 $(1,\ -3)$이고 점 $(-2,\ 0)$을 지나는 원

(2) 두 점 $A(-1,\ 2)$, $B(5,\ 4)$를 지름의 양 끝 점으로 하는 원

풍쌤 POINT

원의 중심과 반지름의 길이만 알면 원의 방정식을 세울 수 있어!

중심이 점 (a, b)이고 반지름의 길이가 r인 원의 방정식은

$(x-a)^2+(y-b)^2=r^2$ ← 원의 방정식의 표준형

풀이

(1) **STEP 1 중심이 점 $(1,\ -3)$인 원의 방정식 세우기**

구하는 원의 반지름의 길이를 r라고 하면 원의 방정식은

$(x-1)^2+(y+3)^2=r^2$ ❶

STEP 2 점 $(-2,\ 0)$을 지나는 원의 방정식 구하기

이 원이 점 $(-2,\ 0)$을 지나므로

$(-2-1)^2+(0+3)^2=r^2 \qquad \therefore r^2=18$

따라서 구하는 원의 방정식은

$(x-1)^2+(y+3)^2=18$

(2) **STEP 1 원의 중심의 좌표 구하기**

원의 중심은 선분 AB의 중점이므로 ❷

$\left(\frac{-1+5}{2},\ \frac{2+4}{2}\right) \qquad \therefore (2,\ 3)$

STEP 2 원의 반지름의 길이 구하기

원의 반지름의 길이는

$\frac{1}{2}\overline{AB}=\frac{1}{2}\sqrt{\{5-(-1)\}^2+(4-2)^2}=\frac{1}{2}\times2\sqrt{10}=\sqrt{10}$

STEP 3 원의 방정식 구하기

따라서 구하는 원의 방정식은 $(x-2)^2+(y-3)^2=10$ ❸

다른 풀이

원의 반지름의 길이는 원의 중심 $(2,\ 3)$과 점 $A(-1,\ 2)$ 사이의 거리와 같으므로

$\sqrt{(-1-2)^2+(2-3)^2}=\sqrt{10}$

따라서 구하는 원의 방정식은 $(x-2)^2+(y-3)^2=10$

❶ 원의 중심이 점 $(1,\ -3)$이므로 표준형을 이용한다.

❷ 지름의 중점이 원의 중심이다.

❸ 원의 방정식의 표준형에 중심의 좌표와 반지름의 길이를 대입한다.

답 (1) $(x-1)^2+(y+3)^2=18$ (2) $(x-2)^2+(y-3)^2=10$

풍쌤 강의 NOTE

지름의 양 끝 점 A, B를 알 때

(1) 원의 중심은 지름의 중점 ➡ 선분 AB의 중점

(2) 반지름의 길이는 지름의 길이의 $\frac{1}{2}$ ➡ $\frac{1}{2}\overline{AB}$

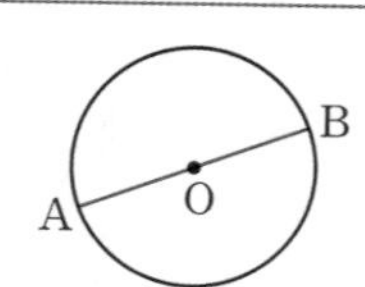

01-1 유사

다음 원의 방정식을 구하여라.

(1) 중심이 원점이고 점 $(4, 2)$를 지나는 원

(2) 중심이 점 $(-2, 3)$이고 점 $(1, -1)$을 지나는 원

01-2 유사

다음 두 점을 지름의 양 끝 점으로 하는 원의 방정식을 구하여라.

(1) $\mathrm{A}(2, 5)$, $\mathrm{B}(-4, -3)$

(2) $\mathrm{A}(-1, -3)$, $\mathrm{B}(-5, -1)$

01-3 변형

원 $(x+3)^2+(y-4)^2=16$과 중심이 같고 점 $(3, 1)$을 지나는 원의 넓이를 구하여라.

01-4 변형

원 $x^2+y^2+ax+10y+10=0$의 중심의 좌표가 $(1, -5)$일 때, 이 원의 반지름의 길이를 구하여라.

(단, a는 상수이다.)

01-5 변형

두 점 $\mathrm{A}(a, b)$, $\mathrm{B}(3, 5)$를 지름의 양 끝 점으로 하는 원의 방정식이 $x^2+y^2-4y-14=0$일 때, $a+b$의 값을 구하여라.

01-6 실력

직선 $3x-2y+12=0$이 x축, y축과 만나는 점을 각각 P, Q라고 할 때, 두 점 P, Q를 지름의 양 끝 점으로 하는 원의 방정식을 구하여라.

필수유형 02 원의 방정식(1) – 원의 중심에 대한 조건이 주어진 경우

다음 원의 방정식을 구하여라.

(1) 중심이 x축 위에 있고 원점과 점 $(1, -3)$을 지나는 원

(2) 중심이 직선 $y=x$ 위에 있고 두 점 $(1, 0)$, $(4, -1)$을 지나는 원

풍쌤 POINT

- 중심이 x축 위에 있는 원의 방정식 ➡ $(x-a)^2+y^2=r^2$
- 중심이 y축 위에 있는 원의 방정식 ➡ $x^2+(y-a)^2=r^2$
- 중심이 함수 $y=f(x)$의 그래프 위에 있는 원의 방정식 ➡ $(x-a)^2+\{y-f(a)\}^2=r^2$

풀이

(1) 원의 중심의 좌표를 $(a, 0)$❶, 반지름의 길이를 r라고 하면

원의 방정식은 $(x-a)^2+y^2=r^2$

이 원이 점 $(0, 0)$을 지나므로 $a^2=r^2$ ······ ㉠

또, 이 원이 점 $(1, -3)$을 지나므로

$(1-a)^2+(-3)^2=r^2$ ······ ㉡

㉠, ㉡을 연립하여 풀면 $a=5$, $r^2=25$

따라서 구하는 원의 방정식은 $(x-5)^2+y^2=25$

다른 풀이

원의 중심을 $\mathrm{A}(a, 0)$이라 하고 $\mathrm{B}(0, 0)$, $\mathrm{C}(1, -3)$이라고 하면

$\overline{\mathrm{AB}}=\overline{\mathrm{AC}}$❷이므로

$\sqrt{a^2}=\sqrt{(a-1)^2+3^2}$

양변을 제곱하여 정리하면 $-2a+10=0$ $\quad \therefore a=5$

따라서 원의 중심은 $(5, 0)$이고 반지름의 길이는

$\overline{\mathrm{AB}}=\sqrt{5^2}=5$이므로 구하는 원의 방정식은

$(x-5)^2+y^2=25$

❶ 원의 중심이 x축 위에 있으므로 중심의 y좌표가 0이다.

❷ 한 정점으로부터 일정한 거리에 있는 점의 자취를 원이라고 한다.

(2) 중심의 좌표를 (a, a)❸, 반지름의 길이를 r라고 하면 원의 방정식은

$(x-a)^2+(y-a)^2=r^2$

이 원이 점 $(1, 0)$을 지나므로 $(1-a)^2+(-a)^2=r^2$ ······ ㉠

또, 이 원이 점 $(4, -1)$을 지나므로

$(4-a)^2+(-1-a)^2=r^2$ ······ ㉡

㉠, ㉡을 연립하여 풀면 $a=4$, $r^2=25$

따라서 구하는 원의 방정식은 $(x-4)^2+(y-4)^2=25$

❸ 원의 중심이 직선 $y=x$ 위에 있으므로 중심의 x좌표와 y좌표가 같다.

답 (1) $(x-5)^2+y^2=25$ (2) $(x-4)^2+(y-4)^2=25$

풍쌤 강의 NOTE

중심에 대한 조건이 주어지고, 두 점을 지나는 원의 방정식을 구할 때는

❶ 중심에 대한 조건을 이용하여 원의 방정식을 세운다.

❷ 지나는 두 점의 좌표를 ❶의 식에 각각 대입하여 만든 두 방정식을 풀어 원의 방정식을 구한다.

02-1 유사

다음 원의 방정식을 구하여라.

(1) 중심이 x축 위에 있고 원점과 점 $(2,\ 2\sqrt{2})$를 지나는 원

(2) 중심이 x축 위에 있고 두 점 $(0,\ 2)$, $(3,\ -1)$을 지나는 원

02-2 유사

다음 원의 방정식을 구하여라.

(1) 중심이 y축 위에 있고 두 점 $(0,\ 1)$, $(-4,\ -3)$을 지나는 원

(2) 중심이 y축 위에 있고 두 점 $(-2,\ 2)$, $(3,\ 1)$을 지나는 원

02-3 유사

다음 원의 방정식을 구하여라.

(1) 중심이 직선 $y=x$ 위에 있고 두 점 $(1,\ 1)$, $(-5,\ -5)$를 지나는 원

(2) 중심이 직선 $y=x$ 위에 있고 두 점 $(1,\ -3)$, $(-3,\ 5)$를 지나는 원

02-4 변형

중심이 직선 $y=x+1$ 위에 있고 두 점 $(-2,\ -2)$, $(4,\ 6)$을 지나는 원의 방정식을 구하여라.

02-5 변형

중심이 직선 $y=-2x+1$ 위에 있고 두 점 $(3,\ -4)$, $(-2,\ 1)$을 지나는 원의 방정식을 구하여라.

02-6 실력

중심이 직선 $2x+y+4=0$ 위에 있고 두 점 $(0,\ -4)$, $(-2,\ -6)$을 지나는 원이 있다. y좌표가 -5인 원 위의 두 점을 A, B라고 할 때, 선분 AB의 길이를 구하여라.

필수유형 03 원의 방정식(2) – 일반형

다음 물음에 답하여라.

(1) 방정식 $x^2+y^2+6ax-8ay+1=0$이 원을 나타내도록 하는 실수 a의 값의 범위를 구하여라.

(2) 세 점 $(0,\ 0)$, $(-2,\ 6)$, $(-6,\ -2)$를 지나는 원의 방정식을 구하여라.

풍쌤 POINT

• 방정식 $x^2+y^2+Ax+By+C=0$이 원을 나타내려면 $(x-a)^2+(y-b)^2=r^2$의 꼴로 변형했을 때, $r^2>0$이어야 해!

• 세 점을 지나는 원의 방정식은 $x^2+y^2+Ax+By+C=0$에 세 점의 좌표를 대입해!

풀이

(1) **STEP 1 주어진 방정식을 표준형으로 변형하기**

$x^2+y^2+6ax-8ay+1=0$에서❶

$x^2+6ax+9a^2+y^2-8ay+16a^2=-1+9a^2+16a^2$❷

$(x+3a)^2+(y-4a)^2=25a^2-1$

STEP 2 a의 값의 범위 구하기

이 방정식이 원을 나타내려면 $25a^2-1>0$❸이어야 하므로

$(5a+1)(5a-1)>0$

$\therefore a<-\frac{1}{5}$ 또는 $a>\frac{1}{5}$

❶ x, y를 각각 완전제곱식으로 만들면 표준형이 된다.

❷ 완전제곱식의 합의 꼴을 만들기 위해서는 상수항을 우변으로 이항한 후 양변에 $\left\{\frac{(\text{일차항의 계수})}{2}\right\}^2$을 더한다.

❸ 표준형으로 변형하면 우변은 반지름의 길이의 제곱이므로 양수이어야 한다.

(2) **STEP 1 원의 방정식을 일반형으로 놓기**

구하는 원의 방정식을 $x^2+y^2+Ax+By+C=0$❹

이라고 하자.

STEP 2 지나는 세 점의 좌표를 대입하여 원의 방정식 구하기

이 원이 점 $(0,\ 0)$을 지나므로 $C=0$

$\therefore x^2+y^2+Ax+By=0$ …… ㉠

원 ㉠이 두 점 $(-2,\ 6)$, $(-6,\ -2)$를 지나므로 이를 각각 대입하면

$4+36-2A+6B=0$ $\quad\therefore A-3B=20$ …… ㉡

$36+4-6A-2B=0$ $\quad\therefore 3A+B=20$ …… ㉢

㉡, ㉢을 연립하여 풀면 $A=8$, $B=-4$

따라서 구하는 원의 방정식은 $x^2+y^2+8x-4y=0$

❹ 세 점을 지나는 원의 방정식은 일반형으로 식을 세우고 미지수의 값을 구한다.

답 (1) $a<-\frac{1}{5}$ 또는 $a>\frac{1}{5}$ (2) $x^2+y^2+8x-4y=0$

풍쌤 강의 NOTE

원의 방정식을 구하는 문제는 대부분 표준형을 이용하지만 세 점이 주어질 때만은 일반형을 이용해야 쉽다. 원의 방정식을 일반형으로 놓은 후 세 점의 좌표를 대입하여 미지수의 값을 구한다.

03-1 기본

원 $x^2+y^2-8ax+2y+8=0$의 중심의 좌표가 $(4, b)$이고 반지름의 길이가 r일 때, abr의 값을 구하여라.

(단, a는 상수이다.)

03-2 유사

방정식 $x^2+y^2+2x-ay+2=0$이 원을 나타내도록 하는 실수 a의 값의 범위를 구하여라.

03-3 유사

세 점 $(0, 0)$, $(-2, -4)$, $(3, 1)$을 지나는 원의 방정식을 구하여라.

03-4 변형

방정식 $x^2+y^2-4ky+3k^2-2k-9=0$이 반지름의 길이가 3 이하인 원을 나타낼 때, 실수 k의 값의 범위를 구하여라.

03-5 변형

방정식 $x^2+y^2-6x+a^2-4a-3=0$이 원을 나타낼 때, 원의 넓이가 최대가 되도록 하는 원의 반지름의 길이를 구하여라. (단, a는 상수이다.)

03-6 실력

네 점 $(0, 0)$, $(0, 2)$, $(1, -1)$, $(3, k)$가 한 원 위에 있을 때, 양수 k의 값을 구하여라.

필수유형 04 좌표축에 접하는 원의 방정식

다음 원의 방정식을 구하여라.

(1) 두 점 $(-3,\ 2)$, $(-2,\ 1)$을 지나고 x축에 접하는 원

(2) 점 $(2,\ -4)$를 지나고 x축과 y축에 동시에 접하는 원

풍쌤 POINT

좌표축에 접하는 원은 중심의 좌표로부터 반지름의 길이를 구할 수 있으므로 원의 중심을 이용하여 반지름의 길이를 나타내고, 원의 방정식을 세워!

풀이

(1) **STEP 1 원의 방정식을 표준형으로 놓기**

중심의 좌표를 $(a,\ b)$라고 하면 이 원이 x축에 접하므로 구하는 원의 방정식은 $(x-a)^2+(y-b)^2=b^2$❶ …… ㉠

STEP 2 지나는 두 점의 좌표를 대입하여 연립하기

원 ㉠이 점 $(-3,\ 2)$를 지나므로 $(-3-a)^2+(2-b)^2=b^2$

$\therefore a^2+6a-4b+13=0$ …… ㉡

또, 원 ㉠이 점 $(-2,\ 1)$을 지나므로 $(-2-a)^2+(1-b)^2=b^2$

$\therefore a^2+4a-2b+5=0$ …… ㉢

㉡, ㉢을 연립하여 풀면❷ $a=-3$, $b=1$ 또는 $a=1$, $b=5$

STEP 3 원의 방정식 구하기

따라서 구하는 원의 방정식은

$(x+3)^2+(y-1)^2=1$ 또는 $(x-1)^2+(y-5)^2=25$

(2) **STEP 1 주어진 조건에 맞는 원의 방정식 세우기**

점 $(2,\ -4)$를 지나고 x축과 y축에 동시에 접하는 원의 중심은 제4사분면 위에 있다.

원의 반지름의 길이를 r라고 하면 원의 중심의 좌표는 $(r,\ -r)$❸이므로 원의 방정식은 $(x-r)^2+(y+r)^2=r^2$

STEP 2 점 (2, −4)를 대입하여 원의 방정식 구하기

이 원이 점 $(2,\ -4)$를 지나므로 $(2-r)^2+(-4+r)^2=r^2$

$r^2-12r+20=0$, $(r-2)(r-10)=0$

$\therefore r=2$ 또는 $r=10$

따라서 구하는 원의 방정식은

$(x-2)^2+(y+2)^2=4$ 또는 $(x-10)^2+(y+10)^2=100$

❶ x축에 접하므로 원의 반지름의 길이는 원의 중심의 y좌표의 절댓값과 같다.

❷ ㉢$-2\times$㉡을 하면 $a^2+2a-3=0$이므로 $a=-3$ 또는 $a=1$

❸ x축, y축에 동시에 접하면
(반지름의 길이)
$=|$(중심의 x좌표)$|$
$=|$(중심의 y좌표)$|$

답 (1) $(x+3)^2+(y-1)^2=1$ 또는 $(x-1)^2+(y-5)^2=25$
(2) $(x-2)^2+(y+2)^2=4$ 또는 $(x-10)^2+(y+10)^2=100$

풍쌤 강의 NOTE

① 중심이 점 $(a,\ b)$이고 x축에 접하는 원의 반지름의 길이는 $|b|$이다. ➡ $(x-a)^2+(y-b)^2=b^2$

② 중심이 점 $(a,\ b)$이고 y축에 접하는 원의 반지름의 길이는 $|a|$이다. ➡ $(x-a)^2+(y-b)^2=a^2$

③ 반지름의 길이가 r이고 x축, y축에 동시에 접하는 원은
➡ $|$(중심의 x좌표)$|=|$(중심의 y좌표)$|=r$

04-1 유사

두 점 $(2, 0)$, $(1, -1)$을 지나고 y축에 접하는 원의 방정식을 구하여라.

04-2 유사

점 $(1, 2)$를 지나고 x축과 y축에 동시에 접하는 원의 방정식을 구하여라.

04-3 변형

점 $(0, -1)$에서 y축에 접하고 점 $(-4, 3)$을 지나는 원의 방정식을 구하여라.

04-4 변형

x축에 접하는 원 $x^2+y^2-8ax+4y+1=0$의 중심이 제3사분면 위에 있을 때, 상수 a의 값을 구하여라.

04-5 변형

중심이 직선 $y=-3x-8$ 위에 있고, 제3사분면에서 x축과 y축에 동시에 접하는 원의 방정식을 구하여라.

04-6 실력

중심이 곡선 $y=x^2-2$ 위에 있고 x축과 y축에 동시에 접하는 원들의 넓이의 합을 구하여라.

발전유형 05 자취의 방정식

다음 물음에 답하여라.

(1) 점 A$(1,\ -2)$와 원 $(x-3)^2+(y+2)^2=20$ 위의 점 P에 대하여 선분 AP의 중점의 자취의 방정식을 구하여라.

(2) 두 점 A$(-2,\ 0)$, B$(1,\ 0)$으로부터의 거리의 비가 $1:2$인 점 P의 자취의 방정식을 구하여라.

풍쌤 POINT

(1) 구하는 점을 Q(x, y), 원 위의 점을 P(a, b)로 놓고 x, y 사이의 관계식을 구해!

(2) 점의 자취의 방정식은 점 P의 좌표를 (x, y)로 놓고, 주어진 조건을 이용하여 x, y 사이의 관계식을 구해!

풀이

(1) **STEP1 P(a, b)로 놓기**

점 P의 좌표를 (a, b)라고 하면 점 P는 원 위의 점이므로

$(a-3)^2+(b+2)^2=20$ ······ ㉠

STEP2 구하는 점을 Q(x, y)로 놓고 x, y 사이의 관계식 구하기

선분 AP의 중점을 Q(x, y)라고 하면

$x=\dfrac{a+1}{2},\ y=\dfrac{b-2}{2}$ ❶

$\therefore\ a=2x-1,\ b=2y+2$ ······ ㉡

㉡을 ㉠에 대입하면 $(2x-4)^2+(2y+4)^2=20$

$\therefore\ (x-2)^2+(y+2)^2=5$

❶ 두 점 (x_1, y_1), (x_2, y_2)의 중점을 (x, y)라고 하면 $x=\dfrac{x_1+x_2}{2},\ y=\dfrac{y_1+y_2}{2}$

(2) **STEP1 P(x, y)로 놓고 거리의 비를 이용하여 식 세우기**

점 P의 좌표를 (x, y)라고 하면

$\overline{AP}:\overline{BP}=1:2$이므로❷ $2\overline{AP}=\overline{BP}$

즉, $2\sqrt{(x+2)^2+y^2}=\sqrt{(x-1)^2+y^2}$

STEP2 점 P의 자취의 방정식 구하기

양변을 제곱하여 정리하면

$4\{(x+2)^2+y^2\}=(x-1)^2+y^2$

$4x^2+16x+16+4y^2=x^2-2x+1+y^2$

$3x^2+3y^2+18x+15=0,\ x^2+y^2+6x+5=0$

$\therefore\ (x+3)^2+y^2=4$

❷ 점 P의 자취의 방정식은 아폴로니우스의 원을 이용해 선분 AB를 $1:2$로 내분하는 점과 외분하는 점을 지름의 양 끝으로 하는 원의 방정식으로 구할 수도 있다.

답 (1) $(x-2)^2+(y+2)^2=5$ (2) $(x+3)^2+y^2=4$

풍쌤 강의 NOTE

두 정점으로부터의 거리의 비가 일정한 평면 위의 점의 자취는 원이다. 즉, 두 점 A, B에 대하여 $\overline{AP}:\overline{BP}=m:n\ (m>0, n>0, m\neq n)$인 점 P의 자취는 선분 AB를 $m:n$으로 내분하는 점과 외분하는 점을 지름의 양 끝 점으로 하는 원으로, 이를 아폴로니우스의 원이라고 한다.

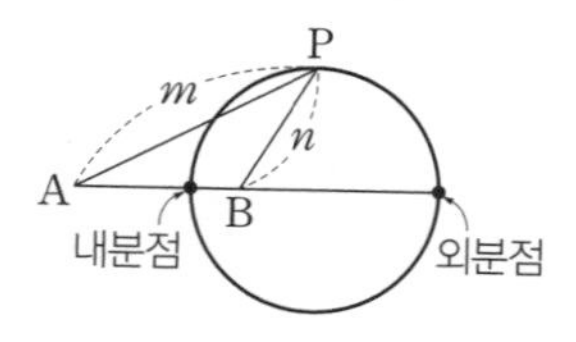

05-1 유사

점 $A(0, 2)$와 원 $(x-4)^2+(y-6)^2=16$ 위의 점 P에 대하여 선분 AP의 중점의 자취의 방정식을 구하여라.

05-2 유사

두 점 $A(1, 1)$, $B(4, -2)$로부터의 거리의 비가 $2:1$인 점 P의 자취의 방정식을 구하여라.

05-3 변형

점 $P(a, b)$가 원 $x^2+y^2=1$ 위의 점일 때, 점 $Q(a-2, b+3)$의 자취의 방정식을 구하여라.

05-4 변형

두 점 $A(4, -1)$, $B(1, -2)$와 원 $(x+2)^2+(y-3)^2=36$ 위의 점 P에 대하여 삼각형 ABP의 무게중심이 그리는 도형의 넓이를 구하여라.

05-5 변형

두 점 $O(0, 0)$, $A(10, 0)$을 이은 선분 OA를 빗변으로 하는 직각삼각형의 다른 한 꼭짓점을 P라고 할 때, 점 P의 자취의 방정식을 구하여라.

05-6 실력

두 점 $A(-2, 0)$, $B(3, 0)$으로부터의 거리의 비가 $2:3$인 점 P에 대하여 삼각형 PAB의 넓이의 최댓값을 구하여라.

필수유형 06 원과 직선의 위치 관계

원 $x^2+y^2=8$과 직선 $y=x+k$의 위치 관계가 다음과 같도록 하는 실수 k의 값 또는 범위를 구하여라.

(1) 서로 다른 두 점에서 만난다. (2) 접한다. (3) 만나지 않는다.

풍쌤 POINT

원과 직선의 위치 관계를 파악하는 방법은 다음과 같이 두 가지가 있어.
[방법1] (원의 중심과 직선 사이의 거리)와 (반지름의 길이)를 비교해!
[방법2] 원과 직선의 방정식을 연립한 이차방정식의 판별식을 이용해!

풀이

STEP 1 원의 중심과 직선 사이의 거리 구하기

원 $x^2+y^2=8$의 중심 $(0,\ 0)$과 직선 $y=x+k$,
즉 $x-y+k=0$ 사이의 거리 d는

$$d=\frac{|0-0+k|}{\sqrt{1^2+(-1)^2}}=\frac{|k|}{\sqrt{2}}$$

STEP 2 원과 직선의 위치 관계 파악하기

원의 반지름의 길이는 $r=2\sqrt{2}$이고, 원의 중심과 직선 사이의 거리와 반지름의 길이를 비교❶해 보면 다음과 같다.

(1) $\frac{|k|}{\sqrt{2}}<2\sqrt{2}$에서 $|k|<4$ $\quad\therefore -4<k<4$

(2) $\frac{|k|}{\sqrt{2}}=2\sqrt{2}$에서 $|k|=4$ $\quad\therefore k=\pm4$

(3) $\frac{|k|}{\sqrt{2}}>2\sqrt{2}$에서 $|k|>4$ $\quad\therefore k<-4$ 또는 $k>4$

❶ $d<r$, $d=r$, $d>r$

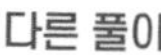
다른 풀이

STEP 1 x에 대한 이차방정식을 만들고 판별식 구하기

$y=x+k$를 $x^2+y^2=8$에 대입하면
$x^2+(x+k)^2=8$
이차방정식 $2x^2+2kx+k^2-8=0$의 판별식을 D❷라고 하면

$$\frac{D}{4}=k^2-2\times(k^2-8)=-k^2+16$$

❷
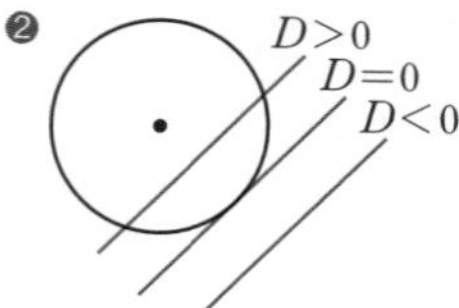

STEP 2 원과 직선의 위치 관계 파악하기

(1) $-k^2+16>0$에서 $-4<k<4$
(2) $-k^2+16=0$에서 $k=\pm4$
(3) $-k^2+16<0$에서 $k<-4$ 또는 $k>4$

답 (1) $-4<k<4$ (2) $k=\pm4$ (3) $k<-4$ 또는 $k>4$

판별식을 이용하는 방법이 이해하기는 쉽지만 원의 중심이 원점이 아닌 경우에는 계산이 복잡하다. 따라서 원의 중심과 직선 사이의 거리와 반지름의 길이를 비교하여 파악하는 것이 더 간단하다.

06-1 유사

원 $(x-1)^2+(y+1)^2=5$와 직선 $y=2x+k$의 위치 관계가 다음과 같도록 하는 실수 k의 값 또는 범위를 구하여라.

(1) 서로 다른 두 점에서 만난다.

(2) 접한다.

(3) 만나지 않는다.

06-2 변형

원 $(x-2)^2+(y-3)^2=5$와 직선 $2x-y-k=0$이 서로 다른 두 점에서 만나도록 하는 정수 k의 개수를 구하여라.

06-3 변형

중심의 좌표가 $(0,\ 0)$이고 넓이가 5π인 원이 직선 $kx-y+5\sqrt{2}=0$과 한 점에서 만날 때, 모든 상수 k의 값의 곱을 구하여라.

06-4 변형

원 $(x-4)^2+(y-3)^2=12$와 직선 $y=kx+3$이 만나지 않도록 하는 자연수 k의 최솟값을 구하여라.

06-5 변형

직선 $3x-4y+k=0$이 원 $(x-1)^2+(y-1)^2=4$와는 만나고, 원 $(x-1)^2+(y-2)^2=4$와는 만나지 않도록 하는 정수 k의 개수를 구하여라.

06-6 변형 기출

중심이 직선 $y=x$ 위에 있고, x축과 y축에 동시에 접하는 원 중에서 직선 $3x-4y+12=0$과 접하는 원의 개수는 2이다. 두 원의 중심을 각각 A, B라고 할 때, $\overline{AB}^2$의 값을 구하여라.

필수유형 07 현의 길이

다음 물음에 답하여라.

(1) 원 $x^2+y^2=9$와 직선 $3x+4y+5=0$이 만나서 생기는 현의 길이를 구하여라.

(2) 원 $(x-1)^2+(y-3)^2=16$과 직선 $y=-x+k$가 만나서 생기는 현의 길이가 $2\sqrt{14}$가 되도록 하는 모든 상수 k의 값을 구하여라.

풍쌤 POINT

원과 직선이 두 점에서 만날 때, 두 교점을 잇는 현의 길이를 구할 때는 원의 중심에서 현에 내린 수선이 그 현을 이등분함을 이용하여 구해.

풀이

(1) 오른쪽 그림과 같이 원 $x^2+y^2=9$와 직선 $3x+4y+5=0$이 만나는 두 점을 A, B, 원의 중심 O에서 직선에 내린 수선의 발을 H라고 하면❶

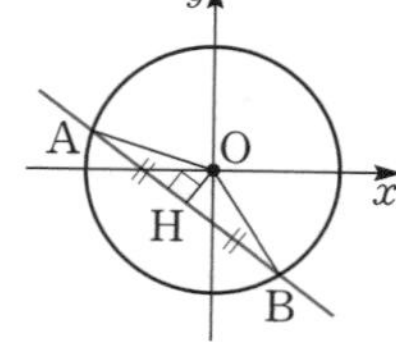

$\overline{OH}=\frac{|5|}{\sqrt{3^2+4^2}}=1$❷

$\overline{OA}=3$❸이므로 직각삼각형 OAH에서

$\overline{AH}=\sqrt{3^2-1^2}=2\sqrt{2}$

따라서 구하는 현의 길이는

$\overline{AB}=2\overline{AH}=4\sqrt{2}$

❶ $\overline{OH}$는 현 AB를 수직이등분한다.

❷ $\overline{OH}$는 원의 중심 $(0, 0)$과 직선 $3x+4y+5=0$ 사이의 거리

❸ $\overline{OA}$는 원의 반지름이다.

(2) 오른쪽 그림과 같이

원 $(x-1)^2+(y-3)^2=16$의 중심 $(1, 3)$을 C라 하고, 원과 직선 $y=-x+k$, 즉 $x+y-k=0$이 만나는 두 점을 A, B, 점 C에서 직선에 내린 수선의 발을 H라고 하면

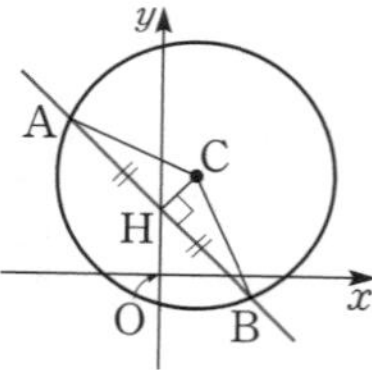

$\overline{AH}=\frac{1}{2}\overline{AB}=\frac{1}{2}\times2\sqrt{14}=\sqrt{14}$

직각삼각형 AHC에서 $\overline{CH}=\sqrt{4^2-(\sqrt{14})^2}=\sqrt{2}$ …… ㉠

또, 점 C(1, 3)과 직선 $x+y-k=0$ 사이의 거리는

$\overline{CH}=\frac{|1+3-k|}{\sqrt{1^2+1^2}}=\frac{|4-k|}{\sqrt{2}}$ …… ㉡

㉠, ㉡이 같아야 하므로

$\frac{|4-k|}{\sqrt{2}}=\sqrt{2}$, $|4-k|=2$ $\quad\therefore k=2$ 또는 $k=6$

답 (1) $4\sqrt{2}$ (2) $k=2$ 또는 $k=6$

풍쌤 강의 NOTE

반지름의 길이가 r인 원과 직선이 서로 다른 두 점 A, B에서 만날 때, 원의 중심과 직선 사이의 거리를 d라고 하면

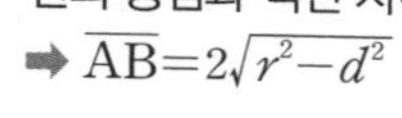

➡ $\overline{AB}=2\sqrt{r^2-d^2}$

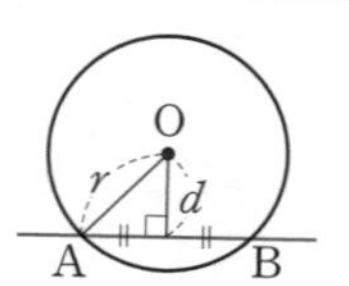

07-1 기본

원 $(x-3)^2+(y+1)^2=49$와 직선 $3x-y+10=0$이 만나서 생기는 현의 길이를 구하여라.

07-2 유사

오른쪽 그림과 같이 원 $x^2+y^2-2x-4y+k=0$과 직선 $2x-y+5=0$이 두 점 A, B에서 만난다. $\overline{AB}=4$일 때, 상수 k의 값을 구하여라.

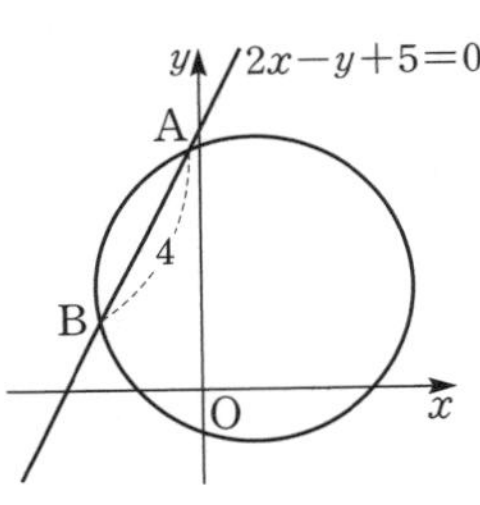

07-3 유사

원 $(x-2)^2+(y-3)^2=25$와 x축이 만나서 생기는 현의 길이를 구하여라.

07-4 변형

원 $x^2+y^2=64$와 직선 $2x-y+10=0$의 두 교점을 지나는 원 중에서 넓이가 최소인 원의 넓이를 구하여라.

07-5 실력

원 $x^2+(y-4)^2=25$와 직선 $y=mx$가 만나서 생기는 현의 길이의 최솟값과 그때의 상수 m의 값을 구하여라.

07-6 실력

원 $(x-1)^2+y^2=1$과 직선 $y=mx+1$의 두 교점 A, B와 원의 중심 C를 꼭짓점으로 하는 삼각형 ABC가 직각이등변삼각형이 되도록 하는 상수 m의 값의 합을 구하여라.

필수유형 08 원 밖의 한 점과 접점 사이의 거리

점 $\mathrm{P}(-3,\ 3)$에서 원 $x^2+y^2-6x+2y-6=0$에 그은 접선의 접점을 T라고 할 때, 선분 PT의 길이를 구하여라.

풍쌤 POINT 원 밖의 한 점에서 원에 그은 접선의 접점과 원의 중심을 지나는 직선은 접선과 수직임을 이용하고 원의 중심, 접점, 원 밖의 한 점을 세 꼭짓점으로 하는 직각삼각형을 그려 피타고라스 정리를 이용해!

풀이

STEP 1 **원의 중심의 좌표 구하기**

$x^2+y^2-6x+2y-6=0$에서

$(x-3)^2+(y+1)^2=16$

오른쪽 그림과 같이 원의 중심을 C라고 하면

$\mathrm{C}(3,\ -1)$

STEP 2 **$\triangle\mathrm{CTP}$에서 $\overline{\mathrm{CP}}$, $\overline{\mathrm{CT}}$의 길이 구하기**

접선 PT와 반지름 CT는 수직이므로❶

삼각형 CTP는 $\angle\mathrm{CTP}=90^\circ$인 직각삼각형이다.

점 $\mathrm{P}(-3,\ 3)$과 원의 중심 $\mathrm{C}(3,\ -1)$ 사이의 거리는

$\overline{\mathrm{CP}}=\sqrt{(-3-3)^2+\{3-(-1)\}^2}=2\sqrt{13}$

$\overline{\mathrm{CT}}$는 원의 반지름이므로

$\overline{\mathrm{CT}}=4$

STEP 3 **$\overline{\mathrm{PT}}$의 길이 구하기**

따라서 직각삼각형 CTP에서❷

$\overline{\mathrm{PT}}=\sqrt{\overline{\mathrm{CP}}^2-\overline{\mathrm{CT}}^2}$

$=\sqrt{(2\sqrt{13})^2-4^2}=6$

❶ 접선과 반지름은 수직으로 만난다.

❷ 피타고라스 정리를 이용한다.

답 6

풍쌤 강의 NOTE

원 밖의 한 점과 접점 사이의 거리를 구하는 방법

❶ 원의 방정식을 표준형으로 고쳐 원의 중심의 좌표와 반지름의 길이를 구한다.

❷ 원의 중심 $\mathrm{C}(a,\ b)$와 점 $\mathrm{P}(x_1,\ y_1)$ 사이의 거리 $\overline{\mathrm{CP}}$를 구한다.

➡ $\overline{\mathrm{CP}}=\sqrt{(x_1-a)^2+(y_1-b)^2}$

❸ 직각삼각형 CTP에서 피타고라스 정리를 이용하여 선분 PT의 길이를 구한다.

➡ $\overline{\mathrm{PT}}=\sqrt{\overline{\mathrm{CP}}^2-\overline{\mathrm{CT}}^2}=\sqrt{(x_1-a)^2+(y_1-b)^2-r^2}$

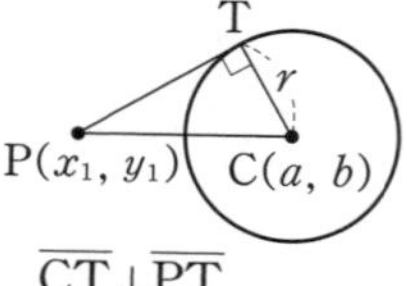

$\overline{\mathrm{CT}}\perp\overline{\mathrm{PT}}$

08-1 유사

점 $P(2, 4)$에서 원 $x^2+y^2=9$에 그은 접선의 접점을 T라고 할 때, 선분 PT의 길이를 구하여라.

08-2 유사

점 $P(-2, 4)$에서 원 $x^2+y^2-6x-2y+1=0$에 그은 접선의 접점을 T라고 할 때, 선분 PT의 길이를 구하여라.

08-3 변형

점 $P(a, 0)$에서 원 $x^2+y^2+4x-10y+28=0$에 그은 접선의 길이가 5일 때, a의 값을 모두 구하여라.

08-4 변형

점 $A(5, -1)$에서 원 $(x+3)^2+(y-5)^2=16$에 그은 접선의 접점을 P라 하고 원의 중심을 C라고 할 때, 삼각형 APC의 넓이를 구하여라.

08-5 변형

점 $P(1, 3)$에서 원 $x^2+y^2=5$에 그은 두 접선의 접점을 각각 A, B라고 할 때, 사각형 AOBP의 넓이를 구하여라. (단, O는 원점이다.)

08-6 실력

점 $A(-6, 0)$에서 원 $(x-2)^2+y^2=4$에 그은 두 접선의 접점을 각각 P, Q라고 할 때, 선분 PQ의 길이를 구하여라.

필수유형 09 원 위의 점과 직선 사이의 거리의 최대·최소

다음 물음에 답하여라.

(1) 점 $(-1,\ 5)$에서 원 $(x+4)^2+(y-1)^2=16$에 이르는 거리의 최댓값과 최솟값을 각각 구하여라.

(2) 원 $(x+2)^2+(y-5)^2=4$ 위의 점 P와 직선 $3x+4y+1=0$ 사이의 거리의 최댓값과 최솟값을 각각 구하여라.

풍쌤 POINT

원의 중심과 직선 사이의 거리를 먼저 구해! 그다음 원 위의 점을 움직이면서 최댓값을 갖는 경우와 최솟값을 갖는 경우를 각각 찾아!

원 위의 점과 직선 사이의 거리의 최댓값 M과 최솟값 m은 각각 다음과 같아.
$M=$(원의 중심과 직선 사이의 거리)$+$(반지름의 길이)
$m=$(원의 중심과 직선 사이의 거리)$-$(반지름의 길이)

풀이

(1) **STEP1 원의 중심과 점 $(-1,\ 5)$ 사이의 거리 구하기**

원 $(x+4)^2+(y-1)^2=16$의 중심 $(-4,\ 1)$과 점 $(-1,\ 5)$ 사이의 거리는 $\sqrt{\{-1-(-4)\}^2+(5-1)^2}=5$

STEP2 거리의 최댓값과 최솟값 구하기

이때 원의 반지름의 길이는 4이므로 점 $(-1,\ 5)$에서 원에 이르는 거리의 (최댓값)$=5+4=9$, (최솟값)$=5-4=1$

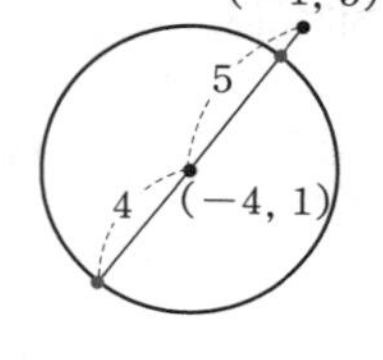

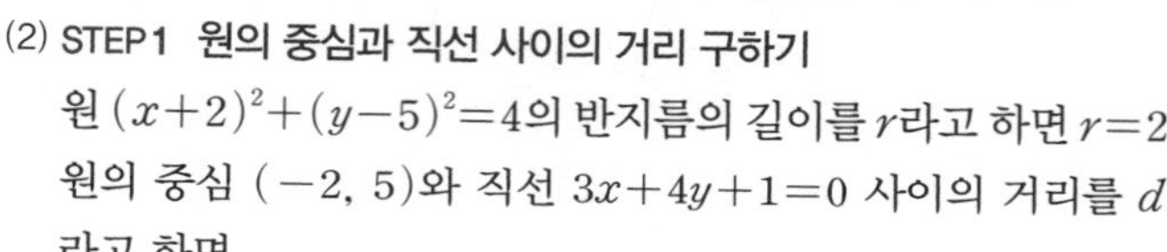

(2) **STEP1 원의 중심과 직선 사이의 거리 구하기**

원 $(x+2)^2+(y-5)^2=4$의 반지름의 길이를 r라고 하면 $r=2$
원의 중심 $(-2,\ 5)$와 직선 $3x+4y+1=0$ 사이의 거리를 d라고 하면

$$d=\frac{|-6+20+1|}{\sqrt{3^2+4^2}}=\frac{15}{5}=3$$

STEP2 거리의 최댓값과 최솟값 구하기

따라서 원 위의 점 P와 직선 $3x+4y+1=0$ 사이의 거리의
(최댓값)$=d+r=3+2=5$, (최솟값)$=d-r=3-2=1$

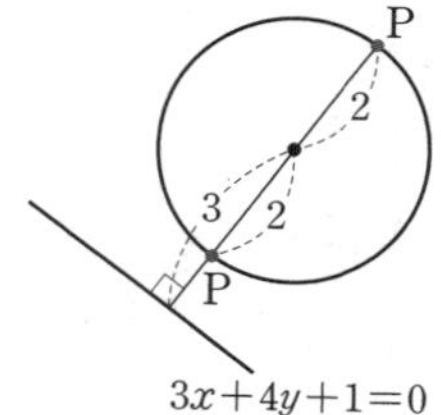

답 (1) 최댓값: 9, 최솟값: 1 (2) 최댓값: 5, 최솟값: 1

풍쌤 강의 NOTE

원과 만나지 않는 직선 l과의 거리가 최대, 최소가 되는 원 위의 점은 오른쪽 그림과 같이 원의 중심 O를 지나고 직선 l에 수직인 직선이 원과 만나는 두 점이다. 즉, 원의 반지름의 길이를 r, 원의 중심과 직선 l 사이의 거리를 d $(d>r)$라고 하면 원 위의 점과 직선 l 사이의 거리의 최댓값 M과 최솟값 m은
➡ $M=d+r$, $m=d-r$

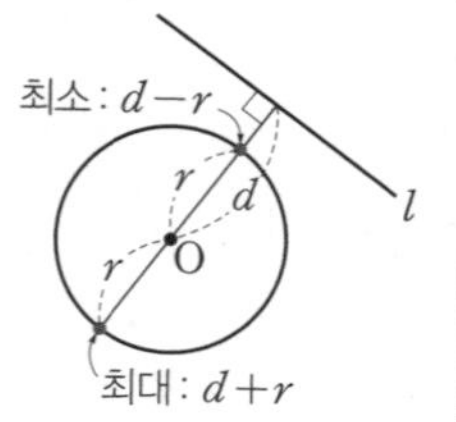

09-1 유사

점 $(-1, 9)$에서 원 $(x+6)^2+(y+3)^2=16$에 이르는 거리의 최댓값과 최솟값을 각각 구하여라.

09-2 유사

원 $(x-2)^2+(y-1)^2=4$ 위의 점 P와 직선 $2x-y+2=0$ 사이의 거리의 최댓값과 최솟값을 각각 구하여라.

09-3 변형

원 $x^2+y^2=8$ 위의 점 P와 직선 $x-y+k=0$ 사이의 거리의 최댓값이 $5\sqrt{2}$일 때, 양수 k의 값을 구하여라.

09-4 변형

두 점 $A(-3, 4)$, $B(3, 1)$에 대하여 점 P가 $\overline{AP} : \overline{BP}=2 : 1$을 만족시킬 때, 점 P와 직선 $y=2x+5$ 사이의 거리의 최솟값을 구하여라.

09-5 실력

원 $x^2+y^2+2x-8y+12=0$ 위의 점 P와 직선 $x+2y+3=0$ 사이의 거리가 정수인 점 P의 개수를 구하여라.

09-6 실력 기출

좌표평면에서 원 $x^2+y^2=2$ 위를 움직이는 점 A와 직선 $y=x-4$ 위를 움직이는 두 점 B, C를 연결하여 삼각형 ABC를 만들 때, 정삼각형이 되는 삼각형 ABC의 넓이의 최솟값과 최댓값의 비를 구하여라.

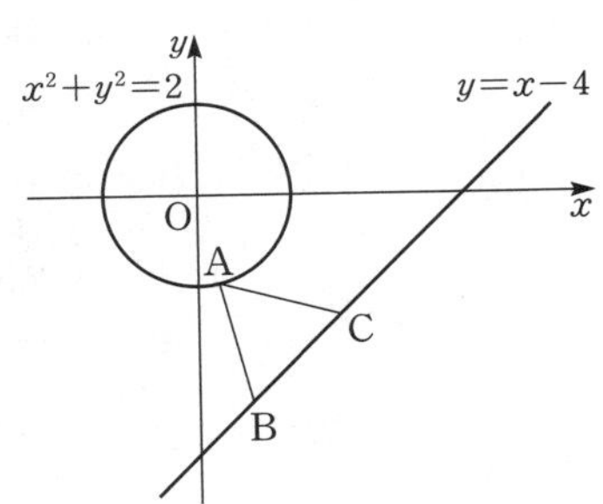

필수유형 10 기울기가 주어진 원의 접선의 방정식

다음 직선의 방정식을 구하여라.

(1) 원 $x^2+y^2=4$에 접하고 직선 $y=\sqrt{3}x+1$에 평행한 직선

(2) 원 $(x-1)^2+(y-4)^2=10$에 접하고 기울기가 3인 직선

풍쌤 POINT

원 $x^2+y^2=r^2$에 접하고 기울기가 m인 접선의 방정식을 구할 때는

[방법1] 공식 $y=mx\pm r\sqrt{m^2+1}$을 이용해!

[방법2] 구하는 접선의 방정식을 $y=mx+n$으로 놓고 판별식을 이용해!

[방법3] 원의 중심과 접선 사이의 거리가 원의 반지름의 길이와 같음을 이용해!

풀이

(1) 직선 $y=\sqrt{3}x+1$에 평행한 직선의 기울기는 $\sqrt{3}$ ❶이고,
원 $x^2+y^2=4$의 반지름의 길이는 2이므로 접선의 방정식은
$y=\sqrt{3}x\pm2\sqrt{(\sqrt{3})^2+1}$ ❷ $\quad\therefore y=\sqrt{3}x\pm4$ ❸

다른 풀이❶

접선의 방정식을 $y=\sqrt{3}x+k$ (k는 상수)로 놓고, $x^2+y^2=4$에 대입하면 $x^2+(\sqrt{3}x+k)^2=4 \quad \therefore 4x^2+2\sqrt{3}kx+k^2-4=0$

이 이차방정식의 판별식을 D라고 하면 원과 직선이 접하므로

$\frac{D}{4}=(\sqrt{3}k)^2-4(k^2-4)=0,\ k^2=16 \quad \therefore k=\pm4$

따라서 구하는 접선의 방정식은 $y=\sqrt{3}x\pm4$

다른 풀이❷

접선의 방정식을 $y=\sqrt{3}x+k$, 즉 $\sqrt{3}x-y+k=0$으로 놓으면 원의 중심 (0, 0)과 접선 사이의 거리가 원의 반지름의 길이인 2와 같으므로

$\frac{|k|}{\sqrt{(\sqrt{3})^2+(-1)^2}}=2,\ |k|=4 \quad \therefore k=\pm4$

따라서 구하는 접선의 방정식은 $y=\sqrt{3}x\pm4$

(2) 기울기가 3인 접선의 방정식을 $y=3x+b$ (b는 상수)라고 하면 원의 중심 (1, 4)와 접선 $y=3x+b$, 즉 $3x-y+b=0$ 사이의 거리는 반지름의 길이 $\sqrt{10}$과 같으므로

$\frac{|3-4+b|}{\sqrt{3^2+(-1)^2}}=\sqrt{10},\ |b-1|=10$

$\therefore b=11$ 또는 $b=-9$

따라서 구하는 접선의 방정식은 $y=3x+11$ 또는 $y=3x-9$

답 (1) $y=\sqrt{3}x\pm4$ (2) $y=3x+11$ 또는 $y=3x-9$

❶ 평행한 두 직선의 기울기는 같다.

❷ 공식 $y=mx\pm r\sqrt{m^2+1}$에 $m=\sqrt{3}$, $r=2$를 대입한다.

❸ 원에 접하고 기울기가 $\sqrt{3}$인 직선은 항상 2개이다.

풍쌤 강의 NOTE

원 $x^2+y^2=r^2$에 접하고 기울기가 m인 접선의 방정식은 $y=mx\pm r\sqrt{m^2+1}$이지만 이 공식은 원의 중심이 원점인 경우에만 이용할 수 있다. 즉, 원의 중심이 원점이 아닌 경우에는 해당 공식을 쓰지 못하므로 (원의 중심과 접선 사이의 거리)=(원의 반지름의 길이)임을 이용한다.

10-1 유사

원 $x^2+y^2=9$에 접하고 직선 $2x-y-3=0$에 평행한 직선의 방정식을 구하여라.

10-2 유사

원 $x^2+y^2=8$에 접하고 x축의 양의 방향과 이루는 각의 크기가 45°인 접선의 방정식을 구하여라.

10-3 유사

원 $(x-3)^2+(y+1)^2=16$에 접하고 기울기가 -2인 두 직선의 y절편의 곱을 구하여라.

10-4 변형

직선 $x+2y-2=0$에 수직이고 원 $x^2+y^2=1$에 접하는 직선의 방정식을 구하여라.

10-5 변형

직선 $4x-3y-6=0$에 수직이고 원 $(x+2)^2+(y-3)^2=2$에 접하는 두 직선이 y축과 만나는 점을 각각 P, Q라고 할 때, 선분 PQ의 길이를 구하여라.

10-6 실력

원 $x^2+y^2=100$ 위의 두 점 $A(-6, 8)$, $B(0, -10)$과 원 위를 움직이는 점 P에 대하여 삼각형 ABP의 넓이의 최댓값을 구하여라.

필수유형 11 원 위의 점에서의 접선의 방정식

다음 물음에 답하여라.

(1) 원 $x^2+y^2=5$ 위의 점 $(1, 2)$에서의 접선의 방정식이 점 $(-3, k)$를 지날 때, k의 값을 구하여라.

(2) 원 $(x+2)^2+(y-3)^2=18$ 위의 점 $(1, 6)$에서의 접선의 방정식을 구하여라.

풍쌤 POINT

원 $x^2+y^2=r^2$ 위의 점 $P(x_1, y_1)$에서의 접선의 방정식을 구할 때는

[방법1] 공식 $x_1x+y_1y=r^2$을 이용해! ← 원이 $(x-a)^2+(y-b)^2=r^2$인 경우는 $(x_1-a)(x-a)+(y_1-b)(y-b)=r^2$ 이용!

[방법2] 구하는 접선의 방정식을 $y=mx+n$으로 놓고, 판별식을 이용해!

풀이

(1) 원 $x^2+y^2=5$ 위의 점 $(1, 2)$에서의 접선의 방정식은

$x+2y=5$ ❶

이 접선이 점 $(-3, k)$를 지나므로 $-3+2k=5$ $\therefore k=4$

다른 풀이

원의 중심 $(0, 0)$과 접점 $(1, 2)$를 지나는 직선의 기울기는

$\frac{0-2}{0-1}=2$

이때 원의 중심과 접점을 지나는 직선은 접선에 수직이므로 접선의 기울기는 $-\frac{1}{2}$이고, 점 $(1, 2)$를 지나므로 접선의 방정식은

$y-2=-\frac{1}{2}(x-1)$ $\therefore y=-\frac{1}{2}x+\frac{5}{2}$

이 접선이 점 $(-3, k)$를 지나므로 $k=-\frac{1}{2}\times(-3)+\frac{5}{2}=4$

(2) 원의 중심 $(-2, 3)$과 접점 $(1, 6)$을 지나는 직선의 기울기는

$\frac{3-6}{-2-1}=1$

이때 원의 중심과 접점을 지나는 직선은 접선에 수직이므로 접선의 기울기는 -1이고, 점 $(1, 6)$을 지나므로 접선의 방정식은

$y-6=-(x-1)$ $\therefore y=-x+7$

다른 풀이

원 $(x+2)^2+(y-3)^2=18$ 위의 점 $(1, 6)$에서의 접선의 방정식은 $(1+2)(x+2)+(6-3)(y-3)=18$ ❷

$x+2+y-3=6$ $\therefore y=-x+7$

❶ 공식 $x_1x+y_1y=r^2$에 $x_1=1$, $y_1=2$를 대입한다.

❷ 공식 $(x_1-a)(x-a)+(y_1-b)(y-b)=r^2$에 $x_1=1$, $y_1=6$을 대입한다.

답 (1) 4 (2) $y=-x+7$

풍쌤 강의 NOTE

원 $(x-a)^2+(y-b)^2=r^2$ 위의 점 (x_1, y_1)에서의 접선의 방정식은 두 점 (a, b), (x_1, y_1)을 지나는 직선이 접선과 수직임을 이용하여 구한다.

11-1 유사

원 $x^2+y^2=20$ 위의 점 $(2,\ -4)$에서의 접선의 방정식이 점 $(k,\ -2)$를 지날 때, k의 값을 구하여라.

11-2 유사

원 $(x-2)^2+(y-4)^2=10$ 위의 점 $(1,\ 1)$에서의 접선의 방정식을 구하여라.

11-3 변형

원 $x^2+y^2=8$ 위의 점 $(a,\ b)$에서의 접선의 기울기가 -1일 때, ab의 값을 구하여라.

11-4 변형

원 $x^2+y^2=2$ 위의 점 $(1,\ -1)$에서의 접선이 원 $x^2+y^2+4x-4y+k=0$에 접할 때, 상수 k의 값을 구하여라.

11-5 변형

원 $(x-2)^2+(y+1)^2=10$ 위의 점 $(3,\ 2)$에서의 접선과 x축, y축으로 둘러싸인 도형의 넓이를 구하여라.

11-6 변형

원 $(x-3)^2+(y-2)^2=45$ 위의 서로 다른 두 점 $(-3,\ -1)$, $(a,\ b)$에서의 두 접선이 서로 평행할 때, $a+b$의 값을 구하여라.

필수유형 12 원 밖의 한 점에서 그은 접선의 방정식

원 $x^2+y^2=4$ 밖의 한 점 $A(2, 4)$에서 이 원에 그은 접선의 방정식을 모두 구하여라.

풍쌤 POINT

원 밖의 한 점에서 원에 그은 접선의 방정식을 구할 때는
[방법1] 접점을 (x_1, y_1)이라 하고 이 점에서의 접선의 방정식이 $x_1x+y_1y=r^2$임을 이용해!
[방법2] (원의 중심과 접선 사이의 거리)=(반지름의 길이)임을 이용해!

풀이

접점의 좌표를 (x_1, y_1)이라고 하면 접선의 방정식은 $x_1x+y_1y=4$
이 접선이 점 $A(2, 4)$를 지나므로
$2x_1+4y_1=4$에서 $x_1=2-2y_1$ …… ㉠
또, 점 (x_1, y_1)은 원 $x^2+y^2=4$ 위의 점이므로
$x_1^2+y_1^2=4$ …… ㉡
㉠을 ㉡에 대입하면 $(2-2y_1)^2+y_1^2=4$
$5y_1^2-8y_1=0$, $y_1(5y_1-8)=0$ $\quad\therefore y_1=0$ 또는 $y_1=\frac{8}{5}$
y_1의 값을 ㉠에 대입하면
$y_1=0$일 때 $x_1=2$, $y_1=\frac{8}{5}$일 때 $x_1=-\frac{6}{5}$
따라서 구하는 접선의 방정식은
$x=2$ 또는 $3x-4y+10=0$[1]

[1] $x_1x+y_1y=4$에 $x_1=-\frac{6}{5}$, $y_1=\frac{8}{5}$을 대입하면
$-\frac{6}{5}x+\frac{8}{5}y=4$
$-\frac{3}{5}x+\frac{4}{5}y=2$
$\therefore 3x-4y+10=0$

다른 풀이

점 $A(2, 4)$를 지나는 접선의 기울기를 m이라고 하면 접선의 방정식은
$y-4=m(x-2)$ $\quad\therefore mx-y-2m+4=0$ …… ㉠
이때 원 $x^2+y^2=4$와 직선 ㉠이 접하려면 원의 중심 $(0, 0)$과 직선 ㉠ 사이의 거리가 원의 반지름의 길이인 2와 같아야 하므로
$\frac{|-2m+4|}{\sqrt{m^2+(-1)^2}}=2$, $|-2m+4|=2\sqrt{m^2+1}$
양변을 제곱하면 $4m^2-16m+16=4m^2+4$
$16m=12$ $\quad\therefore m=\frac{3}{4}$ …… ㉡
㉡을 ㉠에 대입하면 구하는 접선의 방정식은
$3x-4y+10=0$
또, 오른쪽 그림에서 나머지 접선의 방정식은 $x=2$
따라서 구하는 접선의 방정식은
$3x-4y+10=0$ 또는 $x=2$

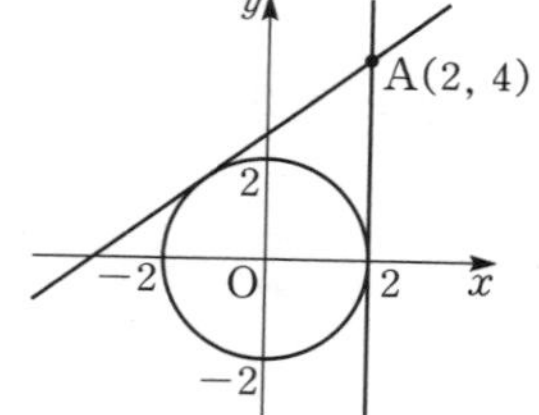

답 $3x-4y+10=0$ 또는 $x=2$

풍쌤 강의 NOTE

일반적으로 원 밖의 한 점(a, b)에서 원에 그은 접선은 2개 존재한다. 그런데 위의 [다른 풀이]의 방법으로 풀면 접선의 방정식이 $x=a$ 또는 $y=b$인 경우를 빠뜨릴 수 있으므로 주의한다.

12-1 유사

원 $x^2+y^2=20$ 밖의 한 점 $\mathrm{A}(-6, 2)$에서 이 원에 그은 접선의 방정식을 모두 구하여라.

12-2 유사

원 $(x-3)^2+(y-5)^2=9$ 밖의 한 점 $\mathrm{A}(-1, 2)$에서 이 원에 그은 접선의 방정식을 모두 구하여라.

12-3 변형 기출

점 $(0, 3)$에서 원 $x^2+y^2=1$에 그은 접선이 x축과 만나는 점의 x좌표를 k라고 할 때, $16k^2$의 값을 구하여라.

12-4 변형

점 $(-3, -1)$에서 원 $x^2+y^2=2$에 그은 두 접선과 y축으로 둘러싸인 부분의 넓이를 구하여라.

12-5 변형

두 원 O: $x^2+y^2=9$, O': $(x+3)^2+(y-6)^2=9$에 대하여 직선 l이 원 O에 접하면서 원 O'의 넓이를 이등분할 때, 직선 l의 방정식을 모두 구하여라.

12-6 실력

점 $(k, 0)$에서 원 $x^2+y^2=4$에 그은 두 접선이 서로 수직일 때, 모든 k의 값의 곱을 구하여라.

필수유형 13 두 원의 교점을 지나는 직선과 원의 방정식

다음 물음에 답하여라.

(1) 두 원 $x^2+y^2+x-6y+9=0$, $x^2+y^2-2x+3y+k=0$의 교점을 지나는 직선이 점 $(1, 1)$을 지날 때, 상수 k의 값을 구하여라.

(2) 두 원 $x^2+y^2-6x-2y+a=0$, $x^2+y^2-4x+3=0$의 교점과 두 점 $(2, 0)$, $(0, -2)$를 지나는 원의 방정식을 구하여라. (단, a는 상수이다.)

풍쌤 POINT

(1) 두 원의 방정식을 변변 빼고 남은 일차방정식이 두 원의 교점을 지나는 직선(공통인 현)의 방정식이야.

(2) 두 원의 교점을 지나는 원의 방정식에 지나는 두 점의 좌표를 대입해!

풀이

(1) **STEP1 두 원의 교점을 지나는 직선의 방정식 구하기**

두 원의 교점을 지나는 직선의 방정식은

$x^2+y^2+x-6y+9-(x^2+y^2-2x+3y+k)=0$

$\therefore 3x-9y+9-k=0$

STEP2 k의 값 구하기

이 직선이 점 $(1, 1)$을 지나므로

$3-9+9-k=0 \qquad \therefore k=3$

(2) **STEP1 두 원의 교점을 지나는 원의 방정식 세우기**

두 원의 교점을 지나는 원의 방정식은

$x^2+y^2-6x-2y+a+k(x^2+y^2-4x+3)=0$ (단, $k\neq-1$) …… ㉠

STEP2 주어진 두 점을 이용하여 두 상수 a, k의 값 구하기

이 원이 두 점 $(2, 0)$, $(0, -2)$를 지나므로

$4-12+a+k(4-8+3)=0$에서 $a-k=8$ …… ㉡

$4+4+a+k(4+3)=0$에서 $a+7k=-8$ …… ㉢

㉡, ㉢을 연립하여 풀면 $a=6$, $k=-2$

STEP3 원의 방정식 구하기

$a=6$, $k=-2$를 ㉠에 대입하면

$x^2+y^2-6x-2y+6-2(x^2+y^2-4x+3)=0$

$\therefore x^2+y^2-2x+2y=0$

답 (1) 3 (2) $x^2+y^2-2x+2y=0$

풍쌤 강의 NOTE

두 점에서 만나는 두 원 C: $x^2+y^2+ax+by+c=0$, C': $x^2+y^2+a'x+b'y+c'=0$의 교점을 지나는 도형의 방정식 $x^2+y^2+ax+by+c+k(x^2+y^2+a'x+b'y+c')=0$ (k는 임의의 실수)은

(1) $k=-1$일 때, 두 원 C, C'의 교점을 지나는 직선의 방정식이다. → 두 원의 교점을 지나는 직선은 하나뿐이다.

(2) $k\neq-1$일 때, 두 원 C, C'의 교점을 지나는 원의 방정식이다. → 두 원의 교점을 지나는 원은 무수히 많다.

13-1 유사

두 원 $x^2+y^2+8x+ky-8=0$, $x^2+y^2-kx-2y=0$의 교점을 지나는 직선이 점 $(2, -3)$을 지날 때, 상수 k의 값을 구하여라.

13-2 유사

두 원 $x^2+y^2+4x-18y+a=0$, $x^2+y^2-8x-14y+32=0$의 교점과 두 점 $(1, 2)$, $(-5, 8)$을 지나는 원의 중심의 좌표를 (b, c)라고 할 때, $a+b+c$의 값을 구하여라. (단, a는 상수이다.)

13-3 변형

두 원 $x^2+y^2+ax+4y-3=0$, $x^2+y^2+2x+ay-1=0$의 교점을 지나는 직선이 직선 $y=-3x+1$과 수직일 때, 상수 a의 값을 구하여라.

13-4 변형

두 원 $x^2+y^2+8ax+4ay+16=0$, $x^2+y^2+4ax-2ay+4=0$의 교점과 원점을 지나는 원의 넓이가 52π일 때, 양수 a의 값을 구하여라.

13-5 변형

두 원 $x^2+y^2-10x+8y-4=0$, $x^2+y^2-2x-4=0$의 교점을 지나고 중심이 y축 위에 있는 원의 넓이를 구하여라.

13-6 실력

원 $x^2+y^2+ax+2y-7a=0$이 원 $x^2+y^2-2x-2y-6=0$의 둘레를 이등분할 때, 상수 a의 값을 구하여라.

필수유형 14 두 원의 교점을 지나는 직선과 원의 방정식 – 공통인 현

두 원 O: $x^2+y^2+4x-5=0$, O': $x^2+y^2-2y-3=0$의 공통인 현의 길이를 구하려고 한다. 다음 물음에 답하여라.

(1) 두 원의 공통인 현의 방정식을 구하여라.

(2) 원 O의 중심과 공통인 현 사이의 거리를 구하여라.

(3) 두 원의 공통인 현의 길이를 구하여라.

풍쌤 POINT 두 원의 공통인 현에 대한 문제는 두 원의 중심을 지나는 직선이 공통인 현을 수직이등분함을 이용해.

풀이 오른쪽 그림과 같이 두 원
O: $x^2+y^2+4x-5=0$,
O': $x^2+y^2-2y-3=0$
의 중심을 각각 O, O′이라 하고, 두 원의 교점을 A, B, $\overline{OO'}$❶과 $\overline{AB}$의 교점을 M이라고 하자.

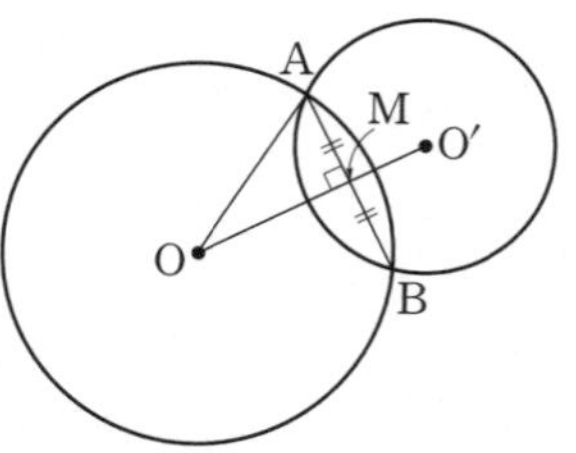

❶ $\overline{OO'}$은 $\overline{AB}$의 수직이등분선이다.

(1) 두 원 O, O'의 교점을 지나는 직선 AB의 방정식은

$x^2+y^2+4x-5-(x^2+y^2-2y-3)=0$

$\therefore 2x+y-1=0$ …… ㉠

(2) 원 O: $x^2+y^2+4x-5=0$에서 $(x+2)^2+y^2=9$이므로 원 O의 중심은 $\mathrm{O}(-2, 0)$이다.

점 $\mathrm{O}(-2, 0)$과 직선 ㉠ 사이의 거리는

$$\overline{OM}=\frac{|-4-1|}{\sqrt{2^2+1^2}}=\frac{5}{\sqrt{5}}=\sqrt{5}$$

(3) 직각삼각형 AOM에서❷ $\overline{OA}=3$❸이므로

$$\overline{AM}=\sqrt{\overline{OA}^2-\overline{OM}^2}=\sqrt{3^2-(\sqrt{5})^2}=2$$

따라서 공통인 현 AB의 길이는

$\overline{AB}=2\overline{AM}=4$

❷ 현의 길이를 구할 때는 직각삼각형을 그려 피타고라스 정리를 적용한다.

❸ 원 $(x+2)^2+y^2=9$의 반지름의 길이는 3이므로 $\overline{OA}=3$이다.

답 (1) $2x+y-1=0$ (2) $\sqrt{5}$ (3) 4

풍쌤 강의 NOTE

두 원의 공통인 현의 길이를 구하는 방법

❶ 직선 AB의 방정식을 구한다.

❷ 한 원의 중심 O에서 직선 AB까지의 거리 $\overline{OM}$을 구한다.

❸ 직각삼각형 AOM에서 피타고라스 정리를 이용하여 $\overline{AM}$의 길이를 구한다.

❹ $\overline{AB}=2\overline{AM}$임을 이용한다.

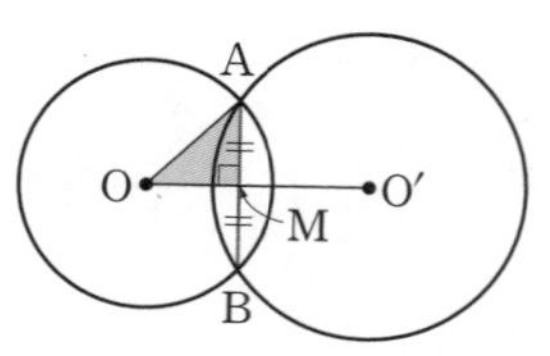

14-1 유사

두 원 O: $x^2+(y-3)^2=13$, O': $(x-4)^2+y^2=8$의 공통인 현의 길이를 구하려고 한다. 다음 물음에 답하여라.

(1) 두 원의 공통인 현의 방정식을 구하여라.

(2) 원 O의 중심과 공통인 현 사이의 거리를 구하여라.

(3) 두 원의 공통인 현의 길이를 구하여라.

14-2 유사

두 원 $x^2+y^2=1$, $x^2+y^2+4x-4y+3=0$의 공통인 현의 길이를 구하여라.

14-3 변형

두 원 O: $x^2+y^2+2x-4y-4=0$,
O': $x^2+y^2-6x-10y+20=0$의 공통인 현을 $\overline{\mathrm{AB}}$라고 할 때, 원 O의 중심 O에 대하여 삼각형 OAB의 넓이를 구하여라.

14-4 변형

두 원 $x^2+y^2=10$, $x^2+y^2-6x-8y=0$의 교점을 지나는 원 중에서 넓이가 최소인 원의 넓이를 구하여라.

14-5 실력

두 원 $x^2+y^2=4$, $(x-2)^2+(y-4)^2=r^2$이 서로 다른 두 점 A, B에서 만날 때, 선분 AB의 길이가 최대가 되도록 하는 양수 r의 값을 구하여라.

14-6 실력

두 원 $x^2+y^2=4$, $x^2+y^2-6x-6y+k=0$의 공통인 현의 길이가 $2\sqrt{2}$가 되도록 하는 모든 상수 k의 값의 합을 구하여라.

발전유형 15 두 원에 동시에 접하는 접선의 길이

두 원 $x^2+y^2=4$, $(x-6)^2+(y-4)^2=16$에 동시에 접하는 두 접선이 오른쪽 그림과 같고 접점을 각각 A, B, C, D라고 할 때, 다음을 구하여라.

(1) 선분 AB의 길이

(2) 선분 CD의 길이

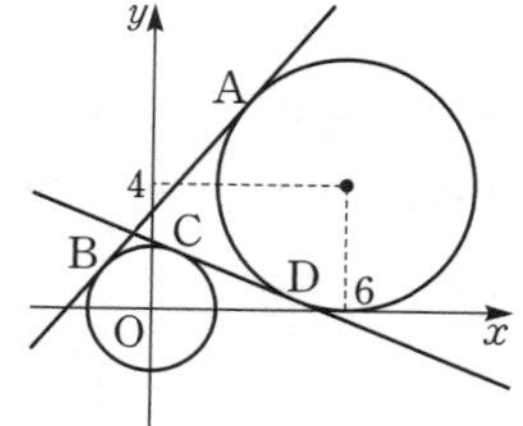

풍쌤 POINT

두 원에 동시에 접하는 접선의 길이를 구할 때는 보조선을 그어 직각삼각형을 만들어!
이때 직각삼각형은 두 원의 중심을 잇는 선분을 빗변으로 하고 한 변은 구하고자 하는 접선의 길이와 같도록 만들어야 해.
접선을 평행이동한 형태로!

풀이 원 $(x-6)^2+(y-4)^2=16$의 중심을 O′이라고 하면 O′(6, 4)이므로

$\overline{OO'}=\sqrt{6^2+4^2}=2\sqrt{13}$

(1) 오른쪽 그림과 같이 원점 O에서 $\overline{O'A}$에 내린 수선의 발을 H라고 하면 $\overline{O'H}=4-2=2$이므로 직각삼각형 OO′H에서

$\overline{AB}=\overline{OH}=\sqrt{\overline{OO'}^2-\overline{O'H}^2}$
$=\sqrt{(2\sqrt{13})^2-2^2}$
$=4\sqrt{3}$

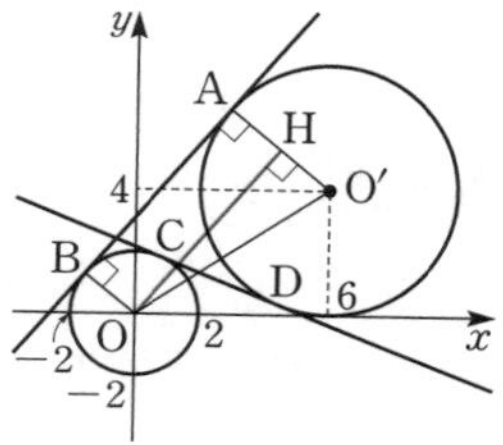

(2) 오른쪽 그림과 같이 원점 O에서 $\overline{O'D}$의 연장선에 내린 수선의 발을 H′이라고 하면 $\overline{O'H'}=4+2=6$이므로

직각삼각형 OH′O′에서

$\overline{CD}=\overline{OH'}=\sqrt{\overline{OO'}^2-\overline{O'H'}^2}$
$=\sqrt{(2\sqrt{13})^2-6^2}$
$=4$

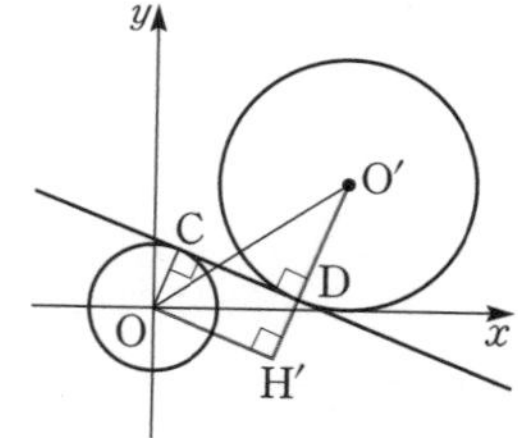

답 (1) $4\sqrt{3}$ (2) 4

풍쌤 강의 NOTE

두 원의 반지름의 길이가 각각 r, r' $(r>r')$이고 중심 사이의 거리가 d일 때

(1)

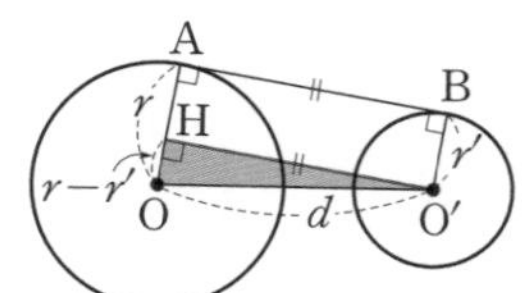

➡ $\overline{AB}=\overline{O'H}=\sqrt{d^2-(r-r')^2}$

(2)

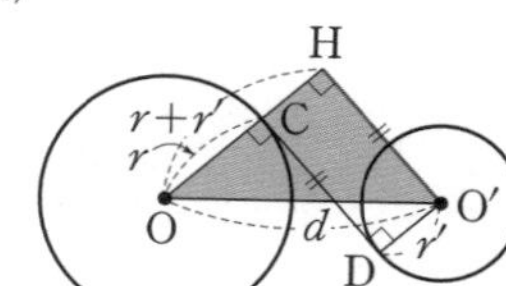

➡ $\overline{CD}=\overline{O'H}=\sqrt{d^2-(r+r')^2}$

15-1 유사

다음 그림과 같이 두 원 $(x-2)^2+y^2=1$, $(x+4)^2+y^2=9$에 동시에 접하는 접선을 그을 때, 두 접점 A, B 사이의 거리를 구하여라.

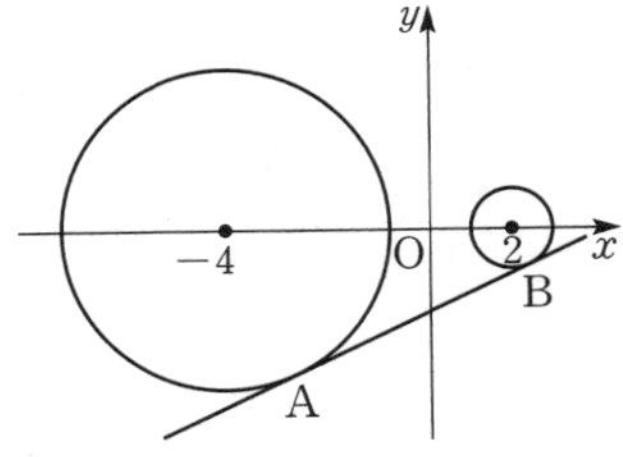

15-2 유사

다음 그림과 같이 두 원 $(x+1)^2+(y-1)^2=1$, $(x+5)^2+y^2=4$에 동시에 접하는 접선을 그을 때, 두 접점 A, B 사이의 거리를 구하여라.

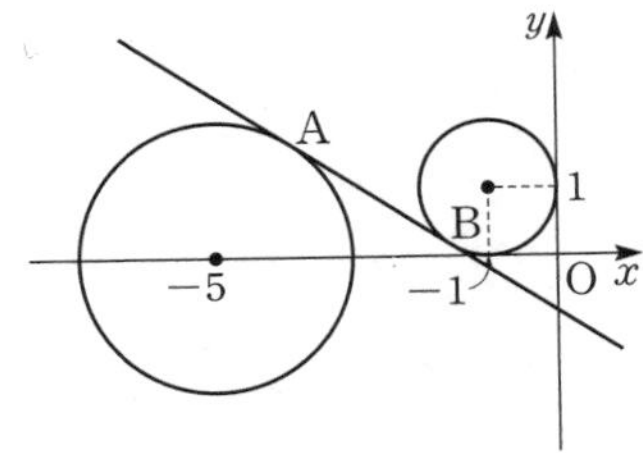

15-3 변형

다음 그림과 같이 두 원 $x^2+y^2=r^2$, $(x-6)^2+(y-8)^2=1$에 동시에 접하는 접선을 긋고 접점을 각각 A, B라고 할 때, 선분 AB의 길이가 $4\sqrt{6}$이다. 이때 양수 r의 값을 구하여라.

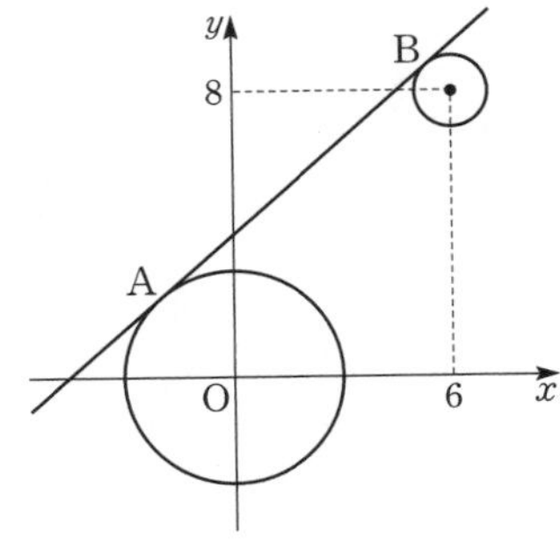

15-4 변형

다음 그림과 같이 두 원 $(x+4)^2+(y-5)^2=r^2$, $(x-2)^2+(y+3)^2=16$에 동시에 접하는 접선을 긋고 접점을 각각 A, B라고 할 때, 선분 AB의 길이가 8이다. 이때 양수 r의 값을 구하여라.

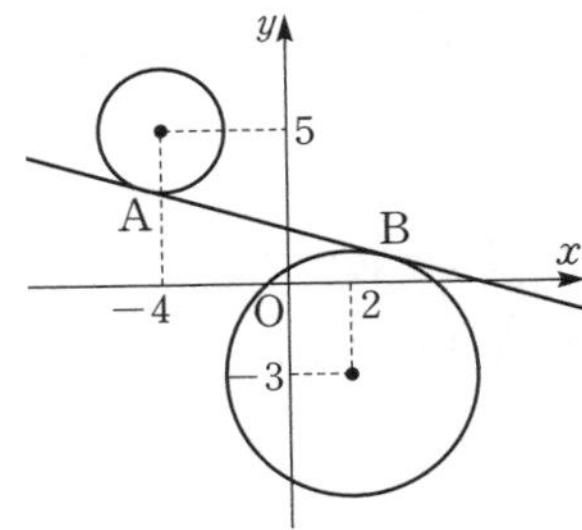

실전 연습 문제

01

원 $x^2+y^2+4x-10y+19=0$과 중심이 같고 점 $(-1, 4)$를 지나는 원의 둘레의 길이는?

① 2π ② $2\sqrt{2}\pi$ ③ $2\sqrt{3}\pi$
④ 4π ⑤ $2\sqrt{10}\pi$

02

중심이 직선 $y=-2x+2$ 위에 있고 지름의 양 끝 점이 $(1, 5)$, $(a, 3)$인 원의 방정식은?

① $(x-1)^2+(y-4)^2=4$
② $(x+1)^2+(y-3)^2=4$
③ $(x+1)^2+(y-4)^2=5$
④ $(x+2)^2+(y-5)^2=5$
⑤ $(x+2)^2+(y-5)^2=8$

03

방정식 $x^2+y^2+6x-8y+k+9=0$이 제2사분면 위에 있는 원을 나타낼 때, 실수 k의 값의 범위는?

① $5<k<10$ ② $6<k<15$ ③ $7<k<15$
④ $7<k<16$ ⑤ $8<k<16$

04 서술형

중심이 직선 $2x+y+1=0$ 위에 있고 x축에 접하면서 점 $(-2, 1)$을 지나는 원이 두 개가 있다. 이 두 원의 중심 사이의 거리를 구하여라.

05

두 점 $A(-3, 0)$, $B(3, 0)$에 대하여 점 $P(a, b)$가 $\overline{PA}^2+\overline{PB}^2=20$을 만족시킬 때, $(a+5)^2+(b-12)^2$의 최댓값은?

① 121 ② 144 ③ 169
④ 196 ⑤ 225

06

중심의 좌표가 $(3, 0)$이고 y축에 접하는 원과 직선 $y=mx+4$가 서로 다른 두 점에서 만나도록 하는 실수 m의 값의 범위를 구하여라.

07

중심이 직선 $y=x$ 위에 있고 두 직선 $x+y+2=0$, $x+y-6=0$에 동시에 접하는 원의 방정식을 구하여라.

08

두 점 $\mathrm{A}(2, 7)$, $\mathrm{B}(8, 1)$을 지름의 양 끝 점으로 하는 원이 직선 $y=x+k$와 만나지 않도록 하는 자연수 k의 최솟값은?

① 4 ② 5 ③ 6 ④ 7 ⑤ 8

09

기출

다음 그림과 같이 점 $\mathrm{A}(4, 3)$을 지나고 기울기가 양수인 직선 l이 원 $x^2+y^2=10$과 두 점 P, Q에서 만난다. $\overline{\mathrm{AP}}=3$일 때, 직선 l의 기울기는?

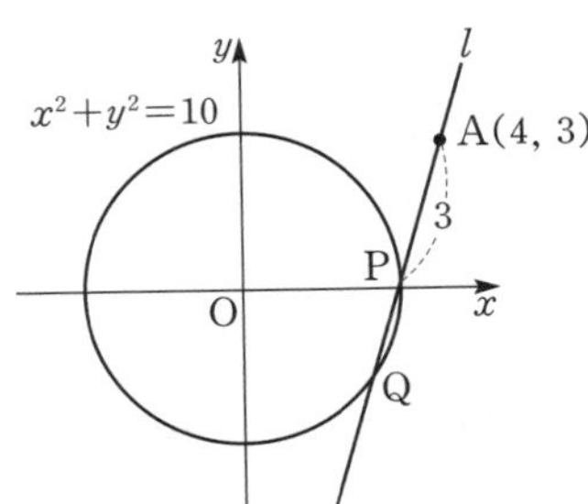

① $\frac{23}{7}$ ② $\frac{24}{7}$ ③ $\frac{25}{7}$ ④ $\frac{26}{7}$ ⑤ $\frac{27}{7}$

10

점 $\mathrm{P}(5, a)$에서 원 $(x-2)^2+(y-3)^2=4$에 그은 접선의 접점을 T라고 할 때, $\overline{\mathrm{PT}}=\sqrt{21}$이다. 이때 양수 a의 값은?

① 3 ② 4 ③ 5 ④ 6 ⑤ 7

11 서술형

원 $x^2+y^2=9$ 위의 점 P와 직선 $3x+4y+20=0$ 사이의 거리가 정수인 점 P의 개수를 구하여라.

12

원 $x^2+y^2=20$ 위의 점 $(2, 4)$에서의 접선과 원 $x^2+y^2=20$에 접하면서 기울기가 2이고 y절편이 양수인 직선의 교점이 (a, b)일 때, a^2+b^2의 값은?

① 20 ② 25 ③ 40 ④ 52 ⑤ 61

13

원 $x^2+y^2=13$ 위의 두 점 $\mathrm{P}(2, 3)$, $\mathrm{Q}(3, -2)$에서의 접선을 각각 l_1, l_2라 하고, 두 직선 l_1, l_2의 교점을 R라고 할 때, 사각형 OPRQ의 넓이를 구하여라.

(단, O는 원점이다.)

14

두 원 O: $x^2+y^2=1$, O': $(x-3)^2+(y+1)^2=1$에 대하여 직선 l이 원 O에 접하면서 원 O'의 넓이를 이등분할 때, 직선 l의 방정식을 모두 구하여라.

15 서술형

오른쪽 그림과 같이 점 $(0, 6)$에서 원 $(x-3)^2+y^2=9$에 그은 접선 중 y축이 아닌 직선을 l이라고 하자.

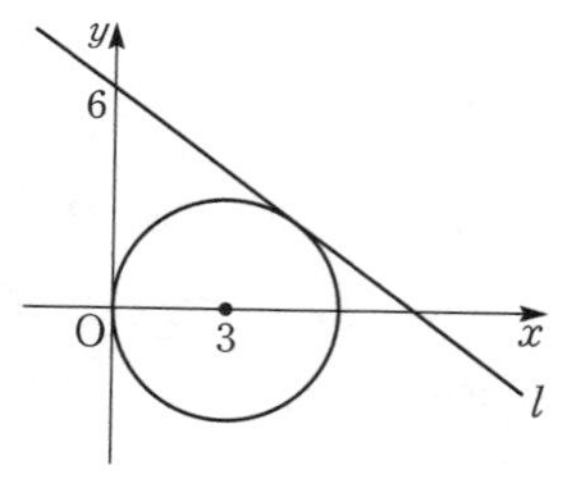

직선 l과 x축, y축에 동시에 접하면서 중심이 제1사분면 위에 있는 원은 2개이다. 이때 이 두 원의 중심 사이의 거리를 구하여라.

16

원 $x^2+y^2-4x-4y-1=0$이
원 $x^2+y^2-8x-4ay+a^2+15=0$의 둘레를 이등분할 때, 양수 a의 값은?

① $\frac{5}{7}$　② $\frac{6}{7}$　③ 1
④ $\frac{8}{7}$　⑤ $\frac{9}{7}$

17

두 원 $x^2+y^2=4$, $x^2+y^2+ax+2=0$의 교점과 두 점 $(0, -1)$, $(2, 1)$을 지나는 원의 중심의 좌표를 (b, c)라고 할 때, $a+b+c$의 값은? (단, a는 상수이다.)

① -5　② -3　③ -1
④ 3　⑤ 5

18

두 원 $x^2+y^2=9$, $x^2+y^2-4x-3y+k=0$의 공통인 현의 길이가 $2\sqrt{5}$가 되도록 하는 모든 상수 k의 값의 합을 구하여라.

상위권 도약 문제

정답과 풀이 312쪽

01

세 점 $A(-6, 0)$, $B(6, 0)$, $C(0, 6\sqrt{3})$을 꼭짓점으로 하는 삼각형 ABC의 내접원의 방정식을 구하여라.

02

원 $x^2+y^2-12x+20=0$ 밖의 점 P에서 이 원에 그은 접선의 접점을 T라고 하자. 점 $A(2, 5)$에 대하여 $\overline{PT}=\overline{PA}$를 만족시키는 점 P의 자취의 방정식을 구하여라.

03

기출

이차함수 $y=x^2$의 그래프 위의 점을 중심으로 하고 y축에 접하는 원 중에서 직선 $y=\sqrt{3}x-2$와 접하는 원은 2개이다. 두 원의 반지름의 길이를 각각 a, b라고 할 때, $100ab$의 값을 구하여라.

04

기출

좌표평면에서 중심이 $(1, 1)$이고 반지름의 길이가 1인 원과 직선 $y=mx$ $(m>0)$가 두 점 A, B에서 만난다. 두 점 A, B에서 각각 이 원에 접하는 두 직선이 서로 수직이 되도록 하는 모든 실수 m의 값의 합은?

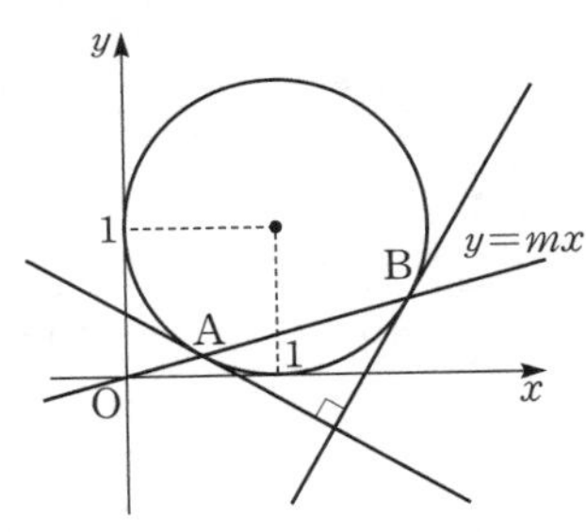

① 2 ② $\frac{5}{2}$ ③ 3 ④ $\frac{7}{2}$ ⑤ 4

05

좌표평면 위의 두 점 $\mathrm{A}(-2, -1)$, $\mathrm{B}(4, 7)$과 직선 $y=-x+8$ 위의 서로 다른 두 점 P, Q에 대하여 $\angle\mathrm{APB}=\angle\mathrm{AQB}=90°$일 때, 선분 PQ의 길이를 구하여라.

06

기출

좌표평면 위에 원 C: $(x-1)^2+(y-2)^2=4$와 두 점 $\mathrm{A}(4, 3)$, $\mathrm{B}(1, 7)$이 있다. 원 C 위를 움직이는 점 P에 대하여 삼각형 PAB의 무게중심과 직선 AB 사이의 거리의 최솟값은?

① $\frac{1}{15}$ ② $\frac{2}{15}$ ③ $\frac{1}{5}$
④ $\frac{4}{15}$ ⑤ $\frac{1}{3}$

07

오른쪽 그림과 같이 점 $\mathrm{P}(-4, -6)$에서 원 $x^2+y^2=16$에 그은 두 접선의 접점을 각각 $\mathrm{A}(-4, 0)$, B라고 할 때, 삼각형 APB의 넓이를 구하여라.

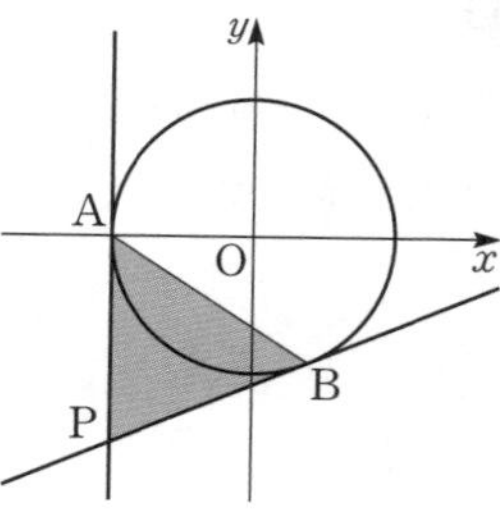

08

원 $(x-3)^2+y^2=9$를 오른쪽 그림과 같이 현 AB를 접는 선으로 하여 접었더니 점 $\mathrm{P}(4, 0)$에서 x축과 접하였다. 이때 선분 AB의 길이를 구하여라.

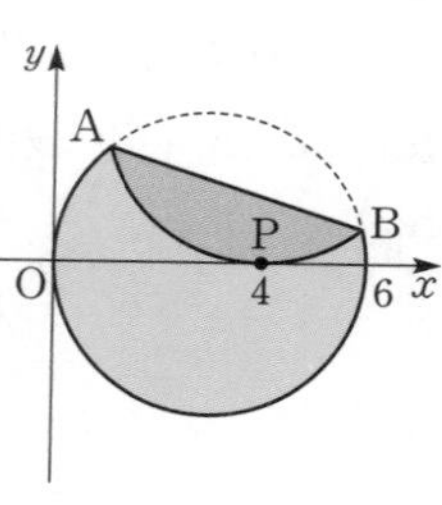

14 도형의 이동

유형의 이해에 따라 ▢ 안에 O, X 표시를 하고 반복하여 학습합니다.

유형	내용	1st	2nd
필수유형 01	점의 평행이동		
필수유형 02	도형의 평행이동 – 직선		
필수유형 03	도형의 평행이동 – 원, 포물선		
필수유형 04	점의 대칭이동		
필수유형 05	도형의 대칭이동		
필수유형 06	도형의 평행이동과 대칭이동		
필수유형 07	점에 대한 대칭이동		
필수유형 08	직선에 대한 대칭이동		
발전유형 09	선분의 길이의 합의 최솟값		

14 도형의 이동

개념 01 점의 평행이동

점 $\mathrm{P}(x, y)$를 x축의 방향으로 a만큼, y축의 방향으로 b만큼 평행이동한 점 P'은

$\mathrm{P}'(x+a, y+b)$

이와 같은 평행이동을 $(x, y) \longrightarrow (x+a, y+b)$와 같이 나타낸다.

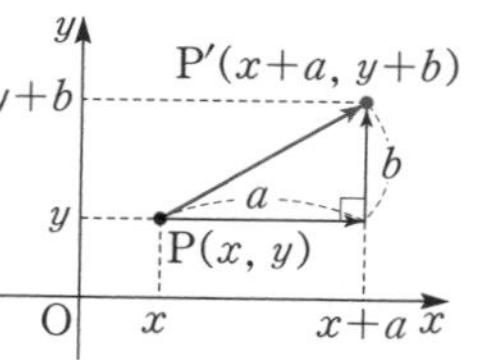

中2 수학 평행이동
어떤 일정한 방향으로 일정한 거리만큼 이동하는 것

› x축의 방향으로 a만큼 평행이동한다는 것은
$a>0$일 때는 양의 방향으로,
$a<0$일 때는 음의 방향으로 $|a|$만큼 평행이동함을 뜻한다.

확인 01 다음 점을 x축의 방향으로 2만큼, y축의 방향으로 -3만큼 평행이동한 점의 좌표를 구하여라.

(1) $(0, 0)$　　(2) $(-5, 1)$

개념 02 도형의 평행이동

방정식 $f(x, y)=0$이 나타내는 도형을 x축의 방향으로 a만큼, y축의 방향으로 b만큼 평행이동한 도형의 방정식은

$f(x-a, y-b)=0$

› **주의** 점의 평행이동과 도형의 평행이동의 부호가 서로 반대임에 유의한다.

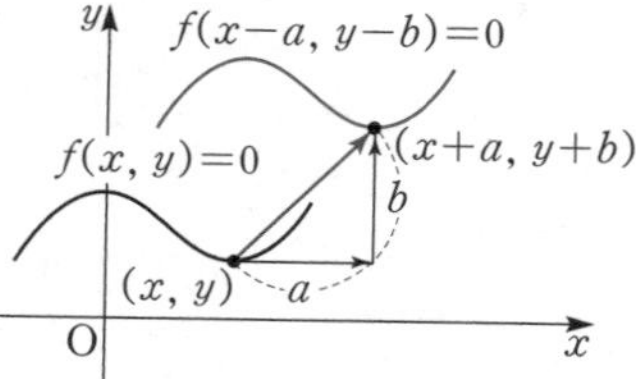

› 좌표평면 위의 도형의 방정식은 일반적으로 $f(x, y)=0$으로 나타낸다.

› 평행이동에 의하여 점은 점으로, 직선은 기울기가 같은 직선으로, 원은 반지름의 길이가 같은 원으로 옮겨진다.

확인 02 다음 방정식이 나타내는 도형을 x축의 방향으로 -1만큼, y축의 방향으로 2만큼 평행이동한 도형의 방정식을 구하여라.

(1) $2x-y+4=0$　　(2) $x^2+y^2=4$　　(3) $y=x^2$

개념 03 점의 대칭이동

(1) **대칭이동**: 어떤 도형을 주어진 점 또는 직선에 대하여 대칭인 도형으로 이동하는 것

(2) **점의 대칭이동**: 점 (x, y)를 x축, y축, 원점, 직선 $y=x$에 대하여 대칭이동한 점의 좌표는 다음과 같다.

x축에 대한 대칭이동	y축에 대한 대칭이동	원점에 대한 대칭이동	직선 $y=x$에 대한 대칭이동
(x, y), $(x, -y)$	$(-x, y)$, (x, y)	(x, y), $(-x, -y)$	(x, y), $y=x$, (y, x)
$(x, -y)$	$(-x, y)$	$(-x, -y)$	(y, x)

› 원점에 대하여 대칭이동한 것은 x축에 대하여 대칭이동한 후 y축에 대하여 대칭이동한 것과 같다.

› 점 (x, y)를 직선 $y=-x$에 대하여 대칭이동한 점의 좌표는 $(-y, -x)$이다.

확인 03 점 $(5, -3)$을 다음에 대하여 대칭이동한 점의 좌표를 구하여라.

(1) x축　　(2) y축　　(3) 원점　　(4) 직선 $y=x$

개념 04 도형의 대칭이동

방정식 $f(x,\ y)=0$이 나타내는 도형을 x축, y축, 원점, 직선 $y=x$에 대하여 대칭이동한 도형의 방정식은 다음과 같다.

x축에 대한 대칭이동	y축에 대한 대칭이동	원점에 대한 대칭이동	직선 $y=x$에 대한 대칭이동
$f(x,\ y)=0$, $f(x,\ -y)=0$	$f(-x,\ y)=0$, $f(x,\ y)=0$	$f(x,\ y)=0$, $f(-x,\ -y)=0$	$f(x,\ y)=0$, $y=x$, $f(y,\ x)=0$
$f(x,\ -y)=0$	$f(-x,\ y)=0$	$f(-x,\ -y)=0$	$f(y,\ x)=0$

> 방정식 $f(x,\ y)=0$이 나타내는 도형을 직선 $y=-x$에 대하여 대칭이동한 도형의 방정식은
> $f(-y,\ -x)=0$

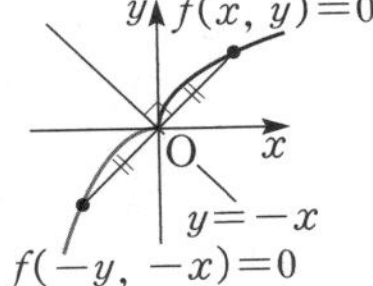

확인 04 **직선 $3x-y+1=0$을 다음에 대하여 대칭이동한 도형의 방정식을 구하여라.**

(1) x축 (2) y축

(3) 원점 (4) 직선 $y=x$

개념 05 점에 대한 대칭이동

(1) 점 $\mathrm{P}(x,\ y)$를 점 $(a,\ b)$에 대하여 대칭이동한 점 P'은
$\mathrm{P}'(2a-x,\ 2b-y)$

(2) 방정식 $f(x,\ y)=0$이 나타내는 도형을 점 $(a,\ b)$에 대하여 대칭이동한 도형의 방정식은
$f(2a-x,\ 2b-y)=0$

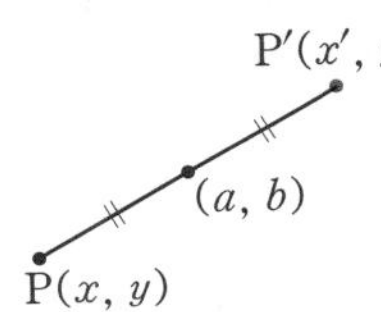

> 점 P'의 좌표를 $(x',\ y')$이라고 하면 점 $(a,\ b)$는 선분 PP'의 중점이므로
> $a=\dfrac{x+x'}{2}$, $b=\dfrac{y+y'}{2}$
> $\therefore x'=2a-x,\ y'=2b-y$
> $\therefore \mathrm{P}'(2a-x,\ 2b-y)$
> x 대신 $2a-x$, y 대신 $2b-y$를 대입

확인 05 **다음 두 점 A, B가 점 M에 대하여 대칭일 때, 점 M의 좌표를 구하여라.**

(1) $\mathrm{A}(7,\ 4)$, $\mathrm{B}(-1,\ 2)$ (2) $\mathrm{A}(6,\ -5)$, $\mathrm{B}(-2,\ 3)$

개념 06 직선에 대한 대칭이동

점 $\mathrm{P}(x,\ y)$를 직선 l: $ax+by+c=0$에 대하여 대칭이동한 점을 $\mathrm{P}'(x',\ y')$이라고 하면 직선 l이 선분 PP'의 수직이등분선임을 이용한다.

(1) **중점 조건**: 선분 PP'의 중점 M이 직선 l 위에 있다.
➡ $a\times\dfrac{x+x'}{2}+b\times\dfrac{y+y'}{2}+c=0$

(2) **수직 조건**: 직선 PP'과 직선 l은 서로 수직이다. ➡ $\dfrac{y'-y}{x'-x}\times\left(-\dfrac{a}{b}\right)=-1$

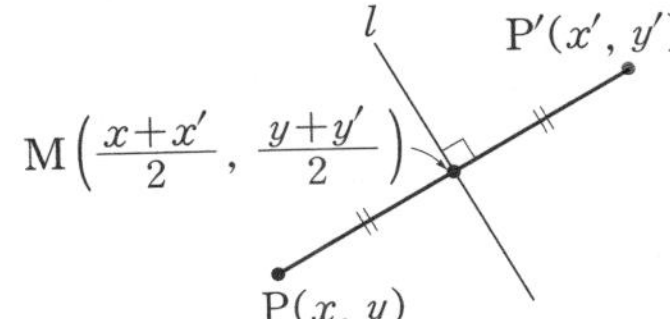

> 원을 직선 l에 대하여 대칭이동한 경우는 원의 중심을 직선 l에 대하여 대칭이동한 후에 같은 길이의 반지름을 가진 원의 방정식을 구하면 된다.

확인 06 **두 점 $\mathrm{A}(6,\ 3)$, $\mathrm{B}(a,\ b)$가 직선 $y=x-2$에 대하여 대칭일 때, 점 B의 좌표를 구하여라.**

필수유형 01 점의 평행이동

다음 물음에 답하여라.

(1) 평행이동 $(x, y) \to (x+2, y-1)$에 의하여 점 $(-1, 3)$이 직선 $y=3x+a$ 위의 점으로 옮겨질 때, 상수 a의 값을 구하여라.

(2) 점 $(-3, 4)$를 점 $(1, 1)$로 옮기는 평행이동에 의하여 점 $(-1, 0)$으로 옮겨지는 점의 좌표를 구하여라.

풍쌤 POINT

점 (x, y)를 x축의 방향으로 a만큼, y축의 방향으로 b만큼 평행이동한 점의 좌표는 $(x+a, y+b)$야.

평행이동 $(x, y) \to (x+a, y+b)$에 의하여 점 (x, y)는 점 $(x+a, y+b)$로 옮겨진다.

풀이

(1) STEP1 **평행이동한 점의 좌표 구하기**

평행이동 $(x, y) \to (x+2, y-1)$❶에 의하여 점 $(-1, 3)$이 옮겨지는 점의 좌표는

$(-1+2, 3-1)$ $\quad \therefore (1, 2)$

❶ x축의 방향으로 2만큼, y축의 방향으로 -1만큼 옮기는 평행이동이다.

STEP2 **a의 값 구하기**

즉, 점 $(1, 2)$가 직선 $y=3x+a$ 위에 있으므로

$2=3\times1+a$ $\quad \therefore a=-1$

(2) STEP1 **평행이동 알아내기**

점 $(-3, 4)$를 x축의 방향으로 m만큼, y축의 방향으로 n만큼 평행이동한 점의 좌표가 $(1, 1)$이라고 하면❷

$-3+m=1, 4+n=1$

$\therefore m=4, n=-3$

❷ $(x, y) \to (x+m, y+n)$
$(-3, 4) \to (1, 1)$

STEP2 **점 $(-1, 0)$으로 옮겨지는 점의 좌표 구하기**

이때 평행이동 $(x, y) \to (x+4, y-3)$에 의하여 점 $(-1, 0)$으로 옮겨지는 점의 좌표를 (a, b)라고 하면❸

$a+4=-1, b-3=0$

$\therefore a=-5, b=3$

❸ $(a, b) \to (-1, 0)$

따라서 구하는 점의 좌표는 $(-5, 3)$이다.

답 (1) -1 (2) $(-5, 3)$

풍쌤 강의 NOTE

점의 평행이동은 일정한 방향으로 일정한 거리만큼 점을 옮기는 것이다.

(1) 평행이동이 주어진 경우: 평행이동 $(x, y) \to (x+a, y+b)$에 의하여 점 (x_1, y_1)은 점 (x_1+a, y_1+b)로 옮겨진다.

(2) 평행이동이 주어지지 않은 경우: 평행이동 $(x_1, y_1) \to (x_2, y_2)$는 x축의 방향으로 x_2-x_1만큼, y축의 방향으로 y_2-y_1만큼 평행이동한 것이다.

01-1 유사

평행이동 $(x, y) \to (x+3, y-5)$에 의하여 점 $(2, 2)$가 직선 $y=-x+a$ 위의 점으로 옮겨질 때, 상수 a의 값을 구하여라.

01-2 유사

점 $(4, -3)$을 점 $(7, -2)$로 옮기는 평행이동에 의하여 점 $(-1, 5)$로 옮겨지는 점의 좌표를 구하여라.

01-3 변형

점 (a, b)를 x축의 방향으로 4만큼, y축의 방향으로 -3만큼 평행이동하였더니 원 $x^2+y^2-4x=0$의 중심과 일치하였다. 이때 $a+b$의 값을 구하여라.

01-4 변형 기출

좌표평면 위의 점 $P(a, a^2)$을 x축의 방향으로 $-\frac{1}{2}$만큼, y축의 방향으로 2만큼 평행이동한 점이 직선 $y=4x$ 위에 있을 때, 상수 a의 값을 구하여라.

01-5 변형

점 $A(3, -4)$를 x축의 방향으로 7만큼, y축의 방향으로 a만큼 평행이동하였더니 원점 O로부터의 거리가 처음 거리의 2배가 되었다. 이때 a의 값을 구하여라.

01-6 실력

두 점 $A(a, 2)$, $B(4, b)$가 어떤 평행이동에 의하여 각각 $A'(3, 6)$, $B'(2, 5)$로 옮겨질 때, 이 평행이동에 의하여 점 (a, b)로 옮겨지는 점의 좌표를 구하여라.

필수유형 02 도형의 평행이동 – 직선

다음 물음에 답하여라.

(1) 직선 $ax+y+2=0$을 x축의 방향으로 3만큼, y축의 방향으로 5만큼 평행이동한 직선이 점 $(1, -1)$을 지날 때, 상수 a의 값을 구하여라.

(2) 직선 $ax-y-a-2=0$이 평행이동 $(x, y) \to (x-2, y+n)$에 의하여 직선 $2x+y-3=0$으로 옮겨질 때, $a-n$의 값을 구하여라. (단, a는 상수이다.)

풍쌤 POINT 직선을 x축의 방향으로 a만큼, y축의 방향으로 b만큼 평행이동하려면 x 대신 $x-a$를, y 대신 $y-b$를 대입해!

풀이

(1) **STEP1 평행이동한 직선의 방정식 구하기**

직선 $ax+y+2=0$을 x축의 방향으로 3만큼, y축의 방향으로 5만큼 평행이동한 직선의 방정식은❶

$a(x-3)+(y-5)+2=0$

$\therefore ax+y-3a-3=0$

STEP2 a의 값 구하기

이 직선이 점 $(1, -1)$을 지나므로

$a-1-3a-3=0 \quad \therefore a=-2$

❶ x 대신 $x-3$을, y 대신 $y-5$를 대입한다.

(2) **STEP1 평행이동한 직선의 방정식 구하기**

직선 $ax-y-a-2=0$을 x축의 방향으로 -2만큼, y축의 방향으로 n만큼 평행이동한 직선의 방정식은❷

$a(x+2)-(y-n)-a-2=0$

$\therefore ax-y+a+n-2=0$

STEP2 $a+n$의 값 구하기

이 직선이 직선 $2x+y-3=0$, 즉 $-2x-y+3=0$❸과 일치하므로

$a=-2, a+n-2=3 \quad \therefore n=7$

$\therefore a-n=-2-7=-9$

❷ x 대신 $x+2$를, y 대신 $y-n$을 대입한다.

❸ $ax-y+a+n-2=0$과 일치하려면 y의 계수가 -1이어야 한다.

답 (1) -2 (2) -9

풍쌤 강의 NOTE

방정식이 나타내는 도형을 x축의 방향으로 a만큼, y축의 방향으로 b만큼 평행이동한 도형의 방정식은 x 대신 $x-a$를, y 대신 $y-b$를 대입하여 구한다.
이때 도형의 평행이동은 점의 평행이동과 달리 부호가 반대인 것에 주의한다. 즉, x축의 방향으로 a만큼, y축의 방향으로 b만큼 평행이동할 때, 점 (x, y)는 점 $(x+a, y+b)$로, 도형 $f(x, y)=0$은 도형 $f(x-a, y-b)=0$으로 옮겨진다.

02-1 유사

직선 $ax-y+a+2=0$을 x축의 방향으로 -1만큼, y축의 방향으로 3만큼 평행이동한 직선이 점 $(-3, 4)$를 지날 때, 상수 a의 값을 구하여라.

02-2 유사

직선 $ax-2y+4-a=0$이 평행이동 $(x, y) \to (x+m, y+1)$에 의하여 직선 $3x+2y-6=0$으로 옮겨질 때, $a+m$의 값을 구하여라. (단, a는 상수이다.)

02-3 변형

직선 $y=-x+5$를 x축의 방향으로 a만큼, y축의 방향으로 b만큼 평행이동하였더니 처음 직선과 일치하였다. 이때 $a+b$의 값을 구하여라.

02-4 변형

직선 $y=x-1$을 x축의 방향으로 m만큼, y축의 방향으로 -1만큼 평행이동한 직선과 직선 $y=-2x+3$을 y축의 방향으로 n만큼 평행이동한 직선의 교점이 $(-1, 4)$일 때, $m+n$의 값을 구하여라.

02-5 변형

직선 $y=-x+1$을 x축의 방향으로 a만큼, y축의 방향으로 $-2a$만큼 평행이동한 직선이 원 $(x+2)^2+(y-4)^2=16$의 넓이를 이등분할 때, a의 값을 구하여라.

02-6 변형

점 $(2, 1)$을 점 $(3, -3)$으로 옮기는 평행이동에 의하여 직선 $y=ax+b$가 옮겨지는 직선이 직선 $y=-\frac{1}{4}x+2$와 y축 위의 점에서 수직으로 만날 때, 상수 a, b에 대하여 $a+b$의 값을 구하여라.

필수유형 03 도형의 평행이동 – 원, 포물선

원 $x^2+y^2-8x+2y+c=0$을 x축의 방향으로 a만큼, y축의 방향으로 b만큼 평행이동하였더니 원 $x^2+y^2=9$와 일치하였다. 이때 a, b, c의 값을 각각 구하여라. (단, c는 상수이다.)

풍쌤 POINT

방정식이 나타내는 도형을 x축의 방향으로 a만큼, y축의 방향으로 b만큼 평행이동하려면 x 대신 $x-a$를, y 대신 $y-b$를 대입해!

풀이

STEP1 평행이동한 원의 방정식 구하기

원 $x^2+y^2-8x+2y+c=0$에서

$(x-4)^2+(y+1)^2=17-c$ ❶

이 원을 x축의 방향으로 a만큼, y축의 방향으로 b만큼 평행이동한 원의 방정식은

$(x-a-4)^2+(y-b+1)^2=17-c$

STEP2 a, b, c의 값 구하기

이 원이 원 $x^2+y^2=9$와 일치하므로

$-a-4=0$, $-b+1=0$, $17-c=9$

$\therefore a=-4$, $b=1$, $c=8$

다른 풀이

STEP1 원의 중심의 평행이동을 이용하여 a, b의 값 구하기

원 $x^2+y^2-8x+2y+c=0$, 즉 $(x-4)^2+(y+1)^2=17-c$의 중심 $(4, -1)$은 평행이동 $(x, y) \to (x+a, y+b)$에 의하여 원 $x^2+y^2=9$의 중심 $(0, 0)$으로 옮겨지므로 ❷

$4+a=0$, $-1+b=0$

$\therefore a=-4$, $b=1$

STEP2 반지름의 길이를 이용하여 c의 값 구하기

또, 평행이동해도 원의 반지름의 길이는 변하지 않으므로

$17-c=9$ $\therefore c=8$

❶ 원의 중심을 이동하면 되니까 일반형은 표준형으로 고친다.

❷ 원의 중심의 평행이동은 점의 평행이동으로 구한다.

답 $a=-4$, $b=1$, $c=8$

풍쌤 강의 NOTE

도형을 평행이동하면 모양과 크기는 그대로 유지한 채, 위치만 변한다. 즉, 직선을 평행이동하면 기울기가 같은 직선으로 옮겨지고, 원을 평행이동하면 반지름의 길이는 변하지 않고 원의 중심만 변한다. 또한, 포물선을 평행이동하면 폭과 모양은 변하지 않고 꼭짓점의 좌표가 변한다.
따라서 원의 평행이동은 원의 중심의 평행이동으로, 포물선의 평행이동은 포물선의 꼭짓점의 평행이동으로 생각하고 주어진 도형의 방정식을 표준형으로 바꾸어 원의 중심의 좌표와 포물선의 꼭짓점의 좌표를 먼저 구한다.

03-1 기본

|보기|의 도형 중 평행이동하여 원 $x^2+y^2+2x-4y-4=0$과 겹쳐지는 것만을 있는 대로 골라라.

|보기|
ㄱ. $x^2+y^2-4x-8y-5=0$
ㄴ. $x^2+y^2+6x-8y+16=0$
ㄷ. $x^2+y^2-14x-4y+44=0$

03-2 유사

원 $x^2+y^2+6x-4y+c=0$을 x축의 방향으로 a만큼, y축의 방향으로 b만큼 평행이동하였더니 원 $x^2+y^2-4x+2y-11=0$과 일치하였다. 이때 a, b, c의 값을 각각 구하여라. (단, c는 상수이다.)

03-3 변형

점 $(2, 1)$을 점 $(-2, 3)$으로 옮기는 평행이동에 의하여 포물선 $y=-2x^2+8x-3$이 옮겨지는 포물선의 꼭짓점의 좌표를 (m, n)이라고 할 때, $m+n$의 값을 구하여라.

03-4 변형

포물선 $y=-x^2+4x-1$을 x축의 방향으로 $-a$만큼, y축의 방향으로 $a-1$만큼 평행이동한 포물선의 꼭짓점이 x축 위에 있을 때, 이 꼭짓점의 x좌표를 구하여라.

03-5 변형

포물선 $y=x^2+x+4$를 y축의 방향으로 k만큼 평행이동한 포물선이 직선 $y=-x+2$에 접할 때, k의 값을 구하여라.

03-6 실력 기출

원 $x^2+y^2+6x+8y=0$을 x축의 방향으로 a만큼, y축의 방향으로 b만큼 평행이동한 원이 x축과 y축에 동시에 접한다. 이때 $a+b$의 값을 구하여라.

(단, $a>0$, $b>0$)

필수유형 04 점의 대칭이동

다음 물음에 답하여라.

(1) 점 $(a, 5)$를 x축에 대하여 대칭이동한 후 원점에 대하여 대칭이동한 점의 좌표가 $(4, b)$일 때, a, b의 값을 각각 구하여라.

(2) 점 $(3, a)$를 y축에 대하여 대칭이동한 후 직선 $y=x$에 대하여 대칭이동한 점이 직선 $y=-x+2$ 위에 있을 때, a의 값을 구하여라.

풍쌤 POINT

점은 x축, y축, 원점에 대하여 대칭이동하면 x좌표, y좌표의 부호가 바뀌고, 직선 $y=x$에 대한 대칭이동하면 x좌표, y좌표의 위치가 바뀌어.

풀이

(1) **STEP1 점 $(a, 5)$를 x축에 대하여 대칭이동한 후 원점에 대하여 대칭이동한 점의 좌표 구하기**

점 $(a, 5)$를 x축에 대하여 대칭이동한 점의 좌표는

$(a, -5)$

이 점을 원점에 대하여 대칭이동한 점의 좌표는

$(-a, 5)$

STEP2 a, b의 값 구하기

이 점이 점 $(4, b)$와 일치❶하므로

$-a=4,\ 5=b \qquad \therefore a=-4,\ b=5$

❶ $(-a, 5)=(4, b)$

(2) **STEP1 점 $(3, a)$를 y축에 대하여 대칭이동한 후 직선 $y=x$에 대하여 대칭이동한 점의 좌표 구하기**

점 $(3, a)$를 y축에 대하여 대칭이동한 점의 좌표는

$(-3, a)$

이 점을 직선 $y=x$에 대하여 대칭이동한 점의 좌표는

$(a, -3)$

STEP2 a의 값 구하기

이 점이 직선 $y=-x+2$ 위에❷ 있으므로

$-3=-a+2 \qquad \therefore a=5$

❷ 직선 $y=-x+2$에 $x=a$, $y=-3$을 대입한다.

답 (1) $a=-4$, $b=5$ (2) 5

풍쌤 강의 NOTE

점 (x, y)를 대칭이동한 점의 좌표

① x축에 대한 대칭이동 ➡ y 대신 $-y$를 대입 ➡ $(x, -y)$
② y축에 대한 대칭이동 ➡ x 대신 $-x$를 대입 ➡ $(-x, y)$
③ 원점에 대한 대칭이동 ➡ x 대신 $-x$, y 대신 $-y$를 대입 ➡ $(-x, -y)$
④ 직선 $y=x$에 대한 대칭이동 ➡ x 대신 y, y 대신 x를 대입 ➡ (y, x)
⑤ 직선 $y=-x$에 대한 대칭이동 ➡ x 대신 $-y$, y 대신 $-x$를 대입 ➡ $(-y, -x)$

04-1 기본

점 (a, b)를 x축에 대하여 대칭이동한 후 원점에 대하여 대칭이동한 점의 좌표가 $(-2, 7)$일 때, $a+b$의 값을 구하여라.

04-2 유사

점 $(a, 6)$을 y축에 대하여 대칭이동한 후 직선 $y=-x$에 대하여 대칭이동한 점이 직선 $y=x+4$ 위에 있을 때, a의 값을 구하여라.

04-3 변형

점 $P(9, -6)$을 직선 $y=x$에 대하여 대칭이동한 점을 Q, x축에 대하여 대칭이동한 점을 R라고 할 때, 삼각형 PQR의 무게중심의 좌표를 구하여라.

04-4 변형

점 $P(a, b)$를 x축, y축에 대하여 대칭이동한 점을 각각 Q, R라고 할 때, 삼각형 PQR의 넓이가 12이다. 이때 $|ab|$의 값을 구하여라.

04-5 변형

점 (a, b)를 원점에 대하여 대칭이동한 점이 제2사분면 위에 있을 때, 점 $(ab, a-b)$를 x축에 대하여 대칭이동한 후 y축에 대하여 대칭이동한 점은 어느 사분면 위에 있는지 구하여라.

04-6 실력

기출

자연수 n에 대하여 좌표평면 위의 점 $P_n(x_n, y_n)$은 다음과 같은 규칙에 따라 이동한다. (단, $x_ny_n \neq 0$)

(가) 점 P_n이 $x_ny_n>0$이고 $x_n>y_n$이면 이 점을 직선 $y=x$에 대하여 대칭이동한 점이 점 P_{n+1}이다.
(나) 점 P_n이 $x_ny_n>0$이고 $x_n<y_n$이면 이 점을 x축에 대하여 대칭이동한 점이 점 P_{n+1}이다.
(다) 점 P_n이 $x_ny_n<0$이면 이 점을 y축에 대하여 대칭이동한 점이 점 P_{n+1}이다.

점 P_1의 좌표가 $(3, 2)$일 때, $10x_{50}+y_{50}$의 값을 구하여라.

필수유형 05 도형의 대칭이동

다음 물음에 답하여라.

(1) 직선 $y=ax-1$을 y축에 대하여 대칭이동한 후 원점에 대하여 대칭이동하면 점 $(3,\ 4)$를 지난다. 이때 상수 a의 값을 구하여라.

(2) 포물선 $y=x^2+2ax+b$를 x축에 대하여 대칭이동한 포물선의 꼭짓점의 좌표가 $(-2,\ 1)$일 때, 상수 a, b에 대하여 $a+b$의 값을 구하여라.

풍쌤 POINT

도형의 평행이동은 점의 평행이동과 부호를 반대로 생각하지만 도형의 대칭이동은 점의 대칭이동과 같은 방법으로 생각해.

풀이

(1) **STEP1 대칭이동한 직선의 방정식 구하기**

직선 $y=ax-1$을 y축에 대하여 대칭이동한 직선의 방정식은❶

$y=-ax-1$

이 직선을 원점에 대하여 대칭이동한 직선의 방정식은❷

$-y=ax-1$ $\quad\therefore y=-ax+1$

STEP2 a의 값 구하기

이 직선이 점 $(3,\ 4)$를 지나므로

$4=-3a+1$ $\quad\therefore a=-1$

(2) **STEP1 대칭이동하기 전의 포물선의 방정식 구하기**

x축에 대하여 대칭이동한 포물선의 꼭짓점의 좌표가 $(-2,\ 1)$이므로 포물선 $y=x^2+2ax+b$의 꼭짓점의 좌표는 $(-2,\ -1)$❸이다.

따라서 포물선의 방정식은

$y=(x+2)^2-1=x^2+4x+3$

STEP2 $a+b$의 값 구하기

두 식의 계수를 비교하면 $2a=4,\ b=3$ $\quad\therefore a=2$

$\therefore a+b=2+3=5$

다른 풀이

포물선 $y=x^2+2ax+b$를 x축에 대하여 대칭이동한 포물선의 방정식은 $-y=x^2+2ax+b$

즉, $y=-x^2-2ax-b=-(x+a)^2+a^2-b$

이 포물선의 꼭짓점의 좌표가 $(-2,\ 1)$이므로

$-a=-2,\ a^2-b=1$ $\quad\therefore a=2,\ b=3$

$\therefore a+b=2+3=5$

답 (1) -1 (2) 5

❶ x 대신 $-x$를 대입한다.

❷ x 대신 $-x$, y 대신 $-y$를 대입한다.

❸ y 대신 $-y$를 대입한다.

풍쌤 강의 NOTE

포물선이나 원은 대칭이동하여도 포물선의 폭이나 원의 반지름의 길이는 변하지 않는다. 따라서 포물선의 대칭이동은 꼭짓점의 대칭이동으로, 원의 대칭이동은 원의 중심의 대칭이동으로 생각하고, 주어진 도형의 방정식을 표준형으로 바꾸어 포물선의 꼭짓점의 좌표와 원의 중심의 좌표를 먼저 구한다.

05-1 유사

직선 $y=ax-6$을 x축에 대하여 대칭이동한 직선이 점 $(2, 4)$를 지날 때, 상수 a의 값을 구하여라.

05-2 유사

포물선 $y=x^2+ax+b$를 원점에 대하여 대칭이동한 포물선의 꼭짓점의 좌표가 $(3, 4)$일 때, 상수 a, b에 대하여 $a-b$의 값을 구하여라.

05-3 변형

중심이 점 $(-3, -1)$이고 반지름의 길이가 k인 원을 y축에 대하여 대칭이동하였더니 점 $(-1, 2)$를 지났다. 이때 양수 k의 값을 구하여라.

05-4 변형

직선 $y=-2x+3$을 직선 $y=x$에 대하여 대칭이동한 직선과 수직이고 원점으로부터 거리가 $\sqrt{5}$인 직선의 방정식을 구하여라.

05-5 변형

원 $(x+1)^2+(y-4)^2=9$를 직선 $y=-x$에 대하여 대칭이동한 원을 C, 직선 $x+ay+2=0$을 x축에 대하여 대칭이동한 직선을 l이라고 하자. 직선 l이 원 C의 넓이를 이등분할 때, 상수 a의 값을 구하여라.

05-6 변형

원 $x^2+y^2-6x-4y-3=0$을 x축에 대하여 대칭이동한 원과 직선 $y=x+k$가 서로 다른 두 점에서 만나도록 하는 실수 k의 값의 범위가 $a<k<b$일 때, ab의 값을 구하여라.

필수유형 06 도형의 평행이동과 대칭이동

다음 물음에 답하여라.

(1) 점 $\mathrm{P}(a, b)$를 직선 $y=x$에 대하여 대칭이동한 후 x축의 방향으로 4만큼, y축의 방향으로 -5만큼 평행이동한 점의 좌표가 점 $(1, -3)$일 때, $a+b$의 값을 구하여라.

(2) 포물선 $y=x^2+2x-3$을 x축의 방향으로 2만큼, y축의 방향으로 -4만큼 평행이동한 후 원점에 대하여 대칭이동하였더니 포물선 $y=-x^2+ax+b$가 되었다. 이때 상수 a, b에 대하여 $b-a$의 값을 구하여라.

풍쌤 POINT

평행이동한 후 대칭이동을 하는 것과 대칭이동을 한 후 평행이동을 하는 것의 결과는 달라.
따라서 평행이동과 대칭이동을 연속으로 할 때는 반드시 이동하는 순서에 따라 점의 좌표 또는 도형의 방정식을 구해야 해.

풀이

(1) **STEP1 점 P를 대칭이동과 평행이동한 점의 좌표 구하기**

점 $\mathrm{P}(a, b)$를 직선 $y=x$에 대하여 대칭이동한 점의 좌표는
(b, a)❶

❶ x좌표, y좌표가 서로 바뀐다.

이 점을 x축의 방향으로 4만큼, y축의 방향으로 -5만큼 평행이동한 점의 좌표는 $(b+4, a-5)$

STEP2 a, b의 값 구하기

이 점이 점 $(1, -3)$과 일치하므로

$b+4=1$, $a-5=-3$ $\quad \therefore a=2, b=-3$

$\therefore a+b=2+(-3)=-1$

(2) **STEP1 평행이동과 대칭이동한 포물선의 방정식 구하기**

포물선 $y=x^2+2x-3$을 x축의 방향으로 2만큼, y축의 방향으로 -4만큼 평행이동한 포물선의 방정식은

$y+4=(x-2)^2+2(x-2)-3$

$\therefore y=x^2-2x-7$

이 포물선을 원점에 대하여 대칭이동한 포물선의 방정식은❷

❷ x 대신 $-x$, y 대신 $-y$를 대입한다.

$-y=x^2+2x-7$ $\quad \therefore y=-x^2-2x+7$

STEP2 a의 값 구하기

따라서 $a=-2$, $b=7$이므로

$b-a=7-(-2)=9$

답 (1) -1 (2) 9

풍쌤 강의 NOTE

대칭이동과 평행이동을 연속으로 할 때는 반드시 주어진 순서대로 해야 한다.
위의 (2)에서 포물선 $y=x^2+2x-3$를 원점에 대하여 대칭이동한 후 x축의 방향으로 2만큼, y축의 방향으로 -4만큼 평행이동하면 다음과 같으므로 위의 풀이에서 구한 포물선의 방정식과 다름을 알 수 있다.

$$y=x^2+2x-3 \xrightarrow[\text{대칭이동}]{\text{원점에 대하여}} y=-x^2+2x+3 \xrightarrow[y\text{축의 방향으로 }-4\text{만큼 평행이동}]{x\text{축의 방향으로 2만큼}} y=-x^2+6x-9$$

06-1 기본

점 $\mathrm{P}(-4,\ a)$를 원점에 대하여 대칭이동한 후 x축의 방향으로 -2만큼, y축의 방향으로 3만큼 평행이동한 점의 좌표가 $(b,\ 2)$일 때, $a+b$의 값을 구하여라.

06-2 유사

포물선 $y=x^2+6x+a$를 x축의 방향으로 -1만큼, y축의 방향으로 2만큼 평행이동한 후 x축에 대하여 대칭이동하였더니 포물선 $y=-x^2-8x+3$이 되었다. 이때 상수 a의 값을 구하여라.

06-3 변형

직선 $x+ay-6=0$을 x축의 방향으로 1만큼, y축의 방향으로 -2만큼 평행이동한 후 직선 $y=x$에 대하여 대칭이동한 직선이 점 $(4,\ 1)$을 지날 때, 상수 a의 값을 구하여라.

06-4 변형

기출

직선 $y=-\frac{1}{2}x-3$을 x축의 방향으로 a만큼 평행이동한 후 직선 $y=x$에 대하여 대칭이동한 직선을 l이라고 하자. 직선 l이 원 $(x+1)^2+(y-3)^2=5$와 접하도록 하는 모든 상수 a의 값의 합을 구하여라.

06-5 변형

원 $(x-1)^2+y^2=4$를 x축의 방향으로 -2만큼, y축의 방향으로 k만큼 평행이동한 후 직선 $y=x$에 대하여 대칭이동한 원의 넓이를 직선 $y=x-3$이 이등분할 때, k의 값을 구하여라.

06-6 변형

원 C_1: $x^2+y^2+8x-6y+16=0$을 직선 $y=-x$에 대하여 대칭이동한 후 x축의 방향으로 m만큼, y축의 방향으로 n만큼 평행이동한 원을 C_2라고 할 때, 두 원 C_1, C_2는 y축에 대하여 대칭이다. 이때 mn의 값을 구하여라.

필수유형 07 점에 대한 대칭이동

다음 물음에 답하여라.

(1) 점 $(-4,\ 1)$을 점 $(2,\ 3)$에 대하여 대칭이동한 점의 좌표를 구하여라.

(2) 원 $(x+3)^2+(y-1)^2=4$를 점 $(1,\ -2)$에 대하여 대칭이동한 원의 방정식을 구하여라.

풍쌤 POINT

(1) 점 P를 점 A에 대하여 대칭이동한 점을 P′이라고 하면 점 A는 선분 PP′의 중점이야!

(2) 원은 점에 대하여 대칭이동해도 반지름의 길이가 변하지 않아. 즉, 원을 점에 대하여 대칭이동할 때는 원의 중심만 대칭이동하면 돼!

풀이

(1) 점 $(-4,\ 1)$을 점 $(2,\ 3)$에 대하여 대칭이동한 점의 좌표를 $(a,\ b)$라고 하면❶

$\dfrac{-4+a}{2}=2,\ \dfrac{1+b}{2}=3 \quad \therefore a=8,\ b=5$

따라서 대칭이동한 점의 좌표는 $(8,\ 5)$이다.

다른 풀이

점 $(-4,\ 1)$을 점 $(2,\ 3)$에 대하여 대칭이동한 점의 좌표는

$(2\times2-(-4),\ 2\times3-1)$❷ $\quad \therefore (8,\ 5)$

❶ 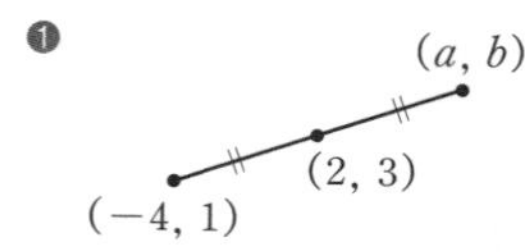

❷ 점 $\mathrm{P}(x, y)$를 점 $\mathrm{A}(a, b)$에 대하여 대칭이동한 점을 P′이라고 하면 $\mathrm{P}'(2a-x, 2b-y)$

(2) **STEP 1 대칭이동한 원의 중심의 좌표 구하기**

원 $(x+3)^2+(y-1)^2=4$의 중심 $(-3,\ 1)$을 점 $(1,\ -2)$에 대하여 대칭이동한 점의 좌표를 $(a,\ b)$라고 하면❸

$\dfrac{-3+a}{2}=1,\ \dfrac{1+b}{2}=-2 \quad \therefore a=5,\ b=-5$

STEP 2 대칭이동한 원의 방정식 구하기

대칭이동한 원은 중심의 좌표가 $(5,\ -5)$이고, 반지름의 길이는 2이므로❹ 구하는 원의 방정식은

$(x-5)^2+(y+5)^2=4$

다른 풀이

방정식 $f(x,\ y)=0$이 나타내는 도형을 점 $(1,\ -2)$에 대하여 대칭이동한 도형의 방정식은 $f(2-x,\ -4-y)=0$

원 $(x+3)^2+(y-1)^2=4$에 x 대신 $2-x$, y 대신 $-4-y$를 대입하면 $(2-x+3)^2+(-4-y-1)^2=4$

$\therefore (x-5)^2+(y+5)^2=4$

❸ 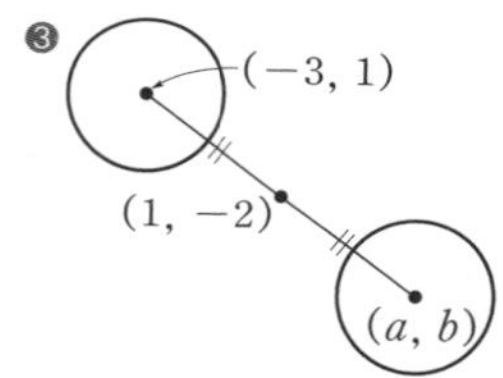

❹ 원은 대칭이동해도 반지름의 길이가 변하지 않는다.

답 (1) $(8,\ 5)$ (2) $(x-5)^2+(y+5)^2=4$

풍쌤 강의 NOTE

- 점 $\mathrm{P}(x, y)$를 점 $\mathrm{A}(a, b)$에 대하여 대칭이동한 점을 $\mathrm{P}'(x', y')$이라고 하면 점 A는 선분 PP′의 중점이므로 $\dfrac{x+x'}{2}=a,\ \dfrac{y+y'}{2}=b$
- 방정식 $f(x, y)=0$이 나타내는 도형을 점 $\mathrm{A}(a, b)$에 대하여 대칭이동한 도형의 방정식은 $f(2a-x, 2b-y)=0$

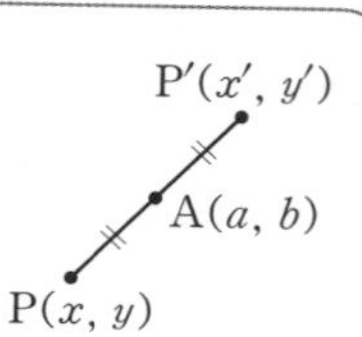

07-1 유사

점 $\mathrm{P}(a, 2)$를 점 $(1, 3)$에 대하여 대칭이동한 점이 점 $\mathrm{P}'(3, b)$일 때, $a+b$의 값을 구하여라.

07-2 유사

원 $x^2+y^2-4x+6y+4=0$를 점 $(5, -1)$에 대하여 대칭이동한 원의 방정식을 구하여라.

07-3 변형

두 포물선 $y=x^2-4x+3$, $y=-x^2+8x-11$이 점 (a, b)에 대하여 대칭일 때, $a+b$의 값을 구하여라.

07-4 변형

원 $(x+1)^2+(y-2)^2=k$를 점 $(3, -1)$에 대하여 대칭이동한 원이 x축에 접할 때, 상수 k의 값을 구하여라.

07-5 실력

직선 $2x-y+2=0$을 점 $(3, 1)$에 대하여 대칭이동한 직선이 $ax-y+b=0$일 때, 상수 a, b에 대하여 $a+b$의 값을 구하여라.

07-6 실력

포물선 $y=x^2+ax$를 점 $(1, 2)$에 대하여 대칭이동한 포물선과 직선 $y=2x$가 만나는 두 점이 원점에 대하여 대칭일 때, 상수 a의 값을 구하여라.

필수유형 08 직선에 대한 대칭이동

다음 물음에 답하여라.

(1) 점 $(-1,\ 4)$를 직선 $y=2x+1$에 대하여 대칭이동한 점의 좌표를 구하여라.

(2) 원 $(x-5)^2+y^2=1$을 직선 $y=x-2$에 대하여 대칭이동한 원의 방정식을 구하여라.

풍쌤 POINT

점 P를 직선 l에 대하여 대칭이동한 점을 P′이라고 하면

❶ 선분 PP′의 중점은 직선 l 위의 점이야.

❷ 직선 PP′은 직선 l과 수직이야. ➡ (직선 PP′의 기울기)×(직선 l의 기울기)$=-1$

풀이

(1) **STEP1 대칭이동한 점의 x좌표, y좌표 사이의 관계식 구하기**

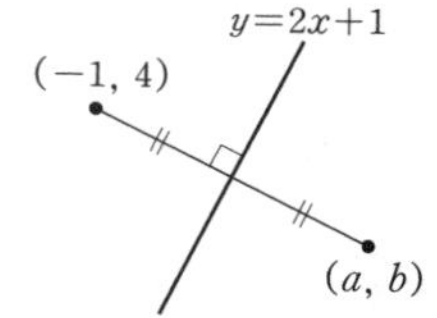

점 $(-1,\ 4)$를 직선 $y=2x+1$에 대하여 대칭이동한 점의 좌표를 $(a,\ b)$라고 하면 두 점 $(-1,\ 4)$, $(a,\ b)$를 이은 선분의 중점 $\left(\frac{-1+a}{2},\ \frac{4+b}{2}\right)$가 직선 $y=2x+1$ 위의 점이므로

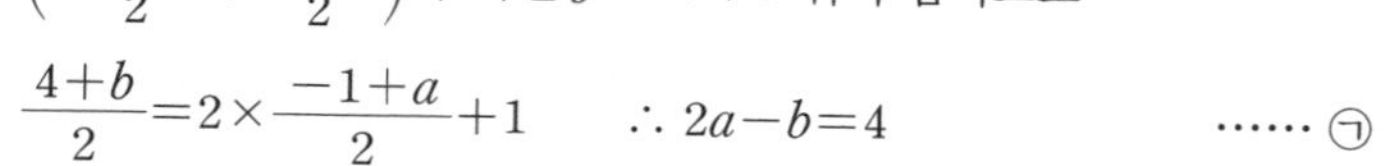

$\frac{4+b}{2}=2\times\frac{-1+a}{2}+1 \quad \therefore 2a-b=4$ …… ㉠

또, 두 점 $(-1,\ 4)$, $(a,\ b)$를 지나는 직선이 직선 $y=2x+1$과 수직이므로

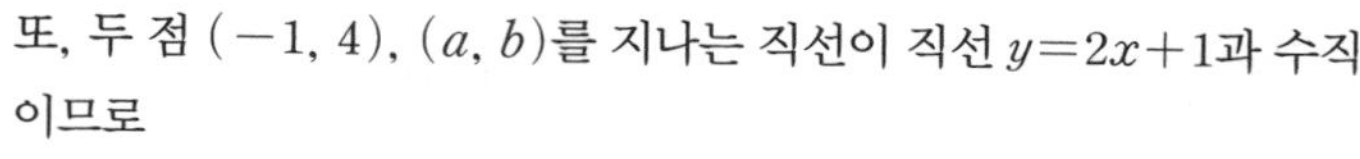

$\frac{b-4}{a-(-1)}\times 2=-1 \quad \therefore a+2b=7$ …… ㉡

STEP2 대칭이동한 점의 좌표 구하기

㉠, ㉡을 연립하여 풀면 $a=3$, $b=2$이므로 대칭이동한 점의 좌표는 $(3,\ 2)$이다.

(2) **STEP1 원의 중심을 대칭이동한 점의 x좌표, y좌표 사이의 관계식 구하기**

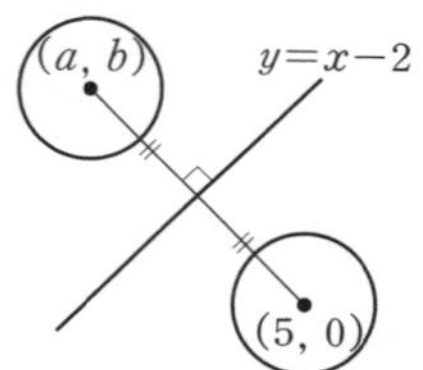

원 $(x-5)^2+y^2=1$의 중심 $(5,\ 0)$을 직선 $y=x-2$에 대하여 대칭이동한 점의 좌표를 $(a,\ b)$라고 하면 두 점 $(5,\ 0)$, $(a,\ b)$를 이은 선분의 중점 $\left(\frac{5+a}{2},\ \frac{0+b}{2}\right)$가 직선 $y=x-2$ 위의 점이므로

$\frac{b}{2}=\frac{5+a}{2}-2 \quad \therefore a-b=-1$ …… ㉠

또, 두 점 $(5,\ 0)$, $(a,\ b)$를 지나는 직선이 직선 $y=x-2$와 수직이므로

$\frac{b-0}{a-5}\times 1=-1 \quad \therefore a+b=5$ …… ㉡

STEP2 대칭이동한 원의 방정식 구하기

㉠, ㉡을 연립하여 풀면 $a=2$, $b=3$이므로 구하는 원의 방정식은

$(x-2)^2+(y-3)^2=1$

답 (1) $(3,\ 2)$ (2) $(x-2)^2+(y-3)^2=1$

풍쌤 강의 NOTE

직선에 의한 대칭이동을 할 때, 주어진 점과 직선 사이의 거리와 대칭이동한 점과 직선 사이의 거리는 같다. 그러므로 주어진 점과 대칭이동한 점을 이은 선분은 주어진 직선에 의하여 수직이등분되므로 이 성질을 이용하여 직선에 대한 대칭이동의 문제를 해결한다.

08-1 유사

점 $(-3, 5)$를 직선 $y=-3x+1$ 에 대하여 대칭이동한 점의 좌표를 구하여라.

08-2 유사

원 $(x+2)^2+(y-1)^2=1$을 직선 $-2x+3y+6=0$에 대하여 대칭이동한 원의 방정식을 구하여라.

08-3 변형

두 점 $(4, -5)$와 $(-2, 7)$이 직선 $y=ax+b$에 대하여 대칭일 때, 상수 a, b에 대하여 ab의 값을 구하여라.

08-4 변형

두 원 $x^2+y^2=9$, $(x+8)^2+(y-4)^2=9$가 직선 $y=ax+b$에 대하여 대칭일 때, 상수 a, b의 값을 각각 구하여라.

08-5 변형 기출

원 $(x+5)^2+(y-3)^2=4$를 직선 $y=x+3$에 대하여 대칭이동한 원이 직선 $kx+y-2=0$과 접할 때, 양수 k의 값을 구하여라.

08-6 실력 기출

직선 $2x+y-9=0$을 직선 $x-y-2=0$에 대하여 대칭이동한 직선의 방정식이 $ax+by-7=0$일 때, 상수 a, b에 대하여 $a+b$의 값을 구하여라.

발전유형 09 선분의 길이의 합의 최솟값

다음 물음에 답하여라.

(1) 두 점 $\mathrm{A}(1,\ 2)$, $\mathrm{B}(5,\ 1)$과 x축 위를 움직이는 점 P에 대하여 $\overline{\mathrm{AP}}+\overline{\mathrm{BP}}$의 최솟값을 구하여라.

(2) 두 점 $\mathrm{A}(-1,\ 2)$, $\mathrm{B}(5,\ 8)$과 직선 $y=x$ 위를 움직이는 점 P에 대하여 $\overline{\mathrm{AP}}+\overline{\mathrm{BP}}$의 최솟값을 구하여라.

풍쌤 POINT

점 B(또는 점 A)를 주어진 직선에 대하여 대칭이동한 점을 B′(또는 점 A′)이라고 하면 $\overline{\mathrm{AP}}+\overline{\mathrm{BP}}=\overline{\mathrm{AP}}+\overline{\mathrm{B'P}}\geq\overline{\mathrm{AB'}}$이므로 $\overline{\mathrm{AP}}+\overline{\mathrm{BP}}$의 최솟값은 선분 AB′의 길이와 같아.

풀이

(1) **STEP1 점 B를 x축에 대하여 대칭이동한 점의 좌표 구하기**

점 $\mathrm{B}(5,\ 1)$을 x축에 대하여 대칭이동한 점을 B′이라고 하면

$\mathrm{B'}(5,\ -1)$

STEP2 $\overline{\mathrm{AP}}+\overline{\mathrm{BP}}$의 최솟값 구하기

오른쪽 그림에서 $\overline{\mathrm{BP}}=\overline{\mathrm{B'P}}$이므로

$$\begin{aligned}\overline{\mathrm{AP}}+\overline{\mathrm{BP}}&=\overline{\mathrm{AP}}+\overline{\mathrm{B'P}}\\&\geq\overline{\mathrm{AB'}}\ ❶\\&=\sqrt{(5-1)^2+(-1-2)^2}\\&=5\end{aligned}$$

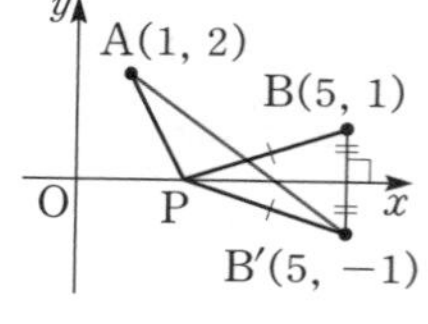

❶ $\overline{\mathrm{AP}}+\overline{\mathrm{BP}}$의 최솟값은 세 점 A, P, B′이 일직선을 이룰 때이므로 $\overline{\mathrm{AB'}}$이다.

따라서 $\overline{\mathrm{AP}}+\overline{\mathrm{BP}}$의 최솟값은 5이다.

(2) **STEP1 점 B를 직선 $y=x$에 대하여 대칭이동한 점의 좌표 구하기**

점 $\mathrm{B}(5,\ 8)$을 직선 $y=x$에 대하여 대칭이동한 점을 B′이라고 하면

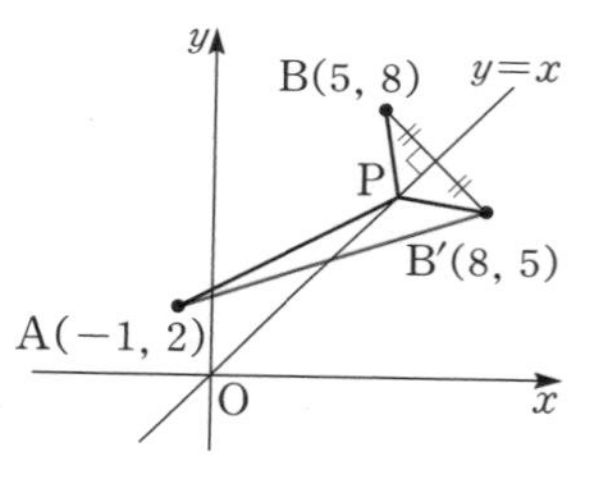

$\mathrm{B'}(8,\ 5)$

STEP2 $\overline{\mathrm{AP}}+\overline{\mathrm{BP}}$의 최솟값 구하기

$\overline{\mathrm{BP}}=\overline{\mathrm{B'P}}$이므로

$$\begin{aligned}\overline{\mathrm{AP}}+\overline{\mathrm{BP}}&=\overline{\mathrm{AP}}+\overline{\mathrm{B'P}}\\&\geq\overline{\mathrm{AB'}}\\&=\sqrt{\{8-(-1)\}^2+(5-2)^2}=3\sqrt{10}\end{aligned}$$

따라서 $\overline{\mathrm{AP}}+\overline{\mathrm{BP}}$의 최솟값은 $3\sqrt{10}$이다.

답 (1) 5 (2) $3\sqrt{10}$

풍쌤 강의 NOTE

두 점 A, B가 주어진 직선에 대하여 같은 쪽에 있는 경우, $\overline{\mathrm{AP}}+\overline{\mathrm{BP}}$의 최솟값을 직접 구하기는 어렵다. 따라서 한 점을 주어진 직선에 대하여 대칭이동하여 구한다.
점 B를 주어진 직선에 대하여 대칭이동한 점을 B′이라고 하면 $\overline{\mathrm{AP}}+\overline{\mathrm{BP}}$는 세 점 A, P, B′이 일직선을 이룰 때 최솟값을 갖는다. 즉, 최솟값은 선분 AB′의 길이이다.

09-1 유사

두 점 $A(4, 5)$, $B(2, -3)$과 y축 위를 움직이는 점 P에 대하여 $\overline{AP}+\overline{BP}$의 최솟값을 구하여라.

09-2 유사

두 점 $A(3, 2)$, $B(-1, 2)$와 직선 $y=-x$ 위를 움직이는 점 P에 대하여 $\overline{AP}+\overline{BP}$의 최솟값을 구하여라.

09-3 변형

두 점 $A(1, 3)$, $B(5, 1)$과 x축 위를 움직이는 점 P에 대하여 $\overline{AP}+\overline{BP}$가 최소가 되도록 하는 점 P의 좌표를 구하여라.

09-4 변형

기출

좌표평면 위에 직선 $y=x$ 위의 한 점 P가 있다. 점 P에서 점 $A(3, 2)$와 점 $B(5, 3)$에 이르는 거리의 합 $\overline{AP}+\overline{BP}$의 값이 최소일 때, 삼각형 ABP의 넓이를 구하여라.

09-5 변형

오른쪽 그림과 같이 두 점 $A(-2, 6)$, $B(-5, 1)$과 y축 위를 움직이는 점 P, x축 위를 움직이는 점 Q에 대하여 $\overline{AP}+\overline{PQ}+\overline{QB}$의 최솟값을 구하여라.

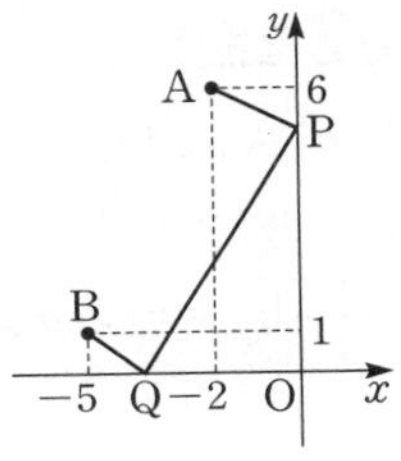

09-6 실력

오른쪽 그림과 같이 점 $A(4, 2)$와 직선 $y=x$ 위를 움직이는 점 B, x축 위를 움직이는 점 C에 대하여 세 점 A, B, C를 꼭짓점으로 하는 삼각형 ABC의 둘레의 길이의 최솟값을 구하여라.

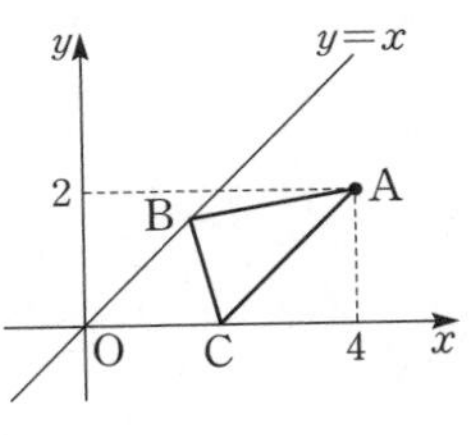

실전 연습 문제

01

평행이동 $(x, y) \to (x-1, y+a)$에 의하여 점 $(2, 4)$가 점 $(b, 3)$으로 옮겨질 때, a^2+b^2의 값은?

① 1　　② 2　　③ 3
④ 4　　⑤ 5

02 서술형

두 점 $\mathrm{A}(a, 1)$, $\mathrm{B}(0, b)$를 각각 두 점 $\mathrm{A}'(6, 7)$, $\mathrm{B}'(-2, 2)$로 옮기는 평행이동에 의하여 점 (b, a)가 옮겨지는 점의 좌표를 구하여라.

03

직선 $y=kx+1$을 x축의 방향으로 2만큼, y축의 방향으로 -3만큼 평행이동한 직선이 원 $(x-3)^2+(y-2)^2=1$의 중심을 지날 때, 상수 k의 값은?

① $\frac{7}{2}$　　② 4　　③ $\frac{9}{2}$
④ 5　　⑤ $\frac{11}{2}$

04

평행이동 $(x, y) \to (x, y-2)$에 의하여 직선 $y=ax+b$를 옮기면 직선 $2x-y+4=0$과 y축 위의 점에서 수직으로 만날 때, 상수 a, b에 대하여 ab의 값은?

① -3　　② -2　　③ -1
④ 1　　⑤ 2

05

원 $x^2+y^2=9$를 x축의 방향으로 2만큼, y축의 방향으로 -1만큼 평행이동한 원이 직선 $x-y-1=0$과 만나는 두 점을 A, B라고 할 때, 선분 AB의 길이를 구하여라.

06

포물선 $y=x^2-4x+a$를 포물선 $y=x^2$으로 옮기는 평행이동에 의하여 직선 $x-2y+6=0$이 옮겨지는 직선의 방정식은 $x-2y+2a=0$이다. 이때 상수 a의 값은?

① 1　　② 2　　③ 3
④ 4　　⑤ 5

07

점 $(-4,\ 3)$을 x축에 대하여 대칭이동한 점을 P, 직선 $y=x$에 대하여 대칭이동한 점을 Q라고 할 때, 선분 PQ의 길이를 구하여라.

08

기출

직선 $x-2y=9$를 직선 $y=x$에 대하여 대칭이동한 도형이 원 $(x-3)^2+(y+5)^2=k$에 접할 때, 실수 k의 값은?

① 80　② 83　③ 85　④ 88　⑤ 90

09

원 $x^2+y^2-2ax+6y+9=0$을 x축에 대하여 대칭이동한 원의 중심이 직선 $y=-\frac{1}{2}x+4$ 위에 있을 때, 상수 a의 값은?

① -3　② -2　③ -1　④ 1　⑤ 2

10 서술형

원 C_1: $x^2-8x+y^2-4y+16=0$을 직선 $y=-x$에 대하여 대칭이동한 원을 C_2라고 할 때, 원 C_1 위의 임의의 점 P와 원 C_2 위의 임의의 점 Q에 대하여 두 점 P, Q 사이의 거리의 최솟값을 구하여라.

11

포물선 $y=x^2-5x$ 위의 서로 다른 두 점이 직선 $y=x$에 대하여 대칭일 때, 이 두 점 사이의 거리는?

① 4　② $4\sqrt{2}$　③ 8　④ $8\sqrt{2}$　⑤ 16

12

점 $(-1,\ 5)$를 지나는 직선 l을 원점에 대하여 대칭이동한 후 x축의 방향으로 4만큼, y축의 방향으로 -1만큼 평행이동하면 점 $(3,\ 4)$를 지난다. 이때 직선 l의 기울기를 구하여라.

13

방정식 $f(x, y)=0$이 나타내는 도형이 오른쪽 그림과 같을 때, 다음 중 방정식 $f(y-1, x+1)=0$이 나타내는 도형은?

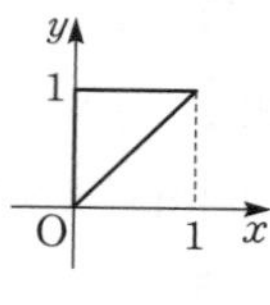

①
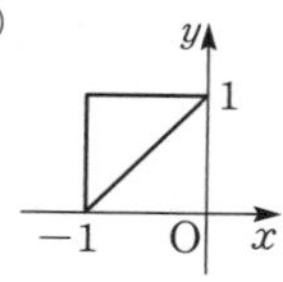

②
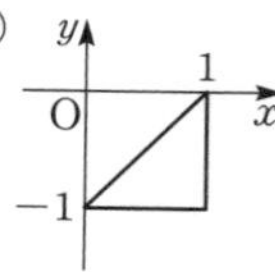

③
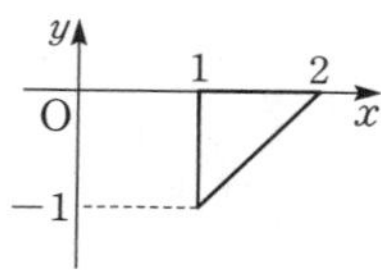

④
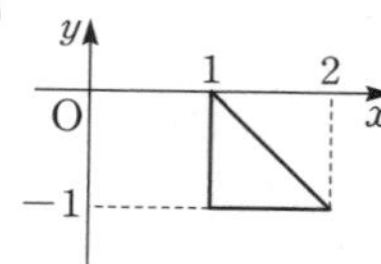

⑤
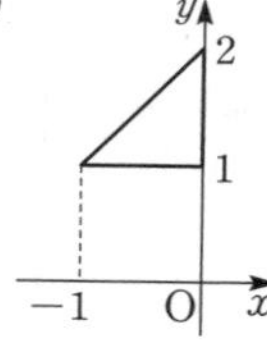

14

두 포물선 $y=x^2+10x+29$, $y=-x^2+6x-3$이 점 (a, b)에 대하여 대칭일 때, ab의 값은?

① -5 ② -3 ③ -1
④ 3 ⑤ 5

15

원 $x^2+y^2+6x-2y+1=0$을 직선 $y=x-4$에 대하여 대칭이동한 원의 방정식이
$x^2+y^2-2ax-2by+c=0$일 때, 상수 a, b, c에 대하여 $a+b+c$의 값을 구하여라.

16

모눈종이 위의 점 $\mathrm{A}(5, 3)$이 점 $\mathrm{B}(1, -1)$과 일치하도록 접었을 때, 점 $\mathrm{C}(6, 1)$이 대응되는 점의 좌표를 구하여라.

17

두 점 $\mathrm{A}(2, 3)$, $\mathrm{B}(6, 9)$와 직선 $y=x$ 위를 움직이는 점 P에 대하여 $\overline{\mathrm{AP}}+\overline{\mathrm{BP}}$의 최솟값을 구하여라.

18 서술형

기출

좌표평면 위에 두 점 $\mathrm{A}(1, 2)$, $\mathrm{B}(2, 1)$이 있다. x축 위의 점 C에 대하여 삼각형 ABC의 둘레의 길이의 최솟값이 $\sqrt{a}+\sqrt{b}$일 때, 두 자연수 a, b에 대하여 $a+b$의 값을 구하여라. (단, 점 C는 직선 AB 위에 있지 않다.)

정답과 풀이 332쪽

상위권 도약 문제

01

세 점 $\mathrm{O}(0, 0)$, $\mathrm{A}(6, 0)$, $\mathrm{B}(a, b)$를 x축의 방향으로 m만큼, y축의 방향으로 n만큼 평행이동한 점을 각각 O', A', B'이라고 하자. $\mathrm{B}'(7, 5\sqrt{3})$이고 삼각형 $\mathrm{O}'\mathrm{A}'\mathrm{B}'$이 정삼각형일 때, mn의 값은? (단, $ab>0$)

① 8 ② $8\sqrt{2}$ ③ $8\sqrt{3}$
④ $12\sqrt{2}$ ⑤ $12\sqrt{3}$

02

직선 $x+2y=0$을 x축의 방향으로 k만큼 평행이동한 직선과 두 직선 $2x+y+1=0$, $x+3y-2=0$이 삼각형을 이루지 않도록 하는 k의 값을 구하여라.

03

기출

좌표평면에서 원 $x^2+(y-1)^2=9$를 x축의 방향으로 m만큼, y축의 방향으로 n만큼 평행이동한 원을 C라고 할 때, 옳은 것만을 |보기|에서 있는 대로 고른 것은?

|보기|

ㄱ. 원 C의 반지름의 길이가 3이다.

ㄴ. 원 C가 x축에 접하도록 하는 실수 n의 값은 1개이다.

ㄷ. $m\neq0$일 때, 직선 $y=\dfrac{n+1}{m}x$는 원 C의 넓이를 이등분한다.

① ㄱ ② ㄴ ③ ㄱ, ㄷ
④ ㄴ, ㄷ ⑤ ㄱ, ㄴ, ㄷ

04

포물선 $y=x^2+4x+5$를 점 $(1, a)$에 대하여 대칭이동한 포물선이 x축과 만나지 않도록 하는 정수 a의 최댓값을 구하여라.

05

기출

좌표평면 위에 두 점 A$(2, 4)$, B$(6, 6)$이 있다. 점 A를 직선 $y=x$에 대하여 대칭이동한 점을 A$'$이라고 하자. 점 C$(0, k)$가 다음 조건을 만족시킬 때, k의 값은?

> (가) $0<k<3$
> (나) 삼각형 A$'$BC의 넓이는 삼각형 ACB의 넓이의 2배이다.

① $\frac{4}{5}$　② 1　③ $\frac{6}{5}$
④ $\frac{7}{5}$　⑤ $\frac{8}{5}$

06

기출

원 $x^2+(y-1)^2=9$ 위의 점 P가 있다. 점 P를 y축의 방향으로 -1만큼 평행이동한 후 y축에 대하여 대칭이동한 점을 Q라고 하자. 두 점 A$(1, -\sqrt{3})$, B$(3, \sqrt{3})$에 대하여 삼각형 ABQ의 넓이가 최대일 때, 점 P의 y좌표는?

① $\frac{5}{2}$　② $\frac{11}{4}$　③ 3
④ $\frac{13}{4}$　⑤ $\frac{7}{2}$

07

기출

좌표평면 위에 두 점 A$(-4, 4)$, B$(5, 3)$이 있다. x축 위의 두 점 P, Q와 직선 $y=1$ 위의 점 R에 대하여 $\overline{AP}+\overline{PR}+\overline{RQ}+\overline{QB}$의 최솟값은?

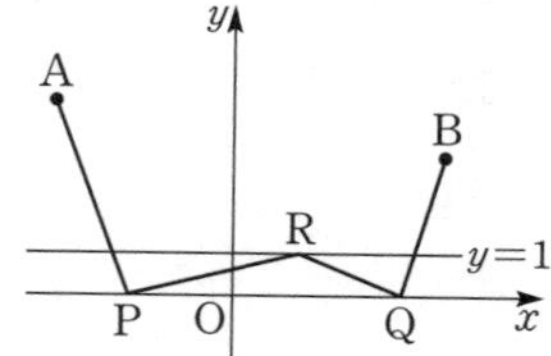

① 12　② $5\sqrt{6}$　③ $2\sqrt{39}$
④ $9\sqrt{2}$　⑤ $2\sqrt{42}$

01 다항식의 연산 8~32쪽

개념확인

01 (1) $2x^2+xy-y^2-3y+5$
(2) $2x^2+5+(x-3)y-y^2$
02 (1) $3x^2-2x$ (2) x^2+4x-2
03 (1) $6x^3-12x^2+3x$ (2) $2x^3+x^2y-7xy^2+3y^3$
04 (1) x^2+6x+9 (2) $6x^2-7x+2$
(3) $x^2+y^2+2xy-2x-2y+1$
(4) $x^3-6x^2+12x-8$ (5) x^3+27
05 (1) 13 (2) 19
06 11
07 (1) 14 (2) 52
08 (1) 몫: x^2+5x-5, 나머지: 3
(2) 몫: $2x+2$, 나머지: $-9x-1$
09 (1) $x^3+2x^2-4x+3=(x-1)(x^2+3x-1)+2$
(2) $6x^3-3x^2-x+3=(3x^2+2)(2x-1)-5x+5$

유형

01-1 (1) $-x^2-2xy+8y^2$ (2) $4x^2-13xy+13y^2$
01-2 $-3x^3+7x-4$ 01-3 $2x^2-x-4$
01-4 $A=3x^2+2xy-y^2$, $B=-x^2-3xy+2y^2$
01-5 $2x^2+2xy-4y^2$ 01-6 x^3+3x^2-6x
02-1 10 02-2 (1) -13 (2) -11
02-3 14 02-4 1
02-5 3 02-6 35
03-1 (1) $a^2+b^2+c^2-2ab+2bc-2ca$
(2) $a^3+6a^2b+12ab^2+8b^3$
(3) $125x^3-y^3$ (4) x^4+x^2+1
03-2 (1) $x^3-9x^2+23x-15$ (2) x^3+3x^2-6x-8
(3) x^3y^3-1 (4) $a^3+b^3-c^3-3abc$
03-3 (1) $8a^2-8b^2-10a-2b+3$ (2) $6x^2+12x+35$
03-4 2 03-5 15
03-6 ①
04-1 (1) x^8-y^8 (2) $x^6-12x^4+48x^2-64$
(3) $x^9+3x^6+3x^3+1$
04-2 (1) $x^2-y^2+2yz-z^2$
(2) $x^4+6x^3+8x^2-3x-6$
(3) $x^4-2x^3+x^2-4$
04-3 (1) $x^4+2x^3-7x^2-8x+12$
(2) $x^4+10x^3+25x^2-36$
(3) $x^4+8x^3-x^2-68x+60$
04-4 x^8+x^4+1 04-5 x^6-y^6
04-6 -38
05-1 $m=8$, $n=8$ 05-2 6
05-3 36 05-4 131
05-5 2023 05-6 6
06-1 (1) 4 (2) 63 (3) 5
06-2 (1) 11 (2) 36 (3) $\sqrt{13}$
06-3 (1) 52 (2) $30\sqrt{3}$ 06-4 39
06-5 (1) 17 (2) 33 06-6 108 cm^2
07-1 (1) 6 (2) 10
07-2 (1) 7 (2) $-\frac{7}{3}$ (3) 79
07-3 -4 07-4 0
07-5 31 07-6 12
08-1 x^2-x-4
08-2 몫: $3x-1$, 나머지: $-4x+2$
08-3 14 08-4 3
08-5 8 08-6 33

실전 연습 문제

01 ② 02 $4x^3-5x^2+13x-4$
03 $x^3+10^2-11x+4$ 04 ③ 05 ②
06 ④ 07 ⑤ 08 -13 09 ③
10 33 11 ⑤ 12 ④ 13 ①
14 ② 15 ② 16 ① 17 ④
18 4

상위권 도약 문제

01 129 02 0 03 27 04 108
05 240 06 (14, 14, 13) 07 30
08 $6-3\sqrt{5}$

02 나머지정리 34~60쪽

개념확인

01 (1) × (2) ○ (3) ○ (4) × (5) ○
02 (1) $a=0$, $b=0$ (2) $a=3$, $b=-1$
03 (1) $a=-1$, $b=2$, $c=0$ (2) $a=3$, $b=4$, $c=-2$
04 (1) $a=2$, $b=3$ (2) $a=2$, $b=-2$
(3) $a=1$, $b=4$
05 (1) $a=-1$, $b=2$ (2) $a=-5$, $b=-3$
(3) $a=3$, $b=2$
06 (1) x^3-4x (2) 2
07 (1) -7 (2) 17
08 (1) -5 (2) $-\frac{1}{8}$
09 (1) 2 (2) -2
10 (1) 몫: x^2+2x-1, 나머지: -3
(2) 몫: x^2+2x-6, 나머지: 10
(3) 몫: x^2+4x-4, 나머지: 2
(4) 몫: x^2+2, 나머지: -4

유형

01-1 $a=1,\ b=-2,\ c=2$
01-2 -2
01-3 $a=1,\ b=\frac{1}{2}$
01-4 1
01-5 16
01-6 16
02-1 $a=2,\ b=-2$
02-2 $x=0,\ y=-1$
02-3 -1
02-4 9
02-5 3
02-6 -1
03-1 6
03-2 $a=-2,\ b=3$
03-3 8
03-4 -2
03-5 $a=2,\ b=1$
03-6 5
04-1 31
04-2 37
04-3 -2
04-4 1
04-5 1
04-6 2
05-1 $4x+3$
05-2 13
05-3 $5x+7$
05-4 1
05-5 $-11x-16$
05-6 -4
06-1 $3x^2-10x+13$
06-2 $-x^2+3x+1$
06-3 $-x^2+2x+4$
06-4 -1
06-5 $5x$
06-6 $-x^2-3$
07-1 1
07-2 2
07-3 2
07-4 3
07-5 8
07-6 4
08-1 3
08-2 13
08-3 1
08-4 50
08-5 ④
08-6 $a=1,\ b=-6$
09-1 몫: x^2-2x-4, 나머지: -2
몫: x^3-2x^2+4x-3, 나머지: 9
몫: x^2+2, 나머지: -1
09-2 -3
09-3 x^2-1
09-4 2
09-5 -2
09-6 11

실전 연습 문제

01 ②, ④ 02 ① 03 ③ 04 ②
05 -3 06 ② 07 ④ 08 ①
09 52 10 ③ 11 ④ 12 $\frac{1}{4}x^2+x$
13 ① 14 ⑤ 15 -6 16 1
17 ④

상위권 도약 문제

01 ⑤ 02 17 03 12 04 ③
05 24 06 24 07 ③ 08 ③

03 인수분해

개념확인

01 (1) $2a(2a+3b)$ (2) $x(a+b-3)$
(3) $3xy(x+2y-3)$
02 (1) $(a+3)^2$ (2) $(x-4)^2$
(3) $(a+3b)(a-3b)$ (4) $(x-6)(x+2)$
(5) $(3a-2)(a-2)$
03 (1) $(a+2b+c)^2$ (2) $(x+2)^3$
(3) $(a-1)^3$ (4) $(a+2)(a^2-2a+4)$
(5) $(x-3)(x^2+3x+9)$
(6) $(x+2y+z)(x^2+4y^2+z^2-2xy-2yz-zx)$
(7) $(x^2+2x+4)(x^2-2x+4)$
04 $a+b,\ a+b,\ 4,\ 1,\ a+b,\ a+b$
05 $x^2,\ 3,\ x^2,\ x^2,\ x^2$
06 $b^2,\ b^2,\ b,\ b,\ b,\ b$
07 $x^2,\ x^2,\ x,\ 1,\ 1,\ 1,\ 1$
08 $y,\ 1,\ 3,\ y,\ 1,\ 3,\ 1$
09 $x-1,\ x-1,\ x^2+3x+2,\ x^2+3x+2,\ x+2,\ x+2$
(조립제법에서) $1,\ 3,\ 2$

유형

01-1 (1) $(x+y)(1-a+b)$ (2) $3(x-3)^2$
(3) $2a(a+1)(a-1)$ (4) $a(x-2)(x+5)$
(5) $(a-3)(a-2)(a+2)$
01-2 2
01-3 -4
01-4 1
01-5 $5x$
01-6 6
02-1 (1) $(2a+3b-1)^2$ (2) $(4x+1)^3$
(3) $(2a+b)(4a^2-2ab+b^2)$
(4) $(2x-y+3z)(4x^2+y^2+9z^2+2xy+3yz-6zx)$
(5) $(16x^2+4x+1)(16x^2-4x+1)$
02-2 (1) $(x+y-2)^2$ (2) $x(x-3)(x^2+3x+9)$
(3) $(a-b-3)(a^2+b^2+9+ab-3b+3a)$
02-3 ②
02-4 4
02-5 $(x+y)(x-y)(x^2+xy+y^2)(x^2-xy+y^2)$
02-6 a^2-ab+b^2
03-1 (1) $(x+1)(x-1)(x+2)(x-2)$
(2) $(x-y-6)(x-y+4)$
(3) $(x+1)(x-4)(x-1)(x-2)$
03-2 (1) $(x^2-x-4)(x^2-x+2)$
(2) $(x^2-2x-4)(x^2-2x-7)$
03-3 15
03-4 $x^2+7x+15$
03-5 4
03-6 -125
04-1 (1) $(a+b-3)(a-b+3)$
(2) $(x^2+2x-2)(x^2-2x-2)$
(3) $(x+y+1)(x+3y-2)$

04-2 6

04-3 $(x-2y+1)(2x+y-3)$

04-4 $3x^2-6$

04-5 $(x+y)(y+z)(x-z)$ 04-6 5

05-1 (1) $(x+1)(x-2)(x-3)$
(2) $(x-1)(2x+1)(3x-1)$

05-2 (1) $(x-1)(x+2)(x^2+5x+10)$
(2) $(x+1)(x-2)(x+2)(x-3)$

05-3 -2 05-4 ②

05-5 x^2+2x-1 05-6 ③

06-1 81 06-2 366

06-3 2000 06-4 $\frac{63\sqrt{15}}{4}$

06-5 $2-\sqrt{2}$ 06-6 176

07-1 $a=b$인 이등변삼각형 또는 $\angle C=90°$인 직각삼각형

07-2 $b=c$인 이등변삼각형 07-3 $c=\sqrt{2}a$

07-4 이등변삼각형 07-5 12

07-6 1

실전 연습 문제

01 ④ 02 ④ 03 3 04 ⑤
05 $2x+2y+4$ 06 506 07 ⑤
08 6 09 ① 10 ④ 11 ③
12 ① 13 $4\sqrt{3}$ 14 ②
15 $(a+b-2c)^2$ 16 ② 17 ③

상위권 도약 문제

01 9 02 ② 03 -1 04 ①
05 (1) 0 (2) $(x-y)(x^2+2xy+3y^2)$
06 $-3xyz(x-y)(y-z)(z-x)$ 07 ①
08 15

04 복소수 86~108쪽

개념확인

01 (1) 실수부분: -1, 허수부분: 1
(2) 실수부분: -2, 허수부분: -3
(3) 실수부분: 0, 허수부분: 5

02 실수: 0, $1+\sqrt{2}$, $\sqrt{(-2)^2}$
허수: $\sqrt{2}-i$, $\sqrt{5}i$, i, $\frac{i}{\sqrt{3}}$, $i+\sqrt{3}$
순허수: $\sqrt{5}i$, i, $\frac{i}{\sqrt{3}}$

03 (1) $x=3$, $y=3$ (2) $x=2$, $y=1$

04 (1) $-2-3i$ (2) $3+\sqrt{5}i$
(3) -4 (4) $-2i$

05 (1) $7-5i$ (2) $-1-5i$
(3) $9+8i$ (4) $\frac{1}{5}+\frac{8}{5}i$

06 (1) i (2) i (3) $-i$ (4) 0

07 (1) $4i$ (2) -4 (3) $-2i$ (4) 2

유형

01-1 (1) $5+i$ (2) $12+i$
(3) $-4+4i$ (4) $-2+16i$

01-2 (1) $-1+3i$ (2) $\frac{13}{5}-\frac{1}{5}i$ (3) 0

01-3 -2 01-4 7

01-5 $-2+3i$ 01-6 -45

02-1 (1) -2, 3 (2) -3

02-2 3 02-3 6

02-4 39 02-5 $-\frac{2}{3}$

02-6 -1

03-1 (1) $x=\frac{4}{3}$, $y=\frac{3}{8}$ (2) $x=3$, $y=5$
(3) $x=-1$, $y=-5$ (4) $x=-5$, $y=5$

03-2 (1) $x=-1$, $y=1$ (2) $x=\frac{4}{3}$, $y=\frac{5}{3}$
(3) $x=-2$, $y=-2$ (4) $x=9$, $y=-\frac{7}{2}$

03-3 14 03-4 2

03-5 2 03-6 1

04-1 ③ 04-2 ㄱ, ㄷ, ㄹ

04-3 1 04-4 2

04-5 5 04-6 ③

05-1 (1) 2 (2) 18

05-2 20 05-3 13

05-4 $4-i$ 05-5 $-2i$

05-6 $6i$

06-1 (1) $-9+i$ (2) $-5-5i$

06-2 $2-3i$, $2+3i$ 06-3 ㄱ, ㄷ

06-4 $1-3i$ 06-5 5

06-6 1

07-1 (1) -1 (2) 0 (3) 512 (4) -2

07-2 12 07-3 $-i$

07-4 $-2+2i$ 07-5 30

07-6 1

08-1 -7 08-2 $-a$

08-3 ③, ⑤ 08-4 $-b+c$

08-5 ① 08-6 3

실전 연습 문제

01 ⑤ 02 ② 03 37 04 0, 1, 7, 8
05 ④ 06 4 07 $-\frac{3}{5}-\frac{4}{5}i$
08 ⑤ 09 풀이 참조 10 ①
11 무수히 많다. 12 3 13 16
14 8 15 ③ 16 ④ 17 1
18 ①

상위권 도약 문제

01 ① 02 ⑤ 03 1 04 $2-\sqrt{5}$
05 $-i$ 06 25 07 ②

05 이차방정식 110~140쪽

개념확인

01 (1) $x=4$ (2) 해가 없다. (3) 해가 무수히 많다.
02 (1) $x=-7$ 또는 $x=9$ (2) $x=-6$
03 (1) $x=-7$ 또는 $x=2$, 실근
(2) $x=1\pm\sqrt{2}$, 실근
(3) $x=\frac{-3\pm\sqrt{23}i}{4}$, 허근
04 5, 6
05 가로의 길이: 9 cm, 세로의 길이: 12 cm
06 (1) 서로 다른 두 실근 (2) 서로 다른 두 허근
(3) 중근
07 (1) (두 근의 합)$=-4$, (두 근의 곱)$=3$
(2) (두 근의 합)$=\frac{1}{2}$, (두 근의 곱)$=-\frac{1}{2}$
08 (1) $x^2-x-2=0$ (2) $x^2-2x-15=0$
09 (다른 한 근)$=1-\sqrt{2}$, $a=-2$, $b=-1$
10 (다른 한 근)$=1-i$, $a=-2$, $b=2$

유형

01-1 풀이 참조
01-2 (1) $a=3$, $b\neq1$ (2) $a=3$, $b=1$ (3) $a\neq3$
01-3 (1) $a=1$ (2) $a=0$ (3) $a\neq0$, $a\neq1$
01-4 ㄷ 01-5 풀이 참조
01-6 -2
02-1 14
02-2 (1) $x=-3$ 또는 $x=\frac{1}{3}$ (2) $x=\frac{5\pm\sqrt{37}}{2}$
(3) $x=\frac{5\pm\sqrt{7}i}{2}$
02-3 $x=\frac{-1\pm\sqrt{2}}{2}$ 02-4 -1
02-5 $x=-\sqrt{2}$ 또는 $x=-1$ 02-6 -4
03-1 (1) $x=-3$ 또는 $x=2$ (2) $x=\frac{1}{4}$ 또는 $x=\frac{3}{2}$
03-2 (1) $x=-3$ 또는 $x=1$ (2) $x=\pm4$ 또는 $x=\pm8$
03-3 $x=-3$ 또는 $x=-2$ 또는 $x=-1$ 또는 $x=0$
03-4 8 03-5 2
03-6 $-1+\sqrt{5}$
04-1 3 m 04-2 $3-\sqrt{3}$
04-3 6 cm 04-4 6초
04-5 $-2+2\sqrt{3}$ 04-6 $\frac{1+\sqrt{5}}{2}$
05-1 (1) $k<1$ (2) $k=1$ (3) $k>1$ (4) $k\leq1$
05-2 0 05-3 -3
05-4 $\frac{1}{3}\leq k<1$ 또는 $k>1$
05-5 빗변의 길이가 b인 직각삼각형
05-6 $-\frac{3}{4}$ 06-1 5
06-2 4 06-3 -1
06-4 서로 다른 두 허근 06-5 정삼각형
06-6 2
07-1 (1) 9 (2) $\sqrt{17}$ (3) $-\frac{9}{4}$ (4) -13
07-2 $3\sqrt{15}$ 07-3 $\frac{14}{5}$
07-4 -13 07-5 24
07-6 4
08-1 (1) 21 (2) 18 (3) 13
08-2 $\frac{2}{3}$, 6 08-3 -3, 0
08-4 -2 08-5 2
08-6 13
09-1 (1) $x^2+8x+15=0$ (2) $x^2-\frac{10}{3}x-\frac{4}{3}=0$
(3) $x^2+7x+3=0$
09-2 $4x^2+3x+1=0$ 09-3 6
09-4 $x^2-bx+ac=0$ 09-5 7
09-6 14
10-1 (1) $a=-6$, $b=7$ (2) $a=2$, $b=10$
10-2 0 10-3 1
10-4 $-\frac{3}{5}$ 10-5 2
10-6 1

유형 특강

1 $x=\frac{1}{2}$ 또는 $x=1$
2 (1) $-2\leq x<-1$ (2) $4\leq x<5$ 또는 $8\leq x<9$
3 (1) $x=1$ (2) $x=0$ 또는 $x=1$ 또는 $x=2$

실전 연습 문제

01 3　02 ④　03 $x=i$ 또는 $x=-1+i$
04 ④　05 $-\frac{1}{2}$　06 $2-\sqrt{3}$　07 ①
08 ④　09 -6　10 서로 다른 두 실근
11 ④　12 ③　13 30
14 ⑤　15 ④　16 $x^2-18x+6=0$
17 ②　18 100

상위권 도약 문제

01 ⑤　02 ③　03 30　04 ④
05 74　06 ①　07 $x^2-6x+6=0$
08 ③

06 이차방정식과 이차함수 142~172쪽

개념확인

01 (1) 꼭짓점의 좌표: $(0,\ -2)$, 축의 방정식: $x=0$
(2) 꼭짓점의 좌표: $(-1,\ 0)$, 축의 방정식: $x=-1$
(3) 꼭짓점의 좌표: $(-2,\ -3)$,
축의 방정식: $x=-2$
(4) 꼭짓점의 좌표: $(1,\ 4)$, 축의 방정식: $x=1$
(5) 꼭짓점의 좌표: $(3,\ -9)$, 축의 방정식: $x=3$
(6) 꼭짓점의 좌표: $(-2,\ 1)$, 축의 방정식: $x=-2$

02 (1) 1, 5　(2) $-1,\ \frac{3}{2}$　(3) $\frac{1}{2}$

03 (1) 2　(2) 0　(3) 1

04 (1) 만나지 않는다.
(2) 한 점에서 만난다. (접한다.)
(3) 서로 다른 두 점에서 만난다.

05 (1) 최댓값: 없다., 최솟값: 0
(2) 최댓값: -6, 최솟값: 없다.
(3) 최댓값: 3, 최솟값: 없다.
(4) 최댓값: 없다., 최솟값: -1

06 1, 3, -1, 1, 1, -3
(그래프에서) 1, -3

유형

01-1 풀이 참조　01-2 9
01-3 -2　01-4 2
01-5 3　01-6 -4
02-1 $a<0,\ b>0,\ c<0$
02-2 (1) $a<0$　(2) $b<0$
(3) $c=0$　(4) $a+b+c<0$
(5) $9a-3b+c<0$　(6) $a-2b+4c>0$
02-3 ㄱ　02-4 ㄱ, ㄷ, ㅁ
02-5 ①
03-1 0　03-2 $m<\frac{5}{2}$
03-3 $k\le1$　03-4 $-2,\ 2$
03-5 2　03-6 12
04-1 (1) 1　(2) $1,\ \frac{3}{2}$　(3) $-\frac{3}{2},\ 0$
04-2 $a=2,\ b=-5$　04-3 4
04-4 $\mathrm{P}(2,\ -1),\ \mathrm{Q}(4,\ 1)$　04-5 $a=4,\ b=0$
04-6 4
05-1 (1) 2　(2) 1　(3) 0
05-2 -6　05-3 1, 9
05-4 8　05-5 $a\ge4$
05-6 $k<-1$
06-1 (1) $y=x+2$　(2) $y=-2x-1$
06-2 4　06-3 5
06-4 -4　06-5 0
06-6 $\frac{3}{16}$
07-1 (1) 최댓값: 없다., 최솟값: -14
(2) 최댓값: 5, 최솟값: 없다.
(3) 최댓값: 없다., 최솟값: 5
(4) 최댓값: 8, 최솟값: 없다.
07-2 16　07-3 7
07-4 -3　07-5 -1
07-6 2
08-1 (1) 최댓값: 0, 최솟값: -4
(2) 최댓값: 2, 최솟값: -6
(3) 최댓값: 6, 최솟값: -2
08-2 -4　08-3 22
08-4 3　08-5 4
08-6 50
09-1 -6
09-2 최댓값: 15, 최솟값: -1
09-3 2　09-4 -4
09-5 -2　09-6 7
10-1 -6　10-2 -4
10-3 70　10-4 24
10-5 3　10-6 7
11-1 $15\sqrt{2}$　11-2 52
11-3 $450\ \mathrm{m}^2$　11-4 10
11-5 130　11-6 $\frac{15}{2}$

실전 연습 문제

01 ③ 02 ⑤ 03 -9 04 ①
05 22 06 $(0,\ 3)$ 07 ③ 08 ③
09 ② 10 48 11 ④ 12 $\frac{11}{4}$
13 ② 14 8 15 9 16 ⑤
17 최댓값: 18, 최솟값: 6 18 $\frac{1}{3}$

상위권 도약 문제

01 $-\frac{3}{2}\le k<-\frac{3}{8}$ 02 ㄱ, ㄴ, ㄷ
03 ⑤ 04 11 05 60 06 $4\sqrt{3}$
07 110 08 ⑤

07 여러 가지 방정식 174~200쪽

개념확인

01 (1) $x=2$ 또는 $x=-1\pm\sqrt{3}i$
(2) $x=-2$ 또는 $x=0$(중근) 또는 $x=3$
02 (1) $x=-2$ 또는 $x=1$ 또는 $x=3$
(2) $x=\pm\sqrt{2}i$ 또는 $x=\pm\sqrt{3}$
(3) $x=\pm 2i$ 또는 $x=\pm 1$
(4) $x=1\pm\sqrt{2}$ 또는 $x=-1\pm\sqrt{2}$
(5) $x=\frac{3\pm\sqrt{5}}{2}$ 또는 $x=\frac{-1\pm\sqrt{3}i}{2}$
03 (1) $\frac{1}{2}$ (2) $\frac{5}{2}$ (3) $-\frac{3}{2}$
04 $x^3+2x^2-13x+10=0$
05 $2+\sqrt{5}$
06 (1) 0 (2) -1

유형

01-1 (1) $x=-2$ 또는 $x=1$ 또는 $x=2$
(2) $x=-1$ 또는 $x=2$ 또는 $x=5$
(3) $x=\frac{1}{3}$ 또는 $x=\frac{1}{2}$ 또는 $x=2$
01-2 (1) $x=-3$ 또는 $x=-1$ 또는 $x=1$ 또는 $x=3$
(2) $x=-5$ 또는 $x=-1$ 또는 $x=1$ 또는 $x=3$
(3) $x=-\frac{1}{2}$ 또는 $x=\frac{1}{2}$ 또는 $x=2$(중근)
01-3 -2 01-4 4
01-5 1 01-6 10
02-1 (1) $x=1$ 또는 $x=2$ 또는 $x=\frac{3\pm\sqrt{5}}{2}$
(2) $x=-5$ 또는 $x=3$ 또는 $x=-1\pm 2i$
02-2 (1) $x=-5$ 또는 $x=0$ 또는 $x=\frac{-5\pm\sqrt{15}i}{2}$
(2) $x=-3\pm 2\sqrt{3}$ 또는 $x=-3\pm\sqrt{2}i$
02-3 -15 02-4 1
02-5 -2 02-6 8
03-1 (1) $x=\pm 3i$ 또는 $x=\pm 2\sqrt{2}$
(2) $x=-1\pm i$ 또는 $x=1\pm i$
(3) $x=\frac{-3\pm\sqrt{5}}{2}$ 또는 $x=\frac{-5\pm\sqrt{21}}{2}$
03-2 -2 03-3 $2+2\sqrt{6}$
03-4 -6 03-5 -4
03-6 45
04-1 1 04-2 3
04-3 8 04-4 -10
04-5 2 04-6 10
05-1 $-\frac{7}{8}$ 05-2 $a>1$
05-3 2 05-4 6
05-5 $-\frac{1}{4}$ 05-6 $k>\frac{9}{2}$
06-1 2
06-2 (1) $-\frac{3}{4}$ (2) $\frac{5}{6}$ (3) $\frac{10}{9}$
06-3 ㄴ, ㄷ, ㄹ 06-4 -4
06-5 8 06-6 -7
07-1 $x^3+3x^2+2x+1=0$ 07-2 -6
07-3 $x^3-6x^2+7x-6=0$ 07-4 5
07-5 $x^3-6x^2+6x-9=0$ 07-6 14
08-1 5 08-2 19
08-3 -40 08-4 -19
08-5 -42 08-6 2
09-1 (1) -1 (2) 0 (3) 3
09-2 0 09-3 -3
09-4 $-\omega+1$ 09-5 2
09-6 1
10-1 5 10-2 2
10-3 2 10-4 6 cm
10-5 6

실전 연습 문제

01 ③ 02 ① 03 6 04 ②
05 ① 06 ④ 07 7 08 ②
09 ② 10 ① 11 $x^3+6x^2+9x-1=0$
12 -6 13 7 14 ④ 15 ⑤
16 ① 17 ㄱ, ㄷ, ㄹ 18 5

상위권 도약 문제

01 ② 02 3 03 ② 04 -1
05 $-\frac{21}{2}$ 06 ⑤

08 연립방정식 202~222쪽

개념확인

01 (1) $\begin{cases} x=-1 \\ y=-4 \end{cases}$ 또는 $\begin{cases} x=4 \\ y=1 \end{cases}$

(2) $\begin{cases} x=-2\sqrt{6} \\ y=\sqrt{6} \end{cases}$ 또는 $\begin{cases} x=2\sqrt{6} \\ y=-\sqrt{6} \end{cases}$

또는 $\begin{cases} x=\sqrt{15} \\ y=\sqrt{15} \end{cases}$ 또는 $\begin{cases} x=-\sqrt{15} \\ y=-\sqrt{15} \end{cases}$

02 $\begin{cases} x=-2 \\ y=3 \end{cases}$ 또는 $\begin{cases} x=3 \\ y=-2 \end{cases}$

03 (1) -25 (2) $a\le\frac{5}{6}$

04 -2

05 $x=-6$, $y=1$ 또는 $x=0$, $y=-5$ 또는 $x=2$, $y=9$ 또는 $x=8$, $y=3$

유형

01-1 (1) $\begin{cases} x=-\frac{6}{5} \\ y=\frac{17}{5} \end{cases}$ 또는 $\begin{cases} x=2 \\ y=-3 \end{cases}$

(2) $\begin{cases} x=-3 \\ y=-4 \end{cases}$ 또는 $\begin{cases} x=4 \\ y=3 \end{cases}$

01-2 3　　01-3 15

01-4 2　　01-5 6

01-6 2

02-1 (1) $\begin{cases} x=-4 \\ y=2 \end{cases}$ 또는 $\begin{cases} x=4 \\ y=-2 \end{cases}$

또는 $\begin{cases} x=-2\sqrt{2} \\ y=-2\sqrt{2} \end{cases}$ 또는 $\begin{cases} x=2\sqrt{2} \\ y=2\sqrt{2} \end{cases}$

(2) $\begin{cases} x=-\sqrt{6} \\ y=2\sqrt{6} \end{cases}$ 또는 $\begin{cases} x=\sqrt{6} \\ y=-2\sqrt{6} \end{cases}$

또는 $\begin{cases} x=4 \\ y=2 \end{cases}$ 또는 $\begin{cases} x=-4 \\ y=-2 \end{cases}$

02-2 (1) $\begin{cases} x=1 \\ y=2 \end{cases}$ 또는 $\begin{cases} x=-1 \\ y=-2 \end{cases}$

또는 $\begin{cases} x=\frac{3\sqrt{21}}{7} \\ y=\frac{\sqrt{21}}{7} \end{cases}$ 또는 $\begin{cases} x=-\frac{3\sqrt{21}}{7} \\ y=-\frac{\sqrt{21}}{7} \end{cases}$

(2) $\begin{cases} x=2 \\ y=1 \end{cases}$ 또는 $\begin{cases} x=\frac{25}{8} \\ y=-\frac{19}{8} \end{cases}$

02-3 $4\sqrt{2}$　　02-4 3

02-5 5　　02-6 4

03-1 (1) $\begin{cases} x=3 \\ y=5 \end{cases}$ 또는 $\begin{cases} x=5 \\ y=3 \end{cases}$

또는 $\begin{cases} x=-3 \\ y=-5 \end{cases}$ 또는 $\begin{cases} x=-5 \\ y=-3 \end{cases}$

(2) $\begin{cases} x=-2 \\ y=1 \end{cases}$ 또는 $\begin{cases} x=1 \\ y=-2 \end{cases}$ 또는 $\begin{cases} x=1 \\ y=1 \end{cases}$

03-2 4　　03-3 2

03-4 13　　03-5 17

03-6 $-\frac{1}{2}$

04-1 (1) 4　　(2) $a\le\frac{15}{4}$

04-2 7　　04-3 0

04-4 $a<-2$　　04-5 5

04-6 -6

05-1 2 m　　05-2 48 m^2

05-3 2 cm　　05-4 2

05-5 83　　05-6 60

06-1 (1) $k=-3$ 또는 $k=0$　(2) -2

06-2 $\frac{1}{2}$　　06-3 $-\frac{2}{3}$

06-4 2　　06-5 1

06-6 16

07-1 (1) $x=-1$, $y=-1$ 또는 $x=-3$, $y=-3$

(2) $x=-2$, $y=-1$

07-2 $x=1$, $y=5$ 또는 $x=2$, $y=4$ 또는 $x=5$, $y=3$

07-3 12　　07-4 4

07-5 $x=-2$, $y=6$　　07-6 9

실전 연습 문제

01 ③	02 ③	03 0	04 ①
05 ①	06 20	07 ⑤	08 25
09 ①	10 ⑤	11 3	12 ④
13 30	14 ⑤	15 -1	16 ④
17 ②	18 ②		

상위권 도약 문제

01 20	02 1	03 2	04 ⑤
05 $4-\sqrt{2}$	06 32	07 32	08 46

09 연립일차부등식 224~246쪽

개념확인

01 (1) $<$　(2) $<$　(3) $>$　(4) $<$

02 (1) $x<\frac{a+1}{a}$　(2) $x>\frac{a+1}{a}$

(3) 해는 모든 실수이다.

03 (1) $-4<x<3$　(2) $2<x\le4$

(3) $x\ge1$　(4) $x<2$

04 (1) $1 \le x < 4$ (2) 해는 없다. (3) $x > 3$
05 (1) $-10 \le x \le 4$ (2) $x \le -2$ 또는 $x \ge 4$
(3) $-2 \le x \le 3$

유형

01-1 ㄱ, ㄹ
01-2 풀이 참조
01-3 (1) $x < -\frac{7}{5}$ (2) $x < -\frac{1}{4}$
01-4 (1) $x > 1$ (2) -4
01-5 -3
01-6 2
02-1 (1) $-2 < x < 2$ (2) $-3 \le x < 8$
02-2 -4
02-3 (1) 해는 없다. (2) $x = 3$
02-4 4
02-5 ⑤
02-6 14
03-1 (1) $x \ge 2$ (2) $x = 1$ (3) 해는 없다.
03-2 (1) $-4 < x < 10$ (2) $1 < x \le \frac{3}{2}$
03-3 7
03-4 $\frac{1}{2} < x \le 5$
03-5 8
03-6 $-\frac{1}{2} \le x \le 2$
04-1 1
04-2 -1
04-3 4
04-4 $a = -7$, $b = 6$
04-5 $x > -10$
04-6 4
05-1 (1) $k \le 19$ (2) $k \le \frac{9}{4}$
05-2 $a < -1$
05-3 $a \le 0$
05-4 13
05-5 $0 \le a \le 1$
05-6 9
06-1 (1) $x < -2$ 또는 $x > 3$ (2) $\frac{1}{4} \le x \le \frac{3}{2}$
(3) $x \le -1$ 또는 $x \ge 2$
06-2 20
06-3 7
06-4 12
06-5 $\frac{3}{2}$
06-6 $a \le 1$ 또는 $a \ge 5$
07-1 $\frac{200}{3}$ g 이상 100 g 이하
07-2 32
07-3 35권
07-4 $\frac{17}{7} < x < \frac{17}{5}$
07-5 86
07-6 55

유형 특강

(1) $x < -4$ 또는 $x > 2$
(2) $0 \le x < 1$ 또는 $2 < x \le 3$
(3) $-3 \le x \le 3$

실전 연습 문제

01 ④ 02 ① 03 ③ 04 -13
05 해는 없다. 06 1 07 ⑤
08 $a = -19$, $b = 33$ 09 ② 10 ④
11 $a \le -10$ 12 ② 13 ⑤ 14 -5
15 90 16 9, 10, 11 17 59
18 400 g 이상 600 g 이하

상위권 도약 문제

01 5 02 $-\frac{9}{2} < k \le -\frac{5}{2}$ 03 2
04 -24 05 4 06 ⑤ 07 22
08 ①

10 이차부등식 248~284쪽

개념확인

01 (1) $x < -2$ 또는 $x > 4$ (2) $-2 \le x \le 4$
02 (1) $x < -1$ 또는 $x > 3$ (2) $-2 < x < 5$
(3) $-\frac{1}{3} \le x \le 1$ (4) 모든 실수
03 (1) $x^2 - 6x + 5 < 0$ (2) $x^2 - 2x - 8 \ge 0$
04 (1) $-4 < m < 4$ (2) $-6 \le m \le 2$
05 (1) $5 < x < 8$ (2) 해는 없다.
06 (1) $k \le -3$ (2) $k \ge 1$
07 $\ge$, $>$, $>$

유형

01-1 (1) $-3 < x < 2$
(2) $x < -6$ 또는 $-2 < x < 0$ 또는 $x > 4$
01-2 $x \le -7$ 또는 $x \ge 0$
01-3 12
01-4 $-2 \le x \le 1$
01-5 $x \le a$ 또는 $x \ge c$
01-6 9
02-1 (1) $x \ne 3$인 모든 실수 (2) $x = -2$
(3) 모든 실수 (4) 해는 없다.
(5) $-3 \le x \le 1$ (6) 해는 없다.
02-2 ㄷ, ㄹ
02-3 $3\sqrt{5}$
02-4 9
02-5 12
02-6 4
03-1 4
03-2 -7
03-3 $x = -\frac{1}{4}$
03-4 $x \le 395$ 또는 $x \ge 403$
03-5 11
03-6 -8
04-1 $a < -24$ 또는 $a > 0$
04-2 2, 18
04-3 $a < -3$ 또는 $a > 1$
04-4 -4
04-5 $a < -2$ 또는 $a > 3$
04-6 12

05-1 $-2<k<4$
05-2 $\frac{1}{2}\le a\le 1$
05-3 $-3<k<5$
05-4 $-1\le k\le 2$
05-5 $-1\le k\le 3$
05-6 $-4<a\le 0$
06-1 $-4<k<4$
06-2 $-8<a<-2$
06-3 4
06-4 $a=7,\ b=-3$
06-5 2
06-6 6
07-1 $a<\frac{2}{3}$
07-2 2
07-3 7
07-4 16
07-5 $-3<a<4$
07-6 $-\frac{3}{4}<a<\frac{19}{12}$
08-1 40
08-2 9
08-3 $-4\le m\le\frac{5}{2}$
08-4 1700원
08-5 $\frac{13}{6}$초
08-6 100
09-1 (1) $-1\le x\le 2$ (2) $-1\le x<2$ 또는 $4<x\le 8$
09-2 13
09-3 22
09-4 12
09-5 -2
09-6 -6
10-1 $a\le -1$
10-2 $4<a\le 5$
10-3 $-1<x<8$
10-4 $-1<x<0$
10-5 $0<a\le 10$
10-6 $a<-4$ 또는 $a>3$
11-1 18 m
11-2 2 cm 이상 5 cm 이하
11-3 4
11-4 9
11-5 18
12-1 (1) $k\le 2$ 또는 $k\ge 5$ (2) $2<k<5$
12-2 $2\le k<5$
12-3 1
12-4 $-2<m<6$
12-5 $a\le 0$ 또는 $a\ge 4$
12-6 서로 다른 두 허근
13-1 (1) $1\le a<2$ (2) $a>2$ (3) $a\le -2$
13-2 -3
13-3 3
13-4 2
13-5 $2<k<4$
13-6 $k\le -2$
14-1 (1) $k\le -1$ (2) $k>\frac{7}{2}$
14-2 0
14-3 $k>15$
14-4 $\frac{9}{5}<a<3$
14-5 $-2<a<2$
14-6 2

실전 연습 문제

01 ④ 02 ③ 03 -3 04 -2
05 ② 06 21 07 3 08 ③
09 7 10 $2\le x\le 11$ 11 ⑤
12 $-\frac{5}{2}\le a<\frac{1}{2}$ 13 ③ 14 0
15 $-\frac{3}{2}<a<0$ 16 $3<x\le\frac{20}{3}$

상위권 도약 문제

01 ⑤ 02 ⑤ 03 ⑤ 04 ④
05 6 06 ④ 07 ① 08 15

11 평면좌표

286~312쪽

개념확인

01 (1) 5 (2) 6 (3) $\sqrt{13}$ (4) 5
02 (1) P(1) (2) Q(13)
03 (1) P(1, 5) (2) $M\left(\frac{1}{2}, \frac{9}{2}\right)$ (3) Q(5, 9)
04 (1) G(−2, 2) (2) G(2, 3)

유형

01-1 5
01-2 3
01-3 -1
01-4 3
01-5 9
01-6 $16\sqrt{5}$ m
02-1 (1) P(2, 0) (2) P(0, −1)
02-2 P(5, 7)
02-3 $P\left(\frac{5}{4}, \frac{5}{4}\right)$
02-4 $2\sqrt{2}$
02-5 (2, 3)
02-6 $\sqrt{5}$ km
03-1 66
03-2 P(0, −3)
03-3 11
03-4 P(1, 2)
03-5 3
03-6 2
04-1 정삼각형
04-2 $\angle B=90^\circ$인 직각이등변삼각형
04-3 $\angle A=90^\circ$인 직각삼각형
04-4 4
04-5 4
04-6 P(3, 9)
05-1 풀이 참조
05-2 (가) 2, (나) $a+c$, (다) $2(a^2+b^2+c^2)$, (라) $a^2+b^2+c^2$
05-3 풀이 참조
05-4 (가) 3, (나) $-2c$, (다) $3(a^2+b^2+2c^2)$, (라) $a^2+b^2+2c^2$
06-1 (−6, −3)
06-2 12
06-3 8
06-4 $P\left(0, \frac{4}{3}\right)$
06-5 10
06-6 3
07-1 C(7, 7)
07-2 2
07-3 $\frac{1}{3}<t<\frac{5}{6}$
07-4 10
07-5 C(0, 1), C(4, 3)
07-6 $12\sqrt{5}$
08-1 3
08-2 (1, −1)
08-3 8
08-4 $\left(1, \frac{2}{3}\right)$
08-5 (0, 2)
08-6 (6, 5)

09-1 $D(-4, 9)$
09-2 -2
09-3 -14
09-4 10
09-5 $C(5, 3)$, $D(0, 4)$
09-6 $3\sqrt{5}$
10-1 $D\left(\frac{77}{18}, \frac{25}{6}\right)$
10-2 $\frac{13}{3}$
10-3 $\frac{7}{3}$
10-4 $3:5$
10-5 $13:10$
10-6 13

실전 연습 문제

01 ③
02 ④
03 2
04 ③
05 $2x-y-1=0$
06 ③
07 58
08 ③
09 ③
10 -8
11 ④
12 $E(5, 0)$
13 ②
14 ④
15 ①
16 11
17 7
18 $\frac{168}{11}$

상위권 도약 문제

01 ③
02 $\frac{5}{8}$
03 16
04 53
05 ④
06 ⑤
07 ⑤

12 직선의 방정식 314~350쪽

개념확인

01 (1) $y=2x-1$ (2) $y=x+3$
02 $3x+y+6=0$
03 (1) 4 (2) $-\frac{1}{4}$
04 (1) 4 (2) $\sqrt{5}$

유형

01-1 (1) $y=3x-11$ (2) $y=2x-19$
01-2 $y=x+2$
01-3 $y=\frac{\sqrt{3}}{3}x+\sqrt{3}$
01-4 $y=2x-3$
01-5 -2
01-6 $\frac{49}{4}$
02-1 (1) $y=-\frac{5}{2}x+5$ (2) $y=4$
02-2 6
02-3 $y=\frac{1}{4}x+\frac{9}{4}$
02-4 $y=3x-10$
02-5 $y=10x+13$
02-6 16
03-1 11
03-2 8
03-3 11
03-4 -42
03-5 $y=-\frac{3}{4}x+\frac{17}{2}$
03-6 8
04-1 $y=-\frac{4}{3}x+2$
04-2 $y=x$
04-3 $-\frac{2}{3}$
04-4 $y=4x-7$
04-5 $y=2x-1$
04-6 4
05-1 제1, 3사분면
05-2 $abc>0$
05-3 (1) $ab>0$ (2) $bc<0$
05-4 제1, 2, 3사분면
05-5 제1사분면
05-6 $a^2>b^2$
06-1 $P(0, 1)$
06-2 4
06-3 $y=2x-3$
06-4 제2사분면
06-5 4
06-6 $C(4, 5)$
07-1 $1\le k\le 3$
07-2 $\frac{1}{5}<m<2$
07-3 64
07-4 $y=-2x+4$
07-5 $\frac{1}{3}\le m\le 2$
07-6 16
08-1 (1) $y=3x+6$ (2) $y=-2x$
08-2 $y=-\frac{5}{2}x-1$
08-3 8
08-4 $y=\frac{1}{2}x+2$
08-5 17
08-6 $(2, 4)$
09-1 (1) -1 (2) -4
09-2 2
09-3 -12
09-4 $\frac{7}{2}$
09-5 $\frac{14}{3}$
09-6 $\frac{9}{4}$
10-1 $y=3x-4$
10-2 2
10-3 5
10-4 $y=-\frac{3}{2}x-\frac{5}{2}$
10-5 $y=-\frac{1}{3}x+\frac{10}{3}$
10-6 $\sqrt{10}$
11-1 -12
11-2 -1, 7
11-3 -3, 2
11-4 2
11-5 $\frac{25}{2}$
11-6 $3\sqrt{5}$
12-1 12
12-2 -2, 2
12-3 2
12-4 $\frac{3\sqrt{2}}{4}$
12-5 $\frac{4}{3}$
12-6 -3
13-1 $\frac{45}{2}$
13-2 $\frac{5}{2}$
13-3 10
13-4 24
13-5 $D(2, 0)$
13-6 $y=-x+8$
14-1 $2x+y-4=0$
14-2 $x-y+2=0$
14-3 $y=2x+1$
14-4 $y=-2x+4$
14-5 $x+2y-4=0$ 또는 $11x+2y-4=0$
14-6 $y=\frac{1}{4}x^2$

유형 특강

1 (1) 10　(2) 25

2 18

실전 연습 문제

01 ④　02 $y=\frac{3}{2}x+7$　03 ②

04 ②　05 6　06 ①　07 $\frac{5}{2}$

08 ③　09 29　10 ②　11 8

12 ④　13 10　14 ④　15 ③

16 ⑤　17 $4x+2y-7=0$　18 $(2, 2)$

상위권 도약 문제

01 ③　02 ①　03 ③　04 15

05 ①　06 5　07 $\frac{96}{7}$

13 원의 방정식　352~390쪽

개념확인

01 (1) $(x-1)^2+(y+2)^2=9$　(2) $x^2+y^2=4$

02 (1) 중심의 좌표: $(-1, 3)$, 반지름의 길이: $\sqrt{10}$

(2) 중심의 좌표: $(-2, -4)$, 반지름의 길이: 5

03 (1) $(x-2)^2+(y+1)^2=1$

(2) $(x+4)^2+(y+3)^2=16$

(3) $(x+5)^2+(y-5)^2=25$

04 $(x-3)^2+y^2=1$

05 (1) 서로 다른 두 점에서 만난다.

(2) 만나지 않는다.　(3) 접한다.

06 (1) $y=-2x\pm3\sqrt{5}$　(2) $3x-4y=25$

07 $2x-y+2=0$

08 $x^2+y^2-4x+8y+3=0$

유형

01-1 (1) $x^2+y^2=20$　(2) $(x+2)^2+(y-3)^2=25$

01-2 (1) $(x+1)^2+(y-1)^2=25$

(2) $(x+3)^2+(y+2)^2=5$

01-3 45π　01-4 4

01-5 -4

01-6 $(x+2)^2+(y-3)^2=13$

02-1 (1) $(x-3)^2+y^2=9$　(2) $(x-1)^2+y^2=5$

02-2 (1) $x^2+(y+3)^2=16$　(2) $x^2+(y+1)^2=13$

02-3 (1) $(x+2)^2+(y+2)^2=18$

(2) $(x-3)^2+(y-3)^2=40$

02-4 $(x-1)^2+(y-2)^2=25$

02-5 $(x-1)^2+(y+1)^2=13$

02-6 $2\sqrt{11}$

03-1 -3　03-2 $a<-2$ 또는 $a>2$

03-3 $x^2+y^2-6x+8y=0$　03-4 $-2\le k\le 0$

03-5 4　03-6 3

04-1 $(x-5)^2+(y+4)^2=25$ 또는 $(x-1)^2+y^2=1$

04-2 $(x-1)^2+(y-1)^2=1$ 또는 $(x-5)^2+(y-5)^2=25$

04-3 $(x+4)^2+(y+1)^2=16$

04-4 $-\frac{1}{4}$

04-5 $(x+2)^2+(y+2)^2=4$　04-6 10π

05-1 $(x-2)^2+(y-4)^2=4$

05-2 $(x-5)^2+(y+3)^2=8$

05-3 $(x+2)^2+(y-3)^2=1$　05-4 4π

05-5 $(x-5)^2+y^2=25$ (단, $y\ne0$)

05-6 15

06-1 (1) $-8<k<2$　(2) $k=-8$ 또는 $k=2$

(3) $k<-8$ 또는 $k>2$

06-2 9　06-3 -9

06-4 2　06-5 4

06-6 50

07-1 6　07-2 -4

07-3 8　07-4 44π

07-5 최솟값: 6, $m=0$　07-6 -4

08-1 $\sqrt{11}$　08-2 5

08-3 -3, -1　08-4 $4\sqrt{21}$

08-5 5　08-6 $\sqrt{15}$

09-1 최댓값: 17, 최솟값: 9

09-2 최댓값: $\sqrt{5}+2$, 최솟값: $\sqrt{5}-2$

09-3 6　09-4 $\sqrt{5}$

09-5 8　09-6 $1:9$

10-1 $y=2x\pm3\sqrt{5}$　10-2 $y=x\pm4$

10-3 -55　10-4 $y=2x\pm\sqrt{5}$

10-5 $\frac{5\sqrt{2}}{2}$　10-6 $30+30\sqrt{10}$

11-1 6　11-2 $y=-\frac{1}{3}x+\frac{4}{3}$

11-3 4　11-4 -10

11-5 $\frac{27}{2}$　11-6 14

12-1 $x-2y+10=0$ 또는 $2x+y+10=0$

12-2 $y=2$ 또는 $y=\frac{24}{7}x+\frac{38}{7}$

12-3 18　12-4 $\frac{36}{7}$

12-5 $3x+4y-15=0$ 또는 $x=-3$

12-6 -8　13-1 2

13-2 35 13-3 1
13-4 3 13-5 5π
13-6 2
14-1 (1) $4x-3y-6=0$ (2) 3 (3) 4
14-2 $\sqrt{2}$ 14-3 $2\sqrt{5}$
14-4 9π 14-5 $2\sqrt{6}$
14-6 -8
15-1 $4\sqrt{2}$ 15-2 $2\sqrt{2}$
15-3 3 15-4 2

실전 연습 문제

01 ② 02 ③ 03 ④ 04 $6\sqrt{5}$
05 ④ 06 $m<-\frac{7}{24}$
07 $(x-1)^2+(y-1)^2=8$ 08 ③ 09 ②
10 ⑤ 11 12 12 ③ 13 13
14 $y=-1$ 또는 $3x+4y-5=0$ 15 $10\sqrt{2}$
16 ④ 17 ② 18 -18

상위권 도약 문제

01 $x^2+(y-2\sqrt{3})^2=12$ 02 $8x-10y+9=0$
03 200 04 ⑤ 05 $2\sqrt{17}$ 06 ⑤
07 $\frac{216}{13}$ 08 $\sqrt{26}$

14 도형의 이동 392~416쪽

개념확인

01 (1) $(2,\ -3)$ (2) $(-3,\ -2)$
02 (1) $2x-y+8=0$ (2) $(x+1)^2+(y-2)^2=4$
(3) $y=(x+1)^2+2$
03 (1) $(5,\ 3)$ (2) $(-5,\ -3)$
(3) $(-5,\ 3)$ (4) $(-3,\ 5)$
04 (1) $3x+y+1=0$ (2) $3x+y-1=0$
(3) $3x-y-1=0$ (4) $x-3y-1=0$
05 (1) $(3,\ 3)$ (2) $(2,\ -1)$
06 $(5,\ 4)$

유형

01-1 2 01-2 $(-4,\ 4)$
01-3 1 01-4 2
01-5 4 01-6 $(7,\ -3)$
02-1 1 02-2 -4
02-3 0 02-4 -8
02-5 -1 02-6 14
03-1 ㄴ, ㄷ
03-2 $a=5,\ b=-3,\ c=-3$
03-3 5 03-4 4
03-5 -1 03-6 17
04-1 9 04-2 -2
04-3 $(4,\ 3)$ 04-4 6
04-5 제4사분면 04-6 23
05-1 1 05-2 1
05-3 5
05-4 $2x-y+5=0$ 또는 $2x-y-5=0$
05-5 -2 05-6 -7
06-1 3 06-2 -12
06-3 1 06-4 14
06-5 2 06-6 -7
07-1 3
07-2 $(x-8)^2+(y-1)^2=9$
07-3 5 07-4 16
07-5 -10 07-6 -2
08-1 $(0,\ 6)$
08-2 $(x-2)^2+(y+5)^2=1$
08-3 $\frac{1}{4}$ 08-4 $a=2,\ b=10$
08-5 $\sqrt{3}$ 08-6 3
09-1 10 09-2 $\sqrt{26}$
09-3 $(4,\ 0)$ 09-4 1
09-5 $7\sqrt{2}$ 09-6 $2\sqrt{10}$

실전 연습 문제

01 ② 02 $(-6,\ 14)$ 03 ②
04 ① 05 $2\sqrt{7}$ 06 ④ 07 $5\sqrt{2}$
08 ① 09 ⑤ 10 $6\sqrt{2}-4$ 11 ③
12 -5 13 ⑤ 14 ① 15 63
16 $(3,\ -2)$ 17 $\sqrt{58}$ 18 12

상위권 도약 문제

01 ③ 02 1 03 ③ 04 0
05 ③ 06 ① 07 ④

고등 풍산자와 함께하면
개념부터 ~ 고난도 문제까지!

어떤 시험 문제도 익숙해집니다!

고등 풍산자 1등급 로드맵

고등 풍산자 교재	하	중하	중	상	최상
개념 기본서 1위 (풍산자 수학(상))	필수 문제로 개념 정복, 개념 학습 완성				
유형 기본서 (풍산자 유형기본서 수학(상))	개념 정리부터 유형까지 모두 정복, 유형 학습 완성				
기초 반복 훈련서 (풍산자 반복수학)	개념 및 기본 연산 정복, 기본 실력 완성				
기본 유형 연습서 (풍산자 라이트 유형)	기본 및 대표 유형 연습, 중위권 실력 완성				
유형서 만족도 1위 (풍산자 필수유형)			기출 문제로 유형 정복, 시험 준비 완료		
상위권 필독서 (풍산자 일등급 유형)			내신과 수능 1등급 도전, 상위권 실력 완성		
단기 특강서 (풍산자 라이트)		개념 및 기본 체크, 단기 실력 점검			

강남구청 인터넷수능방송 강의교재

유형 학습 비법서

풍산자

유형기본서

수학(상)

발 행 인 권준구
발 행 처 (주)지학사 (등록번호 : 1957.3.18 제 13-11호) 04056 서울시 마포구 신촌로6길 5
발 행 일 2021년 11월 10일 [초판 1쇄]
구입 문의 TEL 02-330-5300 | FAX 02-325-8010 구입 후에는 철회되지 않으며, 잘못된 제품은 구입처에서 교환해 드립니다.
내용 문의 www.jihak.co.kr 전화번호는 홈페이지 〈고객센터 → 담당자 안내〉에 있습니다.

문제의 핵심을 알려주는
유형 학습 비법서

풍산자

유형기본서

수학(상)

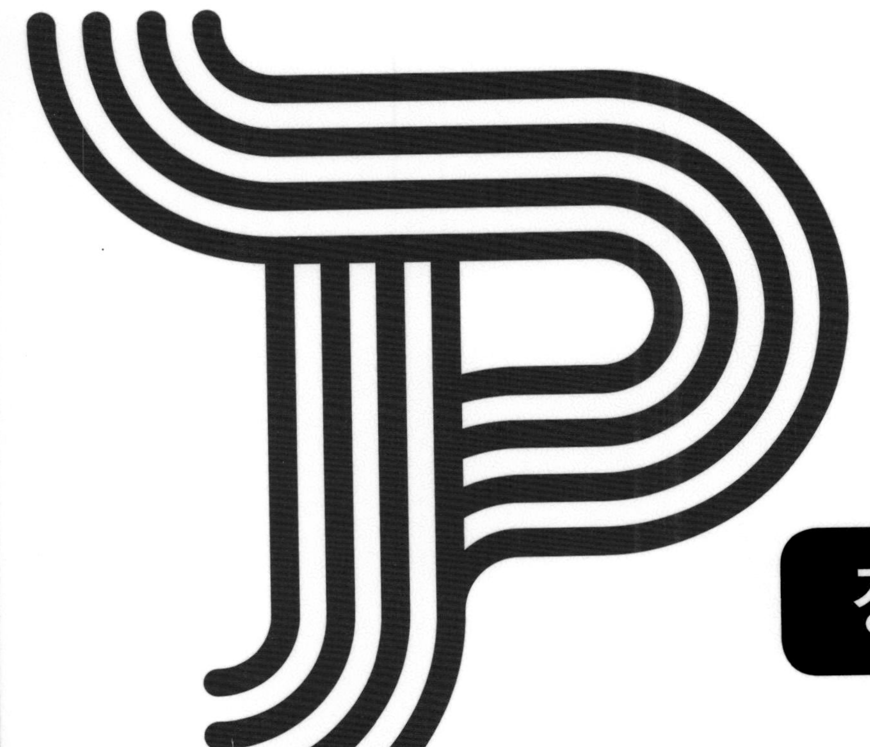

정답과 풀이

지학사

풍산자

유형기본서

수학(상)

정답과 풀이

다항식의 연산

개념확인 8~11쪽

01 답 (1) $\boldsymbol{2x^2+xy-y^2-3y+5}$

(2) $\boldsymbol{2x^2+5+(x-3)y-y^2}$

02 답 (1) $\boldsymbol{3x^2-2x}$ (2) $\boldsymbol{x^2+4x-2}$

(2) $A-B=(2x^2+x-1)-(x^2-3x+1)$

$=2x^2+x-1-x^2+3x-1$

$=2x^2-x^2+x+3x-1-1$

$=x^2+4x-2$

03 답 (1) $\boldsymbol{6x^3-12x^2+3x}$

(2) $\boldsymbol{2x^3+x^2y-7xy^2+3y^3}$

(2) $(2x-y)(x^2+xy-3y^2)$

$=2x(x^2+xy-3y^2)-y(x^2+xy-3y^2)$

$=2x^3+2x^2y-6xy^2-x^2y-xy^2+3y^3$

$=2x^3+2x^2y-x^2y-6xy^2-xy^2+3y^3$

$=2x^3+x^2y-7xy^2+3y^3$

04 답 (1) $\boldsymbol{x^2+6x+9}$

(2) $\boldsymbol{6x^2-7x+2}$

(3) $\boldsymbol{x^2+y^2+2xy-2x-2y+1}$

(4) $\boldsymbol{x^3-6x^2+12x-8}$

(5) $\boldsymbol{x^3+27}$

05 답 (1) **13** (2) **19**

(1) $a^2+b^2=(a+b)^2-2ab$

$=1^2-2\times(-6)=13$

(2) $a^3+b^3=(a+b)^3-3ab(a+b)$

$=1^3-3\times(-6)\times1$

$=19$

06 답 **11**

$a^2+b^2+c^2=(a+b+c)^2-2(ab+bc+ca)$

$=3^2-2\times(-1)$

$=11$

07 답 (1) **14** (2) **52**

(1) $x^2+\dfrac{1}{x^2}=\left(x+\dfrac{1}{x}\right)^2-2$

$=4^2-2=14$

(2) $x^3+\dfrac{1}{x^3}=\left(x+\dfrac{1}{x}\right)^3-3\left(x+\dfrac{1}{x}\right)$

$=4^3-3\times4$

$=52$

08 답 (1) 몫: $\boldsymbol{x^2+5x-5}$, 나머지: **3**

(2) 몫: $\boldsymbol{2x+2}$, 나머지: $\boldsymbol{-9x-1}$

(1)

$$
\begin{array}{r}
x^2+5x-5 \\
x+1\,\overline{)\,x^3+6x^2\qquad\ -2} \\
x^3+\ x^2\qquad\qquad \\
\hline
5x^2\qquad\quad \\
5x^2+5x\quad \\
\hline
-5x-2 \\
-5x-5 \\
\hline
3
\end{array}
$$

따라서 구하는 몫은 x^2+5x-5, 나머지는 3이다.

(2)

$$
\begin{array}{r}
2x+2\qquad \\
x^2+2x\,\overline{)\,2x^3+6x^2-5x-1} \\
2x^3+4x^2\qquad\quad \\
\hline
2x^2-5x\quad \\
2x^2+4x\quad \\
\hline
-9x-1
\end{array}
$$

따라서 구하는 몫은 $2x+2$, 나머지는 $-9x-1$이다.

09 답 (1) $\boldsymbol{x^3+2x^2-4x+3=(x-1)(x^2+3x-1)+2}$

(2) $\boldsymbol{6x^3-3x^2-x+3=(3x^2+2)(2x-1)-5x+5}$

(1)

$$
\begin{array}{r}
x^2+3x-1\quad \\
x-1\,\overline{)\,x^3+2x^2-4x+3} \\
x^3-\ x^2\qquad\qquad \\
\hline
3x^2-4x\quad \\
3x^2-3x\quad \\
\hline
-\ x+3 \\
-\ x+1 \\
\hline
2
\end{array}
$$

$\therefore\ x^3+2x^2-4x+3=(x-1)(x^2+3x-1)+2$

(2)

$$
\begin{array}{r}
2x-1\qquad\quad \\
3x^2+2\,\overline{)\,6x^3-3x^2-\ x+3} \\
6x^3\qquad\ +4x\quad \\
\hline
-3x^2-5x+3 \\
-3x^2\qquad\ -2 \\
\hline
-5x+5
\end{array}
$$

$\therefore\ 6x^3-3x^2-x+3$

$=(3x^2+2)(2x-1)-5x+5$

필수유형 01

13쪽

01-1 답 (1) $-x^2-2xy+8y^2$

(2) $4x^2-13xy+13y^2$

해결전략 | 구하려는 식을 간단히 한 후, A, B를 대입하여 동류항끼리 계산한다.

(1) $A+B$

$=(x^2-5xy+7y^2)+(-2x^2+3xy+y^2)$

$=x^2-2x^2-5xy+3xy+7y^2+y^2$

$=-x^2-2xy+8y^2$

(2) $2(A-B)+B$

$=2A-2B+B$

$=2A-B$

$=2(x^2-5xy+7y^2)-(-2x^2+3xy+y^2)$

$=2x^2-10xy+14y^2+2x^2-3xy-y^2$

$=2x^2+2x^2-10xy-3xy+14y^2-y^2$

$=4x^2-13xy+13y^2$

01-2 답 $-3x^3+7x-4$

해결전략 | 주어진 식을 간단히 한 후, A, B, C를 대입한다.

STEP 1 주어진 식을 간단히 하기

$A-\{B-2(A+C)\}=A-(B-2A-2C)$

$=A-B+2A+2C$

$=3A-B+2C$

STEP 2 A, B, C를 대입하기

$\therefore 3A-B+2C$

$=3(-x^3+x^2-x+2)-(2x^3-x^2-2x+12)$
$+2(x^3-2x^2+4x+1)$

$=-3x^3+3x^2-3x+6-2x^3+x^2+2x-12$
$+2x^3-4x^2+8x+2$

$=-3x^3-2x^3+2x^3+3x^2+x^2-4x^2$
$-3x+2x+8x+6-12+2$

$=-3x^3+7x-4$

01-3 답 $2x^2-x-4$

해결전략 | 주어진 등식을 변형하여 X를 A, B에 대한 식으로 나타낸다.

STEP 1 주어진 등식을 변형하여 X를 A, B에 대한 식으로 나타내기

$2X+A=2A+B$에서 $2X=A+B$

$\therefore X=\frac{1}{2}(A+B)$

STEP 2 A, B를 대입하기

$\therefore X=\frac{1}{2}(A+B)$

$=\frac{1}{2}\{(x^2-6x-8)+(3x^2+4x)\}$

$=\frac{1}{2}(4x^2-2x-8)$

$=2x^2-x-4$

01-4 답 $A=3x^2+2xy-y^2$, $B=-x^2-3xy+2y^2$

해결전략 | 주어진 두 식을 연립하여 다항식 A, B를 각각 구한다.

$A+B=2x^2-xy+y^2$ …… ㉠

$A-B=4x^2+5xy-3y^2$ …… ㉡

㉠+㉡을 하면

$2A=6x^2+4xy-2y^2$

$\therefore A=3x^2+2xy-y^2$

㉠−㉡을 하면

$2B=-2x^2-6xy+4y^2$

$\therefore B=-x^2-3xy+2y^2$

01-5 답 $2x^2+2xy-4y^2$

해결전략 | 주어진 세 식의 양변을 각각 더하여 $A+B+C$를 구한다.

$A+B=x^2+2xy-3y^2$ …… ㉠

$B+C=2x^2-4xy+3y^2$ …… ㉡

$C+A=x^2+6xy-8y^2$ …… ㉢

㉠+㉡+㉢을 하면

$2(A+B+C)=4x^2+4xy-8y^2$

$\therefore A+B+C=2x^2+2xy-4y^2$

01-6 답 x^3+3x^2-6x

해결전략 | $2A+B$, $A-2B$의 등식을 연립하여 다항식 A, B를 각각 구한 후, $X-B=2(A-B)$를 변형하여 X를 A, B에 대한 식으로 나타낸다.

STEP 1 두 식을 연립하여 다항식 A, B 구하기

$2A+B=3x^3+x^2-2x+4$ …… ㉠

$A-2B=-x^3+3x^2-6x-3$ …… ㉡

㉠−2×㉡을 하면

$5B=5x^3-5x^2+10x+10$

$\therefore B=x^3-x^2+2x+2$ …… ㉢

㉢을 ㉠에 대입하면

$2A+(x^3-x^2+2x+2)=3x^3+x^2-2x+4$

$2A=3x^3+x^2-2x+4-(x^3-x^2+2x+2)$
$=3x^3+x^2-2x+4-x^3+x^2-2x-2$
$=2x^3+2x^2-4x+2$
$\therefore A=x^3+x^2-2x+1$
STEP 2 **X를 A, B에 대한 식으로 나타내고, A, B를 대입하기**
$X-B=2(A-B)$에서
$X=2A-2B+B=2A-B$
$\therefore X=2A-B$
$=2(x^3+x^2-2x+1)-(x^3-x^2+2x+2)$
$=2x^3+2x^2-4x+2-x^3+x^2-2x-2$
$=x^3+3x^2-6x$

필수유형 02 15쪽

02-1 답 10

해결전략 | x항이 나오는 경우만 전개하여 x의 계수를 구한다.
STEP 1 **x항이 나오는 경우 구하기**
$(x+3)(x^2+2x+4)$의 전개식에서 x항이 나오는 경우는
(i) (x항)×(상수항) ⇨ $x\times4=4x$
(ii) (상수항)×(x항) ⇨ $3\times2x=6x$
STEP 2 **x의 계수 구하기**
따라서 x의 계수는 $4+6=10$
다른 풀이
STEP 1 **주어진 식을 전개하기**
$(x+3)(x^2+2x+4)$
$=x(x^2+2x+4)+3(x^2+2x+4)$
$=x^3+2x^2+4x+3x^2+6x+12$
$=x^3+5x^2+10x+12$
STEP 2 **x의 계수 구하기**
따라서 x의 계수는 10이다.

02-2 답 (1) -13 (2) -11

해결전략 | 특정한 항이 나오는 경우만 전개하여 특정한 항의 계수를 구한다.
$(2x^2-5x+1)(3x^2+2x-3)$의 전개식에서
(1) STEP 1 **x^2항이 나오는 경우 구하기**
x^2항이 나오는 경우는
(i) (x^2항)×(상수항) ⇨ $2x^2\times(-3)=-6x^2$
(ii) (x항)×(x항) ⇨ $(-5x)\times2x=-10x^2$
(iii) (상수항)×(x^2항) ⇨ $1\times3x^2=3x^2$
STEP 2 **x^2의 계수 구하기**
따라서 x^2의 계수는 $-6-10+3=-13$
(2) STEP 1 **x^3항이 나오는 경우 구하기**
x^3항이 나오는 경우는
(i) (x^2항)×(x항) ⇨ $2x^2\times2x=4x^3$
(ii) (x항)×(x^2항) ⇨ $(-5x)\times3x^2=-15x^3$
STEP 2 **x^3의 계수 구하기**
따라서 x^3의 계수는 $4-15=-11$

02-3 답 14

해결전략 | 특정한 항이 나오는 경우만 전개하여 특정한 항의 계수를 구한다.
STEP 1 **x^3항이 나오는 경우만 전개하기**
$(2x^3-x^2-5x+6)(x^2-4x+3)$의 전개식에서
(i) x^3항은
$2x^3\times3+(-x^2)\times(-4x)+(-5x)\times x^2$
$=6x^3+4x^3-5x^3=5x^3$
STEP 2 **x^4항이 나오는 경우만 전개하기**
(ii) x^4항은
$2x^3\times(-4x)+(-x^2)\times x^2=-8x^4-x^4=-9x^4$
STEP 3 **$a-b$의 값 구하기**
따라서 $a=5$, $b=-9$이므로 $a-b=5-(-9)=14$

02-4 답 1

해결전략 | x항이 나오는 경우만 전개하여 구한 x의 계수가 7임을 이용한다.
STEP 1 **x항이 나오는 경우만 전개하기**
$(2x^2+3x+a)(3x^2-5x+4)$의 전개식에서 x항은
$3x\times4+a\times(-5x)=(12-5a)x$
STEP 2 **a의 값 구하기**
이때 x의 계수가 7이므로
$12-5a=7$ $\therefore a=1$

02-5 답 3

해결전략 | x^2항이 나오는 경우만 따져 보고, 각각의 경우에서 구한 x^2의 계수의 총합이 -11임을 이용한다.
STEP 1 **x^2항이 나오는 경우 구하기**
$(x-a)(x+a-1)(2x-3a)$의 전개식에서 x^2항이 나오는 경우는
(i) (x항)×(x항)×(상수항)
⇨ $x\times x\times(-3a)=-3ax^2$
(ii) (x항)×(상수항)×(x항)
⇨ $x\times(a-1)\times2x=2(a-1)x^2$

(iii) (상수항)×(x항)×(x항)

⇨ $(-a)\times x\times 2x=-2ax^2$

STEP 2 x^2의 계수 구하기

따라서 x^2의 계수는

$-3a+2(a-1)-2a=-3a-2$

STEP 3 a의 값 구하기

이때 x^2의 계수가 -11이므로

$-3a-2=-11 \qquad \therefore a=3$

02-6 답 **35**

해결전략 | x^4항이 나오는 경우만 전개하여 x^4의 계수를 구한다.

$(1+2x+3x^2+\cdots+10x^9)^2$

$=(1+2x+3x^2+\cdots+10x^9)(1+2x+3x^2+\cdots+10x^9)$

의 전개식에서 x^4항은

$1\times 5x^4+2x\times 4x^3+3x^2\times 3x^2+4x^3\times 2x+5x^4\times 1$

$=5x^4+8x^4+9x^4+8x^4+5x^4$

$=35x^4$

따라서 x^4의 계수는 35이다.

> 풍쌤의 비법
>
> $(1+2x+3x^2+\cdots+10x^9)^2$을 전개할 때, $6x^5$, $7x^6$, $\cdots$, $10x^9$항은 x^4의 계수에 영향을 주지 않으므로 $(1+2x+3x^2+4x^3+5x^4)^2$의 전개식에서 x^4의 계수를 구해도 된다.

필수유형 03

17쪽

03-1 답 (1) $\boldsymbol{a^2+b^2+c^2-2ab+2bc-2ca}$

(2) $\boldsymbol{a^3+6a^2b+12ab^2+8b^3}$

(3) $\boldsymbol{125x^3-y^3}$

(4) $\boldsymbol{x^4+x^2+1}$

해결전략 | 곱셈 공식을 이용하여 식을 전개하고 간단히 정리한다.

(1) $(a-b-c)^2=a^2+b^2+c^2-2ab+2bc-2ca$

(2) $(a+2b)^3$

$=a^3+3\times a^2\times 2b+3\times a\times(2b)^2+(2b)^3$

$=a^3+6a^2b+12ab^2+8b^3$

(3) $(5x-y)(25x^2+5xy+y^2)=(5x)^3-y^3$

$=125x^3-y^3$

(4) $(x^2+x+1)(x^2-x+1)=x^4+x^2+1$

03-2 답 (1) $\boldsymbol{x^3-9x^2+23x-15}$

(2) $\boldsymbol{x^3+3x^2-6x-8}$

(3) $\boldsymbol{x^3y^3-1}$

(4) $\boldsymbol{a^3+b^3-c^3-3abc}$

해결전략 | 곱셈 공식을 이용하여 식을 전개하고 간단히 정리한다.

(1) $(x-1)(x-3)(x-5)$

$=x^3+\{(-1)+(-3)+(-5)\}x^2$

$+\{(-1)\times(-3)+(-3)\times(-5)$

$+(-5)\times(-1)\}x+(-1)\times(-3)\times(-5)$

$=x^3-9x^2+23x-15$

(2) $(x+1)(x-2)(x+4)$

$=x^3+\{1+(-2)+4\}x^2$

$+\{1\times(-2)+(-2)\times 4+4\times 1\}x$

$+1\times(-2)\times 4$

$=x^3+3x^2-6x-8$

(3) $(xy-1)(x^2y^2+xy+1)=(xy)^3-1^3$

$=x^3y^3-1$

(4) $(a+b-c)(a^2+b^2+c^2-ab+bc+ca)$

$=\{a+b+(-c)\}\{a^2+b^2+(-c)^2-ab-b\times(-c)$

$-(-c)\times a\}$

$=a^3+b^3+(-c)^3+3\times a\times b\times(-c)$

$=a^3+b^3-c^3-3abc$

03-3 답 (1) $\boldsymbol{8a^2-8b^2-10a-2b+3}$

(2) $\boldsymbol{6x^2+12x+35}$

해결전략 | 곱셈 공식을 이용하여 식을 전개하고 간단히 정리한다.

(1) $(3a-b-2)^2-(-a+3b+1)^2$

$=9a^2+b^2+4-6ab+4b-12a$

$-(a^2+9b^2+1-6ab+6b-2a)$

$=8a^2-8b^2-10a-2b+3$

(2) $(x+2)^3-(x-3)(x^2+3x+9)$

$=x^3+3\times x^2\times 2+3\times x\times 2^2+2^3-(x^3-3^3)$

$=x^3+6x^2+12x+8-x^3+27$

$=6x^2+12x+35$

03-4 답 **2**

해결전략 | 곱셈 공식을 이용하여 식을 전개하고, x의 계수가 46임을 이용하여 상수 a의 값을 구한다.

STEP 1 곱셈 공식을 이용하여 식을 전개하기

$(ax-3)^3+(x-4)^2$
$=a^3x^3-9a^2x^2+27ax-27+x^2-8x+16$
$=a^3x^3+(1-9a^2)x^2+(27a-8)x-11$

STEP 2 x의 계수가 46임을 이용하여 a의 값 구하기

이때 x의 계수가 46이므로

$27a-8=46,\ 27a=54 \qquad \therefore a=2$

03-5 답 **15**

해결전략 | 곱셈 공식을 이용하여 식을 전개하고, x^2과 x^3의 계수를 구한다.

STEP 1 $(2x-1)^2$, $(x+2)^3$을 각각 전개하기

$(2x-1)^2(x+2)^3$
$=(4x^2-4x+1)(x^3+6x^2+12x+8)$ …… ㉠

STEP 2 x^2항이 나오는 경우만 전개하기

㉠의 전개식에서 x^2항은

$4x^2\times 8-4x\times 12x+1\times 6x^2=32x^2-48x^2+6x^2$
$=-10x^2$

STEP 3 x^3항이 나오는 경우만 전개하기

㉠의 전개식에서 x^3항은

$4x^2\times 12x-4x\times 6x^2+1\times x^3=48x^3-24x^3+x^3$
$=25x^3$

STEP 4 $a+b$의 값 구하기

따라서 $a=-10$, $b=25$이므로 $a+b=-10+25=15$

03-6 답 ①

해결전략 | A와 B를 x에 대한 식으로 나타내고 곱셈 공식을 이용하여 $A+B$를 간단히 한다.

STEP 1 A, B 구하기

한 모서리의 길이가 $x-1$인 정육면체의 부피 A는

$A=(x-1)^3$

한 모서리의 길이가 $x+1$인 정육면체의 부피 B는

$B=(x+1)^3$

STEP 2 곱셈 공식을 이용하여 $A+B$를 간단히 하기

$\therefore A+B=(x-1)^3+(x+1)^3$
$=x^3-3x^2+3x-1+x^3+3x^2+3x+1$
$=2x^3+6x$

필수유형 04

19쪽

04-1 답 (1) x^8-y^8
(2) $x^6-12x^4+48x^2-64$
(3) $x^9+3x^6+3x^3+1$

해결전략 | 곱셈 공식을 적용할 수 있는 부분만 먼저 전개한다.

(1) $(x-y)(x+y)(x^2+y^2)(x^4+y^4)$
$=(x^2-y^2)(x^2+y^2)(x^4+y^4)$
$=(x^4-y^4)(x^4+y^4)$
$=x^8-y^8$

(2) $(x+2)^3(x-2)^3=\{(x+2)(x-2)\}^3$
$=(x^2-4)^3$
$=x^6-12x^4+48x^2-64$

(3) $(x+1)^3(x^2-x+1)^3$
$=\{(x+1)(x^2-x+1)\}^3$
$=(x^3+1)^3$
$=(x^3)^3+3(x^3)^2+3x^3+1$
$=x^9+3x^6+3x^3+1$

04-2 답 (1) $x^2-y^2+2yz-z^2$
(2) $x^4+6x^3+8x^2-3x-6$
(3) $x^4-2x^3+x^2-4$

해결전략 | 공통부분이 나오도록 식을 변형한 후, 공통부분을 한 문자로 치환한다.

(1) $(x-y+z)(x+y-z)$
$=\{x-(y-z)\}\{x+(y-z)\}$ ← $y-z=X$로 치환한다.
$=(x-X)(x+X)$
$=x^2-X^2$ ← X 대신 $y-z$를 대입한다.
$=x^2-(y-z)^2$
$=x^2-(y^2-2yz+z^2)$
$=x^2-y^2+2yz-z^2$

(2) $(x^2+3x+2)(x^2+3x-3)$ ← $x^2+3x=X$로 치환한다.
$=(X+2)(X-3)$
$=X^2-X-6$ ← X 대신 x^2+3x를 대입한다.
$=(x^2+3x)^2-(x^2+3x)-6$
$=x^4+6x^3+9x^2-x^2-3x-6$
$=x^4+6x^3+8x^2-3x-6$

(3) $(x+1)(x-2)(x^2-x+2)$
$=(x^2-x-2)(x^2-x+2)$ ← $x^2-x=X$로 치환한다.
$=(X-2)(X+2)$
$=X^2-4$ ← X 대신 x^2-x를 대입한다.
$=(x^2-x)^2-4$
$=x^4-2x^3+x^2-4$

04-3 답 (1) $x^4+2x^3-7x^2-8x+12$
(2) $x^4+10x^3+25x^2-36$
(3) $x^4+8x^3-x^2-68x+60$

해결전략 | 4개의 일차식이 곱해져 있는 경우는 공통부분이 생기도록 2개씩 묶어 전개한다.

(1) $(x-1)(x-2)(x+2)(x+3)$

$=\{(x-1)(x+2)\}\{(x-2)(x+3)\}$

$=(x^2+x-2)(x^2+x-6)$ ← $x^2+x=X$로 치환한다.

$=(X-2)(X-6)$

$=X^2-8X+12$ ← X 대신 x^2+x를 대입한다.

$=(x^2+x)^2-8(x^2+x)+12$

$=x^4+2x^3+x^2-8x^2-8x+12$

$=x^4+2x^3-7x^2-8x+12$

(2) $(x-1)(x+2)(x+3)(x+6)$

$=\{(x-1)(x+6)\}\{(x+2)(x+3)\}$

$=(x^2+5x-6)(x^2+5x+6)$ ← $x^2+5x=X$로 치환한다.

$=(X-6)(X+6)$

$=X^2-36$ ← X 대신 x^2+5x를 대입한다.

$=(x^2+5x)^2-36$

$=x^4+10x^3+25x^2-36$

(3) $(x-1)(x-2)(x+5)(x+6)$

$=\{(x-1)(x+5)\}\{(x-2)(x+6)\}$

$=(x^2+4x-5)(x^2+4x-12)$ ← $x^2+4x=X$로 치환한다.

$=(X-5)(X-12)$

$=X^2-17X+60$ ← X 대신 x^2+4x를 대입한다.

$=(x^2+4x)^2-17(x^2+4x)+60$

$=x^4+8x^3+16x^2-17x^2-68x+60$

$=x^4+8x^3-x^2-68x+60$

풍쌤의 비법

4개의 일차식이 곱해져 있는 ( )( )( )( )의 꼴의 전개는 일반적으로

① 두 일차식의 상수항의 합이 같도록 둘씩 짝을 지어 전개한다.

② 공통부분을 치환하여 전개한다.

04-4 답 x^8+x^4+1

해결전략 | 곱셈 공식을 적용할 수 있는 부분을 먼저 전개한 후, 공통부분을 한 문자로 치환한다.

$(x^2+x+1)(x^2-x+1)(x^4-x^2+1)$

$=(x^4+x^2+1)(x^4-x^2+1)$ ← $x^4+1=X$로 치환한다.

$=(X+x^2)(X-x^2)$

$=X^2-x^4$ ← X 대신 x^4+1을 대입한다.

$=(x^4+1)^2-x^4$

$=x^8+2x^4+1-x^4$

$=x^8+x^4+1$

풍쌤의 비법

$(x^4+x^2+1)(x^4-x^2+1)$을 전개할 때,

$x^2=a$, $1=b$로 생각하여 곱셈 공식

$(a^2+ab+b^2)(a^2-ab+b^2)=a^4+a^2b^2+b^4$을 적용하여

$(x^2)^4+(x^2)^2\times1^2+1^4=x^8+x^4+1$로 전개할 수도 있다.

04-5 답 x^6-y^6

해결전략 | $x^2-y^2=(x+y)(x-y)$이므로 곱셈 공식을 이용할 수 있도록 2개씩 묶어 전개한다.

$(x^2-y^2)(x^2+xy+y^2)(x^2-xy+y^2)$

$=(x+y)(x-y)(x^2+xy+y^2)(x^2-xy+y^2)$

$=\{(x-y)(x^2+xy+y^2)\}\{(x+y)(x^2-xy+y^2)\}$

$=(x^3-y^3)(x^3+y^3)$

$=(x^3)^2-(y^3)^2$

$=x^6-y^6$

04-6 답 -38

해결전략 | 먼저 4개의 일차식이 곱해져 있는 식에서 공통부분이 생기도록 2개씩 묶어 전개한다.

STEP 1 $(x-1)(x-2)(x-4)(x-5)$에서 공통부분이 생기도록 2개씩 묶어 전개하기

$(x-1)(x-2)(x-4)(x-5)$

$=\{(x-1)(x-5)\}\{(x-2)(x-4)\}$

$=(x^2-6x+5)(x^2-6x+8)$ ← $x^2-6x=X$로 치환한다.

$=(X+5)(X+8)$

$=X^2+13X+40$ ← X 대신 x^2-6x를 대입한다.

$=(x^2-6x)^2+13(x^2-6x)+40$

$=x^4-12x^3+36x^2+13x^2-78x+40$

$=x^4-12x^3+49x^2-78x+40$

STEP 2 STEP 1에서 구한 전개식을 주어진 식에 대입하여 동류항끼리 모아서 간단히 정리하기

$\therefore (x-1)(x-2)(x-4)(x-5)-3x^2+6x-12$

$=x^4-12x^3+49x^2-78x+40-3x^2+6x-12$

$=x^4-12x^3+46x^2-72x+28$

STEP 3 $a+b+c$의 값 구하기

따라서 $a=-12$, $b=46$, $c=-72$이므로

$a+b+c=(-12)+46+(-72)=-38$

필수유형 05 　　21쪽

05-1 답 $m=8$, $n=8$

해결전략 | 주어진 식에 $(6-5)$를 곱하고, 곱셈 공식 $(a+b)(a-b)=a^2-b^2$을 이용한다.

주어진 식에 $(6-5)$를 곱하면

$(6-5)(6+5)(6^2+5^2)(6^4+5^4)$
$=(6^2-5^2)(6^2+5^2)(6^4+5^4)$
$=(6^4-5^4)(6^4+5^4)$
$=6^8-5^8$
$\therefore m=8, n=8$

05-2 답 6

해결전략 | $99=100-1$로 생각하고 곱셈 공식 $(a-b)(a^2+ab+b^2)=a^3-b^3$을 이용한다.

$99\times(10000+100+1)=(100-1)(100^2+100+1)$
$=100^3-1$
$=10^6-1$
$\therefore m=6$

05-3 답 36

해결전략 | 곱셈 공식을 이용하여 식을 전개한 후 $x^3=10$을 대입한다.

$(x+2)(x-2)(x^2+2x+4)(x^2-2x+4)$
$=\{(x+2)(x^2-2x+4)\}\{(x-2)(x^2+2x+4)\}$
$=(x^3+2^3)(x^3-2^3)$ ← $x^3=10$
$=(10+8)(10-8)$
$=18\times2=36$

05-4 답 131

해결전략 | 주어진 식의 좌변에 $(4-1)$을 곱하고, 곱셈 공식 $(a+b)(a-b)=a^2-b^2$을 이용한다.

STEP 1 주어진 식의 좌변에 $(4-1)$을 곱하여 정리하기

주어진 식의 좌변에 $(4-1)$을 곱하면

$(4-1)(4+1)(4^2+1)(4^4+1)(4^8+1)\cdots(4^{64}+1)$
$=(4^2-1)(4^2+1)(4^4+1)(4^8+1)\cdots(4^{64}+1)$
$=(4^4-1)(4^4+1)(4^8+1)\cdots(4^{64}+1)$
$=(4^8-1)(4^8+1)(4^{16}+1)\cdots(4^{64}+1)$
$=(4^{16}-1)(4^{16}+1)(4^{32}+1)(4^{64}+1)$
$=(4^{32}-1)(4^{32}+1)(4^{64}+1)$
$=(4^{64}-1)(4^{64}+1)$
$=4^{128}-1$

STEP 2 주어진 식의 우변의 값 구하기

$\therefore$ (좌변)$=\frac{1}{3}(4^{128}-1)$

STEP 3 $a+b$의 값 구하기

따라서 $a=3$, $b=128$이므로

$a+b=3+128=131$

05-5 답 2023

해결전략 | 곱셈 공식을 이용할 수 있도록 2023, 2021을 2022를 이용하여 변형한다.

$\frac{2023\times(2022^2-2022+1)}{2021\times2022+1}$ ← $2023=2022+1$, $2021=2022-1$
$=\frac{(2022+1)(2022^2-2022+1)}{(2022-1)\times2022+1}$
$=\frac{(2022+1)(2022^2-2022+1)}{2022^2-2022+1}$
$=2022+1=2023$

05-6 답 6

해결전략 | 곱셈 공식을 이용할 수 있도록 주어진 수를 변형한다.

$103^2+499\times501$
$=(100+3)^2+(500-1)\times(500+1)$
$=100^2+6\times100+9+500^2-1$
$=10000+600+9+250000-1$
$=260608$

따라서 주어진 수는 여섯 자리의 자연수이므로

$n=6$

필수유형 06 　　23쪽

06-1 답 (1) 4 　(2) 63 　(3) 5

해결전략 | (1) 먼저 xy의 값을 구한다.
(2), (3) $x-y$, xy의 값을 이용할 수 있도록 곱셈 공식을 적절히 변형한다.

$x-y=3$, $x^2+y^2=17$이므로

(1) $(x-y)^2=x^2-2xy+y^2$에서
$3^2=17-2xy$ 　$\therefore xy=4$

(2) $x^3-y^3=(x-y)^3+3xy(x-y)$ ← (1)에서 $xy=4$
$=3^3+3\times4\times3=63$

(3) $(x+y)^2=(x-y)^2+4xy=3^2+4\times4=25$
$\therefore x+y=5$ ($\because x>0, y>0$)

> 참고 $x=4$, $y=1$이다.

06-2 답 (1) 11 (2) 36 (3) $\sqrt{13}$

해결전략 | $x-\frac{1}{x}$의 값을 이용할 수 있도록 곱셈 공식을 적절히 변형한다.

(1) $x^2+\frac{1}{x^2}=\left(x-\frac{1}{x}\right)^2+2=3^2+2=11$

(2) $x^3-\frac{1}{x^3}=\left(x-\frac{1}{x}\right)^3+3\left(x-\frac{1}{x}\right)=3^3+3\times3=36$

(3) $\left(x+\frac{1}{x}\right)^2=x^2+\frac{1}{x^2}+2$ ← (1)에서 $x^2+\frac{1}{x^2}=11$

$=11+2=13$

$\therefore x+\frac{1}{x}=\sqrt{13}$ ($\because x>1$)

06-3 답 (1) 52 (2) $30\sqrt{3}$

해결전략 | 먼저 $x+y$, $x-y$, xy의 값을 구한다.

STEP 1 $x+y$, $x-y$, xy의 값 구하기

$x=2+\sqrt{3}$, $y=2-\sqrt{3}$이므로

$x+y=(2+\sqrt{3})+(2-\sqrt{3})=4$

$x-y=(2+\sqrt{3})-(2-\sqrt{3})=2\sqrt{3}$

$xy=(2+\sqrt{3})(2-\sqrt{3})=1$

STEP 2 $x+y$, $x-y$, xy의 값을 이용할 수 있도록 곱셈 공식을 변형하기

(1) $x^3+y^3=(x+y)^3-3xy(x+y)$

$=4^3-3\times1\times4=52$

(2) $x^3-y^3=(x-y)^3+3xy(x-y)$

$=(2\sqrt{3})^3+3\times1\times2\sqrt{3}$

$=24\sqrt{3}+6\sqrt{3}=30\sqrt{3}$

06-4 답 39

해결전략 | 식의 값을 구할 수 있도록 주어진 이차방정식을 변형하고, 곱셈 공식을 이용한다.

STEP 1 $x+\frac{1}{x}$의 값 구하기

$x^2-3x+1=0$에서 $x\neq0$이므로 양변을 x로 나누면

$x-3+\frac{1}{x}=0$ $\quad\therefore x+\frac{1}{x}=3$

STEP 2 $x+\frac{1}{x}$의 값을 이용할 수 있도록 식 변형하기

$\therefore x^3+3x^2+\frac{3}{x^2}+\frac{1}{x^3}$

$=x^3+\frac{1}{x^3}+3\left(x^2+\frac{1}{x^2}\right)$

$=\left\{\left(x+\frac{1}{x}\right)^3-3\left(x+\frac{1}{x}\right)\right\}+3\left\{\left(x+\frac{1}{x}\right)^2-2\right\}$

$=(3^3-3\times3)+3\times(3^2-2)=39$

06-5 답 (1) 17 (2) 33

해결전략 | 주어진 식의 값을 이용하여 먼저 ab의 값을 구한다.

STEP 1 ab의 값 구하기

$a+b=3$, $a^3+b^3=9$이므로

$a^3+b^3=(a+b)^3-3ab(a+b)$에서

$9=3^3-3ab\times3$, $9ab=18$ $\quad\therefore ab=2$

STEP 2 a^2+b^2의 값 구하기

$a^2+b^2=(a+b)^2-2ab=3^2-2\times2=5$

STEP 3 알고 있는 식의 값을 이용할 수 있도록 곱셈 공식을 변형하기

(1) $a^4+b^4=(a^2)^2+(b^2)^2$

$=(a^2+b^2)^2-2a^2b^2=5^2-2\times2^2=17$

(2) $a^5+b^5=(a^2+b^2)(a^3+b^3)-a^2b^2(a+b)$

$=5\times9-2^2\times3=33$

> **풍쌤의 비법**
>
> **x^n+y^n (n은 자연수)의 변형**
>
> (1) $n=2k$ (k는 자연수)일 때
>
> $x^2+y^2=(x+y)^2-2xy$
>
> $x^4+y^4=(x^2+y^2)^2-2(xy)^2$
>
> $x^6+y^6=(x^3+y^3)^2-2(xy)^3$
>
> ⋮
>
> $x^{2k}+y^{2k}=(x^k+y^k)^2-2(xy)^k$
>
> (2) $n=2k+1$ (k는 2 이상의 자연수)일 때
>
> $x^5+y^5=(x^2+y^2)(x^3+y^3)-(xy)^2(x+y)$
>
> $x^7+y^7=(x^3+y^3)(x^4+y^4)-(xy)^3(x+y)$
>
> ⋮
>
> $x^{2k+1}+y^{2k+1}$
>
> $=(x^k+y^k)(x^{k+1}+y^{k+1})-(xy)^k(x+y)$

06-6 답 108 cm^2

해결전략 | 직사각형의 가로, 세로의 길이를 각각 x cm, y cm로 놓고 식을 세운다.

STEP 1 직사각형의 둘레의 길이가 42 cm인 것을 이용하여 식 세우기

직사각형의 가로, 세로의 길이를 각각 x cm, y cm라고 하면 직사각형의 둘레의 길이가 42 cm이므로

$2(x+y)=42$ $\quad\therefore x+y=21$

STEP 2 원의 지름의 길이가 15 cm인 것을 이용하여 식 세우기

직사각형의 대각선의 길이는 원의 지름의 길이와 같으므로

$x^2+y^2=15^2=225$

$(x+y)^2=x^2+y^2+2xy$에서

$21^2=225+2xy \qquad \therefore xy=108$

STEP 3 직사각형의 넓이 구하기

따라서 직사각형의 넓이는 $xy=108(\text{cm}^2)$

발전유형 07 25쪽

07-1 답 (1) 6 (2) 10

해결전략 | 주어진 식의 값을 이용할 수 있도록 곱셈 공식을 변형한다.

$x+y+z=4,\ xy+yz+zx=5,\ xyz=2$이므로

(1) $x^2+y^2+z^2=(x+y+z)^2-2(xy+yz+zx)$

$=4^2-2\times5=6$

(2) $x^3+y^3+z^3$

$=(x+y+z)(x^2+y^2+z^2-xy-yz-zx)+3xyz$

$=4\times(6-5)+3\times2=10$

07-2 답 (1) 7 (2) $-\frac{7}{3}$ (3) 79

해결전략 | 주어진 식의 값을 이용할 수 있도록 곱셈 공식을 적절히 변형한다.

$x+y+z=5,\ x^2+y^2+z^2=11,\ xyz=-3$이므로

(1) $x^2+y^2+z^2=(x+y+z)^2-2(xy+yz+zx)$에서

$11=5^2-2(xy+yz+zx)$

$\therefore xy+yz+zx=7$

(2) $\frac{1}{x}+\frac{1}{y}+\frac{1}{z}=\frac{yz+xz+xy}{xyz}=-\frac{7}{3}$

(3) $x^2y^2+y^2z^2+z^2x^2$

$=(xy+yz+zx)^2-2xyz(x+y+z)$

$=7^2-2\times(-3)\times5=79$

07-3 답 -4

해결전략 | 먼저 $ab+bc+ca$의 값을 구한다.

STEP 1 $ab+bc+ca$의 값 구하기

$a+b+c=6,\ a^2+b^2+c^2=20,\ a^3+b^3+c^3=60$이므로

$a^2+b^2+c^2=(a+b+c)^2-2(ab+bc+ca)$에서

$20=6^2-2(ab+bc+ca)$

$\therefore ab+bc+ca=8$

STEP 2 abc의 값 구하기

$a^3+b^3+c^3$

$=(a+b+c)(a^2+b^2+c^2-ab-bc-ca)+3abc$

에서 $60=6\times(20-8)+3abc \qquad \therefore abc=-4$

07-4 답 0

해결전략 | 먼저 $ab+bc+ca$의 값을 구한다.

STEP 1 $ab+bc+ca$의 값 구하기

$a+b+c=1,\ a^2+b^2+c^2=5,\ abc=-2$이므로

$a^2+b^2+c^2=(a+b+c)^2-2(ab+bc+ca)$에서

$5=1^2-2(ab+bc+ca)$

$\therefore ab+bc+ca=-2$

STEP 2 $a+b+c=1$임을 이용하여 $(a+b)(b+c)(c+a)$를 변형하고, 식의 값 구하기

$a+b+c=1$이므로

$(a+b)(b+c)(c+a)$

$=(1-c)(1-a)(1-b)$

$=(1-a-c+ac)(1-b)$

$=1-b-a+ab-c+bc+ac-abc$

$=1-(a+b+c)+(ab+bc+ca)-abc$

$=1-1+(-2)-(-2)=0$

07-5 답 31

해결전략 | $a^2+b^2+c^2-ab-bc-ca$

$=\frac{1}{2}\{(a-b)^2+(b-c)^2+(c-a)^2\}$임을 이용한다.

STEP 1 $c-a$의 값 구하기

$a-b=-5$ …… ㉠, $b-c=-1$ …… ㉡

㉠+㉡을 하면 $a-c=-6 \qquad \therefore c-a=6$

STEP 2 주어진 식의 값을 이용할 수 있도록 $a^2+b^2+c^2-ab-bc-ca$를 변형하기

$\therefore a^2+b^2+c^2-ab-bc-ca$

$=\frac{1}{2}(2a^2+2b^2+2c^2-2ab-2bc-2ca)$

$=\frac{1}{2}\{(a-b)^2+(b-c)^2+(c-a)^2\}$

$=\frac{1}{2}\{(-5)^2+(-1)^2+6^2\}=31$

07-6 답 12

해결전략 | 직육면체의 세 모서리의 길이를 각각 $a,\ b,\ c$로 놓고 주어진 조건을 이용하여 식을 세운다.

STEP 1 직육면체의 세 모서리의 길이를 각각 $a,\ b,\ c$로 놓고 식 세우기

오른쪽 그림과 같이 직육면체의 세 모서리의 길이를 각각 $a,\ b,\ c$라고 하자.

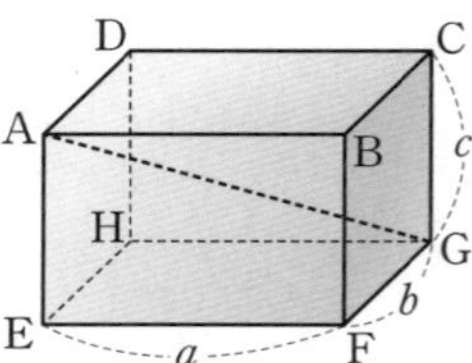

$\overline{AG}=\sqrt{a^2+b^2+c^2}=\sqrt{13}$

이므로 $a^2+b^2+c^2=13$

또한, 직육면체의 모든 모서리의 길이의 합은

$4(a+b+c)=20$이므로

$a+b+c=5$

STEP 2 **직육면체의 겉넓이 구하기**

따라서 구하는 직육면체의 겉넓이는

$$2(ab+bc+ca)=(a+b+c)^2-(a^2+b^2+c^2)$$
$$=5^2-13=12$$

> **풍쌤의 비법**
>
> **직육면체의 모서리, 대각선, 겉넓이**
>
> 가로의 길이, 세로의 길이, 높이가 각각 a, b, c인 직육면체의
>
> ① 겉넓이는 $2(ab+bc+ca)$
>
> ② 대각선의 길이는 $\sqrt{a^2+b^2+c^2}$
>
> ③ 모든 모서리의 길이의 합은 $4(a+b+c)$

필수유형 08

27쪽

08-1 답 x^2-x-4

해결전략 | $A\div B$의 몫이 Q, 나머지가 R이면 $A=BQ+R$임을 이용한다.

STEP 1 **나눗셈을 등식으로 나타내기**

$x^4-3x^3+x^2+12x-8$

$=P(x)(x^2-2x+3)+7x+4$

이므로

$$P(x)(x^2-2x+3)=x^4-3x^3+x^2+12x-8-(7x+4)$$
$$=x^4-3x^3+x^2+5x-12$$

STEP 2 **다항식을 직접 나누어 $P(x)$ 구하기**

따라서 $x^4-3x^3+x^2+5x-12$를 x^2-2x+3으로 나누면 다음과 같다.

$$\begin{array}{r|l} & x^2-x-4 \\ x^2-2x+3 & x^4-3x^3+x^2+5x-12 \\ & x^4-2x^3+3x^2 \\ \hline & -x^3-2x^2+5x \\ & -x^3+2x^2-3x \\ \hline & -4x^2+8x-12 \\ & -4x^2+8x-12 \\ \hline & 0 \end{array}$$

$$\therefore P(x)=(x^4-3x^3+x^2+5x-12)\div(x^2-2x+3)$$
$$=x^2-x-4$$

08-2 답 몫: $3x-1$, 나머지: $-4x+2$

해결전략 | $A\div B$의 몫이 Q, 나머지가 R이면 $A=BQ+R$임을 이용한다.

STEP 1 **$f(x)$ 구하기**

$$f(x)=(3x^2-x+1)(2x-3)-3x+4$$
$$=6x^3-9x^2-2x^2+3x+2x-3-3x+4$$
$$=6x^3-11x^2+2x+1$$

STEP 2 **$f(x)$를 $2x^2-3x+1$로 나누어 몫과 나머지 구하기**

즉, $f(x)=6x^3-11x^2+2x+1$을 $2x^2-3x+1$로 나누면 다음과 같다.

$$\begin{array}{r|l} & 3x-1 \\ 2x^2-3x+1 & 6x^3-11x^2+2x+1 \\ & 6x^3-9x^2+3x \\ \hline & -2x^2-x+1 \\ & -2x^2+3x-1 \\ \hline & -4x+2 \end{array}$$

따라서 $f(x)$를 $2x^2-3x+1$로 나눈 몫은 $3x-1$, 나머지는 $-4x+2$이다.

08-3 답 14

해결전략 | 다항식을 직접 나누어 몫과 나머지를 각각 비교한다.

STEP 1 **다항식을 직접 나누어 나머지 구하기**

$x^4+2x^3-4x^2+ax-5$를 x^2-x+4로 나누면 다음과 같다.

$$\begin{array}{r|l} & x^2+3x-5 \\ x^2-x+4 & x^4+2x^3-4x^2+ax-5 \\ & x^4-x^3+4x^2 \\ \hline & 3x^3-8x^2+ax \\ & 3x^3-3x^2+12x \\ \hline & -5x^2+(a-12)x-5 \\ & -5x^2+5x-20 \\ \hline & (a-17)x+15 \end{array}$$

STEP 2 **주어진 몫과 나머지를 비교하여 a, b의 값 구하기**

이때 몫이 x^2+bx-5이고 나머지가 15이므로

$a-17=0$에서 $a=17$, $b=3$

$\therefore a-b=17-3=14$

08-4 답 3

해결전략 | 다항식을 직접 나누어 나머지가 0인 것을 이용한다.

STEP1 다항식을 직접 나누어 나머지 구하기

$2x^3+x^2+ax+6$을 x^2-x+b로 나누면 다음과 같다.

$$\begin{array}{r} 2x+3 \\ x^2-x+b\,\overline{)\,2x^3+x^2+ax+6} \\ 2x^3-2x^2+2bx \\ \hline 3x^2+(a-2b)x+6 \\ 3x^2-3x+3b \\ \hline (a-2b+3)x+6-3b \end{array}$$

STEP2 나머지가 0인 것을 이용하여 a, b의 값 구하기

이때 나머지가 0이어야 하므로

$a-2b+3=0$, $6-3b=0$

따라서 $b=2$, $a=1$이므로

$a+b=1+2=3$

08-5 답 8

해결전략 | $2x^3+15x^2-4x+6$을 x^2+8x+2로 나눈 나머지가 구하는 식의 값임을 이용한다.

STEP1 다항식을 직접 나누어 등식으로 나타내기

$2x^3+15x^2-4x+6$을 x^2+8x+2로 나누면 다음과 같다.

$$\begin{array}{r} 2x-1 \\ x^2+8x+2\,\overline{)\,2x^3+15x^2-4x+6} \\ 2x^3+16x^2+4x \\ \hline -x^2-8x+6 \\ -x^2-8x-2 \\ \hline 8 \end{array}$$

$\therefore\ 2x^3+15x^2-4x+6=(x^2+8x+2)(2x-1)+8$

STEP2 $x^2+8x+2=0$임을 이용하여 $2x^3+15x^2-4x+6$의 값 구하기

이때 $x^2+8x+2=0$이므로

$2x^3+15x^2-4x+6=0\times(2x-1)+8=8$

08-6 답 33

해결전략 | $A\div B$의 몫이 Q, 나머지가 R이면 $A=BQ+R$임을 이용한다.

STEP1 나눗셈을 등식으로 나타내기

$f(x)$

$=(x^2+3x+1)(x^2-3x+2)-3x-3$

$=x^4-3x^3+2x^2+3x^3-9x^2+6x+x^2-3x+2-3x-3$

$=x^4-6x^2-1$

STEP2 $f(x)$를 x^2-x+1로 나누기

다항식 $f(x)$를 x^2-x+1로 나누면 다음과 같다.

$$\begin{array}{r} x^2+x-6 \\ x^2-x+1\,\overline{)\,x^4-6x^2-1} \\ x^4-x^3+x^2 \\ \hline x^3-7x^2 \\ x^3-x^2+x \\ \hline -6x^2-x-1 \\ -6x^2+6x-6 \\ \hline -7x+5 \end{array}$$

STEP3 $Q(-2)-R(6)$의 값 구하기

따라서 $Q(x)=x^2+x-6$, $R(x)=-7x+5$이므로

$Q(-2)=-4$, $R(6)=-37$

$\therefore\ Q(-2)-R(6)=-4-(-37)=33$

실전 연습 문제 28~30쪽

01 ②	02 $4x^3-5x^2+13x-4$			
03 $x^3+10x^2-11x+4$			04 ③	05 ②
06 ④	07 ⑤	08 -13	09 ③	10 33
11 ⑤	12 ④	13 ①	14 ②	15 ②
16 ①	17 ④	18 4		

01

해결전략 | 구하려는 식을 간단히 한 후, A, B, C를 대입한다.

$A-(2B-C)$

$=A-2B+C$

$=(x^2-2xy)-2(x^2-xy+y^2)+(-2x^2-3xy+4y^2)$

$=x^2-2xy-2x^2+2xy-2y^2-2x^2-3xy+4y^2$

$=-3x^2-3xy+2y^2$

02

해결전략 | 주어진 등식을 변형하여 X를 A, B에 대한 식으로 나타낸다.

STEP1 주어진 등식을 변형하여 X를 A, B에 대한 식으로 나타내기

$A-2(X+B)=-3A$에서 $A-2X-2B=-3A$

$-2X=-4A+2B\qquad\therefore\ X=2A-B$

STEP2 A, B를 대입하기

$\therefore\ X=2A-B$

$=2(x^3-2x^2+5x)-(-2x^3+x^2-3x+4)$

$=2x^3-4x^2+10x+2x^3-x^2+3x-4$

$=4x^3-5x^2+13x-4$

03

해결전략 | 주어진 두 식을 연립하여 다항식 A, B를 구한다.

STEP 1 주어진 두 식을 연립하여 다항식 A, B를 구하기

$A+B=2x^3+5x^2-2x+3$ …… ㉠

$A-B=3x^2-4x+1$ …… ㉡

㉠+㉡을 하면 $2A=2x^3+8x^2-6x+4$

$\therefore A=x^3+4x^2-3x+2$ …… ㉢

㉢을 ㉠에 대입하면

$(x^3+4x^2-3x+2)+B=2x^3+5x^2-2x+3$

$\therefore B=(2x^3+5x^2-2x+3)-(x^3+4x^2-3x+2)$

$=2x^3+5x^2-2x+3-x^3-4x^2+3x-2$

$=x^3+x^2+x+1$ …… ❶

STEP 2 $3A-2B$를 계산하기

$\therefore 3A-2B$

$=3(x^3+4x^2-3x+2)-2(x^3+x^2+x+1)$

$=3x^3+12x^2-9x+6-2x^3-2x^2-2x-2$

$=x^3+10x^2-11x+4$ …… ❷

채점 요소	배점
❶ 다항식 A, B 구하기	60 %
❷ $3A-2B$ 계산하기	40 %

04

해결전략 | x^4항이 나오는 경우만 전개하여 x^4의 계수를 구한다.

$(x+1)(x+2)(x+3)(x+4)(x+5)$를 전개할 때, x^4항은 4개의 x와 상수 1개의 곱의 꼴로 나타나므로 x^4의 계수는

$1+2+3+4+5=15$

05

해결전략 | 곱셈 공식을 이용하여 식을 정리한다.

② $(x-2y)^3=x^3-6x^2y+12xy^2-8y^3$

⑤ $(a-2)(a+2)(a^2+4)=(a^2-4)(a^2+4)=a^4-16$

따라서 옳지 않은 것은 ②이다.

06

해결전략 | 곱셈 공식을 이용하여 식을 전개하고, x^2과 x^3의 계수를 구한다.

STEP 1 $(2x+3)^2$, $(2x-1)^3$을 각각 전개하기

$(2x+3)^2(2x-1)^3$

$=(4x^2+12x+9)(8x^3-12x^2+6x-1)$ …… ㉠

STEP 2 x^2항과 x^3항이 나오는 경우만 전개하기

㉠의 전개식에서 x^2항은

$4x^2\times(-1)+12x\times 6x+9\times(-12x^2)=-40x^2$

㉠의 전개식에서 x^3항은

$4x^2\times 6x+12x\times(-12x^2)+9\times 8x^3=-48x^3$

STEP 3 $a-b$의 값 구하기

따라서 $a=-40$, $b=-48$이므로

$a-b=-40-(-48)=8$

07

해결전략 | 주어진 조건을 이용하여 식을 세우고 곱셈 공식을 이용한다.

STEP 1 주어진 도형의 넓이 관계를 식으로 나타내기

한 변의 길이가 각각 a, $2b$인 두 정사각형의 넓이의 합은

$a^2+(2b)^2=a^2+4b^2$

가로와 세로의 길이가 각각 a, b인 직사각형의 넓이는 4이므로 $ab=4$ …… ㉠

또, 두 정사각형의 넓이의 합이 가로와 세로의 길이가 각각 a, b인 직사각형의 넓이의 5배와 같으므로

$a^2+4b^2=5ab$ …… ㉡

STEP 2 한 변의 길이가 $a+2b$인 정사각형의 넓이 구하기

따라서 한 변의 길이가 $a+2b$인 정사각형의 넓이는

$(a+2b)^2=a^2+4b^2+4ab$

$=5ab+4ab$ ($\because$ ㉡)

$=9ab$

$=9\times 4=36$ ($\because$ ㉠)

◉→ 다른 풀이

STEP 2 a, b의 값 구하기

㉡에서 $a^2-5ab+4b^2=0$

$(a-b)(a-4b)=0$ $\therefore a=b$ 또는 $a=4b$

이때 $a\neq b$이므로 $a=4b$

$a=4b$를 ㉠에 대입하면

$4b^2=4$ $\therefore b=1$ ($\because b>0$)

$b=1$을 ㉠에 대입하면 $a=4$

STEP 3 한 변의 길이가 $a+2b$인 정사각형의 넓이 구하기

따라서 구하는 정사각형은 한 변의 길이가

$a+2b=6$이므로 넓이는

$6\times 6=36$

08

해결전략 | 4개의 일차식이 곱해져 있는 경우는 공통부분이 생기도록 2개씩 묶어 전개한다.

STEP 1 공통부분이 생기도록 2개씩 묶어 전개하기

$(x+1)(x-2)(x-5)(x+10)$
$=\{(x+1)(x+10)\}\{(x-2)(x-5)\}$
$=(x^2+11x+10)(x^2-7x+10)$
$=(x^2+10+11x)(x^2+10-7x)$ ← $x^2+10=X$로 치환한다.
$=(X+11x)(X-7x)$
$=X^2+4xX-77x^2$ ← X 대신 x^2+10을 대입한다.
$=(x^2+10)^2+4x(x^2+10)-77x^2$
$=x^4+20x^2+100+4x^3+40x-77x^2$
$=x^4+4x^3-57x^2+40x+100$

STEP 2 $a+b+c$의 값 구하기

따라서 $a=4$, $b=-57$, $c=40$이므로
$a+b+c=4-57+40=-13$

09

해결전략 | 식의 값을 구할 수 있도록 주어진 이차방정식을 변형하고, 곱셈 공식을 이용한다.

STEP 1 양변을 x로 나누어 $x-\frac{2}{x}$의 값 구하기

$x^2-3x-2=0$에서 $x\neq0$이므로 양변을 x로 나누면
$x-3-\frac{2}{x}=0 \qquad \therefore x-\frac{2}{x}=3$

STEP 2 $x-\frac{2}{x}$의 값을 이용할 수 있도록 구하려는 식 변형하기

$\therefore x^3-2x^2-\frac{8}{x^2}-\frac{8}{x^3}$
$=x^3-\frac{8}{x^3}-2\left(x^2+\frac{4}{x^2}\right)$
$=\left\{\left(x-\frac{2}{x}\right)^3+6\left(x-\frac{2}{x}\right)\right\}-2\left\{\left(x-\frac{2}{x}\right)^2+4\right\}$
$=(3^3+6\times3)-2\times(3^2+4)=19$

10

해결전략 | 주어진 식을 이용하여 $x+y$, xy의 값을 먼저 구하고 곱셈 공식을 변형하여 x^5+y^5의 값을 구한다.

STEP 1 주어진 식을 이용하여 $x+y$, xy의 값 구하기

$x^2+xy+y^2=7$ ...... ㉠
$x^2-xy+y^2=3$ ...... ㉡
㉠－㉡을 하면 $2xy=4 \qquad \therefore xy=2$
㉠＋㉡을 하면 $2(x^2+y^2)=10 \qquad \therefore x^2+y^2=5$
$(x+y)^2=x^2+y^2+2xy$
$\qquad=5+2\times2=9$
$\therefore x+y=3$ ($\because x>0$, $y>0$) ...... ❶

STEP 2 x^3+y^3의 값 구하기

$x^3+y^3=(x+y)^3-3xy(x+y)$
$\qquad=3^3-3\times2\times3=9$ ...... ❷

STEP 3 x^5+y^5의 값 구하기

$\therefore x^5+y^5=(x^2+y^2)(x^3+y^3)-x^2y^2(x+y)$
$\qquad=5\times9-2^2\times3=33$ ...... ❸

채점 요소	배점
❶ $x+y$, xy의 값 구하기	40 %
❷ x^3+y^3의 값 구하기	30 %
❸ x^5+y^5의 값 구하기	30 %

11

해결전략 | 직사각형의 가로의 길이, 세로의 길이를 미지수로 놓고 조건을 이용하여 식을 세운다.

STEP 1 직사각형의 가로의 길이, 세로의 길이를 각각 x cm, y cm로 놓고 식 세우기

직사각형의 가로의 길이, 세로의 길이를 각각 x cm, y cm라고 하면 넓이가 108 cm²이므로
$xy=108$
직사각형의 대각선의 길이는 사분원의 반지름의 길이와 같으므로
$x^2+y^2=15^2=225$

STEP 2 곱셈 공식을 이용하여 $x+y$의 값 구하기

$(x+y)^2=x^2+y^2+2xy$에서
$(x+y)^2=225+2\times108=441$
$\therefore x+y=\sqrt{441}=21$ ($\because x>0$, $y>0$)

STEP 3 직사각형의 둘레의 길이 구하기

따라서 직사각형의 둘레의 길이는
$2(x+y)=2\times21=42$(cm)

12

해결전략 | 먼저 $ab+bc+ca$의 값을 구한다.

STEP 1 $ab+bc+ca$의 값 구하기

$a+b+c=-8$, $a^2+b^2+c^2=54$, $abc=50$이므로
$a^2+b^2+c^2=(a+b+c)^2-2(ab+bc+ca)$에서
$54=(-8)^2-2(ab+bc+ca)$
$\therefore ab+bc+ca=5$

STEP 2 $\frac{1}{a}+\frac{1}{b}+\frac{1}{c}$의 값 구하기

$\therefore \frac{1}{a}+\frac{1}{b}+\frac{1}{c}=\frac{bc+ac+ab}{abc}=\frac{5}{50}=\frac{1}{10}$

13

해결전략 | $x+y+z=4$를 이용하여 $(x+y)(y+z)(z+x)$를 변형하고, 곱셈 공식을 이용하여 식의 값을 구한다.

$x+y+z=4$, $xy+yz+zx=4$, $xyz=1$이므로

$(x+y)(y+z)(z+x)$

$=(4-z)(4-x)(4-y)$ ← $x+y+z=4$이므로 $x+y=4-z$

$=(16-4x-4z+zx)(4-y)$

$=64-16y-16x+4xy-16z+4yz+4zx-xyz$

$=64-16(x+y+z)+4(xy+yz+zx)-xyz$

$=64-16\times4+4\times4-1$

$=15$

14

해결전략 | $x^2+y^2+z^2-xy-yz-zx$

$=\frac{1}{2}\{(x-y)^2+(y-z)^2+(z-x)^2\}$임을 이용한다.

STEP 1 $x-y=1+\sqrt{3}$, $y-z=1-\sqrt{3}$을 연립하여 $z-x$의 값 구하기

$x-y=1+\sqrt{3}$ …… ㉠

$y-z=1-\sqrt{3}$ …… ㉡

㉠+㉡을 하면

$x-z=2$ $\therefore z-x=-2$

STEP 2 주어진 식의 값을 이용할 수 있도록 $x^2+y^2+z^2-xy-yz-zx$를 변형하기

$\therefore x^2+y^2+z^2-xy-yz-zx$

$=\frac{1}{2}(2x^2+2y^2+2z^2-2xy-2yz-2zx)$

$=\frac{1}{2}\{(x-y)^2+(y-z)^2+(z-x)^2\}$

$=\frac{1}{2}\{(1+\sqrt{3})^2+(1-\sqrt{3})^2+(-2)^2\}$

$=\frac{1}{2}(1+2\sqrt{3}+3+1-2\sqrt{3}+3+4)$

$=6$

15

해결전략 | 곱셈 공식을 이용하여 $a^3+b^3+c^3=3abc$이면 $a=b=c$임을 유도한다.

STEP 1 곱셈 공식을 이용하여 $a^3+b^3+c^3=3abc$에서 a, b, c의 조건 구하기

a, b, c가 삼각형의 변의 길이이므로

$a>0$, $b>0$, $c>0$

$\therefore a+b+c>0$

$a^3+b^3+c^3$

$=(a+b+c)(a^2+b^2+c^2-ab-bc-ca)+3abc$

이고, $a^3+b^3+c^3=3abc$이므로

$(a+b+c)(a^2+b^2+c^2-ab-bc-ca)=0$

이때 $a+b+c>0$이므로

$a^2+b^2+c^2-ab-bc-ca=0$

$\frac{1}{2}\{(a-b)^2+(b-c)^2+(c-a)^2\}=0$

$\therefore a=b=c$

STEP 2 삼각형의 한 변의 길이 구하기

한편 $a^2+b^2+c^2=108$에서 $a=b=c$이므로

$3a^2=108$, $a^2=36$

$\therefore a=6$ ($\because a>0$)

STEP 3 삼각형의 둘레의 길이 구하기

따라서 주어진 삼각형은 한 변의 길이가 6인 정삼각형이므로 둘레의 길이는 $3\times6=18$

16

해결전략 | 다항식을 직접 나누어 나머지가 0인 것을 이용한다.

STEP 1 다항식을 직접 나누어 나머지 구하기

x^3+3x^2+a를 x^2+x+b로 나누면 다음과 같다.

$$\begin{array}{r|l} & x+2 \\ x^2+x+b & x^3+3x^2 \qquad\quad +a \\ & x^3+\ x^2+\quad bx \\ \hline & \quad 2x^2-\quad bx+a \\ & \quad 2x^2+\quad 2x+2b \\ \hline & \quad (-b-2)x+a-2b \end{array}$$

STEP 2 나머지가 0인 것을 이용하여 a, b의 값 구하기

이때 나머지가 0이어야 하므로

$-b-2=0$, $a-2b=0$

따라서 $b=-2$, $a=-4$이므로

$a-b=-4-(-2)=-2$

17

해결전략 | $A\div B$의 몫이 Q, 나머지가 R이면 $A=BQ+R$임을 이용한다.

STEP1 $P(x)+4x$를 $Q(x)$로 직접 나누어 나머지 구하기

$P(x)=3x^3+x+11$이므로

$P(x)+4x=3x^3+5x+11$이고, 이것을

$Q(x)=x^2-x+1$로 나누면 다음과 같다.

$$\begin{array}{r|l} & 3x+3 \\ \hline x^2-x+1 & 3x^3 \quad\quad +5x+11 \\ & 3x^3-3x^2+3x \\ \hline & \quad 3x^2+2x+11 \\ & \quad 3x^2-3x+\ 3 \\ \hline & \quad\quad 5x+\ 8 \end{array}$$

STEP2 나머지를 주어진 조건과 비교하여 상수 a의 값 구하기

조건에서 나머지는 $5x+a$이므로

$a=8$

18

해결전략 | $A\div B$의 몫이 Q, 나머지가 R이면 $A=BQ+R$임을 이용한다.

STEP1 나눗셈을 등식으로 나타내어 $f(x)$ 구하기

$f(x)=(x-1)(2x^2+5)+3x+1$

$=2x^3+5x-2x^2-5+3x+1$

$=2x^3-2x^2+8x-4$ …… ❶

STEP2 $f(x)$를 x^2+x+1로 직접 나누어 몫과 나머지 구하기

다항식 $f(x)$를 x^2+x+1로 나누면 다음과 같다.

$$\begin{array}{r|l} & 2x-4 \\ \hline x^2+x+1 & 2x^3-2x^2+8x-4 \\ & 2x^3+2x^2+2x \\ \hline & \quad -4x^2+6x-4 \\ & \quad -4x^2-4x-4 \\ \hline & \quad\quad 10x \end{array}$$

STEP3 $Q(-1)-R(1)$의 값 구하기

따라서 몫은 $Q(x)=2x-4$, 나머지는 $R(x)=10x$이므로 …… ❷

$Q(-1)+R(1)=-6+10=4$ …… ❸

채점 요소	배점
❶ $f(x)$ 구하기	40 %
❷ $Q(x)$, $R(x)$ 구하기	40 %
❸ $Q(-1)+R(1)$의 값 구하기	20 %

상위권 도약 문제 31~32쪽

01 129 02 0 03 27 04 108 05 240
06 (14, 14, 13) 07 30 08 $6-3\sqrt{5}$

01

해결전략 | 주어진 표에서 (나)에 알맞은 다항식을 $g(x)$로 놓고 먼저 $g(x)$를 구한다.

STEP1 (나)의 위치에 알맞은 다항식 구하기

(나)		
$2x-2$	$2x^2+4x$	
(가)		$-x^2+x-3$

위의 그림에서 (나)에 알맞은 다항식을 $g(x)$로 놓으면 대각선 방향(↘)의 다항식의 합은

$g(x)+(2x^2+4x)+(-x^2+x-3)=6x^2+12x$

$\therefore g(x)=6x^2+12x-(2x^2+4x)-(-x^2+x-3)$

$=6x^2+12x-2x^2-4x+x^2-x+3$

$=5x^2+7x+3$

STEP2 $f(x)$ 구하기

첫 번째 세로열에 배열된 다항식의 합은

$(5x^2+7x+3)+(2x-2)+f(x)=6x^2+12x$

$\therefore f(x)=6x^2+12x-(5x^2+7x+3)-(2x-2)$

$=6x^2+12x-5x^2-7x-3-2x+2$

$=x^2+3x-1$

STEP3 $f(10)$의 값 구하기

$\therefore f(10)=10^2+3\times10-1$

$=100+30-1=129$

02

해결전략 | $1+3x+5x^2=A$라고 하면 A^3, $(A+7x^3)^3$ 두 다항식의 x항의 계수는 같다.

STEP1 두 다항식의 공통부분인 $1+3x+5x^2$을 한 문자로 놓고 전개하기

$1+3x+5x^2=A$로 놓으면

$(1+3x+5x^2+7x^3)^3=(A+7x^3)^3$

$=A^3+21A^2x^3+147Ax^6+7^3x^9$

STEP2 x항이 나오는 경우를 구하여 $a-b$의 값 구하기

이때 $21A^2x^3+147Ax^6+7^3x^9$에서는 x항이 나올 수 없으므로 $(1+3x+5x^2+7x^3)^3$의 전개식에서 x의 계수는 A^3, 즉 $(1+3x+5x^2)^3$의 x의 계수와 같다.

따라서 $a=b$이므로

$a-b=0$

03

해결전략 | x, y, z 중 적어도 하나는 3이므로 $x=3$ 또는 $y=3$ 또는 $z=3$임을 이용한다.

STEP 1 조건 (가)를 식으로 나타낸다.

조건 (가)에서 $x=3$ 또는 $y=3$ 또는 $z=3$이므로

$(x-3)(y-3)(z-3)=0$

좌변을 전개하면

$(xy-3x-3y+9)(z-3)=0$

$xyz-3xy-3xz+9x-3yz+9y+9z-27=0$

$xyz-3(xy+yz+zx)+9(x+y+z)-27=0$ ⋯⋯ ㉠

STEP 2 조건 (나)를 STEP 1에서 구한 식에 대입하여 xyz의 값 구하기

조건 (나)의 $3(x+y+z)=xy+yz+zx$를 ㉠에 대입하면

$xyz-9(x+y+z)+9(x+y+z)-27=0$

$xyz-27=0$

$\therefore xyz=27$

04

해결전략 | 빗변이 아닌 두 변의 길이를 각각 미지수로 놓고 주어진 조건을 이용하여 식을 세운다.

STEP 1 $\overline{AC}=a$, $\overline{BC}=b$로 놓고 a, b의 관계식 구하기

$\overline{AC}=a$, $\overline{BC}=b$로 놓으면 삼각형 ABC가 직각삼각형이고 $\overline{AB}=2\sqrt{6}$이므로

$\overline{AC}^2+\overline{BC}^2=a^2+b^2=(2\sqrt{6})^2=24$

또, 삼각형 ABC의 넓이가 3이므로

$\frac{1}{2}\times\overline{AC}\times\overline{BC}=\frac{1}{2}ab=3$

$\therefore ab=6$

STEP 2 $a+b$의 값 구하기

$a^2+b^2=24$, $ab=6$이므로

$(a+b)^2=a^2+b^2+2ab=24+2\times6=36$

$\therefore a+b=6$ ($\because a>0, b>0$)

STEP 3 $\overline{AC}^3+\overline{BC}^3$의 값 구하기

$\therefore \overline{AC}^3+\overline{BC}^3=a^3+b^3=(a+b)^3-3ab(a+b)$

$=6^3-3\times6\times6$

$=108$

05

해결전략 | 두 정육면체의 한 모서리의 길이를 미지수로 놓고 식을 세운 후 곱셈 공식을 이용한다.

STEP 1 $\overline{AB}$의 길이와 부피의 합을 이용하여 식 세우기

$\overline{AC}=x$, $\overline{BC}=y$로 놓으면 $\overline{AB}=8$이므로

$x+y=8$

두 정육면체의 부피의 합은 224이므로

$x^3+y^3=224$

STEP 2 곱셈 공식을 이용하여 두 정육면체의 모서리의 곱 구하기

이때 $(x+y)^3=x^3+y^3+3xy(x+y)$이므로

$8^3=224+3xy\times8$ $\therefore xy=12$

STEP 3 두 정육면체의 겉넓이의 합 구하기

따라서 두 정육면체의 겉넓이의 합은 $6(x^2+y^2)$이므로

$6(x^2+y^2)=6\{(x+y)^2-2xy\}$

$=6(8^2-2\times12)=240$

다른 풀이

STEP 1 $\overline{AC}=x$, $\overline{BC}=8-x$로 놓고, 두 정육면체의 부피의 합을 구하는 식 세우기

$\overline{AC}=x$로 놓으면 $\overline{BC}=8-x$이므로 두 정육면체의 부피의 합은

$x^3+(8-x)^3=224$

$x^3-x^3+24x^2-192x+512=224$

$24x^2-192x+288=0$, $x^2-8x+12=0$

$(x-2)(x-6)=0$

$\therefore x=2$ 또는 $x=6$

STEP 2 두 정육면체의 겉넓이의 합 구하기

따라서 두 정육면체의 한 모서리의 길이는 각각 2, 6이므로 두 정육면체의 겉넓이의 합은

$6\times2^2+6\times6^2=24+216=240$

06

해결전략 | 곱셈 공식의 변형과 소수의 성질을 이용하여 조건을 만족시키는 자연수의 순서쌍을 구한다.

STEP 1 주어진 조건과 41이 소수임을 이용하여 식의 값 구하기

$x^3+y^3+z^3-3xyz$

$=(x+y+z)(x^2+y^2+z^2-xy-yz-zx)$

$=41$

x, y, z는 자연수이므로 $x+y+z\geq3$이고, 41은 소수이므로

$x+y+z=41$

$x^2+y^2+z^2-xy-yz-zx=1$

STEP 2 곱셈 공식의 변형을 이용하여 $(x-y)^2$, $(y-z)^2$, $(z-x)^2$의 값 구하기

이때

$x^2+y^2+z^2-xy-yz-zx$

$=\frac{1}{2}\{(x-y)^2+(y-z)^2+(z-x)^2\}=1$

에서 $x\geq y\geq z$이므로

$(x-y)^2=0,\ (y-z)^2=1,\ (z-x)^2=1$

또는 $(x-y)^2=1,\ (y-z)^2=0,\ (z-x)^2=1$

이어야 한다.

STEP 3 조건을 만족시키는 자연수의 순서쌍 (x, y, z) 구하기

(i) $(x-y)^2=0,\ (y-z)^2=1,\ (z-x)^2=1$인 경우

$x=y=z+1$이므로

$x+y+z=x+x+x-1=41$

$3x=42 \quad \therefore x=14$

(ii) $(x-y)^2=1,\ (y-z)^2=0,\ (z-x)^2=1$인 경우

$x=y+1,\ z=y$이므로

$x+y+z=y+1+y+y=41$

$3y+1=41 \quad \therefore y=\frac{40}{3}$

그런데 y는 자연수이므로 이를 만족시키는 y는 없다.

(i), (ii)에서 구하는 자연수의 순서쌍 (x, y, z)는

$(14, 14, 13)$이다.

07

해결전략 | 삼각형의 닮음비를 이용하여 x에 대한 이차방정식을 세운다.

STEP 1 두 점 M, N이 정삼각형의 두 변의 중점임을 이용하여 각 선분의 길이를 나타내고, 닮음인 삼각형을 찾아 식 세우기

오른쪽 그림과 같이 반직선 NM이 삼각형 ABC의 외접원과 만나는 점을 Q라고 하면

$\overline{QM}=1$

$\overline{AC}$의 중점이 N이므로

$\overline{AN}=\overline{NC}=x$

$\triangle AQN$과 $\triangle PCN$에서

$\angle AQN=\angle PCN$ ($\because \overset{\frown}{AP}$에 대한 원주각)

$\angle ANQ=\angle PNC$ ($\because$ 맞꼭지각)

즉, $\triangle AQN \backsim \triangle PCN$ (AA 닮음)이므로

$(1+x) : x=x : 1$

$x^2-x-1=0$

STEP 2 곱셈 공식의 변형을 이용하여 식의 값 구하기

$x\neq 0$이므로 양변을 x로 나누면

$x-1-\frac{1}{x}=0$

따라서 $x-\frac{1}{x}=1$이므로

$10\left(x^2+\frac{1}{x^2}\right)=10\left\{\left(x-\frac{1}{x}\right)^2+2\right\}$

$=10\times 3=30$

풍쌤의 비법

원의 성질

한 원에서 같은 호에 대한 원주각의 크기는 같다.

➔ $\angle ABD=\angle ACD$,

$\angle BAC=\angle BDC$

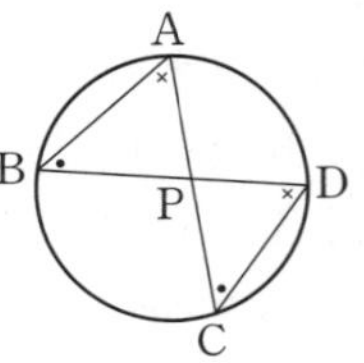

08

해결전략 | $x=\frac{1+\sqrt{5}}{2}$를 (x에 대한 이차식)$=0$ 꼴로 변형한 다음, 다항식의 나눗셈을 이용하여 주어진 식의 값을 구한다.

STEP 1 $x=\frac{1+\sqrt{5}}{2}$를 (x에 대한 이차식)$=0$ 꼴로 변형하기

$x=\frac{1+\sqrt{5}}{2}$에서 $2x-1=\sqrt{5}$

양변을 제곱하면 $4x^2-4x+1=5$

$\therefore x^2-x-1=0$ ······ ㉠

STEP 2 다항식을 직접 나누어 나머지 구하기

$3x^4-6x^3+4x^2-7x+5$를 x^2-x-1로 나누면 다음과 같다.

$$\begin{array}{r}
3x^2-3x+4 \\
x^2-x-1\,\overline{)\,3x^4-6x^3+4x^2-7x+5} \\
\underline{3x^4-3x^3-3x^2} \\
-3x^3+7x^2-7x \\
\underline{-3x^3+3x^2+3x} \\
4x^2-10x+5 \\
\underline{4x^2-4x-4} \\
-6x+9
\end{array}$$

STEP 3 STEP 1에서 구한 식을 이용하여 식의 값 구하기

$\therefore 3x^4-6x^3+4x^2-7x+5$

$=(x^2-x-1)(3x^2-3x+4)-6x+9$

$=-6x+9$ ($\because$ ㉠)

$=-6\times\frac{1+\sqrt{5}}{2}+9$

$=-3-3\sqrt{5}+9=6-3\sqrt{5}$

02 나머지정리

개념확인 34~37쪽

01 답 (1) × (2) ○ (3) ○ (4) × (5) ○

02 답 (1) $a=0,\ b=0$ (2) $a=3,\ b=-1$

03 답 (1) $a=-1,\ b=2,\ c=0$

(2) $a=3,\ b=4,\ c=-2$

04 답 (1) $a=2,\ b=3$ (2) $a=2,\ b=-2$

(3) $a=1,\ b=4$

05 답 (1) $a=-1,\ b=2$ (2) $a=-5,\ b=-3$

(3) $a=3,\ b=2$

06 답 (1) x^3-4x (2) 2

(2) $x^3+x^2+ax+2=(x^2-x+1)(x+2)+3x$

주어진 등식이 x에 대한 항등식이므로 양변에 $x=-2$를 대입하면

$-8+4-2a+2=-6$

$-2a=-4$ $\quad\therefore a=2$

07 답 (1) -7 (2) 17

08 답 (1) -5 (2) $-\frac{1}{8}$

(1) $8\times\left(-\frac{1}{2}\right)^3-4\times\left(-\frac{1}{2}\right)^2+4\times\left(-\frac{1}{2}\right)-1=-5$

(2) $8\times\left(\frac{1}{4}\right)^3-4\times\left(\frac{1}{4}\right)^2+4\times\frac{1}{4}-1=-\frac{1}{8}$

09 답 (1) 2 (2) -2

10 답 (1) 몫: x^2+2x-1, 나머지: -3

(2) 몫: x^2+2x-6, 나머지: 10

(3) 몫: x^2+4x-4, 나머지: 2

(4) 몫: x^2+2, 나머지: -4

(4) $2x+1=2\left(x+\frac{1}{2}\right)$

이므로 다음과 같이 조립제법을 이용하면

$-\frac{1}{2}$	2	1	4	-2
		-1	0	-2
	2	0	4	-4

$2x^3+x^2+4x-2=\left(x+\frac{1}{2}\right)(2x^2+4)-4$

$=(2x+1)(x^2+2)-4$

따라서 $2x^3+x^2+4x-2$를 $2x+1$로 나눈 몫은 x^2+2이고 나머지는 -4이다.

필수유형 01 39쪽

01-1 답 $a=1,\ b=-2,\ c=2$

해결전략 | 주어진 등식의 우변을 전개하여 정리한 후 양변의 계수를 비교한다.

STEP 1 주어진 등식의 우변을 전개하여 정리하기

주어진 등식의 우변을 전개하여 x에 대하여 내림차순으로 정리하면

$(x^2-2)(ax+c)=ax^3+cx^2-2ax-2c$

STEP 2 주어진 등식의 양변의 계수를 비교하여 $a,\ b,\ c$의 값 구하기

주어진 등식이 x에 대한 항등식이므로

$x^3+2x^2+bx-4=ax^3+cx^2-2ax-2c$에서

$1=a,\ 2=c,\ b=-2a,\ -4=-2c$

$\therefore b=-2a=-2\times1=-2$

01-2 답 -2

해결전략 | 괄호 안을 0으로 만드는 숫자를 양변에 대입한다.

STEP 1 수치대입법을 이용하여 $a,\ b,\ c$의 값 구하기

주어진 등식이 x에 대한 항등식이므로 양변에 $x=0$을 대입하면

$-2=-2a$ $\quad\therefore a=1$

또, 양변에 $x=-1$을 대입하면

$2-3-2=3b$ $\quad\therefore b=-1$

마찬가지로 양변에 $x=2$를 대입하면

$8+6-2=6c$ $\quad\therefore c=2$

STEP 2 abc의 값 구하기

$\therefore abc=1\times(-1)\times2=-2$

01-3 답 $a=1,\ b=\frac{1}{2}$

해결전략 | 주어진 등식의 좌변을 $x,\ y$에 대하여 정리한 후 양변의 계수를 비교한다.

STEP 1 주어진 등식의 좌변을 $x,\ y$에 대하여 정리하기

$(x+2y)a+2(x-y)b=ax+2ay+2bx-2by$

$=(a+2b)x+(2a-2b)y$

STEP 2 주어진 등식의 양변의 계수를 비교하여 $a,\ b$의 값 구하기

주어진 등식이 $x,\ y$에 대한 항등식이므로

$(a+2b)x+(2a-2b)y=2x+y$에서

$a+2b=2$ ······ ㉠

$2a-2b=1$ ······ ㉡

㉠, ㉡을 연립하여 풀면

$a=1,\ b=\frac{1}{2}$

01-4 답 1

해결전략 | 주어진 등식에 $x=1$을 대입하면 구하려는 값과 같다.

STEP 1 주어진 등식의 양변에 $x=1$을 대입하기

주어진 등식이 x에 대한 항등식이므로 $x=1$을 넣어도 성립한다.

따라서 양변에 $x=1$을 대입하면

$(1-3+2+1)^3=a_9+a_8+a_7+\cdots+a_1+a_0$

STEP 2 주어진 등식의 $a_0+a_1+a_2+\cdots+a_9$의 값 구하기

$\therefore a_0+a_1+a_2+\cdots+a_9=1$

> **풍쌤의 비법**
>
> 주어진 등식에서
>
> (우변)$=a_9x^9+a_8x^8+a_7x^7+\cdots+a_1x+a_0$
>
> 이고 구하는 값은 $a_0+a_1+a_2+\cdots+a_9$이므로 주어진 등식에 $x=1$을 대입하는 것을 떠올려야 한다.
>
> 이와 같은 유형은 양변에 $x=1$ 또는 $x=-1$을 대입하여 구하면 편리한 경우가 많다.

01-5 답 16

해결전략 | 주어진 등식의 (좌변)$=(x-1)(x+1)f(x)$이므로 양변에 $x=1,\ x=-1$을 대입한다.

STEP 1 수치대입법을 이용하여 $a,\ b$의 값 구하기

주어진 등식이 x에 대한 항등식이므로 양변에 $x=1$을 대입하면

$0=1+a+3-1+b$

$\therefore a+b=-3$ …… ㉠

또, 양변에 $x=-1$을 대입하면

$0=1-a+3+1+b$

$\therefore a-b=5$ …… ㉡

㉠, ㉡을 연립하여 풀면

$a=1,\ b=-4$

$\therefore (x-1)(x+1)f(x)=x^4+x^3+3x^2-x-4$ …… ㉢

STEP 2 $f(3)$의 값 구하기

㉢의 양변에 $x=3$을 대입하면

$8f(3)=81+27+27-3-4=128$

$\therefore f(3)=16$

01-6 답 16

해결전략 | 구하는 값이 $a_0+a_2+\cdots+a_{10}$이므로 주어진 등식의 양변에 $x=-1,\ x=1$을 대입하여 구한다.

STEP 1 주어진 등식의 양변에 $x=1$을 대입하기

주어진 등식이 x에 대한 항등식이므로 양변에 $x=1$을 대입하면

$(3+1-2)^5=a_0+a_1+a_2+\cdots+a_{10}$

$\therefore a_0+a_1+a_2+\cdots+a_{10}=2^5$ …… ㉠

STEP 1 주어진 등식의 양변에 $x=-1$을 대입하기

또, 양변에 $x=-1$을 대입하면

$(3-1-2)^5=a_0-a_1+a_2-\cdots+a_{10}$

$\therefore a_0-a_1+a_2-\cdots+a_{10}=0$ …… ㉡

STEP 3 $a_0+a_2+a_4+a_6+a_8+a_{10}$의 값 구하기

㉠+㉡을 하면

$2a_0+2a_2+\cdots+2a_{10}=2^5$

$\therefore a_0+a_2+\cdots+a_{10}=2^4=16$

필수유형 02 41쪽

02-1 답 $a=2,\ b=-2$

해결전략 | 괄호 안을 0으로 만드는 숫자를 양변에 대입한다.

STEP 1 주어진 등식의 양변에 $x=-1$을 대입하기

주어진 등식이 x에 대한 항등식이므로 양변에 $x=-1$을 대입하면

$2+4=-3b \qquad \therefore b=-2$

STEP 2 주어진 등식의 양변에 $x=2$를 대입하기

또, 양변에 $x=2$를 대입하면

$8+4=6a \qquad \therefore a=2$

02-2 답 $x=0,\ y=-1$

해결전략 | 주어진 등식의 좌변을 k에 대하여 정리한 후 항등식의 성질을 이용한다.

STEP 1 주어진 식의 좌변을 k에 대하여 정리하기

$(k-2)x+(2k+1)y+2k+1$

$=kx-2x+2ky+y+2k+1$

$=(x+2y+2)k-2x+y+1$

STEP 2 항등식의 성질을 이용하여 $x,\ y$의 값 구하기

주어진 등식이 k에 대한 항등식이므로

$(x+2y+2)k-2x+y+1=0$에서

$x+2y+2=0$ ······ ㉠

$-2x+y+1=0$ ······ ㉡

㉠, ㉡을 연립하여 풀면

$x=0,\ y=-1$

02-3 답 -1

해결전략 | $x-y=1$을 한 문자에 대하여 정리하고 주어진 등식에 대입한다.

STEP 1 조건에 맞는 식 만들기

$x-y=1$에서 $y=x-1$

이 식을 주어진 등식의 우변에 대입하면

$(x-1)^2-4=x^2-2x-3$이므로

$ax^2+bx-3=x^2-2x-3$

STEP 2 $a+b$의 값 구하기

주어진 등식은 x에 대한 항등식이므로

양변의 계수를 비교하면

$a=1,\ b=-2$

$\therefore a+b=1+(-2)=-1$

02-4 답 9

해결전략 | $x=-1$을 대입한 식을 k에 대하여 정리한 후 항등식의 성질을 이용한다.

STEP 1 조건을 이용하여 식을 만들고, k에 대하여 정리하기

주어진 이차방정식이 $x=-1$을 근으로 가지므로

$1-(k-1)+(k+5)a+b-4=0$

$(-1+a)k+5a+b-2=0$

STEP 2 ab^2의 값 구하기

이 등식이 k에 대한 항등식이므로

$-1+a=0,\ 5a+b-2=0$

$\therefore a=1,\ b=-5a+2=-3$

$\therefore ab^2=1\times(-3)^2=9$

02-5 답 3

해결전략 | 유리식이 항상 일정한 값을 가지면 (유리식)$=k$ (k는 상수)로 놓을 수 있다.

STEP 1 $\dfrac{ax-2y-4}{2x+by-2}=k$로 놓고 $x,\ y$에 대하여 정리하기

$\dfrac{ax-2y-4}{2x+by-2}=k$ (k는 상수)로 놓으면

$ax-2y-4=(2x+by-2)k$

$ax-2y-4-2kx-bky+2k=0$

$\therefore (a-2k)x+(-2-bk)y-4+2k=0$

STEP 2 $a+b$의 값 구하기

이 등식이 $x,\ y$에 대한 항등식이므로

$a-2k=0$ ······ ㉠

$-2-bk=0$ ······ ㉡

$-4+2k=0\quad \therefore k=2$

$k=2$를 ㉠, ㉡에 대입하면

$a=4,\ b=-1$

$\therefore a+b=4+(-1)=3$

> **풍쌤의 비법**
>
> **항상 일정한 값을 갖는 유리식**
>
> 유리식이 일정한 값을 가지면 (유리식)$=k$ (k는 상수)로 놓을 수 있다.
>
> 이때 위의 등식은 k에 대한 항등식이 되므로 위의 등식을 k에 대하여 정리하고 미정계수법을 이용하여 답을 구하면 된다.

02-6 답 -1

해결전략 | $f(x)$가 일차식이므로 $f(x)=ax+b$로 놓고 x에 대하여 정리한다.

STEP 1 $f(x)$가 일차식임을 이용하여 식 정리하기

$f(x)$가 일차식이므로 $f(x)=ax+b$ ($a,\ b$는 상수)로 놓으면

$(ax+b)^2=2x(ax+b)+2x+1$

$a^2x^2+2abx+b^2=2ax^2+2bx+2x+1$

$\therefore (a^2-2a)x^2+(2ab-2b-2)x+b^2-1=0$

STEP 2 $f(x)$의 식 구하기

이 등식이 x에 대한 항등식이므로

$a^2-2a=0$ ······ ㉠

$2ab-2b-2=0$ ······ ㉡

$b^2-1=0$

㉠에서 $a(a-2)=0\quad \therefore a=2\ (\because a\neq 0)$

($f(x)$는 일차식이므로 a는 0이 아니다.)

$a=2$를 ㉡에 대입하면

$2b-2=0\quad \therefore b=1$

$\therefore f(x)=2x+1$

STEP 3 $f(-1)$의 값 구하기

$\therefore f(-1)=2\times(-1)+1=-1$

필수유형 03 43쪽

03-1 답 6

해결전략 | 주어진 나눗셈을 항등식으로 표현하고 계수비교법을 이용하여 미지수의 값을 구한다.

STEP1 다항식의 나눗셈을 항등식으로 나타내기

x^3+ax^2+bx+3을 x^2+3x+1로 나누었을 때의 몫이 $x-2$, 나머지가 5이므로

$x^3+ax^2+bx+3=(x^2+3x+1)(x-2)+5$

$=x^3+x^2-5x+3$

STEP2 $a-b$의 값 구하기

이 등식이 x에 대한 항등식이므로 양변의 계수를 비교하면

$a=1,\ b=-5$

$\therefore a-b=1-(-5)=6$

03-2 답 $a=-2,\ b=3$

해결전략 | 주어진 나눗셈을 항등식으로 표현하고 수치대입법을 이용하여 미지수의 값을 구한다.

STEP1 다항식의 나눗셈을 항등식으로 나타내기

$x^3+ax^2+bx+1=(x^2-3x+2)Q(x)+4x-1$

$=(x-1)(x-2)Q(x)+4x-1$

STEP2 $a,\ b$의 값 구하기

이 등식이 x에 대한 항등식이므로 양변에 $x=1$을 대입하면

$1+a+b+1=3$

$\therefore a+b=1$ ······ ㉠

또, 양변에 $x=2$를 대입하면

$8+4a+2b+1=7$

$4a+2b=-2$

$\therefore 2a+b=-1$ ······ ㉡

㉠, ㉡을 연립하여 풀면

$a=-2,\ b=3$

03-3 답 8

해결전략 | 주어진 나눗셈을 항등식으로 표현하고, 나머지를 좌변으로 이항하여 정리한 식을 몫으로 나누어 $g(x)$를 구한다.

STEP1 다항식의 나눗셈을 항등식으로 나타내기

$3x^3-2x^2+2x+1$을 $g(x)$로 나누었을 때의 몫이 $3x+4$, 나머지가 $10x+1$이므로

$3x^3-2x^2+2x+1=g(x)(3x+4)+10x+1$

$\therefore 3x^3-2x^2-8x=(3x+4)g(x)$

STEP2 $g(x)$ 구하기

$3x^3-2x^2-8x$를 $3x+4$로 나누면 몫이 $g(x)$이므로 직접 다항식의 나눗셈을 하면 다음과 같다.

$$\begin{array}{r} x^2-2x \\ 3x+4\,\big)\ 3x^3-2x^2-8x \\ \underline{3x^3+4x^2} \\ -6x^2-8x \\ \underline{-6x^2-8x} \\ 0 \end{array}$$

$\therefore g(x)=(3x^3-2x^2-8x)\div(3x+4)$

$=x^2-2x$

STEP3 $g(-2)$의 값 구하기

$\therefore g(-2)=4+4=8$

03-4 답 -2

해결전략 | 나누어떨어지면 나머지가 0임을 이용하여 다항식의 나눗셈을 항등식으로 표현한다.

STEP1 다항식의 나눗셈을 항등식으로 나타내기

x^8+ax^3+b를 x^2-1로 나누었을 때의 몫을 $Q(x)$라고 하면

$x^8+ax^3+b=(x^2-1)Q(x)$

$=(x+1)(x-1)Q(x)$ ······ ㉠

STEP2 $a+2b$의 값 구하기

㉠은 x에 대한 항등식이므로 양변에 $x=1$을 대입하면

$1+a+b=0$

$\therefore a+b=-1$ ······ ㉡

또, ㉠의 양변에 $x=-1$을 대입하면

$1-a+b=0$

$\therefore a-b=1$ ······ ㉢

㉡, ㉢을 연립하여 풀면

$a=0,\ b=-1$

$\therefore a+2b=0+2\times(-1)=-2$

03-5 답 $a=2,\ b=1$

해결전략 | 삼차식을 이차식으로 나누면 몫이 일차식이 됨을 이용하여 나눗셈을 항등식으로 표현한다.

STEP1 다항식의 나눗셈을 항등식으로 나타내기

x^3+ax^2+4x+2를 x^2+bx+1로 나누면 몫은 일차식이므로 몫을 $cx+d\ (c\neq0)$로 놓으면

$x^3+ax^2+4x+2=(x^2+bx+1)(cx+d)+2x+1$

$\therefore x^3+ax^2+2x+1=(x^2+bx+1)(cx+d)$ ······ ㉠

STEP2 $c,\ d$의 값 구하기

㉠에서 좌변의 x^3의 계수는 1이므로 $c=1$

또, ㉠은 x에 대한 항등식이므로 양변에 $x=0$을 대입하면
$d=1$

STEP 3 a, b의 값 구하기

$\therefore x^3+ax^2+2x+1=(x^2+bx+1)(x+1)$
$=x^3+(1+b)x^2+(b+1)x+1$

양변의 계수를 비교하면
$a=1+b$, $2=b+1$
$\therefore a=2$, $b=1$

03-6 답 5

해결전략 | 주어진 나눗셈을 항등식으로 표현하고, 계수비교법을 이용하여 미지수의 값을 구한다.

STEP 1 다항식의 나눗셈을 항등식으로 나타내기

x^3+x-a가 x^2+bx+2로 나누어떨어지므로 몫을 $cx+d$ $(c\neq0)$로 놓으면 나머지는 0이다. 즉,
$x^3+x-a=(x^2+bx+2)(cx+d)$
$=cx^3+(bc+d)x^2+(2c+bd)x+2d$

STEP 2 b, c, d의 값 구하기

이 등식은 x에 대한 항등식이므로 양변의 계수를 비교하면
(좌변에 x^2항이 없으므로 우변의 x^2항의 계수는 0이다.)
$c=1$, $bc+d=0$, $2c+bd=1$, $2d=-a$
$c=1$을 $bc+d=0$, $2c+bd=1$에 대입하면
$b+d=0$, $bd=-1$
두 식을 연립하여 풀면
$b=1$, $d=-1$ 또는 $b=-1$, $d=1$
이때 $b>0$이므로 $b=1$, $d=-1$

STEP 3 a^2+b^2의 값 구하기

$d=-1$을 $2d=-a$에 대입하면
$-2=-a$ $\quad\therefore a=2$
$\therefore a^2+b^2=2^2+1^2=5$

필수유형 04

45쪽

04-1 답 31

해결전략 | $f(x)$를 $2x-1$로 나누었을 때의 나머지는 $f\left(\frac{1}{2}\right)$이고, $x-2$로 나누었을 때의 나머지는 $f(2)$이다.

STEP 1 a의 값 구하기

$f(x)$를 $2x-1$로 나누었을 때의 나머지가 4이므로
$f\left(\frac{1}{2}\right)=\frac{1}{2}-\frac{1}{2}+\frac{1}{2}a+3=4$
$\frac{1}{2}a=1$ $\quad\therefore a=2$

STEP 2 $f(x)$를 $x-2$로 나누었을 때의 나머지 구하기

따라서 $f(x)=4x^3-2x^2+2x+3$이므로
$f(x)$를 $x-2$로 나누었을 때의 나머지는
$f(2)=32-8+4+3=31$

04-2 답 37

해결전략 | $f(x)$를 $x-2$, $x+2$로 나누었을 때의 나머지를 각각 a, b에 대한 식으로 나타낸다.

STEP 1 나머지정리를 이용하여 a, b 사이의 관계식 구하기

$f(x)$를 $x-2$로 나누었을 때의 나머지가 3이므로
$f(2)=16+4a-2b-5=3$
$\therefore 2a-b=-4$ ...... ㉠
또, $f(x)$를 $x+2$로 나누었을 때의 나머지가 -5이므로
$f(-2)=-16+4a+2b-5=-5$
$\therefore 2a+b=8$ ...... ㉡

STEP 2 a^2+b^2의 값 구하기

㉠, ㉡을 연립하여 풀면
$a=1$, $b=6$
$\therefore a^2+b^2=1^2+6^2=37$

04-3 답 -2

해결전략 | 두 다항식 $f(x)$, $g(x)$를 $x+2$로 나누었을 때의 나머지가 서로 같으므로 $f(-2)=g(-2)$이다.

STEP 1 $f(x)$와 $g(x)$를 $x+2$로 나누었을 때의 나머지 각각 구하기

$f(x)$를 $x+2$로 나누었을 때의 나머지는
$f(-2)=4-6+a=a-2$
또, $g(x)$를 $x+2$로 나누었을 때의 나머지는
$g(-2)=-8-2a$

STEP 2 a의 값 구하기

이때 두 나머지가 서로 같아야 하므로
$a-2=-8-2a$
$3a=-6$ $\quad\therefore a=-2$

04-4 답 1

해결전략 | $f(x)+2g(x)$를 $x-2$로 나누었을 때의 나머지를 식으로 표현하고 그 값을 구한다.

STEP 1 나머지정리를 이용하여 $f(2)$, $g(2)$의 값 구하기

$f(x)$를 $x-2$로 나누었을 때의 나머지가 3이므로
$f(2)=3$
또, $g(x)$를 $x-2$로 나누었을 때의 나머지가 -1이므로
$g(2)=-1$

STEP 2 $f(x)+2g(x)$를 $x-2$로 나누었을 때의 나머지 구하기

$f(x)+2g(x)$를 $x-2$로 나누었을 때의 나머지는

$f(2)+2g(2)$이므로

$f(2)+2g(2)=3+2\times(-1)=1$

04-5 답 1

해결전략 | $x=200$이라고 하면 $201=x+1$이므로 $(x+1)^{88}$을 $x+1$로 나누었을 때의 나머지를 이용한다.

STEP 1 수를 문자로 대체한 식 세우기

$x=200$이라고 하면 $201=x+1$이므로 201^{88}을 200으로 나누었을 때의 나머지는 $(x+1)^{88}$을 x로 나누었을 때의 나머지와 같다.

$(x+1)^{88}$을 x로 나누었을 때의 몫을 $Q(x)$, 나머지를 R라고 하면

$(x+1)^{88}=xQ(x)+R$ ...... ㉠

STEP 2 201^{88}을 200으로 나누었을 때의 나머지 구하기

㉠의 양변에 $x=0$을 대입하면

$1^{88}=R \quad \therefore R=1$

㉠의 양변에 $x=200$, $R=1$을 대입하면

$201^{88}=200Q(200)+1$

따라서 201^{88}을 200으로 나누었을 때의 나머지는 1이다.

다른 풀이

STEP 1 수를 문자로 대체한 식 세우기

$x=201$이라고 하면 $200=x-1$이므로 201^{88}을 200으로 나누었을 때의 나머지는 x^{88}을 $x-1$로 나누었을 때의 나머지와 같다.

x^{88}을 $x-1$로 나누었을 때의 몫을 $Q'(x)$, 나머지를 R라고 하면

$x^{88}=(x-1)Q'(x)+R$ ...... ㉠

STEP 2 201^{88}을 200으로 나누었을 때의 나머지 구하기

㉠의 양변에 $x=1$을 대입하면

$1^{88}=R \quad \therefore R=1$

㉠의 양변에 $x=201$, $R=1$을 대입하면

$201^{88}=200Q'(201)+1$

따라서 201^{88}을 200으로 나누었을 때의 나머지는 1이다.

풍쌤의 비법

큰 수를 나누었을 때의 나머지

숫자를 직접 나누는 것이 아니라 나머지정리를 이용할 수 있도록 적절한 문자로 치환하는 방법을 이용해야 한다. 이때 숫자를 대입하기 쉽게 만들 수 있도록 치환하는 것이 중요하다.

04-6 답 2

해결전략 | 나머지정리와 주어진 조건을 이용하여 관계식을 세우고, $f(2)$, $g(2)$의 값을 구한다.

STEP 1 나머지정리를 이용하여 $f(2)+g(2)$와 $f(2)-g(2)$의 값 구하기

$f(x)+g(x)$를 $x-2$로 나누었을 때의 나머지가 3이므로

$f(2)+g(2)=3$ ...... ㉠

$f(x)-g(x)$를 $x-2$로 나누었을 때의 나머지가 -1이므로 $f(2)-g(2)=-1$ ...... ㉡

STEP 2 $f(2)$와 $g(2)$의 값 구하기

㉠, ㉡을 연립하여 풀면

$f(2)=1$, $g(2)=2$

(㉠+㉡을 하면 $2f(2)=2 \quad \therefore f(2)=1$, ㉠에 대입하면 $g(2)=2$)

STEP 3 $\dfrac{R_2}{R_1}$의 값 구하기

$f(x)$를 $x-2$로 나누었을 때의 나머지가 R_1이므로

$R_1=f(2)=1$

$g(x)$를 $x-2$로 나누었을 때의 나머지가 R_2이므로

$R_2=g(2)=2$

$\therefore \dfrac{R_2}{R_1}=\dfrac{2}{1}=2$

필수유형 05 47쪽

05-1 답 $4x+3$

해결전략 | $f(x)$를 $(x-\alpha)(x-\beta)$로 나누었을 때의 나머지를 $ax+b$로 놓고, $f(\alpha)$, $f(\beta)$의 값을 이용하여 a, b의 값을 구한다.

STEP 1 나머지정리를 이용하여 $f(0)$, $f(-1)$의 값 구하기

$f(x)$를 x로 나누었을 때의 나머지가 3이므로

$f(0)=3$

$f(x)$를 $x+1$로 나누었을 때의 나머지가 -1이므로

$f(-1)=-1$

STEP 2 다항식의 나눗셈을 항등식으로 나타내기

$f(x)$를 x^2+x로 나누었을 때의 몫을 $Q(x)$, 나머지를 $ax+b$ (a, b는 상수)라고 하면

$f(x)=(x^2+x)Q(x)+ax+b$

$\quad=x(x+1)Q(x)+ax+b$ ...... ㉠

로 놓을 수 있다.

STEP 3 $f(x)$를 x^2+x로 나누었을 때의 나머지 구하기

㉠의 양변에 $x=0$을 대입하면 $f(0)=b=3$

또, ㉠의 양변에 $x=-1$을 대입하면

$f(-1)=-a+b=-1$

$\therefore a=4$

따라서 구하는 나머지는 $4x+3$이다.

05-2 답 13

해결전략 | $f(x)$를 $(x-\alpha)(x-\beta)$로 나누었을 때의 나머지를 $ax+b$로 놓고 $f(\alpha)$, $f(\beta)$의 값을 이용하여 a, b의 값을 구한다.

STEP 1 다항식의 나눗셈을 항등식으로 나타내기

x^3-x^2+2x-1을 x^2-1로 나누었을 때의 몫을 $Q(x)$, 나머지를 $R(x)=ax+b$ (a, b는 상수)라고 하면

x^3-x^2+2x-1

$=(x^2-1)Q(x)+ax+b$

$=(x-1)(x+1)Q(x)+ax+b$ …… ㉠

로 놓을 수 있다.

STEP 2 $R(x)$ 구하기

㉠의 양변에 $x=1$을 대입하면

$1-1+2-1=a+b$

$\therefore a+b=1$ …… ㉡

또, ㉠의 양변에 $x=-1$을 대입하면

$-1-1-2-1=-a+b$

$\therefore a-b=5$ …… ㉢

㉡, ㉢을 연립하여 풀면

$a=3$, $b=-2$

$\therefore R(x)=3x-2$

STEP 3 $R(5)$의 값 구하기

$\therefore R(5)=15-2=13$

05-3 답 $5x+7$

해결전략 | $(x^2+x+1)f(x)$를 x^2+3x-4로 나누었을 때의 나머지를 $ax+b$로 놓고 $f(1)$, $f(-4)$의 값을 이용한다.

STEP 1 나머지정리를 이용하여 $f(1)$, $f(-4)$의 값 구하기

$f(x)$를 $x-1$로 나누었을 때의 나머지가 4이므로

$f(1)=4$

$f(x)$를 $x+4$로 나누었을 때의 나머지가 -1이므로

$f(-4)=-1$

STEP 2 다항식의 나눗셈을 항등식으로 나타내기

$(x^2+x+1)f(x)$를 x^2+3x-4로 나누었을 때의 몫을 $Q(x)$, 나머지를 $ax+b$ (a, b는 상수)라고 하면

$(x^2+x+1)f(x)$

$=(x^2+3x-4)Q(x)+ax+b$

$=(x+4)(x-1)Q(x)+ax+b$ …… ㉠

로 놓을 수 있다.

STEP 3 $(x^2+x+1)f(x)$를 x^2+3x-4로 나누었을 때의 나머지 구하기

㉠의 양변에 $x=1$을 대입하면

$(1+1+1)f(1)=a+b$

$\therefore a+b=12$ …… ㉡

또, ㉠의 양변에 $x=-4$를 대입하면

$(16-4+1)f(-4)=-4a+b$

$\therefore 4a-b=13$ …… ㉢

㉡, ㉢을 연립하여 풀면

$a=5$, $b=7$

따라서 구하는 나머지는 $5x+7$이다.

05-4 답 1

해결전략 | $f(2x-3)$을 $x-2$로 나누었을 때의 나머지는 $f(2\times2-3)$, 즉 $f(1)$이다.

STEP 1 나머지정리를 이용하여 $f(1)$의 값 구하기

$f(x)$를 $(x-1)(x+1)$로 나누었을 때의 나머지가 $2x-1$이므로

$f(1)=2\times1-1=1$

STEP 2 $f(2x-3)$을 $x-2$로 나누었을 때의 나머지 구하기

$f(2x-3)$을 $x-2$로 나누었을 때의 몫을 $Q(x)$, 나머지를 R라고 하면

$f(2x-3)=(x-2)Q(x)+R$

이 식의 양변에 $x=2$를 대입하면

$f(1)=R=1$

05-5 답 $-11x-16$

해결전략 | 주어진 조건을 이용하여 $f(x)$를 항등식으로 나타내고, 나머지를 구하는 데 필요한 관계식을 찾는다.

STEP 1 나머지정리를 이용하여 $f(-1)$의 값 구하기

$f(x)$를 x^2-2x-3으로 나누었을 때의 몫을 $Q_1(x)$라고 하면 나머지가 $2x-3$이므로

$f(x)=(x^2-2x-3)Q_1(x)+2x-3$

$=(x+1)(x-3)Q_1(x)+2x-3$

이 식의 양변에 $x=-1$을 대입하면

$f(-1)=-5$

$x^2+3x+2=(x+1)(x+2)$이므로 필요한 값만을 구한다.

STEP 2 나머지정리를 이용하여 $f(-2)$의 값 구하기

$f(x)$를 x^2+2x로 나누었을 때의 몫을 $Q_2(x)$라고 하면 나머지가 $-x+4$이므로

$f(x)=(x^2+2x)Q_2(x)-x+4$

$=x(x+2)Q_2(x)-x+4$

이 식의 양변에 $x=-2$를 대입하면

$f(-2)=6$

$x^2+3x+2=(x+1)(x+2)$이므로 필요한 값만을 구한다.

STEP 3 $f(x)$를 x^2+3x+2로 나누었을 때의 나머지 구하기

$f(x)$를 x^2+3x+2로 나누었을 때의 몫을 $Q(x)$, 나머지를 $ax+b$ (a, b는 상수)라고 하면

$$f(x)=(x^2+3x+2)Q(x)+ax+b$$
$$=(x+1)(x+2)Q(x)+ax+b \quad \cdots\cdots ㉠$$

로 놓을 수 있다.

㉠의 양변에 $x=-1$을 대입하면

$$f(-1)=-a+b=-5 \quad \cdots\cdots ㉡$$

또, ㉠의 양변에 $x=-2$를 대입하면

$$f(-2)=-2a+b=6 \quad \cdots\cdots ㉢$$

㉡, ㉢을 연립하여 풀면

$a=-11$, $b=-16$

따라서 구하는 나머지는 $-11x-16$이다.

05-6 답 -4

해결전략 | 주어진 조건을 이용하여 $f(x)$를 항등식으로 나타내고, 나머지정리를 이용한다.

STEP 1 $f(2)$의 값 구하기

$f(x)$를 x^2-4x+4로 나누었을 때의 몫을 $Q(x)$라고 하면 나머지가 $3x-2$이므로

$$f(x)=(x^2-4x+4)Q(x)+3x-2$$
$$=(x-2)^2Q(x)+3x-2$$

이 식의 양변에 $x=2$를 대입하면

$f(2)=4$

STEP 2 $(2x+1)f(2x+4)$를 $x+1$로 나누었을 때의 나머지 구하기

$(2x+1)f(2x+4)$를 $x+1$로 나누었을 때의 몫을 $Q'(x)$, 나머지를 R라고 하면

$$(2x+1)f(2x+4)=(x+1)Q'(x)+R$$

이 식의 양변에 $x=-1$을 대입하면

$-f(2)=R=-4$

따라서 구하는 나머지는 -4이다.

필수유형 06

49쪽

06-1 답 $3x^2-10x+13$

해결전략 | $f(x)$를 $(x-\alpha)^2(x-\beta)$로 나누었을 때의 나머지를 ax^2+bx+c로 놓고 $f(x)$를 $(x-\alpha)^2$으로 나누었을 때의 나머지가 $mx+n$이면 $ax^2+bx+c=a(x-\alpha)^2+mx+n$임을 이용한다.

STEP 1 다항식의 나눗셈을 항등식으로 나타내기

$f(x)$를 $(x-2)^2(x-3)$으로 나누었을 때의 몫을 $Q(x)$라고 하면 나머지는 이차 이하의 다항식이므로

$$f(x)=(x-2)^2(x-3)Q(x)+ax^2+bx+c$$
$$(a,\ b,\ c\text{는 상수}) \quad \cdots\cdots ㉠$$

로 놓을 수 있다.

STEP 2 ㉠의 우변을 $(x-2)^2$으로 나누기

또, $f(x)$를 $(x-2)^2$으로 나누었을 때의 나머지가 $2x+1$이므로 ㉠의 우변을 $(x-2)^2$으로 나누면 마찬가지로 나머지가 $2x+1$이어야 한다.

따라서 ax^2+bx+c를 $(x-2)^2$으로 나누었을 때의 나머지가 $2x+1$이어야 하므로

$$ax^2+bx+c=a(x-2)^2+2x+1$$
$$\therefore f(x)=(x-2)^2(x-3)Q(x)+a(x-2)^2+2x+1$$

STEP 3 a의 값 구하기

$f(x)$를 $x-3$으로 나누었을 때의 나머지가 10이므로

$f(3)=a+7=10 \qquad \therefore a=3$

STEP 4 $f(x)$를 $(x-2)^2(x-3)$으로 나누었을 때의 나머지 구하기

따라서 구하는 나머지는

$$3(x-2)^2+2x+1=3x^2-10x+13$$

06-2 답 $-x^2+3x+1$

해결전략 | $f(x)$를 $(x-\alpha)^2(x-\beta)$로 나누었을 때의 나머지를 ax^2+bx+c로 놓고 $f(x)$를 $(x-\alpha)^2$으로 나누었을 때의 나머지가 $x+m$이면 $ax^2+bx+c=a(x-\alpha)^2+x+m$임을 이용한다.

STEP 1 다항식의 나눗셈을 항등식으로 나타내기

$f(x)$를 $(x-1)^2(x-2)$로 나누었을 때의 몫을 $Q(x)$라고 하면 나머지는 이차 이하의 다항식이므로

$$f(x)=(x-1)^2(x-2)Q(x)+ax^2+bx+c$$
$$(a,\ b,\ c\text{는 상수}) \quad \cdots\cdots ㉠$$

로 놓을 수 있다.

STEP 2 ㉠의 우변을 $(x-1)^2$으로 나누기

또, $f(x)$를 $(x-1)^2$으로 나누었을 때의 나머지가 $x+2$이므로 ㉠의 우변을 $(x-1)^2$으로 나누면 마찬가지로 나머지가 $x+2$이어야 한다.

따라서 ax^2+bx+c를 $(x-1)^2$으로 나누었을 때의 나머지가 $x+2$이어야 하므로

$$ax^2+bx+c=a(x-1)^2+x+2$$
$$\therefore f(x)=(x-1)^2(x-2)Q(x)+a(x-1)^2+x+2$$

STEP 3 a의 값 구하기

$f(x)$를 $x-2$로 나누었을 때의 나머지가 3이므로

$f(2)=a+4=3 \qquad \therefore\ a=-1$

STEP 4 $f(x)$를 $(x-1)^2(x-2)$로 나누었을 때의 나머지 구하기

따라서 구하는 나머지는

$-(x-1)^2+x+2=-x^2+3x+1$

06-3 답 $-x^2+2x+4$

해결전략 | 구하는 나머지를 ax^2+bx+c로 놓고, ax^2+bx+c를 x^2-1로 나누었을 때의 나머지는 $f(x)$를 x^2-1로 나누었을 때의 나머지와 같음을 이용한다.

STEP 1 다항식의 나눗셈을 항등식으로 나타내기

$f(x)$를 $(x^2-1)(x-2)$로 나누었을 때의 몫을 $Q(x)$라고 하면 나머지는 이차 이하의 다항식이므로

$f(x)=(x^2-1)(x-2)Q(x)+ax^2+bx+c$

(a, b, c는 상수) …… ㉠

로 놓을 수 있다.

STEP 2 ㉠의 우변을 x^2-1로 나누기

또, $f(x)$를 x^2-1로 나누었을 때의 나머지가 $2x+3$이므로 ㉠의 우변을 x^2-1로 나누면 마찬가지로 나머지가 $2x+3$이어야 한다.

따라서 ax^2+bx+c를 x^2-1로 나누었을 때의 나머지가 $2x+3$이어야 하므로

$ax^2+bx+c=a(x^2-1)+2x+3$

$\therefore\ f(x)=(x^2-1)(x-2)Q(x)+a(x^2-1)+2x+3$

STEP 3 a의 값 구하기

$f(x)$를 $x-2$로 나누었을 때의 나머지가 4이므로

$f(2)=3a+7=4$

$\therefore\ a=-1$

STEP 4 $f(x)$를 $(x^2-1)(x-2)$로 나누었을 때의 나머지 구하기

따라서 구하는 나머지는

$-(x^2-1)+2x+3=-x^2+2x+4$

06-4 답 -1

해결전략 | 구하는 나머지를 ax^2+bx+c로 놓고, ax^2+bx+c를 x^2+x+1로 나누었을 때의 나머지는 $f(x)$를 x^2+x+1로 나누었을 때의 나머지와 같음을 이용한다.

STEP 1 다항식의 나눗셈을 항등식으로 나타내기

$f(x)$를 $(x-1)(x^2+x+1)$로 나누었을 때의 몫을 $Q(x)$라고 하면 나머지는 이차 이하의 다항식이므로

$f(x)=(x-1)(x^2+x+1)Q(x)+ax^2+bx+c$

(a, b, c는 상수) …… ㉠

로 놓을 수 있다.

STEP 2 ㉠의 우변을 x^2+x+1로 나누기

또, $f(x)$를 x^2+x+1로 나누었을 때의 나머지가 $8x+4$이므로 ㉠에서

ax^2+bx+c를 x^2+x+1로 나누었을 때의 나머지가 $8x+4$이다.

따라서 $ax^2+bx+c=a(x^2+x+1)+8x+4$이므로

$f(x)=(x-1)(x^2+x+1)Q(x)+a(x^2+x+1)+8x+4$

STEP 3 a의 값 구하기

$f(x)$를 $x-1$로 나누었을 때의 나머지가 3이므로

$f(1)=3a+12=3 \qquad \therefore\ a=-3$

STEP 4 $R(2)$의 값 구하기

따라서 구하는 나머지는

$R(x)=-3(x^2+x+1)+8x+4=-3x^2+5x+1$

이므로

$R(2)=-3\times2^2+5\times2+1=-1$

06-5 답 $5x$

해결전략 | $f(x)$를 $(x-\alpha)(x-\beta)(x-\gamma)$로 나누었을 때의 나머지를 ax^2+bx+c로 놓고 $f(\alpha)$, $f(\beta)$, $f(\gamma)$의 값을 이용한다.

STEP 1 다항식의 나눗셈을 항등식으로 나타내기

$x^{13}+x^5+2x^3+x$를 x^3-x로 나누었을 때의 몫을 $Q(x)$라고 하면 나머지는 이차 이하의 다항식이므로

$x^{13}+x^5+2x^3+x$

$=(x^3-x)Q(x)+ax^2+bx+c$

$=x(x-1)(x+1)Q(x)+ax^2+bx+c$

(a, b, c는 상수) …… ㉠

로 놓을 수 있다.

STEP 2 $x^{13}+x^5+2x^3+x$를 x^3-x로 나누었을 때의 나머지 구하기

㉠의 양변에 $x=0$을 대입하면

$0=c$

$c=0$을 ㉠에 대입하면

$x^{13}+x^5+2x^3+x=x(x-1)(x+1)Q(x)+ax^2+bx$

…… ㉡

㉡의 양변에 $x=1$을 대입하면

$1+1+2+1=a+b$

$\therefore\ a+b=5$ …… ㉢

또, ㉡의 양변에 $x=-1$을 대입하면

$-1-1-2-1=a-b$

$\therefore\ a-b=-5$ …… ㉣

㉢, ㉣을 연립하여 풀면

$a=0,\ b=5$

따라서 구하는 나머지는 $5x$이다.

06-6 답 $-x^2-3$

해결전략 | $f(x)$를 $(x-\alpha)(x-\beta)(x-\gamma)$로 나누었을 때의 나머지를 ax^2+bx+c로 놓고 $f(\alpha),\ f(\beta),\ f(\gamma)$의 값을 이용한다.

STEP1 다항식의 나눗셈을 항등식으로 나타내기

$f(x)$를 $(x^2-1)(x+2)$로 나누었을 때의 몫을 $Q(x)$라고 하면 나머지는 이차 이하의 다항식이므로

$f(x)=(x^2-1)(x+2)Q(x)+ax^2+bx+c$

$\quad=(x-1)(x+1)(x+2)Q(x)+ax^2+bx+c$

$(a,\ b,\ c$는 상수$)$ …… ㉠

로 놓을 수 있다.

STEP2 나머지정리를 이용하여 $f(-2),\ f(-1),\ f(1)$의 값 구하기

$f(x)$를 $(x+1)(x+2)$로 나누었을 때의 나머지가 $3x-1$이므로

$f(-2)=3\times(-2)-1=-7$

$f(-1)=3\times(-1)-1=-4$

또, $f(x)$를 $x-1$로 나누었을 때의 나머지가 -4이므로

$f(1)=-4$

STEP3 $f(x)$를 $(x^2-1)(x+2)$로 나누었을 때의 나머지 구하기

㉠의 양변에 $x=-2$를 대입하면

$f(-2)=4a-2b+c=-7$ …… ㉡

㉠의 양변에 $x=-1$을 대입하면

$f(-1)=a-b+c=-4$ …… ㉢

또, ㉠의 양변에 $x=1$을 대입하면

$f(1)=a+b+c=-4$ …… ㉣

㉢$-$㉣을 하면 $-2b=0$

$\therefore\ b=0$

이것을 ㉡, ㉢에 각각 대입하면

$4a+c=-7,\ a+c=-4$

두 식을 연립하여 풀면

$a=-1,\ c=-3$

따라서 구하는 나머지는 $-x^2-3$이다.

발전유형 07 51쪽

07-1 답 1

해결전략 | $Q(x)$를 $x+2$로 나누었을 때의 나머지는 $Q(-2)$이다.

STEP1 다항식의 나눗셈을 항등식으로 나타내기

$f(x)$를 $x-1$로 나누었을 때의 몫이 $Q(x)$, 나머지가 2이므로

$f(x)=(x-1)Q(x)+2$ …… ㉠

STEP2 나머지정리를 이용하여 $f(-2)$의 값 구하기

또, $f(x)$를 $x+2$로 나누었을 때의 나머지가 -1이므로

$f(-2)=-1$

STEP3 $Q(x)$를 $x+2$로 나누었을 때의 나머지 구하기

$Q(x)$를 $x+2$로 나누었을 때의 나머지는 $Q(-2)$이므로

㉠의 양변에 $x=-2$를 대입하면

$f(-2)=(-2-1)Q(-2)+2$

$-1=-3Q(-2)+2$

$\therefore\ Q(-2)=1$

07-2 답 2

해결전략 | $Q(x)$를 $x-3$으로 나누었을 때의 나머지는 $Q(3)$이다.

STEP1 다항식의 나눗셈을 항등식으로 나타내기

$f(x)$를 $(x-1)(x-2)$로 나누었을 때의 몫이 $Q(x)$, 나머지가 $x+1$이므로

$f(x)=(x-1)(x-2)Q(x)+x+1$ …… ㉠

STEP2 나머지정리를 이용하여 $f(3)$의 값 구하기

또, $f(x)$를 $x-3$으로 나누었을 때의 나머지가 8이므로

$f(3)=8$

STEP3 $Q(x)$를 $x-3$으로 나누었을 때의 나머지 구하기

$Q(x)$를 $x-3$으로 나누었을 때의 나머지는 $Q(3)$이므로

㉠의 양변에 $x=3$을 대입하면

$f(3)=(3-1)(3-2)Q(3)+3+1$

$8=2Q(3)+4$

$\therefore\ Q(3)=2$

07-3 답 2

해결전략 | $Q(x)$를 $x-1$로 나누었을 때의 나머지는 $Q(1)$이다.

STEP1 다항식의 나눗셈을 항등식으로 나타내기

$x^4+x^3+x^2+x+2$를 $x+1$로 나누었을 때의 몫이 $Q(x)$이므로 나머지를 R라고 하면

$x^4+x^3+x^2+x+2=(x+1)Q(x)+R$ ······ ㉠

㉠의 양변에 $x=-1$을 대입하면

$1-1+1-1+2=R$ $\therefore R=2$

$\therefore x^4+x^3+x^2+x+2=(x+1)Q(x)+2$ ······ ㉡

STEP 2 $Q(x)$를 $x-1$로 나누었을 때의 나머지 구하기

$Q(x)$를 $x-1$로 나누었을 때의 나머지는 $Q(1)$이므로 ㉡의 양변에 $x=1$을 대입하면

$1+1+1+1+2=2Q(1)+2$

$2Q(1)=4$

$\therefore Q(1)=2$

07-4 답 3

해결전략 | 주어진 몫과 나머지를 이용하여 $f(x)$, $Q(x)$를 식으로 나타내고, 이를 이용하여 $R(x)$를 구한다.

STEP 1 다항식의 나눗셈을 항등식으로 나타내기

$f(x)$를 $x+3$으로 나누었을 때의 몫이 $Q(x)$, 나머지가 1이므로

$f(x)=(x+3)Q(x)+1$ ······ ㉠

또, $Q(x)$를 $x-4$로 나누었을 때의 몫을 $Q'(x)$라고 하면 나머지가 -2이므로

$Q(x)=(x-4)Q'(x)-2$ ······ ㉡

STEP 2 $R(x)$ 구하기

㉡을 ㉠에 대입하면

$$\begin{aligned}f(x)&=(x+3)\{(x-4)Q'(x)-2\}+1\\&=(x+3)(x-4)Q'(x)-2(x+3)+1\\&=(x+3)(x-4)Q'(x)-2x-5\end{aligned}$$

따라서 $f(x)$를 $(x+3)(x-4)$로 나누었을 때의 나머지는

$R(x)=-2x-5$

STEP 3 $R(-4)$의 값 구하기

$\therefore R(-4)=-2\times(-4)-5=3$

07-5 답 8

해결전략 | 주어진 몫과 나머지를 이용하여 $f(x)$, $Q(x)$를 식으로 나타내고, 이를 이용하여 $R(x)$를 구한다.

STEP 1 다항식의 나눗셈을 항등식으로 나타내기

$f(x)$를 x^2-x+1로 나누었을 때의 몫이 $Q(x)$, 나머지가 $2x+3$이므로

$f(x)=(x^2-x+1)Q(x)+2x+3$ ······ ㉠

또, $Q(x)$를 $x+1$로 나누었을 때의 몫을 $Q'(x)$라고 하면 나머지가 3이므로

$Q(x)=(x+1)Q'(x)+3$ ······ ㉡

STEP 2 $R(x)$ 구하기

㉡을 ㉠에 대입하면

$$\begin{aligned}f(x)&=(x^2-x+1)\{(x+1)Q'(x)+3\}+2x+3\\&=(x+1)(x^2-x+1)Q'(x)\\&\qquad+3(x^2-x+1)+2x+3\\&=(x^3+1)Q'(x)+3x^2-x+6\end{aligned}$$

따라서 $f(x)$를 x^3+1로 나누었을 때의 나머지는

$R(x)=3x^2-x+6$

STEP 3 $R(1)$의 값 구하기

$\therefore R(1)=3-1+6=8$

07-6 답 4

해결전략 | 다항식의 모든 문자의 계수와 상수항의 합은 다항식에 $x=1$을 대입한 것과 같다.

STEP 1 다항식의 나눗셈을 항등식으로 나타내기

$2x^4+3x^3-3x^2+x-1$을 $x+1$로 나누었을 때의 몫이 $Q(x)$이므로 나머지를 R라고 하면

$2x^4+3x^3-3x^2+x-1=(x+1)Q(x)+R$ ······ ㉠

㉠의 양변에 $x=-1$을 대입하면

$2-3-3-1-1=R$ $\therefore R=-6$

$\therefore 2x^4+3x^3-3x^2+x-1=(x+1)Q(x)-6$ ······ ㉡

STEP 2 $Q(x)$의 모든 문자의 계수와 상수항의 합 구하기

$Q(x)$의 모든 문자의 계수와 상수항의 합은 $Q(1)$의 값과 같으므로 ㉡의 양변에 $x=1$을 대입하면

$2+3-3+1-1=2Q(1)-6$

$2Q(1)=8$ $\therefore Q(1)=4$

따라서 $Q(x)$의 모든 문자의 계수와 상수항의 합은 4이다.

필수유형 08

53쪽

08-1 답 3

해결전략 | 다항식 $f(x)$가 $x-\alpha$로 나누어떨어지면 $f(\alpha)=0$임을 이용한다.

$f(x)=ax^3+2x^2-10x-4$가 $x+2$로 나누어떨어지므로 인수정리에 의하여

$f(-2)=0$

이때 $f(-2)=-8a+8+20-4=-8a+24$에서

$-8a+24=0$

$\therefore a=3$

08-2 답 13

해결전략 | $f(x)$가 $(x-\alpha)(x-\beta)$를 인수로 가지면 $f(\alpha)=0$, $f(\beta)=0$임을 이용한다.

STEP1 $f(-1)$을 이용하여 a, b 사이의 관계식 구하기

$f(x)=-x^3+ax^2-2x+b$가 $x+1$로 나누어떨어지므로 인수정리에 의하여

$f(-1)=0$

이때 $f(-1)=1+a+2+b=a+b+3$에서

$a+b+3=0$

$\therefore a+b=-3$ ...... ㉠

STEP2 $f(2)$를 이용하여 a, b 사이의 관계식 구하기

$f(x)$가 $x-2$로 나누어떨어지므로 인수정리에 의하여

$f(2)=0$

이때 $f(2)=-8+4a-4+b=4a+b-12$에서

$4a+b-12=0$

$\therefore 4a+b=12$ ...... ㉡

STEP3 $a-b$의 값 구하기

㉠, ㉡을 연립하여 풀면

$a=5$, $b=-8$

$\therefore a-b=5-(-8)=13$

08-3 답 1

해결전략 | $f(x)$가 $x-\alpha$로 나누어떨어지면 $f(\alpha)=0$임을 이용한다.

$f(x)=x^3+k^2x^2+kx-1$이라고 하면 $f(x)$가 $x+1$로 나누어떨어지므로 인수정리에 의하여

$f(-1)=-1+k^2-k-1=0$

$k^2-k-2=0$, $(k+1)(k-2)=0$

$\therefore k=-1$ 또는 $k=2$

따라서 구하는 모든 상수 k의 값의 합은

$-1+2=1$

08-4 답 50

해결전략 | 나머지정리와 인수정리를 이용하여 a, b 사이의 두 관계식을 구하여 연립하여 푼다.

STEP1 나머지정리 이용하기

x^9+ax+b를 $x-1$로 나누었을 때의 몫이 $Q(x)$이고 나머지가 7이므로

$x^9+ax+b=(x-1)Q(x)+7$ ...... ㉠

㉠의 양변에 $x=1$을 대입하면

$1+a+b=7$

$\therefore a+b=6$ ...... ㉡

STEP2 인수정리 이용하기

이때 $Q(x)$가 $x+1$로 나누어떨어지므로 인수정리에 의하여

$Q(-1)=0$

㉠의 양변에 $x=-1$을 대입하면

$-1-a+b=-2Q(-1)+7$

$Q(-1)=0$이므로

$-1-a+b=7$

$\therefore -a+b=8$ ...... ㉢

STEP3 a, b의 값 구하기

㉡, ㉢을 연립하여 풀면

$a=-1$, $b=7$

$\therefore a^2+b^2=(-1)^2+7^2=50$

08-5 답 ④

해결전략 | $f(x)-g(x)$가 $x+2$를 인수로 가지므로 $f(-2)-g(-2)=0$이다.

STEP1 인수정리를 이용하여 식 세우기

$f(x)-g(x)$가 $x+2$를 인수로 가지면 인수정리에 의하여

$f(-2)-g(-2)=0$

STEP2 a, b 사이의 관계식 구하기

$f(x)=2x^2+5x+2$, $g(x)=(a-1)x+b$이고

$f(-2)=8-10+2=0$, $g(-2)=-2a+2+b$이므로

$f(-2)-g(-2)=-2a+2+b=0$

$\therefore 2a-b-2=0$

08-6 답 $a=1$, $b=-6$

해결전략 | $f(x+k)$가 $x-\alpha$로 나누어떨어지면 $f(\alpha+k)=0$임을 이용한다.

STEP1 인수정리를 이용하여 관계식 구하기

$f(x)=x^3+4x^2+ax+b$이고 $f(x-1)$이 $x+2$로 나누어떨어지므로 인수정리에 의하여

$f(-2-1)=f(-3)=-27+36-3a+b=0$

$\therefore 3a-b=9$ ...... ㉠

$f(x-2)$가 $x-3$으로 나누어떨어지므로 인수정리에 의하여

$f(3-2)=f(1)=1+4+a+b=0$

$\therefore a+b=-5$ ...... ㉡

STEP2 a, b의 값 구하기

㉠, ㉡을 연립하여 풀면

$a=1$, $b=-6$

필수유형 09

55쪽

09-1 답 풀이 참조

(1) 조립제법을 이용하여 $(x^3-3x^2-2x+2)\div(x-1)$을 하면

$$\begin{array}{r|rrrr} 1 & 1 & -3 & -2 & 2 \\ & & 1 & -2 & -4 \\ \hline & 1 & -2 & -4 & \boxed{-2} \end{array}$$

따라서 구하는 몫은 x^2-2x-4, 나머지는 -2이다.

(2) 조립제법을 이용하여 $(x^4+5x+3)\div(x+2)$를 하면

$$\begin{array}{r|rrrrr} -2 & 1 & 0 & 0 & 5 & 3 \\ & & -2 & 4 & -8 & 6 \\ \hline & 1 & -2 & 4 & -3 & \boxed{9} \end{array}$$

따라서 구하는 몫은 x^3-2x^2+4x-3, 나머지는 9이다.

(3) 조립제법을 이용하여 $(2x^3+3x^2+4x+5)\div(2x+3)$을 하면

$$\begin{array}{r|rrrr} -\frac{3}{2} & 2 & 3 & 4 & 5 \\ & & -3 & 0 & -6 \\ \hline & 2 & 0 & 4 & \boxed{-1} \end{array}$$

이때 $2x^3+3x^2+4x+5$를 $x+\frac{3}{2}$으로 나누었을 때의 몫이 $2x^2+4$이고 나머지는 -1이므로

$$2x^3+3x^2+4x+5=\left(x+\frac{3}{2}\right)(2x^2+4)-1$$
$$=(2x+3)(x^2+2)-1$$

따라서 구하는 몫은 x^2+2, 나머지는 -1이다.

09-2 답 -3

STEP 1 a, b, c, d의 값 구하기

조립제법을 이용하는 과정에서 a, b, c, d의 값을 구하면

$$\begin{array}{r|rrrr} a & 1 & -2 & 1 & d \\ & & 3 & c & 12 \\ \hline & 1 & b & 4 & \boxed{2} \end{array}$$

$a\times1=3$이므로 $a=3$

$b=-2+3=1$

$c=a\times b=3\times1=3$ 또는 $1+c=4$이므로 $c=3$

$d+12=2$이므로 $d=-10$

STEP 2 $a+b+c+d$의 값 구하기

$\therefore a+b+c+d=3+1+3-10=-3$

09-3 답 x^2-1

해결전략 | 조립제법을 이용하여 $2x^4+5x^3-6x+2$를 $2x+1$로 나누었을 때의 몫 $Q(x)$를 구하고, 다시 조립제법을 이용하여 $Q(x)$를 $x+2$로 나누었을 때의 몫을 구한다.

STEP 1 $Q(x)$ 구하기

조립제법을 이용하여 $(2x^4+5x^3-6x+2)\div(2x+1)$을 하면

$$\begin{array}{r|rrrrr} -\frac{1}{2} & 2 & 5 & 0 & -6 & 2 \\ & & -1 & -2 & 1 & \frac{5}{2} \\ \hline & 2 & 4 & -2 & -5 & \boxed{\frac{9}{2}} \end{array}$$

$\therefore 2x^4+5x^3-6x+2$

$$=\left(x+\frac{1}{2}\right)(2x^3+4x^2-2x-5)+\frac{9}{2}$$
$$=(2x+1)\left(x^3+2x^2-x-\frac{5}{2}\right)+\frac{9}{2}$$

$\therefore Q(x)=x^3+2x^2-x-\frac{5}{2}$

STEP 2 $Q(x)$를 $x+2$로 나누었을 때의 몫 구하기

조립제법을 이용하여 $\left(x^3+2x^2-x-\frac{5}{2}\right)\div(x+2)$를 하면

$$\begin{array}{r|rrrr} -2 & 1 & 2 & -1 & -\frac{5}{2} \\ & & -2 & 0 & 2 \\ \hline & 1 & 0 & -1 & \boxed{-\frac{1}{2}} \end{array}$$

따라서 구하는 몫은 x^2-1이다.

09-4 답 2

해결전략 | 나머지정리를 이용하여 a의 값을 구하고, 조립제법을 이용하여 $Q(x)$를 구한다.

STEP 1 a의 값 구하기

x^3-x^2+ax+5를 $x-2$로 나누었을 때의 나머지가 5이므로

$8-4+2a+5=5$

$\therefore a=-2$

STEP 2 $Q(x)$ 구하기

조립제법을 이용하여 $(x^3-x^2-2x+5)\div(x-2)$를 하면

$$\begin{array}{r|rrrr} 2 & 1 & -1 & -2 & 5 \\ & & 2 & 2 & 0 \\ \hline & 1 & 1 & 0 & \boxed{5} \end{array}$$

따라서 몫은 x^2+x, 나머지는 5이다.

STEP 3 $Q(a)$의 값 구하기

즉, $Q(x)=x^2+x$이므로

$Q(a)=Q(-2)=4-2=2$

09-5 답 -2

해결전략 | $(x-1)^2$으로 나누어떨어지므로 다항식을 $x-1$로 두 번 나누었을 때의 나머지가 0이다.

STEP 1 다항식을 $x-1$로 나누기

조립제법을 이용하여 $(x^3+ax^2+x+b)\div(x-1)$을 하면

```
1 | 1    a      1      b
  |      1     a+1    a+2
  -------------------------
    1   a+1    a+2  | a+b+2
```

따라서 몫은 $x^2+(a+1)x+a+2$, 나머지는 $a+b+2$이다.
이때 x^3+ax^2+x+b를 $x-1$로 나누면 나누어떨어지므로 나머지가 0이어야 한다.

$\therefore a+b+2=0$ ······ ㉠

STEP 2 $x^2+(a+1)x+a+2$를 $x-1$로 나누기

또, 다항식이 $(x-1)^2$으로 나누어떨어지므로
$x^2+(a+1)x+a+2$도 $x-1$로 나누어떨어진다.
조립제법을 이용하여 $\{x^2+(a+1)x+a+2\}\div(x-1)$을 하면

```
1 | 1   a+1    a+2
  |      1     a+2
  ------------------
    1   a+2  | 2a+4
```

따라서 몫은 $x+a+2$이고 나머지는 $2a+4$이다.
이때 나머지가 0이어야 하므로

$2a+4=0$

$\therefore a=-2$

STEP 3 b의 값 구하기

$a=-2$를 ㉠에 대입하면

$-2+b+2=0$

$\therefore b=0$

STEP 4 $a-b$의 값 구하기

$\therefore a-b=-2-0=-2$

09-6 답 11

해결전략 | $f(x)$를 $x-\alpha$에 대하여 내림차순으로 정리한 식에서 미정계수를 구하려면 $f(x)$를 $x-\alpha$로 나누는 조립제법을 몫에 대하여 연속으로 이용해야 한다.

STEP 1 조립제법 이용하기

조립제법을 이용하여 $2x^3+x^2-3x-3$을 $x-1$로 연속하여 나누면

```
1 | 2   1   -3   -3
  |     2    3    0
  --------------------
1 | 2   3    0  | -3 ← d   ······ ㉠
  |     2    5
  ---------------
1 | 2   5  | 5 ← c
  |     2                    ······ ㉡
  ----------
    2 | 7 ← b                ······ ㉢
    ↑
    a
```

STEP 2 $a+b+c+d$의 값 구하기

$\therefore 2x^3+x^2-3x-3$

$=(x-1)(2x^2+3x)-3$ ······ ㉠

$=(x-1)\{(x-1)(2x+5)+5\}-3$ ······ ㉡

$=(x-1)[(x-1)\{2(x-1)+7\}+5]-3$ ······ ㉢

$=(x-1)\{2(x-1)^2+7(x-1)+5\}-3$

$=2(x-1)^3+7(x-1)^2+5(x-1)-3$

따라서 $a=2$, $b=7$, $c=5$, $d=-3$이므로

$a+b+c+d=2+7+5+(-3)=11$

풍쌤의 비법

$f(x)=a(x-\alpha)^3+b(x-\alpha)^2+c(x-\alpha)+d$**의 꼴**
등식을 위와 같은 꼴로 바꿔야 할 때는 일차식 $x-\alpha$로 계속 나누었을 때 나오는 나머지가 a, b, c, d가 된다.
따라서 조립제법을 이용하여 다항식을 일차식으로 연속하여 나누었을 때의 나머지를 구한다.

실전 연습 문제 56~58쪽

01 ②, ④	02 ①	03 ③	04 ②	05 -3
06 ②	07 ④	08 ①	09 52	10 ③
11 ④	12 $\frac{1}{4}x^2+x$		13 ①	14 ⑤
15 -6	16 1	17 ④		

01

해결전략 | 좌변과 우변을 각각 전개한 후 정리했을 때, 양변이 같아져야 항등식이다.

① 좌변과 우변이 다르므로 항등식이 아니다.

② (좌변)$=x^2+2x+1$이므로 좌변과 우변이 같다.
즉, 항등식이다.

③ (좌변)$=4x-2$, (우변)$=-4x+2$이므로 좌변과 우변이 다르다. 즉, 항등식이 아니다.

④ (좌변)$=2x^2+2x+1$, (우변)$=2x^2+2x+1$이므로 좌변과 우변이 같다. 즉, 항등식이다.

⑤ (우변)$=3x^3+13x^2+2x-8$이므로 좌변과 우변이 다르다. 즉, 항등식이 아니다.

따라서 항등식인 것은 ②, ④이다.

02

해결전략 | 수치대입법을 이용하여 미지수를 구한다.

STEP 1 주어진 등식의 양변에 $x=-1$을 대입하기

$2x-3=a(x+1)+b(3x-2)$ ...... ㉠

㉠의 양변에 $x=-1$을 대입하면

$-2-3=b(-3-2)$, $-5=-5b$

$\therefore b=1$

STEP 2 주어진 등식의 양변에 $x=\frac{2}{3}$를 대입하기

또, ㉠의 양변에 $x=\frac{2}{3}$를 대입하면

$\frac{4}{3}-3=a\left(\frac{2}{3}+1\right)$, $-\frac{5}{3}=\frac{5}{3}a$

$\therefore a=-1$

STEP 3 $a+b$의 값 구하기

$\therefore a+b=-1+1=0$

다른 풀이

STEP 1 우변의 식을 x에 대하여 정리하기

우변을 x에 대하여 정리하면

$a(x+1)+b(3x-2)$

$=ax+a+3bx-2b$

$=(a+3b)x+a-2b$

STEP 2 계수비교법을 이용하여 a, b의 값 구하기

등식의 양변의 계수를 비교하면

$a+3b=2$ ...... ㉠

$a-2b=-3$ ...... ㉡

㉠, ㉡을 연립하여 풀면

$a=-1$, $b=1$

$\therefore a+b=-1+1=0$

03

해결전략 | 주어진 등식이 x에 대한 항등식이므로 x에 대입할 적절한 값을 찾는다.

STEP 1 주어진 등식의 양변에 $x=1$을 대입하기

$(x-1)(x^2-2)f(x)=x^6+ax^4+bx^2+2$ ...... ㉠

㉠의 양변에 $x=1$을 대입하면

$0=1+a+b+2$

$\therefore a+b=-3$ ...... ㉡

STEP 2 주어진 등식의 양변에 $x^2=2$를 대입하기

㉠의 양변에 $x^2=2$를 대입하면

$0=8+4a+2b+2$

$\therefore 2a+b=-5$ ...... ㉢

STEP 3 a, b의 값 구하기

㉡, ㉢을 연립하여 풀면

$a=-2$, $b=-1$

$\therefore a-b=-2-(-1)=-1$

04

해결전략 | A, B, C, D는 모두 x에 대한 항등식이므로 4개의 식을 모두 같게 만드는 $P(x)$와 $Q(x)$를 구한다.

STEP 1 $P(x)$ 구하기

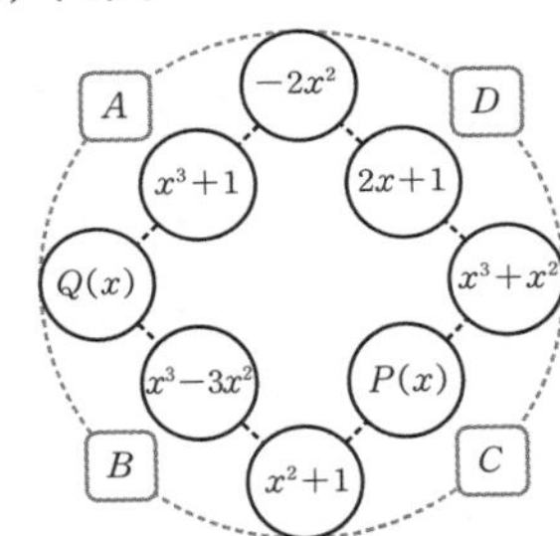

$A=(-2x^2)+(x^3+1)+Q(x)$

$=Q(x)+x^3-2x^2+1$

$B=Q(x)+(x^3-3x^2)+(x^2+1)$

$=Q(x)+x^3-2x^2+1$

$C=(x^2+1)+P(x)+(x^3+x^2)$

$=P(x)+x^3+2x^2+1$

$D=(-2x^2)+(2x+1)+(x^3+x^2)$

$=x^3-x^2+2x+1$

이때 다항식 A, B, C, D가 x의 값에 관계없이 모두 같으므로

$A=B=C=D$

$C=D$에서

$P(x)+x^3+2x^2+1=x^3-x^2+2x+1$

$\therefore P(x)=-3x^2+2x$

STEP 2 $Q(x)$ 구하기

$B=D$에서

$Q(x)+x^3-2x^2+1=x^3-x^2+2x+1$

$\therefore Q(x)=x^2+2x$

STEP 3 $P(x)+Q(x)$ 구하기

$\therefore P(x)+Q(x)=(-3x^2+2x)+(x^2+2x)$

$=-2x^2+4x$

05

해결전략 | 등식을 k에 대하여 정리한 후 계수를 비교한다.

STEP 1 주어진 등식을 k에 대한 식으로 나타내기

주어진 등식을 k에 대하여 정리하면

$(x+2y+4)k-x+3y+1=0$ …… ❶

STEP 2 항등식의 성질을 이용하여 x, y의 값 구하기

이 등식은 k에 대한 항등식이므로

$x+2y+4=0$ …… ㉠

$-x+3y+1=0$ …… ㉡

㉠, ㉡을 연립하여 풀면

$x=-2$, $y=-1$ …… ❷

STEP 3 $x+y$의 값 구하기

$\therefore x+y=-2-1=-3$ …… ❸

채점 요소	배점
❶ 주어진 등식을 k에 대한 식으로 나타내기	50 %
❷ x, y의 값 구하기	40 %
❸ $x+y$의 값 구하기	10 %

06

해결전략 | 주어진 나눗셈을 항등식으로 표현하고, 나머지정리를 이용하여 나머지를 구한다.

STEP 1 $f(x)$ 구하기

$f(x)$를 x^2-6으로 나누었을 때의 몫이 $2x-1$이고 나머지가 $2x+1$이므로

$f(x)=(x^2-6)(2x-1)+2x+1$

$=2x^3-x^2-10x+7$

STEP 2 $f(x)$를 $2x-5$로 나누었을 때의 나머지 구하기

따라서 $f(x)$를 $2x-5$로 나누었을 때의 나머지는

$f\left(\frac{5}{2}\right)=2\times\left(\frac{5}{2}\right)^3-\left(\frac{5}{2}\right)^2-10\times\frac{5}{2}+7=7$

07

해결전략 | 주어진 나눗셈을 항등식으로 표현하고 식을 변형하여 나누는 수를 만든다.

$f(x)$를 $ax-b$로 나누었을 때의 몫이 $Q(x)$, 나머지가 R이므로

$f(x)=(ax-b)Q(x)+R$

$=a\left(x-\frac{b}{a}\right)Q(x)+R$

$=\left(x-\frac{b}{a}\right)\times aQ(x)+R$

따라서 $f(x)$를 $x-\frac{b}{a}$로 나누었을 때의 몫은 $aQ(x)$, 나머지는 R이다.

08

해결전략 | 나머지정리를 이용하여 R_1, R_2를 구한다.

STEP 1 R_1 구하기

$-x^3+kx^2+9$를 $x-2$로 나누었을 때의 나머지는

$R_1=-8+4k+9=4k+1$

STEP 2 R_2 구하기

또, $-x^3+kx^2+9$를 $x-3$으로 나누었을 때의 나머지는

$R_2=-27+9k+9=9k-18$

STEP 3 k의 값 구하기

$R_1R_2=(4k+1)(9k-18)=-45$이므로

$(4k+1)(k-2)=-5$, $4k^2-7k+3=0$

$(4k-3)(k-1)=0$

$\therefore k=\frac{3}{4}$ 또는 $k=1$

이때 k는 자연수이므로

$k=1$

09

해결전략 | 나머지정리를 이용하여 나머지를 구하고 곱셈 공식의 변형을 이용한다.

STEP 1 나머지정리를 이용하여 $f(3)+g(3)$과 $f(3)g(3)$의 값 구하기

$f(x)+g(x)$를 $x-3$으로 나누었을 때의 나머지가 8이므로

$f(3)+g(3)=8$

$f(x)g(x)$를 $x-3$으로 나누었을 때의 나머지는 6이므로

$f(3)g(3)=6$

STEP 2 $\{f(x)\}^2+\{g(x)\}^2$을 $x-3$으로 나누었을 때의 나머지 구하기

$\{f(x)\}^2+\{g(x)\}^2$을 $x-3$으로 나누었을 때의 나머지는

$\{f(3)\}^2+\{g(3)\}^2=\{f(3)+g(3)\}^2-2f(3)g(3)$

$=8^2-2\times 6=52$

10

해결전략 | $x=6$이라고 하면 $5=x-1$이므로 $x^6+x^7+x^8$을 $x-1$로 나누었을 때의 나머지를 이용한다.

STEP1 수를 문자로 대체한 식 세우기

$x=6$이라고 하면 $5=x-1$이므로

$6^6+6^7+6^8$을 5로 나누었을 때의 나머지는 $x^6+x^7+x^8$을 $x-1$로 나누었을 때의 나머지와 같다.

$x^6+x^7+x^8$을 $x-1$로 나누었을 때의 몫을 $Q(x)$, 나머지를 R라고 하면

$x^6+x^7+x^8=(x-1)Q(x)+R$ …… ㉠

STEP2 $6^6+6^7+6^8$을 5로 나누었을 때의 나머지 구하기

㉠의 양변에 $x=1$을 대입하면

$1+1+1=R$

$\therefore R=3$

㉠의 양변에 $x=6$, $R=3$을 대입하면

$6^6+6^7+6^8=5Q(6)+3$

따라서 $6^6+6^7+6^8$을 5로 나누었을 때의 나머지는 3이다.

11

해결전략 | 이차식으로 나누었을 때의 나머지는 일차 이하의 다항식이므로 나머지정리를 이용하여 나머지를 구한다.

STEP1 다항식의 나눗셈을 항등식으로 나타내기

다항식 $(x-1)^{10}$을 x^2+x-2로 나누었을 때의 몫을 $Q(x)$라고 하면 나머지 $R(x)$는 일차 이하의 다항식이므로

$(x-1)^{10}=(x^2+x-2)Q(x)+ax+b$

$=(x+2)(x-1)Q(x)+ax+b$

(a, b는 상수) …… ㉠

로 놓을 수 있다.

STEP2 $R(x)$ 구하기

㉠의 양변에 $x=1$을 대입하면

$0=a+b$ …… ㉡

또, ㉠의 양변에 $x=-2$를 대입하면

$3^{10}=-2a+b$ …… ㉢

㉡, ㉢을 연립하여 풀면

$a=-3^9$, $b=3^9$

$\therefore R(x)=-3^9x+3^9$

STEP3 $R(0)$의 값 구하기

$\therefore R(0)=3^9$

12

해결전략 | 다항식을 삼차식으로 나누었을 때의 나머지는 이차식 이하의 다항식이다.

STEP1 다항식의 나눗셈을 항등식으로 나타내기

$f(x)$를 $(x-2)(x^2+4)$로 나누었을 때의 몫을 $Q_1(x)$라고 하면 나머지는 이차 이하의 다항식이므로

$f(x)=(x-2)(x^2+4)Q_1(x)+ax^2+bx+c$

(a, b, c는 상수) …… ㉠

로 놓을 수 있다. …… ❶

STEP2 ㉠의 우변을 x^2+4로 나누기

또, $f(x)$를 x^2+4로 나누었을 때의 나머지가 $x-1$이므로 ㉠의 우변을 x^2+4로 나누면 마찬가지로 나머지가 $x-1$이어야 한다.

따라서 ax^2+bx+c를 x^2+4로 나누었을 때의 나머지가 $x-1$이어야 하므로

$ax^2+bx+c=a(x^2+4)+x-1$

$\therefore f(x)=(x-2)(x^2+4)Q_1(x)+a(x^2+4)+x-1$

…… ㉡ …… ❷

STEP3 a의 값 구하기

$f(x)$를 $x-2$로 나누었을 때의 나머지가 3이므로

$f(2)=3$

즉, ㉡에서 $f(2)=8a+1=3$이므로

$a=\frac{1}{4}$ …… ❸

STEP4 $f(x)$를 $(x-2)(x^2+4)$로 나누었을 때의 나머지 구하기

따라서 구하는 나머지는

$\frac{1}{4}(x^2+4)+x-1=\frac{1}{4}x^2+x$ …… ❹

채점 요소	배점
❶ 주어진 조건을 이용하여 $f(x)$의 식 구하기	20 %
❷ ❶에서 구한 나머지를 a에 대한 식으로 나타내기	40 %
❸ a의 값 구하기	20 %
❹ $f(x)$를 $(x-2)(x^2+4)$로 나누었을 때의 나머지 구하기	20 %

13

해결전략 | 주어진 몫과 나머지를 이용하여 $P(x)$, $Q(x)$를 식으로 나타내고 이를 이용하여 나머지를 구한다.

STEP1 $P(x)$를 $x-2$로 나누었을 때 성립하는 항등식 세우기

$P(x)$를 $x-2$로 나누었을 때의 몫이 $Q(x)$, 나머지가 3이므로

$P(x)=(x-2)Q(x)+3$ …… ㉠

STEP2 $Q(x)$를 $x-1$로 나누었을 때 성립하는 항등식 세우기

$Q(x)$를 $x-1$로 나누었을 때의 몫을 $Q_1(x)$라고 하면 나머지가 2이므로

$Q(x)=(x-1)Q_1(x)+2$ …… ㉡

STEP 3 **$R(3)$의 값 구하기**

㉡을 ㉠에 대입하여 정리하면

$P(x)=(x-2)\{(x-1)Q_1(x)+2\}+3$

$=(x-2)(x-1)Q_1(x)+2(x-2)+3$

$=(x-1)(x-2)Q_1(x)+2x-1$

따라서 $P(x)$를 $(x-1)(x-2)$로 나누었을 때의 나머지는

$R(x)=2x-1$

$\therefore R(3)=2\times3-1=5$

◉→ 다른 풀이

STEP 1 **$P(x)$를 $x-2$로 나누었을 때 성립하는 항등식 세우기**

$P(x)$를 $x-2$로 나누었을 때의 몫이 $Q(x)$, 나머지가 3이므로

$P(x)=(x-2)Q(x)+3$ …… ㉠

$\therefore P(2)=3$

STEP 2 **$Q(x)$를 $x-1$로 나누었을 때 성립하는 항등식 세우기**

$Q(x)$를 $x-1$로 나누었을 때의 몫을 $Q_1(x)$라고 하면 나머지가 2이므로

$Q(x)=(x-1)Q_1(x)+2$

$\therefore Q(1)=2$

STEP 3 **$R(3)$의 값 구하기**

㉠에서 $P(1)=(1-2)Q(1)+3=-2+3=1$

$P(x)$를 $(x-1)(x-2)$로 나누었을 때의 몫을 $Q_2(x)$라고 하면 나머지 $R(x)$는 일차 이하의 다항식이다.

즉, $R(x)=ax+b$ (a, b는 상수)로 놓으면

$P(x)=(x-1)(x-2)Q_2(x)+ax+b$이므로

$P(1)=a+b=1$ …… ㉡

$P(2)=2a+b=3$ …… ㉢

㉡, ㉢을 연립하면 풀면 $a=2$, $b=-1$

따라서 $R(x)=2x-1$이므로

$R(3)=2\times3-1=5$

14

해결전략 | 인수정리를 이용하여 나머지를 구하는 데 필요한 식을 찾는다.

STEP 1 **$f(3)$의 값 구하기**

$f(x)+4$가 $x-3$으로 나누어떨어지므로

$f(3)+4=0 \qquad \therefore f(3)=-4$

STEP 2 **$f(-2)$의 값 구하기**

또, $f(x)-1$이 $x+2$로 나누어떨어지므로

$f(-2)-1=0 \qquad \therefore f(-2)=1$

STEP 3 **다항식의 나눗셈을 항등식으로 나타내기**

$f(x)$를 x^2-x-6으로 나누었을 때의 몫을 $Q(x)$라고 하면 나머지는 일차 이하의 다항식이므로

$f(x)=(x^2-x-6)Q(x)+ax+b$

$=(x-3)(x+2)Q(x)+ax+b$ (a, b는 상수)

…… ㉠

로 놓을 수 있다.

STEP 4 **$R(-3)$의 값 구하기**

㉠의 양변에 $x=3$을 대입하면

$f(3)=3a+b=-4$ …… ㉡

또, ㉠의 양변에 $x=-2$를 대입하면

$f(-2)=-2a+b=1$ …… ㉢

㉡, ㉢을 연립하여 풀면

$a=-1$, $b=-1$

따라서 $R(x)=-x-1$이므로

$R(-3)=-(-3)-1=2$

15

해결전략 | $f(x)$가 $(x-\alpha)(x-\beta)$로 나누어떨어지기 위한 조건은 $f(\alpha)=0$, $f(\beta)=0$임을 이용한다.

STEP 1 **a, b의 값 구하기**

$f(x)=x^3+ax^2-3x+b$라고 하면 $f(x)$가

$(x-3)(x+1)$로 나누어떨어지므로 인수정리에 의하여

$f(3)=0$, $f(-1)=0$ …… ❶

$f(3)=27+9a-9+b=0$이므로

$9a+b=-18$ …… ㉠

또, $f(-1)=-1+a+3+b=0$이므로

$a+b=-2$ …… ㉡

㉠, ㉡을 연립하여 풀면

$a=-2$, $b=0$ …… ❷

STEP 2 **$f(x)$를 $x-2$로 나누었을 때의 나머지 구하기**

$\therefore f(x)=x^3-2x^2-3x$

따라서 $f(x)$를 $x-2$로 나누었을 때의 나머지는

$f(2)=8-8-6=-6$ …… ❸

채점 요소	배점
❶ 주어진 조건을 인수정리로 표현하기	30 %
❷ a, b의 값 구하기	40 %
❸ 주어진 다항식을 $x-2$로 나누었을 때의 나머지 구하기	30 %

16

해결전략 | 조립제법을 이용하여 몫과 나머지를 구한다.

STEP1 $Q(x)$와 R의 값 구하기

조립제법을 이용하여 $(2x^3+x^2-3x-3)\div(2x-1)$을 하면

$$\begin{array}{c|cccc} \frac{1}{2} & 2 & 1 & -3 & -3 \\ & & 1 & 1 & -1 \\ \hline & 2 & 2 & -2 & \boxed{-4} \end{array}$$

즉,

$2x^3+x^2-3x-3=\left(x-\frac{1}{2}\right)(2x^2+2x-2)-4$

$=(2x-1)(x^2+x-1)-4$

$\therefore Q(x)=x^2+x-1,\ R=-4$

STEP2 $Q(2)+R$의 값 구하기

따라서 $Q(2)=4+2-1=5$이므로

$Q(2)+R=5+(-4)=1$

17

해결전략 | 몫이 상수항이 될 때까지 연속하여 조립제법을 이용한다.

STEP1 조립제법 이용하기

조립제법을 이용하여 x^3-x^2-3x+4를 $x-2$로 연속하여 나누면

$$\begin{array}{c|cccc} 2 & 1 & -1 & -3 & 4 \\ & & 2 & 2 & -2 \\ \hline 2 & 1 & 1 & -1 & \boxed{2} \leftarrow d \\ & & 2 & 6 & \\ \hline 2 & 1 & 3 & \boxed{5} \leftarrow c & \\ & & 2 & & \\ \hline & 1 & \boxed{5} \leftarrow b & & \\ & \uparrow a & & & \end{array}$$

$\therefore x^3-x^2-3x+4$

$=(x-2)^3+5(x-2)^2+5(x-2)+2$

STEP2 $abcd$의 값 구하기

따라서 $a=1,\ b=5,\ c=5,\ d=2$이므로

$abcd=1\times5\times5\times2=50$

상위권 도약 문제 59~60쪽

01 ⑤	02 17	03 12	04 ③	05 24
06 24	07 ③	08 ③		

01

해결전략 | x의 값에 관계없이 항상 성립하므로 주어진 식은 x에 대한 항등식이다.

STEP1 $f(x)$의 x에 $x+a$를 대입하여 정리하기

$f(x+a)$

$=(x+a)^3-3(x+a)^2+2(x+a)-8$

$=x^3+3ax^2+3a^2x+a^3-3(x^2+2ax+a^2)+2(x+a)-8$

$=x^3+(3a-3)x^2+(3a^2-6a+2)x+a^3-3a^2+2a-8$

STEP2 계수비교법을 이용하여 $a,\ b,\ c$의 값 구하기

$x^3+(3a-3)x^2+(3a^2-6a+2)x+a^3-3a^2+2a-8$

$=x^3+bx+c$

가 x에 대한 항등식이므로

$3a-3=0,\ 3a^2-6a+2=b,$

$a^3-3a^2+2a-8=c$

따라서 $a=1,\ b=-1,\ c=-8$이므로

$a+b+c=1+(-1)+(-8)=-8$

02

해결전략 | 나머지정리와 주어진 조건을 이용하여 나머지를 구하는 데 필요한 식을 찾는다.

STEP1 R_1의 값 구하기

$f(x)$를 $x-a$로 나누었을 때의 나머지는

$f(a)=a^3+a^2+2a+1=R_1$

STEP2 R_2의 값 구하기

$f(x)$를 $x+a$로 나누었을 때의 나머지는

$f(-a)=-a^3+a^2-2a+1=R_2$

STEP3 a^2의 값 구하기

이때 $R_1+R_2=6$이므로

$(a^3+a^2+2a+1)+(-a^3+a^2-2a+1)=6$

$2a^2+2=6,\ 2a^2=4$

$\therefore a^2=2$

STEP4 $f(x)$를 $x-a^2$으로 나누었을 때의 나머지 구하기

따라서 $f(x)$를 $x-a^2$, 즉 $x-2$로 나누었을 때의 나머지는

$f(a^2)=f(2)=8+4+4+1=17$

03

해결전략 | 곱셈 공식의 변형을 이용하여 주어진 등식의 좌변을 변형하고, $f(x)+g(x)=2x^2-x-1$임을 이용한다.

STEP1 $h(x)$를 $f(x)$와 $g(x)$로 나타내기

$\{f(x)\}^3+\{g(x)\}^3$

$=\{f(x)+g(x)\}[\{f(x)\}^2-f(x)g(x)+\{g(x)\}^2]$

$=(2x^2-x-1)h(x)$

이 식이 x에 대한 항등식이고

$f(x)+g(x)=(x^2+x)+(x^2-2x-1)=2x^2-x-1$

이므로

$h(x)=\{f(x)\}^2-f(x)g(x)+\{g(x)\}^2$

STEP2 $h(x)$를 $x-1$로 나누었을 때의 나머지 구하기

따라서 $h(x)$를 $x-1$로 나누었을 때의 나머지는

$h(1)=\{f(1)\}^2-f(1)g(1)+\{g(1)\}^2$

$=2^2-2\times(-2)+(-2)^2$ $f(1)=1^2+1=2$, $g(1)=1^2-2-1=-2$

$=12$

> **풍쌤의 비법**
>
> $f(x)=a$, $g(x)=b$로 놓으면
>
> $\{f(x)\}^3+\{g(x)\}^3=a^3+b^3$이므로 곱셈 공식의 변형을 이용할 수 있다.
>
> $a^3+b^3=(a+b)^3-3ab(a+b)$
>
> $=(a+b)(a^2-ab+b^2)$
>
> $a^3-b^3=(a-b)^3+3ab(a-b)$
>
> $=(a-b)(a^2+ab+b^2)$

04

해결전략 | $3^{2023}=(3^2)^{1011}\times3=3\times9^{1011}$이므로 $3x^{1011}$을 $x-1$로 나누었을 때의 나머지를 이용한다.

STEP1 수를 문자로 대체한 식 세우기

$3^{2023}=(3^2)^{1011}\times3=3\times9^{1011}$

$x=9$로 놓으면 $8=x-1$이므로

$3x^{1011}$을 $x-1$로 나누었을 때의 몫을 $Q(x)$, 나머지를 R라고 하면

$3x^{1011}=(x-1)Q(x)+R$ …… ㉠

STEP2 3^{2023}을 8로 나누었을 때의 나머지 구하기

㉠의 양변에 $x=1$을 대입하면 $3=R$

㉠의 양변에 $x=9$, $R=3$을 대입하면

$3\times9^{1011}=(9-1)Q(9)+3$

$\therefore 3^{2023}=8Q(9)+3$

따라서 3^{2023}을 8로 나누었을 때의 나머지는 3이다.

05

해결전략 | $f(x)$가 삼차다항식이므로 $f(x)$를 이차식으로 나누었을 때의 몫은 일차식이다.

STEP1 다항식의 나눗셈을 항등식으로 나타내기

$f(x)$가 삼차식이고, $f(x)$를 x^2+x+1로 나누면 나누어떨어지므로

$f(x)=(x^2+x+1)(ax+b)$ (a, b는 상수) …… ㉠

로 놓을 수 있다.

또, $f(x)+12$를 x^2+2로 나누면 나누어떨어지므로

$f(x)+12=(x^2+2)(cx+d)$ (c, d는 상수) …… ㉡

로 놓을 수 있다.

STEP2 b, d의 값 구하기

이때 $f(0)=4$이므로 ㉠에서 $4=b$

㉡에서 $4+12=2d$ $\therefore d=8$

STEP3 a, c의 값 구하기

㉠을 ㉡에 대입하면

$(x^2+x+1)(ax+4)+12=(x^2+2)(cx+8)$

양변을 각각 전개하여 정리하면

$ax^3+(a+4)x^2+(a+4)x+16=cx^3+8x^2+2cx+16$

이 식은 x에 대한 항등식이므로 양변의 계수를 비교하면

$a=c$, $a+4=8$, $a+4=2c$

$\therefore a=4$, $c=4$

STEP4 $f(1)$의 값 구하기

따라서 $f(x)=(x^2+x+1)(4x+4)$이므로

$f(1)=3\times8=24$

06

해결전략 | 조건 (나)에서 $P(x)Q(x)$는 x^2-3x+2로 나누어떨어지므로 $P(x)Q(x)$는 $x-1$, $x-2$를 인수로 가짐을 이용한다.

STEP1 주어진 조건을 이용하여 $\{P(x)\}^2$ 구하기

조건 (가)에서 $Q(x)=-2P(x)$이므로

$P(x)Q(x)=-2\{P(x)\}^2$

조건 (나)에 의하여 $-2\{P(x)\}^2$을 x^2-3x+2로 나누었을 때의 몫을 $A(x)$라고 하면

$-2\{P(x)\}^2=(x^2-3x+2)A(x)$

$\therefore \{P(x)\}^2=(x-1)(x-2)\left\{-\frac{1}{2}A(x)\right\}$

STEP2 $P(x)$, $Q(x)$ 구하기

$\{P(x)\}^2$이 $x-1$과 $x-2$를 인수로 가지므로

$P(x)$도 $x-1$과 $x-2$를 인수로 갖는다.

이때 $P(x)$는 이차식이므로

$P(x)=a(x-1)(x-2)$ ($a\neq0$인 실수),

$Q(x)=-2a(x-1)(x-2)$

라고 하면 조건에서 $P(0)=2a=-4$이므로

$a=-2$

$\therefore P(x)=-2(x-1)(x-2)$,

$Q(x)=-2P(x)=4(x-1)(x-2)$

STEP 3 $Q(4)$의 값 구하기

$\therefore Q(4)=4\times3\times2=24$

07

해결전략 | 나눗셈을 이용하여 $f(x)$를 항등식으로 나타내고, 주어진 조건을 이용하여 $f(x)$를 구한다.

STEP 1 $f(x)=(x-2)Q_2(x)+Q_2(1)$로 나타낼 수 있음을 알기

$f(x)$를 $x-1$로 나누었을 때의 나머지를 R_1이라고 하면

$f(x)=(x-1)Q_1(x)+R_1$ …… ㉠

$f(x)$를 $x-2$로 나누었을 때의 나머지를 R_2라고 하면

$f(x)=(x-2)Q_2(x)+R_2$ …… ㉡

㉡의 양변에 $x=2$를 대입하면

$f(2)=R_2$

조건 ㈎에 의하여 $Q_2(1)=f(2)=R_2$이므로

$f(x)=(x-2)Q_2(x)+Q_2(1)$

STEP 2 $f(x)=(x-1)Q_1(x)$로 나타낼 수 있음을 알기

이 식의 양변에 $x=1$을 대입하면

$f(1)=-Q_2(1)+Q_2(1)=0$

㉠의 양변에 $x=1$을 대입하면 $f(1)=R_1=0$이므로

$f(x)=(x-1)Q_1(x)$

STEP 3 $f(x)$ 구하기

이때 $f(x)$는 최고차항의 계수가 1인 이차식이므로

$Q_1(x)=x+a$ (a는 상수)로 놓으면

$f(x)=(x-1)(x+a)$

$Q_1(1)=1+a$, $f(2)=2+a$이므로

조건 ㈏에 의하여

$Q_1(1)+Q_2(1)=(1+a)+\underline{(2+a)}$

$=2a+3=6$ 조건 ㈎에서 $Q_2(1)=f(2)$

$\therefore a=\frac{3}{2}$

$\therefore f(x)=(x-1)\left(x+\frac{3}{2}\right)$

STEP 4 $f(3)$의 값 구하기

$\therefore f(3)=(3-1)\times\left(3+\frac{3}{2}\right)=9$

08

해결전략 | 주어진 등식에서 $f(x)$의 차수를 정하고, $f(x)$를 구하여 보기의 참, 거짓을 판별한다.

STEP 1 ㄱ의 참, 거짓 판별하기

ㄱ. $f(x)$를 x로 나누었을 때의 나머지는 $f(0)$이므로 주어진 식의 양변에 $x=0$을 대입하면

$\{f(0)\}^3=1$ $\therefore f(0)=1$ (참)

STEP 2 ㄴ의 참, 거짓 판별하기

ㄴ. 다항식 $f(x)$의 차수를 n이라고 하면 좌변의 차수는 $3n$, 우변의 차수는 $n+2$이므로

$3n=n+2$ $\therefore n=1$

따라서 $f(x)$는 일차식이므로

$f(x)=ax+b$ (a, b는 상수)

로 놓을 수 있다.

이때 좌변의 최고차항의 계수는 a^3, 우변의 최고차항의 계수는 $4a$이므로 $a^3=4a$

$a^3-4a=0$, $a(a+2)(a-2)=0$

$\therefore a=2$ ($\because a>0$)

따라서 $f(x)$의 최고차항의 계수는 2이다. (거짓)

STEP 3 ㄷ의 참, 거짓 판별하기

ㄷ. ㄱ과 ㄴ에 의하여 $a=2$, $f(0)=1$이므로

$f(x)=2x+1$

$\{f(x)\}^3$을 x^2-1로 나누었을 때의 몫을 $Q(x)$, 나머지를 $cx+d$ (c, d는 상수)라고 하면

$\{f(x)\}^3=(2x+1)^3=(x^2-1)Q(x)+cx+d$

이 식의 양변에 $x=1$, $x=-1$을 각각 대입하면

$\{f(1)\}^3=c+d=27$ …… ㉠

$\{f(-1)\}^3=-c+d=-1$ …… ㉡

㉠, ㉡을 연립하여 풀면 $c=14$, $d=13$

따라서 $\{f(x)\}^3$을 x^2-1로 나누었을 때의 나머지는 $14x+13$이다. (참)

따라서 옳은 것은 ㄱ, ㄷ이다.

풍쌤의 비법

최고차항의 차수 구하기

주어진 등식이 항등식일 때, 최고차항의 계수를 묻는 문제는 다항식을 n차 다항식이라 놓고, 양변의 최고차항을 비교하여 n의 값을 구하면 된다.

즉, n차 다항식을 세제곱하면 $3n$차 다항식이 되고, n차 다항식에 x^2을 곱하면 $(n+2)$차 다항식이 되므로 항등식의 성질에 의하여 $3n=n+2$가 성립하게 된다.

03 인수분해

개념확인 62~65쪽

01 답 (1) $2a(2a+3b)$ (2) $x(a+b-3)$
(3) $3xy(x+2y-3)$

02 답 (1) $(a+3)^2$ (2) $(x-4)^2$
(3) $(a+3b)(a-3b)$ (4) $(x-6)(x+2)$
(5) $(3a-2)(a-2)$

03 답 (1) $(a+2b+c)^2$ (2) $(x+2)^3$
(3) $(a-1)^3$ (4) $(a+2)(a^2-2a+4)$
(5) $(x-3)(x^2+3x+9)$
(6) $(x+2y+z)(x^2+4y^2+z^2-2xy-2yz-zx)$
(7) $(x^2+2x+4)(x^2-2x+4)$

04 답 $a+b$, $a+b$, 4, 1, $a+b$, $a+b$

05 답 x^2, 3, x^2, x^2, x^2

06 답 b^2, b^2, b, b, b, b

07 답 x^2, x^2, x, 1, 1, 1, 1

08 답 y, 1, 3, y, 1, 3, 1

09 답 $x-1$, $x-1$, x^2+3x+2, x^2+3x+2, $x+2$, $x+2$
(조립제법에서) 1, 3, 2

필수유형 01 67쪽

01-1 답 (1) $(x+y)(1-a+b)$ (2) $3(x-3)^2$
(3) $2a(a+1)(a-1)$ (4) $a(x-2)(x+5)$
(5) $(a-3)(a-2)(a+2)$

해결전략 | 공통인수가 있으면 공통인수로 묶고, 남은 식을 인수분해한다.

(1) 공통인수인 $x+y$로 묶고 인수분해하면

$$(x+y)-(a-b)(x+y)=(x+y)\{1-(a-b)\}$$
$$=(x+y)(1-a+b)$$

(2) 공통인수인 3으로 묶고 인수분해하면

$$3x^2-18x+27=3(x^2-6x+9)$$
$$=3(x-3)^2$$

(3) 공통인수인 $2a$로 묶고 인수분해하면

$$2a^3-2a=2a(a^2-1)$$
$$=2a(a^2-1^2)$$
$$=2a(a+1)(a-1)$$

(4) 공통인수인 a로 묶고 인수분해하면

$$ax^2+3ax-10a=a(x^2+3x-10)$$
$$=a(x-2)(x+5)$$

(5) 둘씩 짝 지어 나누고 공통인수를 찾아 인수분해하면

$$a^3-3a^2-4a+12=(a^3-3a^2)+(-4a+12)$$
$$=a^2(a-3)-4(a-3)$$
$$=(a-3)(a^2-4)$$
$$=(a-3)(a-2)(a+2)$$

01-2 답 2

해결전략 | 공통인수가 있으면 공통인수로 묶고, 남은 식을 인수분해한다.

둘씩 짝 지어 나누고 공통인수를 찾아 인수분해하면

$$x^2-3x^2y+3xy^2-y^2=(x^2-y^2)+(-3x^2y+3xy^2)$$
$$=(x+y)(x-y)-3xy(x-y)$$
$$=(x-y)\{(x+y)-3xy\}$$
$$=(x-y)(x+y-3xy)$$

따라서 $a=-1$, $b=-3$이므로

$a-b=(-1)-(-3)=2$

01-3 답 -4

해결전략 | 합차 공식을 이용하여 인수분해한다.

$(2x-3)^2-(x+4)^2$

$=\{(2x-3)+(x+4)\}\{(2x-3)-(x+4)\}$

$=(3x+1)(x-7)$

따라서 $a=3$, $b=-7$이므로

$a+b=3+(-7)=-4$

01-4 답 1

해결전략 | 전개하여 x에 대한 항등식을 만들고, 계수비교법을 이용한다.

$x(x+2)+a=(x+b)^2$에서

좌변을 전개하면 $x(x+2)+a=x^2+2x+a$

우변을 전개하면 $(x+b)^2=x^2+2bx+b^2$

따라서 $x^2+2x+a=x^2+2bx+b^2$이므로

$2=2b$에서 $b=1$, $a=b^2=1$

$\therefore ab=1\times1=1$

다른 풀이

$x(x+2)+a=(x+b)^2$에서

$x^2+2x+a=(x+b)^2$

좌변을 인수분해하였을 때, 우변과 같이 완전제곱식이 되려면 $a=\left(\frac{2}{2}\right)^2=1$이어야 한다.

즉, $x^2+2x+1=(x+1)^2$이므로 $b=1$

$\therefore ab=1\times1=1$

> **풍쌤의 비법**
>
> $x^2+ax+b\ (b>0)$가 완전제곱식이 될 조건은
>
> ① $b=\left(\frac{a}{2}\right)^2 \Rightarrow x^2+ax+\left(\frac{a}{2}\right)^2=\left(x+\frac{a}{2}\right)^2$
>
> ② $a=\pm2\sqrt{b} \Rightarrow x^2\pm2\sqrt{b}x+b=(x\pm\sqrt{b})^2$

01-5 답 $5x$

해결전략 | 공통인수가 있으면 공통인수로 묶고, 남은 식을 인수분해한다.

STEP1 공통인수를 찾아 인수분해하기

공통인수인 x로 묶고 인수분해하면

$3x^3-4x^2-4x=x(3x^2-4x-4)$

$=x(3x+2)(x-2)$

STEP2 세 일차식의 합 구하기

따라서 세 일차식은 x, $3x+2$, $x-2$이므로 구하는 세 일차식의 합은 $x+(3x+2)+(x-2)=5x$

01-6 답 6

해결전략 | A는 곱이 18인 두 정수의 합이다.

STEP1 A의 값 구하기

$x^2+Ax+18=(x+a)(x+b)$에서

A는 곱이 18인 두 정수 a, b $(a<b)$의 합이므로 A의 값이 될 수 있는 수는 다음과 같다.

곱이 18인 두 정수	두 정수의 합(A)
18, 1	19
-1, -18	-19
9, 2	11
-2, -9	-11
6, 3	9
-3, -6	-9

STEP2 A의 개수 구하기

따라서 A의 값이 될 수 있는 수의 개수는 6이다.

필수유형 02 69쪽

02-1 답 (1) $(2a+3b-1)^2$
(2) $(4x+1)^3$
(3) $(2a+b)(4a^2-2ab+b^2)$
(4) $(2x-y+3z)(4x^2+y^2+9z^2+2xy+3yz-6zx)$
(5) $(16x^2+4x+1)(16x^2-4x+1)$

해결전략 | 인수분해 공식을 완벽히 외우고 비슷한 형태가 보이면 적용해 본다.

(1) $4a^2+9b^2+1+12ab-4a-6b$

$=(2a)^2+(3b)^2+(-1)^2+2\times2a\times3b+2\times3b\times(-1)+2\times(-1)\times2a$

$=(2a+3b-1)^2$

(2) $64x^3+48x^2+12x+1$

$=(4x)^3+3\times(4x)^2\times1+3\times4x\times1^2+1^3$

$=(4x+1)^3$

(3) $8a^3+b^3=(2a)^3+b^3$

$=(2a+b)\{(2a)^2-2a\times b+b^2\}$

$=(2a+b)(4a^2-2ab+b^2)$

(4) $8x^3-y^3+27z^3+18xyz$

$=(2x)^3+(-y)^3+(3z)^3-3\times2x\times(-y)\times3z$

$=\{2x+(-y)+3z\}\{(2x)^2+(-y)^2+(3z)^2-2x\times(-y)-(-y)\times3z-3z\times2x\}$

$=(2x-y+3z)(4x^2+y^2+9z^2+2xy+3yz-6zx)$

(5) $256x^4+16x^2+1$

$=(4x)^4+(4x)^2\times1^2+1^4$

$=\{(4x)^2+4x\times1+1^2\}\{(4x)^2-4x\times1+1^2\}$

$=(16x^2+4x+1)(16x^2-4x+1)$

02-2 답 (1) $(x+y-2)^2$
(2) $x(x-3)(x^2+3x+9)$
(3) $(a-b-3)(a^2+b^2+9+ab-3b+3a)$

해결전략 | 인수분해 공식을 완벽히 외우고 비슷한 형태가 보이면 적용해 본다.

(1) $x^2+y^2+2xy-4x-4y+4$

$=x^2+y^2+4+2xy-4y-4x$

$=x^2+y^2+(-2)^2+2\times x\times y+2\times y\times(-2)+2\times(-2)\times x$

$=(x+y-2)^2$

(2) $x^4-27x=x(x^3-27)$

$=x(x^3-3^3)$

$=x(x-3)(x^2+x\times3+3^2)$

$=x(x-3)(x^2+3x+9)$

(3) $a^3-b^3-27-9ab$

$=a^3+(-b)^3+(-3)^3-3\times a\times(-b)\times(-3)$

$=\{a+(-b)+(-3)\}\{a^2+(-b)^2+(-3)^2-a\times(-b)-(-b)\times(-3)-(-3)\times a\}$

$=(a-b-3)(a^2+b^2+9+ab-3b+3a)$

02-3 답 ②

해결전략 | 인수분해 공식을 완벽히 외우고 비슷한 형태가 보이면 적용해 본다.

① $8a^3+27=(2a)^3+3^3$

$=(2a+3)(4a^2-6a+9)$

② $a^3-27b^3=a^3-(3b)^3$

$=(a-3b)(a^2+3ab+9b^2)$

③ $16a^4+4a^2b^2+b^4$

$=(2a)^4+(2a)^2\times b^2+b^4$

$=\{(2a)^2+2a\times b+b^2\}\{(2a)^2-2a\times b+b^2\}$

$=(4a^2+2ab+b^2)(4a^2-2ab+b^2)$

④ $a^3+6a^2b+12ab^2+8b^3$

$=a^3+3\times a^2\times 2b+3\times a\times(2b)^2+(2b)^3$

$=(a+2b)^3$

⑤ $a^3+b^3-27c^3+9abc$

$=a^3+b^3+(-3c)^3-3\times a\times b\times(-3c)$

$=(a+b-3c)(a^2+b^2+9c^2-ab+3bc+3ca)$

따라서 옳지 않은 것은 ②이다.

02-4 답 4

해결전략 | 인수분해 공식을 완벽히 외우고 비슷한 형태가 보이면 적용해 본다.

x^3-8

$=x^3-2^3$

$=(x-2)(x^2+x\times 2+2^2)$

$=(x-2)(x^2+2x+4)$

따라서 $a=2$, $b=2$이므로

$a+b=2+2=4$

02-5 답 $(x+y)(x-y)(x^2+xy+y^2)(x^2-xy+y^2)$

해결전략 | 합차 공식으로 인수분해한 후에 다시 세제곱의 합차 공식을 쓴다.

x^6-y^6

$=(x^3)^2-(y^3)^2$

$=(x^3+y^3)(x^3-y^3)$

$=\{(x+y)(x^2-xy+y^2)\}\{(x-y)(x^2+xy+y^2)\}$

$=(x+y)(x-y)(x^2+xy+y^2)(x^2-xy+y^2)$

02-6 답 a^2-ab+b^2

해결전략 | 먼저 좌변을 전개한 후에 인수분해 공식과 비슷한 형태가 보이면 적용해 본다.

$a^2(a+1)+b^2(b+1)-ab$

$=a^3+a^2+b^3+b^2-ab$

$=(a^3+b^3)+(a^2-ab+b^2)$

$=(a+b)(a^2-ab+b^2)+(a^2-ab+b^2)$

$=(a+b+1)(a^2-ab+b^2)$

$\therefore$ $\boxed{\quad}=a^2-ab+b^2$

필수유형 03

71쪽

03-1 답 (1) $(x+1)(x-1)(x+2)(x-2)$

(2) $(x-y-6)(x-y+4)$

(3) $(x+1)(x-4)(x-1)(x-2)$

해결전략 | 공통부분을 찾아 치환한 후 인수분해하고, 다시 원래대로 돌려놓아야 한다.

(1) **STEP 1 치환한 식을 인수분해하기**

$x^2=t$로 치환하여 인수분해하면

$x^4-5x^2+4=t^2-5t+4$

$=(t-1)(t-4)$

STEP 2 원래의 식으로 되돌리고 다시 인수분해하기

$t=x^2$을 대입하면

$(t-1)(t-4)=(x^2-1)(x^2-4)$

$=(x+1)(x-1)(x+2)(x-2)$

(2) **STEP 1 치환한 식을 인수분해하기**

$x-y=t$로 치환하여 인수분해하면

$(x-y)(x-y-2)-24=t(t-2)-24$

$=t^2-2t-24$

$=(t-6)(t+4)$

STEP 2 원래의 식으로 되돌리기

$t=x-y$를 대입하면

$(t-6)(t+4)=(x-y-6)(x-y+4)$

(3) **STEP 1 치환한 식을 인수분해하기**

$x^2-3x=t$로 치환하여 인수분해하면

$(x^2-3x)^2-2(x^2-3x)-8$

$=t^2-2t-8$

$=(t-4)(t+2)$

STEP 2 원래의 식으로 되돌리고 다시 인수분해하기

$t=x^2-3x$를 대입하면

$(t-4)(t+2)=(x^2-3x-4)(x^2-3x+2)$

$=(x+1)(x-4)(x-1)(x-2)$

03-2 답 (1) $(x^2-x-4)(x^2-x+2)$

(2) $(x^2-2x-4)(x^2-2x-7)$

해결전략 | 공통부분을 찾아 치환한 후 인수분해하고, 다시 원래대로 돌려놓아야 한다.

(1) STEP 1 치환한 식을 인수분해하기

$x^2-x=t$로 치환하여 인수분해하면

$(x^2-x+1)(x^2-x-3)-5$

$=(t+1)(t-3)-5$

$=t^2-2t-8$

$=(t-4)(t+2)$

STEP 2 원래의 식으로 되돌리기

$t=x^2-x$를 대입하면

$(t-4)(t+2)=(x^2-x-4)(x^2-x+2)$

(2) STEP 1 둘씩 짝 지어 전개하기

전개했을 때 x^2-2x가 나오도록 짝 지어 전개하면

$(x+1)(x+2)(x-3)(x-4)+4$

$=\{(x+1)(x-3)\}\{(x+2)(x-4)\}+4$

$=(x^2-2x-3)(x^2-2x-8)+4$

STEP 2 치환한 식을 인수분해하기

$x^2-2x=t$로 치환하여 인수분해하면

$(x^2-2x-3)(x^2-2x-8)+4$

$=(t-3)(t-8)+4$

$=t^2-11t+28$

$=(t-4)(t-7)$

STEP 3 원래의 식으로 되돌리기

$t=x^2-2x$를 대입하면

$(t-4)(t-7)=(x^2-2x-4)(x^2-2x-7)$

03-3 답 15

해결전략 | 공통부분을 찾아 치환한 후 인수분해하고, 다시 원래대로 돌려놓아야 한다.

STEP 1 치환한 식을 인수분해하기

$x^2+x=t$로 치환하여 인수분해하면

$(x^2+x-10)(x^2+x-16)-40$

$=(t-10)(t-16)-40$

$=t^2-26t+120$

$=(t-20)(t-6)$

STEP 2 원래의 식으로 되돌리고 다시 인수분해하기

$t=x^2+x$를 대입하면

$(t-20)(t-6)=(x^2+x-20)(x^2+x-6)$

$=(x+5)(x-4)(x+3)(x-2)$

STEP 3 a, b의 값 구하기

따라서 $a=3$, $b=5$ 또는 $a=5$, $b=3$이므로

$ab=15$

03-4 답 $x^2+7x+15$

해결전략 | 공통부분이 생기도록 둘씩 짝 지어 전개한 후 공통부분을 치환하여 인수분해한다.

STEP 1 둘씩 짝 지어 전개하기

전개했을 때 x^2+5x가 나오도록 짝 지어 전개하면

$(x+1)(x+2)(x+3)(x+4)-24$

$=\{(x+1)(x+4)\}\{(x+2)(x+3)\}-24$

$=(x^2+5x+4)(x^2+5x+6)-24$

STEP 2 치환하여 다시 전개하기

$x^2+5x=t$로 치환하여 인수분해하면

$(x^2+5x+4)(x^2+5x+6)-24$

$=(t+4)(t+6)-24$

$=t^2+10t$

$=t(t+10)$

STEP 3 원래의 식으로 되돌리고 다시 인수분해하기

$t=x^2+5x$를 대입하면

$t(t+10)=(x^2+5x)(x^2+5x+10)$

$=x(x+5)(x^2+5x+10)$

STEP 4 세 식의 합 구하기

따라서 세 식은 x, $x+5$, $x^2+5x+10$이므로

$x+(x+5)+(x^2+5x+10)=x^2+7x+15$

03-5 답 4

해결전략 | 공통부분을 찾아 치환한 후 인수분해하고, 다시 원래대로 돌려놓아야 한다.

STEP 1 치환한 식을 인수분해하기

$x^2+x=t$로 치환하여 인수분해하면

$(x^2+x)^2+2(x^2+x)-3$

$=t^2+2t-3$

$=(t-1)(t+3)$

STEP 2 원래의 식으로 되돌리기

$t=x^2+x$를 대입하면

$(t-1)(t+3)=(x^2+x-1)(x^2+x+3)$

STEP 3 a, b의 값 구하기

따라서 $a=1$, $b=3$이므로

$a+b=1+3=4$

03-6 답 -125

해결전략 | x에 대한 다항식 x^2+ax+b가 완전제곱식이 되기 위한 조건은 $b=\left(\frac{a}{2}\right)^2$임을 이용한다.

STEP 1 둘씩 짝 지어 전개하기

전개했을 때 x^2+x가 나오도록 짝 지어 전개하면

$(x-1)(x-3)(x+2)(x+4)+k$

$=\{(x-1)(x+2)\}\{(x-3)(x+4)\}+k$

$=(x^2+x-2)(x^2+x-12)+k$

STEP 2 치환하여 다시 전개하기

$x^2+x=t$로 치환하여 전개하면

$(x^2+x-2)(x^2+x-12)+k$

$=(t-2)(t-12)+k$

$=t^2-14t+24+k$ ...... ㉠

STEP 3 k의 값을 구하여 인수분해하기

주어진 식을 $\{f(x)\}^2$ 꼴로 나타내려면 ㉠이 t에 대한 일차식의 완전제곱식의 꼴로 인수분해되어야 하므로

$24+k=\left(-\frac{14}{2}\right)^2 \qquad \therefore k=25$

$k=25$를 ㉠에 대입하여 인수분해하면

$t^2-14t+49=(t-7)^2$

STEP 4 원래의 식으로 되돌리기

$t=x^2+x$를 대입하면

$(t-7)^2=(x^2+x-7)^2$

STEP 5 $kf(1)$의 값 구하기

따라서 $f(x)=x^2+x-7$이고, $k=25$이므로

$kf(1)=25\times(-5)=-125$

필수유형 04

73쪽

04-1 답 (1) $(a+b-3)(a-b+3)$

(2) $(x^2+2x-2)(x^2-2x-2)$

(3) $(x+y+1)(x+3y-2)$

해결전략 | (1), (2) 항을 적당히 나누어 완전제곱식이 되도록 하고, 합차 공식을 적용한다.

(3) 한 문자에 대하여 내림차순으로 정리한 후 다른 문자 부분을 먼저 인수분해한다.

(1) STEP 1 1개의 항과 3개의 항으로 나누기

3개의 항이 완전제곱식이 되도록 나누면

$a^2-b^2+6b-9=a^2-(b^2-6b+9)$

STEP 2 3개의 항을 완전제곱식으로 바꾼 후, 합차 공식 적용하기

$a^2-(b^2-6b+9)=a^2-(b-3)^2$

$=\{a+(b-3)\}\{a-(b-3)\}$

$=(a+b-3)(a-b+3)$

(2) STEP 1 완전제곱식이 되도록 x^2항을 적당히 나누기

$x^4-8x^2+4=x^4-4x^2-4x^2+4$

$=(x^4-4x^2+4)-4x^2$

STEP 2 3개의 항을 완전제곱식으로 바꾼 후, 합차 공식 적용하기

$(x^4-4x^2+4)-4x^2=(x^2-2)^2-(2x)^2$

$=\{(x^2-2)+2x\}\{(x^2-2)-2x\}$

$=(x^2+2x-2)(x^2-2x-2)$

(3) $x^2+4xy+3y^2-x+y-2$를 x에 대하여 내림차순으로 정리한 후 인수분해하면

$x^2+4xy+3y^2-x+y-2$

$=x^2+(4y-1)x+3y^2+y-2$

$=x^2+(4y-1)x+(y+1)(3y-2)$

$=\{x+(y+1)\}\{x+(3y-2)\}$

$=(x+y+1)(x+3y-2)$

04-2 답 6

해결전략 | x^2항을 적당히 나누어 완전제곱식이 되도록 하고, 합차 공식을 적용한다.

STEP 1 완전제곱식이 되도록 x^2항을 적당히 나누기

$x^4+9x^2+25=(x^4+10x^2+25)-x^2$

STEP 2 3개의 항을 완전제곱식으로 바꾼 후, 합차 공식 적용하기

$(x^4+10x^2+25)-x^2$

$=(x^2+5)^2-x^2$

$=\{(x^2+5)+x\}\{(x^2+5)-x\}$

$=(x^2+x+5)(x^2-x+5)$

$=(x^2+ax+b)(x^2-ax+b)$

STEP 3 두 양수 a, b의 값 구하기

따라서 $a=1$, $b=5$이므로

$a+b=1+5=6$

04-3 답 $(x-2y+1)(2x+y-3)$

해결전략 | 한 문자에 대하여 내림차순으로 정리한 후 다른 문자 부분을 먼저 인수분해한다.

$2x^2-3xy-2y^2-x+7y-3$을 x에 대하여 내림차순으로 정리한 후 인수분해하면

$2x^2-3xy-2y^2-x+7y-3$

$=2x^2-(3y+1)x-2y^2+7y-3$

$=2x^2-(3y+1)x-(y-3)(2y-1)$

$=\{x-(2y-1)\}\{2x+(y-3)\}$

$=(x-2y+1)(2x+y-3)$

04-4 답 $3x^2-6$

해결전략 | x^2항을 적당히 나누어 완전제곱식이 되도록 하고, 합차 공식을 적용한다.

STEP 1 공통인수 x^2으로 묶기

$x^6-7x^4+9x^2=x^2(x^4-7x^2+9)$

STEP 2 완전제곱식이 되도록 x^2항을 적당히 나누기

$x^2(x^4-7x^2+9)=x^2\{(x^4-6x^2+9)-x^2\}$

STEP 3 3개의 항을 완전제곱식으로 바꾼 후, 합차 공식 적용하기

$x^2\{(x^4-6x^2+9)-x^2\}$
$=x^2\{(x^2-3)^2-x^2\}$
$=x^2\{(x^2-3)+x\}\{(x^2-3)-x\}$
$=x^2(x^2+x-3)(x^2-x-3)$

STEP 4 세 이차식의 합 구하기

따라서 세 이차식은 각각 x^2, x^2+x-3, x^2-x-3이므로 세 이차식의 합은

$x^2+(x^2+x-3)+(x^2-x-3)=3x^2-6$

04-5 답 $(x+y)(y+z)(x-z)$

해결전략 | 한 문자에 대하여 내림차순으로 정리한 후 다른 문자 부분을 먼저 인수분해한다.

STEP 1 주어진 식을 전개하기

$xy(x+y)-yz(y+z)-zx(z-x)$
$=x^2y+xy^2-y^2z-yz^2-z^2x+zx^2$

STEP 2 인수분해하기

이 식을 x에 대하여 내림차순으로 정리한 후 인수분해하면

$x^2y+xy^2-y^2z-yz^2-z^2x+zx^2$
$=(y+z)x^2+(y^2-z^2)x-y^2z-yz^2$
$=(y+z)x^2+\{(y+z)(y-z)\}x-yz(y+z)$
$=(y+z)\{x^2+(y-z)x-yz\}$
$=(y+z)(x+y)(x-z)$

04-6 답 5

해결전략 | 한 문자에 대하여 내림차순으로 정리한 후 공통인수로 묶어 내고 합차 공식을 적용한다.

STEP 1 주어진 식을 y에 대하여 정리하고 인수분해하기

$4x^3+4(y+1)x^2+(y^2+4y-9)x+y^2-9$를 y에 대하여 내림차순으로 정리한 후 인수분해하면

$4x^3+4(y+1)x^2+(y^2+4y-9)x+y^2-9$
$=(x+1)y^2+(4x^2+4x)y+4x^3+4x^2-9x-9$
$=(x+1)y^2+4x(x+1)y+4x^2(x+1)-9(x+1)$
$=(x+1)\{(y^2+4xy+4x^2)-9\}$
$=(x+1)\{(2x+y)^2-3^2\}$
$=(x+1)\{(2x+y)+3\}\{(2x+y)-3\}$
$=(x+1)(2x+y+3)(2x+y-3)$

STEP 2 세 양수 a, b, c의 값 구하기

따라서 $a=1$, $b=1$, $c=3$이므로

$a+b+c=1+1+3=5$

필수유형 05

75쪽

05-1 답 (1) $(x+1)(x-2)(x-3)$
(2) $(x-1)(2x+1)(3x-1)$

해결전략 | 인수정리로 인수를 찾고 조립제법으로 몫을 구한 후, 그 몫을 인수분해한다.

(1) **STEP 1 인수정리로 인수 찾기**

$f(x)=x^3-4x^2+x+6$이라고 하면

$f(-1)=-1-4-1+6=0$

이므로 $x+1$은 $f(x)$의 인수이다.

STEP 2 조립제법을 이용하여 몫 구하기

조립제법을 이용하여 $f(x)$를 $x+1$로 나누면

-1	1	-4	1	6
		-1	5	-6
	1	-5	6	0

$f(x)=x^3-4x^2+x+6$
$=(x+1)(x^2-5x+6)$

STEP 3 몫을 인수분해하기

x^2-5x+6을 인수분해하면

$x^2-5x+6=(x-2)(x-3)$

$\therefore x^3-4x^2+x+6=(x+1)(x-2)(x-3)$

(2) **STEP 1 인수정리로 인수 찾기**

$f(x)=6x^3-5x^2-2x+1$이라고 하면

$f(1)=6-5-2+1=0$

이므로 $x-1$은 $f(x)$의 인수이다.

STEP 2 조립제법을 이용하여 몫 구하기

조립제법을 이용하여 $f(x)$를 $x-1$로 나누면

1	6	-5	-2	1
		6	1	-1
	6	1	-1	0

$f(x)=6x^3-5x^2-2x+1$
$=(x-1)(6x^2+x-1)$

STEP 3 몫을 인수분해하기

$6x^2+x-1$을 인수분해하면

$6x^2+x-1=(2x+1)(3x-1)$

$\therefore 6x^3-5x^2-2x+1=(x-1)(2x+1)(3x-1)$

05-2 답 (1) $(x-1)(x+2)(x^2+5x+10)$

(2) $(x+1)(x-2)(x+2)(x-3)$

해결전략 | 인수정리로 인수를 찾고 조립제법으로 몫을 구한 후, 그 몫을 인수분해한다.

(1) STEP 1 인수정리로 인수 찾기

$f(x)=x^4+6x^3+13x^2-20$이라고 하면

$f(1)=1+6+13-20=0$,

$f(-2)=16-48+52-20=0$

이므로 $x-1$, $x+2$는 $f(x)$의 인수이다.

STEP 2 조립제법을 이용하여 몫 구하기

조립제법을 이용하여 $f(x)$를 $x-1$, $x+2$로 나누면

$$\begin{array}{r|rrrrr} 1 & 1 & 6 & 13 & 0 & -20 \\ & & 1 & 7 & 20 & 20 \\ \hline -2 & 1 & 7 & 20 & 20 & 0 \\ & & -2 & -10 & -20 & \\ \hline & 1 & 5 & 10 & 0 & \end{array}$$

$f(x)=x^4+6x^3+13x^2-20$

$=(x-1)(x+2)(x^2+5x+10)$

(2) STEP 1 인수정리로 인수 찾기

$f(x)=x^4-2x^3-7x^2+8x+12$라고 하면

$f(-1)=1+2-7-8+12=0$,

$f(2)=16-16-28+16+12=0$

이므로 $x+1$, $x-2$는 $f(x)$의 인수이다.

STEP 2 조립제법을 이용하여 몫 구하기

조립제법을 이용하여 $f(x)$를 $x+1$, $x-2$로 나누면

$$\begin{array}{r|rrrrr} -1 & 1 & -2 & -7 & 8 & 12 \\ & & -1 & 3 & 4 & -12 \\ \hline 2 & 1 & -3 & -4 & 12 & 0 \\ & & 2 & -2 & -12 & \\ \hline & 1 & -1 & -6 & 0 & \end{array}$$

$f(x)=x^4-2x^3-7x^2+8x+12$

$=(x+1)(x-2)(x^2-x-6)$

STEP 3 몫을 인수분해하기

x^2-x-6을 인수분해하면

$x^2-x-6=(x+2)(x-3)$

$\therefore x^4-2x^3-7x^2+8x+12$

$=(x+1)(x-2)(x+2)(x-3)$

05-3 답 -2

해결전략 | 인수정리로 인수를 찾고 조립제법으로 몫을 구한 후, 그 몫을 인수분해한다.

STEP 1 인수정리로 인수 찾기

$f(x)=x^3-2x^2-x+14$라고 하면

$f(-2)=-8-8+2+14=0$

이므로 $x+2$는 $f(x)$의 인수이다.

STEP 2 조립제법을 이용하여 인수분해하기

조립제법을 이용하여 $f(x)$를 인수분해하면

$$\begin{array}{r|rrrr} -2 & 1 & -2 & -1 & 14 \\ & & -2 & 8 & -14 \\ \hline & 1 & -4 & 7 & 0 \end{array}$$

$f(x)=x^3-2x^2-x+14$

$=(x+2)(x^2-4x+7)$

STEP 3 a, b의 값 구하기

$(x+2)(x^2-4x+7)=(x+a)(x^2+bx+7)$에서

$a=2$, $b=-4$이므로

$a+b=2+(-4)=-2$

◉→ 다른 풀이

STEP 1 등식의 우변을 전개하기

우변을 전개하면

$x^3-2x^2-x+14=(x+a)(x^2+bx+7)$

$=x^3+(a+b)x^2+(ab+7)x+7a$

STEP 2 등식의 성질을 이용하여 $a+b$의 값 구하기

따라서 양변의 x^2항의 계수를 비교하면

$a+b=-2$

05-4 답 ②

해결전략 | 주어진 인수로 나누어 미지수의 값을 구한 후 조립제법으로 몫을 구한다.

STEP 1 주어진 조건에서 다항식의 인수 찾기

$x^2-2x-3=(x-3)(x+1)$이므로

$f(x)=x^4+2x^3-7x^2+ax+b$라고 하면

$f(x)$는 $x-3$과 $x+1$을 모두 인수로 갖는다.

STEP 2 인수정리를 이용하여 a, b의 값 구하기

$f(3)=81+54-63+3a+b=0$에서

$3a+b=-72$ …… ㉠

$f(-1)=1-2-7-a+b=0$에서

$a-b=-8$ ...... ㉡

㉠, ㉡을 연립하여 풀면

$a=-20$, $b=-12$

$\therefore f(x)=x^4+2x^3-7x^2-20x-12$

STEP 3 조립제법을 이용하여 인수분해하기

조립제법을 이용하여 $f(x)$를 $x-3$, $x+1$로 나누면

3	1	2	−7	−20	−12
		3	15	24	12
−1	1	5	8	4	0
		−1	−4	−4	
	1	4	4	0	

$f(x)=(x-3)(x+1)(x^2+4x+4)$

$\quad=(x-3)(x+1)(x+2)^2$

따라서 $f(x)$의 인수가 될 수 있는 것은 ② $(x+2)^2$이다.

05-5 답 x^2+2x-1

해결전략 | 주어진 인수로 나누어 미지수의 값을 구한 후 조립제법으로 몫을 구한다.

STEP 1 주어진 조건에서 다항식의 인수 찾기

$f(x)=x^4+ax^3+bx^2+x-2$라고 하면 주어진 조건에서 $f(x)$는 $x+1$, $x+2$를 인수로 갖는다.

STEP 2 인수정리를 이용하여 a, b의 값 구하기

$f(-1)=1-a+b-1-2=0$

$\therefore a-b=-2$ ...... ㉠

$f(-2)=16-8a+4b-2-2=0$

$\therefore 2a-b=3$ ...... ㉡

㉠, ㉡을 연립하여 풀면

$a=5$, $b=7$

$\therefore f(x)=x^4+5x^3+7x^2+x-2$

STEP 3 조립제법을 이용하여 인수분해하기

조립제법을 이용하여 $f(x)$를 인수분해하면

−1	1	5	7	1	−2
		−1	−4	−3	2
−2	1	4	3	−2	0
		−2	−4	2	
	1	2	−1	0	

$f(x)=(x+1)(x+2)(x^2+2x-1)$

$\therefore Q(x)=x^2+2x-1$

다른 풀이

STEP 1 인수정리와 조립제법을 이용하여 a, b의 값 구하기

$x^4+ax^3+bx^2+x-2$는 $(x+1)(x+2)$로 나누어떨어지므로 조립제법을 이용하면

−1	1	a	b	1	−2
		−1	$-a+1$	$a-b-1$	$-a+b$
−2	1	$a-1$	$-a+b+1$	$a-b$	$-a+b-2$
		−2	$-2a+6$	$6a-2b-14$	
	1	$a-3$	$-3a+b+7$	$7a-3b-14$	

이므로

$-a+b-2=0$, $7a-3b-14=0$

두 식을 연립하여 풀면 $a=5$, $b=7$

STEP 2 $Q(x)$ 구하기

$\therefore Q(x)=x^2+(a-3)x-3a+b+7$

$\quad=x^2+2x-1$

> **풍쌤의 비법**
>
> 복잡한 식의 인수분해를 할 경우 다음과 같은 순서로 시도해 보고 문제를 해결한다.
>
> ❶ 공통인수로 묶기 → ❷ 인수분해 공식 → ❸ 치환 → ❹ 합차 공식 → ❺ 내림차순으로 정리 → ❻ 인수정리

05-6 답 ③

해결전략 | 주어진 인수로 나누어 미지수의 값을 구한 후 조립제법으로 몫을 구한다.

STEP 1 인수정리로 인수 찾기

$f(x)=x^3-(n+1)x+n$이라고 하면

$f(1)=1-(n+1)+n=0$

이므로 $x-1$은 $f(x)$의 인수이다.

STEP 2 조립제법을 이용하여 몫 구하기

조립제법을 이용하여 $f(x)$를 $x-1$로 나누면

1	1	0	$-(n+1)$	n
		1	1	$-n$
	1	1	$-n$	0

$f(x)=(x-1)(x^2+x-n)$

STEP 3 이차방정식의 근과 계수의 관계를 이용하여 n의 성질 알기

이때 $x^2+x-n=(x-\alpha)(x-\beta)$로 놓으면

$\alpha+\beta=-1$, $\alpha\beta=-n$

위의 두 식으로부터

$n=-\alpha\beta$

$=-\alpha(-\alpha-1)$

$=\alpha(\alpha+1)$

즉, n은 연속한 두 정수의 곱으로 표현되는 수이다.

같은 방법으로

$x^2+x-n=(x-\beta)(x-\gamma)$

또는 $x^2+x-n=(x-\alpha)(x-\gamma)$

에 대해서도 n은 연속한 두 정수의 곱으로 표현되는 수임을 알 수 있다.

STEP 4 n의 값이 될 수 있는 수 찾기

따라서 8, 10, 15, 18은 연속하는 두 정수의 곱으로 나타낼 수 없지만 $12=3\times4$로 자연수 n의 값이 될 수 있다.

필수유형 06

77쪽

06-1 답 81

해결전략 | 둘씩 짝 지어 합차 공식을 이용한다.

각 항을 둘씩 짝 짓고 합차 공식을 이용하여 인수분해하면

$16^2-15^2+14^2-13^2+12^2-11^2$

$=(16^2-15^2)+(14^2-13^2)+(12^2-11^2)$

$=(16-15)(16+15)+(14-13)(14+13)+(12-11)(12+11)$

$=16+15+14+13+12+11$

$=81$

06-2 답 366

해결전략 | 반복적으로 나타나는 수를 치환하여 인수분해한 후 치환한 수를 돌려놓고 수를 계산한다.

$365=k$로 놓으면

$\frac{365^3+1}{365^2-365+1}=\frac{k^3+1}{k^2-k+1}$

$=\frac{(k+1)(k^2-k+1)}{k^2-k+1}$

$=k+1$

$=365+1$

$=366$

06-3 답 2000

해결전략 | 합차 공식을 이용할 때 합이 100이 되도록 둘씩 묶어 자리를 바꾼다.

$51^2+52^2+53^2+54^2-(46^2+47^2+48^2+49^2)$

$=(51^2-49^2)+(52^2-48^2)+(53^2-47^2)+(54^2-46^2)$

$=(51-49)(51+49)+(52-48)(52+48)+(53-47)(53+47)+(54-46)(54+46)$

$=2\times100+4\times100+6\times100+8\times100$

$=200+400+600+800$

$=2000$

06-4 답 $\frac{63\sqrt{15}}{4}$

해결전략 | 주어진 다항식을 인수분해하고, 각 식에 대한 값을 대입한다.

STEP 1 a^6-b^6을 인수분해하기

주어진 식을 인수분해하면

$a^6-b^6=(a^3+b^3)(a^3-b^3)$

$=(a+b)(a^2-ab+b^2)(a-b)(a^2+ab+b^2)$ …… ㉠

STEP 2 $a+b$, $a-b$, ab, a^2+b^2의 값 구하기

이때

$a=\frac{1}{\sqrt{5}-\sqrt{3}}=\frac{\sqrt{5}+\sqrt{3}}{2}$,

$b=\frac{1}{\sqrt{5}+\sqrt{3}}=\frac{\sqrt{5}-\sqrt{3}}{2}$

이므로

$a+b=\frac{(\sqrt{5}+\sqrt{3})+(\sqrt{5}-\sqrt{3})}{2}=\sqrt{5}$,

$a-b=\frac{(\sqrt{5}+\sqrt{3})-(\sqrt{5}-\sqrt{3})}{2}=\sqrt{3}$,

$ab=\frac{\sqrt{5}+\sqrt{3}}{2}\times\frac{\sqrt{5}-\sqrt{3}}{2}=\frac{5-3}{4}=\frac{1}{2}$

이고

$a^2+b^2=(a+b)^2-2ab$

$=(\sqrt{5})^2-2\times\frac{1}{2}$

$=4$

STEP 3 식의 값 구하기

각 식의 값을 ㉠에 대입하면

$a^6-b^6=(a+b)(a-b)(a^2-ab+b^2)(a^2+ab+b^2)$

$=\sqrt{5}\times\sqrt{3}\times\left(4-\frac{1}{2}\right)\times\left(4+\frac{1}{2}\right)$

$=\frac{63\sqrt{15}}{4}$

06-5 답 $2-\sqrt{2}$

해결전략 | 주어진 식의 분모와 분자를 인수분해하여 간단히 한 후, x의 값을 대입한다.

STEP 1 주어진 식을 인수분해하기

주어진 식의 분모와 분자를 인수분해하면

$$\begin{aligned}\frac{x^4-x^3-8x+8}{x^2+2x+4}&=\frac{x^3(x-1)-8(x-1)}{x^2+2x+4}\\&=\frac{(x-1)(x^3-8)}{x^2+2x+4}\\&=\frac{(x-1)(x-2)(x^2+2x+4)}{x^2+2x+4}\\&=(x-1)(x-2)\end{aligned}$$

STEP 2 식의 값 구하기

이 식에 $x=2-\sqrt{2}$를 대입하면

$$\begin{aligned}(x-1)(x-2)&=(2-\sqrt{2}-1)(2-\sqrt{2}-2)\\&=-\sqrt{2}(1-\sqrt{2})\\&=2-\sqrt{2}\end{aligned}$$

06-6 답 176

해결전략 | 적당한 수를 치환하여 인수분해한 후 치환한 수를 돌려놓고 수를 계산한다.

STEP 1 적당한 수를 치환하기

$10=k$로 놓으면

$10\times13\times14\times17+36$

$=k(k+3)(k+4)(k+7)+36$

STEP 2 치환한 식을 인수분해하기

여기서 전개했을 때 k^2+7k가 나오도록 둘씩 짝 지어 전개하면

$k(k+3)(k+4)(k+7)+36$

$=\{k(k+7)\}\{(k+3)(k+4)\}+36$

$=(k^2+7k)(k^2+7k+12)+36$

$k^2+7k=t$로 놓고 인수분해하면

$$\begin{aligned}(k^2+7k)(k^2+7k+12)+36&=t(t+12)+36\\&=t^2+12t+36\\&=(t+6)^2\end{aligned}$$

STEP 3 원래의 식으로 되돌리기

$t=k^2+7k$를 대입하면

$(t+6)^2=(k^2+7k+6)^2$

STEP 4 식의 값 구하기

$k=10$이므로 $(k^2+7k+6)^2=176^2$

$\therefore \sqrt{10\times13\times14\times17+36}=\sqrt{176^2}=176$

79쪽

07-1 답 $a=b$인 이등변삼각형 또는 $\angle C=90^\circ$인 직각삼각형

해결전략 | 여러 개의 문자를 포함한 식을 차수가 가장 낮은 문자에 대하여 내림차순으로 정리하고 인수분해한 후, 삼각형의 모양을 판단한다.

STEP 1 주어진 식을 인수분해하기

$a^4+b^2c^2=a^2c^2+b^4$의 모든 항을 좌변으로 이항하여 좌변을 인수분해하면

$a^4+b^2c^2-a^2c^2-b^4$

$=a^4-b^4+b^2c^2-a^2c^2$

$=(a^2+b^2)(a^2-b^2)-c^2(a^2-b^2)$

$=(a^2-b^2)(a^2+b^2-c^2)$

$=(a+b)(a-b)(a^2+b^2-c^2)=0$

STEP 2 a, b, c 사이의 관계식 구하기

$a>0$, $b>0$이므로 $a\neq-b$ $\quad\therefore a=b$ 또는 $a^2+b^2=c^2$

따라서 삼각형 ABC는 $a=b$인 이등변삼각형 또는 $\angle C=90^\circ$인 직각삼각형이다.

07-2 답 $b=c$인 이등변삼각형

해결전략 | 여러 개의 문자를 포함한 식을 차수가 가장 낮은 문자에 대하여 내림차순으로 정리하고 인수분해한 후, 삼각형의 모양을 판단한다.

STEP 1 주어진 식을 인수분해하기

$a^3+8b^3+8c^3=12abc$의 모든 항을 좌변으로 이항하여 좌변을 인수분해하면

$a^3+8b^3+8c^3-12abc$

$=a^3+(2b)^3+(2c)^3-3\times a\times(2b)\times(2c)$

$=(a+2b+2c)(a^2+4b^2+4c^2-2ab-4bc-2ca)$

$=(a+2b+2c)\left\{\frac{1}{2}(2a^2+8b^2+8c^2-4ab-8bc-4ca)\right\}$

$=\frac{1}{2}(a+2b+2c)\{(a-2b)^2+(2b-2c)^2+(2c-a)^2\}=0$

STEP 2 a, b, c 사이의 관계식 구하기

그런데 $a+2b+2c>0$이므로

$(a-2b)^2+(2b-2c)^2+(2c-a)^2=0$

$\therefore a=2b=2c$

따라서 주어진 삼각형은 $b=c$인 이등변삼각형이다.

07-3 답 $c=\sqrt{2}a$

해결전략 | 여러 개의 문자를 포함한 식을 차수가 가장 낮은 문자에 대하여 내림차순으로 정리하고 인수분해한 후, 삼각형의 모양을 판단한다.

STEP 1 주어진 식의 좌변을 인수분해하기

주어진 식의 좌변을 c에 대하여 내림차순으로 정리하여 인수분해하면

$a^2b+b^2c-b^3-a^2c$
$=(b^2-a^2)c-(b^2-a^2)b$
$=(b^2-a^2)(c-b)$
$=(a^2-b^2)(b-c)$
$=(a+b)(a-b)(b-c)=0$

STEP 2 c를 a에 대한 식으로 나타내기

그런데 $a+b>0$이고 $b\neq c$이므로 $a=b$

따라서 $c^2=a^2+b^2$에서 $c^2=2a^2$

$\therefore c=\sqrt{2}a$ ($\because c>0$)

07-4 답 이등변삼각형

해결전략 | 여러 개의 문자를 포함한 식을 차수가 가장 낮은 문자에 대하여 내림차순으로 정리하고 인수분해한 후, 삼각형의 모양을 판단한다.

STEP 1 주어진 식의 좌변을 인수분해하기

주어진 식을 전개한 후 좌변을 c에 대하여 내림차순으로 정리하여 인수분해하면

$(b-c)a^2+(c-a)b^2+(a-b)c^2$
$=a^2b-a^2c+b^2c-ab^2+ac^2-bc^2$
$=(a-b)c^2-(a^2-b^2)c+ab(a-b)$
$=(a-b)c^2-\{(a+b)(a-b)\}c+ab(a-b)$
$=(a-b)\{c^2-(a+b)c+ab\}$
$=(a-b)(c-a)(c-b)$
$=(a-b)(b-c)(a-c)=0$

STEP 2 a, b, c 사이의 관계식 구하기

따라서 $a=b$ 또는 $b=c$ 또는 $a=c$이므로

주어진 삼각형은 이등변삼각형이다.

07-5 답 12

해결전략 | 오려낸 색종이의 넓이에 대한 식을 세우고, 인수분해하여 문제를 해결한다.

한 변의 길이가 $a+6$인 정사각형 모양의 색종이의 넓이는 $(a+6)^2$이다.

따라서 한 변의 길이가 a인 정사각형 모양의 색종이를 오려 낸 후 남아 있는 ▣ 모양의 색종이의 넓이는

$(a+6)^2-a^2=\{(a+6)+a\}\{(a+6)-a\}$
$=6(2a+6)$
$=12(a+3)$

$\therefore k=12$

07-6 답 1

해결전략 | p, q, r, s, t를 a, b에 대한 식으로 나타내고 인수분해하여 $a-b$의 값을 구한다.

STEP 1 p, q, r, s, t를 a, b에 대한 식으로 나타내기

직육면체 P, Q, R, S, T의 부피가 각각 p, q, r, s, t이므로

$p=a^3$, $q=b^3$, $r=a^2$, $s=b^2$, $t=ab(a-b)$

STEP 2 p, q, r, s, t의 관계를 이용하여 a, b에 대한 식 세워 인수분해하기

$p=q+r+s+t$이므로

$a^3=b^3+a^2+b^2+ab(a-b)$
$a^3-b^3-a^2-b^2-ab(a-b)=0$
$(a-b)(a^2+ab+b^2)-(a^2+b^2)-ab(a-b)=0$
$(a-b)(a^2+b^2)-(a^2+b^2)=0$
$(a-b-1)(a^2+b^2)=0$

STEP 3 $a-b$의 값 구하기

그런데 $a^2+b^2\neq 0$이므로 $a-b-1=0$

$\therefore a-b=1$

◉→ 다른 풀이

STEP 2 한 문자에 대하여 정리하기

$a^3=b^3+a^2+b^2+ab(a-b)$에서
$a^3-b^3-a^2-b^2-ab(a-b)=0$
$a^3-b^3-a^2-b^2-a^2b+ab^2=0$

좌변을 a에 대한 내림차순으로 정리하면

$a^3-(b+1)a^2+b^2a-b^3-b^2=0$
$a^3-(b+1)a^2+b^2a-b^2(b+1)=0$ ...... ㉠

STEP 3 인수정리를 이용하여 인수 찾기

$f(x)=x^3-(b+1)x^2+b^2x-b^2(b+1)$이라고 하면

$f(b+1)$
$=(b+1)^3-(b+1)(b+1)^2+b^2(b+1)-b^2(b+1)$
$=0$

이므로 $f(x)$는 $b+1$을 인수로 갖는다.

STEP 4 조립제법을 이용하여 인수분해하기

조립제법을 이용하여 $f(x)$를 인수분해하면

$b+1$	1	$-(b+1)$	b^2	$-b^2(b+1)$
		$b+1$	0	$b^2(b+1)$
	1	0	b^2	0

$f(x)=(x-b-1)(x^2+b^2)$이므로 ㉠에서

$f(a)=(a-b-1)(a^2+b^2)=0$

STEP 5 $a-b$의 값 구하기

이때 $a^2+b^2\neq 0$이므로 $a-b-1=0$

$\therefore a-b=1$

실전 연습 문제 80~82쪽

01 ④	02 ④	03 3	04 ⑤	
05 $2x+2y+4$		06 506	07 ⑤	08 6
09 ①	10 ④	11 ③	12 ①	13 $4\sqrt{3}$
14 ②	15 $(a+b-2c)^2$		16 ②	17 ③

01

해결전략 | 인수분해 공식을 완벽히 외우고 비슷한 형태가 보이면 적용해 본다.

① $x-2y+4x(2y-x)=(x-2y)-4x(x-2y)$
$=(x-2y)(1-4x)$

② $x^3+8y^3=x^3+(2y)^3$
$=(x+2y)\{x^2-x\times 2y+(2y)^2\}$
$=(x+2y)(x^2-2xy+4y^2)$

③ $a^2+b^2+c^2-2ab+2bc-2ca$
$=(-a)^2+b^2+c^2+2\times(-a)\times b+2\times b\times c+2\times c\times(-a)$
$=(-a+b+c)^2$
$=(a-b-c)^2$

④ $x^3+8y^3-6xy+1$
$=x^3+(2y)^3+1^3-3\times x\times 2y\times 1$
$=(x+2y+1)(x^2+4y^2+1-2xy-x-2y)$

⑤ $a^3-ab^2-b^2c+a^2c=a(a^2-b^2)+c(a^2-b^2)$
$=(a^2-b^2)(a+c)$
$=(a+b)(a-b)(a+c)$

따라서 옳은 것은 ④이다.

02

해결전략 | 연속적으로 합차 공식을 이용하여 인수분해한다.

$x^8-y^8=(x^4)^2-(y^4)^2$
$=(x^4+y^4)(x^4-y^4)$
$=(x^4+y^4)(x^2+y^2)(x^2-y^2)$
$=(x^4+y^4)(x^2+y^2)(x+y)(x-y)$

따라서 인수가 아닌 것은 ④ x^3+y^3이다.

03

해결전략 | 주어진 식을 인수분해한 후 식의 값을 대입한다.

STEP 1 $x^3+y^3+3xy-1$을 인수분해하기

$x^3+y^3+3xy-1$
$=x^3+y^3+(-1)^3-3\times x\times y\times(-1)$
$=\{x+y+(-1)\}\times\{x^2+y^2+(-1)^2-xy-y\times(-1)-(-1)\times x\}$
$=(x+y-1)(x^2+y^2-xy+x+y+1)=20$ …… ❶

STEP 2 주어진 식의 값을 대입하여 $x+y$의 값 구하기

$x^2+y^2-xy+x+y=9$이므로
$(x+y-1)(9+1)=20$, $x+y-1=2$
$\therefore x+y=3$ …… ❷

채점 요소	배점
❶ $x^3+y^3+3xy-1$을 인수분해하기	70 %
❷ 식의 값을 대입하여 $x+y$의 값 구하기	30 %

04

해결전략 | 인수분해하여 항등식을 만들고, 계수비교법을 이용한다.

STEP 1 x^3+27을 인수분해하기

$x^3+27=x^3+3^3$
$=(x+3)(x^2-3x+9)$
$=(x+3)(x^2+ax+b)$

STEP 2 $a+b$의 값 구하기

따라서 $a=-3$, $b=9$이므로
$a+b=-3+9=6$

05

해결전략 | 주어진 등식의 우변을 인수분해하여 두 다항식의 곱으로 나타낸다.

STEP 1 주어진 식의 우변을 치환하여 인수분해하기

$AB=(x+y)(x+y+4)+3$에서
$x+y=t$로 치환하여 인수분해하면
$AB=t(t+4)+3$
$=t^2+4t+3$
$=(t+1)(t+3)$

STEP 2 원래의 식으로 되돌리기

$t=x+y$를 대입하면
$(t+1)(t+3)=(x+y+1)(x+y+3)$

STEP 3 $A+B$ 구하기

A와 B는 일차식이므로
$A+B=(x+y+1)+(x+y+3)$
$=2x+2y+4$

06

해결전략 | 주어진 식을 인수분해한 후 a, b의 값을 구하고, 식의 값을 구한다.

STEP 1 **치환한 식을 인수분해하기**

$x^2=t$로 치환하여 인수분해하면

$x^4-8x^2+16=(x^2)^2-8x^2+16$
$=t^2-8t+16$
$=(t-4)^2$

STEP 2 **원래의 식으로 되돌리기**

$t=x^2$을 대입하면

$(t-4)^2=(x^2-4)^2$
$=(x+2)^2(x-2)^2$
$=(x+a)^2(x+b)^2$

STEP 3 **식의 값 구하기**

이때 $a>b$이므로

$a=2$, $b=-2$

$\therefore \dfrac{2024}{a-b}=\dfrac{2024}{2-(-2)}=506$

07

해결전략 | 주어진 식을 치환하여 인수분해한다.

STEP 1 **치환한 식을 인수분해하기**

$(x^2+x-3)(x^2-4x-3)+6x^2$
$=(x^2-3+x)(x^2-3-4x)+6x^2$

여기서 $x^2-3=t$로 놓으면

$(x^2-3+x)(x^2-3-4x)+6x^2$
$=(t+x)(t-4x)+6x^2$
$=t^2-3xt-4x^2+6x^2$
$=t^2-3xt+2x^2$
$=(t-x)(t-2x)$

STEP 2 **원래의 식으로 되돌리고 다시 인수분해하기**

$t=x^2-3$을 대입하면

$(t-x)(t-2x)=(x^2-x-3)(x^2-2x-3)$
$=(x^2-x-3)(x-3)(x+1)$

따라서 인수가 아닌 것은 ⑤ x^2-2x+3이다.

08

해결전략 | x^2항에 적당한 식을 더하고 빼서 완전제곱식을 만들고 합차 공식으로 인수분해한다.

STEP 1 **완전제곱식이 되도록 x^2항에 적당한 식을 더하고 뺀 후 인수분해하기**

$x^4+2x^2+9=x^4+2x^2+4x^2-4x^2+9$
$=(x^4+6x^2+9)-4x^2$
$=(x^2+3)^2-(2x)^2$
$=\{(x^2+3)+2x\}\{(x^2+3)-2x\}$
$=(x^2+2x+3)(x^2-2x+3)$ …… ❶

STEP 2 **$a+b+c+d$의 값 구하기**

따라서 $a=2$, $b=3$, $c=-2$, $d=3$

또는 $a=-2$, $b=3$, $c=2$, $d=3$이므로

$a+b+c+d=6$ …… ❷

채점 요소	배점
❶ x^2항에 적당한 식을 더하고 뺀 후 완전제곱식을 만들고 인수분해하기	70 %
❷ $a+b+c+d$의 값 구하기	30 %

09

해결전략 | 한 문자에 대하여 대하여 내림차순으로 정리한 후 다른 문자 부분을 먼저 인수분해한다.

STEP 1 **주어진 식을 x에 대하여 내림차순으로 정리하기**

x에 대하여 내림차순으로 정리하여 인수분해하면

$x^2+y^2-2(xy+x-y)-3$
$=x^2+y^2-2xy-2x+2y-3$
$=x^2-2(y+1)x+y^2+2y-3$
$=x^2-2(y+1)x+(y+3)(y-1)$
$=\{x-(y+3)\}\{x-(y-1)\}$
$=(x-y-3)(x-y+1)$
$=(x-y+a)(x+by+1)$

STEP 2 **a, b의 값 구하기**

따라서 $a=-3$, $b=-1$이므로

$a+b=-3+(-1)=-4$

10

해결전략 | $-4xy$를 적당히 나누어 완전제곱식이 되도록 하고, 합차 공식을 적용한다.

$x^2y^2-x^2-y^2+1-4xy$
$=x^2y^2-x^2-y^2+1-2xy-2xy$
$=(x^2y^2-2xy+1)-(x^2+2xy+y^2)$
$=(xy-1)^2-(x+y)^2$
$=\{(xy-1)+(x+y)\}\{(xy-1)-(x+y)\}$
$=(xy+x+y-1)(xy-x-y-1)$

따라서 인수인 것은 ④ $xy+x+y-1$이다.

11

해결전략 | 인수정리로 인수를 찾고 조립제법으로 몫을 구한 후, 그 몫을 인수분해한다.

STEP 1 인수정리로 인수 찾기

$f(x)=2x^3-3x^2-12x-7$이라고 하면

$f(-1)=-2-3+12-7=0$

이므로 $x+1$은 $f(x)$의 인수이다.

STEP 2 조립제법을 이용하여 인수분해하기

조립제법을 이용하여 $f(x)$를 $x+1$로 나누면

-1	2	-3	-12	-7
		-2	5	7
	2	-5	-7	0

$f(x)=2x^3-3x^2-12x-7$

$=(x+1)(2x^2-5x-7)$

$=(x+1)(x+1)(2x-7)$

$=(x+1)^2(2x-7)$

$=(x+a)^2(bx+c)$

STEP 3 a, b, c의 값 구하기

따라서 $a=1$, $b=2$, $c=-7$이므로

$a+b+c=1+2+(-7)=-4$

12

해결전략 | 조립제법을 이용하여 인수분해하고, abc의 값을 구한다.

STEP 1 인수정리로 인수 찾기

$f(x)=2x^3+3x^2+6x-4$로 놓으면

$f\left(\frac{1}{2}\right)=\frac{1}{4}+\frac{3}{4}+3-4=0$

이므로 $x-\frac{1}{2}$은 다항식 $f(x)$의 인수이다.

STEP 2 조립제법을 이용하여 인수분해하기

조립제법을 이용하여 $f(x)$를 인수분해하면

$\frac{1}{2}$	2	3	6	-4
		1	2	4
	2	4	8	0

$f(x)=\left(x-\frac{1}{2}\right)(2x^2+4x+8)$

$=(2x-1)(x^2+2x+4)$

$=(2x+a)(x^2+bx+c)$

STEP 3 a, b, c의 값 구하기

따라서 $a=-1$, $b=2$, $c=4$이므로

$abc=-1\times2\times4=-8$

13

해결전략 | 주어진 식을 인수분해한 후 식의 값을 구한다.

STEP 1 주어진 식을 인수분해하기

$x^2y+xy^2+x+y=xy(x+y)+(x+y)$

$=(x+y)(xy+1)$

STEP 2 식의 값 구하기

$x+y=2\sqrt{3}$, $xy=1$이므로

$(x+y)(xy+1)=2\sqrt{3}\times2=4\sqrt{3}$

14

해결전략 | 주어진 식을 합차 공식으로 인수분해하여 $a+b$의 값을 구한다.

STEP 1 주어진 식의 좌변을 인수분해하기

$11^4-6^4=(11^2)^2-(6^2)^2$

$=(11^2+6^2)(11^2-6^2)$

$=(11^2+6^2)(11+6)(11-6)$

$=5\times17\times157$

STEP 2 $a+b$의 값 구하기

따라서 $a=5$, $b=17$ ($\because a<b$)이므로

$a+b=5+17=22$

15

해결전략 | 주어진 식을 새롭게 정의된 식에 맞춰 전개하고, 인수분해한다.

STEP 1 주어진 식을 새롭게 정의된 식에 맞춰 전개하기

$[a, b, c]=(a-b)(a-c)$에서

$[a, b, b]=(a-b)(a-b)=(a-b)^2$

$4[c, a, b]=4(c-a)(c-b)$

이므로

$[a, b, b]+4[c, a, b]$

$=(a-b)^2+4(c-a)(c-b)$

$=(a-b)^2+4(c^2-bc-ac+ab)$

$=a^2-2ab+b^2+4c^2-4bc-4ca+4ab$

$=a^2+2ab+b^2+4c^2-4bc-4ca$ …… ❶

STEP 2 한 문자에 대하여 정리하고 인수분해하기

이 식을 a에 대한 내림차순으로 정리하면

$a^2+2ab-4ca+b^2-4bc+4c^2$

$=a^2+2(b-2c)a+(b-2c)^2$

$=\{a+(b-2c)\}^2=(a+b-2c)^2$ …… ❷

채점 요소	배점
❶ 주어진 식을 새롭게 정의된 식에 맞춰 전개하기	60 %
❷ 인수분해하기	40 %

16

해결전략 | 여러 개의 문자를 포함한 식을 차수가 가장 낮은 문자에 대하여 내림차순으로 정리하고 인수분해한 후, x, y, z 사이의 관계식을 구한다.

STEP 1 z에 대하여 내림차순으로 정리하고 인수분해하기

주어진 식의 좌변을 z에 대한 내림차순으로 정리하여 인수분해하면

$x^3-y^3+x^2z+xz^2-y^2z-yz^2$

$=(x-y)z^2+(x^2-y^2)z+x^3-y^3$

$=(x-y)z^2+(x+y)(x-y)z+(x-y)(x^2+xy+y^2)$

$=(x-y)\{z^2+(x+y)z+x^2+xy+y^2\}$

$=(x-y)(x^2+y^2+z^2+xy+yz+zx)$

$=(x-y)\left\{\frac{1}{2}(2x^2+2y^2+2z^2+2xy+2yz+2zx)\right\}$

$=\frac{1}{2}(x-y)\{(x+y)^2+(y+z)^2+(z+x)^2\}$

$=0$

STEP 2 x, y, z 사이의 관계식 구하기

그런데 $xyz\neq0$이므로 실수 x, y, z에 대하여

$(x+y)^2+(y+z)^2+(z+x)^2\neq0$

$\therefore x=y$

17

해결전략 | 여러 개의 문자를 포함한 식을 차수가 가장 낮은 문자에 대하여 내림차순으로 정리하고 인수분해한 후, 삼각형의 모양을 판단한다.

STEP 1 c에 대하여 내림차순으로 정리하고 인수분해하기

주어진 식의 좌변을 c에 대한 내림차순으로 정리하여 인수분해하면

$a^4+b^4+a^2c^2-2a^2b^2-b^2c^2$

$=(a^2-b^2)c^2+a^4+b^4-2a^2b^2$

$=(a^2-b^2)c^2+(a^2-b^2)^2$

$=(a^2-b^2)(a^2-b^2+c^2)$

$=(a+b)(a-b)(a^2-b^2+c^2)$

$=0$

STEP 2 a, b, c 사이의 관계식 구하기

그런데 $a+b>0$이므로

$a=b$ 또는 $a^2+c^2=b^2$

즉, 삼각형 ABC는 $a=b$인 이등변삼각형이거나 b가 빗변인 직각삼각형이다.

따라서 옳은 것은 ㄴ, ㄷ이다.

상위권 도약 문제 83~84쪽

01 9 **02** ② **03** -1 **04** ①

05 (1) 0 (2) $(x-y)(x^2+2xy+3y^2)$

06 $-3xyz(x-y)(y-z)(z-x)$ **07** ①

08 15

01

해결전략 | 차가 1이고, 곱이 100 이하인 연속된 두 자연수를 찾는다.

STEP 1 주어진 식의 조건을 이용하여 식 세우기

$x^2-x-n=(x+a)(x-b)$ (a, b는 자연수)라고 하면

$x^2-x-n=x^2+(a-b)x-ab$이므로

$a-b=-1$, $ab=n$ $(1\leq n\leq100)$

STEP 2 $a-b=-1$인 a, b의 값 구하기

즉, 연속한 두 자연수의 곱이 100 이하인 수 중에서 $a-b=-1$을 만족시키는 a, b의 값을 구하면 다음과 같다.

a	1	2	3	4	5	6	7	8	9
b	2	3	4	5	6	7	8	9	10
$n=ab$	2	6	12	20	30	42	56	72	90

따라서 두 일차식으로 인수분해되는 것의 개수는 9이다.

02

해결전략 | 소수는 1과 자기 자신만을 약수로 갖는 수임을 이용한다.

STEP 1 주어진 다항식을 인수분해하기

다항식 n^4-6n^2+25를 인수분해하면

$n^4-6n^2+25=n^4+10n^2+25-16n^2$

$=(n^2+5)^2-(4n)^2$

$=(n^2+4n+5)(n^2-4n+5)$ …… ㉠

STEP 2 정수 n의 개수 구하기

㉠의 값이 소수이므로

$n^2+4n+5=1$ 또는 $n^2-4n+5=1$

이어야 한다. 즉,

$n^2+4n+4=(n+2)^2$에서 $n=-2$

$n^2-4n+4=(n-2)^2$에서 $n=2$

이때 $n^4-6n^2+25=17$로 소수가 되므로 조건을 만족시킨다.

따라서 구하는 정수 n은 -2, 2의 2개이다.

03

해결전략 | 여러 개의 문자를 포함한 식을 전개하여 공통인수로 묶어낸 후 인수분해한다.

STEP 1 공통인수를 찾아 주어진 식 인수분해하기

주어진 식의 좌변을 인수분해했을 때 $(b-c)$항이 나오도록 정리한 후 인수분해하면

$b^2c^2(b-c)+c^2a^2(c-a)+a^2b^2(a-b)$
$=b^2c^2(b-c)+c^3a^2-c^2a^3+a^3b^2-a^2b^3$
$=b^2c^2(b-c)-a^2(b^3-c^3)+a^3(b^2-c^2)$
$=b^2c^2(b-c)-a^2\{(b-c)(b^2+bc+c^2)\}$
$+a^3(b+c)(b-c)$
$=(b-c)\{b^2c^2-a^2(b^2+bc+c^2)+a^3(b+c)\}$

{ } 안의 식을 다시 b에 대하여 내림차순으로 정리한 후 인수분해하면

$(b-c)\{b^2c^2-a^2(b^2+bc+c^2)+a^3(b+c)\}$
$=(b-c)(b^2c^2-a^2b^2-a^2bc-a^2c^2+a^3b+a^3c)$
$=(b-c)\{(c^2-a^2)b^2-(c-a)a^2b-a^2c(c-a)\}$
$=(b-c)\{(c+a)(c-a)b^2-(c-a)a^2b-a^2c(c-a)\}$
$=(b-c)(c-a)\{(c+a)b^2-a^2b-a^2c\}$
$=(b-c)(c-a)\{(b^2-a^2)c+ab(b-a)\}$
$=(b-c)(c-a)\{(b+a)(b-a)c+ab(b-a)\}$
$=(b-c)(c-a)(a-b)\{-(ab+bc+ca)\}$

STEP 2 $A+B$의 값 구하기

따라서 $A=0$, $B=-1$이므로

$A+B=-1$

04

해결전략 | 적당한 수를 치환하여 인수분해한 후 치환한 수를 돌려놓고 수를 계산한다.

STEP 1 2018^3-27을 수의 곱셈으로 나타내기

$2018=a$, $3=b$로 놓으면

$2018^3-27=2018^3-3^3=a^3-b^3$,

$2018\times2021+9=a(a+b)+b^2=a^2+ab+b^2$

이므로

$2018^3-27=a^3-b^3$
$=(a-b)(a^2+ab+b^2)$
$=2015\times(2018\times2021+9)$

STEP 2 몫 구하기

따라서 2018^3-27을 $2018\times2021+9$로 나누었을 때의 몫은 2015이다.

05

해결전략 | x에 대한 다항식에서 y를 수로 인식하여 대입한 후 인수를 구한다.

(1) $f(x)=x^3+yx^2+y^2x-3y^3$이므로

$f(y)=y^3+y^3+y^3-3y^3=0$

(2) **STEP 1 인수정리로 인수 찾기**

(1)에서 $f(y)=0$이므로 $x-y$는 다항식 $f(x)$의 인수이다.

STEP 2 조립제법을 이용하여 인수분해하기

조립제법을 이용하여 $f(x)$를 인수분해하면

y	1	y	y^2	$-3y^3$
		y	$2y^2$	$3y^3$
	1	$2y$	$3y^2$	0

$f(x)=x^3+yx^2+y^2x-3y^3$
$=(x-y)(x^2+2yx+3y^2)$
$=(x-y)(x^2+2xy+3y^2)$

06

해결전략 | $a+b+c=0$일 때, $a^3+b^3+c^3=3abc$임을 이용하여 인수분해한다.

STEP 1 치환을 이용하여 $A+B+C$의 값 구하기

$xy-yz=A$, $yz-zx=B$, $zx-xy=C$로 치환하면

$A+B+C=(xy-yz)+(yz-zx)+(zx-xy)$
$=0$

STEP 2 $A+B+C=0$일 때, $A^3+B^3+C^3=3ABC$임을 알기

$A^3+B^3+C^3-3ABC$
$=(A+B+C)(A^2+B^2+C^2-AB-BC-CA)$
$=0$ ($\because$ $A+B+C=0$)

즉, $A^3+B^3+C^3-3ABC=0$에서

$A^3+B^3+C^3=3ABC$

STEP 3 주어진 식을 인수분해하기

$\therefore$ $(xy-yz)^3+(yz-zx)^3+(zx-xy)^3$
$=A^3+B^3+C^3$
$=3ABC$
$=3(xy-yz)(yz-zx)(zx-xy)$
$=3y(x-z)\times z(y-x)\times x(z-y)$
$=-3xyz(x-y)(y-z)(z-x)$

07

해결전략 | 반복적으로 나타나는 수를 치환하여 인수분해한 후 치환한 수를 돌려놓고 수를 계산한다.

$182=a$, $13=b$로 놓으면

$(182\sqrt{182}+13\sqrt{13})\times(182\sqrt{182}-13\sqrt{13})$
$=(a\sqrt{a}+b\sqrt{b})\times(a\sqrt{a}-b\sqrt{b})$
$=(a\sqrt{a})^2-(b\sqrt{b})^2$
$=a^3-b^3$
$=182^3-13^3$
$=(13\times14)^3-(13\times1)^3$
$=13^3\times(14^3-1^3)$
$=13^3\times(14-1)\times(14^2+14\times1+1^2)$
$=13^4\times211$
$\therefore m=211$

08

해결전략 | 각 면에 적힌 수들을 문자로 표현하고, 그 합으로 식을 세워 문제를 해결한다.

STEP 1 각 꼭짓점에 적힌 숫자를 문자로 놓고 먼저 적힌 수들의 합을 문자로 표현하기

오른쪽 그림과 같이 각 꼭짓점에 적힌 숫자를 a, b, c, d, e, f라고 하자. 이때 면에 적힌 수는 각각

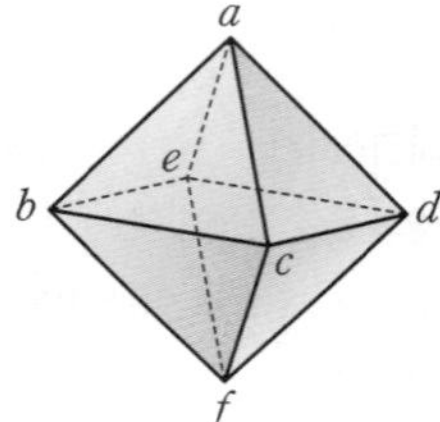

abe, ade, acd, abc, bef, def, cdf, bcf

이므로

$abe+ade+acd+abc+bef+def+cdf+bcf=105$

STEP 2 STEP 1에서의 식을 인수분해하여 꼭짓점에 적힌 수들의 합 구하기

$abe+ade+acd+abc+bef+def+cdf+bcf$
$=a(be+de+cd+bc)+f(be+de+cd+bc)$
$=(a+f)(be+de+cd+bc)$
$=(a+f)\{b(e+c)+d(e+c)\}$
$=(a+f)(b+d)(c+e)=105$

이고, $105=3\times5\times7$이므로

$a+b+c+d+e+f=3+5+7=15$

04 복소수

개념확인

86~87쪽

01 답 (1) 실수부분: -1, 허수부분: 1
(2) 실수부분: -2, 허수부분: -3
(3) 실수부분: 0, 허수부분: 5

02 답 실수: 0, $1+\sqrt{2}$, $\sqrt{(-2)^2}$

허수: $\sqrt{2}-i$, $\sqrt{5}i$, i, $\dfrac{i}{\sqrt{3}}$, $i+\sqrt{3}$

순허수: $\sqrt{5}i$, i, $\dfrac{i}{\sqrt{3}}$

03 답 (1) $x=3$, $y=3$ (2) $x=2$, $y=1$

(1) 복소수가 서로 같을 조건에 의하여
$x=3$, $2y-1=5$ $\therefore y=3$

(2) 복소수가 서로 같을 조건에 의하여
$x+3y=5$, $x-y=1$
두 식을 연립하여 풀면 $x=2$, $y=1$

04 답 (1) $-2-3i$ (2) $3+\sqrt{5}i$ (3) -4 (4) $-2i$

05 답 (1) $7-5i$ (2) $-1-5i$ (3) $9+8i$ (4) $\dfrac{1}{5}+\dfrac{8}{5}i$

(3) $(1+2i)(5-2i)=5-2i+10i-4i^2=9+8i$

(4) $\dfrac{2+3i}{2-i}=\dfrac{(2+3i)(2+i)}{(2-i)(2+i)}$
$=\dfrac{4+2i+6i+3i^2}{4-i^2}=\dfrac{1}{5}+\dfrac{8}{5}i$

06 답 (1) i (2) i (3) $-i$ (4) 0

(1) $i^9=(i^4)^2\times i=i$

(2) $(-i)^{11}=-(i^4)^2\times i^3=-(-i)=i$

(3) $-i^{21}=-(i^4)^5\times i=-i$

(4) $1+i+i^2+i^3=1+i+(-1)+(-i)=0$

07 답 (1) $4i$ (2) -4 (3) $-2i$ (4) 2

(1) $\sqrt{2}\times\sqrt{-8}=\sqrt{2}\times\sqrt{8}i=\sqrt{16}i=4i$

(2) $\sqrt{-2}\times\sqrt{-8}=\sqrt{2}i\times\sqrt{8}i=\sqrt{16}i^2=-4$

(3) $\dfrac{\sqrt{8}}{\sqrt{-2}}=\dfrac{\sqrt{8}}{\sqrt{2}i}=\dfrac{2}{i}=\dfrac{2i}{i^2}=-2i$

(4) $\dfrac{\sqrt{-8}}{\sqrt{-2}}=\dfrac{\sqrt{8}i}{\sqrt{2}i}=2$

필수유형 01 89쪽

01-1 답 (1) $\mathbf{5+i}$ (2) $\mathbf{12+i}$ (3) $\mathbf{-4+4i}$ (4) $\mathbf{-2+16i}$

해결전략 | 복소수의 덧셈과 뺄셈은 실수부분은 실수부분끼리, 허수부분은 허수부분끼리 계산한다.

(1) $(3+2i)+(2-i)=(3+2)+(2i-i)=5+i$

(2) $3(2-i)+2(3+2i)=6-3i+6+4i$
$=(6+6)+(-3i+4i)$
$=12+i$

(3) $(1-i)(-2+i)-(2+i)(1-i)$
$=(-2+i+2i-i^2)-(2-2i+i-i^2)$
$=(-2+1-2-1)+(i+2i+2i-i)$
$=-4+4i$

(4) $(2+3i)^2-(1-2i)^2$
$=(4+12i+9i^2)-(1-4i+4i^2)$
$=(4-9-1+4)+(12i+4i)$
$=-2+16i$

01-2 답 (1) $\mathbf{-1+3i}$ (2) $\mathbf{\frac{13}{5}-\frac{1}{5}i}$ (3) $\mathbf{0}$

해결전략 | 분모에 복소수가 있을 때에는 분모의 켤레복소수를 분모, 분자에 각각 곱한다.

(1) $\frac{1+7i}{2-i}=\frac{(1+7i)(2+i)}{(2-i)(2+i)}$
$=\frac{2+i+14i+7i^2}{4-i^2}$
$=\frac{-5+15i}{5}=-1+3i$

(2) $\frac{3}{1+2i}+\frac{5}{2-i}$
$=\frac{3(1-2i)}{(1+2i)(1-2i)}+\frac{5(2+i)}{(2-i)(2+i)}$
$=\frac{3-6i}{1-4i^2}+\frac{10+5i}{4-i^2}$
$=\frac{3-6i}{5}+\frac{10+5i}{5}$
$=\frac{13-i}{5}=\frac{13}{5}-\frac{1}{5}i$

(3) $\frac{1-i}{1+i}+\frac{1+i}{1-i}=\frac{(1-i)^2}{(1+i)(1-i)}+\frac{(1+i)^2}{(1-i)(1+i)}$
$=\frac{1-2i+i^2}{1-i^2}+\frac{1+2i+i^2}{1-i^2}$
$=\frac{-2i}{2}+\frac{2i}{2}=0$

다른 풀이

(3) 분모가 서로 켤레복소수이므로

$\frac{1-i}{1+i}+\frac{1+i}{1-i}=\frac{(1-i)^2+(1+i)^2}{(1+i)(1-i)}$
$=\frac{1-2i+i^2+1+2i+i^2}{1-i^2}=0$

풍쌤의 비법

$(1+i)^2$과 $(1-i)^2$의 계산

다음 식은 자주 나오므로 외워 두면 계산이 편리하다.

$(1+i)^2=1+2i+i^2=2i$

$(1-i)^2=1-2i+i^2=-2i$

01-3 답 $\mathbf{-2}$

해결전략 | 분모에 복소수가 있을 때는 분모의 켤레복소수를 분모, 분자에 각각 곱한다.

STEP1 주어진 식 간단히 하기

$3-5i-\frac{2-i}{1-3i}+\frac{1-2i}{1-i}-2+2i$
$=3-5i-\frac{(2-i)(1+3i)}{(1-3i)(1+3i)}+\frac{(1-2i)(1+i)}{(1-i)(1+i)}-2+2i$
$=3-5i-\frac{2+6i-i-3i^2}{1-9i^2}+\frac{1+i-2i-2i^2}{1-i^2}-2+2i$
$=3-5i-\frac{5+5i}{10}+\frac{3-i}{2}-2+2i$
$=3-5i-\frac{1+i}{2}+\frac{3-i}{2}-2+2i$
$=2-4i$

STEP2 $a+b$의 값 구하기

따라서 $a=2$, $b=-4$이므로

$a+b=2+(-4)=-2$

01-4 답 $\mathbf{7}$

해결전략 | 복소수의 덧셈과 뺄셈은 실수부분은 실수부분끼리, 허수부분은 허수부분끼리 계산한다.

STEP1 주어진 식 간단히 하기

$(3+2i)(2-i)+(5-i)(-2-3i)$
$=(6-3i+4i-2i^2)+(-10-15i+2i+3i^2)$
$=(6+2-10-3)+(-3i+4i-15i+2i)$
$=-5-12i$

STEP2 $a-b$의 값 구하기

따라서 $a=-5$, $b=-12$이므로

$a-b=-5-(-12)=7$

01-5 답 $-2+3i$

해결전략 | 주어진 연산기호에 따라 식을 나타내고, 복소수의 사칙연산을 이용하여 그 식을 계산한다.

$(2+i)\oplus(-1+i)$

$=(2+i)+(-1+i)+(2+i)(-1+i)$

$=2+i-1+i-2+2i-i+i^2$

$=(2-1-2-1)+(i+i+2i-i)$

$=-2+3i$

01-6 답 -45

해결전략 | 두 수 A, B에 대하여 $A-B$의 값이 최소이려면 A는 최소, B는 최대이어야 한다.

STEP1 a^2-bc의 값이 최소가 되는 경우 알아보기

a^2이 최솟값이고 bc가 최댓값일 때, a^2-bc는 최솟값을 갖는다.

STEP2 a^2의 최솟값과 bc의 최댓값 구하기

a^2의 최솟값은 $a=5i$일 때

$(5i)^2=25i^2=-25$

bc의 최댓값은 $b=-4i$, $c=5i$ 또는 $b=5i$, $c=-4i$일 때

$-4i\times5i=-20i^2=20$

STEP3 a^2-bc의 최솟값 구하기

따라서 a^2-bc의 최솟값은

$-25-20=-45$

필수유형 02

91쪽

02-1 답 (1) -2, 3 (2) -3

해결전략 | (실수부분)+(허수부분)i 꼴로 정리한 후, 각각의 조건을 만족시키는 x에 대한 식을 세운다.

(1) **STEP1 $z=a+bi$ 꼴로 정리하기**

$(1+i)x^2-xi-9-6i=x^2+x^2i-xi-9-6i$

$=(x^2-9)+(x^2-x-6)i$

STEP2 x의 값 구하기

이 복소수가 실수이므로 (허수부분)$=0$이어야 한다.

즉, $x^2-x-6=0$이므로

$(x+2)(x-3)=0 \quad \therefore x=-2$ 또는 $x=3$

(2) **STEP1 복소수가 순허수일 조건 구하기**

$(1+i)x^2-xi-9-6i=(x^2-9)+(x^2-x-6)i$가 순허수이므로

$x^2-9=0$, $x^2-x-6\neq0$

STEP2 x의 값 구하기

(i) $x^2-9=0$에서

$(x+3)(x-3)=0 \quad \therefore x=-3$ 또는 $x=3$

(ii) $x^2-x-6\neq0$에서

$(x+2)(x-3)\neq0 \quad \therefore x\neq-2$이고 $x\neq3$

(i), (ii)에 의하여 $x=-3$

02-2 답 3

해결전략 | z^2이 음의 실수가 되려면 z는 순허수이어야 함을 이용한다.

STEP1 z^2이 음의 실수가 되는 조건 구하기

z^2이 음의 실수가 되려면 z는 순허수이어야 하므로

$x^2-5x+6=0$, $x^2-4\neq0$

STEP2 x의 값 구하기

(i) $x^2-5x+6=0$에서

$(x-2)(x-3)=0 \quad \therefore x=2$ 또는 $x=3$

(ii) $x^2-4\neq0$에서

$(x+2)(x-2)\neq0 \quad \therefore x\neq-2$이고 $x\neq2$

(i), (ii)에 의하여 $x=3$

02-3 답 6

해결전략 | z^2이 양의 실수가 되는 조건을 알아본다.

STEP1 z^2이 양의 실수가 되는 조건 구하기

$z=(x+3i)(-2+i)$

$=-2x+xi-6i+3i^2$

$=(-2x-3)+(x-6)i$

z^2이 양의 실수가 되려면 z는 0이 아닌 실수이어야 하므로

$-2x-3\neq0$, $x-6=0$

STEP2 x의 값 구하기

(i) $-2x-3\neq0$에서 $x\neq-\frac{3}{2}$

(ii) $x-6=0$에서 $x=6$

(i), (ii)에 의하여 $x=6$

02-4 답 39

해결전략 | 복소수 z가 실수가 되려면 허수부분이 0이어야 함을 이용한다.

STEP1 $z=a+bi$ 꼴로 정리하기

$z=2i(a-3i)^2=2i(a^2-6ai+9i^2)$

$=2a^2i+12a-18i$

$=12a+(2a^2-18)i$

STEP2 **m의 값 구하기**

z가 실수가 되려면 (허수부분)$=0$이어야 한다.

즉, $2a^2-18=0$에서

$2(a+3)(a-3)=0$ $\quad\therefore a=-3$ 또는 $a=3$

이때 a는 양수이므로 $a=3$ $\quad\therefore m=3$

STEP3 **$m+n$의 값 구하기**

$a=3$이므로 $z=12\times3=36$

$\therefore n=36$

$\therefore m+n=3+36=39$

02-5 답 $-\frac{2}{3}$

해결전략 | $z^2<0$, 즉 z^2이 음의 실수가 되는 조건을 알아본다.

STEP1 **$z=a+bi$ 꼴로 정리하기**

$z=(a+2i)(-1+ai)+(-2+ai)$

$=-a+a^2i-2i+2ai^2-2+ai$

$=(-3a-2)+(a^2+a-2)i$

STEP2 **a의 값 구하기**

$z^2<0$, 즉 z^2이 음의 실수가 되려면 z는 순허수이어야 하므로

$-3a-2=0$, $a^2+a-2\neq0$

(i) $-3a-2=0$에서 $a=-\frac{2}{3}$

(ii) $a^2+a-2\neq0$에서

$(a+2)(a-1)\neq0$ $\quad\therefore a\neq-2$이고 $a\neq1$

(i), (ii)에 의하여 $a=-\frac{2}{3}$

02-6 답 -1

해결전략 | z^2이 실수가 되려면 z는 실수 또는 순허수이어야 함을 이용한다.

STEP1 **$z=a+bi$ 꼴로 정리하기**

$z=x^2+(i+4)x+3+3i$

$=(x^2+4x+3)+(x+3)i$

STEP2 **z^2이 실수가 되는 조건 구하기**

z^2이 실수가 되려면 z는 실수 또는 순허수이어야 하므로

$x+3=0$ 또는 $x^2+4x+3=0$

$x+3=0$ 또는 $(x+3)(x+1)=0$

$\therefore x=-3$ 또는 $x=-1$

STEP3 **$z-2i$가 실수가 되는 조건 구하기**

$z-2i=(x^2+4x+3)+(x+3)i-2i$

$=(x^2+4x+3)+(x+1)i$

$z-2i$가 실수가 되려면 (허수부분)$=0$이어야 하므로

$x+1=0$ $\quad\therefore x=-1$

STEP4 **x의 값 구하기**

따라서 z^2, $z-2i$가 모두 실수가 되도록 하는 실수 x의 값은 -1이다.

필수유형 03 93쪽

03-1 답 (1) $x=\frac{4}{3}$, $y=\frac{3}{8}$ (2) $x=3$, $y=5$ (3) $x=-1$, $y=-5$ (4) $x=-5$, $y=5$

해결전략 | 복소수가 서로 같을 조건을 이용한다.

(1) STEP1 **복소수가 서로 같을 조건을 이용하여 식 만들기**

복소수가 서로 같을 조건에 의하여

$-\frac{1}{2}x+\frac{2}{3}=0$, $\frac{4}{3}y-\frac{1}{2}=0$

STEP2 **x, y의 값 구하기**

$-\frac{1}{2}x+\frac{2}{3}=0$에서 $x=\frac{4}{3}$

$\frac{4}{3}y-\frac{1}{2}=0$에서 $y=\frac{3}{8}$

(2) STEP1 **복소수가 서로 같을 조건을 이용하여 식 만들기**

복소수가 서로 같을 조건에 의하여

$x+y=8$, $x-y=-2$

STEP2 **x, y의 값 구하기**

두 식을 연립하여 풀면 $x=3$, $y=5$

(3) STEP1 **주어진 식을 $a+bi=c+di$ 꼴로 정리하기**

주어진 등식의 좌변을 전개하여 $a+bi$ 꼴로 정리하면

$(2-3i)x-(1-i)y=2x-3xi-y+yi$

$=(2x-y)+(-3x+y)i$

이므로 $(2x-y)+(-3x+y)i=3-2i$

STEP2 **복소수가 서로 같을 조건을 이용하여 식 만들기**

복소수가 서로 같을 조건에 의하여

$2x-y=3$, $-3x+y=-2$

STEP3 **x, y의 값 구하기**

두 식을 연립하여 풀면 $x=-1$, $y=-5$

(4) STEP1 **주어진 식을 $a+bi=c+di$ 꼴로 정리하기**

주어진 등식의 좌변을 전개하여 $a+bi$ 꼴로 정리하면

$\frac{2x}{1+2i}+\frac{y}{1-2i}$

$=\frac{2x(1-2i)}{(1+2i)(1-2i)}+\frac{y(1+2i)}{(1-2i)(1+2i)}$

$=\frac{2x-4xi}{5}+\frac{y+2yi}{5}$

$=\frac{2x+y}{5}+\frac{-4x+2y}{5}i$

이므로 $\frac{2x+y}{5}+\frac{-4x+2y}{5}i=-1+6i$

STEP2 복소수가 서로 같을 조건을 이용하여 식 만들기

복소수가 서로 같을 조건에 의하여

$\frac{2x+y}{5}=-1$, $\frac{-4x+2y}{5}=6$

STEP3 x, y의 값 구하기

두 식을 연립하여 풀면 $x=-5$, $y=5$

03-2 답 (1) $x=-1$, $y=1$ (2) $x=\frac{4}{3}$, $y=\frac{5}{3}$ (3) $x=-2$, $y=-2$ (4) $x=9$, $y=-\frac{7}{2}$

해결전략 | 복소수가 서로 같을 조건을 이용한다.

(1) **STEP1 복소수가 서로 같을 조건을 이용하여 식 만들기**

복소수가 서로 같을 조건에 의하여

$3-x=4$, $2+x=y$

STEP2 x, y의 값 구하기

$3-x=4$에서 $x=-1$

$2+x=y$에서 $y=1$

(2) **STEP1 복소수가 서로 같을 조건을 이용하여 식 만들기**

복소수가 서로 같을 조건에 의하여

$2x-y=1$, $x-2y=-2$

STEP2 x, y의 값 구하기

두 식을 연립하여 풀면 $x=\frac{4}{3}$, $y=\frac{5}{3}$

(3) **STEP1 주어진 식을 $a+bi=c+di$ 꼴로 정리하기**

주어진 등식의 좌변을 전개하여 $a+bi$ 꼴로 정리하면

$(2+i)x-(3-4i)y=2x+xi-3y+4yi$

$=(2x-3y)+(x+4y)i$

이므로 $(2x-3y)+(x+4y)i=2-10i$

STEP2 복소수가 서로 같을 조건을 이용하여 식 만들기

복소수가 서로 같을 조건에 의하여

$2x-3y=2$, $x+4y=-10$

STEP3 x, y의 값 구하기

두 식을 연립하여 풀면 $x=-2$, $y=-2$

(4) **STEP1 주어진 식을 $a+bi=c+di$ 꼴로 정리하기**

주어진 등식의 좌변을 전개하여 $a+bi$ 꼴로 정리하면

$\frac{x}{3+i}-\frac{2y}{-1+3i}$

$=\frac{x(3-i)}{(3+i)(3-i)}-\frac{2y(-1-3i)}{(-1+3i)(-1-3i)}$

$=\frac{3x-xi}{10}-\frac{-2y-6yi}{10}$

$=\frac{3x+2y}{10}+\frac{-x+6y}{10}i$

이므로 $\frac{3x+2y}{10}+\frac{-x+6y}{10}i=2-3i$

STEP2 복소수가 서로 같을 조건을 이용하여 식 만들기

복소수가 서로 같을 조건에 의하여

$\frac{3x+2y}{10}=2$, $\frac{-x+6y}{10}=-3$

STEP3 x, y의 값 구하기

두 식을 연립하여 풀면 $x=9$, $y=-\frac{7}{2}$

03-3 답 14

해결전략 | 등식의 좌변을 $a+bi$ 꼴로 정리한 후, 복소수가 서로 같을 조건을 이용한다.

STEP1 주어진 식을 $a+bi=c+di$ 꼴로 정리하기

주어진 등식의 좌변을 전개하여 $a+bi$ 꼴로 정리하면

$(x+i)^2+(2+3i)^2=x^2+2xi+i^2+4+12i+9i^2$

$=(x^2-6)+(2x+12)i$

이므로 $(x^2-6)+(2x+12)i=y+20i$

STEP2 복소수가 서로 같을 조건을 이용하여 식 만들기

복소수가 서로 같을 조건에 의하여

$x^2-6=y$, $2x+12=20$

STEP3 $x+y$의 값 구하기

$2x+12=20$에서 $x=4$

$x^2-6=y$에 $x=4$를 대입하면

$y=4^2-6=10$

$\therefore x+y=4+10=14$

03-4 답 2

해결전략 | 등식의 좌변을 $a+bi$ 꼴로 정리한 후, 복소수가 서로 같을 조건을 이용한다.

STEP1 주어진 식을 $a+bi=c+di$ 꼴로 정리하기

주어진 등식의 좌변을 전개하여 $a+bi$ 꼴로 정리하면

$(2+i)^2x+(3-2i)^2y$

$=(4+4i+i^2)x+(9-12i+4i^2)y$

$=3x+4xi+5y-12yi$

$=(3x+5y)+(4x-12y)i$

이므로 $(3x+5y)+(4x-12y)i=2-16i$

STEP2 복소수가 서로 같을 조건을 이용하여 식 만들기

복소수가 서로 같을 조건에 의하여

$3x+5y=2,\ 4x-12y=-16$

STEP3 x^2+y^2의 값 구하기

두 식을 연립하여 풀면 $x=-1,\ y=1$

$\therefore\ x^2+y^2=(-1)^2+1^2=2$

03-5 답 2

해결전략 | $f(2+i)=0$에서 복소수의 서로 같을 조건을 이용하여 a, b를 구하고, 함수 $f(x)$를 완성한다.

STEP1 $f(2+i)$의 값 구하기

$$\begin{aligned}f(2+i)&=(2+i)^2+a(2+i)+b\\&=4+4i+i^2+2a+ai+b\\&=(2a+b+3)+(a+4)i\end{aligned}$$

STEP2 a, b의 값 구하기

$f(2+i)=0$이므로 $(2a+b+3)+(a+4)i=0$

복소수가 서로 같을 조건에 의하여

$2a+b+3=0,\ a+4=0$

$a+4=0$에서 $a=-4$

$2a+b+3=0$에 $a=-4$를 대입하면

$-8+b+3=0\qquad \therefore\ b=5$

STEP3 $f(1)$의 값 구하기

따라서 $f(x)=x^2-4x+5$이므로

$f(1)=1-4+5=2$

03-6 답 1

해결전략 | $xy<0$을 이용하여 y의 부호를 확인한다.

STEP1 복소수가 서로 같을 조건을 이용하여 x의 값 구하기

복소수가 서로 같을 조건에 의하여

$|x-y|=3,\ x-1=-2\qquad \therefore\ x=-1$

STEP2 $x+y$의 값 구하기

$x=-1$이고 $x-y=3$ 또는 $x-y=-3$이므로

$y=-4$ 또는 $y=2$

이때 $xy<0$이므로 $x=-1,\ y=2$

$\therefore\ x+y=-1+2=1$

다른 풀이

STEP2 $x+y$의 값 구하기

$x=-1$이고 $xy<0$이므로 $y>0$

즉, $x-y<0$이므로

$|x-y|=-x+y=3\qquad \therefore\ y=2$

$\therefore\ x+y=-1+2=1$

필수유형 04 95쪽

04-1 답 ③

해결전략 | $z=a+bi$로 놓고 보기의 식을 정리하여 참 또는 거짓을 판단한다.

$z=a+bi$ (a, b는 실수)로 놓으면 $\overline{z}=a-bi$

① $z-\overline{z}=a+bi-(a-bi)=2bi$

즉, $z-\overline{z}$는 순허수이다.

② $\overline{z}^2=(a-bi)^2=a^2-2abi+b^2i^2=(a^2-b^2)-2abi$

즉, $\overline{z}^2$은 순허수가 아니다.

③ $$\begin{aligned}\frac{1}{z}+\frac{1}{\overline{z}}&=\frac{1}{a+bi}+\frac{1}{a-bi}\\&=\frac{a-bi}{(a+bi)(a-bi)}+\frac{a+bi}{(a-bi)(a+bi)}\\&=\frac{2a}{a^2+b^2}\end{aligned}$$

즉, $\frac{1}{z}+\frac{1}{\overline{z}}$은 실수이다.

④ $\overline{z}$가 순허수이면 $\overline{z}=a-bi$에서 $a=0$이므로

$\overline{z}=-bi$

$\frac{1}{z}=\frac{1}{bi}=\frac{i}{bi^2}=-\frac{1}{b}i$

즉, $\frac{1}{z}$은 순허수이다.

⑤ $z\overline{z}=0$이면

$z\overline{z}=(a+bi)(a-bi)=a^2+b^2=0$이므로

$a=0,\ b=0$

즉, $z=0$이므로 z는 실수이다.

따라서 옳은 것은 ③이다.

04-2 답 ㄱ, ㄷ, ㄹ

해결전략 | $z=a+bi$로 놓고 주어진 식을 계산하여 정리한다.

$z=a+bi$ (a, b는 실수)로 놓으면 $\overline{z}=a-bi$

ㄱ. $z+\overline{z}=(a+bi)+(a-bi)=2a$

즉, $z+\overline{z}$는 실수이다.

ㄴ. $$\begin{aligned}\frac{2}{z}-\frac{2}{\overline{z}}&=\frac{2}{a+bi}-\frac{2}{a-bi}\\&=\frac{2(a-bi)}{(a+bi)(a-bi)}-\frac{2(a+bi)}{(a-bi)(a+bi)}\\&=\frac{2a-2bi}{a^2+b^2}-\frac{2a+2bi}{a^2+b^2}\\&=\frac{-4b}{a^2+b^2}i\end{aligned}$$

즉, $\frac{2}{z}-\frac{2}{\overline{z}}$는 순허수이다.

ㄷ. $z^2+\overline{z}^2=(a+bi)^2+(a-bi)^2$

$=(a^2+2abi+b^2i^2)+(a^2-2abi+b^2i^2)$

$=2a^2-2b^2$

즉, $z^2+\overline{z}^2$은 실수이다.

ㄹ. $(z+2)(\overline{z+2})=z\overline{z}+2(z+\overline{z})+4$

$=(a+bi)(a-bi)+4a+4$

$=a^2+b^2+4a+4$

즉, $(z+2)(\overline{z+2})$는 실수이다.

따라서 항상 실수인 것은 ㄱ, ㄷ, ㄹ이다.

04-3 답 1

해결전략 | $z=\overline{z}$가 되는 조건을 알아본다

STEP1 $z=\overline{z}$를 만족시키는 복소수의 성질 확인하기

$z=\overline{z}$에서 $z-\overline{z}=0$이므로 (허수부분)$=0$이어야 한다.

STEP2 a의 값 구하기

$\therefore z=(1+i)a-3a+4-i$

$=a+ai-3a+4-i$

$=(-2a+4)+(a-1)i$

즉, $a-1=0$이므로

$a=1$

> 풍쌤의 비법
>
> **켤레복소수의 성질**
>
> 복소수 z에 대하여 $z=\overline{z}$, 즉 $z-\overline{z}=0$이면 z는 실수이므로 허수부분은 0이다.

04-4 답 2

해결전략 | $z=a+bi$ 꼴로 나타내고, $z+\overline{z}=0$이 되는 조건을 알아본다.

STEP1 $z=a+bi$ 꼴로 나타내기

$z=a+bi$ (a, b는 실수)꼴로 나타내면

$z=(2-i)x^2-4xi-4i-8$

$=2x^2-x^2i-4xi-4i-8$

$=(2x^2-8)-(x^2+4x+4)i$

$=(2x^2-8)-(x+2)^2i$

STEP2 $z+\overline{z}=0$을 만족시키는 복소수의 성질 확인하기

이때 $z+\overline{z}=a+bi+a-bi=2a=0$이므로

(실수부분)$=0$이다.

즉, z는 순허수이므로

$2x^2-8=0$, $(x+2)^2\neq0$

STEP3 STEP2의 식을 풀어 x의 값 구하기

(i) $2x^2-8=0$에서

$x^2=4$ $\quad\therefore x=-2$ 또는 $x=2$

(ii) $(x+2)^2\neq0$에서 $x\neq-2$

(i), (ii)에 의하여 $x=2$

> 풍쌤의 비법
>
> **켤레복소수의 성질**
>
> 복소수 z에 대하여 $z=-\overline{z}$, 즉 $z+\overline{z}=0$이면 z는 순허수이므로 실수부분은 0이다.

04-5 답 5

해결전략 | $z=a+bi$에 대하여 $\frac{z}{\overline{z}}$의 실수부분이 0이 되는 a, b의 값을 구해 본다.

STEP1 $\frac{z}{\overline{z}}$ 구하기

$$\frac{z}{\overline{z}}=\frac{a+bi}{a-bi}=\frac{(a+bi)^2}{(a-bi)(a+bi)}$$

$$=\frac{a^2+2abi+b^2i^2}{a^2-b^2i^2}$$

$$=\frac{a^2-b^2}{a^2+b^2}+\frac{2ab}{a^2+b^2}i$$

STEP2 조건을 만족시키는 관계식 구하기

이때 $\frac{z}{\overline{z}}$의 실수부분이 0이므로

$$\frac{a^2-b^2}{a^2+b^2}=0$$

즉, $a^2-b^2=0$이므로

$a=b$ 또는 $a=-b$

STEP3 조건을 만족시키는 복소수 z의 개수 구하기

따라서 5 이하의 두 자연수 a, b에 대하여 (a, b)의 순서쌍은

$(1, 1)$, $(2, 2)$, $(3, 3)$, $(4, 4)$, $(5, 5)$

의 5개이다.

04-6 답 ③

해결전략 | $\frac{z}{z+1}$가 실수이면 허수부분이 0이므로 $\frac{z}{z+1}$와 그 켤레복소수가 같다.

STEP1 $\frac{z}{z+1}$가 실수임을 이용하여 z의 성질 알아보기

$\frac{z}{z+1}$가 실수이면

$\frac{z}{z+1}=\overline{\left(\frac{z}{z+1}\right)}=\frac{\overline{z}}{\overline{z}+1}$이므로

$z(\overline{z}+1)=\overline{z}(z+1)$

$z\overline{z}+z=z\overline{z}+\overline{z}$　　$\therefore z=\overline{z}$

이때 $z=a+bi$ (a, b는 실수)로 놓으면

$a+bi=\overline{a+bi}=a-bi$

$2bi=0$　　$\therefore b=0$

따라서 z는 실수이다.

STEP2 성립하는 관계식 찾기

$z=\overline{z}=a$이므로

① $z=a\neq0$

② $z+\overline{z}=a+a=2a\neq0$

③ $z-\overline{z}=a-a=0$

④ $z\overline{z}=a^2>0$

⑤ $\frac{1}{z}=\frac{1}{a}\neq1$

따라서 옳는 것은 ③이다.

필수유형 05

97쪽

05-1 답 (1) 2　(2) 18

해결전략 | 주어진 식을 간단히 한 후 켤레복소수의 성질을 이용한다.

(1) STEP1 주어진 식 간단히 하기

$\overline{\alpha}\alpha+\overline{\alpha}\beta+\alpha\overline{\beta}+\beta\overline{\beta}=\overline{\alpha}(\alpha+\beta)+\overline{\beta}(\alpha+\beta)$

$=(\alpha+\beta)(\overline{\alpha}+\overline{\beta})$

$=(\alpha+\beta)(\overline{\alpha+\beta})$

STEP2 $\alpha+\beta$, $\overline{\alpha+\beta}$의 값 구하기

$\alpha+\beta=(-2+i)+(1-2i)=-1-i$

$\overline{\alpha+\beta}=\overline{-1-i}=-1+i$

STEP3 $\alpha+\beta$, $\overline{\alpha+\beta}$의 값을 대입하여 식의 값 구하기

$\therefore \overline{\alpha}\alpha+\overline{\alpha}\beta+\alpha\overline{\beta}+\beta\overline{\beta}=(\alpha+\beta)(\overline{\alpha+\beta})$

$=(-1-i)(-1+i)$

$=1+1=2$

(2) STEP1 주어진 식 간단히 하기

$\alpha\overline{\alpha}-\alpha\overline{\beta}-\overline{\alpha}\beta+\beta\overline{\beta}=\alpha(\overline{\alpha}-\overline{\beta})-\beta(\overline{\alpha}-\overline{\beta})$

$=(\alpha-\beta)(\overline{\alpha}-\overline{\beta})$

$=(\alpha-\beta)(\overline{\alpha-\beta})$

STEP2 $\alpha-\beta$, $\overline{\alpha-\beta}$의 값 구하기

$\alpha-\beta=(-2+i)-(1-2i)=-3+3i$

$\overline{\alpha-\beta}=\overline{-3+3i}=-3-3i$

STEP3 $\alpha-\beta$, $\overline{\alpha-\beta}$의 값을 대입하여 식의 값 구하기

$\therefore \alpha\overline{\alpha}-\alpha\overline{\beta}-\overline{\alpha}\beta+\beta\overline{\beta}=(\alpha-\beta)(\overline{\alpha-\beta})$

$=(-3+3i)(-3-3i)$

$=9+9=18$

05-2 답 20

해결전략 | 구하려는 식을 간단히 한 후 켤레복소수의 성질을 이용한다.

STEP1 주어진 식 간단히 하기

$\alpha\overline{\alpha}+\alpha\overline{\beta}+\overline{\alpha}\beta+\beta\overline{\beta}=\alpha(\overline{\alpha}+\overline{\beta})+\beta(\overline{\alpha}+\overline{\beta})$

$=(\alpha+\beta)(\overline{\alpha}+\overline{\beta})$

$=(\alpha+\beta)(\overline{\alpha+\beta})$

STEP2 $\overline{\alpha+\beta}$의 값 구하기

$\alpha+\beta=4-2i$이므로

$\overline{\alpha+\beta}=\overline{4-2i}=4+2i$

STEP3 $\alpha+\beta$, $\overline{\alpha+\beta}$의 값을 대입하여 식의 값 구하기

$\therefore \alpha\overline{\alpha}+\alpha\overline{\beta}+\overline{\alpha}\beta+\beta\overline{\beta}=(\alpha+\beta)(\overline{\alpha+\beta})$

$=(4-2i)(4+2i)$

$=16+4=20$

05-3 답 13

해결전략 | 주어진 두 복소수의 켤레복소수를 이용하여 식의 값을 구한다.

STEP1 $\alpha-\beta$, $\overline{\alpha}-\overline{\beta}$의 값 구하기

$\alpha-\beta=(3+i)-(1-2i)=2+3i$

$\overline{\alpha}-\overline{\beta}=(3-i)-(1+2i)=2-3i$

STEP2 주어진 식의 값 구하기

$\therefore (\alpha-\beta)(\overline{\alpha}-\overline{\beta})=(2+3i)(2-3i)$

$=4+9=13$

◉→ 다른 풀이

STEP1 $\alpha-\beta$의 값 구하기

$\alpha-\beta=(3+i)-(1-2i)=2+3i$이므로

STEP2 $\alpha-\beta$의 켤레복소수를 이용하여 $\overline{\alpha}-\overline{\beta}$의 값 구하기

$\overline{\alpha}-\overline{\beta}=\overline{\alpha-\beta}=\overline{2+3i}=2-3i$

STEP3 주어진 식의 값 구하기

$\therefore (\alpha-\beta)(\overline{\alpha}-\overline{\beta})=(2+3i)(2-3i)$

$=4+9=13$

05-4 답 $4-i$

해결전략 | 주어진 식을 알맞게 변형하여 구하려는 식에 대입한다.

STEP1 주어진 식 간단히 하기

$(\alpha-2)(\beta+2)=\alpha\beta+2\alpha-2\beta-4$

$=\alpha\beta+2(\alpha-\beta)-4$

STEP2 켤레복소수의 성질을 이용하여 $\alpha\beta$, $\alpha-\beta$의 값 구하기

$\overline{\alpha\beta}=\overline{\alpha}\,\overline{\beta}=2+5i$이고 $\alpha\beta$는 $\overline{\alpha\beta}$의 켤레복소수이므로

$\alpha\beta=\overline{2+5i}=2-5i$

$\overline{\alpha-\beta}=\overline{\alpha}-\overline{\beta}=3-2i$이고 $\alpha-\beta$는 $\overline{\alpha-\beta}$의 켤레복소수이므로

$\alpha-\beta=\overline{3-2i}=3+2i$

STEP3 $\alpha\beta$, $\alpha-\beta$의 값을 대입하여 식의 값 구하기

$\therefore (\alpha-2)(\beta+2)=\alpha\beta+2(\alpha-\beta)-4$

$=(2-5i)+2(3+2i)-4$

$=2-5i+6+4i-4=4-i$

05-5 답 $-2i$

해결전략 | 주어진 식을 알맞게 변형하여 구하려는 식에 대입한다.

STEP1 $\overline{\alpha\beta}=1$을 이용하여 조건 알아보기

$\overline{\alpha\beta}=1$에서 $\overline{\alpha}=\frac{1}{\overline{\beta}}$

이때 $\overline{(\overline{\alpha})}=\overline{\left(\frac{1}{\overline{\beta}}\right)}$이므로 $\alpha=\frac{1}{\beta}$

$\therefore \alpha+\frac{1}{\overline{\alpha}}=\frac{1}{\beta}+\overline{\beta}=2i$

STEP2 $\beta+\frac{1}{\overline{\beta}}$의 값 구하기

$\therefore \beta+\frac{1}{\overline{\beta}}=\overline{\left(\overline{\beta}+\frac{1}{\beta}\right)}=\overline{2i}=-2i$

> 풍쌤의 비법
>
> **켤레복소수의 성질**
>
> $\overline{z}$의 켤레복소수는 z이다. 즉, $\overline{(\overline{z})}=z$, $\overline{\left(\frac{1}{\overline{z}}\right)}=\frac{1}{z}$

05-6 답 $6i$

해결전략 | 주어진 식을 알맞게 변형하여 구하려는 식에 대입한다.

STEP1 $x=2-3i$를 이용하여 x^2-4x의 값 구하기

$x=2-3i$에서 $x-2=-3i$

양변을 제곱하면 $(x-2)^2=(-3i)^2$

$x^2-4x+4=-9$

$\therefore x^2-4x=-13$

STEP2 $x^3-4x^2+11x+4$의 값 구하기

$\therefore x^3-4x^2+11x+4=x(x^2-4x)+11x+4$

$=-13x+11x+4$

$=-2x+4$

$=-2(2-3i)+4$

$=-4+6i+4=6i$

필수유형 06 99쪽

06-1 답 (1) $-9+i$ (2) $-5-5i$

해결전략 | $z=a+bi$로 놓고 복소수가 서로 같을 조건을 이용한다.

(1) STEP1 $z=a+bi$로 놓고 주어진 식에 대입하기

$z=a+bi$ (a, b는 실수)로 놓으면

$\overline{z}=a-bi$이므로

$(-1+2i)z-2i\overline{z}$

$=(-1+2i)(a+bi)-2i(a-bi)$

$=-a-bi+2ai+2bi^2-2ai+2bi^2$

$=(-a-4b)-bi$

STEP2 복소수가 서로 같을 조건 이용하기

$(-a-4b)-bi=5-i$에서

$-a-4b=5$, $b=1$ $\therefore a=-9$

$\therefore z=-9+i$

(2) STEP1 $z=a+bi$로 놓고 주어진 식에 대입하기

$z=a+bi$ (a, b는 실수)로 놓으면

$\overline{z}=a-bi$이므로

$\frac{2z}{2-i}+\frac{\overline{z}}{3+i}$

$=\frac{2(a+bi)}{2-i}+\frac{a-bi}{3+i}$

$=\frac{2(a+bi)(2+i)}{(2-i)(2+i)}+\frac{(a-bi)(3-i)}{(3+i)(3-i)}$

$=\frac{4a+2ai+4bi+2bi^2}{5}+\frac{3a-ai-3bi+bi^2}{10}$

$=\frac{(11a-5b)+(3a+5b)i}{10}$

STEP2 복소수가 서로 같을 조건 이용하기

$\frac{(11a-5b)+(3a+5b)i}{10}=-3-4i$에서

$\frac{11a-5b}{10}=-3$, $\frac{3a+5b}{10}=-4$

$11a-5b=-30$, $3a+5b=-40$
두 식을 연립하여 풀면
$a=-5$, $b=-5$
$\therefore z=-5-5i$

> 풍쌤의 비법
> 보기의 복소수를 주어진 등식에 바로 대입하여 등식이 성립하는지 확인하는 것은 별로 좋은 방법이 아니다.
> 등식에 복소수 z가 있으면 $z=a+bi$로 놓고 식에 대입하여 a, b의 조건을 구하도록 한다.

06-2 답 $\mathbf{2-3i,\ 2+3i}$
해결전략 | $z=a+bi$로 놓고 주어진 식에 대입하여 z를 구한다.
STEP1 $z+\bar{z}=4$를 이용하여 복소수 z의 실수부분 구하기
$z=a+bi$ (a, b는 실수)로 놓으면
$\bar{z}=a-bi$이므로
$z+\bar{z}=(a+bi)+(a-bi)=2a=4$
$\therefore a=2$
$\therefore z=2+bi$
STEP2 $z\bar{z}=13$을 이용하여 복소수 z 구하기
$z\bar{z}=(2+bi)(2-bi)=4+b^2=13$
$b^2=9$ $\quad\therefore b=-3$ 또는 $b=3$
$\therefore z=2-3i$ 또는 $z=2+3i$

06-3 답 ㄱ, ㄷ
해결전략 | $z=a+bi$로 놓고 주어진 등식에 대입하여 푼 후 보기의 복소수와 비교한다.
STEP1 $z=a+bi$로 놓고 주어진 식에 대입하기
$z=a+bi$ (a, b는 실수)로 놓으면
$\bar{z}=a-bi$이므로
$(2+3i)z+(2-3i)\bar{z}$
$=(2+3i)(a+bi)+(2-3i)(a-bi)$
$=2a+2bi+3ai+3bi^2+2a-2bi-3ai+3bi^2$
$=4a-6b$
STEP2 복소수가 서로 같을 조건을 이용하여 조건을 만족시키는 복소수 z 구하기
$4a-6b=14$에서 $2a-3b=7$
ㄱ. $2-i$에서 $a=2$, $b=-1$이므로
$2a-3b=7$
ㄴ. $1-3i$에서 $a=1$, $b=-3$이므로
$2a-3b=11\neq7$
ㄷ. $5+i$에서 $a=5$, $b=1$이므로
$2a-3b=7$
따라서 조건을 만족시키는 복소수 z는 ㄱ, ㄷ이다.

06-4 답 $\mathbf{1-3i}$
해결전략 | 주어진 식을 알맞게 변형하여 구하려는 식에 대입한다.
$z_1\bar{z_1}=3$에서 $\bar{z_1}=\dfrac{3}{z_1}$ $\quad\therefore \dfrac{1}{z_1}=\dfrac{\bar{z_1}}{3}$
$z_2\bar{z_2}=3$에서 $\bar{z_2}=\dfrac{3}{z_2}$ $\quad\therefore \dfrac{1}{z_2}=\dfrac{\bar{z_2}}{3}$
$\therefore \dfrac{1}{z_1}+\dfrac{1}{z_2}=\dfrac{\bar{z_1}}{3}+\dfrac{\bar{z_2}}{3}=\dfrac{\overline{z_1+z_2}}{3}$
$=\dfrac{\overline{3+9i}}{3}=\dfrac{3-9i}{3}$
$=1-3i$

06-5 답 5
해결전략 | $z=a+bi$로 놓고 복소수가 서로 같을 조건을 이용한다.
STEP1 $z=a+bi$로 놓고 주어진 식에 대입하기
$z=a+bi$ (a, b는 실수)로 놓으면
$z^2=(a+bi)^2=3+4i$에서
$(a^2-b^2)+2abi=3+4i$
STEP2 복소수가 서로 같을 조건 이용하기
복소수가 서로 같을 조건에 의하여
$a^2-b^2=3$, $ab=2$
STEP3 $z\bar{z}$의 값 구하기
$\therefore z\bar{z}=(a+bi)(a-bi)$
$=a^2+b^2=\sqrt{(a^2+b^2)^2}$
$=\sqrt{(a^2-b^2)^2+4a^2b^2}$
$=\sqrt{3^2+4\times2^2}=5$
다른 풀이
$(z\bar{z})^2=z^2(\bar{z})^2=z^2\overline{z^2}=(3+4i)(3-4i)=25$
$\therefore z\bar{z}=5$ ($\because z\bar{z}>0$)

> 풍쌤의 비법
> $(A+B)^2=(A-B)^2+4AB$에서
> $(a^2+b^2)^2=(a^2-b^2)^2+4a^2b^2$이므로
> $a^2+b^2=\sqrt{(a^2-b^2)^2+4a^2b^2}$

06-6 답 1

해결전략 | 주어진 식을 정리하여 복소수 z의 성질을 만족시키는 복소수를 구한다.

STEP1 주어진 식을 정리하여 복소수 z의 성질 알아보기

$\frac{z+i}{z}=\overline{\left(\frac{z-i}{z}\right)}$에서 $\frac{z+i}{z}=\frac{\overline{z}+i}{\overline{z}}$이므로

$\overline{z}(z+i)=z(\overline{z}+i)$

$z\overline{z}+\overline{z}i=z\overline{z}+zi$

$\therefore z-\overline{z}=0$

STEP2 복소수 z 구하기

$z=a+bi$ (a, b는 실수, $a\neq0$)로 놓으면 $\overline{z}=a-bi$이므로

$z-\overline{z}=2bi=0$

즉, $b=0$이므로 $z=a$

이때 $\overline{z}=a$이므로

$\frac{z}{\overline{z}}=\frac{a}{a}=1$

필수유형 07 101쪽

07-1 답 (1) -1 (2) 0 (3) 512 (4) -2

해결전략 | i의 거듭제곱의 규칙성을 이용한다.

(1) $i+i^2+i^3+i^4=i-1-i+1=0$이므로

$i+i^2+i^3+i^4+\cdots+i^{90}+i^{91}$

$=(i+i^2+i^3+i^4)+i^4(i+i^2+i^3+i^4)+\cdots$
$+i^{84}(i+i^2+i^3+i^4)+i^{88}(i+i^2+i^3)$

$=i^{88}(i+i^2+i^3)=(i^4)^{22}\times(i-1-i)=-1$

(2) $\frac{1}{i}+\frac{1}{i^2}+\frac{1}{i^3}+\frac{1}{i^4}=\frac{1}{i}-1-\frac{1}{i}+1=0$이므로

$\frac{1}{i}+\frac{1}{i^2}+\frac{1}{i^3}+\cdots+\frac{1}{i^{100}}$

$=\left(\frac{1}{i}+\frac{1}{i^2}+\frac{1}{i^3}+\frac{1}{i^4}\right)+\cdots+\frac{1}{i^{92}}\left(\frac{1}{i}+\frac{1}{i^2}+\frac{1}{i^3}+\frac{1}{i^4}\right)$
$+\frac{1}{i^{96}}\left(\frac{1}{i}+\frac{1}{i^2}+\frac{1}{i^3}+\frac{1}{i^4}\right)$

$=0$

(3) $(1+i)^2=1+2i+i^2=2i$, $(1-i)^2=1-2i+i^2=-2i$이므로

$(1+i)^{16}=\{(1+i)^2\}^8=(2i)^8=2^8\times i^8=256$

$(1-i)^{16}=\{(1-i)^2\}^8=(-2i)^8=(-2)^8\times i^8=256$

$\therefore (1+i)^{16}+(1-i)^{16}=256+256=512$

(4) $\frac{1+i}{1-i}=\frac{(1+i)^2}{(1-i)(1+i)}=\frac{2i}{2}=i$,

$\frac{1-i}{1+i}=\frac{(1-i)^2}{(1+i)(1-i)}=\frac{-2i}{2}=-i$이므로

$\left(\frac{1+i}{1-i}\right)^{30}+\left(\frac{1-i}{1+i}\right)^{30}$

$=i^{30}+(-i)^{30}=i^{30}+i^{30}=2i^{30}$

$=2\times(i^4)^7\times i^2=2\times(-1)=-2$

07-2 답 12

해결전략 | i의 거듭제곱의 규칙성을 이용한다.

$i^2=-1$, $i^4=1$이므로

$i+2i^2+3i^3+4i^4+5i^5=i-2-3i+4+5i=2+3i$

따라서 $a=2$, $b=3$이므로

$3a+2b=3\times2+2\times3=12$

07-3 답 $-i$

해결전략 | z를 간단히 정리한 후 i의 거듭제곱의 규칙성을 이용한다.

STEP1 z의 값 간단히 정리하기

$z=\frac{1-i}{1+i}=\frac{(1-i)^2}{(1+i)(1-i)}=\frac{-2i}{2}=-i$

STEP2 $1+z+z^2+z^3+z^4+\cdots+z^{49}+z^{50}$의 값 구하기

$z=-i$, $z^2=(-i)^2=i^2=-1$, $z^3=(-i)^3=-i^3=i$이므로

$1+z+z^2+z^3=1-i-1+i=0$

또, $z^4=(-i)^4=i^4=1$이므로

$1+z+z^2+z^3+\cdots+z^{49}+z^{50}$

$=(1+z+z^2+z^3)+z^4(1+z+z^2+z^3)+\cdots$
$+z^{44}(1+z+z^2+z^3)+z^{48}(1+z+z^2)$

$=(z^4)^{12}\times(1+z+z^2)$

$=1-i-1=-i$

07-4 답 $-2+2i$

해결전략 | i의 거듭제곱의 규칙성을 이용하여 z를 간단히 한다.

STEP1 i의 거듭제곱을 이용하여 z의 값 간단히 하기

$\frac{1}{i}+\frac{1}{i^2}+\frac{1}{i^3}+\frac{1}{i^4}=\frac{1}{i}-1-\frac{1}{i}+1=0$이므로

$z=\frac{1}{i}+\frac{1}{i^2}+\frac{1}{i^3}+\frac{1}{i^4}+\cdots+\frac{1}{i^{21}}$

$=\left(\frac{1}{i}+\frac{1}{i^2}+\frac{1}{i^3}+\frac{1}{i^4}\right)+\cdots$
$+\frac{1}{i^{16}}\left(\frac{1}{i}+\frac{1}{i^2}+\frac{1}{i^3}+\frac{1}{i^4}\right)+\frac{1}{i^{21}}$

$=\frac{1}{i^{21}}=\left(\frac{1}{i^4}\right)^5\times\frac{1}{i}=-i$

STEP 2 $2z^2-\frac{2}{\bar{z}}$의 값 구하기

따라서 $\bar{z}=i$이므로

$$2z^2-\frac{2}{\bar{z}}=2\times(-i)^2-\frac{2}{i}=-2+2i$$

07-5 답 30

해결전략 | $\frac{1-i}{1+i}$를 간단히 하고 복소수의 거듭제곱을 이용하여 n의 값을 구한다.

STEP 1 $\frac{1-i}{1+i}$의 값 간단히 하기

$\frac{1-i}{1+i}=\frac{(1-i)^2}{(1+i)(1-i)}=\frac{-2i}{2}=-i$이고

STEP 2 $n=1, 2, 3, \cdots, 10$ 대입하기

$(-i)^2=-1$, $(-i)^3=i$, $(-i)^4=1$이므로

$-i=(-i)^5=(-i)^9=-i$

$(-i)^2=(-i)^6=(-i)^{10}=-1$

$(-i)^3=(-i)^7=i$

$(-i)^4=(-i)^8=1$

STEP 3 조건을 만족시키는 n의 값의 합 구하기

따라서 $\left(\frac{1-i}{1+i}\right)^n$의 값이 실수가 되는 10보다 작은 자연수 n의 값은 2, 4, 6, 8, 10이므로 구하는 합은

$2+4+6+8+10=30$

07-6 답 1

해결전략 | z의 거듭제곱의 성질을 알아본다.

STEP 1 z의 거듭제곱 구하기

$$z^2=\left(\frac{1-\sqrt{3}i}{2}\right)^2=\frac{1-2\sqrt{3}i-3}{4}=\frac{-1-\sqrt{3}i}{2}$$

$$\therefore z^3=z^2\times z=\frac{-1-\sqrt{3}i}{2}\times\frac{1-\sqrt{3}i}{2}=\frac{-1-3}{4}=-1$$

STEP 2 $z^{2023}+\frac{1}{z^{2023}}$의 값 구하기

즉, $z^{2023}=(z^3)^{674}\times z=(-1)^{674}\times z=z$이므로

$$z^{2023}+\frac{1}{z^{2023}}=z+\frac{1}{z}$$

$$=\frac{1-\sqrt{3}i}{2}+\frac{2}{1-\sqrt{3}i}$$

$$=\frac{1-\sqrt{3}i}{2}+\frac{2(1+\sqrt{3}i)}{(1-\sqrt{3}i)(1+\sqrt{3}i)}$$

$$=\frac{1-\sqrt{3}i}{2}+\frac{2(1+\sqrt{3}i)}{4}$$

$$=1$$

발전유형 08 113쪽

08-1 답 -7

해결전략 | 근호 안에 음수가 있을 때에는 $\sqrt{-1}=i$로 고친 후 계산한다.

$$\sqrt{3}\sqrt{-3}+\sqrt{-27}\sqrt{-3}+\frac{\sqrt{27}}{\sqrt{-3}}+\frac{\sqrt{-8}}{\sqrt{-2}}$$

$$=\sqrt{3}\times\sqrt{3}i+\sqrt{27}i\times\sqrt{3}i+\frac{\sqrt{27}}{\sqrt{3}i}+\frac{\sqrt{8}i}{\sqrt{2}i}$$

$$=3i+\sqrt{81}i^2+\frac{\sqrt{9}}{i}+\sqrt{4}$$

$$=3i-9-3i+2$$

$$=-7$$

08-2 답 $-a$

해결전략 | 음수의 제곱근의 성질을 이용한다.

$\sqrt{a}\sqrt{b}=-\sqrt{ab}$이므로

$a<0$, $b<0$

$$\therefore \sqrt{(a+b)^2}+\sqrt{a^2}-\sqrt{(-a-b)^2}$$

$$=|a+b|+|a|-|-a-b|$$

$$=-(a+b)-a-(-a-b)$$

$$=-a-b-a+a+b$$

$$=-a$$

> **풍쌤의 비법**
>
> $a<0$, $b<0$이므로
>
> $-a>0$, $-b>0$
>
> 따라서 $|-a-b|$에서 $-a-b$의 부호는 양수이므로 $-a-b$가 절댓값 기호 밖으로 그냥 나온다.

08-3 답 ③, ⑤

해결전략 | 근호 안에 음수가 있을 때에는 $\sqrt{-1}=i$로 고친 후 계산한다.

① $\sqrt{-5}\sqrt{-7}=\sqrt{5}i\times\sqrt{7}i=-\sqrt{35}$

② $\sqrt{-5}\sqrt{7}=\sqrt{5}i\times\sqrt{7}=\sqrt{35}i=\sqrt{-35}$

③ $\frac{\sqrt{-5}}{\sqrt{7}}=\frac{\sqrt{5}i}{\sqrt{7}}=\sqrt{-\frac{5}{7}}$

④ $\frac{\sqrt{5}}{\sqrt{-7}}=\frac{\sqrt{5}}{\sqrt{7}i}=-\sqrt{\frac{5}{7}}i=-\sqrt{-\frac{5}{7}}$

⑤ $\frac{\sqrt{-7}}{\sqrt{-5}}=\frac{\sqrt{7}i}{\sqrt{5}i}=\frac{\sqrt{7}}{\sqrt{5}}=\sqrt{\frac{7}{5}}$

따라서 옳지 않은 것은 ③, ⑤이다.

08-4 답 $-b+c$

해결전략 I 음수의 제곱근의 성질을 이용한다.

$\frac{\sqrt{a}}{\sqrt{b}}=-\sqrt{\frac{a}{b}}$이므로 $a>0$, $b<0$

$\sqrt{b}\sqrt{c}=-\sqrt{bc}$이므로 $b<0$, $c<0$

$\therefore \sqrt{a^2}-\sqrt{c^2}+\sqrt{(b+c)^2}-\sqrt{(a-c)^2}$

$=|a|-|c|+|b+c|-|a-c|$

$=a-(-c)+\{-(b+c)\}-(a-c)$

$=-b+c$

08-5 답 ①

해결전략 I 음수의 제곱근의 성질을 이용하여 절댓값을 계산한다.

STEP1 조건 (가)에서 a, b의 부호 판단하기

세 실수 a, b, c가 0이 아니므로

조건 (가)에서 $\frac{\sqrt{b}}{\sqrt{a}}=-\sqrt{\frac{b}{a}}$가 성립하려면

$a<0$, $b>0$ $\quad\therefore a<b$

STEP2 조건 (나)에서 a, b, c의 관계식 찾기

조건 (나)에서 $|a+b|+|a+c-1|=0$이 성립하려면

$a+b=0$, $a+c-1=0$

STEP3 a, b, c 사이의 대소 관계 판단하기

$a+b=0$에서 $b=-a$이므로

$a+c-1=0$에서 $c=-a+1$에서 $c=b+1$

즉, $b<c$이므로

$a<b<c$

08-6 답 3

해결전략 I 주어진 x의 값의 범위에 따라 $x-4$와 $4-x$의 부호를 조사하고, 음수의 제곱근의 성질을 이용하여 계산한다.

STEP1 주어진 식 간단히 하기

$2<x<4$에서 $x-4<0$, $4-x>0$이므로

$\sqrt{x-4}\times\sqrt{4-x}-\frac{\sqrt{4-x}}{\sqrt{x-4}}\times\sqrt{\frac{x-4}{4-x}}+\sqrt{x}\times\sqrt{-x}$

$=\sqrt{4-x}i\times\sqrt{4-x}-\frac{\sqrt{4-x}}{\sqrt{4-x}i}\times\sqrt{\frac{4-x}{4-x}}i+\sqrt{x}\times\sqrt{x}i$

$=(4-x)i-\frac{1}{i}\times i+xi$

$=4i-xi-1+xi$

$=-1+4i$

STEP2 $a+b$의 값 구하기

따라서 $a=-1$, $b=4$이므로

$a+b=-1+4=3$

실전 연습 문제
104~106쪽

01 ⑤	**02** ②	**03** 37	**04** 0, 1, 7, 8
05 ④	**06** 4	**07** $-\frac{3}{5}-\frac{4}{5}i$	**08** ⑤
09 풀이 참조		**10** ①	**11** 무수히 많다.
12 3	**13** 16	**14** 8	**15** ③
16 ④	**17** 1	**18** ①	

01

해결전략 I 허수 i와 복소수의 정의를 이용하여 옳지 않은 것을 찾는다.

① $\sqrt{-9}=\sqrt{9}i=3i$

② $-2i$는 (실수부분)$=0$이므로 순허수이다.

③ 제곱하여 -3이 되는 수를 x라고 하면

$x^2=-3$이므로 $x=\pm\sqrt{-3}=\pm\sqrt{3}i$

즉, 제곱하여 -3이 되는 수는 $\sqrt{3}i$ 또는 $-\sqrt{3}i$이다.

④ -5는 실수이므로 (허수부분)$=0$이다.

⑤ $a+bi$가 실수이면 (허수부분)$=0$이므로 $b=0$

이때 $a=0$이면 $a+bi=0$이므로 실수이다.

따라서 $a+bi$가 실수이면 $b=0$이기만 하면 된다.

따라서 옳지 않은 것은 ⑤이다.

02

해결전략 I 분모의 실수화를 이용하여 α, β를 간단히 하고, 복소수의 사칙연산을 이용하여 식의 값을 구한다.

STEP1 α^2, β^2의 값 구하기

$\alpha=\frac{1+i}{2i}$에서

$\alpha^2=\left(\frac{1+i}{2i}\right)^2=\frac{1+2i+i^2}{4i^2}=\frac{2i}{-4}=-\frac{i}{2}$

$\beta=\frac{1-i}{2i}$에서

$\beta^2=\left(\frac{1-i}{2i}\right)^2=\frac{1-2i+i^2}{4i^2}=\frac{-2i}{-4}=\frac{i}{2}$

STEP2 $(2\alpha^2+3)(2\beta^2+3)$의 값 구하기

$\therefore (2\alpha^2+3)(2\beta^2+3)=(-i+3)(i+3)$

$=-i^2+9$

$=10$

다른 풀이

STEP1 $\alpha\beta$, $\alpha^2+\beta^2$의 값 구하기

$\alpha+\beta=\frac{2}{2i}=\frac{1}{i}=-i$,

$\alpha\beta=\dfrac{1-i^2}{4i^2}=\dfrac{2}{-4}=-\dfrac{1}{2}$이므로

$\alpha^2+\beta^2=(\alpha+\beta)^2-2\alpha\beta$

$\quad=(-i)^2-2\times\left(-\dfrac{1}{2}\right)=0$

STEP2 $(2\alpha^2+3)(2\beta^2+3)$의 값 구하기

$\therefore (2\alpha^2+3)(2\beta^2+3)=4(\alpha\beta)^2+6(\alpha^2+\beta^2)+9$

$\quad=4\times\dfrac{1}{4}+6\times0+9=10$

> **풍쌤의 비법**
> 두 복소수가 주어지고 복잡한 식의 값을 구하는 문제에서는 주어진 두 복소수의 합과 곱이 대부분 간단하게 정리된다. 곱셈 공식의 변형을 이용하여 식을 간단하게 정리한 후 두 복소수의 합과 곱에 대입한다.

03

해결전략 | z가 실수가 되려면 (허수부분)$=0$이어야 한다. 복소수 z를 $a+bi$ 꼴로 정리하여 (허수부분)$=0$이 되도록 하는 x의 값을 구한다.

STEP1 $z=a+bi$ 꼴로 정리하기

$z=(1+i)x^2+(3-3i)x-8-10i$

$\quad=x^2+ix^2+3x-3xi-8-10i$

$\quad=(x^2+3x-8)+(x^2-3x-10)i$

STEP2 z가 실수가 되는 x의 값 구하기

z가 실수가 되려면 (허수부분)$=0$이어야 하므로

$x^2-3x-10=0,\ (x+2)(x-5)=0$

$\therefore x=-2$ 또는 $x=5$

이때 x가 양수이므로 $a=5$

STEP3 z의 값 구하기

즉, $x=5$일 때의 복소수 z의 값은

$z=5^2+3\times5-8=32$

$\therefore b=32$

STEP4 $a+b$의 값 구하기

$\therefore a+b=5+32=37$

04

해결전략 | 주어진 등식을 $a+bi=0$ 꼴로 정리하고, 복소수가 서로 같을 조건을 이용하여 a와 b의 값을 구한다.

STEP1 주어진 등식을 $a+bi=0$ 꼴로 정리하기

$x^2+y^2i-3x-5yi+2-6i=0$에서

$(x^2-3x+2)+(y^2-5y-6)i=0$ …… ❶

STEP2 복소수가 서로 같을 조건을 이용하여 x, y의 값 구하기

복소수가 서로 같을 조건에 의하여

$x^2-3x+2=0,\ y^2-5y-6=0$

$x^2-3x+2=0$에서 $(x-1)(x-2)=0$

$\therefore x=1$ 또는 $x=2$

$y^2-5y-6=0$에서 $(y+1)(y-6)=0$

$\therefore y=-1$ 또는 $y=6$ …… ❷

STEP3 $x+y$의 값 구하기

따라서 $x+y$의 값은

$1-1=0,\ 2-1=1,\ 1+6=7,\ 2+6=8$

이므로 $x+y$의 값이 될 수 있는 것은

$0,\ 1,\ 7,\ 8$이다. …… ❸

채점 요소	배점
❶ 주어진 등식을 $a+bi=0$ 꼴로 정리하기	20 %
❷ x, y의 값 구하기	50 %
❸ $x+y$의 값 모두 구하기	30 %

05

해결전략 | $z=a+bi$로 놓고 z가 실수가 될 조건을 이용한다.

$z=a+bi$ (a, b는 실수)로 놓으면 $\overline{z}=a-bi$

ㄱ. $z-\overline{z}=(a+bi)-(a-bi)=2bi$

즉, $z-\overline{z}$는 순허수이므로 실수가 아니다.

ㄴ. $(z+1)(\overline{z+1})=(z+1)(\overline{z}+1)$

$\quad=z\overline{z}+(z+\overline{z})+1$

$\quad=(a+bi)(a-bi)+2a+1$

$\quad=a^2+b^2+2a+1$

즉, $(z+1)(\overline{z+1})$는 실수이다.

ㄷ. $z^3-(\overline{z})^3=(z-\overline{z})^3+3z\overline{z}(z-\overline{z})$

$\quad=(2bi)^3+3(a^2+b^2)\times2bi$

$\quad=-8b^3i+6a^2bi+6b^3i$

즉, $z^3-(\overline{z})^3$은 순허수이므로 실수가 아니다.

ㄹ. $\dfrac{z}{\overline{z}}+\dfrac{\overline{z}}{z}=\dfrac{a+bi}{a-bi}+\dfrac{a-bi}{a+bi}$

$\quad=\dfrac{(a+bi)^2}{(a-bi)(a+bi)}+\dfrac{(a-bi)^2}{(a+bi)(a-bi)}$

$\quad=\dfrac{a^2+2abi+b^2i^2}{a^2-b^2i^2}+\dfrac{a^2-2abi+b^2i^2}{a^2-b^2i^2}$

$\quad=\dfrac{a^2+2abi-b^2}{a^2+b^2}+\dfrac{a^2-2abi-b^2}{a^2+b^2}$

$\quad=\dfrac{2a^2-2b^2}{a^2+b^2}$

즉, $\dfrac{z}{\overline{z}}+\dfrac{\overline{z}}{z}$는 실수이다.

따라서 항상 실수인 것은 ㄴ, ㄹ이다.

06

해결전략 | 주어진 등식의 좌변을 전개하여 (실수부분)+(허수부분)i 꼴로 정리하고, 복소수가 서로 같을 조건을 이용하여 a와 b의 값을 구한다.

STEP1 주어진 등식을 (실수부분)+(허수부분)$i=2$ 꼴로 정리하기

$a(\overline{1-2i})+b(1-i)^2=a(1+2i)+b(1-2i+i^2)$

$=a+2ai-2bi$

$=a+(2a-2b)i$

이므로 $a+(2a-2b)i=2$ …… ❶

STEP2 복소수가 서로 같을 조건을 이용하여 a, b의 값 구하기

복소수가 서로 같을 조건에 의하여

$a=2,\ 2a-2b=0$

$2a-2b=0$에서 $a=b$이므로

$b=2$ …… ❷

STEP3 ab의 값 구하기

$\therefore ab=2\times2=4$ …… ❸

채점 요소	배점
❶ 주어진 등식을 (실수부분)+(허수부분)$i=2$ 꼴로 정리하기	30%
❷ a, b의 값 구하기	50%
❸ ab의 값 구하기	20%

07

해결전략 | $w=1-2i$를 z에 대입하고 복소수의 사칙연산을 이용하여 식을 간단히 한다.

STEP1 z의 값 구하기

$w=1-2i$를 $z=\dfrac{w-1}{2w+3i}$에 대입하면

$z=\dfrac{(1-2i)-1}{2(1-2i)+3i}$

$=\dfrac{-2i}{2-i}$

$=\dfrac{-2i(2+i)}{(2-i)(2+i)}$

$=\dfrac{-4i-2i^2}{4-i^2}$

$=\dfrac{2-4i}{5}$ …… ❶

STEP2 $\dfrac{z}{\overline{z}}$의 값 구하기

$\overline{z}=\overline{\dfrac{2-4i}{5}}=\dfrac{2+4i}{5}$이므로

$\dfrac{z}{\overline{z}}=\dfrac{\frac{2-4i}{5}}{\frac{2+4i}{5}}$

$=\dfrac{1-2i}{1+2i}$

$=\dfrac{(1-2i)^2}{(1+2i)(1-2i)}$

$=\dfrac{1-4i+4i^2}{1-4i^2}$

$=-\dfrac{3}{5}-\dfrac{4}{5}i$ …… ❷

채점 요소	배점
❶ z의 값 구하기	50 %
❷ $\dfrac{z}{\overline{z}}$의 값 구하기	50 %

08

해결전략 | $z=a+bi$를 대입하여 주어진 식을 정리한다.

$z=a+bi$에 대하여

$iz=i(a+bi)=-b+ai$이고 $\overline{z}=a-bi$이므로

$iz=\overline{z}$에서 $-b+ai=a-bi$

$\therefore a=-b$

ㄱ. $z+\overline{z}=(a+bi)+(a-bi)$

$=2a=-2b$ (참)

ㄴ. $iz=\overline{z}$의 양변에 i를 곱하면 $i^2z=i\overline{z}$

$\therefore i\overline{z}=-z$ (참)

ㄷ. $iz=\overline{z}$에서 $\dfrac{\overline{z}}{z}=i$이고

ㄴ의 $i\overline{z}=-z$에서 $\dfrac{z}{\overline{z}}=-i$이므로

$\dfrac{\overline{z}}{z}+\dfrac{z}{\overline{z}}=i+(-i)=0$ (참)

따라서 ㄱ, ㄴ, ㄷ 모두 옳다.

다른 풀이 1

ㄷ. $z=a+bi=a-ai$이므로 $\overline{z}=a+ai$

$\therefore \dfrac{\overline{z}}{z}+\dfrac{z}{\overline{z}}=\dfrac{a+ai}{a-ai}+\dfrac{a-ai}{a+ai}$

$=\dfrac{(a+ai)^2+(a-ai)^2}{(a+ai)(a-ai)}$

$=\dfrac{2a^2i-2a^2i}{a^2+a^2}=0$ (참)

◉→ 다른 풀이 2

ㄷ. $iz=\bar{z}$의 양변을 제곱하면

$-z^2=(\bar{z})^2$에서 $z^2+(\bar{z})^2=0$

$z\bar{z}=(a+bi)(a-bi)=a^2+b^2=2a^2\neq0$ $(a\neq0,\ b\neq0)$

$\therefore \dfrac{\bar{z}}{z}+\dfrac{z}{\bar{z}}=\dfrac{z^2+(\bar{z})^2}{z\bar{z}}=0$ (참)

09

해결전략 | $\alpha\bar{\beta}$와 $\bar{\alpha}\beta$의 관계를 이해한다.

$\alpha\bar{\beta}$의 켤레복소수는

$\overline{\alpha\bar{\beta}}=\bar{\alpha}\overline{(\bar{\beta})}=\bar{\alpha}\beta$

이므로 $\alpha\bar{\beta}-\bar{\alpha}\beta$는 복소수에서 그 켤레복소수를 뺀 값이다.

$\alpha\bar{\beta}=a+bi$ $(b\neq0)$로 놓으면

$\alpha\bar{\beta}-\bar{\alpha}\beta=a+bi-\overline{a+bi}=a+bi-(a-bi)=2bi$

따라서 $\alpha\bar{\beta}-\bar{\alpha}\beta$는 순허수이다.

> **풍쌤의 비법**
>
> **복소수 z와 그 켤레복소수 $\bar{z}$의 성질**
>
> $z=a+bi$ (a, b는 실수)라고 하면 $\bar{z}=a-bi$이므로
>
> $z+\bar{z}=2a$ (실수)
>
> $z-\bar{z}=2bi$ (순허수)
>
> $z\bar{z}=a^2+b^2$ (실수)
>
> 이와 같은 복소수와 그 켤레복소수의 계산은 알아두면 편리하다.

10

해결전략 | z를 실수부분과 허수부분으로 정리하여 $z+\bar{z}=0$을 만족시키는 z의 조건을 구한다.

STEP1 z를 $a+bi$ 꼴로 정리하기

$z=(i-2)x^2-3xi-4i+32$

$=(-2x^2+32)+(x^2-3x-4)i$

STEP2 $z+\bar{z}=0$을 만족시키는 복소수의 성질 확인하기

$z+\bar{z}=0$이면 0이 아닌 복소수 z는 순허수이어야 하므로

$-2x^2+32=0$, $x^2-3x-4\neq0$

STEP3 STEP2의 식을 풀어 x의 값 구하기

(i) $-2x^2+32=0$에서 $x^2=16$

$\therefore x=-4$ 또는 $x=4$

(ii) $x^2-3x-4\neq0$에서 $(x+1)(x-4)\neq0$

$\therefore x\neq-1$이고 $x\neq4$

(i), (ii)에 의하여 $x=-4$

11

해결전략 | 복소수와 그 켤레복소수의 성질을 이용하여 주어진 식을 간단히 한다.

STEP1 $z=a+bi$로 놓고 주어진 등식을 정리하여 a, b 사이의 관계식 구하기

주어진 등식의 좌변을 전개하여 정리하면

$(1-2i)z+(1+2i)\bar{z}=z-2iz+\bar{z}+2i\bar{z}$

$=z+\bar{z}-2i(z-\bar{z})$

이때 $z=a+bi$ (a, b는 실수)로 놓으면 $\bar{z}=a-bi$이고

$z+\bar{z}=2a$, $z-\bar{z}=2bi$이므로

$z+\bar{z}-2i(z-\bar{z})=2a-4bi^2=2a+4b$

$\therefore 2a+4b=6$

STEP2 z의 개수 구하기

따라서 $2a+4b=6$을 만족시키는 실수 a, b의 값은 무수히 많으므로 복소수 z는 무수히 많다.

12

해결전략 | $z=a+bi$로 놓고 조건의 식을 정리하여 관계식을 만든다.

STEP1 조건 (가)를 이용하여 z의 성질 알기

$z=a+bi$ (a, b는 실수)로 놓으면

$(2-3i)+z=(2-3i)+(a+bi)$

$=(2+a)+(b-3)i$ ...... ㉠

이때 조건 (가)에 의하여 ㉠이 양의 실수이므로

$2+a>0$, $b-3=0$

$\therefore a>-2$, $b=3$ ...... ❶

STEP2 조건 (나)를 이용하여 z 구하기

$z=a+3i$에서 $\bar{z}=a-bi=a-3i$이므로 조건 (나)에 대입하면

$z\bar{z}=(a+3i)(a-3i)=a^2+9=18$

$a^2=9$ $\quad\therefore a=-3$ 또는 $a=3$

이때 $a>-2$이므로 $a=3$

$\therefore z=3+3i$ ...... ❷

STEP3 $\dfrac{z+\bar{z}}{2}$의 값 구하기

$\therefore \dfrac{z+\bar{z}}{2}=\dfrac{(3+3i)+(3-3i)}{2}=3$ ...... ❸

채점 요소	배점
❶ z의 조건 구하기	30 %
❷ z 구하기	50 %
❸ $\dfrac{z+\bar{z}}{2}$의 값 구하기	20 %

13

해결전략 | 복소수의 거듭제곱을 이용하여 식을 간단히 한다.

STEP1 i의 거듭제곱의 성질을 이용하여 좌변을 간단히 하기

$i+i^2+i^3+i^4=0$이므로

$(i+i^2)+(i^2+i^3)+(i^3+i^4)+\cdots+(i^{18}+i^{19})$

$=(i+i^2+\cdots+i^{18})+(i^2+i^3+\cdots+i^{19})$

$=(i^{17}+i^{18})+(i^{18}+i^{19})$

$=(i-1)+(-1-i)=-2$

STEP2 복소수가 서로 같을 조건을 이용하여 a, b의 값 구하기

$-2=a+bi$에서 $a=-2$, $b=0$

$\therefore 4(a+b)^2=4\times(-2)^2=16$

다른 풀이

STEP1 i의 거듭제곱의 성질을 이용하여 좌변을 간단히 하기

$i^{19}=(i^4)^4\times i^3=-i$에서 $i+i^{19}=0$이므로

$(i+i^2)+(i^2+i^3)+\cdots+(i^{18}+i^{19})$

$=i+\{(i+i^2)+(i^2+i^3)+\cdots+(i^{18}+i^{19})\}+i^{19}$

$=(i+i)+(i^2+i^2)+\cdots+(i^{19}+i^{19})$

$=2(i+i^2+i^3+\cdots+i^{19})$

$=2(i+i^2+i^3+\cdots+i^{19}+i^{20}-i^{20})$

$=2(-i^{20})$

$=-2$

14

해결전략 | $\frac{\sqrt{3}+i}{2}$를 거듭제곱하여 식의 규칙을 찾는다.

STEP1 $\frac{\sqrt{3}+i}{2}$를 거듭제곱하기

$z=\frac{\sqrt{3}+i}{2}$라고 하면

$z^2=\left(\frac{\sqrt{3}+i}{2}\right)^2=\frac{3+2\sqrt{3}i+i^2}{4}$

$=\frac{2+2\sqrt{3}i}{4}=\frac{1+\sqrt{3}i}{2}$

$z^3=z^2\times z=\frac{1+\sqrt{3}i}{2}\times\frac{\sqrt{3}+i}{2}$

$=\frac{\sqrt{3}+i+3i+\sqrt{3}i^2}{4}=\frac{4i}{4}=i$

$z^4=z^3\times z=i\times\frac{\sqrt{3}+i}{2}=\frac{-1+\sqrt{3}i}{2}$

STEP2 $\left(\frac{\sqrt{3}+i}{2}\right)^n=-1$을 만족시키는 자연수 n의 값 찾기

이때 $z^3=\left(\frac{\sqrt{3}+i}{2}\right)^3=i$이므로

$z^6=\left(\frac{\sqrt{3}+i}{2}\right)^6=i^2=-1$

또, $i^4=1$이므로

$z^{12}=\left(\frac{\sqrt{3}+i}{2}\right)^{12}=i^4=1$

따라서 $z^n=\left(\frac{\sqrt{3}+i}{2}\right)^n=-1$을 만족시키는 자연수 n의 값은

6, 18, 30, 42, $\cdots$

STEP3 100 이하의 자연수 n의 개수 구하기

따라서 $\left(\frac{\sqrt{3}+i}{2}\right)^n=-1$을 만족시키는 100 이하의 자연수 n의 최댓값은 90이다.

따라서 100 이하의 자연수 n의 값은

6, 18, 30, 42, 54, 66, 78, 90의 8개이다.

15

해결전략 | 음수의 제곱근의 성질을 이용하여 주어진 식을 계산한다.

STEP1 $\sqrt{-5}\sqrt{5}+\frac{\sqrt{75}}{\sqrt{-3}}i+\frac{\sqrt{3}-\sqrt{-1}}{1+\sqrt{-3}}$을 계산하기

$\sqrt{-5}\sqrt{5}+\frac{\sqrt{75}}{\sqrt{-3}}i+\frac{\sqrt{3}-\sqrt{-1}}{1+\sqrt{-3}}$

$=\sqrt{5}i\times\sqrt{5}+\frac{\sqrt{75}}{\sqrt{3}i}i+\frac{\sqrt{3}-i}{1+\sqrt{3}i}$

$=5i+\sqrt{25}+\frac{(\sqrt{3}-i)(1-\sqrt{3}i)}{(1+\sqrt{3}i)(1-\sqrt{3}i)}$

$=5i+5+\frac{\sqrt{3}-3i-i+\sqrt{3}i^2}{1-3i^2}$

$=5i+5+\frac{-4i}{4}$

$=5i+5-i$

$=5+4i$

STEP2 ab의 값 구하기

따라서 $a=5$, $b=4$이므로

$ab=5\times4=20$

16

해결전략 | 음수의 제곱근의 성질을 이용하여 x, y의 부호를 찾고, 복소수가 서로 같을 조건을 이용하여 x, y의 값을 구한다.

STEP1 x, y의 부호 정하기

$\sqrt{x}\sqrt{y}=-\sqrt{xy}$이므로

$x<0$, $y<0$

STEP2 복소수가 서로 같을 조건을 이용하여 관계식 만들기

복소수가 서로 같을 조건에 의하여

$x^2+5x-(2y+7)i=14+3i$에서

$x^2+5x=14,\ -(2y+7)=3$

STEP 3 xy의 값 구하기

$x^2+5x=14$에서 $x^2+5x-14=0$

$(x+7)(x-2)=0 \qquad \therefore x=-7$ 또는 $x=2$

이때 x는 음수이므로 $x=-7$

또, $-(2y+7)=3$에서

$2y+7=-3 \qquad \therefore y=-5$

$\therefore xy=(-7)\times(-5)=35$

17

해결전략 | 음수의 제곱근의 성질을 이용하여 등식을 만족시키는 x의 값의 범위를 구한다.

STEP 1 주어진 조건을 만족시키는 x의 값의 범위 구하기

$\sqrt{-3}\sqrt{x-2}=-\sqrt{6-3x}=-\sqrt{-3(x-2)}$이므로

$-3<0,\ x-2<0$

$\therefore x<2$ ...... ❶

STEP 2 자연수 x의 개수 구하기

따라서 주어진 조건을 만족시키는 자연수는 1의 1개이다. ...... ❷

채점 요소	배점
❶ x의 값의 범위 구하기	80 %
❷ 자연수 x의 개수 구하기	20 %

18

해결전략 | 항등식의 성질을 이용하여 a, b의 부호를 찾고, 음수의 제곱근의 성질을 이용하여 주어진 식의 값을 구한다.

STEP 1 항등식의 성질을 이용하여 a, b 사이의 관계식 구하기

등식 $(a+b+3)x+ab-1=0$이 x의 값에 관계없이 항상 성립하므로

$a+b+3=0,\ ab-1=0$

$\therefore a+b=-3,\ ab=1$

STEP 2 $(\sqrt{a}+\sqrt{b})^2$의 값 구하기

이때 $a+b<0,\ ab>0$이므로

$a<0,\ b<0$

따라서 $\sqrt{a}\sqrt{b}=-\sqrt{ab}$이므로

$(\sqrt{a}+\sqrt{b})^2=(\sqrt{a})^2+(\sqrt{b})^2+2\sqrt{a}\sqrt{b}$

$=a+b-2\sqrt{ab}$

$=-3-2\sqrt{1}=-5$

> 참고

$a<0,\ b<0$이므로 $\sqrt{a}=\sqrt{-a}i,\ \sqrt{b}=\sqrt{-b}i$로 나타낼 수 있다.

$(\sqrt{a})^2=(\sqrt{-a}i)^2=-a\times i^2=a$

$(\sqrt{b})^2=(\sqrt{-b}i)^2=-b\times i^2=b$

상위권 도약 문제 107~108쪽

01 ① **02** ⑤ **03** 1 **04** $2-\sqrt{5}$ **05** $-i$
06 25 **07** ②

01

해결전략 | 주어진 조건을 이용하여 보기의 식을 만들어 본다.

ㄱ. $\alpha^2\beta^2=i\times(-i)=-i^2=1$

$\therefore \alpha\beta=-1$ 또는 $\alpha\beta=1$

즉, $\alpha\beta$는 실수이므로 순허수가 아니다. (거짓)

ㄴ. ㄱ에서 $\alpha\beta=-1$ 또는 $\alpha\beta=1$이므로

$\alpha\beta=\overline{\alpha\beta}$

$\therefore \alpha\overline{\alpha}\beta\overline{\beta}=\alpha\beta(\overline{\alpha\beta})=(\alpha\beta)^2=1$ (참)

ㄷ. $\alpha^2+\beta^2=i+(-i)=0$

$\alpha^2\beta^2=i\times(-i)=-i^2=1$

$\therefore \alpha^4+\beta^4=(\alpha^2+\beta^2)^2-2\alpha^2\beta^2=-2$ (거짓)

따라서 옳은 것은 ㄴ이다.

풍쌤의 비법

곱셈 공식의 변형의 활용

$a^2+b^2=(a+b)^2-2ab$를 이용하면

$a^4+b^4=(a^2+b^2)^2-2a^2b^2$이다.

02

해결전략 | 주어진 조건을 이용하여 z의 성질을 확인하고 보기의 참, 거짓을 따져 본다.

ㄱ. z^2-z가 실수이므로 $\overline{z^2-z}$도 실수이다. (참)

ㄴ. z^2-z에 $z=a+bi$를 대입하면

$z^2-z=(a+bi)^2-(a+bi)$

$=a^2+2abi-b^2-a-bi$

$=(a^2-a-b^2)+b(2a-1)i$

이때 z^2-z가 실수이므로 허수부분 $b(2a-1)$이 0이어야 한다.

$\therefore a=\frac{1}{2}\ (\because b\neq0)$

따라서 $z=\frac{1}{2}+bi$이고 $\overline{z}=\frac{1}{2}-bi$이므로

$z+\overline{z}=1$ (참)

ㄷ. ㄴ에서 $z=\frac{1}{2}+bi$, $\overline{z}=\frac{1}{2}-bi$이므로

$z\overline{z}=\left(\frac{1}{2}+bi\right)\left(\frac{1}{2}-bi\right)=\frac{1}{4}+b^2$

이때 $b\neq0$이므로 $b^2>0$

$\frac{1}{4}+b^2>\frac{1}{4}$

$\therefore z\overline{z}>\frac{1}{4}$ (참)

따라서 ㄱ, ㄴ, ㄷ 모두 옳다.

03

해결전략 | 주어진 조건을 이용하여 z를 구한다.

STEP1 $z=a+bi$로 놓고 조건 (나) 적용하기

$z=a+bi$ (a, b는 실수)로 놓으면

$z^2=(a+bi)^2=(a^2-b^2)+2abi$

$(\overline{z})^2=\overline{z^2}=(a^2-b^2)-2abi$

$\therefore z^2+(\overline{z})^2=2(a^2-b^2)$

조건 (나)에 의하여 $z^2+(\overline{z})^2$은 음수이므로

$2(a^2-b^2)<0$

$\therefore a^2-b^2<0$ …… ㉠

STEP2 조건 (가)를 ㉠에 대입하여 자연수 x의 값 구하기

조건 (가)에서 $z=2(x+1)+(x+4)i$이므로

$a=2(x+1)$, $b=x+4$

이 식을 ㉠에 대입하면

$\{2(x+1)\}^2-(x+4)^2<0$에서

$3(x^2-4)<0$

$\therefore x^2<4$

x가 2 이상의 자연수일 때, $x^2\geq4$이므로 조건을 만족시키는 자연수 x의 값은 1이다.

다른 풀이

STEP1 z^2의 값 구하기

조건 (가)에 의하여

$z^2=\{2(x+1)+(x+4)i\}^2$

$=(2x+2)^2+2(2x+2)(x+4)i-(x+4)^2$

$=(3x^2-12)+4(x+1)(x+4)i$

STEP2 $z^2+(\overline{z})^2$의 값 구하기

$(\overline{z})^2=\overline{z^2}=(3x^2-12)-4(x+1)(x+4)i$이므로

$z^2+(\overline{z})^2=2(3x^2-12)=6(x^2-4)$

STEP3 자연수 x의 값 구하기

조건 (나)에 의하여 $x^2-4<0$, 즉 $x^2<4$

x가 2 이상의 자연수일 때, $x^2\geq4$이므로 조건을 만족시키는 자연수 x의 값은 1이다.

04

해결전략 | 음수의 제곱근의 성질을 이용하여 주어진 식을 계산한다.

STEP1 $a-b$의 부호 구하기

$a=4-\sqrt{5}$이므로

$a-2=(4-\sqrt{5})-2=2-\sqrt{5}$

이때 $2-\sqrt{5}<0$이므로 $a-2<0$

STEP2 주어진 식의 값 구하기

$\sqrt{a-2}\sqrt{a-2}+\frac{\sqrt{2-a}}{\sqrt{a-2}}+i$

$=-\sqrt{(a-2)^2}-\sqrt{\frac{2-a}{2-a}}i+i$

$=(a-2)-i+i$

$=a-2$

$=2-\sqrt{5}$

05

해결전략 | $\frac{z}{\overline{z}}$가 실수임을 이용하여 z를 구하고 복소수의 거듭제곱을 이용한다.

STEP1 z 구하기

$z=a-i$ (a는 상수)에서 $\overline{z}=a+i$이므로

$\frac{z}{\overline{z}}=\frac{a-i}{a+i}=\frac{(a-i)^2}{(a+i)(a-i)}$

$=\frac{a^2-1-2ai}{a^2+1}$

$=\frac{a^2-1}{a^2+1}+\frac{-2a}{a^2+1}i$

이때 $\frac{z}{\overline{z}}$가 실수이므로 $-2a=0$

따라서 $a=0$이므로 $z=-i$

STEP2 z의 거듭제곱의 규칙성 찾기

$z=-i$이므로 $z^2=-1$, $z^3=i$, $z^4=1$

$\therefore z+z^2+z^3+z^4=0$

STEP3 $1+z+z^2+z^3+\cdots+z^{50}$의 값 구하기

$$\begin{aligned}\therefore\ 1+z+z^2+z^3+\cdots+z^{50} &= 1+(z+z^2+z^3+z^4)+z^4(z+z^2+z^3+z^4)\\ &\quad +\cdots+z^{44}(z+z^2+z^3+z^4)+z^{49}+z^{50}\\ &= 1+(z^4)^{12}\times z+(z^4)^{12}\times z^2\\ &= 1-i-1\\ &= -i\end{aligned}$$

06

해결전략 | 복소수의 거듭제곱의 성질을 이용하여 식에서 규칙성을 찾는다.

STEP1 n의 값에 따른 i^n의 값 구하기

자연수 k에 대하여

$$i^n=\begin{cases} i & (n=4k-3\text{일 때}) \\ -1 & (n=4k-2\text{일 때}) \\ -i & (n=4k-1\text{일 때}) \\ 1 & (n=4k\text{일 때}) \end{cases}$$

STEP2 $\frac{1}{i}-\frac{1}{i^2}+\frac{1}{i^3}-\frac{1}{i^4}+\cdots+\frac{(-1)^{n+1}}{i^n}$의 값 구하기

$$\begin{aligned}&\frac{1}{i}-\frac{1}{i^2}+\frac{1}{i^3}-\frac{1}{i^4}+\cdots+\frac{(-1)^{n+1}}{i^n}\\ &=-i+1+i-1+\cdots+\frac{(-1)^{n+1}}{i^n}\\ &=\begin{cases} -i & (n=4k-3\text{일 때}) \\ 1-i & (n=4k-2\text{일 때}) \\ 1 & (n=4k-1\text{일 때}) \\ 0 & (n=4k\text{일 때}) \end{cases}\end{aligned}$$

STEP3 주어진 등식을 만족시키는 자연수 k의 값의 범위 구하기

주어진 등식을 만족시키는 n의 값은 자연수 k에 대하여 $n=4k-2$일 때이다.

이때 $0<4k-2\le 100$에서 $\frac{2}{4}<k\le\frac{102}{4}$이므로

$0.5<k\le 25.5$

따라서 자연수 k의 값의 범위는

$1\le k\le 25$

STEP4 등식이 성립하도록 하는 100 이하의 자연수 n의 개수 구하기

$1\le k\le 25$일 때, $2\le n\le 98$이고, 25개의 k의 값 각각에 대하여 n의 값도 25개가 존재하므로 100 이하의 자연수 n의 개수는 25이다.

07

해결전략 | 복소수의 사칙연산과 주어진 식의 거듭제곱의 규칙성을 찾는다.

STEP1 Ⓐ버튼을 반복하여 누를 때 나타나는 결과의 규칙성 찾기

Ⓐ버튼을 눌렀을 때 화면에 나타나는 수는

한 번 누르면 $\frac{\sqrt{2}+\sqrt{2}i}{2}$

두 번 누르면 $\left(\frac{\sqrt{2}+\sqrt{2}i}{2}\right)^2=i$

세 번 누르면

$$\begin{aligned}\left(\frac{\sqrt{2}+\sqrt{2}i}{2}\right)^3&=\left(\frac{\sqrt{2}+\sqrt{2}i}{2}\right)^2\times\frac{\sqrt{2}+\sqrt{2}i}{2}\\ &=i\times\frac{\sqrt{2}+\sqrt{2}i}{2}\\ &=\frac{-\sqrt{2}+\sqrt{2}i}{2}\end{aligned}$$

이때 두 번 누르면 i이므로 네 번 누르면 $i^2=-1$

그러므로 Ⓐ버튼을 여덟 번 누르면 화면에 1이 나타난다.

STEP2 Ⓑ버튼을 반복하여 누를 때 나타나는 결과의 규칙성 찾기

Ⓑ버튼을 눌렀을 때 화면에 나타나는 수는

한 번 누르면 $\frac{-\sqrt{2}+\sqrt{2}i}{2}$

두 번 누르면 $\left(\frac{-\sqrt{2}+\sqrt{2}i}{2}\right)^2=-i$

세번 누르면

$$\begin{aligned}\left(\frac{-\sqrt{2}+\sqrt{2}i}{2}\right)^3&=\left(\frac{-\sqrt{2}+\sqrt{2}i}{2}\right)^2\times\frac{-\sqrt{2}+\sqrt{2}i}{2}\\ &=(-i)\times\frac{-\sqrt{2}+\sqrt{2}i}{2}\\ &=\frac{\sqrt{2}+\sqrt{2}i}{2}\end{aligned}$$

두 번 누르면 $-i$이므로 네 번 누르면 $(-i)^2=-1$

그러므로 Ⓑ버튼을 여덟 번 누르면 화면에 1이 나타난다.

STEP3 버튼을 누른 횟수의 최솟값 구하기

그런데 Ⓐ버튼과 Ⓑ버튼을 각각 한 번씩 누른 결과는

$\frac{\sqrt{2}+\sqrt{2}i}{2}\times\frac{-\sqrt{2}+\sqrt{2}i}{2}=-1$

그러므로 Ⓐ버튼과 Ⓑ버튼을 각각 두 번씩 누르면 화면에 1이 나타난다.

따라서 화면에 1이 다시 나타날 때까지 버튼을 누른 횟수의 최솟값은 4이다.

05 이차방정식

개념확인 110~113쪽

01 답 (1) $x=4$ (2) 해가 없다. (3) 해가 무수히 많다.

02 답 (1) $x=-7$ 또는 $x=9$ (2) $x=-6$

(1) $x-1=\pm 8$ $\quad\therefore x=-7$ 또는 $x=9$

(2) 절댓값 기호 안의 식 $x-2$의 값이 0이 되는 x의 값을 기준으로 구간을 나누면 $x=2$

(i) $x<2$일 때, $x-2<0$이므로

$-(x-2)=-2x-4$ $\quad\therefore x=-6$

(ii) $x\geq 2$일 때, $x-2\geq 0$이므로

$x-2=-2x-4$, $3x=-2$ $\quad\therefore x=-\frac{2}{3}$

그런데 $x\geq 2$이므로 $x=-\frac{2}{3}$는 해가 아니다.

(i), (ii)에서 구하는 해는 $x=-6$

03 답 (1) $x=-7$ 또는 $x=2$, 실근

(2) $x=1\pm\sqrt{2}$, 실근

(3) $x=\frac{-3\pm\sqrt{23}i}{4}$, 허근

(3) $x=\frac{-3\pm\sqrt{3^2-4\times 2\times 4}}{2\times 2}=\frac{-3\pm\sqrt{23}i}{4}$ (허근)

04 답 5, 6

연속하는 두 자연수를 x, $x+1$이라고 하면

연속하는 두 자연수의 곱이 30이므로

$x(x+1)=30$

$x^2+x-30=0$, $(x+6)(x-5)=0$

$\therefore x=-6$ 또는 $x=5$

그런데 x는 자연수이므로 $x=5$

따라서 두 자연수는 5, 6이다.

05 답 가로의 길이: 9 cm, 세로의 길이: 12 cm

직사각형의 가로의 길이를 x cm라고 하면

세로의 길이는 $(x+3)$ cm이다.

이 직사각형의 넓이가 108 cm^{2}이므로

$x(x+3)=108$

$x^2+3x-108=0$, $(x+12)(x-9)=0$

$\therefore x=-12$ 또는 $x=9$

그런데 $x>0$이므로 $x=9$

따라서 이 직사각형의 가로의 길이는 9 cm, 세로의 길이는 12 cm이다.

06 답 (1) 서로 다른 두 실근 (2) 서로 다른 두 허근

(3) 중근

07 답 (1) (두 근의 합)$=-4$, (두 근의 곱)$=3$

(2) (두 근의 합)$=\frac{1}{2}$, (두 근의 곱)$=-\frac{1}{2}$

08 답 (1) $x^2-x-2=0$ (2) $x^2-2x-15=0$

09 답 (다른 한 근)$=1-\sqrt{2}$, $a=-2$, $b=-1$

10 답 (다른 한 근)$=1-i$, $a=-2$, $b=2$

필수유형 01 115쪽

01-1 답 풀이 참조

해결전략 | 주어진 방정식을 x에 대하여 정리한 후, x의 계수가 0인 경우와 0이 아닌 경우로 나누어 해를 구한다.

(1) $a(x+1)=x+2$에서

$ax+a=x+2$

$(a-1)x=-a+2$

(i) $a=1$일 때, $0\times x=1$이므로 해가 없다.

(ii) $a\neq 1$일 때, $x=\frac{-a+2}{a-1}$

(2) $m(x-2)=4x-1$에서

$mx-2m=4x-1$

$(m-4)x=2m-1$

(i) $m=4$일 때, $0\times x=7$이므로 해가 없다.

(ii) $m\neq 4$일 때, $x=\frac{2m-1}{m-4}$

01-2 답 (1) $a=3$, $b\neq 1$ (2) $a=3$, $b=1$ (3) $a\neq 3$

해결전략 | 주어진 방정식을 x에 대하여 정리한 후, 해의 조건에 따라 상수의 값 또는 조건을 구한다.

$(a-1)x+b+2=2x+3$에서

$(a-3)x=-b+1$ $\quad\cdots\cdots$ ㉠

(1) ㉠이 $0\times x=$(0이 아닌 상수) 꼴이어야 하므로

$a-3=0$에서 $a=3$

$-b+1\neq 0$에서 $b\neq 1$

(2) ㉠이 $0\times x=0$ 꼴이어야 하므로

$a-3=0$에서 $a=3$

$-b+1=0$에서 $b=1$

(3) ㉠에서 $a-3\neq 0$이어야 하므로 $a\neq 3$

01-3 답 (1) $a=1$ (2) $a=0$ (3) $a\neq 0$, $a\neq 1$

해결전략 | 주어진 방정식을 x에 대하여 정리한 후, 해의 조건에 따라 상수의 값 또는 조건을 구한다.

$a^2(x-2)=a(x+4)$에서 $a^2x-2a^2=ax+4a$

$a^2x-ax=2a^2+4a$

$a(a-1)x=2a(a+2)$ ...... ㉠

(1) ㉠이 $0\times x=$(0이 아닌 상수) 꼴이어야 하므로
 $a(a-1)=0$에서 $a=0$ 또는 $a=1$
 그런데 $2a(a+2)\neq 0$이어야 하므로 $a\neq 0$, $a\neq -2$
 $\therefore a=1$

(2) ㉠이 $0\times x=0$ 꼴이어야 하므로
 $a(a-1)=0$에서 $a=0$ 또는 $a=1$
 그런데 $2a(a+2)=0$이어야 하므로 $a=0$ 또는 $a=-2$
 $\therefore a=0$

(3) ㉠에서 $a(a-1)\neq 0$이어야 하므로
 $a\neq 0$, $a\neq 1$

01-4 답 ㄷ

해결전략 | 보기의 a의 값을 대입하여 참, 거짓을 판별한다.

방정식 $(a+2)^2x=9x+2(a-1)$에 대하여

ㄱ. $a=1$을 대입하면
 $(1+2)^2x=9x+2\times(1-1)$, $9x=9x$
 $(9-9)x=0$, $0\times x=0$
 즉, 해가 무수히 많다. (거짓)

ㄴ. $a=-5$를 대입하면
 $(-5+2)^2x=9x+2\times(-5-1)$
 $9x=9x-12$, $(9-9)x=-12$, $0\times x=-12$
 즉, 해가 없다. (거짓)

ㄷ. $a\neq 1$, $a\neq -5$일 때,
 $(a+2)^2x-9x=2(a-1)$에서
 $(a^2+4a+4-9)x=2(a-1)$
 $(a^2+4a-5)x=2(a-1)$
 $(a-1)(a+5)x=2(a-1)$
 $\therefore x=\dfrac{2(a-1)}{(a-1)(a+5)}=\dfrac{2}{a+5}$
 즉, 오직 하나의 해가 존재한다. (참)

따라서 옳은 것은 ㄷ뿐이다.

01-5 답 풀이 참조

해결전략 | x의 계수가 0인 경우와 0이 아닌 경우로 나누어 해를 구한다.

$(p^2+4p+3)x=p+3$에서

$(p+1)(p+3)x=p+3$

(i) $(p+3)(p+1)\neq 0$, 즉 $p\neq -3$, $p\neq -1$일 때
 $x=\dfrac{p+3}{(p+1)(p+3)}=\dfrac{1}{p+1}$

(ii) $p+3=0$, 즉 $p=-3$일 때
 $0\times x=0$이므로 해가 무수히 많다. (부정)

(iii) $p+1=0$, 즉 $p=-1$일 때
 $0\times x=2$이므로 해가 없다. (불능)

01-6 답 -2

해결전략 | 주어진 방정식을 x에 대하여 정리한 후, 해가 무수히 많을 조건을 만족시키는 상수의 값을 구한다.

STEP 1 주어진 방정식을 x에 대하여 정리하기

$(m+1)(m+4)x=m+2-2x$에서

$(m^2+5m+6)x=m+2$

$(m+2)(m+3)x=m+2$

STEP 2 해가 무수히 많을 조건을 이용하여 m의 값 구하기

이 방정식의 해가 무수히 많으므로 주어진 방정식이 $0\times x=0$ 꼴이어야 한다.

$(m+2)(m+3)=0$에서

$m=-2$ 또는 $m=-3$

$m+2=0$에서 $m=-2$

$\therefore m=-2$

필수유형 02

117쪽

02-1 답 14

해결전략 | 이차방정식의 좌변이 인수분해가 되지 않으면 근의 공식을 이용하여 해를 구한다.

STEP 1 근의 공식을 이용하여 해 구하기

$x^2-3x+5=0$에서 근의 공식을 이용하여 해를 구하면

$$x=\frac{-(-3)\pm\sqrt{(-3)^2-4\times1\times5}}{2\times1}$$
$$=\frac{3\pm\sqrt{-11}}{2}=\frac{3\pm\sqrt{11}i}{2}$$

STEP 2 $a+b$의 값 구하기

따라서 $a=3$, $b=11$이므로

$a+b=3+11=14$

02-2 답 (1) $x=-3$ 또는 $x=\frac{1}{3}$ (2) $x=\frac{5\pm\sqrt{37}}{2}$ (3) $x=\frac{5\pm\sqrt{7}i}{2}$

해결전략 | $ax^2+bx+c=0$ 꼴로 정리한 후 인수분해 또는 근의 공식을 이용하여 해를 구한다.

(1) $3(2x^2+1)=-16x+9$에서
 $6x^2+3=-16x+9$

$6x^2+16x-6=0$, $3x^2+8x-3=0$

$(x+3)(3x-1)=0$

$\therefore x=-3$ 또는 $x=\frac{1}{3}$

(2) $(x-2)(4x+1)=13x+10$에서

$4x^2-7x-2=13x+10$

$4x^2-20x-12=0$, $x^2-5x-3=0$

따라서 근의 공식을 이용하면

$$x=\frac{-(-5)\pm\sqrt{(-5)^2-4\times1\times(-3)}}{2\times1}$$

$$=\frac{5\pm\sqrt{37}}{2}$$

(3) $\frac{3x^2+4}{5}-x=\frac{x^2-x}{2}$에서

$2(3x^2+4)-10x=5(x^2-x)$

$6x^2+8-10x=5x^2-5x$

$x^2-5x+8=0$

따라서 근의 공식을 이용하면

$$x=\frac{-(-5)\pm\sqrt{(-5)^2-4\times1\times8}}{2\times1}$$

$$=\frac{5\pm\sqrt{-7}}{2}=\frac{5\pm\sqrt{7}i}{2}$$

02-3 답 $x=\frac{-1\pm\sqrt{2}}{2}$

해결전략 | $ax^2+bx+c=0$ 꼴로 정리한 후 인수분해 또는 근의 공식을 이용하여 해를 구한다.

$3(2x+1)-2x=4(1-x^2)$에서

$6x+3-2x=4-4x^2$

$4x^2+4x-1=0$

따라서 근의 공식을 이용하면

$$x=\frac{-2\pm\sqrt{2^2-4\times(-1)}}{4}$$

$$=\frac{-2\pm2\sqrt{2}}{4}=\frac{-1\pm\sqrt{2}}{2}$$

02-4 답 -1

해결전략 | 주어진 한 근을 이용하여 k의 값을 구하고, 나머지 한 근을 구한다.

STEP1 $x=1$을 대입하여 k의 값 구하기

한 근이 1이므로 $x^2+kx+2=0$에 $x=1$을 대입하면

$1+k+2=0$ $\quad\therefore k=-3$

STEP2 다른 한 근 구하기

즉, 주어진 이차방정식은 $x^2-3x+2=0$

$(x-1)(x-2)=0$ $\quad\therefore x=1$ 또는 $x=2$

이때 1이 아닌 다른 한 근은 2이므로 $\alpha=2$

STEP3 $k+\alpha$의 값 구하기

$\therefore k+\alpha=-3+2=-1$

02-5 답 $x=-\sqrt{2}$ 또는 $x=-1$

해결전략 | 곱셈 공식 $(a+b)(a-b)=a^2-b^2$을 이용하여 x^2의 계수를 유리화하고 해를 구한다.

$(\sqrt{2}-1)x^2+x+(2-\sqrt{2})=0$의 양변에 $\sqrt{2}+1$을 곱하면

$(\sqrt{2}+1)(\sqrt{2}-1)x^2+(\sqrt{2}+1)x+(\sqrt{2}+1)(2-\sqrt{2})=0$

$x^2+(\sqrt{2}+1)x+\sqrt{2}=0$

$(x+\sqrt{2})(x+1)=0$

$\therefore x=-\sqrt{2}$ 또는 $x=-1$

다른 풀이

$(\sqrt{2}-1)x^2+x+(2-\sqrt{2})=0$에서

$(\sqrt{2}-1)x^2+x+\sqrt{2}(\sqrt{2}-1)=0$

$(\sqrt{2}-1)\left(x^2+\frac{1}{\sqrt{2}-1}x+\sqrt{2}\right)=0$

$x^2+\frac{1}{\sqrt{2}-1}x+\sqrt{2}=0$

$x^2+(\sqrt{2}+1)x+\sqrt{2}=0$, $(x+\sqrt{2})(x+1)=0$

$\therefore x=-\sqrt{2}$ 또는 $x=-1$

02-6 답 -4

해결전략 | 주어진 한 근을 대입하여 k에 대한 항등식을 만들고, 항등식의 성질을 이용한다.

STEP1 $x=1$을 대입하고 k의 값에 대하여 정리하기

$kx^2+(p+1)x+(k-2)q=0$에 $x=1$을 대입하면

$k+(p+1)+(k-2)q=0$

$\therefore (q+1)k+p-2q+1=0$

STEP2 항등식의 성질을 이용하여 p, q의 값 구하기

이 등식이 k에 대한 항등식이므로

$q+1=0$, $p-2q+1=0$

$\therefore q=-1$, $p=2q-1=-3$

STEP3 $p+q$의 값 구하기

$\therefore p+q=-3+(-1)=-4$

> **풍쌤의 비법**
>
> 문제에서 어떤 식이 '실수 k의 값에 관계없이 ~'라는 말이 나오면 그 식은 k에 대한 항등식이다. 즉, k에 대하여 내림차순으로 정리한 식이 $Ak+B=0$이면 $A=0$, $B=0$이 성립한다.

발전유형 03

119쪽

03-1 답 (1) $x=-3$ 또는 $x=2$

(2) $x=\frac{1}{4}$ 또는 $x=\frac{3}{2}$

해결전략 | 절댓값 기호 안의 식의 값이 0이 되는 x의 값을 기준으로 구간을 나누어 방정식을 푼다.

(1) $|2x+1|=5$에서 절댓값 기호 안의 식의 값이 0이 되는 x의 값은 $2x+1=0$에서 $x=-\frac{1}{2}$

(i) $x<-\frac{1}{2}$일 때,

$-2x-1=5$, $-2x=6$ $\therefore x=-3$

(ii) $x\geq-\frac{1}{2}$일 때,

$2x+1=5$, $2x=4$ $\therefore x=2$

(i), (ii)에서 주어진 방정식의 해는

$x=-3$ 또는 $x=2$

다른 풀이

$|2x+1|=5$에서 $2x+1=\pm5$

(i) $2x+1=5$에서 $2x=4$ $\therefore x=2$

(ii) $2x+1=-5$에서 $2x=-6$ $\therefore x=-3$

(i), (ii)에서 주어진 방정식의 해는

$x=-3$ 또는 $x=2$

(2) $|3x-2|=x+1$에서 절댓값 기호 안의 식의 값이 0이 되는 x의 값은 $3x-2=0$에서 $x=\frac{2}{3}$

(i) $x<\frac{2}{3}$일 때,

$-(3x-2)=x+1$, $-4x=-1$

$\therefore x=\frac{1}{4}$

(ii) $x\geq\frac{2}{3}$일 때,

$3x-2=x+1$, $2x=3$

$\therefore x=\frac{3}{2}$

(i), (ii)에서 주어진 방정식의 해는

$x=\frac{1}{4}$ 또는 $x=\frac{3}{2}$

03-2 답 (1) $x=-3$ 또는 $x=1$

(2) $x=\pm4$ 또는 $x=\pm8$

해결전략 | 절댓값 기호 안의 식의 값이 0이 되는 x의 값을 기준으로 구간을 나누어 방정식을 푼다.

(1) $x^2-2|x-1|-1=0$에서 절댓값 기호 안의 식의 값이 0이 되는 x의 값은 $x-1=0$에서 $x=1$

(i) $x<1$일 때,

$x^2+2(x-1)-1=0$

$x^2+2x-3=0$, $(x+3)(x-1)=0$

$\therefore x=-3$ 또는 $x=1$

그런데 $x<1$이므로 $x=-3$

(ii) $x\geq1$일 때,

$x^2-2(x-1)-1=0$

$x^2-2x+1=0$, $(x-1)^2=0$

$\therefore x=1$

(i), (ii)에서 주어진 방정식의 해는

$x=-3$ 또는 $x=1$

(2) $x^2-12|x|+32=0$에서

(i) $x<0$일 때,

$x^2+12x+32=0$, $(x+4)(x+8)=0$

$\therefore x=-4$ 또는 $x=-8$

(ii) $x\geq0$일 때,

$x^2-12x+32=0$, $(x-4)(x-8)=0$

$\therefore x=4$ 또는 $x=8$

(i), (ii)에서 주어진 방정식의 해는

$x=\pm4$ 또는 $x=\pm8$

03-3 답 $x=-3$ 또는 $x=-2$ 또는 $x=-1$ 또는 $x=0$

해결전략 | $|x|=a$ $(a>0)$이면 $x=\pm a$임을 이용하여 방정식의 해를 구한다.

$|x^2+3x+1|=1$에서 $x^2+3x+1=\pm1$이므로

(i) $x^2+3x+1=1$일 때,

$x^2+3x=0$, $x(x+3)=0$

$\therefore x=0$ 또는 $x=-3$

(ii) $x^2+3x+1=-1$일 때,

$x^2+3x+2=0$, $(x+2)(x+1)=0$

$\therefore x=-2$ 또는 $x=-1$

(i), (ii)에서 주어진 방정식의 해는

$x=-3$ 또는 $x=-2$ 또는 $x=-1$ 또는 $x=0$

03-4 답 8

해결전략 | 절댓값 기호 안의 식의 값이 0이 되는 x의 값을 기준으로 구간을 나누어 방정식을 푼다.

$x^2+|2x-1|=3$에서 절댓값 기호 안의 식의 값이 0이 되는 x의 값은 $2x-1=0$에서 $x=\frac{1}{2}$

(i) $x<\frac{1}{2}$일 때,

$x^2-(2x-1)=3$

$x^2-2x-2=0 \qquad \therefore x=1\pm\sqrt{3}$

그런데 $x<\frac{1}{2}$이므로

$x=1-\sqrt{3}$

(ii) $x\geq\frac{1}{2}$일 때,

$x^2+2x-1=3$

$x^2+2x-4=0 \qquad \therefore x=-1\pm\sqrt{5}$

그런데 $x\geq\frac{1}{2}$이므로

$x=-1+\sqrt{5}$ ($-1+\sqrt{5}=-1+2.2\times\times\times=1.2\times\times\times$)

(i), (ii)에서 주어진 방정식의 해는

$x=-1+\sqrt{5}$ 또는 $x=1-\sqrt{3}$

따라서 $a=5$, $b=3$이므로

$a+b=5+3=8$

03-5 답 2

해결전략 | 절댓값 기호 안의 식의 값이 0이 되는 x의 값을 기준으로 구간을 나누어 방정식을 푼다.

$|x^2-4|=x+2$에서 절댓값 기호 안의 식의 값이 0이 되는 x의 값은

$x^2-4=0$, $(x+2)(x-2)=0 \qquad \therefore x=-2$ 또는 $x=2$

(i) $x<-2$일 때,

$x^2-4>0$이므로 $x^2-4=x+2$

$x^2-x-6=0$, $(x+2)(x-3)=0$

$\therefore x=-2$ 또는 $x=3$

그런데 $x<-2$이므로 근이 없다.

(ii) $-2\leq x<2$일 때,

$x^2-4\leq 0$이므로 $-(x^2-4)=x+2$

$x^2+x-2=0$, $(x+2)(x-1)=0$

$\therefore x=-2$ 또는 $x=1$

(iii) $x\geq 2$일 때,

$x^2-4\geq 0$이므로 $x^2-4=x+2$

$x^2-x-6=0$, $(x+2)(x-3)=0$

$\therefore x=-2$ 또는 $x=3$

그런데 $x\geq 2$이므로 $x=3$

(i)~(iii)에서 주어진 방정식의 근은

$x=-2$ 또는 $x=1$ 또는 $x=3$

따라서 모든 실근의 합은

$-2+1+3=2$

03-6 답 $-1+\sqrt{5}$

해결전략 | 절댓값 기호 안의 식의 값이 0이 되는 x의 값을 기준으로 구간을 나누어 방정식을 푼다.

STEP 1 $\sqrt{a^2}=|a|$임을 이용하기

$x^2+\sqrt{(x-1)^2}=|x+1|+3$에서

$\sqrt{(x-1)^2}=|x-1|$이므로

$x^2+|x-1|=|x+1|+3$

절댓값 기호 안의 식의 값이 0이 되는 x의 값은

$x=-1$, $x=1$

STEP 2 $x=-1$, $x=1$을 기준으로 구간을 나누어 이차방정식 풀기

(i) $x<-1$일 때,

$x-1<0$, $x+1<0$이므로

$x^2-(x-1)=-(x+1)+3$

$x^2=1 \qquad \therefore x=\pm 1$

그런데 $x<-1$이므로 근이 없다.

(ii) $-1\leq x<1$일 때,

$x-1<0$, $x+1\geq 0$이므로

$x^2-(x-1)=x+1+3$, $x^2-2x-3=0$

$(x+1)(x-3)=0$

$\therefore x=-1$ 또는 $x=3$

그런데 $-1\leq x<1$이므로 $x=-1$

(iii) $x\geq 1$일 때,

$x-1\geq 0$, $x+1>0$이므로

$x^2+x-1=x+1+3$

$x^2=5 \qquad \therefore x=\pm\sqrt{5}$

그런데 $x\geq 1$이므로 $x=\sqrt{5}$

(i)~(iii)에서 주어진 방정식의 근은

$x=-1$ 또는 $x=\sqrt{5}$

STEP 3 모든 근의 합 구하기

따라서 구하는 모든 근의 합은 $-1+\sqrt{5}$이다.

필수유형 04

121쪽

04-1 답 3 m

해결전략 | 남은 땅의 넓이에 대한 이차방정식을 세운다.

STEP 1 미지수 x 정하기

길의 폭을 x m라고 하면 남은 땅의 가로의 길이는 $(30-x)$ m, 세로의 길이는 $(20-2x)$ m이다.

STEP 2 이차방정식 세우기

남은 땅의 넓이는 378 m^2이므로

$(30-x)(20-2x)=378$

STEP 3 이차방정식 풀기

$600-80x+2x^2=378$

$2x^2-80x+222=0$, $x^2-40x+111=0$

$(x-3)(x-37)=0$

$\therefore x=3$ 또는 $x=37$

STEP 4 답 구하기

그런데 $0<x<10$이므로 $x=3$ ($20-2x>0$에서 $2x<20$ $\therefore x<10$)

따라서 길의 폭은 3 m이다.

04-2 답 $3-\sqrt{3}$

해결전략 | 잘라 낸 부분의 넓이에 대한 이차방정식을 세운다.

STEP 1 잘라 낸 부분을 모은 도형 파악하기

잘라 낸 부분을 모으면 오른쪽 그림과 같이 한 변의 길이가 $(6-2x)$ cm인 정사각형이 된다.

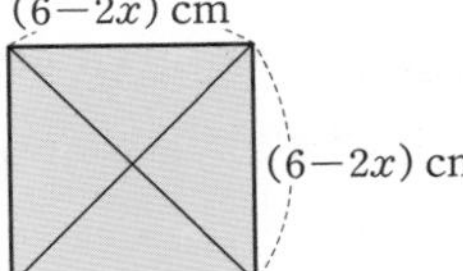

STEP 2 이차방정식 세우기

따라서 이 정사각형의 넓이는 한 변의 길이가 6 cm인 정사각형의 넓이의 $\frac{1}{3}$이므로

$(6-2x)^2=36\times\frac{1}{3}$

STEP 3 이차방정식 풀기

$(6-2x)^2=12$에서

$36-24x+4x^2=12$

$x^2-6x+6=0$

$\therefore x=3\pm\sqrt{3}$

STEP 4 답 구하기

그런데 $0<x<3$이므로 $x=3-\sqrt{3}$

04-3 답 6 cm

해결전략 | 세 정사각형의 한 변의 길이를 각각 식으로 나타내고, 넓이의 합에 대한 이차방정식을 세운다.

STEP 1 미지수 x 정하기

가장 작은 정사각형의 한 변의 길이를 x cm라고 하면 두 번째로 큰 정사각형의 한 변의 길이는 $(x+2)$ cm, 가장 큰 정사각형의 한 변의 길이는 $(x+4)$ cm이다.

STEP 2 이차방정식 세우기

세 정사각형의 넓이의 합이 200 cm^2이므로

$x^2+(x+2)^2+(x+4)^2=200$

STEP 3 이차방정식 풀기

$x^2+x^2+4x+4+x^2+8x+16=200$

$x^2+4x-60=0$, $(x+10)(x-6)=0$

$\therefore x=-10$ 또는 $x=6$

STEP 4 답 구하기

그런데 $x>0$이므로 $x=6$

따라서 가장 작은 정사각형의 한 변의 길이는 6 cm이다.

04-4 답 6초

해결전략 | 직사각형의 넓이에 대한 이차방정식을 세운다.

STEP 1 미지수 x 정하기

x초 후에 직사각형의 넓이가 88 cm^2가 된다고 하면 직사각형의 가로의 길이는 $(10+2x)$ cm, 세로의 길이는 $(10-x)$ cm이다.

STEP 2 이차방정식 세우기

직사각형의 넓이는 88 cm^2이므로

$(10+2x)(10-x)=88$

STEP 3 이차방정식 풀기

$100+10x-2x^2=88$, $x^2-5x-6=0$

$(x+1)(x-6)=0$

$\therefore x=-1$ 또는 $x=6$

STEP 4 답 구하기

그런데 $0<x<10$이므로 $x=6$

따라서 직사각형의 넓이가 88 cm^2가 되는 것은 6초 후이다.

04-5 답 $-2+2\sqrt{3}$

해결전략 | 사다리꼴의 넓이는

$\frac{1}{2}\times\{(\text{윗변의 길이})+(\text{아랫변의 길이})\}\times(\text{높이})$ 임을 이용하여 사다리꼴의 넓이에 대한 이차방정식을 세운다.

STEP 1 미지수 x 정하기

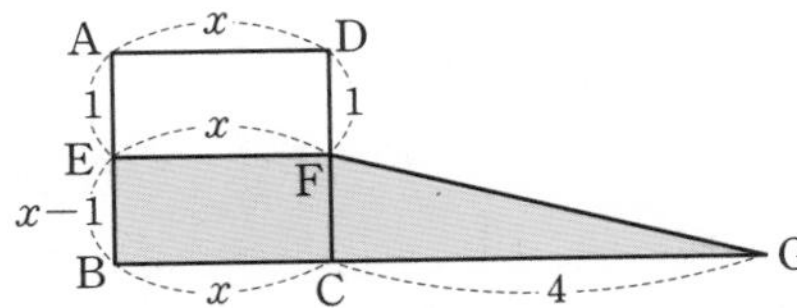

$\overline{AD}$의 길이를 x라고 하면 $\overline{BC}=\overline{EF}=\overline{AD}=x$이고, $\overline{BE}=x-1$, $\overline{BG}=x+4$

STEP 2 이차방정식 세우기

처음 정사각형의 넓이는 x^2이고, 사다리꼴 EBGF의 넓이는

$\frac{1}{2}\times\{x+(x+4)\}\times(x-1)$

$=(x+2)(x-1)=x^2+x-2$

새로 만든 사다리꼴의 넓이는 처음 정사각형의 넓이의 $\frac{3}{4}$배이므로

$x^2+x-2=\frac{3}{4}x^2$

STEP 3 이차방정식 풀기

$4x^2+4x-8=3x^2$

$x^2+4x-8=0 \quad \therefore x=-2\pm2\sqrt{3}$

STEP 4 답 구하기

그런데 $x>1$이므로 $x=-2+2\sqrt{3}$

따라서 처음 정사각형의 한 변의 길이는 $-2+2\sqrt{3}$이다.

◉→ 다른 풀이

$\square EBCF=x(x-1)$

$\triangle FCG=\frac{1}{2}\times4\times(x-1)=2(x-1)$

이므로 색칠한 부분의 넓이는

$\square EBCF+\triangle FCG=x(x-1)+2(x-1)$

$=x^2+x-2$

04-6 답 $\frac{1+\sqrt{5}}{2}$

해결전략 | 정오각형의 성질과 닮음을 이용하여 이차방정식을 세워 문제를 해결한다.

STEP 1 미지수 x 정하기

$\triangle EAD$는 이등변삼각형이므로

$\angle EAD=\angle EDA$

$=\frac{1}{2}\times(180^\circ-\underline{108^\circ})$ ← $\frac{180^\circ\times(5-2)}{5}=108^\circ$

$=36^\circ$

마찬가지로

$\angle DEC=\angle DCE=36^\circ$

따라서

$\angle AEP=108^\circ-36^\circ=72^\circ$,

$\angle APE=36^\circ+36^\circ=72^\circ$

이므로 $\angle AEP=\angle APE$

즉, $\triangle APE$는 $\overline{AE}=\overline{AP}=1$인 이등변삼각형이므로

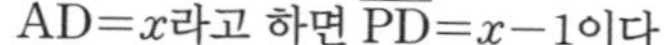

$\overline{AD}=x$라고 하면 $\overline{PD}=x-1$이다.

STEP 2 닮음을 이용하여 이차방정식 세우기

$\triangle AED$와 $\triangle EPD$에서 $\angle EAD=\angle PED$, $\angle EDA$는 공통이므로

$\triangle AED \backsim \triangle EPD$ (AA 닮음)

이때 $\overline{AD}:\overline{ED}=\overline{ED}:\overline{PD}$이므로

$x:1=1:(x-1)$, $x(x-1)=1$

STEP 3 이차방정식 풀기

$x^2-x-1=0$

$\therefore x=\frac{1\pm\sqrt{5}}{2}$

STEP 4 답 구하기

그런데 $x>0$이므로

$x=\overline{AD}=\frac{1+\sqrt{5}}{2}$

필수유형 05

123쪽

05-1 답 (1) $k<1$ (2) $k=1$ (3) $k>1$ (4) $k\le1$

해결전략 | 판별식을 이용하여 k의 값 또는 범위를 구한다.

이차방정식 $x^2-2(k-1)x+k^2-1=0$의 판별식을 D라고 하면

$\frac{D}{4}=\{-(k-1)\}^2-(k^2-1)$

$=-2k+2$

(1) 서로 다른 두 실근을 가지려면 $\frac{D}{4}>0$이어야 하므로

$-2k+2>0 \quad \therefore k<1$

(2) 중근을 가지려면 $\frac{D}{4}=0$이어야 하므로

$-2k+2=0 \quad \therefore k=1$

(3) 서로 다른 두 허근을 가지려면 $\frac{D}{4}<0$이어야 하므로

$-2k+2<0 \quad \therefore k>1$

(4) 실근을 가지려면 $\frac{D}{4}\ge0$이어야 하므로

$-2k+2\ge0 \quad \therefore k\le1$

05-2 답 0

해결전략 | 이차방정식이 중근을 가지려면 (판별식)=0이어야 한다.

STEP 1 이차방정식의 판별식을 이용하여 양수 k의 값 구하기

$x^2-k(2x-1)+6=0$에서 $x^2-2kx+k+6=0$

이차방정식 $x^2-2kx+k+6=0$이 중근을 가지므로 판별식을 D라고 하면

$\frac{D}{4}=(-k)^2-(k+6)=0$, $k^2-k-6=0$

$(k+2)(k-3)=0$

$\therefore k=-2$ 또는 $k=3$

그런데 k는 양수이므로 $k=3$

STEP 2 k의 값을 대입하여 이차방정식의 중근 구하기

이차방정식 $x^2-2kx+k+6=0$에 $k=3$을 대입하면

$x^2-6x+9=0$, $(x-3)^2=0$ $\quad\therefore x=3$ (중근)

$\therefore a=3$

STEP 3 **$k-a$의 값 구하기**

$\therefore k-a=3-3=0$

05-3 답 -3

해결전략 | 이차방정식이 허근을 가지려면 (판별식)<0이어야 한다.

STEP 1 **$x^2-2x-(k+1)=0$이 허근을 가질 조건 구하기**

이차방정식 $x^2-2x-(k+1)=0$이 허근을 가지므로 판별식을 D_1이라고 하면

$\frac{D_1}{4}=(-1)^2+k+1<0$

$k+2<0$ $\quad\therefore k<-2$ ...... ㉠

STEP 2 **$x^2-(k+3)x+k+3=0$이 중근을 가질 조건 구하기**

또, 이차방정식 $x^2-(k+3)x+k+3=0$이 중근을 가지므로 판별식을 D_2라고 하면

$D_2=\{-(k+3)\}^2-4(k+3)=0$

$k^2+6k+9-4k-12=0$, $k^2+2k-3=0$

$(k+3)(k-1)=0$

$\therefore k=-3$ 또는 $k=1$ ...... ㉡

STEP 3 **두 조건의 공통부분 구하기**

㉠, ㉡에 의하여 $k=-3$

05-4 답 $\frac{1}{3}\le k<1$ 또는 $k>1$

해결전략 | $ax^2+bx+c=0$이 이차방정식이 되려면 $a\ne0$, 이 이차방정식이 실근을 가지려면 (판별식)≥0이어야 한다.

STEP 1 **이차방정식이 되기 위한 실수 k의 조건 구하기**

$(k-1)x^2-2(k+1)x+k-3=0$이 이차방정식이므로

$k-1\ne0$ $\quad\therefore k\ne1$ ...... ㉠

STEP 2 **주어진 이차방정식이 실근을 갖도록 하는 실수 k의 값의 범위 구하기**

이차방정식 $(k-1)x^2-2(k+1)x+k-3=0$이 실근을 가지므로 판별식을 D라고 하면

$\frac{D}{4}=\{-(k+1)\}^2-(k-1)(k-3)\ge0$

$k^2+2k+1-(k^2-4k+3)\ge0$

$6k-2\ge0$ $\quad\therefore k\ge\frac{1}{3}$ ...... ㉡

STEP 3 **두 조건의 공통부분 구하기**

㉠, ㉡에 의하여 $\frac{1}{3}\le k<1$ 또는 $k>1$

05-5 답 빗변의 길이가 b인 직각삼각형

해결전략 | 이차방정식이 중근을 가지려면 (판별식)$=0$이어야 한다.

STEP 1 **주어진 이차방정식이 중근을 갖도록 하는 a, b, c 사이의 관계식 구하기**

이차방정식 $x^2-2bx+a^2+c^2=0$이 중근을 가지므로 판별식을 D라고 하면

$\frac{D}{4}=(-b)^2-(a^2+c^2)=0$

$\therefore b^2=a^2+c^2$

STEP 2 **삼각형의 모양 판단하기**

따라서 주어진 삼각형은 빗변의 길이가 b인 직각삼각형이다.

> **풍쌤의 비법**
>
> 판별식을 이용하여 주어진 이차방정식의 근을 판별한 후 다음을 이용하여 삼각형의 모양을 판단한다.
> 삼각형의 세 변의 길이가 a, b, c $(a\le b\le c)$일 때
> ① $a=b$ 또는 $b=c$ 또는 $c=a$ ⇨ 이등변삼각형
> ② $a=b=c$ ⇨ 정삼각형
> ③ $a^2+b^2=c^2$ ⇨ 빗변의 길이가 c인 직각삼각형
> ④ $a^2+b^2>c^2$ ⇨ 예각삼각형
> ⑤ $a^2+b^2<c^2$ ⇨ 둔각삼각형

05-6 답 $-\frac{3}{4}$

해결전략 | '실수 k의 값에 관계없이 ~'라는 조건이 있으므로 k에 대한 항등식임을 이용한다.

STEP 1 **이차방정식이 중근을 가질 조건 구하기**

이차방정식 $4x^2+2(2k+m)x+k^2-k+n=0$이 중근을 가지므로 판별식을 D라고 하면

$\frac{D}{4}=(2k+m)^2-4(k^2-k+n)=0$

$4k^2+4mk+m^2-4k^2+4k-4n=0$

$4mk+m^2+4k-4n=0$

STEP 2 **k에 대하여 정리하여 $m+n$의 값 구하기**

이 식을 k에 대하여 정리하면

$4(m+1)k+m^2-4n=0$

이 등식이 k의 값에 관계없이 항상 성립하므로

$m+1=0$, $m^2-4n=0$

$\therefore m=-1$, $n=\frac{1}{4}$

$\therefore m+n=-1+\frac{1}{4}=-\frac{3}{4}$

필수유형 06 125쪽

06-1 답 5

해결전략 I 이차식이 완전제곱식이 되려면 이차방정식으로 만들었을 때, (판별식)=0이 되어야 한다.

STEP 1 이차식이 완전제곱식이 되기 위한 조건 구하기

주어진 이차식이 완전제곱식이 되려면 이차방정식

$2x^2+(3a+1)x+a^2+a+2=0$이 중근을 가져야 한다.

이 이차방정식의 판별식을 D라고 하면

$D=(3a+1)^2-4\times2\times(a^2+a+2)=0$

STEP 2 조건에 맞는 a의 값 구하기

$9a^2+6a+1-8a^2-8a-16=0$

$a^2-2a-15=0$, $(a+3)(a-5)=0$

$\therefore a=-3$ 또는 $a=5$

이때 $a>0$이므로 $a=5$

06-2 답 4

해결전략 I 이차식이 완전제곱식이 되려면 이차방정식으로 만들었을 때, (판별식)=0이 되어야 한다.

STEP 1 이차식이 완전제곱식이 되기 위한 조건 구하기

주어진 이차식이 완전제곱식이 되려면 이차방정식

$x^2-2(k-1)x+2k^2-6k+4=0$이 중근을 가져야 한다.

이 이차방정식의 판별식을 D라고 하면

$\frac{D}{4}=\{-(k-1)\}^2-(2k^2-6k+4)=0$

STEP 2 조건에 맞는 k의 값 구하기

$k^2-2k+1-2k^2+6k-4=0$

$k^2-4k+3=0$, $(k-1)(k-3)=0$

$\therefore k=1$ 또는 $k=3$

STEP 3 k의 값의 합 구하기

따라서 모든 실수 k의 값의 합은 $1+3=4$

06-3 답 -1

해결전략 I 이차식이 완전제곱식이 되려면 이차방정식으로 만들었을 때, (판별식)=0이 되어야 한다. 이때 (판별식)=0이 k에 대한 항등식이므로 $Ak+B=0$에서 $A=0$, $B=0$이다.

STEP 1 이차식이 완전제곱식이 되기 위한 조건 구하기

주어진 이차식이 완전제곱식이 되려면 이차방정식

$x^2-2(k+a)x+(k+1)^2+a^2-b-3=0$이 중근을 가져야 한다. 이 이차방정식의 판별식을 D라고 하면

$\frac{D}{4}=\{-(k+a)\}^2-\{(k+1)^2+a^2-b-3\}=0$

STEP 2 k에 대한 항등식을 세워 a, b의 값 구하기

$k^2+2ak+a^2-(k^2+2k+1)-a^2+b+3=0$

$k^2+2ak+a^2-k^2-2k-1-a^2+b+3=0$

$2k(a-1)+b+2=0$

이 등식이 k에 대한 항등식이므로

$a-1=0$, $b+2=0$ $\therefore a=1$, $b=-2$

STEP 3 $a+b$의 값 구하기

$\therefore a+b=1+(-2)=-1$

06-4 답 서로 다른 두 허근

해결전략 I 이차식 $x^2-4x-a+b$가 완전제곱식이 되려면 이차방정식으로 만들었을 때, (판별식)=0이 되어야 함을 이용하여 a, b 사이의 관계식을 구한다.

STEP 1 이차식이 완전제곱식이 되기 위한 조건 구하기

주어진 이차식이 완전제곱식이 되려면 이차방정식

$x^2-4x-a+b=0$이 중근을 가져야 한다.

이 이차방정식의 판별식을 D_1이라고 하면

$\frac{D_1}{4}=(-2)^2-(-a+b)=0$ $\therefore b=a+4$ …… ㉠

STEP 2 ㉠을 이용하여 이차방정식 $x^2-2(a-1)x+a^2+3b=5a-4$의 근을 판별하기

이차방정식 $x^2-2(a-1)x+a^2+3b-5a+4=0$의 판별식을 D_2라고 하면

$\frac{D_2}{4}=\{-(a-1)\}^2-(a^2-5a+3b+4)$

$=a^2-2a+1-a^2+5a-3b-4$ ($\because$ ㉠)

$=3a-3b-3=-15<0$

따라서 주어진 이차방정식은 서로 다른 두 허근을 갖는다.

06-5 답 정삼각형

해결전략 I 이차식이 완전제곱식이 되려면 이차방정식으로 만들었을 때, (판별식)=0이 되어야 한다. 이것을 이용하여 a, b, c 사이의 관계식을 구한다.

STEP 1 이차식이 완전제곱식이 되기 위한 조건 구하기

$(x-a)(x-c)+(x-b)(2x-a-c)$

$=x^2-cx-ax+ac+2x^2-ax-cx-2bx+ab+bc$

$=3x^2-2(a+b+c)x+ab+bc+ca$

가 완전제곱식이 되려면 이차방정식

$3x^2-2(a+b+c)x+ab+bc+ca=0$이 중근을 가져야 한다. 이 이차방정식의 판별식을 D라고 하면

$\frac{D}{4}=\{-(a+b+c)\}^2-3(ab+bc+ca)=0$

STEP 2 a, b, c 사이의 관계를 이용하여 삼각형의 모양 파악하기

$a^2+b^2+c^2-ab-bc-ca=0$

$\frac{1}{2}\{2a^2+2b^2+2c^2-2ab-2bc-2ca\}=0$

$\frac{1}{2}\{(a-b)^2+(b-c)^2+(c-a)^2\}=0$

이때 a, b, c가 양수이므로

$a-b=0$, $b-c=0$, $c-a=0$　　$\therefore a=b=c$

따라서 a, b, c를 세 변의 길이로 하는 삼각형은 정삼각형이다.

06-6 답 2

해결전략 | 주어진 이차식을 내림차순으로 정리하여 양수 a, b, c 사이의 관계식을 만든다.

STEP 1 이차식을 x에 대하여 내림차순으로 정리하기

주어진 이차식을 x에 대한 내림차순으로 정리하면

$x^2+(y+2)x-ky^2+7y-3$

STEP 2 이차식이 두 일차식의 곱으로 인수분해되는 조건 구하기

이 이차식을 x에 대한 이차식으로 볼 때, x에 대한 이차방정식 $x^2+(y+2)x-ky^2+7y-3=0$의 판별식을 D_1이라고 하면

$D_1=(y+2)^2-4(-ky^2+7y-3)$

$=y^2+4y+4+4ky^2-28y+12$

$=(1+4k)y^2-24y+16$

이 완전제곱식이 되어야 한다.

STEP 3 y에 대한 이차식이 완전제곱식이 되기 위한 조건을 이용하여 k의 값 구하기

이때 y에 대한 이차방정식 $(1+4k)y^2-24y+16=0$의 판별식을 D_2라고 하면 $D_2=0$이 되어야 두 일차식의 곱으로 인수분해된다.

$\frac{D_2}{4}=(-12)^2-(1+4k)\times16=0$

$128-64k=0$　　$\therefore k=2$

> **풍쌤의 비법**
>
> $x^2+(y+2)x-ky^2+7y-3=0$에서 근의 공식에 의해
>
> $x=\frac{-y-2\pm\sqrt{D_1}}{2}$이므로
>
> $x^2+(y+2)x-ky^2+7y-3$
>
> $=\left(x-\frac{-y-2+\sqrt{D_1}}{2}\right)\left(x-\frac{-y-2-\sqrt{D_1}}{2}\right)$
>
> 로 나타낼 수 있다. 따라서 주어진 식이 두 일차식의 곱으로 인수분해되기 위해서는 근호 안의 D_1이 y에 대한 완전제곱식이 되어야 한다. 즉, 완전제곱식이 되기 위한 조건은 (이차방정식 $D_1=0$의 판별식)$=0$, 즉 $D_2=0$이어야 한다.

필수유형 07

127쪽

07-1 답 (1) 9　(2) $\sqrt{17}$　(3) $-\frac{9}{4}$　(4) -13

해결전략 | 근과 계수의 관계와 곱셈 공식의 변형을 이용하여 식의 값을 구한다.

이차방정식 $x^2+x-4=0$의 두 근이 α, β이므로 근과 계수의 관계에 의하여

$\alpha+\beta=-\frac{1}{1}=-1$, $\alpha\beta=\frac{-4}{1}=-4$

(1) $\alpha^2+\beta^2=(\alpha+\beta)^2-2\alpha\beta$

$=(-1)^2-2\times(-4)=9$

(2) $(\alpha-\beta)^2=(\alpha+\beta)^2-4\alpha\beta$

$=(-1)^2-4\times(-4)=17$

$\therefore |\alpha-\beta|=\sqrt{(\alpha-\beta)^2}=\sqrt{17}$

(3) $\frac{\beta}{\alpha}+\frac{\alpha}{\beta}=\frac{\alpha^2+\beta^2}{\alpha\beta}$

$=\frac{9}{-4}=-\frac{9}{4}$

(4) $\alpha^3+\beta^3=(\alpha+\beta)^3-3\alpha\beta(\alpha+\beta)$

$=(-1)^3-3\times(-4)\times(-1)=-13$

다른 풀이

(2) $|\alpha-\beta|=\frac{\sqrt{1^2-4\times1\times(-4)}}{|1|}=\sqrt{17}$

(4) $\alpha^3+\beta^3=(\alpha+\beta)(\alpha^2-\alpha\beta+\beta^2)$

$=(-1)\times\{9-(-4)\}=-13$

07-2 답 $3\sqrt{15}$

해결전략 | 근과 계수의 관계와 곱셈 공식의 변형을 이용하여 식의 값을 구한다.

STEP 1 근과 계수의 관계를 이용하여 $\alpha+\beta$, $\alpha\beta$의 값 구하기

이차방정식 $2x^2+6x-3=0$의 두 근이 α, β이므로
근과 계수의 관계에 의하여

$\alpha+\beta=-\frac{6}{2}=-3$, $\alpha\beta=\frac{-3}{2}=-\frac{3}{2}$

STEP 2 곱셈 공식의 변형을 이용하여 $\alpha-\beta$의 값 구하기

$(\alpha-\beta)^2=(\alpha+\beta)^2-4\alpha\beta$

$=(-3)^2-4\times\left(-\frac{3}{2}\right)=15$

이므로 $\alpha-\beta=\pm\sqrt{15}$

STEP 3 $|\alpha^2-\beta^2|$의 값 구하기

$\therefore |\alpha^2-\beta^2|=|(\alpha+\beta)(\alpha-\beta)|$

$=|(-3)\times(\pm\sqrt{15})|$

$=3\sqrt{15}$

07-3 답 $\frac{14}{5}$

해결전략 | 근과 계수의 관계와 곱셈 공식의 변형을 이용하여 식의 값을 구한다.

STEP 1 근과 계수의 관계를 이용하여 $\alpha+\beta$, $\alpha\beta$의 값 구하기

이차방정식 $2x^2-4x-1=0$의 두 근이 α, β이므로
근과 계수의 관계에 의하여

$\alpha+\beta=-\frac{-4}{2}=2$, $\alpha\beta=\frac{-1}{2}=-\frac{1}{2}$

STEP 2 곱셈 공식의 변형을 이용하여 식의 값 구하기

$$\therefore \frac{\beta}{\alpha+1}+\frac{\alpha}{\beta+1}=\frac{\beta(\beta+1)+\alpha(\alpha+1)}{(\alpha+1)(\beta+1)}$$
$$=\frac{\alpha^2+\beta^2+\alpha+\beta}{\alpha\beta+\alpha+\beta+1}$$
$$=\frac{(\alpha+\beta)^2-2\alpha\beta+\alpha+\beta}{\alpha\beta+\alpha+\beta+1}$$
$$=\frac{2^2-2\times\left(-\frac{1}{2}\right)+2}{-\frac{1}{2}+2+1}=\frac{14}{5}$$

07-4 답 -13

해결전략 | 근과 계수의 관계와 곱셈 공식의 변형을 이용하여 식의 값을 구한다.

STEP 1 근과 계수의 관계를 이용하여 $\alpha+\beta$, $\alpha\beta$의 값 구하기

이차방정식 $x^2-3x+5=0$의 두 근이 α, β이므로 근과 계수의 관계에 의하여

$\alpha+\beta=3$, $\alpha\beta=5$

STEP 2 곱셈 공식의 변형을 이용하여 식의 값 구하기

$\alpha^3+\beta^3=(\alpha+\beta)^3-3\alpha\beta(\alpha+\beta)$
$=3^3-3\times5\times3=-18$

$\alpha^2+\beta^2=(\alpha+\beta)^2-2\alpha\beta=3^2-2\times5=-1$

$\therefore \alpha^3+\beta^3-2(\alpha^2+\beta^2)+\alpha+\beta$
$=-18-2\times(-1)+3=-13$

07-5 답 24

해결전략 | 이차방정식의 근을 이차방정식에 대입하여 주어진 값에 활용할 수 있도록 식을 변형한다.

STEP 1 근과 계수의 관계를 이용하여 $\alpha+\beta$의 값 구하기

이차방정식 $x^2+4x-3=0$의 근과 계수의 관계에 의하여

$\alpha+\beta=-4$

STEP 2 두 근 α, β를 이차방정식에 대입하여 $\alpha^2+4\alpha$, $\beta^2+4\beta$의 값 구하기

α, β가 이차방정식 $x^2+4x-3=0$의 두 근이므로

$\alpha^2+4\alpha-3=0$ $\quad\therefore \alpha^2+4\alpha=3$

$\beta^2+4\beta-3=0$ $\quad\therefore \beta^2+4\beta=3$

STEP 3 식의 값 구하기

$$\therefore \frac{6\beta}{\alpha^2+4\alpha-4}+\frac{6\alpha}{\beta^2+4\beta-4}=\frac{6\beta}{3-4}+\frac{6\alpha}{3-4}$$
$$=-6\beta-6\alpha$$
$$=-6(\alpha+\beta)$$
$$=-6\times(-4)=24$$

07-6 답 4

해결전략 | 이차방정식의 근을 이차방정식에 대입하여 주어진 값을 활용할 수 있도록 식을 변형한다.

STEP 1 근과 계수의 관계를 이용하여 $\alpha+\beta$, $\alpha\beta$의 값 구하기

이차방정식 $x^2-3x-2=0$의 두 근이 α, β이므로 근과 계수의 관계에 의하여

$\alpha+\beta=3$, $\alpha\beta=-2$

STEP 2 α를 이차방정식에 대입하여 $\alpha^2-3\alpha$의 값 구하기

α는 이차방정식 $x^2-3x-2=0$의 근이므로

$\alpha^2-3\alpha-2=0$ $\quad\therefore \alpha^2-3\alpha=2$

STEP 3 주어진 식을 변형하여 식의 값 구하기

$\therefore \alpha^3-3\alpha^2+\alpha\beta+2\beta=\alpha(\alpha^2-3\alpha)+\alpha\beta+2\beta$
$=2\alpha+\alpha\beta+2\beta$
$=2(\alpha+\beta)+\alpha\beta$
$=2\times3+(-2)=4$

필수유형 08 129쪽

08-1 답 (1) 21 (2) 18 (3) 13

해결전략 | 두 근을 조건에 맞게 한 문자로 나타낸 후 근과 계수의 관계를 이용한다.

이차방정식 $x^2-10x+m+3=0$의 근과 계수의 관계에 의하여

(두 근의 합)$=10$

(두 근의 곱)$=m+3$

(1) 두 근의 비가 2 : 3이므로 두 근을 각각 2α, 3α $(\alpha\neq0)$라고 하면

$2\alpha+3\alpha=10$

$5\alpha=10$ $\quad\therefore \alpha=2$ $\quad\cdots\cdots$ ㉠

$2\alpha\times3\alpha=m+3$

$\therefore 6\alpha^2=m+3$ $\quad\cdots\cdots$ ㉡

㉠을 ㉡에 대입하면

$6\times2^2=m+3$ $\quad\therefore m=21$

(2) 두 근의 차가 4이므로 두 근을 각각 α, $\alpha+4$라고 하면

$\alpha+(\alpha+4)=10$

$2\alpha=6 \quad \therefore \alpha=3$ …… ㉠

$\alpha(\alpha+4)=m+3$ …… ㉡

㉠을 ㉡에 대입하면

$3\times(3+4)=m+3$, $21=m+3$

$\therefore m=18$

◉→ 다른 풀이

두 근을 α, β라고 하면 이차방정식의 근과 계수의 관계에 의하여

$\alpha+\beta=10$, $\alpha\beta=m+3$

두 근의 차가 4이므로 $|\alpha-\beta|=4$

이때 $|\alpha-\beta|^2=(\alpha-\beta)^2=(\alpha+\beta)^2-4\alpha\beta$이므로

$4^2=10^2-4(m+3)$, $4m=72$

$\therefore m=18$

(3) 한 근이 다른 근의 4배이므로 두 근을 각각 α, 4α $(\alpha\neq0)$라고 하면

$\alpha+4\alpha=10$

$5\alpha=10 \quad \therefore \alpha=2$ …… ㉠

$\alpha\times4\alpha=m+3$

$\therefore 4\alpha^2=m+3$ …… ㉡

㉠을 ㉡에 대입하면

$4\times2^2=m+3 \quad \therefore m=13$

08-2 답 $\frac{2}{3}$, 6

해결전략 | 두 근을 조건에 맞게 한 문자로 나타낸 후 근과 계수의 관계를 이용한다.

STEP1 두 근을 α, 3α로 놓고 근과 계수의 관계를 이용하여 식 세우기

두 근의 비가 1 : 3이므로 두 근을 각각 α, 3α $(\alpha\neq0)$라고 하면 이차방정식 $x^2-(k+2)x+2k=0$의 근과 계수의 관계에 의하여

$\alpha+3\alpha=k+2 \quad \therefore k=4\alpha-2$ …… ㉠

$\alpha\times3\alpha=2k \quad \therefore k=\frac{3}{2}\alpha^2$ …… ㉡

STEP2 k의 값 구하기

㉡을 ㉠에 대입하면

$\frac{3}{2}\alpha^2=4\alpha-2$, $3\alpha^2-8\alpha+4=0$

$(3\alpha-2)(\alpha-2)=0 \quad \therefore \alpha=\frac{2}{3}$ 또는 $\alpha=2$ …… ㉢

㉢을 ㉡에 대입하면 $k=\frac{2}{3}$ 또는 $k=6$

08-3 답 -3, 0

해결전략 | 두 근을 조건에 맞게 한 문자로 나타낸 후 근과 계수의 관계를 이용한다.

STEP1 두 근을 α, $\alpha+4$로 놓고 근과 계수의 관계를 이용하여 식 세우기

두 근의 차가 4이므로 두 근을 α, $\alpha+4$라고 하면 이차방정식 $x^2+2(k+2)x+k=0$의 근과 계수의 관계에 의하여

$\alpha+(\alpha+4)=-2(k+2)$

$\therefore k=-\alpha-4$ …… ㉠

$\alpha(\alpha+4)=k$

$\therefore k=\alpha^2+4\alpha$ …… ㉡

STEP2 k의 값 구하기

㉡을 ㉠에 대입하면

$\alpha^2+4\alpha=-\alpha-4$, $\alpha^2+5\alpha+4=0$

$(\alpha+1)(\alpha+4)=0$

$\therefore \alpha=-1$ 또는 $\alpha=-4$ …… ㉢

㉢을 ㉠에 대입하면

$k=-3$ 또는 $k=0$

◉→ 다른 풀이

두 근을 α, β라고 하면 이차방정식 $x^2+2(k+2)x+k=0$의 근과 계수의 관계에 의하여

$\alpha+\beta=-2(k+2)$, $\alpha\beta=k$

두 근의 차가 4이므로 $|\alpha-\beta|=4$

$|\alpha-\beta|^2=(\alpha-\beta)^2=(\alpha+\beta)^2-4\alpha\beta$

$4^2=\{-2(k+2)\}^2-4\times k$

$16=4k^2+16k+16-4k$

$k^2+3k=0$, $k(k+3)=0$

$\therefore k=-3$ 또는 $k=0$

08-4 답 -2

해결전략 | 두 실근을 조건에 맞게 한 문자로 나타낸 후 근과 계수의 관계를 이용한다.

STEP1 주어진 이차방정식에서 두 근의 부호 파악하기

이차방정식 $x^2+3(m+1)x-18=0$에서 두 근의 곱이 $-18<0$이므로 두 근의 부호는 서로 다르다.

STEP2 두 근을 $-\alpha$, 2α로 놓고 근과 계수의 관계를 이용하여 식 세우기

이때 두 근의 절댓값의 비가 1 : 2이므로 두 근을 각각 $-\alpha$, 2α $(\alpha\neq0)$라고 하면 이차방정식의 근과 계수의 관계에 의하여

$-\alpha+2\alpha=-3(m+1)$에서 $\alpha=-3m-3$

$\therefore m=-\frac{\alpha+3}{3}$ …… ㉠

$(-\alpha)\times 2\alpha=-18$에서 $-2\alpha^2=-18$, $\alpha^2=9$

$\therefore \alpha=\pm 3$ …… ㉡

STEP 3 모든 실수 m의 값의 합 구하기

㉡을 ㉠에 대입하면

$m=-2$ 또는 $m=0$

따라서 모든 실수 m의 값의 합은 -2이다.

08-5 답 2

해결전략 | 두 근을 조건에 맞게 한 문자로 나타낸 후 근과 계수의 관계를 이용한다.

STEP 1 두 근을 α, $-\alpha$로 놓고 근과 계수의 관계를 이용하여 식 세우기

이차방정식 $x^2+(m^2+2m-8)x-3m+1=0$의 두 근을 α, $-\alpha$ $(\alpha\neq 0)$라고 하면 근과 계수의 관계에 의하여

$\alpha+(-\alpha)=-(m^2+2m-8)$ …… ㉠

$\alpha\times(-\alpha)=-3m+1$ …… ㉡

STEP 2 $\alpha+(-\alpha)=0$, $\alpha\times(-\alpha)<0$임을 이용하여 m의 값 구하기

㉠에서 $m^2+2m-8=0$이므로 $(m+4)(m-2)=0$

$\therefore m=-4$ 또는 $m=2$ …… ㉢

㉡에서 두 근의 부호가 서로 다르므로

$-3m+1<0$ $\quad\therefore m>\frac{1}{3}$ …… ㉣

㉢, ㉣에 의하여 $m=2$

> 풍쌤의 비법
>
> 이차방정식 $ax^2+bx+c=0$의 두 실근 α, β의 절댓값이 같고 부호가 서로 다르면
>
> $\alpha+\beta=-\frac{b}{a}=0$, $\alpha\beta=\frac{c}{a}<0$

08-6 답 13

해결전략 | 문제와 같이 이차방정식이 복잡한 경우 두 근의 차, 즉 $|\alpha-\beta|$의 값을 구할 때는 $(\alpha-\beta)^2=(\alpha+\beta)^2-4\alpha\beta$를 이용한다.

STEP 1 근과 계수의 관계를 이용하여 $\alpha+\beta$, $\alpha\beta$를 m에 대한 식으로 나타내기

이차방정식 $x^2+(1-3m)x+2m^2-4m-7=0$의 두 근을 α, β라고 하면 근과 계수의 관계에 의하여

$\alpha+\beta=3m-1$, $\alpha\beta=2m^2-4m-7$

STEP 2 두 근의 차 $|\alpha-\beta|$를 곱셈 공식의 변형을 이용하여 m에 대한 식으로 나타내기

두 근의 차가 4이므로 $|\alpha-\beta|=4$

$$\begin{aligned}|\alpha-\beta|^2&=(\alpha-\beta)^2=(\alpha+\beta)^2-4\alpha\beta\\&=(3m-1)^2-4(2m^2-4m-7)\\&=9m^2-6m+1-8m^2+16m+28\\&=m^2+10m+29\end{aligned}$$

STEP 3 모든 실수 m의 값의 곱 구하기

즉, $m^2+10m+29=16$이므로

$m^2+10m+13=0$

이 식은 m에 대한 이차방정식이고 판별식을 D라고 하면

$\frac{D}{4}=5^2-13=12>0$

이므로 서로 다른 두 실근을 갖는다.

따라서 모든 실수 m의 값의 곱은 이차방정식의 근과 계수의 관계에 의하여 13이다.

필수유형 09

131쪽

09-1 답 (1) $x^2+8x+15=0$

(2) $x^2-\frac{10}{3}x-\frac{4}{3}=0$

(3) $x^2+7x+3=0$

해결전략 | α, β를 두 근으로 하고 이차항의 계수가 1인 이차방정식은 $x^2-(\alpha+\beta)x+\alpha\beta=0$임을 이용한다.

이차방정식 $x^2+5x-3=0$의 두 근이 α, β이므로

근과 계수의 관계에 의하여

$\alpha+\beta=-5$, $\alpha\beta=-3$

(1) $\alpha+\beta$, $\alpha\beta$를 두 근으로 하는 이차방정식의 두 근의 합과 곱을 각각 구하면

$(\alpha+\beta)+\alpha\beta=-5+(-3)=-8$

$(\alpha+\beta)\times\alpha\beta=(-5)\times(-3)=15$

따라서 구하는 이차방정식은

$x^2+8x+15=0$

(2) $\frac{2}{\alpha}$, $\frac{2}{\beta}$를 두 근으로 하는 이차방정식의 두 근의 합과 곱을 각각 구하면

$\frac{2}{\alpha}+\frac{2}{\beta}=\frac{2(\alpha+\beta)}{\alpha\beta}=\frac{2\times(-5)}{-3}=\frac{10}{3}$

$\frac{2}{\alpha}\times\frac{2}{\beta}=\frac{4}{\alpha\beta}=-\frac{4}{3}$

따라서 구하는 이차방정식은

$x^2-\frac{10}{3}x-\frac{4}{3}=0$

(3) $\alpha-1$, $\beta-1$을 두 근으로 하는 하는 이차방정식의 두 근의 합과 곱을 각각 구하면

$(\alpha-1)+(\beta-1)=\alpha+\beta-2$

$=-5-2=-7$

$(\alpha-1)(\beta-1)=\alpha\beta-(\alpha+\beta)+1$

$=-3-(-5)+1=3$

따라서 구하는 이차방정식은

$x^2+7x+3=0$

09-2 답 $\mathbf{4x^2+3x+1=0}$

해결전략 | α, β를 두 근으로 하고 이차항의 계수가 a인 이차방정식은 $a\{x^2-(\alpha+\beta)x+\alpha\beta\}=0$임을 이용한다.

STEP1 근과 계수의 관계를 이용하여 $\alpha+\beta$, $\alpha\beta$의 값 구하기

이차방정식 $x^2+x+2=0$의 두 근이 α, β이므로 근과 계수의 관계에 의하여

$\alpha+\beta=-1$, $\alpha\beta=2$

STEP2 $\frac{1}{\alpha^2}+\frac{1}{\beta^2}$, $\frac{1}{\alpha^2}\times\frac{1}{\beta^2}$의 값 구하기

$\frac{1}{\alpha^2}$, $\frac{1}{\beta^2}$을 두 근으로 하는 이차방정식의 두 근의 합과 곱을 각각 구하면

$$\frac{1}{\alpha^2}+\frac{1}{\beta^2}=\frac{\alpha^2+\beta^2}{\alpha^2\beta^2}=\frac{(\alpha+\beta)^2-2\alpha\beta}{(\alpha\beta)^2}=\frac{(-1)^2-2\times2}{2^2}=-\frac{3}{4}$$

$$\frac{1}{\alpha^2}\times\frac{1}{\beta^2}=\frac{1}{\alpha^2\beta^2}=\frac{1}{(\alpha\beta)^2}=\frac{1}{2^2}=\frac{1}{4}$$

STEP3 두 근의 합과 곱을 이용하여 이차방정식 구하기

따라서 $\frac{1}{\alpha^2}$, $\frac{1}{\beta^2}$을 두 근으로 하고 이차항의 계수가 4인 이차방정식은

$4\left(x^2+\frac{3}{4}x+\frac{1}{4}\right)=0$　　$\therefore 4x^2+3x+1=0$

09-3 답 **6**

해결전략 | α, β를 두 근으로 하고 이차항의 계수가 1인 이차방정식은 $x^2-(\alpha+\beta)x+\alpha\beta=0$임을 이용한다.

STEP1 근과 계수의 관계를 이용하여 $\alpha+\beta$, $\alpha\beta$의 값 구하기

이차방정식 $x^2-3x+1=0$의 두 근이 α, β이므로 근과 계수의 관계에 의하여

$\alpha+\beta=3$, $\alpha\beta=1$

STEP2 $\sqrt{\alpha}+\sqrt{\beta}$, $\sqrt{\alpha}\sqrt{\beta}$의 값 구하기

$\sqrt{\alpha}$, $\sqrt{\beta}$를 두 근으로 하는 이차방정식에서 두 근의 곱은

$\sqrt{\alpha}\sqrt{\beta}=\sqrt{\alpha\beta}=1$

$(\sqrt{\alpha}+\sqrt{\beta})^2=\alpha+\beta+2\sqrt{\alpha\beta}$

$=3+2\times1=5$

이때 $\alpha+\beta>0$, $\alpha\beta>0$에서 α, β 모두 양수이므로 두 근의 합은

$\sqrt{\alpha}+\sqrt{\beta}=\sqrt{5}$

STEP3 두 근의 합과 곱을 이용하여 이차방정식 구하기

따라서 구하는 이차방정식은

$x^2-\sqrt{5}x+1=0$

STEP4 b^2+c^2의 값 구하기

즉, $b=-\sqrt{5}$, $c=1$이므로

$b^2+c^2=(-\sqrt{5})^2+1^2=6$

09-4 답 $\mathbf{x^2-bx+ac=0}$

해결전략 | α, β를 두 근으로 하고 이차항의 계수가 1인 이차방정식은 $x^2-(\alpha+\beta)x+\alpha\beta=0$임을 이용한다.

STEP1 근과 계수의 관계를 이용하여 $\alpha+\beta$, $\alpha\beta$의 값을 문자로 나타내기

이차방정식 $ax^2+bx+c=0$의 두 근이 α, β이므로 근과 계수의 관계에 의하여

$\alpha+\beta=-\frac{b}{a}$, $\alpha\beta=\frac{c}{a}$

STEP2 $(a\alpha+b)+(a\beta+b)$, $(a\alpha+b)(a\beta+b)$의 값 구하기

$a\alpha+b$, $a\beta+b$를 두 근으로 하는 이차방정식의 두 근의 합과 곱을 각각 구하면

$(a\alpha+b)+(a\beta+b)=a(\alpha+\beta)+2b$

$=a\left(-\frac{b}{a}\right)+2b$

$=b$

$(a\alpha+b)(a\beta+b)=a^2\alpha\beta+ab(\alpha+\beta)+b^2$

$=a^2\times\frac{c}{a}+ab\left(-\frac{b}{a}\right)+b^2$

$=ac$

STEP3 두 근의 합과 곱을 이용하여 이차방정식 구하기

따라서 구하는 이차방정식은

$x^2-bx+ac=0$

09-5 답 **7**

해결전략 | α, β를 두 근으로 하고 이차항의 계수가 1인 이차방정식은 $x^2-(\alpha+\beta)x+\alpha\beta=0$임을 이용한다.

STEP1 근과 계수의 관계를 이용하여 α, β의 값 구하기

이차방정식 $x^2+px+q=0$의 두 근이 α, -1이므로 근과 계수의 관계에 의하여

$\alpha+(-1)=-p$, $\alpha\times(-1)=q$ …… ㉠

이차방정식 $x^2+qx+p=0$의 두 근이 β, -2이므로 근과 계수의 관계에 의하여

$\beta+(-2)=-q$, $\beta\times(-2)=p$ …… ㉡

㉠을 ㉡에 대입하면

$\beta-2=\alpha$, $\alpha-1=2\beta$

두 식을 연립하여 풀면

$\alpha=-5$, $\beta=-3$

STEP2 α, β를 두 근으로 하는 이차방정식 구하기

따라서 -5, -3을 두 근으로 하고 x^2의 계수가 1인 이차방정식은

$x^2-(-5-3)x+(-5)\times(-3)=0$

$\therefore x^2+8x+15=0$

STEP3 $b-a$의 값 구하기

즉, $a=8$, $b=15$이므로

$b-a=15-8=7$

09-6 답 14

해결전략 | 조건 (가)를 이용하여 $f(x)$를 표현하고, 조건 (나)에서 근과 계수의 관계를 이용하여 방정식을 세운다.

STEP1 조건 (가)에 맞는 이차식 나타내기

조건 (가)에서 $f(x)$는 이차항의 계수가 1이고 이차방정식 $f(x)=0$의 두 근의 곱이 7이므로

$f(x)=x^2+ax+7$ (a는 상수)

로 놓을 수 있다.

STEP2 조건 (나)를 이용하여 a의 값 구하기

조건 (나)에서 이차방정식 $x^2-3x+1=0$의 두 근이 α, β이므로 근과 계수의 관계에 의하여

$\alpha+\beta=3$, $\alpha\beta=1$

이때

$\alpha^2+\beta^2=(\alpha+\beta)^2-2\alpha\beta=3^2-2\times1=7$

$$\begin{aligned}\therefore f(\alpha)+f(\beta)&=(\alpha^2+a\alpha+7)+(\beta^2+a\beta+7)\\&=(\alpha^2+\beta^2)+a(\alpha+\beta)+14\\&=7+3a+14=3a+21\end{aligned}$$

즉, $3a+21=3$이므로

$3a=-18$ $\therefore a=-6$

STEP3 $f(7)$의 값 구하기

따라서 $f(x)=x^2-6x+7$이므로

$f(7)=7^2-6\times7+7=14$

필수유형 10

133쪽

10-1 답 (1) $a=-6$, $b=7$ (2) $a=2$, $b=10$

해결전략 | 이차방정식에서 켤레근의 성질을 이용하여 a, b의 값을 구한다.

(1) STEP1 이차방정식의 다른 한 근 구하기

계수가 유리수이고, 주어진 이차방정식의 한 근이 $3-\sqrt{2}$이므로 다른 한 근은 $3+\sqrt{2}$이다.

STEP2 근과 계수의 관계를 이용하여 a, b의 값 구하기

따라서 이차방정식의 근과 계수의 관계에 의하여

$(3-\sqrt{2})+(3+\sqrt{2})=-a$ $\therefore a=-6$

$(3-\sqrt{2})(3+\sqrt{2})=b$ $\therefore b=7$

(2) STEP1 이차방정식의 다른 한 근 구하기

계수가 실수이고, 주어진 이차방정식의 한 근이 $-1-3i$이므로 다른 한 근은 $-1+3i$이다.

STEP2 근과 계수의 관계를 이용하여 a, b의 값 구하기

따라서 이차방정식의 근과 계수의 관계에 의하여

$(-1-3i)+(-1+3i)=-a$ $\therefore a=2$

$(-1-3i)(-1+3i)=b$ $\therefore b=10$

10-2 답 0

해결전략 | 분모의 유리화와 이차방정식에서 켤레근의 성질을 이용하여 a, b의 값을 구한다.

STEP1 주어진 근의 분모를 유리화하고 다른 한 근 구하기

a, b는 유리수이고, 이차방정식 $x^2-ax+b=0$의 한 근이

$$\begin{aligned}\frac{2}{\sqrt{3}-1}&=\frac{2(\sqrt{3}+1)}{(\sqrt{3}-1)(\sqrt{3}+1)}\\&=\frac{2(\sqrt{3}+1)}{3-1}\\&=1+\sqrt{3}\end{aligned}$$

이므로 다른 한 근은 $1-\sqrt{3}$이다.

STEP2 근과 계수의 관계를 이용하여 $a+b$의 값 구하기

이차방정식의 근과 계수의 관계에 의하여

$(1+\sqrt{3})+(1-\sqrt{3})=a$ $\therefore a=2$

$(1+\sqrt{3})(1-\sqrt{3})=b$ $\therefore b=-2$

$\therefore a+b=2+(-2)=0$

10-3 답 1

해결전략 | 주어진 근의 분모를 실수화하고 이차방정식에서 켤레근의 성질을 이용하여 a, b의 값을 구한다.

STEP1 주어진 근의 분모를 실수화하고 다른 한 근 구하기

a, b는 실수이고, 이차방정식 $x^2+ax-b=0$의 한 근이

$\frac{1+i}{1-i}=\frac{(1+i)^2}{(1-i)(1+i)}=\frac{2i}{2}=i$

이므로 다른 한 근은 $-i$이다.

STEP 2 근과 계수의 관계를 이용하여 $a-b$의 값 구하기

이차방정식의 근과 계수의 관계에 의하여

$i+(-i)=-a \quad \therefore a=0$

$i\times(-i)=-b \quad \therefore b=-1$

$\therefore a-b=0-(-1)=1$

10-4 답 $-\frac{3}{5}$

해결전략 | 이차방정식에서 켤레근의 성질을 이용하여 m, n의 값을 구하고 조건을 만족시키는 이차방정식을 작성한다.

STEP 1 이차방정식의 다른 한 근 구하기

m, n이 실수이고, 이차방정식 $x^2+mx+n=0$의 한 근이 $-1+2i$이므로 다른 한 근은 $-1-2i$이다.

STEP 2 근과 계수의 관계를 이용하여 m, n의 값 구하기

이차방정식의 근과 계수의 관계에 의하여

$(-1+2i)+(-1-2i)=-m \quad \therefore m=2$

$(-1+2i)(-1-2i)=n \quad \therefore n=5$

STEP 3 $\frac{1}{m}$, $\frac{1}{n}$을 두 근으로 하고 이차항의 계수가 1인 이차방정식 구하기

따라서 $\frac{1}{2}$, $\frac{1}{5}$을 두 근으로 하고 이차항의 계수인 1인 이차방정식은

$x^2-\left(\frac{1}{2}+\frac{1}{5}\right)x+\frac{1}{2}\times\frac{1}{5}=0$

$\therefore x^2-\frac{7}{10}x+\frac{1}{10}=0$

STEP 4 $a+b$의 값 구하기

즉, $a=-\frac{7}{10}$, $b=\frac{1}{10}$이므로

$a+b=-\frac{7}{10}+\frac{1}{10}=-\frac{3}{5}$

10-5 답 2

해결전략 | 나머지정리와 이차방정식에서 켤레근의 성질을 이용하여 p, q의 값을 구한다.

STEP 1 조건 (가)에서 나머지정리를 이용하여 p, q 사이의 관계식 찾기

조건 (가)에서

$f(1)=1+p+q=1$

$\therefore p+q=0$ …… ㉠

STEP 2 조건 (나)에서 근과 계수의 관계를 이용하여 p, q를 a에 대한 식으로 나타내기

p, q는 실수이고, 조건 (나)에서 이차방정식의 한 근이 $a+i$이므로 다른 한 근은 $a-i$이다.

따라서 이차방정식의 근과 계수의 관계에 의하여

$(a+i)+(a-i)=-p$

$\therefore p=-2a$ …… ㉡

$(a+i)(a-i)=q$

$\therefore q=a^2+1$ …… ㉢

STEP 3 $p+2q$의 값 구하기

㉡, ㉢을 ㉠에 대입하면

$-2a+a^2+1=0$, $(a-1)^2=0 \quad \therefore a=1$

$a=1$을 ㉡, ㉢에 대입하면

$p=-2$, $q=2$

$\therefore p+2q=-2+2\times2=2$

다른 풀이

STEP 1 조건 (가)에서 나머지정리를 이용하여 p, q 사이의 관계식 찾기

조건 (가)에서

$f(1)=1+p+q=1$

$\therefore p+q=0$ …… ㉠

STEP 2 STEP 1을 이용하여 해 구하기

㉠에서 $q=-p$이고 이것을 이차방정식 $f(x)=0$에 대입하면

$x^2+px-p=0$

근의 공식에 의하여 이차방정식 $x^2+px-p=0$의 근은

$x=\frac{-p\pm\sqrt{p^2+4p}}{2}$ …… ㉡

STEP 3 주어진 해와 비교하여 $p+2q$의 값 구하기

조건 (나)에 의하여 한 근이 $a+i$이므로 ㉡과 비교하면

$-\frac{p}{2}=a$, $\frac{\sqrt{p^2+4p}}{2}=i$

$\frac{\sqrt{p^2+4p}}{2}=i$에서 $p^2+4p=-4$

$p^2+4p+4=0$, $(p+2)^2=0$

$\therefore p=-2$

$p=-2$를 ㉠에 대입하면 $q=2$

$\therefore p+2q=-2+2\times2=2$

10-6 답 1

해결전략 | 이차방정식에서 켤레근의 성질과 근과 계수의 관계를 이용하여 a, b를 α와 $\overline{\alpha}$에 대한 식으로 나타낸다.

STEP 1 한 근과 그 켤레근에 대하여 근과 계수의 관계를 이용하기

a, b가 실수이므로 이차방정식 $x^2+ax+b=0$의 한 근이 복소수 α이면 다른 한 근은 $\overline{\alpha}$이다.

따라서 이차방정식의 근과 계수의 관계에 의하여

$\alpha+\overline{\alpha}=-a$, $\alpha\overline{\alpha}=b$ …… ㉠

또, 이차방정식 $x^2-bx+a=0$의 한 근이 $\alpha+1$이면 다른 한 근은 $\overline{\alpha}+1$이므로 근과 계수의 관계에 의하여

$(\alpha+1)+(\overline{\alpha}+1)=b$, $(\alpha+1)(\overline{\alpha}+1)=a$

$\therefore a=\alpha\overline{\alpha}+\alpha+\overline{\alpha}+1$, $b=\alpha+\overline{\alpha}+2$

STEP 2 a, b에 대한 두 식을 연립하여 a, b의 값 구하기

위 식에 ㉠을 대입하면

$a=b-a+1$, $b=-a+2$에서

$2a-b=1$ …… ㉡

$a+b=2$ …… ㉢

㉡, ㉢을 연립하여 풀면 $a=1$, $b=1$

$\therefore ab=1\times1=1$

유형 특강

134~135쪽

1 답 $x=\frac{1}{2}$ 또는 $x=1$

(i) $-1\le x<0$일 때, $[x]=-1$이므로

$-1+1=2x$ $\quad\therefore x=0$

주어진 범위를 만족하지 않으므로 근이 아니다.

(ii) $0\le x<1$일 때, $[x]=0$이므로

$0+1=2x$ $\quad\therefore x=\frac{1}{2}$

주어진 범위를 만족하므로 근이다.

(iii) $1\le x<2$일 때, $[x]=1$이므로

$1+1=2x$ $\quad\therefore x=1$

주어진 범위를 만족하므로 근이다.

(i)~(iii)에서 주어진 방정식의 해는

$x=\frac{1}{2}$ 또는 $x=1$

2 답 (1) $-2\le x<-1$ (2) $4\le x<5$ 또는 $8\le x<9$

(1) $3[x]^2+4[x]-4=0$에서

$([x]+2)(3[x]-2)=0$

$\therefore [x]=-2$ 또는 $[x]=\frac{2}{3}$

이때 $[x]$는 정수이므로 $[x]=-2$

따라서 주어진 방정식의 해는

$-2\le x<-1$

(2) $[x]^2-12[x]+32=0$에서

$([x]-4)([x]-8)=0$

$\therefore [x]=4$ 또는 $[x]=8$

$[x]=4$일 때 $4\le x<5$이고 $[x]=8$일 때 $8\le x<9$이므로 주어진 방정식의 해는

$4\le x<5$ 또는 $8\le x<9$

3 답 (1) $x=1$ (2) $x=0$ 또는 $x=1$ 또는 $x=2$

(1) (i) $0\le x<1$일 때, $[x]=0$이므로

$x^2-5=0$, $(x+\sqrt{5})(x-\sqrt{5})=0$

$\therefore x=-\sqrt{5}$ 또는 $x=\sqrt{5}$

그런데 $0\le x<1$이므로 해는 없다.

(ii) $1\le x<2$일 때, $[x]=1$이므로

$x^2+4-5=0$, $x^2-1=0$, $(x+1)(x-1)=0$

$\therefore x=-1$ 또는 $x=1$

그런데 $1\le x<2$이므로 $x=1$

(i), (ii)에서 주어진 방정식의 해는

$x=1$

(2) (i) $0\le x<1$일 때, $[x]=0$이므로

$x^2-0=2x-0$, $x(x-2)=0$

$\therefore x=0$ 또는 $x=2$

그런데 $0\le x<1$이므로 $x=0$

(ii) $1\le x<2$일 때, $[x]=1$이므로

$x^2-1=2x-2$, $x^2-2x+1=0$, $(x-1)^2=0$

$\therefore x=1$

주어진 범위를 만족하므로 근이다.

(iii) $2\le x<3$일 때, $[x]=2$이므로

$x^2-2^2=2x-4$, $x^2-2x=0$, $x(x-2)=0$

$\therefore x=0$ 또는 $x=2$

그런데 $2\le x<3$이므로 $x=2$

(i)~(iii)에서 주어진 방정식의 해는

$x=0$ 또는 $x=1$ 또는 $x=2$

실전 연습 문제			136~138쪽
01 3	02 ④	03 $x=i$ 또는 $x=-1+i$	
04 ④	05 $-\frac{1}{2}$	06 $2-\sqrt{3}$	07 ①
08 ④	09 -6	10 서로 다른 두 실근	11 ④
12 ③	13 30	14 ⑤	15 ④
16 $x^2-18x+6=0$	17 ②	18 100	

01

해결전략 | 주어진 방정식을 x에 대하여 정리한 후, 해의 조건에 따라 상수의 값 또는 조건을 구한다.

STEP1 주어진 방정식을 x에 대하여 정리하기

$a^2x-(3x+1)a+2x+2=0$에서

$a^2x-3ax-a+2x+2=0$

$(a^2-3a+2)x=a-2$

$(a-1)(a-2)x=a-2$ …… ㉠

STEP2 조건에 따라 a의 값을 정하고 $m+n$의 값 구하기

해가 무수히 많으려면 ㉠이 $0\times x=0$ 꼴이어야 하므로

$a-2=0$ $\therefore a=2$

$\therefore m=2$

또, 해가 없으려면 ㉠이 $0\times x=$(0이 아닌 상수) 꼴이어야 하므로 $a-1=0$, $a-2\neq0$이어야 한다. 즉,

$a-1=0$ $\therefore a=1$

$\therefore n=1$

$\therefore m+n=2+1=3$

02

해결전략 | 주어진 근을 대입하여 a, b에 대한 식으로 나타내고 곱셈 공식의 변형을 이용한다.

STEP1 근을 등식에 대입하여 a, b에 대한 식 구하기

이차방정식 $x^2+ax=3x-b$의 한 근이 1이므로

$x=1$을 대입하면

$1+a=3-b$

$\therefore a+b=2$

이차방정식 $x^2+abx+4=0$의 한 근이 2이므로

$x=2$를 대입하면

$2^2+2ab+4=0$

$2ab=-8$ $\therefore ab=-4$

STEP2 곱셈 공식의 변형을 이용하여 a^2+b^2의 값 구하기

$\therefore a^2+b^2=(a+b)^2-2ab$

$=2^2-2\times(-4)=12$

03

해결전략 | 곱셈 공식을 이용하여 x^2의 계수를 1로 만들고 인수분해를 이용하여 해를 구한다.

STEP1 주어진 이차방정식의 양변에 i를 곱하고 간단히 정리하기

$ix^2+(2+i)x-i(1+i)=0$의 양변에 i를 곱하면

$i^2x^2+i(2+i)x-i^2(1+i)=0$

$-x^2+2ix+i^2x-i^2-i^3=0$

$-x^2+(2i-1)x-i(i-1)=0$

STEP2 인수분해를 이용하여 해 구하기

$x^2-(2i-1)x+i(i-1)=0$

$(x-i)(x+1-i)=0$

$\therefore x=i$ 또는 $x=-1+i$

04

해결전략 | 절댓값 기호 안의 식의 값이 0이 되는 x의 값을 기준으로 구간을 나누어 방정식을 푼다.

STEP1 $2x-1=0$을 기준으로 구간을 나누고 이차방정식 풀기

$x^2+|2x-1|-4=0$에서 절댓값 기호 안의 식의 값이 0이 되는 x의 값은 $2x-1=0$에서 $x=\frac{1}{2}$

(i) $x<\frac{1}{2}$일 때,

$x^2-(2x-1)-4=0$, $x^2-2x-3=0$

$(x+1)(x-3)=0$

$\therefore x=-1$ 또는 $x=3$

그런데 $x<\frac{1}{2}$이므로

$x=-1$

(ii) $x\geq\frac{1}{2}$일 때,

$x^2+2x-1-4=0$, $x^2+2x-5=0$

$\therefore x=-1\pm\sqrt{6}$

그런데 $x\geq\frac{1}{2}$이므로

$x=-1+\sqrt{6}$

(i), (ii)에서 $x=-1$ 또는 $x=-1+\sqrt{6}$

STEP2 α, β의 값 구하기

$\alpha<\beta$이므로 $\alpha=-1$, $\beta=-1+\sqrt{6}$

$\therefore \beta-\alpha=-1+\sqrt{6}-(-1)=\sqrt{6}$

05

해결전략 | 절댓값 기호가 있는 이차방정식을 풀고, 그 해가 이차방정식 $x^2-mx+n=0$의 해가 되는지 확인한다.

STEP 1 이차방정식 $x^2+4|x|-5=0$의 해 구하기

$x^2+4|x|-5=0$에서

$|x|^2+4|x|-5=0$

$(|x|-1)(|x|+5)=0$

$\therefore |x|=1$ 또는 $|x|=-5$

그런데 $|x|\ge 0$이므로

$|x|=1 \quad \therefore x=\pm 1$ …… ❶

STEP 2 공통근을 가질 때 m의 값 구하기

(i) $x=1$이 $x^2-mx+m=0$의 근일 때,

$1-m+m=0$에서 $1=0$이므로 m의 값이 존재하지 않는다.

(ii) $x=-1$이 $x^2-mx+m=0$의 근일 때,

$1+m+m=0$

$\therefore m=-\frac{1}{2}$

(i), (ii)에서 두 일차방정식이 공통근을 가질 때 m의 값은

$m=-\frac{1}{2}$ …… ❷

채점 요소	배점
❶ 이차방정식 $x^2+4\lvert x\rvert-5=0$의 해 구하기	60 %
❷ m의 값 구하기	40 %

다른 풀이

STEP 1 $x=0$을 기준으로 구간을 나누고 이차방정식 $x^2+4|x|+5=0$ 풀기

$x^2+4|x|-5=0$에서

(i) $x<0$일 때,

$x^2-4x-5=0$

$(x+1)(x-5)=0$

$\therefore x=-1$ 또는 $x=5$

그런데 $x<0$이므로 $x=-1$

(ii) $x\ge 0$일 때,

$x^2+4x-5=0$

$(x+5)(x-1)=0$

$\therefore x=-5$ 또는 $x=1$

그런데 $x\ge 0$이므로 $x=1$

(i), (ii)에서 $x^2+4|x|-5=0$의 해는

$x=\pm 1$ …… ❶

06

해결전략 | 삼각형의 합동을 이용하여 변의 길이를 정하고, 피타고라스 정리를 이용하여 이차방정식을 세워 문제를 해결한다.

STEP 1 미지수의 x 정하기

$\triangle ABP\equiv\triangle ADQ$

(RHS 합동)이므로

$\overline{BP}=\overline{DQ}=x$라고 하면

$\overline{CP}=\overline{CQ}=1-x$

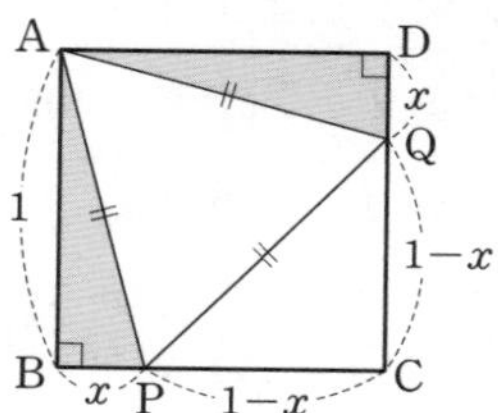

STEP 2 피타고라스 정리를 이용하여 이차방정식 세우기

$\triangle ABP$에서

$\overline{AP}^2=\overline{AB}^2+\overline{BP}^2$

$=1^2+x^2$

$\triangle QPC$에서

$\overline{PQ}^2=\overline{CP}^2+\overline{CQ}^2$

$=(1-x)^2+(1-x)^2$

삼각형 APQ는 정삼각형이므로

$\overline{AP}^2=\overline{PQ}^2$에서

$1+x^2=(1-x)^2+(1-x)^2$

STEP 3 이차방정식 풀기

$1+x^2=1-2x+x^2+1-2x+x^2$

$x^2-4x+1=0 \quad \therefore x=2\pm\sqrt{3}$

STEP 4 답 구하기

그런데 $0<x<1$이므로 $x=2-\sqrt{3}$

따라서 선분 BP의 길이는 $2-\sqrt{3}$이다.

07

해결전략 | 두 정삼각형의 넓이에 대한 이차방정식을 세우고 문제를 해결한다.

STEP 1 미지수 세우기

철사 한 조각의 길이를 a cm라고 하면 나머지 한 조각의 길이는 $(12-a)$ cm이므로 각 정삼각형의 한 변의 길이는 $\frac{a}{3}$ cm, $\frac{12-a}{3}$ cm이다.

STEP 2 이차방정식 세우기

두 정삼각형의 넓이의 합이 $\frac{5\sqrt{3}}{2}$ cm^{2}이므로

$\frac{\sqrt{3}}{4}\times\left(\frac{a}{3}\right)^2+\frac{\sqrt{3}}{4}\times\left(\frac{12-a}{3}\right)^2=\frac{5\sqrt{3}}{2}$

STEP 3 이차방정식 풀기

$\left(\frac{a}{3}\right)^2+\left(\frac{12-a}{3}\right)^2=10$

$a^2+144-24a+a^2=90$

$a^2-12a+27=0$, $(a-3)(a-9)=0$

$\therefore a=3$ 또는 $a=9$

STEP 4 큰 정삼각형의 한 변의 길이 구하기

따라서 큰 정삼각형의 한 변의 길이는

$\frac{9}{3}=3(\text{cm})$

08

해결전략 | 이차방정식이 허근을 가지려면 (판별식)<0이어야 한다.

STEP 1 이차방정식이 허근을 가질 때 k의 값의 범위 구하기

이차방정식 $x^2+4x+k-3=0$이 허근을 가지므로 판별식을 D라고 하면

$\frac{D}{4}=2^2-(k-3)<0$

$-k+7<0$

$\therefore k>7$

STEP 2 조건을 만족시키는 자연수 k의 값 구하기

따라서 조건을 만족시키는 가장 작은 자연수 k는 8이다.

09

해결전략 | 이차방정식이 실근을 가지려면 (판별식)≥0이어야 한다.

STEP 1 이차방정식이 실근을 가질 때 k의 값의 범위 구하기

이차방정식 $4x^2-4(k+1)x-6+k^2=0$이 실근을 가지므로 판별식을 D라고 하면

$\frac{D}{4}=\{-2(k+1)\}^2-4(-6+k^2)\geq 0$

$4k^2+8k+4+24-4k^2\geq 0$

$8k+28\geq 0$

$\therefore k\geq -\frac{7}{2}$

STEP 2 조건을 만족시키는 모든 음의 정수 k의 값의 합 구하기

따라서 조건을 만족시키는 음의 정수 k는 $-3, -2, -1$이므로 구하는 합은

$-3+(-2)+(-1)=-6$

10

해결전략 | 판별식을 이용하여 a와 b에 대한 관계식을 세우고 문제를 해결한다.

STEP 1 이차방정식 $x^2-2ax+b^2+1=0$이 중근을 가지기 위한 조건 구하기

이차방정식 $x^2-2ax+b^2+1=0$이 중근을 가지므로 판별식을 D_1이라고 하면

$\frac{D_1}{4}=(-a)^2-(b^2+1)=0$

$\therefore a^2=b^2+1$ …… ㉠ …… ❶

STEP 2 이차방정식 $x^2+4ax-2b-1=0$의 판별식의 부호를 조사하여 근 판별하기

이차방정식 $x^2+4ax-2b-1=0$의 판별식을 D_2라고 하면

$\frac{D_2}{4}=(2a)^2+(2b+1)=4a^2+2b+1$

이 식에 ㉠을 대입하면

$\frac{D_2}{4}=4(b^2+1)+2b+1$

$=4b^2+2b+5$

$=4\left(b+\frac{1}{4}\right)^2+\frac{19}{4}>0$

따라서 이차방정식 $x^2+4ax-2b-1=0$은 서로 다른 두 실근을 갖는다. …… ❷

채점 요소	배점
❶ 이차방정식 $x^2+2ax+b^2+1=0$이 중근을 가질 때 a와 b 사이의 관계식 세우기	30 %
❷ 이차방정식 $x^2+4ax-2b-1=0$의 근 판별하기	70 %

11

해결전략 | 이차식이 완전제곱식이 되려면 이차방정식으로 만들었을 때, (판별식)=0이 되어야 한다.

STEP 1 이차식이 완전제곱식이 되기 위한 조건 구하기

$a(1+x^2)+2bx+c(1-x^2)$을 x에 대한 내림차순으로 정리하면

$(a-c)x^2+2bx+a+c$

이 식은 x에 대한 이차식이므로

$a-c\neq 0$

또, 주어진 이차식이 완전제곱식이 되려면 이차방정식 $(a-c)x^2+2bx+a+c=0$이 중근을 가져야 하므로 이 이차방정식의 판별식을 D라고 하면

$\frac{D}{4}=b^2-(a-c)(a+c)=0$

STEP 2 a, b, c 사이의 관계를 이용하여 삼각형의 모양 파악하기

$b^2-a^2+c^2=0$ $\therefore a^2=b^2+c^2$

따라서 주어진 삼각형은 빗변의 길이가 a인 직각삼각형이다.

12

해결전략 | 근과 계수의 관계와 곱셈 공식의 변형을 이용하여 식의 값을 구한다.

STEP1 근과 계수의 관계를 이용하여 $\alpha+\beta$, $\alpha\beta$의 값 구하기

이차방정식 $(x-1)(x+2)=2$, 즉 $x^2+x-4=0$의 두 근이 α, β이므로 근과 계수의 관계에 의하여

$\alpha+\beta=-1$, $\alpha\beta=-4$

STEP2 곱셈 공식의 변형을 이용하여 식의 값 구하기

① $\alpha+\beta+1=-1+1$
$=0$

② $\alpha^2+\beta^2=(\alpha+\beta)^2-2\alpha\beta$
$=(-1)^2-2\times(-4)$
$=9$

③ $\alpha^3+\beta^3=(\alpha+\beta)^3-3\alpha\beta(\alpha+\beta)$
$=(-1)^3-3\times(-4)\times(-1)$
$=-13$

④ $\dfrac{1}{\alpha}+\dfrac{1}{\beta}=\dfrac{\alpha+\beta}{\alpha\beta}=\dfrac{-1}{-4}=\dfrac{1}{4}$

⑤ $\dfrac{\beta}{\alpha}+\dfrac{\alpha}{\beta}=\dfrac{\alpha^2+\beta^2}{\alpha\beta}=-\dfrac{9}{4}$

따라서 옳지 않은 것은 ③이다.

13

해결전략 | 이차방정식의 근을 이차방정식에 대입하여 주어진 값에 활용할 수 있도록 식을 변형한다.

STEP1 근과 계수의 관계를 이용하여 $\alpha+\beta$의 값 구하기

이차방정식의 근과 계수의 관계에 의하여

$\alpha+\beta=-\dfrac{6}{2}=-3$

STEP2 두 근 α, β를 이차방정식에 대입하여 $2\alpha^2+6\alpha$, $2\beta^2+6\beta$의 값 구하기

α, β가 이차방정식 $2x^2+6x-9=0$의 두 근이므로

$2\alpha^2+6\alpha-9=0$

$\therefore 2\alpha^2+6\alpha=9$

$2\beta^2+6\beta-9=0$

$\therefore 2\beta^2+6\beta=9$

STEP3 식의 값 구하기

$\therefore 2(2\alpha^2+\beta^2)+6(2\alpha+\beta)-\alpha-\beta$
$=4\alpha^2+2\beta^2+12\alpha+6\beta-\alpha-\beta$
$=2(2\alpha^2+6\alpha)+(2\beta^2+6\beta)-(\alpha+\beta)$
$=2\times9+9-(-3)$
$=30$

14

해결전략 | 근과 계수의 관계와 곱셈 공식의 변형을 이용하여 식의 값을 구한다.

STEP1 근과 계수의 관계를 이용하여 $\alpha+\beta$, $\alpha\beta$의 값을 k에 대한 식으로 나타내기

이차방정식 $x^2+(k+3)x+2k+7=0$의 두 근을 α, β라고 하면 근과 계수의 관계에 의하여

$\alpha+\beta=-k-3$, $\alpha\beta=2k+7$ …… ㉠

STEP2 주어진 조건을 $\alpha+\beta$, $\alpha\beta$에 대한 식으로 변형하기

두 근의 제곱의 합이 11이므로 $\alpha^2+\beta^2=11$에서

$(\alpha+\beta)^2-2\alpha\beta=11$

STEP3 k^2+2k의 값 구하기

이 식에 ㉠을 대입하면

$(-k-3)^2-2(2k+7)=11$

$k^2+6k+9-4k-14=11$

$\therefore k^2+2k=16$

15

해결전략 | 두 근을 조건에 맞게 한 문자로 나타낸 후 근과 계수의 관계를 이용한다.

STEP1 두 근을 α, 2α로 놓고 근과 계수의 관계를 이용하여 식 세우기

두 근의 비가 1 : 2이므로 두 근을 각각 α, 2α $(\alpha\neq0)$라고 하면 이차방정식의 근과 계수의 관계에 의하여

$\alpha+2\alpha=3p$

$\therefore \alpha=p$ …… ㉠

$\alpha\times2\alpha=4q-2$

$\therefore \alpha^2=2q-1$ …… ㉡

㉠을 ㉡에 대입하면

$p^2=2q-1$ …… ㉢

STEP2 판별식을 이용하여 식 세우기

또, 주어진 이차방정식은 서로 다른 두 실근을 가지므로 판별식을 D라고 하면

$D=(-3p)^2-4(4q-2)>0$

$9p^2-16q+8>0$

STEP3 q의 값의 범위 구하기

㉢을 위의 식에 대입하면

$9(2q-1)-16q+8>0$

$18q-9-16q+8>0$

$2q-1>0$

$\therefore q>\dfrac{1}{2}$

16

해결전략 | α, β를 두 근으로 하고 이차항의 계수가 1인 이차방정식은 $x^2-(\alpha+\beta)x+\alpha\beta=0$임을 이용한다.

STEP 1 근과 계수의 관계를 이용하여 $\alpha+\beta$, $\alpha\beta$의 값 구하기

이차방정식 $x^2-4x+1=0$의 두 근이 α, β이므로 근과 계수의 관계에 의하여

$\alpha+\beta=4$, $\alpha\beta=1$ …… ❶

STEP 2 $\left(\alpha^2+\frac{1}{\beta}\right)+\left(\beta^2+\frac{1}{\alpha}\right)$, $\left(\alpha^2+\frac{1}{\beta}\right)\left(\beta^2+\frac{1}{\alpha}\right)$의 값 구하기

$\alpha^2+\frac{1}{\beta}$, $\beta^2+\frac{1}{\alpha}$을 두 근으로 하는 이차방정식의 두 근의 합과 곱을 각각 구하면

$$\begin{aligned}\left(\alpha^2+\frac{1}{\beta}\right)+\left(\beta^2+\frac{1}{\alpha}\right)&=\alpha^2+\beta^2+\frac{1}{\alpha}+\frac{1}{\beta}\\&=(\alpha+\beta)^2-2\alpha\beta+\frac{\alpha+\beta}{\alpha\beta}\\&=4^2-2\times1+\frac{4}{1}=18\end{aligned}$$

$$\begin{aligned}\left(\alpha^2+\frac{1}{\beta}\right)\left(\beta^2+\frac{1}{\alpha}\right)&=\alpha^2\beta^2+\alpha+\beta+\frac{1}{\alpha\beta}\\&=(\alpha\beta)^2+\alpha+\beta+\frac{1}{\alpha\beta}\\&=1+4+1=6\end{aligned}$$ …… ❷

STEP 3 두 근의 합과 곱을 이용하여 이차방정식 구하기

따라서 구하는 이차방정식은

$x^2-18x+6=0$ …… ❸

채점 요소	배점
❶ $\alpha+\beta$, $\alpha\beta$의 값 구하기	25 %
❷ $\alpha^2+\frac{1}{\beta}$, $\beta^2+\frac{1}{\alpha}$의 합과 곱 구하기	50 %
❸ 이차방정식 구하기	25 %

17

해결전략 | 이차방정식의 두 근을 조건에 맞게 한 문자로 나타낸 후 근과 계수의 관계를 이용하고, x^2-kx-k의 인수분해는 이차방정식 $k^2-kx-k=0$의 근을 이용하여 구한다.

STEP 1 근과 계수의 관계를 이용하여 α, k의 값 구하기

두 근이 비가 $1:2$이므로 두 근을 α, 2α $(\alpha\neq0)$라고 하면 이차방정식 $x^2-6x+2k=0$의 근과 계수의 관계에 의하여

$\alpha+2\alpha=6$, $3\alpha=6$ $\therefore \alpha=2$

$\alpha\times2\alpha=2k$, $2\alpha^2=2k$

$\therefore k=\alpha^2=2^2=4$

STEP 2 이차방정식 $x^2-kx-k=0$에서 두 근 m, n을 구하고 이차식 x^2-kx-k를 $(x-m)(x-n)$으로 인수분해하기

$k=4$를 이차방정식 $x^2-kx-k=0$에 대입하면

$x^2-4x-4=0$

$\therefore x=2\pm2\sqrt{2}$

$$\begin{aligned}\therefore x^2-4x-4&=\{x-(2+2\sqrt{2})\}\{x-(2-2\sqrt{2})\}\\&=(x-2-2\sqrt{2})(x-2+2\sqrt{2})\end{aligned}$$

STEP 3 두 일차식의 합 구하기

따라서 두 일차식의 합은

$(x-2-2\sqrt{2})+(x-2+2\sqrt{2})=2x-4$

18

해결전략 | 이차방정식의 켤레근의 성질을 이용하여 $m+n$과 mn의 값을 구한다.

STEP 1 이차방정식의 켤레근 구하기

m, n이 실수이고, 이차방정식 $x^2+(m+n)x-mn=0$의 한 근이 $4+\sqrt{2}i$이므로 다른 한 근은 $4-\sqrt{2}i$이다.

STEP 2 근과 계수의 관계를 이용하여 $m+n$, mn의 값 구하기

이차방정식의 근과 계수의 관계에 의하여

$(4+\sqrt{2}i)+(4-\sqrt{2}i)=-(m+n)$

$\therefore m+n=-8$

$(4+\sqrt{2}i)(4-\sqrt{2}i)=-mn$

$\therefore mn=-18$

STEP 3 곱셈 공식의 변형을 이용하여 m^2+n^2의 값 구하기

$$\begin{aligned}\therefore m^2+n^2&=(m+n)^2-2mn\\&=(-8)^2-2\times(-18)\\&=100\end{aligned}$$

상위권 도약 문제 139~140쪽

01 ⑤	02 ③	03 30	04 ④	05 74
06 ①	07 $x^2-6x+6=0$	08 ③		

01

해결전략 | 인수분해를 이용하여 각각의 해를 구한다.

STEP1 $x^2-2007x-2008=0$의 해를 구하고, a의 값 정하기

$x^2-2007x-2008=0$에서

$(x+1)(x-2008)=0$

$\therefore x=-1$ 또는 $x=2008$

$\therefore a=2008$

STEP2 $2008^2x^2+2007\times2009x-1=0$의 해를 구하고, b의 값 정하기

$2008^2x^2+2007\times2009x-1=0$에서

$2008^2x^2+(2008-1)\times(2008+1)x-1=0$

$2008^2x^2+(2008^2-1)x-1=0$

$(x+1)(2008^2x-1)=0$

$\therefore x=-1$ 또는 $x=\dfrac{1}{2008^2}$

$\therefore b=-1$

STEP3 $a-b$의 값 구하기

$\therefore a-b=2008-(-1)=2009$

02

해결전략 | $|x|=a\ (a>0)$이면 $x=\pm a$임을 이용한다.

STEP1 절댓값 기호가 없는 식으로 주어진 방정식 나타내기

$|x^2+2x+2k-2|=k^2+5$에서

$x^2+2x+2k-2=\pm(k^2+5)$

즉, $x^2+2x-k^2+2k-7=0$ 또는

$x^2+2x+k^2+2k+3=0$

STEP2 $x^2+2x-k^2+2k-7=0$의 근을 판별하기

(i) $x^2+2x-k^2+2k-7=0$의 판별식을 D_1이라고 하면

$\dfrac{D_1}{4}=1-(-k^2+2k-7)=k^2-2k+8$

$=(k-1)^2+7>0$

이므로 서로 다른 두 실근을 갖는다.

STEP3 $x^2+2x+k^2+2k+3=0$의 근을 판별하기

(ii) $x^2+2x+k^2+2k+3=0$의 판별식을 D_2라고 하면

$\dfrac{D_2}{4}=1-(k^2+2k+3)=-k^2-2k-2$

$=-(k+1)^2-1<0$

이므로 서로 다른 두 허근을 갖는다.

STEP4 모든 실근의 곱의 최댓값 구하기

(i), (ii)에 의하여 이차방정식 $x^2+2x-k^2+2k-7=0$에서 근과 계수의 관계를 이용하면 모든 실근의 곱 m은

$m=-k^2+2k-7$

$=-(k-1)^2-6$

≤ -6

따라서 m의 최댓값은 -6이다.

03

해결전략 | (매출)=(판매 가격)×(판매 개수)임을 이용하여 이차방정식을 세우고 문제를 해결한다.

STEP1 이차방정식 세우기

$1000\left(1+\dfrac{x}{100}\right)\times1000\left(1-\dfrac{2x}{100}\right)=1000000\left(1-\dfrac{48}{100}\right)$

에서

$\left(1+\dfrac{x}{100}\right)\left(1-\dfrac{2x}{100}\right)=\dfrac{52}{100}$

STEP2 이차방정식 풀기

$1-\dfrac{x}{100}-\dfrac{2x^2}{10000}=\dfrac{52}{100}$

$x^2+50x-2400=0$

$(x-30)(x+80)=0$

$\therefore x=30\ (\because x>0)$

04

해결전략 | a가 자연수임을 이용하여 (이차식)$=0$ 꼴로 만들고, 판별식을 이용하여 자연수 a의 개수를 구한다.

STEP1 $(a^2-9)x^2=a+3$을 (이차식)$=0$ 꼴로 변형하기

$(a^2-9)x^2=a+3$에서

$(a+3)(a-3)x^2=a+3$

이때 a는 자연수이므로 $a+3>0$

즉, $(a-3)x^2=1$이므로

$(a-3)x^2-1=0$

STEP2 판별식을 이용하여 a의 값의 범위 구하기

이차방정식 $(a-3)x^2-1=0$이 서로 다른 두 실근을 가지므로 판별식을 D라고 하면

$D=0^2-4\times(a-3)\times(-1)>0$

$4(a-3)>0$

$\therefore a>3$

STEP3 자연수 a의 개수 구하기

따라서 10보다 작은 자연수 a는 4, 5, 6, 7, 8, 9의 6개이다.

◉→ 다른 풀이

STEP1 이차방정식을 간단히 하기

$(a^2-9)x^2=a+3$에서

$(a+3)(a-3)x^2=a+3$

이때 a는 자연수이므로 $a+3>0$

즉, $(a-3)x^2=1$이므로

$x^2=\frac{1}{a-3}$

STEP2 주어진 조건을 이용하여 a의 값의 범위 구하기

이차방정식이 서로 다른 두 실근을 가지므로

$\frac{1}{a-3}>0$

즉, $a-3>0$이므로 $a>3$

STEP3 자연수 a의 개수 구하기

따라서 10보다 작은 자연수 a는 4, 5, 6, 7, 8, 9의 6개이다.

05

해결전략 | 주어진 조건을 이용하여 이차방정식을 세우고 판별식을 이용한다.

STEP1 주어진 조건을 이용하여 이차방정식 세우기

처음 이차방정식을 $x^2+bx+c=0$이라고 하면

상수항을 1만큼 크게 한 이차방정식은

$x^2+bx+(c+1)=0$ ...... ㉠

상수항을 3만큼 작게 한 이차방정식은

$x^2+bx+(c-3)=0$ ...... ㉡

STEP2 판별식과 근과 계수의 관계를 이용하여 b, c의 값 구하기

㉠이 중근을 가지므로 판별식을 D라고 하면

$D=b^2-4(c+1)=0$

$\therefore b^2=4c+4$ ...... ㉢

㉡의 두 근을 α, 2α $(\alpha\neq0)$라고 하면 근과 계수의 관계에 의하여

$\alpha+2\alpha=-b$

$\therefore b=-3\alpha$ ...... ㉣

$\alpha\times2\alpha=c-3$

$\therefore c=2\alpha^2+3$ ...... ㉤

㉣을 ㉢에 대입하면

$9\alpha^2=4c+4$ ...... ㉥

㉤을 ㉥에 대입하면

$9\alpha^2=4(2\alpha^2+3)+4$

$\alpha^2=16$ $\quad\therefore \alpha=\pm4$

이것을 ㉣, ㉤에 대입하면

$b=\pm12$, $c=35$

STEP3 두 근의 제곱의 합 구하기

이것을 $x^2+bx+c=0$에 대입하면

$x^2\pm12x+35=0$

$(x\pm5)(x\pm7)=0$ (복부호 동순)

$\therefore x=-5$ 또는 $x=-7$, $x=5$ 또는 $x=7$

따라서 두 근의 제곱의 합은

$(\pm5)^2+(\pm7)^2=74$

06

해결전략 | 이차방정식의 근을 구하고 이 근이 정수가 되기 위한 조건을 판단한다.

STEP1 이차방정식의 해 구하기

근의 공식에 의하여 이차방정식

$x^2+(m+1)x+2m-1=0$의 근은

$x=\frac{-(m+1)\pm\sqrt{D}}{2}$ ...... ㉠

이때 $D=(m+1)^2-4(2m-1)$

$=m^2-6m+5$

$=(m-1)(m-5)$

STEP2 이차방정식의 근이 정수가 되기 위한 조건 파악하기

두 근이 정수가 되기 위해서는 D가 제곱수이거나 0이어야 하지만 D가 제곱수가 아니므로 $D=0$이다.

즉, $(m-1)(m-5)=0$ $\quad\therefore m=1$ 또는 $m=5$

STEP3 m의 값에 따라 정수인 해가 나오는지 확인하기

$m=1$일 때, ㉠에서 $x=\frac{-2}{2}=-1$ (중근)

$m=5$일 때, ㉠에서 $x=\frac{-6}{2}=-3$ (중근)

따라서 주어진 이차방정식의 근은 모두 정수가 되므로 조건을 만족시키는 모든 정수 m의 값의 합은

$1+5=6$

◉→ 다른 풀이

STEP1 근과 계수의 관계를 이용하여 두 근의 합과 곱을 m에 대한 식으로 나타내기

이차방정식 $x^2+(m+1)x+2m-1=0$의 정수인 두 근을 α, β라고 하면 근과 계수의 관계에 의하여

$\alpha+\beta=-m-1$ ...... ㉠

$\alpha\beta=2m-1$ ...... ㉡

STEP2 STEP1의 두 식을 연립하여 정리하기

㉠에서 $m=-\alpha-\beta-1$을 ㉡에 대입하면

$\alpha\beta=2(-\alpha-\beta-1)-1$

$\alpha\beta+2\alpha+2\beta+4=1$

$\therefore (\alpha+2)(\beta+2)=1$

STEP 3 정수인 해와 m의 값 구하기

이때 α, β는 정수이므로

$\alpha+2=1$, $\beta+2=1$ 또는 $\alpha+2=-1$, $\beta+2=-1$

(i) $\alpha=\beta=-1$일 때, $m=1$

(ii) $\alpha=\beta=-3$일 때, $m=5$

(i), (ii)에서 모든 정수 m의 값의 합은

$1+5=6$

> 풍쌤의 비법
>
> **주어진 방정식의 해가 정수인 조건이 있는 경우**
>
> (1) 근과 계수의 관계로 얻은 식을
> (일차식)×(일차식)=(정수) 꼴로 변형한다.
>
> (2) 해가 정수가 되기 위해서는 먼저 실수가 되어야 하므로 $D\geq 0$을 이용한다.
>
> (3) 근의 공식에서 $\sqrt{b^2-4ac}$, 즉 $\sqrt{D}$가 정수가 되기 위해서는 D가 제곱수 또는 0이 되어야 함을 이용한다.

07

해결전략 | 직사각형의 넓이에 대한 이차방정식을 세우고 문제를 해결한다.

STEP 1 $\overline{AH}=\alpha$, $\overline{AE}=\beta$라 하고 직사각형 PFCG의 둘레의 길이와 넓이를 α, β에 대한 식으로 나타내기

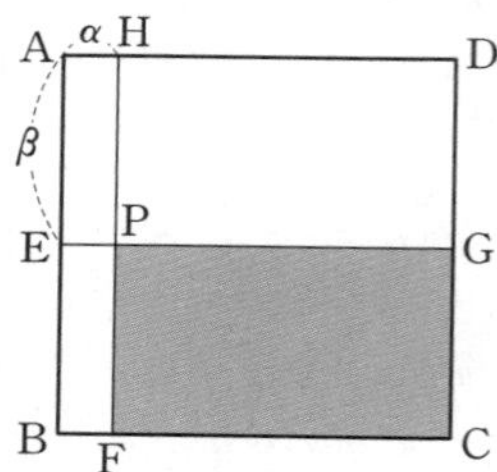

$\overline{AH}=\alpha$, $\overline{AE}=\beta$라고 하면

$\overline{PG}=10-\alpha$, $\overline{PF}=10-\beta$

직사각형 PFCG의 둘레의 길이가 28이므로

$2(10-\alpha)+2(10-\beta)=28$

$20-(\alpha+\beta)=14$

$\therefore \alpha+\beta=6$ ······ ㉠

직사각형 PFCG의 넓이가 46이므로

$(10-\alpha)(10-\beta)=46$에서

$100-10(\alpha+\beta)+\alpha\beta=46$

이 식에 ㉠을 대입하면

$40+\alpha\beta=46$ $\therefore \alpha\beta=6$

STEP 2 α, β를 두 근으로 하는 이차방정식 세우기

따라서 α, β를 두 근으로 하는 이차방정식은

$x^2-(\alpha+\beta)x+\alpha\beta=0$에서 $x^2-6x+6=0$

08

해결전략 | 주어진 이차방정식의 계수가 유리수가 아니므로 켤레근 성질을 이용할 수 없음을 알고, 주어진 한 근을 이차방정식에 대입하여 다른 한 근을 구한다.

STEP 1 이차방정식의 근 구하기

$\alpha=2+\sqrt{3}$은 이차방정식 $ax^2+\sqrt{3}bx+c=0$의 한 근이므로 $x=2+\sqrt{3}$을 대입하면

$a(2+\sqrt{3})^2+\sqrt{3}b(2+\sqrt{3})+c=0$

좌변을 전개하여 정리하면

$(7a+3b+c)+(4a+2b)\sqrt{3}=0$

a, b, c가 유리수이므로 무리식이 같을 조건에 의하여

$7a+3b+c=0$, $4a+2b=0$

$\therefore b=-2a$, $c=-a$

이것을 주어진 이차방정식에 대입하면

$ax^2-2\sqrt{3}ax-a=0$, $a(x^2-2\sqrt{3}x-1)=0$

이때 $a\neq 0$이므로 $x^2-2\sqrt{3}x-1=0$

$\therefore x=\sqrt{3}\pm 2$

STEP 2 $\alpha+\dfrac{1}{\beta}$의 값 구하기

따라서 $\beta=-2+\sqrt{3}$이므로

$$\alpha+\frac{1}{\beta}=2+\sqrt{3}+\frac{1}{-2+\sqrt{3}}$$
$$=2+\sqrt{3}-(2+\sqrt{3})=0$$

다른 풀이

STEP 1 $\alpha=2+\sqrt{3}$에서 $\alpha-\sqrt{3}=2$의 양변을 제곱하여 α에 대한 이차방정식 구하기

$\alpha=2+\sqrt{3}$에서 $\alpha-\sqrt{3}=2$

양변을 제곱하여 정리하면

$\alpha^2-2\sqrt{3}\alpha-1=0$

따라서 α는 이차방정식 $x^2-2\sqrt{3}x-1=0$의 근이다.

STEP 2 이차방정식의 근과 계수를 이용하여 β의 값 구하기

이차방정식 $x^2-2\sqrt{3}x-1=0$의 근과 계수의 관계에 의하여

$\alpha+\beta=2+\sqrt{3}+\beta=2\sqrt{3}$

$\therefore \beta=-2+\sqrt{3}$

STEP 3 $\alpha+\dfrac{1}{\beta}$의 값 구하기

$$\therefore \alpha+\frac{1}{\beta}=2+\sqrt{3}+\frac{1}{-2+\sqrt{3}}$$
$$=2+\sqrt{3}-(2+\sqrt{3})=0$$

06 이차방정식과 이차함수

개념확인 142~145쪽

01 답 (1) 꼭짓점의 좌표: $(0, -2)$, 축의 방정식: $x=0$
(2) 꼭짓점의 좌표: $(-1, 0)$, 축의 방정식: $x=-1$
(3) 꼭짓점의 좌표: $(-2, -3)$,
축의 방정식: $x=-2$
(4) 꼭짓점의 좌표: $(1, 4)$, 축의 방정식: $x=1$
(5) 꼭짓점의 좌표: $(3, -9)$, 축의 방정식: $x=3$
(6) 꼭짓점의 좌표: $(-2, 1)$, 축의 방정식: $x=-2$

(5) $y=x^2-6x$
$=x^2-6x+9-9$
$=(x-3)^2-9$
따라서 꼭짓점의 좌표는 $(3, -9)$, 축의 방정식은 $x=3$이다.

(6) $y=2x^2+8x+9$
$=2(x^2+4x+4-4)+9$
$=2(x+2)^2+1$
따라서 꼭짓점의 좌표는 $(-2, 1)$, 축의 방정식은 $x=-2$이다.

02 답 (1) $1, 5$ (2) $-1, \frac{3}{2}$ (3) $\frac{1}{2}$

(1) 이차방정식 $x^2-6x+5=0$에서
$(x-1)(x-5)=0$
$\therefore x=1$ 또는 $x=5$

(2) 이차방정식 $2x^2-x-3=0$에서
$(x+1)(2x-3)=0$
$\therefore x=-1$ 또는 $x=\frac{3}{2}$

(3) 이차방정식 $-4x^2+4x-1=0$에서
$4x^2-4x+1=0$, $(2x-1)^2=0$
$\therefore x=\frac{1}{2}$

03 답 (1) 2 (2) 0 (3) 1

(1) 이차방정식 $3x^2-5x+1=0$의 판별식을 D라고 하면
$D=(-5)^2-4\times3\times1=13>0$
따라서 주어진 이차함수의 그래프와 x축의 교점은 2개이다.

(2) 이차방정식 $-x^2+3x-4=0$의 판별식을 D라고 하면
$D=3^2-4\times(-1)\times(-4)=-7<0$
따라서 주어진 이차함수의 그래프와 x축의 교점은 없다.

(3) 이차방정식 $2x^2-8x+8=0$의 판별식을 D라고 하면
$\frac{D}{4}=(-4)^2-2\times8=0$
따라서 주어진 이차함수의 그래프와 x축의 교점은 1개이다.

04 답 (1) 만나지 않는다.
(2) 한 점에서 만난다. (접한다.)
(3) 서로 다른 두 점에서 만난다.

(1) 이차방정식 $x^2-x+2=x-6$, 즉 $x^2-2x+8=0$의 판별식을 D라고 하면
$\frac{D}{4}=(-1)^2-1\times8=-7<0$
따라서 주어진 이차함수의 그래프와 직선은 만나지 않는다.

(2) 이차방정식 $x^2-7x+7=x-9$, 즉
$x^2-8x+16=0$의 판별식을 D라고 하면
$\frac{D}{4}=(-4)^2-1\times16=0$
따라서 주어진 이차함수의 그래프와 직선은 한 점에서 만난다. (접한다.)

(3) 이차방정식 $x^2-3x+1=-4x+3$, 즉
$x^2+x-2=0$의 판별식을 D라고 하면
$D=1^2-4\times1\times(-2)=9>0$
따라서 주어진 이차함수의 그래프와 직선은 서로 다른 두 점에서 만난다.

05 답 (1) 최댓값: 없다., 최솟값: 0
(2) 최댓값: -6, 최솟값: 없다.
(3) 최댓값: 3, 최솟값: 없다.
(4) 최댓값: 없다., 최솟값: -1

06 답 $1, 3, -1, 1, 1, -3$
(그래프에서) $1, -3$

필수유형 01 147쪽

01-1 답 풀이 참조

해결전략 | 이차함수 $y=ax^2+bx+c$를 $y=a(x-m)^2+n$ 꼴로 변형한다.

(1) $y=2x^2-8x+10$

$=2(x^2-4x+4-4)+10$

$=2(x-2)^2+2$

꼭짓점의 좌표: $(2,\ 2)$

축의 방정식: $x=2$

y축과 만나는 점의 좌표: $(0,\ 10)$

따라서 이차함수 $y=2x^2-8x+10$의 그래프는 오른쪽 그림과 같다.

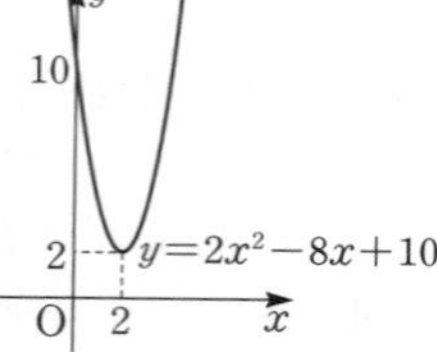

(2) $y=-x^2+6x-9$

$=-(x^2-6x+9)$

$=-(x-3)^2$

꼭짓점의 좌표: $(3,\ 0)$

축의 방정식: $x=3$

y축과 만나는 점의 좌표:

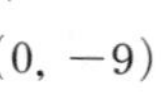

$(0,\ -9)$

따라서 이차함수 $y=-x^2+6x-9$의 그래프는 오른쪽 그림과 같다.

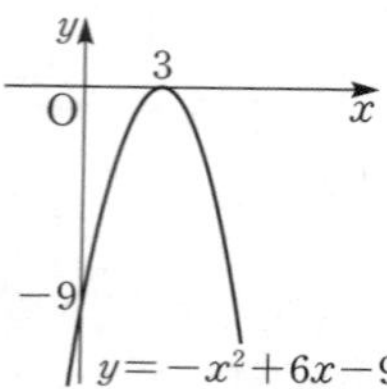

(3) $y=\frac{1}{2}x^2+4x+5$

$=\frac{1}{2}(x^2+8x+16-16)+5$

$=\frac{1}{2}(x+4)^2-3$

꼭짓점의 좌표: $(-4,\ -3)$

축의 방정식: $x=-4$

y축과 만나는 점의 좌표: $(0,\ 5)$

따라서 이차함수 $y=\frac{1}{2}x^2+4x+5$의 그래프는 오른쪽 그림과 같다.

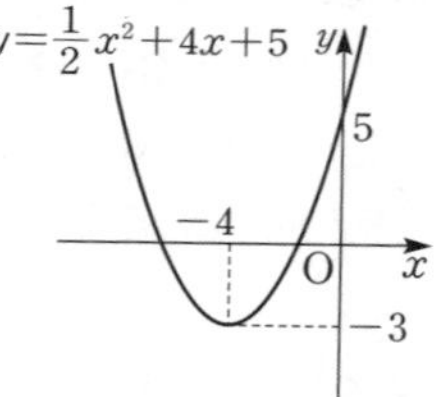

(4) $y=-2x^2-4x+1$

$=-2(x^2+2x+1-1)+1$

$=-2(x+1)^2+3$

꼭짓점의 좌표: $(-1,\ 3)$

축의 방정식: $x=-1$

y축과 만나는 점의 좌표:

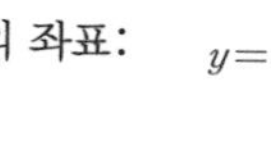

$(0,\ 1)$

따라서 이차함수 $y=-2x^2-4x+1$의 그래프는 오른쪽 그림과 같다.

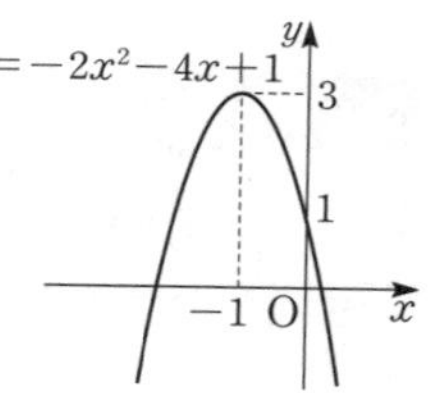

01-2 답 9

해결전략 | 이차함수 $y=ax^2+bx+c$를 $y=a(x-m)^2+n$ 꼴로 변형한다.

STEP1 이차함수의 식을 완전제곱식으로 나타내어 꼭짓점의 좌표 구하기

$y=2x^2+8x+a$

$=2(x^2+4x+4-4)+a$

$=2(x+2)^2+a-8$

의 그래프의 꼭짓점의 좌표는 $(-2,\ a-8)$이다.

STEP2 $a+b$의 값 구하기

이것은 점 $(b,\ 3)$과 같으므로 $-2=b$, $a-8=3$

따라서 $a=11$, $b=-2$이므로

$a+b=11+(-2)=9$

01-3 답 -2

해결전략 | 이차함수 $y=3x^2+12x+2$를 $y=3(x-m)^2+n$ 꼴로 변형하여 평행이동한 그래프의 식을 구한다.

STEP1 평행이동한 그래프의 식 구하기

$y=3x^2+12x+2$

$=3(x+2)^2-10$

의 그래프를 x축의 방향으로 m만큼, y축의 방향으로 n만큼 평행이동한 그래프의 식은

$y=3(x-m+2)^2-10+n$

STEP2 m, n의 값 구하기

이 그래프가 $y=3x^2-18x+10=3(x-3)^2-17$의 그래프와 일치하므로

$-m+2=-3$, $-10+n=-17$

$\therefore m=5,\ n=-7$

STEP3 $m+n$의 값 구하기

$\therefore m+n=5+(-7)=-2$

01-4 답 2

해결전략 | 이차함수 $y=-x^2+4x+2$를 $y=-(x-m)^2+n$ 꼴로 변형하여 점 B의 좌표를 구한다.

STEP1 이차함수의 식을 완전제곱식으로 나타내어 꼭짓점의 좌표 구하기

$y=-x^2+4x+2$

$=-(x-2)^2+6$

이므로 꼭짓점의 좌표는 $(2,\ 6)$, y축과 만나는 점의 좌표는 $(0,\ 2)$이다.

STEP2 삼각형 AOB의 넓이 구하기

따라서 $\mathrm{A}(0, 2)$, $\mathrm{B}(2, 6)$이므로 삼각형 AOB의 넓이는

$\frac{1}{2}\times 2\times 2=2$

01-5 답 3

해결전략 | 꼭짓점의 좌표와 y축과의 교점의 y좌표를 이용하여 이차함수의 식을 구한다.

STEP 1 이차함수의 식 구하기

꼭짓점의 좌표가 $(2, 1)$이므로 주어진 이차함수의 식을

$y=a(x-2)^2+1$

로 놓을 수 있다.

이 그래프가 점 $(0, 9)$를 지나므로

$9=4a+1 \qquad \therefore a=2$

따라서 이차함수의 식은

$y=2(x-2)^2+1$

$\ =2x^2-8x+9$

이므로

$b=-8,\ c=9$

STEP 2 $a+b+c$의 값 구하기

$\therefore a+b+c=2+(-8)+9=3$

01-6 답 -4

해결전략 | 세 점의 좌표를 이차함수의 식에 대입하여 이차함수의 식을 구한다.

STEP 1 a, b, c의 값 구하기

$y=ax^2+bx+c$에

점 $(0, -1)$을 대입하면 $c=-1$

점 $(-2, 3)$을 대입하면

$3=4a-2b-1 \qquad \therefore 2a-b=2$ ······ ㉠

점 $(1, -6)$을 대입하면

$-6=a+b-1 \qquad \therefore a+b=-5$ ······ ㉡

㉠, ㉡을 연립하여 풀면 $a=-1$, $b=-4$

STEP 2 abc의 값 구하기

$\therefore abc=(-1)\times(-4)\times(-1)=-4$

필수유형 02

149쪽

02-1 답 $a<0$, $b>0$, $c<0$

해결전략 | 그래프의 모양, 축의 위치, y축의 교점의 위치를 보고 a, b, c의 부호를 정한다.

주어진 이차함수의 그래프가 위로 볼록하므로

$a<0$

축이 y축의 오른쪽에 있으므로

$-\frac{b}{2a}>0$에서 $\frac{b}{2a}<0$

$\therefore ab<0$

$\therefore b>0$

또, y축과의 교점의 y좌표가 음수이므로

$c<0$

02-2 답 (1) $a<0$ (2) $b<0$ (3) $c=0$ (4) $a+b+c<0$ (5) $9a-3b+c<0$ (6) $a-2b+4c>0$

해결전략 | 이차함수의 그래프를 통해 a, b, c의 부호를 알고, 이차함수의 계수로 이루어진 식의 부호는 특정한 함숫값의 부호를 조사한다.

$f(x)=ax^2+bx+c$라고 하면

(1) 그래프가 위로 볼록하므로 $a<0$

(2) 축이 y축의 왼쪽에 있으므로 a, b의 부호는 서로 같다.

$\therefore b<0$

(3) 그래프가 원점을 지나므로 $c=0$

(4) $f(1)=a+b+c$이고,

그래프에서 $x=1$일 때 y의 값은 음수이므로

$a+b+c<0$

(5) $f(-3)=9a-3b+c$이고,

그래프에서 $x=-3$일 때 y의 값은 음수이므로

$9a-3b+c<0$

(6) $f\left(-\frac{1}{2}\right)=\frac{1}{4}a-\frac{1}{2}b+c$이고,

그래프에서 $x=-\frac{1}{2}$일 때 y의 값은 양수이므로

$\frac{1}{4}a-\frac{1}{2}b+c>0$

$\frac{1}{4}(a-2b+4c)>0$

$\therefore a-2b+4c>0$

02-3 답 ㄱ

해결전략 | a, b, c의 부호를 이용하여 주어진 이차함수의 그래프의 개형을 파악한다.

$y=ax^2-bx-c$에서 $a>0$, $b<0$, $c<0$이므로

$a>0$, $-b>0$, $-c>0$

ㄱ. $a>0$이므로 그래프가 아래로 볼록하다. (참)

ㄴ. a, $-b$의 부호가 같으므로 그래프의 축은 y축의 왼쪽에 있다. (거짓)

ㄷ. $-c>0$이므로 그래프는 y축과 x축의 위쪽에서 만난다. (거짓)

따라서 옳은 것은 ㄱ이다.

> 참고

$y=ax^2-bx-c$의 그래프의 개형은 오른쪽 그림과 같다.

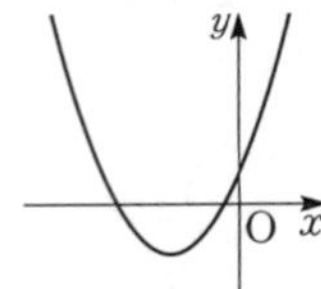

풍쌤의 비법

$y=ax^2-bx-c$의 그래프의 개형을 알기 위해서는 a, $-b$, $-c$의 부호를 알아야 한다. 만약 부호 파악이 헷갈린다면 $-b=b'$, $-c=c'$으로 놓고 $y=ax^2+b'x+c'$에서 a, b', c'의 부호를 알아보아도 된다.

02-4 답 ㄱ, ㄷ, ㅁ

해결전략 | 이차함수의 그래프를 통해 a, b, c의 부호를 알고, 이차함수의 계수로 이루어진 식의 부호는 특정한 함숫값의 부호를 조사한다.

STEP 1 그래프를 보고, a, b, c의 부호 구하기

(i) 그래프가 아래로 볼록하므로 $a>0$

(ii) 축이 y축의 오른쪽에 있으므로 a, b의 부호는 서로 다르다.
$\therefore b<0$

(iii) y축의 교점의 y좌표가 음수이므로
$c<0$

STEP 2 보기의 참, 거짓 판별하기

ㄱ. $ab<0$ (참)

ㄴ. $ac<0$ (거짓)

ㄷ. $f(x)=ax^2+bx+c$라고 하면
$f(1)=a+b+c$이고,
그래프에서 $x=1$일 때 y의 값은 음수이므로
$a+b+c<0$ (참)

ㄹ. $f(-1)=a-b+c$이고,
그래프에서 $x=-1$일 때 y의 값은 양수이므로
$a-b+c>0$ (거짓)

ㅁ. $f\left(\frac{1}{3}\right)=\frac{1}{9}a+\frac{1}{3}b+c$이고,
그래프에서 $x=\frac{1}{3}$일 때 y의 값은 음수이므로
$\frac{1}{9}a+\frac{1}{3}b+c<0$, $\frac{1}{9}(a+3b+9c)<0$
$\therefore a+3b+9c<0$ (참)

따라서 옳은 것은 ㄱ, ㄷ, ㅁ이다.

02-5 답 ①

해결전략 | 일차함수의 그래프를 통해 a, b의 부호를 알아내고, 이차함수 $y=a(x+b)^2$의 그래프를 그려 본다.

STEP 1 직선을 보고 a, b의 부호 구하기

직선 $y=ax+b$에서 기울기는 음수이므로 $a<0$, y절편은 양수이므로 $b>0$

STEP 2 이차함수의 그래프의 개형 파악하기

이차함수 $y=a(x+b)^2$에서 $a<0$이므로 그래프가 위로 볼록하고, 꼭짓점의 좌표 $(-b, 0)$에서 $-b<0$이므로 꼭짓점은 x축 위에 있고 꼭짓점의 x좌표는 음수이다.

따라서 이차함수 $y=a(x+b)^2$의 그래프는 오른쪽 그림과 같다.

필수유형 03 151쪽

03-1 답 0

해결전략 | 이차함수 $y=f(x)$의 그래프와 x축의 두 교점의 x좌표가 α, β이면 이차방정식 $f(x)=0$의 두 근이 α, β이다.

STEP 1 이차함수와 이차방정식의 관계 이해하기

이차함수 $y=2x^2-ax+b$의 그래프와 x축의 두 교점의 x좌표가 $-\frac{1}{2}$, 1이므로 이차방정식 $2x^2-ax+b=0$의 두 근이 $-\frac{1}{2}$, 1이다.

STEP 2 $a+b$의 값 구하기

즉, 이차방정식의 근과 계수의 관계에 의하여

$-\frac{1}{2}+1=-\frac{-a}{2}$ $\quad\therefore a=1$

$\left(-\frac{1}{2}\right)\times 1=\frac{b}{2}$ $\quad\therefore b=-1$

$\therefore a+b=1+(-1)=0$

03-2 답 $m<\frac{5}{2}$

해결전략 | 이차함수 $y=f(x)$의 그래프가 x축과 서로 다른

두 점에서 만나려면 이차방정식 $f(x)=0$의 판별식을 D라고 할 때, $D>0$이어야 한다.

STEP 1 이차함수의 그래프가 x축과 서로 다른 두 점에서 만나기 위한 조건 알아보기

이차함수 $y=x^2+4x+2m-1$의 그래프가 x축과 서로 다른 두 점에서 만나려면 이차방정식 $x^2+4x+2m-1=0$이 서로 다른 두 실근을 가져야 한다.

STEP 2 판별식을 이용하여 m의 값의 범위 구하기

이차방정식 $x^2+4x+2m-1=0$의 판별식을 D라고 하면

$\frac{D}{4}=2^2-1\times(2m-1)>0$

$-2m+5>0,\ 2m<5$

$\therefore\ m<\frac{5}{2}$

03-3 답 $k\leq1$

해결전략 | 이차함수 $y=f(x)$의 그래프가 x축과 만나려면 이차방정식 $f(x)=0$의 판별식을 D라고 할 때, $D\geq0$이어야 한다.

STEP 1 이차함수의 그래프가 x축과 만나기 위한 조건 알아보기

이차함수 $y=-x^2+2(k-2)x-k^2$의 그래프가 x축과 만나려면 이차방정식 $-x^2+2(k-2)x-k^2=0$이 실근을 가져야 한다.

STEP 2 판별식을 이용하여 m의 값의 범위 구하기

이차방정식 $-x^2+2(k-2)x-k^2=0$의 판별식을 D라고 하면

$\frac{D}{4}=(k-2)^2-(-1)\times(-k^2)\geq0$

$-4k+4\geq0,\ 4k\leq4$

$\therefore\ k\leq1$

03-4 답 $-2,\ 2$

해결전략 | 이차함수 $y=f(x)$의 그래프가 x축과 접하려면 이차방정식 $f(x)=0$의 판별식을 D라고 할 때, $D=0$이어야 한다.

STEP 1 이차함수의 그래프가 x축과 접하기 위한 조건 알아보기

이차함수 $y=-x^2+mx+m^2-5$의 그래프가 x축과 접하려면 이차방정식 $-x^2+mx+m^2-5=0$이 중근을 가져야 한다.

STEP 2 판별식을 이용하여 m의 값 구하기

이차방정식 $-x^2+mx+m^2-5=0$의 판별식을 D라고 하면

$D=m^2-4\times(-1)\times(m^2-5)=0$

$5m^2-20=0,\ m^2=4$

$\therefore\ m=\pm2$

03-5 답 2

해결전략 | 이차함수 $y=f(x)$의 그래프가 x축과 만나지 않으려면 이차방정식 $f(x)=0$의 판별식을 D라고 할 때, $D<0$이어야 한다.

STEP 1 이차함수의 그래프가 x축과 만나지 않을 조건 알아보기

이차함수 $y=x^2+2(a-4)x+a^2+a-1$의 그래프가 x축과 만나지 않으려면 이차방정식 $x^2+2(a-4)x+a^2+a-1=0$이 허근을 가져야 한다.

STEP 2 판별식을 이용하여 정수 a의 최솟값 구하기

이차방정식 $x^2+2(a-4)x+a^2+a-1=0$의 판별식을 D라고 하면

$\frac{D}{4}=(a-4)^2-(a^2+a-1)<0$

$-9a+17<0,\ 9a>17$

$\therefore\ a>\frac{17}{9}$

따라서 정수 a의 최솟값은 2이다.

03-6 답 12

해결전략 | 이차함수 $y=ax^2+bx+c$의 그래프와 x축의 교점의 개수는 이차방정식 $ax^2+bx+c=0$의 판별식으로 구할 수 있다.

STEP 1 이차함수의 그래프가 x축에 접하기 위한 조건 알아보기

이차함수 $y=x^2-2ax+(a+4)k+b$의 그래프가 x축에 접하므로 이차방정식 $x^2-2ax+(a+4)k+b=0$은 중근을 갖는다.

STEP 2 판별식을 이용하여 k에 대한 식 구하기

이차방정식 $x^2-2ax+ak+4k+b=0$의 판별식을 D라고 하면

$\frac{D}{4}=(-a)^2-(ak+4k+b)=0$

$a^2-ak-4k-b=0$

STEP 3 항등식의 성질을 이용하여 $a,\ b$의 값 구하기

이 식이 k의 값에 관계없이 항상 성립해야 하므로

$(-a-4)k+(a^2-b)=0$에서

$-a-4=0,\ a^2-b=0$

$\therefore\ a=-4,\ b=(-4)^2=16$

STEP 4 $a+b$의 값 구하기

$\therefore\ a+b=-4+16=12$

필수유형 04 153쪽

04-1 답 (1) 1 (2) $1, \frac{3}{2}$ (3) $-\frac{3}{2}, 0$

해결전략 | 이차함수 $y=f(x)$의 그래프와 직선 $y=g(x)$의 교점의 x좌표는 이차방정식 $f(x)=g(x)$의 실근과 같다.

(1) 이차함수 $y=-x^2+4x+2$의 그래프와 직선 $y=2x+3$의 교점의 x좌표는 이차방정식 $-x^2+4x+2=2x+3$, 즉 $x^2-2x+1=0$의 실근과 같으므로
$(x-1)^2=0$
$\therefore x=1$

(2) 이차함수 $y=2x^2-4x+5$의 그래프와 직선 $y=x+2$의 교점의 x좌표는 이차방정식 $2x^2-4x+5=x+2$, 즉 $2x^2-5x+3=0$의 실근과 같으므로
$(x-1)(2x-3)=0$
$\therefore x=1$ 또는 $x=\frac{3}{2}$

(3) 이차함수 $y=-4x^2-3x+1$의 그래프와 직선 $y=3x+1$의 교점의 x좌표는 이차방정식 $-4x^2-3x+1=3x+1$, 즉 $2x^2+3x=0$의 실근과 같으므로
$x(2x+3)=0$
$\therefore x=0$ 또는 $x=-\frac{3}{2}$

04-2 답 $a=2,\ b=-5$

해결전략 | 이차함수 $y=f(x)$의 그래프와 직선 $y=g(x)$의 교점의 x좌표는 이차방정식 $f(x)=g(x)$의 실근과 같다.

STEP1 이차함수와 이차방정식의 관계 이해하기

이차함수 $y=-x^2+ax+1$의 그래프와 직선 $y=3x+b$의 교점의 x좌표는 이차방정식 $-x^2+ax+1=3x+b$,
즉 $x^2+(3-a)x+b-1=0$ …… ㉠
의 실근과 같으므로 -3, 2는 이차방정식 ㉠의 두 근이다.

STEP2 a, b의 값 구하기

따라서 이차방정식의 근과 계수의 관계에 의하여
$-3+2=-(3-a)$ $\therefore a=2$
$(-3)\times 2=b-1$ $\therefore b=-5$

04-3 답 4

해결전략 | 이차함수 $y=f(x)$의 그래프와 직선 $y=g(x)$의 교점의 x좌표는 이차방정식 $f(x)=g(x)$의 실근과 같다.

STEP1 이차함수와 이차방정식의 관계 이해하기

이차함수 $y=2x^2-5x+a$의 그래프와 직선 $y=x+12$의 교점의 x좌표는 이차방정식 $2x^2-5x+a=x+12$, 즉 $2x^2-6x+a-12=0$의 실근이다.

STEP2 a의 값 구하기

두 교점의 x좌표의 곱이 -4이므로 이차방정식의 근과 계수의 관계에 의하여
$\frac{a-12}{2}=-4$, $a-12=-8$ $\therefore a=4$

04-4 답 $\mathrm{P}(2, -1)$, $\mathrm{Q}(4, 1)$

해결전략 | 두 점 P, Q의 x좌표는 이차함수의 그래프와 직선의 교점의 x좌표와 같으므로 주어진 근을 이용하여 k의 값을 구한다.

STEP1 이차함수와 이차방정식의 관계 이해하기

이차함수 $y=x^2-5x+5$의 그래프와 직선 $y=x+k$의 교점의 x좌표는 이차방정식 $x^2-5x+5=x+k$, 즉 $x^2-6x+5-k=0$의 실근과 같다.

STEP2 근과 계수의 관계를 이용하여 k와 다른 한 근 구하기

이 이차방정식의 한 근이 2이므로 다른 한 근을 α라고 하면 근과 계수의 관계에 의하여
$2+\alpha=6$, $2\alpha=5-k$
$\therefore \alpha=4$, $k=-3$

STEP3 두 점 P, Q의 좌표 구하기

즉, 점 Q의 x좌표는 4이고, 두 점 P, Q는 직선 $y=x-3$ 위의 점이므로 $\mathrm{P}(2, -1)$, $\mathrm{Q}(4, 1)$

04-5 답 $a=4,\ b=0$

해결전략 | 계수가 유리수인 이차방정식의 한 근이 $3-\sqrt{6}$이면 다른 한 근은 $3+\sqrt{6}$이다.

STEP1 이차함수와 이차방정식의 관계 이해하기

함수 $y=x^2-2x+3$의 그래프와 직선 $y=ax+b$의 교점의 x좌표는 이차방정식 $x^2-2x+3=ax+b$, 즉
$x^2-(a+2)x+3-b=0$ …… ㉠
의 실근과 같으므로 $3-\sqrt{6}$은 이차방정식 ㉠의 근이다.

STEP2 이차방정식의 켤레근의 성질을 이용하여 a, b의 값 구하기

이때 a, b가 유리수이므로 $3+\sqrt{6}$도 근이다.
따라서 이차방정식의 근과 계수의 관계에 의하여
$(3-\sqrt{6})+(3+\sqrt{6})=a+2$ $\therefore a=4$
$(3-\sqrt{6})(3+\sqrt{6})=3-b$ $\therefore b=0$

04-6 답 4

해결전략 | 이차함수 $y=f(x)$의 그래프와 직선 $y=g(x)$의 교점의 x좌표는 이차방정식 $f(x)=g(x)$의 실근과 같다.

STEP 1 이차함수와 직선의 두 교점의 x좌표의 합 구하기

원점을 지나고 기울기가 양수 m인 직선의 방정식은

$y=mx$

직선 $y=mx$와 이차함수 $y=x^2-2$의 그래프가 서로 다른 두 점 A, B에서 만나므로 두 점 A, B의 x좌표를 각각 α, β $(\alpha<0<\beta)$라고 하면 α, β가 이차방정식

$x^2-2=mx$, 즉 $x^2-mx-2=0$의 두 근이다.

따라서 이차방정식의 근과 계수의 관계에 의하여

$\alpha+\beta=m$ ...... ㉠

STEP 2 $|\overline{AA'}-\overline{BB'}|$을 m, α, β에 대한 식으로 나타내기

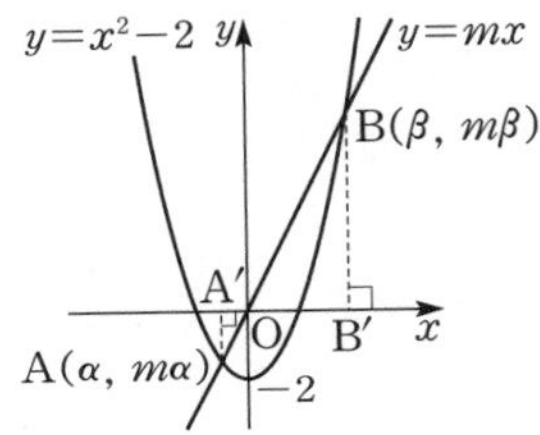

$\overline{AA'}=-m\alpha$, $\overline{BB'}=m\beta$이므로

$|\overline{AA'}-\overline{BB'}|=|-m\alpha-m\beta|$ ...... ㉡

STEP 3 m의 값 구하기

㉠을 ㉡에 대입하면

$$\begin{aligned}|\overline{AA'}-\overline{BB'}|&=|-m\alpha-m\beta|\\&=|-m(\alpha+\beta)|\\&=m^2=16\end{aligned}$$

$\therefore m=4$ ($\because m>0$)

필수유형 05 155쪽

05-1 답 (1) 2 (2) 1 (3) 0

해결전략 | 이차함수 $y=f(x)$의 그래프와 직선 $y=g(x)$의 위치 관계는 이차방정식 $f(x)=g(x)$, 즉 $f(x)-g(x)=0$의 판별식 D의 부호를 조사한다.

(1) 이차방정식 $-2x^2-2x+4=-3x+2$, 즉 $2x^2-x-2=0$의 판별식을 D라고 하면

$D=(-1)^2-4\times2\times(-2)=17>0$

따라서 주어진 이차함수의 그래프와 직선의 교점은 2개이다.

(2) 이차방정식 $3x^2-4x+1=2x-2$, 즉 $x^2-2x+1=0$의 판별식을 D라고 하면

$\frac{D}{4}=(-1)^2-1\times1=0$

따라서 주어진 이차함수의 그래프와 직선의 교점은 1개이다.

(3) 이차방정식 $-x^2+2x-5=x+1$, 즉 $x^2-x+6=0$의 판별식을 D라고 하면

$D=(-1)^2-4\times1\times6=-23<0$

따라서 주어진 이차함수의 그래프와 직선의 교점은 없다.

05-2 답 -6

해결전략 | 이차함수 $y=f(x)$의 그래프와 직선 $y=g(x)$가 서로 다른 두 점에서 만나려면 이차방정식 $f(x)=g(x)$, 즉 $f(x)-g(x)=0$의 판별식을 D라고 할 때, $D>0$이어야 한다.

STEP 1 이차함수의 그래프와 직선이 서로 다른 두 점에서 만나는 조건 알아보기

이차함수 $y=x^2+5x+2$의 그래프와 직선 $y=-x+k$가 서로 다른 두 점에서 만나려면 이차방정식

$x^2+5x+2=-x+k$, 즉

$x^2+6x+2-k=0$ ...... ㉠

이 서로 다른 두 실근을 가져야 한다.

STEP 2 정수 k의 최솟값 구하기

이차방정식 ㉠의 판별식을 D라고 하면

$\frac{D}{4}=3^2-(2-k)>0$

$k+7>0$ $\therefore k>-7$

따라서 정수 k의 최솟값은 -6이다.

05-3 답 1, 9

해결전략 | 이차함수 $y=f(x)$의 그래프와 직선 $y=g(x)$가 접하려면 이차방정식 $f(x)=g(x)$, 즉 $f(x)-g(x)=0$의 판별식을 D라고 할 때, $D=0$이어야 한다.

STEP 1 이차함수의 그래프와 직선이 접하는 조건 알아보기

이차함수 $y=x^2+kx$의 그래프와 직선 $y=3x-k$가 접하려면 이차방정식 $x^2+kx=3x-k$, 즉

$x^2+(k-3)x+k=0$ ...... ㉠

이 중근을 가져야 한다.

STEP 2 k의 값 구하기

이차방정식 ㉠의 판별식을 D라고 하면

$D=(k-3)^2-4k=0$

$k^2-10k+9=0$, $(k-1)(k-9)=0$

$\therefore k=1$ 또는 $k=9$

05-4 답 8

해결전략 | 이차함수 $y=f(x)$의 그래프와 직선 $y=g(x)$가 만나지 않으려면 이차방정식 $f(x)=g(x)$, 즉 $f(x)-g(x)=0$의 판별식을 D라고 할 때, $D<0$이어야 한다.

STEP1 이차함수의 그래프와 직선이 만나지 않을 조건 알아보기

이차함수 $y=x^2-2x+k$의 그래프와 직선 $y=3x+1$이 만나지 않으려면 이차방정식 $x^2-2x+k=3x+1$, 즉

$x^2-5x+k-1=0$ …… ㉠

이 실근을 갖지 않아야 한다.

STEP2 자연수 k의 최솟값 구하기

이차방정식 ㉠의 판별식을 D라고 하면

$D=(-5)^2-4(k-1)<0$

$-4k+29<0$, $4k>29$

$\therefore k>\frac{29}{4}$

따라서 자연수 k의 최솟값은 8이다.

05-5 답 $a\geq 4$

해결전략 | 이차함수 $y=f(x)$의 그래프와 직선 $y=g(x)$가 적어도 한 점에서 만나려면 이차방정식 $f(x)=g(x)$, 즉 $f(x)-g(x)=0$의 판별식을 D라고 할 때, $D\geq 0$이어야 한다.

STEP1 이차함수의 그래프와 직선이 만나는 조건 알아보기

이차함수 $y=x^2+2ax+a^2-3a+6$의 그래프와 직선 $y=2x+1$이 적어도 한 점에서 만나려면 이차함수의 그래프와 직선이 서로 접하거나 서로 다른 두 점에서 만나야 하므로 이차방정식 $x^2+2ax+a^2-3a+6=2x+1$, 즉

$x^2+2(a-1)x+a^2-3a+5=0$ …… ㉠

이 실근을 가져야 한다.

STEP2 a의 값의 범위 구하기

이차방정식 ㉠의 판별식을 D라고 하면

$\frac{D}{4}=(a-1)^2-(a^2-3a+5)\geq 0$

$a-4\geq 0$ $\therefore a\geq 4$

> **풍쌤의 비법**
>
> 이차함수의 그래프와 직선이 적어도 한 점에서 만난다는 것은 두 그래프의 교점이 1개 또는 2개라는 것이다. 즉, 두 그래프의 식을 연립하여 얻은 이차방정식의 실근이 1개 또는 2개이므로 $D\geq 0$이어야 한다.

05-6 답 $k<-1$

해결전략 | 이차함수 $y=f(x)$의 그래프가 직선 $y=g(x)$보다 항상 아래쪽에 있으려면 이차함수 $y=f(x)$의 그래프와 직선 $y=g(x)$가 만나지 않아야 한다.

STEP1 이차함수의 그래프가 직선보다 항상 아래쪽에 있을 조건 알아보기

이차함수 $y=-x^2-2kx-1$의 그래프가 직선 $y=2x+k^2-k-3$보다 항상 아래쪽에 있으려면 이차함수의 그래프와 직선이 만나지 않아야 하므로 이차방정식 $-x^2-2kx-1=2x+k^2-k-3$, 즉

$x^2+2(k+1)x+k^2-k-2=0$ …… ㉠

이 허근을 가져야 한다.

STEP2 k의 값의 범위 구하기

이차방정식 ㉠의 판별식을 D라고 하면

$\frac{D}{4}=(k+1)^2-(k^2-k-2)<0$

$3k+3<0$, $3k<-3$

$\therefore k<-1$

필수유형 06

157쪽

06-1 답 (1) $y=x+2$ (2) $y=-2x-1$

해결전략 | 이차함수 $y=f(x)$의 그래프에 접하고 기울기가 a인 직선은 $y=ax+b$로 놓고, 이차방정식 $f(x)=ax+b$의 판별식 D가 $D=0$임을 이용한다.

(1) **STEP1 이차함수의 그래프와 직선이 접하는 조건 알아보기**

기울기가 1인 직선의 방정식을 $y=x+k$라고 하자.

이 직선이 이차함수 $y=x^2-x+3$의 그래프에 접하므로 이차방정식 $x^2-x+3=x+k$, 즉

$x^2-2x+3-k=0$ …… ㉠

이 중근을 가져야 한다.

STEP2 직선의 방정식 구하기

이차방정식 ㉠의 판별식을 D라고 하면

$\frac{D}{4}=(-1)^2-(3-k)=0$

$k-2=0$ $\therefore k=2$

따라서 구하는 직선의 방정식은 $y=x+2$

(2) **STEP1 이차함수의 그래프와 직선이 접하는 조건 알아보기**

기울기가 -2인 직선의 방정식을 $y=-2x+k$라고 하자.

이 직선이 이차함수 $y=2x^2+2x+1$의 그래프에 접하므로 이차방정식 $2x^2+2x+1=-2x+k$, 즉

$2x^2+4x+1-k=0$ …… ㉠

이 중근을 가져야 한다.

STEP 2 직선의 방정식 구하기

이차방정식 ㉠의 판별식을 D라고 하면

$\frac{D}{4}=2^2-2(1-k)=0$

$2k+2=0$ $\quad\therefore k=-1$

따라서 구하는 직선의 방정식은

$y=-2x-1$

06-2 답 4

해결전략 | 이차함수 $y=f(x)$의 그래프에 접하고 점 (p, q)를 지나는 직선을 $y=a(x-p)+q$로 놓고, 이차방정식 $f(x)=a(x-p)+q$의 판별식 D가 $D=0$임을 이용한다.

STEP 1 이차함수의 그래프와 직선이 접하는 조건 알아보기

점 $(-2, 1)$을 지나는 직선의 방정식을 $y=a(x+2)+1$이라고 하자.

이 직선이 이차함수 $y=x^2-2x+1$의 그래프에 접하므로 이차방정식 $x^2-2x+1=a(x+2)+1$, 즉

$x^2-(2+a)x-2a=0$ …… ㉠

이 중근을 가져야 한다.

STEP 2 판별식을 이용하여 조건을 만족하는 식 구하기

이차방정식 ㉠의 판별식을 D라고 하면

$D=\{-(2+a)\}^2-4\times(-2a)=0$

$a^2+12a+4=0$

STEP 3 두 직선의 기울기의 곱 구하기

이때 a는 직선의 기울기이므로 두 직선의 기울기의 곱은 이차방정식의 근과 계수의 관계에 의하여 4이다.

> 참고

$a^2+12a+4=0$에서 근의 공식에 의하여 $a=-6\pm4\sqrt{2}$

06-3 답 5

해결전략 | 이차함수 $y=f(x)$의 그래프와 직선 $y=g(x)$가 접하려면 이차방정식 $f(x)=g(x)$, 즉 $f(x)-g(x)=0$의 판별식을 D라고 할 때, $D=0$이어야 한다.

STEP 1 이차함수의 그래프와 직선이 접하는 조건 알아보기

직선 $2x-y+1=0$, 즉 $y=2x+1$과 평행한 직선의 방정식을 $y=2x+k$ $(k\neq1)$라고 하자.

직선 $y=2x+k$가 이차함수 $y=x^2-2x+9$의 그래프에 접하므로 이차방정식

$x^2-2x+9=2x+k$, 즉

$x^2-4x+9-k=0$ …… ㉠

이 중근을 가져야 한다.

STEP 2 직선의 y절편 구하기

이차방정식 ㉠의 판별식을 D라고 하면

$\frac{D}{4}=(-2)^2-(9-k)=0$

$k-5=0$ $\quad\therefore k=5$

따라서 구하는 직선의 y절편은 5이다.

06-4 답 −4

해결전략 | 이차함수의 그래프와 평행이동한 직선이 접하므로 두 식을 연립한 이차방정식의 판별식 D가 $D=0$임을 이용한다.

STEP 1 평행이동한 직선의 방정식 구하기

직선 $y=3x+1$을 y축의 방향으로 k만큼 평행이동한 직선의 방정식은 $y=3x+1+k$

STEP 2 이차함수의 그래프와 직선이 접하는 조건 알아보기

이 직선이 이차함수 $y=-2x^2-x-5$의 그래프에 접하므로 이차방정식 $-2x^2-x-5=3x+1+k$, 즉

$2x^2+4x+6+k=0$ …… ㉠

이 중근을 가져야 한다.

STEP 3 k의 값 구하기

이차방정식 ㉠의 판별식을 D라고 하면

$\frac{D}{4}=2^2-2(6+k)=0$

$-8-2k=0$

$\therefore k=-4$

06-5 답 0

해결전략 | 이차함수 $y=f(x)$의 그래프에 접하고 점 (p, q)를 지나는 직선을 $y=a(x-p)+q$로 놓고, 이차방정식 $f(x)=a(x-p)+q$의 판별식 D가 $D=0$임을 이용한다.

STEP 1 이차함수의 그래프와 직선이 접하는 조건 알아보기

점 $(1, 2)$를 지나는 직선의 방정식을

$y=a(x-1)+2$ …… ㉠

라고 하자.

이 직선이 이차함수 $y=2x^2-3x+3$의 그래프에 접하므로 이차방정식 $2x^2-3x+3=a(x-1)+2$, 즉

$2x^2-(3+a)x+1+a=0$ …… ㉡

이 중근을 가져야 한다.

STEP 2 a, b의 값 구하기

이차방정식 ㉡의 판별식을 D라고 하면

$D=\{-(3+a)\}^2-4\times2\times(1+a)=0$

$a^2-2a+1=0$, $(a-1)^2=0$

$\therefore a=1$

$a=1$을 ㉠에 대입하면

$y=x-1+2=x+1$

$\therefore b=1$

STEP 3 $a-b$의 값 구하기

$\therefore a-b=1-1=0$

06-6 답 $\frac{3}{16}$

해결전략 | 이차함수 $y=f(x)$의 그래프와 직선 $y=g(x)$가 접하려면 이차방정식 $f(x)=g(x)$, 즉 $f(x)-g(x)=0$의 판별식을 D라고 할 때, $D=0$이어야 한다.

STEP 1 이차함수의 그래프와 직선이 접하는 조건 알아보기

이차함수 $y=x^2-4kx+4k^2+k$의 그래프와 직선 $y=2ax+b$가 접하려면 이차방정식

$x^2-4kx+4k^2+k=2ax+b$, 즉

$x^2-2(2k+a)x+4k^2+k-b=0$ …… ㉠

이 중근을 가져야 한다.

STEP 2 판별식을 이용하여 k에 대한 식 구하기

이차방정식 ㉠의 판별식을 D라고 하면

$\frac{D}{4}=\{-(2k+a)\}^2-(4k^2+k-b)=0$

$(4a-1)k+a^2+b=0$

STEP 3 항등식의 성질을 이용하여 a, b의 값 구하기

이 식이 k의 값에 관계없이 항상 성립하므로

$4a-1=0$, $a^2+b=0$

$\therefore a=\frac{1}{4}$, $b=-a^2=-\frac{1}{16}$

STEP 4 $a+b$의 값 구하기

$\therefore a+b=\frac{1}{4}+\left(-\frac{1}{16}\right)=\frac{3}{16}$

필수유형 07

159쪽

07-1 답 (1) 최댓값: 없다., 최솟값: -14

(2) 최댓값: 5, 최솟값: 없다.

(3) 최댓값: 없다., 최솟값: 5

(4) 최댓값: 8, 최솟값: 없다.

해결전략 | 이차함수의 식을 $y=a(x-p)^2+q$ 꼴로 바꾸면 q의 값이 이차함수의 최댓값 또는 최솟값이다.

(1) $y=x^2+10x+11$

$=(x^2+10x+25-25)+11$

$=(x+5)^2-14$

따라서 주어진 이차함수는 $x=-5$일 때 최솟값 -14를 갖고, 최댓값은 없다.

(2) $y=-x^2-4x+1$

$=-(x^2+4x+4-4)+1$

$=-(x+2)^2+5$

따라서 주어진 이차함수는 $x=-2$일 때 최댓값 5를 갖고, 최솟값은 없다.

(3) $y=4x^2-8x+9$

$=4(x^2-2x+1-1)+9$

$=4(x-1)^2+5$

따라서 주어진 이차함수는 $x=1$일 때 최솟값 5를 갖고, 최댓값은 없다.

(4) $y=-2x^2+20x-42$

$=-2(x^2-10x+25-25)-42$

$=-2(x-5)^2+8$

따라서 주어진 이차함수는 $x=5$일 때 최댓값 8을 갖고, 최솟값은 없다.

07-2 답 16

해결전략 | 주어진 이차함수의 식을 $y=a(x-p)^2+q$ 꼴로 바꾸고 주어진 최댓값을 이용한다.

STEP 1 이차함수의 식을 $y=a(x-p)^2+q$ 꼴로 바꾸기

$y=-x^2-4x+k$

$=-(x^2+4x+4-4)+k$

$=-(x+2)^2+k+4$

STEP 2 k의 값 구하기

따라서 주어진 이차함수는 $x=-2$일 때 최댓값 $k+4$를 가지므로

$k+4=20$ $\quad\therefore k=16$

07-3 답 7

해결전략 | 이차함수가 $x=p$에서 최댓값 q를 가지면 이차함수의 식은 $y=a(x-p)^2+q$이다.

STEP 1 이차함수의 식 세우기

이차함수 $y=ax^2+6x-2a+1$은 $x=1$일 때 최댓값 b를 가지므로

$y=a(x-1)^2+b$

$=ax^2-2ax+a+b$

STEP 2 a, b의 값 구하기

따라서 $-2a=6$, $a+b=-2a+1$이므로

$a=-3$, $b=10$

STEP 3 **$a+b$의 값 구하기**

$\therefore a+b=-3+10=7$

07-4 답 -3

해결전략 | 이차함수의 식을 $y=a(x-p)^2+q$ 꼴로 바꾸면 q의 값이 이차함수의 최댓값 또는 최솟값이다.

STEP 1 **두 이차함수의 최댓값과 최솟값 구하기**

$y=2x^2-8x-k+4$

$=2(x^2-4x+4-4)-k+4$

$=2(x-2)^2-k-4$

이므로 이 이차함수의 최솟값은 $-k-4$이다.

$y=-\frac{1}{2}x^2-4x+3k$

$=-\frac{1}{2}(x^2+8x+16-16)+3k$

$=-\frac{1}{2}(x+4)^2+8+3k$

이므로 이 이차함수의 최댓값은 $8+3k$이다.

STEP 2 **k의 값 구하기**

이때 이차함수 $y=2x^2-8x-k+4$의 최솟값과 이차함수 $y=-\frac{1}{2}x^2-4x+3k$의 최댓값이 같으므로

$-k-4=8+3k$

$\therefore k=-3$

07-5 답 -1

해결전략 | 이차함수가 $x=p$에서 최솟값 q를 가지면 이차함수의 식은 $y=a(x-p)^2+q$이다.

STEP 1 **이차함수의 식 세우기**

이차함수 $f(x)=ax^2+bx+c$가 $x=2$일 때 최솟값 -3을 가지므로

$f(x)=a(x-2)^2-3$ $(a>0)$
최솟값을 가지므로 아래로 볼록이다.

STEP 2 **a, b, c의 값 구하기**

$f(0)=5$이므로 $a\times(-2)^2-3=5$

$4a=8$ $\qquad\therefore a=2$

따라서 $f(x)=2(x-2)^2-3=2x^2-8x+5$이므로

$b=-8$, $c=5$

STEP 3 **$a+b+c$의 값 구하기**

$\therefore a+b+c=2+(-8)+5=-1$

> 참고

$f(1)=a+b+c$이므로 $f(x)=2(x-2)^2-3$에서 $f(1)=-1$

07-6 답 2

해결전략 | 이차함수의 식을 $y=a(x-p)^2+q$ 꼴로 바꾸면 q의 값이 이차함수의 최솟값이다.

STEP 1 **$g(a)$ 구하기**

$f(x)=x^2-2ax+2a+1$

$=(x-a)^2-a^2+2a+1$

이므로 주어진 이차함수는 $x=a$일 때 최솟값 $-a^2+2a+1$을 갖는다.

STEP 2 **$g(a)$의 최댓값 구하기**

$g(a)=-a^2+2a+1$

$=-(a^2-2a+1-1)+1$

$=-(a-1)^2+2$

따라서 $g(a)$는 $a=1$일 때 최댓값 2를 갖는다.

필수유형 08 161쪽

08-1 답 (1) 최댓값: 0, 최솟값: -4

(2) 최댓값: 2, 최솟값: -6

(3) 최댓값: 6, 최솟값: -2

해결전략 | x의 값의 범위가 주어진 이차함수의 최댓값과 최솟값은 꼭짓점의 y좌표와 범위의 양 끝 값의 함숫값을 비교하여 구한다.

(1) $y=x^2+8x+12$

$=(x+4)^2-4$

이므로 $-5\le x\le -2$에서 주어진 이차함수의 그래프는 오른쪽 그림과 같다.

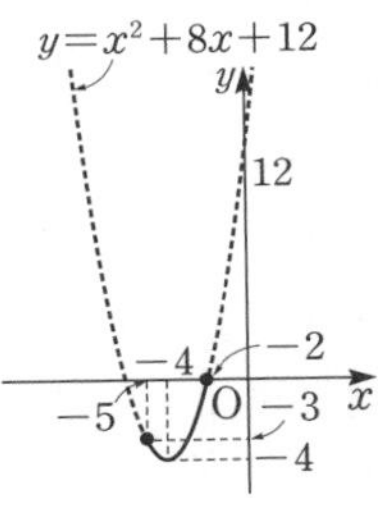

이때 꼭짓점의 x좌표 -4가 $-5\le x\le -2$에 포함되므로 주어진 이차함수는 $x=-2$일 때 최댓값 0, $x=-4$일 때 최솟값 -4를 갖는다.

(2) $y=-x^2+4x-1$

$=-(x-2)^2+3$

이므로 $-1\le x\le 1$에서 주어진 이차함수의 그래프는 오른쪽 그림과 같다.

이때 꼭짓점의 x좌표 2가 $-1\le x\le 4$에 포함되지 않으므로 주어진 이차함수는

$x=1$일 때 최댓값 2,

$x=-1$일 때 최솟값 -6

을 갖는다.

(3) $y=-2x^2-12x-12$

$=-2(x+3)^2+6$

이므로 $-4\le x\le -1$에서 주어진 이차함수의 그래프는 오른쪽 그림과 같다.

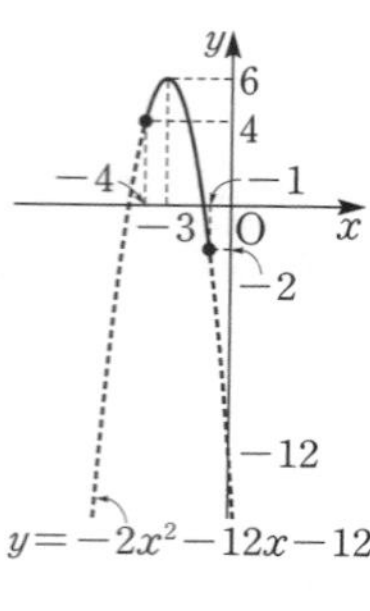

이때 꼭짓점의 x좌표 -3이 $-4\le x\le -1$에 포함되므로 주어진 이차함수는

$x=-3$일 때 최댓값 6,

$x=-1$일 때 최솟값 -2

를 갖는다.

08-2 답 -4

해결전략 | x의 값의 범위에 꼭짓점의 x좌표가 포함되지 않으면 주어진 이차함수의 최댓값과 최솟값은 범위의 양 끝 값에서의 함숫값을 비교하여 구한다.

STEP1 이차함수 $f(x)$의 최댓값, 최솟값을 k에 대한 식으로 나타내기

$f(x)=-x^2+4x+k$

$=-(x-2)^2+k+4$

이므로 $-1\le x\le 1$에서 함수 $y=f(x)$의 그래프는 오른쪽 그림과 같다.

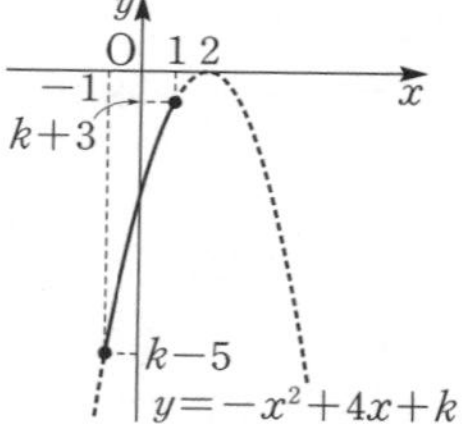

이때 꼭짓점의 x좌표 2가 $-1\le x\le 1$에 포함되지 않으므로 함수 $f(x)$는 $x=1$일 때 최댓값 $k+3$, $x=-1$일 때, 최솟값 $k-5$를 갖는다.

STEP2 k의 값 구하기

함수 $f(x)$의 최댓값이 -1이므로

$k+3=-1$

$\therefore k=-4$

08-3 답 22

해결전략 | x의 값의 범위가 주어진 이차함수의 최댓값과 최솟값은 꼭짓점의 y좌표와 범위의 양 끝 값에서의 함숫값을 비교하여 구한다.

STEP1 이차함수 $f(x)$의 최댓값, 최솟값을 k에 대한 식으로 나타내기

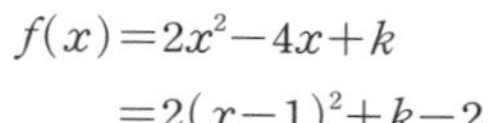

$f(x)=2x^2-4x+k$

$=2(x-1)^2+k-2$

이므로 $-2\le x\le 3$에서 이차함수 $y=f(x)$의 그래프는 오른쪽 그림과 같다.

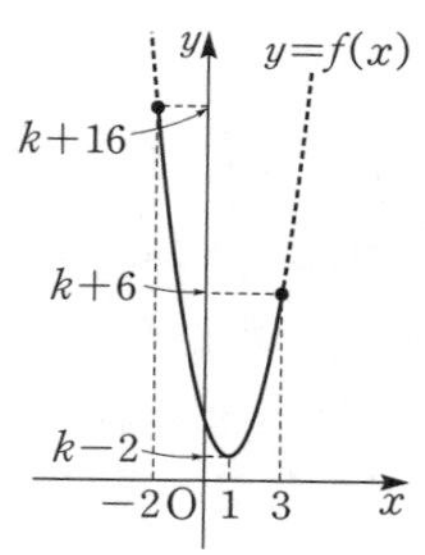

이때 꼭짓점의 x좌표 1이 $-2\le x\le 3$에 포함되므로 함수 $f(x)$는 $x=1$일 때 최솟값 $k-2$, $x=-2$일 때 최댓값 $k+16$을 갖는다.

STEP2 k, M의 값 구하기

함수 $f(x)$의 최솟값이 1이므로

$k-2=1$

$\therefore k=3$

또, 함수 $f(x)$의 최댓값은

$M=k+16=3+16=19$

STEP3 $k+M$의 값 구하기

$\therefore k+M=3+19=22$

08-4 답 3

해결전략 | x의 값의 범위가 주어진 이차함수의 최댓값과 최솟값은 꼭짓점의 y좌표와 범위의 양 끝 값에서의 함숫값을 비교하여 구한다.

STEP1 이차함수 $f(x)$의 최댓값, 최솟값을 a, b에 대한 식으로 나타내기

$f(x)=ax^2-2ax+b$

$=a(x-1)^2-a+b$

$a<0$이고 꼭짓점의 x좌표 1이 $-2\le x\le 2$에 포함되므로 함수 $f(x)$는 $x=1$일 때 최댓값 $-a+b$, $x=-2$일 때 최솟값 $8a+b$를 갖는다.

STEP2 $a+b$의 값 구하기

즉, $-a+b=5$, $8a+b=-4$이므로

두 식을 연립하여 풀면

$a=-1$, $b=4$

$\therefore a+b=-1+4=3$

08-5 답 4

해결전략 | 주어진 축을 이용하여 그래프를 그리고, $0\le x\le 3$에서의 최댓값, 최솟값의 위치를 파악한다.

STEP1 a의 값 구하기

$f(x)=x^2+ax+b$

$=\left(x+\frac{a}{2}\right)^2-\frac{a^2}{4}+b$

이차함수 $y=f(x)$의 그래프는 직선 $x=2$에 대하여 대칭이므로 축의 방정식은 $x=2$이다.

즉, $-\frac{a}{2}=2$이므로

$a=-4$

STEP 2 b의 값 구하기

$0\le x\le 3$에서 함수 $y=f(x)$의 그래프는 오른쪽 그림과 같고, 함수 $f(x)$는 $x=0$일 때 최댓값 8을 가지므로

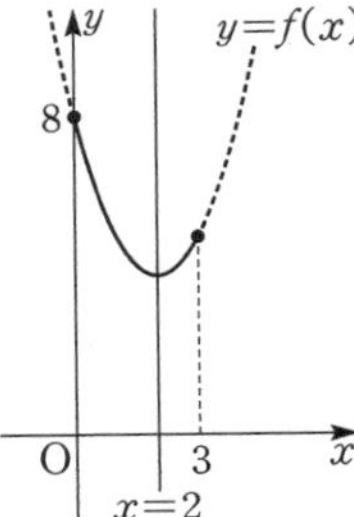

$b=8$

STEP 3 $a+b$의 값 구하기

$\therefore a+b=-4+8=4$

◉→ 다른 풀이

STEP 1 a의 값 구하기

이차함수 $y=f(x)$의 그래프가 직선 $x=2$에 대하여 대칭이므로

$f(x)=(x-2)^2+k$

$\quad=x^2-4x+4+k$ (k는 상수)

로 놓을 수 있다.

이 식이 $y=x^2+ax+b$와 같으므로

$a=-4$

08-6 답 50

해결전략 | 두 함수의 식을 연립한 이차방정식의 교점의 x좌표가 1, 5임을 이용하여 식을 세운다.

STEP 1 조건 (가)를 만족시키는 $f(x)$의 식 구하기

이차함수 $y=f(x)$의 그래프와 직선 $y=4ax-10$의 교점의 x좌표가 1, 5이므로 이차방정식 $f(x)=4ax-10$의 두 실근은 1, 5이다.

이때 이차방정식 $f(x)-4ax+10=0$의 이차항의 계수가 a이므로

$f(x)-4ax+10$의 차수는 이차이고, $f(x)$의 이차항의 계수가 a이기 때문이야.

$a(x-1)(x-5)=0$, $a(x^2-6x+5)=0$

따라서 $f(x)-4ax+10=a(x^2-6x+5)$이므로

$f(x)=ax^2-6ax+5a+4ax-10$

$\quad=ax^2-2ax+5a-10$

$\quad=a(x-1)^2+4a-10$

STEP 2 조건 (나)를 만족시키는 a의 값 구하기

한편, $a>0$이므로 $1\le x\le 5$에서 $f(x)$는 $x=1$일 때 최솟값을 갖는다.

즉, $f(1)=4a-10=-8$이므로

$a=\frac{1}{2}$

STEP 3 $100a$의 값 구하기

$\therefore 100a=100\times\frac{1}{2}=50$

필수유형 09

163쪽

09-1 답 -6

해결전략 | 공통부분을 t로 치환하여 t에 대한 이차함수의 최솟값을 구한다. 이때 t의 값의 범위에 주의한다.

STEP 1 $x^2+4x=t$로 놓고 t의 값의 범위 구하기

$x^2+4x=t$로 놓으면

$t=x^2+4x=(x+2)^2-4$

이므로 $t\ge -4$

STEP 2 t의 값의 범위에서 함수의 최솟값 구하기

이때 주어진 함수는

$y=t^2-2t-5$

$\quad=(t-1)^2-6$ $(t\ge -4)$

따라서 오른쪽 그림과 같이 주어진 함수는 $t=1$일 때 최솟값 -6을 갖는다.

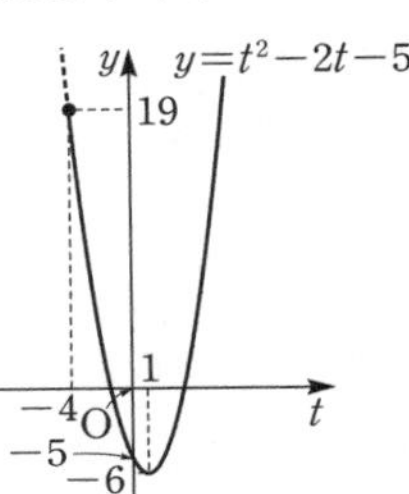

09-2 답 최댓값: 15, 최솟값: -1

해결전략 | 공통부분을 t로 치환하여 t에 대한 이차함수의 최대·최소를 구한다. 이때 t의 값의 범위에 주의한다.

STEP 1 $x^2+2x-1=t$로 놓고 t의 값의 범위 구하기

$x^2+2x-1=t$로 놓으면

$t=x^2+2x-1$

$\quad=(x+1)^2-2$

$-2\le x\le 1$이므로 t는 $x=-1$일 때 최솟값 -2, $x=1$일 때 최댓값 2를 갖는다.

$\therefore -2\le t\le 2$

STEP 2 t의 값의 범위에서 함수의 최댓값과 최솟값 구하기

이때 주어진 함수는

$y=t^2-4t+3$

$\quad=(t^2-4t+4-4)+3$

$\quad=(t-2)^2-1$ $(-2\le t\le 2)$

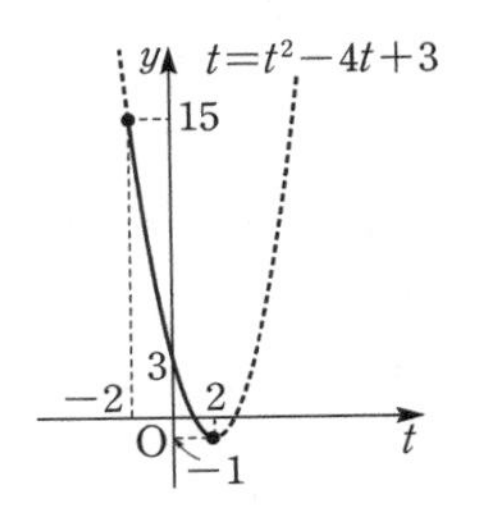

따라서 오른쪽 그림과 같이 주어진 함수는 $t=-2$일 때 최댓값 15, $t=2$일 때 최솟값 -1을 갖는다.

09-3 답 2

해결전략 | 식을 변형하여 공통부분을 찾고, 공통부분을 t로 치환하여 t에 대한 이차함수의 최솟값을 구한다. 이때 α는 x의 값임에 주의한다.

STEP1 $x^2-2x=t$로 놓고 t의 값의 범위 구하기

$y=(x^2-2x)^2+2x^2-4x$

$\quad=(x^2-2x)^2+2(x^2-2x)$

에서 $x^2-2x=t$로 놓으면

$t=x^2-2x=(x-1)^2-1$

이므로 $t\geq-1$

STEP2 t의 값의 범위에서 함수의 최솟값 구하기

이때 주어진 함수는

$y=t^2+2t=(t+1)^2-1\ (t\geq-1)$

따라서 $t=-1$일 때 주어진 함수의 최솟값은 -1이고, 이때의 x의 값은

$t=-1$에서 $x^2-2x=-1$

$x^2-2x+1=0,\ (x-1)^2=0$

$\therefore\ x=1$

STEP3 $\alpha-\beta$의 값 구하기

즉, $\alpha=1,\ \beta=-1$이므로

$\alpha-\beta=1-(-1)=2$

09-4 답 -4

해결전략 | 공통부분을 t로 치환하여 t에 대한 이차함수의 최댓값을 구한다. 이때 t의 값의 범위에 주의한다.

STEP1 $x^2-6x+8=t$로 놓고 t의 값의 범위 구하기

$x^2-6x+8=t$로 놓으면

$t=x^2-6x+8$

$\quad=(x-3)^2-1$

$1\leq x\leq4$이므로 t는 $x=3$일 때 최솟값 -1, $x=1$일 때 최댓값 3을 갖는다.

$\therefore\ -1\leq t\leq3$

STEP2 t의 값의 범위에서 함수가 최댓값을 가지는 t의 값 구하기

이때 주어진 함수는

$y=t^2-4t+k$

$\quad=(t-2)^2+k-4\ (-1\leq t\leq3)$

따라서 오른쪽 그림과 같이 주어진 함수는 $t=-1$일 때 최댓값 $k+5$를 갖는다.

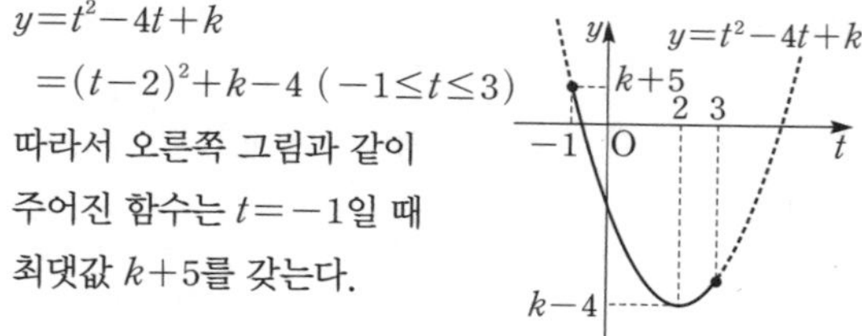

STEP3 k의 값 구하기

즉, $k+5=1$이므로

$k=-4$

09-5 답 -2

해결전략 | 공통부분을 t로 치환하여 t에 대한 이차함수의 최솟값을 구한다.

STEP1 $x^2+4x=t$로 놓고 t의 값의 범위 구하기

$x^2+4x=t$로 놓으면

$t=x^2+4x$

$\quad=(x+2)^2-4$

이므로 $t\geq-4$

STEP2 t의 값의 범위에서 함수의 최솟값 구하기

$f(x)=(x^2+4x+6)(x^2+4x+2)+2x^2+8x+10$

$\quad=(x^2+4x+6)(x^2+4x+2)+2(x^2+4x)+10$

$\quad=(t+6)(t+2)+2t+10$

$\quad=t^2+10t+22$

$\quad=(t+5)^2-3\ (t\geq-4)$

따라서 오른쪽 그림과 같이 $f(x)$는 $t=-4$일 때 최솟값 -2를 갖는다.

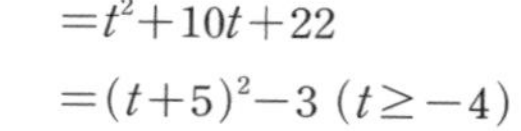

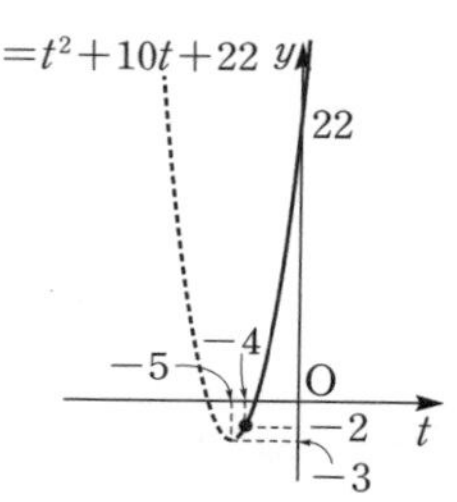

09-6 답 7

해결전략 | x^2을 t로 치환하여 t에 대한 이차함수의 최솟값을 구한다. 이때 α는 x의 값임에 주의한다.

STEP1 $x^2=t$로 놓고 t의 값의 범위에서 함수의 최솟값 구하기

$y=2(x^2+1)^2-6x^2+5$에서 $x^2=t\ (t\geq0)$로 놓으면

$y=2(t+1)^2-6t+5$

$\quad=2(t^2+2t+1)-6t+5$

$\quad=2t^2-2t+7$

$\quad=2\left(t-\frac{1}{2}\right)^2+\frac{13}{2}\ (t\geq0)$

따라서 오른쪽 그림과 같이 주어진 함수는 $t=\frac{1}{2}$일 때, 최솟값 $\frac{13}{2}$을 갖는다.

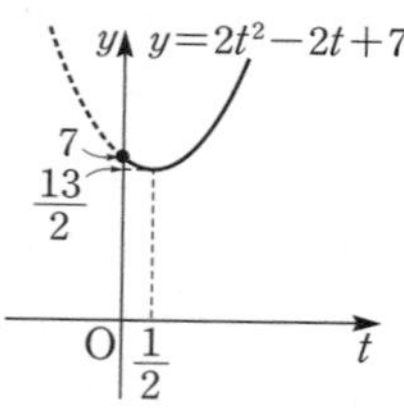

STEP2 $\alpha^2+\beta$의 값 구하기

이때 $t=x^2$이므로 $x^2=\frac{1}{2}$에서 $x=\pm\frac{1}{\sqrt{2}}$

$\therefore \alpha=\frac{1}{\sqrt{2}}$ ($\because \alpha>0$), $\beta=\frac{13}{2}$

$\therefore \alpha^2+\beta=\frac{1}{2}+\frac{13}{2}=7$

165쪽

10-1 답 -6

해결전략 | 주어진 식을 완전제곱식 꼴로 변형하여 $(\text{실수})^2 \geq 0$임을 이용한다.

STEP 1 주어진 식을 완전제곱식 꼴로 변형하기

$2x^2+4x+y^2-6y+5$
$=2(x^2+2x+1-1)+(y^2-6y+9-9)+5$
$=2(x+1)^2+(y-3)^2-6$

STEP 2 $(\text{실수})^2 \geq 0$임을 이용하여 최솟값 구하기

이때 x, y는 실수이므로
$(x+1)^2 \geq 0$, $(y-3)^2 \geq 0$
따라서 주어진 식은 $x=-1$, $y=3$일 때 최솟값 -6을 갖는다.

10-2 답 -4

해결전략 | 한 문자에 대하여 정리한 식을 주어진 이차식에 대입하여 최솟값을 구한다.

STEP 1 등식을 한 문자에 대하여 정리하기

$2x+y=2$에서 $y=-2x+2$

STEP 2 정리한 식을 이차식에 대입하기

이것을 $-2x^2+y^2$에 대입하면
$-2x^2+y^2=-2x^2+(-2x+2)^2$
$=2x^2-8x+4$
$=2(x-2)^2-4$

STEP 3 최솟값 구하기

이때 x, y는 실수이고 $(x-2)^2 \geq 0$이므로 $-2x^2+y^2$은 $x=2$일 때 최솟값 -4를 갖는다.

10-3 답 70

해결전략 | 주어진 식을 완전제곱식 꼴로 변형하여 $(\text{실수})^2 \geq 0$임을 이용한다.

STEP 1 주어진 식을 완전제곱식 꼴로 변형하기

$x^2+2y^2+8x+8y+100$
$=(x^2+8x+16-16)+2(y^2+4y+4-4)+100$
$=(x+4)^2+2(y+2)^2+76$

STEP 2 $(\text{실수})^2 \geq 0$임을 이용하여 최솟값 구하기

이때 x, y가 실수이므로
$(x+4)^2 \geq 0$, $(y+2)^2 \geq 0$
따라서 주어진 식은 $x=-4$, $y=-2$일 때 최솟값 76을 갖는다.

STEP 3 $a+b+c$의 값 구하기

즉, $a=-4$, $b=-2$, $c=76$이므로
$a+b+c=-4+(-2)+76=70$

10-4 답 24

해결전략 | 한 문자에 대하여 정리한 식을 이차식에 대입하여 최댓값과 최솟값을 구한다.

STEP 1 등식을 한 문자에 대하여 정리하기

$x+y+3=0$에서
$y=-x-3$

STEP 2 정리한 식을 이차식에 대입하기

이것을 x^2+2y^2에 대입하면
$x^2+2y^2=x^2+2(-x-3)^2$
$=3x^2+12x+18$
$=3(x+2)^2+6$

STEP 3 최댓값과 최솟값 구하기

이때 x, y는 실수이고, $(x+2)^2 \geq 0$이므로 $-3 \leq x \leq 0$에서 x^2+2y^2은 $x=-2$일 때 최솟값 6, $x=0$일 때 최댓값 18을 갖는다.

STEP 4 최댓값과 최솟값의 합 구하기

따라서 최댓값과 최솟값의 합은
$6+18=24$

10-5 답 3

해결전략 | 주어진 조건식을 한 문자에 대하여 정리할 때, $(\text{실수})^2 \geq 0$임을 이용하여 x의 값의 범위부터 구한다.

STEP 1 $x-y^2=1$을 한 문자에 대하여 정리하기

$x-y^2=1$에서 $y^2=x-1$ …… ㉠

STEP 2 x의 값의 범위 구하기

y가 실수이므로 $y^2=x-1 \geq 0$
$\therefore x \geq 1$

STEP 3 최솟값 구하기

㉠을 x^2+4y^2+2에 대입하면
$x^2+4y^2+2=x^2+4(x-1)+2$
$=x^2+4x-2$
$=(x+2)^2-6$ $(x \geq 1)$

$f(x)=(x+2)^2-6$이라고 하면 $x\geq1$에서 함수 $t=f(x)$의 그래프는 오른쪽 그림과 같다.
따라서 주어진 식은 $x=1$일 때 최솟값 3을 갖는다.

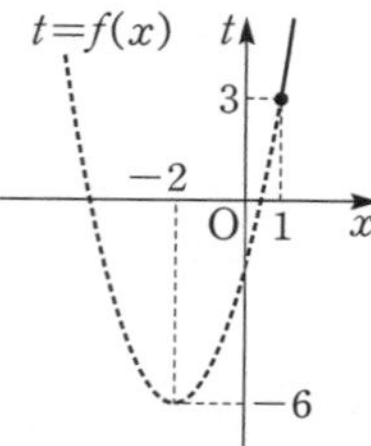

10-6 답 7

해결전략 | 주어진 조건에 맞게 이차함수의 식을 세우고, 세운 이차함수의 주어진 범위에서 최솟값을 구한다.

STEP 1 a^2+8b를 a에 대한 식으로 나타내기

점 P는 직선 $y=-\frac{1}{4}x+1$ 위의 점이므로

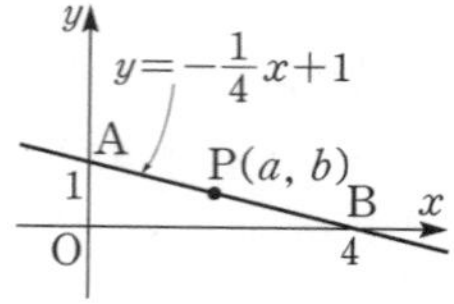

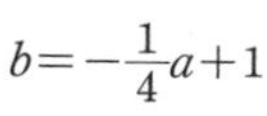
$b=-\frac{1}{4}a+1$

이것을 a^2+8b에 대입하면

$a^2+8b=a^2+8\left(-\frac{1}{4}a+1\right)$
$\quad=a^2-2a+8$
$\quad=(a-1)^2+7$

STEP 2 최솟값 구하기

이때 A(0, 1), B(4, 0)이고 점 P가 점 A에서 직선 $y=-\frac{1}{4}x+1$을 따라 점 B까지 움직이므로

$0\leq a\leq4$

따라서 a^2+8b는 $a=1$일 때 최솟값 7을 갖는다.

필수유형 11 167쪽

11-1 답 $15\sqrt{2}$

해결전략 | 주어진 조건에 따라 넓이의 이차함수의 식을 세우고 제한된 범위에서 최댓값을 갖는 대각선의 길이를 구한다.

STEP 1 변수 x를 정하고, x의 값의 범위 구하기

직사각형의 가로의 길이를 x라고 하면 세로의 길이는 $30-x$이다.

이때 $x>0$, $30-x>0$이므로

$0<x<30$

STEP 2 직사각형의 넓이를 x에 대한 식으로 나타내기

직사각형의 넓이를 $S(x)$라고 하면

$S(x)=x(30-x)$
$\quad=-x^2+30x$
$\quad=-(x-15)^2+225$

STEP 3 제한된 범위에서 넓이가 최대인 x의 값 구하기

이때 $0<x<30$이므로 $x=15$일 때 직사각형의 넓이는 최대가 된다.

STEP 4 대각선의 길이 구하기

즉, 가로의 길이와 세로의 길이가 모두 15일 때 넓이가 최대이므로 대각선의 길이는

$\sqrt{15^2+15^2}=15\sqrt{2}$

11-2 답 52

해결전략 | 주어진 이차함수의 식을 완전제곱식 꼴로 변형하여 최댓값을 구한다.

STEP 1 주어진 식을 완전제곱식 꼴로 만들기

$h=-5t^2+20t+30$
$\quad=-5(t-2)^2+50\ (t>0)$

STEP 2 최댓값 구하기

따라서 h는 $t=2$일 때 최댓값 50을 가지므로

$a=2$, $b=50$

STEP 3 $a+b$의 값 구하기

$\therefore a+b=2+50=52$

11-3 답 450 m^2

해결전략 | 주어진 조건에 따라 한 문자에 대한 이차식을 세우고 제한된 범위에서 이차함수의 최댓값을 구한다.

STEP 1 변수 x를 정하고, x의 값의 범위 구하기

오른쪽 그림과 같이 직사각형 ABCD의 가로의 길이를 x m라고 하면

$0<x<30$

STEP 2 주차장의 넓이를 x에 대한 식으로 나타내기

$\triangle EAD\backsim\triangle EFC$ (AA 닮음)이므로

$\overline{AD}:\overline{DE}=\overline{FC}:\overline{CE}$에서

$x:\overline{DE}=30:60$

$\therefore \overline{DE}=2x$(m)

즉, $\overline{CD}=(60-2x)$ m이므로 주차장의 넓이를 $S(x)$ m^{2}라고 하면

$$S(x)=x(60-2x)$$
$$=-2x^2+60x$$
$$=-2(x-15)^2+450\ (0<x<30)$$

STEP 3 주차장의 넓이의 최댓값 구하기

따라서 $0<x<30$에서 $S(x)$는 $x=15$일 때 최댓값 450을 가지므로 주차장의 넓이의 최댓값은 450 m^{2}이다.

11-4 답 10

해결전략 | 주어진 조건에 따라 한 문자에 대한 이차식을 세우고 제한된 범위에서 이차함수가 최소가 될 때를 구한다.

STEP 1 변수 x를 정하고, x의 값의 범위 구하기

$\overline{AP}=x$라고 하면 $\overline{PB}=20-x$이다.

이때 $x>0$, $20-x>0$이므로

$0<x<20$

STEP 2 정사각형의 넓이를 x에 대한 식으로 나타내기

정사각형의 넓이의 합을 $S(x)$라고 하면

$$S(x)=x^2+(20-x)^2$$
$$=2x^2-40x+400$$
$$=2(x-10)^2+200\ (0<x<20)$$

STEP 3 제한된 범위에서 넓이의 합이 최소가 되는 선분 AP의 길이 구하기

따라서 $0<x<20$에서 $S(x)$는 $x=10$일 때 최솟값 200을 가지므로 넓이의 합이 최소가 되도록 하는 선분 AP의 길이는 10이다.

11-5 답 130

해결전략 | 주어진 조건에 따라 한 문자에 대한 이차식을 세우고 제한된 범위에서 이차함수의 최댓값을 구한다.

STEP 1 변수 x를 정하고, x의 값의 범위 구하기

주어진 그래프에서 점 B의 좌표를 $(x, 0)$이라고 하면

$-x^2+16x=0$에서 $-x(x-16)=0$

$\therefore x=0$ 또는 $x=16$

즉, $0<2x<16$이므로

$0<x<8$

STEP 2 직사각형의 둘레의 길이를 x에 대한 식으로 나타내기

$A(x,\ -x^2+16x)$, $C(16-x,\ 0)$이므로 직사각형 ABCD의 둘레의 길이를 $f(x)$라고 하면

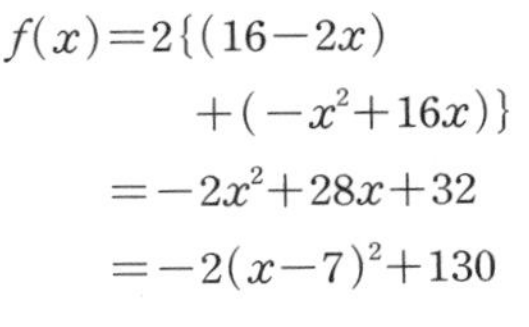

$$f(x)=2\{(16-2x)+(-x^2+16x)\}$$
$$=-2x^2+28x+32$$
$$=-2(x-7)^2+130$$

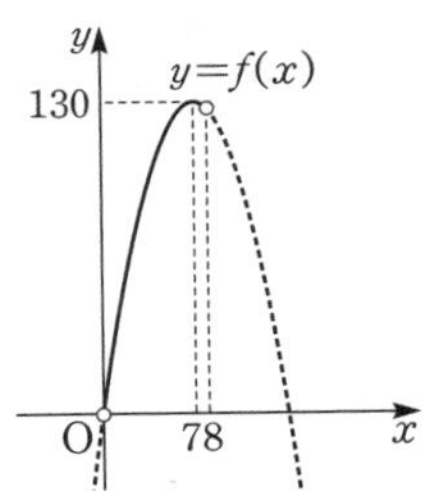

STEP 3 제한된 범위에서 직사각형의 둘레의 길이의 최댓값 구하기

따라서 $0<x<8$에서 $f(x)$는 $x=7$일 때 최댓값 130을 가지므로 직사각형 ABCD의 둘레의 길이의 최댓값은 130이다.

11-6 답 $\frac{15}{2}$

해결전략 | 주어진 조건에 따라 한 문자에 대한 이차식을 세우고 제한된 범위에서 이차함수의 최댓값을 구한다.

STEP 1 변수 x를 정하고 x의 값의 범위 구하기

오른쪽 그림과 같이 점 P에서 변 BC에 내린 수선의 발을 D, 변 AB에 내린 수선의 발을 E라 하고 $\overline{PD}=x$라고 하면

$0<x<2$

STEP 2 닮음을 이용하여 $\overline{PB}^2$, $\overline{PC}^2$을 x에 대한 식으로 나타내기

$\triangle CPD \backsim \triangle CAB$ (AA 닮음)이므로

$x : 2=\overline{CD} : 2\sqrt{3}$

$2\overline{CD}=2\sqrt{3}\times x$

$\therefore \overline{CD}=x\sqrt{3}$

$\overline{BD}=2\sqrt{3}-x\sqrt{3}=(2-x)\sqrt{3}$이므로

$$\overline{PB}^2=\overline{PD}^2+\overline{BD}^2$$
$$=x^2+3(2-x)^2$$
$$=4x^2-12x+12$$
$$\overline{PC}^2=\overline{PD}^2+\overline{CD}^2$$
$$=x^2+3x^2=4x^2$$

STEP 3 제함된 범위에서 $\overline{PB}^2+\overline{PC}^2$의 최솟값 구하기

$$\therefore \overline{PB}^2+\overline{PC}^2=8x^2-12x+12$$
$$=8\left(x-\frac{3}{4}\right)^2+\frac{15}{2}\ (0<x<2)$$

따라서 $0<x<2$에서 $\overline{PB}^2+\overline{PC}^2$은 $x=\frac{3}{4}$일 때 최솟값 $\frac{15}{2}$를 갖는다.

풍쌤의 비법

선분 CD의 길이는 닮음비를 이용해서 구할 수도 있지만 삼각형 ABC가 $\tan A=\frac{2\sqrt{3}}{2}=\sqrt{3}$에서 $\angle A=60°$이므로 $\angle CPD=60°$임을 이용하면 삼각형 CPD에서 $\overline{CD}=\sqrt{3}x$, $\overline{CP}=2x$임을 구할 수 있다.

실전 연습 문제 168~170쪽

01 ③	02 ⑤	03 -9	04 ①	05 22
06 (0, 3)	07 ③	08 ③	09 ②	10 48
11 ④	12 $\frac{11}{4}$	13 ②	14 8	15 9
16 ⑤	17 최댓값: 18, 최솟값: 6		18 $\frac{1}{3}$	

01

해결전략 | 이차함수 $y=ax^2+bx+c$의 그래프는 $y=a(x-m)^2+n$ 꼴로 변형한다.

① $y=2x^2+12x+19$
$=2(x+3)^2+1$
에서 꼭짓점의 좌표가 $(-3, 1)$이고 y축과 만나는 점의 좌표는 $(0, 19)$이므로 그래프는 오른쪽 그림과 같다.

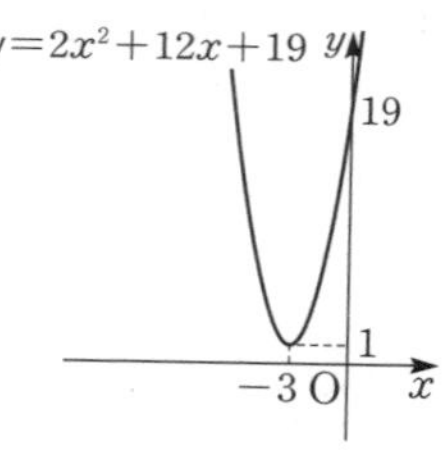

② $y=-2x^2-1$에서 꼭짓점의 좌표는 $(0, -1)$이므로 그래프는 오른쪽 그림과 같다.

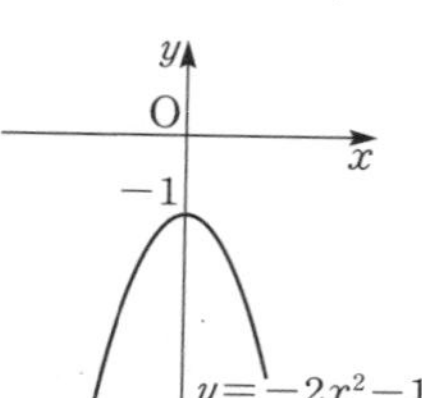

③ $y=x^2+2x-6$
$=(x+1)^2-7$
에서 꼭짓점의 좌표가 $(-1, -7)$이고 y축과 만나는 점의 좌표는 $(0, -6)$이므로 그래프는 오른쪽 그림과 같다.

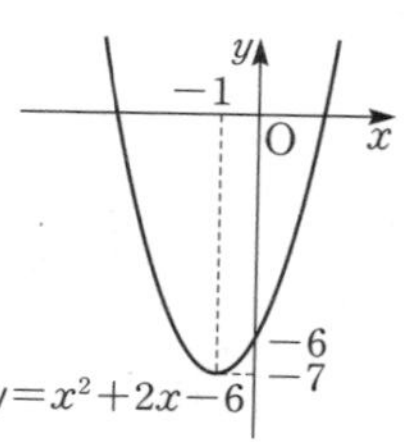

④ $y=-x^2+4x-2$
$=-(x-2)^2+2$
에서 꼭짓점의 좌표가 $(2, 2)$이고 y축과 만나는 점의 좌표는 $(0, -2)$이므로 그래프는 오른쪽 그림과 같다.

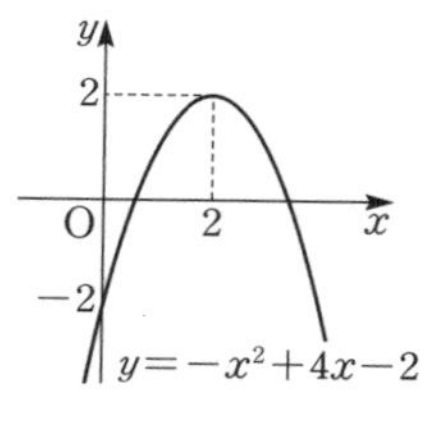

⑤ $y=x^2-4x+4$
$=(x-2)^2$
에서 꼭짓점의 좌표가 $(2, 0)$이고 y축과 만나는 점의 좌표는 $(0, 4)$이므로 그래프는 오른쪽 그림과 같다.

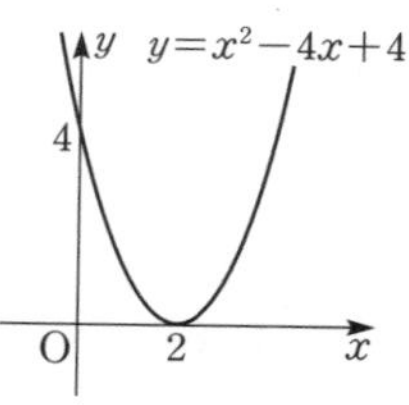

따라서 모든 사분면을 지나는 것은 ③이다.

02

해결전략 | 이차함수의 그래프를 통해 a, b, c의 부호를 알고, 이차함수의 계수로 이루어진 식의 부호는 특정한 함숫값의 부호를 조사한다.

$f(x)=ax^2+bx+c$라고 하면

① 그래프가 아래로 볼록하므로
$a>0$

② 축이 y축의 왼쪽에 있으므로 a, b의 부호는 서로 같다.
$\therefore b>0$

③ y축과 만나는 점이 x축의 아래쪽에 있으므로
$c<0$

④ $f(-2)=4a-2b+c$이고 그래프에서 $f(-2)<0$이므로
$4a-2b+c<0$

⑤ $f(1)=a+b+c$이고 그래프에서 $f(1)=0$이므로
$a+b+c=0$

따라서 옳은 것은 ⑤이다.

03

해결전략 | 이차함수 $y=f(x)$의 그래프와 x축의 두 교점의 x좌표가 α, β이면 이차방정식 $f(x)=0$의 두 근이 α, β이다.

STEP 1 이차함수와 이차방정식의 관계 이해하기

이차함수 $y=x^2+ax+b$의 그래프와 x축의 한 교점의 x좌표가 $1-2\sqrt{2}$이므로 이차방정식 $x^2+ax+b=0$의 한 근이 $1-2\sqrt{2}$이다. …… ❶

STEP 2 이차방정식의 다른 한 근 구하기

이때 a, b가 유리수이므로 이차방정식 $x^2+ax+b=0$의

한 근이 $1-2\sqrt{2}$이면 다른 한 근은 $1+2\sqrt{2}$이다. …… ❷

STEP 3 a, b의 값 구하기

따라서 이차방정식의 근과 계수의 관계에 의하여

$-a=(1-2\sqrt{2})+(1+2\sqrt{2})$에서 $a=-2$

$b=(1-2\sqrt{2})(1+2\sqrt{2})=-7$ …… ❸

STEP 4 $a+b$의 값 구하기

$\therefore a+b=-2+(-7)=-9$ …… ❹

채점 요소	배점
❶ 이차함수와 이차방정식의 관계 이해하기	30 %
❷ 다른 한 근 구하기	30 %
❸ 근과 계수의 관계를 이용하여 a, b의 값 구하기	30 %
❹ $a+b$의 값 구하기	10 %

04

해결전략 | 이차함수 $y=f(x)$의 그래프와 x축의 두 교점의 x좌표가 α, β이면 이차방정식 $f(x)=0$의 두 근이 α, β이다.

STEP 1 두 근의 합과 곱 구하기

x축과 만나는 점의 x좌표를 각각 α, β라고 하면 이차방정식 $x^2-4x+2=0$의 근과 계수의 관계에 의하여

$\alpha+\beta=4$, $\alpha\beta=2$

STEP 2 꼭짓점의 좌표 구하기

또, $y=x^2-4x+2=(x-2)^2-2$에서 꼭짓점의 좌표는 $(2, -2)$이다.

STEP 3 삼각형 ABC의 넓이 구하기

따라서 오른쪽 그림에서 삼각형 ABC의 넓이는

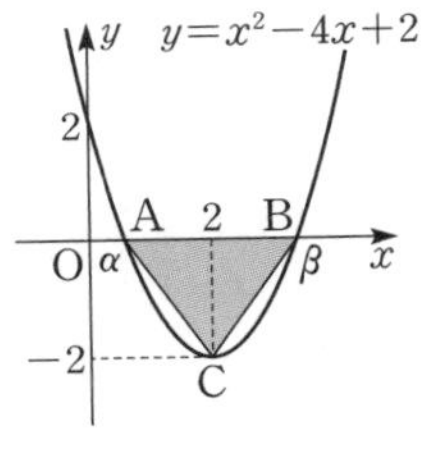

$\frac{1}{2}\times|\beta-\alpha|\times 2=|\beta-\alpha|$

이때

$|\beta-\alpha|^2=(\alpha+\beta)^2-4\alpha\beta$

$=4^2-4\times 2=8$

$\therefore |\beta-\alpha|=2\sqrt{2}$

따라서 구하는 삼각형 ABC의 넓이는 $2\sqrt{2}$이다.

05

해결전략 | 이차함수 $y=f(x)$의 그래프와 직선 $y=g(x)$의 교점의 x좌표는 이차방정식 $f(x)=g(x)$의 실근과 같다.

STEP 1 이차함수와 이차방정식의 관계 이해하기

주어진 그림에서 이차함수 $y=x^2+ax-3$의 그래프와 직선 $y=x+b$의 교점의 x좌표가 -5, 5이므로 이차방정식 $x^2+ax-3=x+b$, 즉 $x^2+(a-1)x-3-b=0$의 두 근이 -5, 5이다.

STEP 2 a, b의 값 구하기

따라서 이차방정식의 근과 계수의 관계에 의하여

$-5+5=-(a-1)$ $\therefore a=1$

$(-5)\times 5=-3-b$ $\therefore b=22$

STEP 3 $\frac{b}{a}$의 값 구하기

$\therefore \frac{b}{a}=22$

06

해결전략 | 이차함수 $y=f(x)$의 그래프와 직선 $y=g(x)$의 교점의 x좌표는 이차방정식 $f(x)=g(x)$의 실근과 같다.

STEP 1 점 P의 좌표 구하기

$f(x)=x^2+4x+3=(x+2)^2-1$

이므로 이차함수 $y=f(x)$의 그래프의 꼭짓점 P의 좌표는 $(-2, -1)$

STEP 2 k의 값 구하기

직선 $y=2x+k$가 점 $\mathrm{P}(-2, -1)$을 지나므로

$-1=2\times(-2)+k$

$\therefore k=3$

STEP 3 점 Q의 좌표 구하기

이차함수 $y=x^2+4x+3$의 그래프와 직선 $y=2x+3$의 교점의 x좌표는

$x^2+4x+3=2x+3$에서

$x^2+2x=0$, $x(x+2)=0$

$\therefore x=-2$ 또는 $x=0$

따라서 점 Q의 좌표는 $(0, 3)$이다.

07

해결전략 | 이차함수 $y=f(x)$의 그래프와 직선 $y=g(x)$가 접하려면 이차방정식 $f(x)=g(x)$, 즉 $f(x)-g(x)=0$의 판별식을 D라고 할 때, $D=0$이어야 한다.

STEP 1 이차함수의 그래프와 직선이 접하는 조건 알아보기

이차함수 $y=x^2+bx+3$의 그래프와 직선 $y=-x+a$가 접하려면 이차방정식 $x^2+bx+3=-x+a$, 즉

$x^2+(b+1)x+3-a=0$ …… ㉠

이 중근을 가져야 한다.

STEP 2 a의 최댓값 구하기

이차방정식 ㉠의 판별식을 D라고 하면

$D=(b+1)^2-4(3-a)=0$

$(b+1)^2-12+4a=0$

$4a=-(b+1)^2+12$

$\therefore a=-\frac{1}{4}(b+1)^2+3$

따라서 실수 a의 최댓값은 $b=-1$일 때 3이다.

08

해결전략 | 이차함수 $y=f(x)$의 그래프와 직선 $y=g(x)$가 적어도 한 점에서 만나려면 이차방정식 $f(x)=g(x)$, 즉 $f(x)-g(x)=0$의 판별식을 D라고 할 때, $D\geq 0$이어야 한다.

STEP 1 이차함수의 그래프와 직선이 만나는 조건 알아보기

이차함수 $y=-2x^2+5x$의 그래프와 직선 $y=2x+k$가 적어도 한 점에서 만나려면 이차함수의 그래프와 직선이 접하거나 서로 다른 두 점에서 만나야 하므로 이차방정식 $-2x^2+5x=2x+k$, 즉

$2x^2-3x+k=0$ ······ ㉠

이 실근을 가져야 한다.

STEP 2 k의 최댓값 구하기

이차방정식 ㉠의 판별식을 D라고 하면

$D=(-3)^2-4\times 2\times k\geq 0$

$\therefore k\leq\frac{9}{8}$

따라서 실수 k의 최댓값은 $\frac{9}{8}$이다.

09

해결전략 | $2x-k=t$로 놓고 이차함수 $f(2x-k)$와 $g(2x-k)$에 대입하여 각각의 함숫값을 구한다.

STEP 1 주어진 조건을 식으로 나타내기

방정식 $f(2x-k)=g(2x-k)$의 두 실근을 α, β라고 하면 두 실근의 합이 3이므로

$\alpha+\beta=3$

STEP 2 $2x-k=t$로 놓고 주어진 조건을 이용하여 t에 대한 이차방정식 세워서 풀기

$2x-k=t$로 놓으면

$f(t)-g(t)=(t^2-t-5)-(t+3)$

$=t^2-2t-8=0$

$(t+2)(t-4)=0$

$\therefore t=-2$ 또는 $t=4$

STEP 3 k의 값 구하기

$2\alpha-k=-2$, $2\beta-k=4$이므로

$\alpha=\frac{k-2}{2}$, $\beta=\frac{k+4}{2}$

따라서 $\alpha+\beta=k+1=3$이므로

$k=2$

다른 풀이

STEP 1 방정식 $f(2x-k)=g(2x-k)$ 구하기

$f(2x-k)=g(2x-k)$에서

$(2x-k)^2-(2x-k)-5=(2x-k)+3$

$4x^2-4(k+1)x+k^2+2k-8=0$

STEP 2 k의 값 구하기

이차방정식의 근과 계수의 관계에 의하여 두 실근의 합은 $k+1$이므로

$k+1=3$ $\quad\therefore k=2$

풍쌤의 비법

$2x-k$를 다른 한 문자로 치환해서 푸는 것이 어렵다면 위의 [다른 풀이]처럼 문제에서 주어진 함수 $f(x)$와 $g(x)$의 식에 x 대신 $2x-k$를 대입하여 방정식 $f(2x-k)=g(2x-k)$를 만든 후 문제를 해결해도 된다.

10

해결전략 | 이차함수의 식을 $y=a(x-p)^2+q$ 꼴로 바꾸면 q의 값이 이차함수의 최댓값 또는 최솟값이다.

STEP 1 이차함수의 식 구하기

이차방정식 $ax^2+bx+c=0$의 두 근이 -3, 1이므로 이차함수 $y=ax^2+bx+c$의 그래프와 x축의 두 교점의 x좌표는 -3, 1이다.

$\therefore y=a(x+3)(x-1)=a(x^2+2x-3)$

$=a(x+1)^2-4a$

STEP 2 a, b, c의 값 구하기

이때 이 이차함수의 최댓값이 8이므로

$-4a=8$ $\quad\therefore a=-2$

따라서 $y=-2(x^2+2x-3)=-2x^2-4x+6$이므로

$b=-4$, $c=6$

STEP 3 abc의 값 구하기

$\therefore abc=(-2)\times(-4)\times 6=48$

다른 풀이

STEP 1 이차함수의 식 구하기

주어진 이차함수의 그래프의 축의 방정식은

$x=\frac{-3+1}{2}=-1$

이고, 최댓값이 8이므로 $x=-1$에서 최댓값 8을 갖는다.

즉, 이차함수의 식을 $y=a(x+1)^2+8$로 놓을 수 있다.

STEP 2 a, b, c의 값 구하기

이때 이 이차함수의 그래프가 점 $(1, 0)$을 지나므로

$0=4a+8 \qquad \therefore a=-2$

따라서 $y=-2(x+1)^2+8=-2x^2-4x+6$이므로

$b=-4,\ c=6$

STEP 3 abc의 값 구하기

$\therefore abc=(-2)\times(-4)\times6=48$

11

해결전략 | $f(x)=a(x-p)^2+q$ 꼴로 바꾸어 최솟값을 구하고 그 최솟값에서의 최댓값을 구한다.

STEP 1 $f(x)$의 최솟값 구하기

$$f(x)=2x^2+ax-3+a$$
$$=2\left\{x^2+\frac{a}{2}x+\left(\frac{a}{4}\right)^2-\left(\frac{a}{4}\right)^2\right\}+a-3$$
$$=2\left(x+\frac{a}{4}\right)^2-\frac{a^2}{8}+a-3$$

따라서 $f(x)$는 $x=-\frac{a}{4}$일 때 최솟값 $-\frac{a^2}{8}+a-3$을 갖는다.

STEP 2 a의 값 구하기

이때 $f(x)$의 최솟값 $g(a)$는

$$g(a)=-\frac{a^2}{8}+a-3$$
$$=-\frac{1}{8}(a^2-8a+16-16)-3$$
$$=-\frac{1}{8}(a-4)^2-1$$

따라서 $g(a)$는 $a=4$일 때 최댓값을 갖는다.

12

해결전략 | x의 값의 범위에 꼭짓점의 x좌표가 포함되지 않으면 주어진 이차함수의 최댓값과 최솟값은 범위의 양 끝 값의 함숫값을 비교하여 구한다.

STEP 1 $f(x)$를 표준형으로 나타내기

$f(x)=ax^2-2ax+b$

$\quad=a(x-1)^2-a+b$ …… ❶

STEP 2 a, b의 값 구하기

이때 꼭짓점의 x좌표 1이 $-2\le x\le0$에 포함되지 않고 $a<0$이므로 $f(x)$의 최댓값은 $f(0)=b$, 최솟값은 $f(-2)=8a+b$이다.

즉, $b=3,\ 8a+b=1$이므로

$a=-\frac{1}{4},\ b=3$ …… ❷

STEP 3 $a+b$의 값 구하기

$\therefore a+b=-\frac{1}{4}+3=\frac{11}{4}$ …… ❸

채점 요소	배점
❶ $f(x)$를 표준형으로 변형하기	30 %
❷ a, b의 값 구하기	60 %
❸ $a+b$의 값 구하기	10 %

13

해결전략 | x의 값의 범위가 주어진 이차함수의 최댓값과 최솟값은 꼭짓점의 y좌표와 범위의 양 끝 값에서의 함숫값을 비교하여 구한다.

STEP 1 이차함수 $f(x)$를 표준형으로 바꾸어 최댓값, 최솟값을 a로 나타내기

$f(x)=x^2-2x+a$

$\quad=(x-1)^2+a-1$

이므로 $-2\le x\le2$에서 함수 $y=f(x)$의 그래프는 오른쪽 그림과 같다.

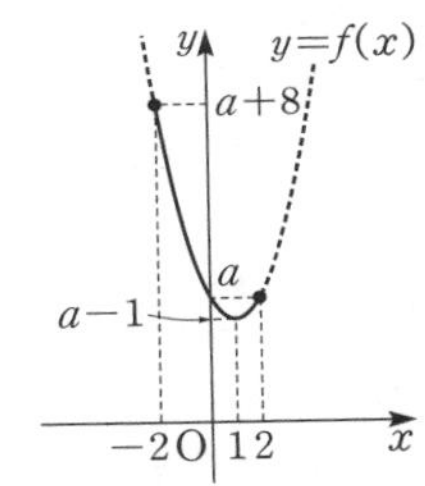

따라서 함수 $f(x)$는 $x=1$일 때 최솟값 $a-1$, $x=-2$일 때 최댓값 $a+8$을 갖는다.

STEP 2 a의 값 구하기

이때 최댓값과 최솟값의 합이 21이므로

$(a+8)+(a-1)=21$

$2a+7=21,\ 2a=14$

$\therefore a=7$

14

해결전략 | x의 값의 범위가 주어진 이차함수의 최댓값과 최솟값은 꼭짓점의 y좌표와 범위의 양 끝 값에서의 함숫값을 비교하여 구한다.

STEP 1 이차함수 $f(x)$의 최댓값, 최솟값을 k에 대한 식으로 나타내기

$f(x)=x^2-6x+k$

$\quad=(x-3)^2+k-9$

이므로 $0\le x\le4$에서 이차함수 $y=f(x)$의 그래프는 오른쪽 그림과 같다.

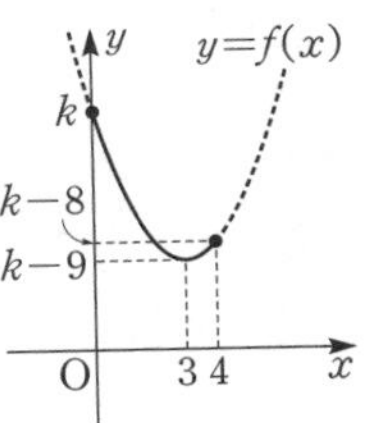

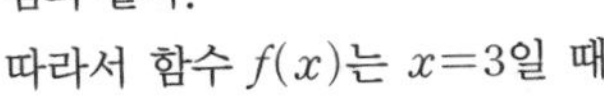

따라서 함수 $f(x)$는 $x=3$일 때

최솟값 $k-9$, $x=0$일 때 최댓값 k를 갖는다.

STEP 2 k의 값 구하기

이차함수 $f(x)$의 최댓값이 17이므로

$k=17$

STEP 3 이차함수의 최솟값 구하기

따라서 이차함수 $f(x)$의 최솟값은

$k-9=17-9=8$

15

해결전략 | 공통부분을 t로 치환하여 t에 대한 이차함수의 최대·최소를 구한다. 이때 t의 값의 범위에 주의한다.

STEP 1 $x^2-2x-1=t$로 놓고 t의 값의 범위 구하기

$x^2-2x-1=t$로 놓으면

$t=x^2-2x-1$

$=(x-1)^2-2$

$-1\le x\le 2$이므로

오른쪽 그림에서

$-2\le t\le 2$ ...... ❶

STEP 2 t의 값의 범위를 이용하여 최댓값과 최솟값 구하기

이때 주어진 함수는

$y=t^2-2t+3=(t-1)^2+2\ (-2\le t\le 2)$

따라서 $t=1$일 때 최솟값 2, $t=-2$일 때 최댓값 11을 가지므로 $M=11$, $m=2$ ...... ❷

STEP 3 $M-m$의 값 구하기

$\therefore M-m=11-2=9$ ...... ❸

채점 요소	배점
❶ $x^2-2x-1=t$로 치환하여 t의 값의 범위 구하기	50 %
❷ M, m의 값 구하기	40 %
❸ $M-m$의 값 구하기	10 %

16

해결전략 | 주어진 식을 완전제곱식 꼴로 변형하여 $(\text{실수})^2\ge 0$임을 이용한다.

STEP 1 주어진 식을 완전제곱식 꼴로 변형하기

$2x^2+y^2-4x+6y+k+7$

$=2(x^2-2x+1-1)+(y^2+6y+9-9)+k+7$

$=2(x-1)^2+(y+3)^2+k-4$

STEP 2 최솟값이 4임을 이용하여 k의 값 구하기

이때 x, y는 실수이므로

$(x-1)^2\ge 0$, $(y+3)^2\ge 0$

따라서 $2x^2+y^2-4x+6y+k+7$의 최솟값은 $k-4$이므로 $k-4=4$

$\therefore k=8$

17

해결전략 | 한 문자에 대하여 정리한 등식을 이차식에 대입하여 최댓값과 최솟값을 구한다.

STEP 1 주어진 등식을 변형하기

$x+y=3$에서

$y=-x+3$ ...... ㉠

STEP 2 x의 값의 범위 구하기

그런데 주어진 조건에서 $y\ge 0$이므로

$y=-x+3\ge 0 \quad \therefore x\le 3$

또, 주어진 조건에서 $x\ge 0$이므로

$0\le x\le 3$

STEP 3 최댓값과 최솟값 구하기

㉠을 $2x^2+y^2$에 대입하면

$2x^2+(-x+3)^2=3x^2-6x+9$

$=3(x-1)^2+6\ (0\le x\le 3)$

$f(x)=3(x-1)^2+6$이라고 하면

$0\le x\le 3$에서 함수 $t=f(x)$의 그래프는 오른쪽 그림과 같다.

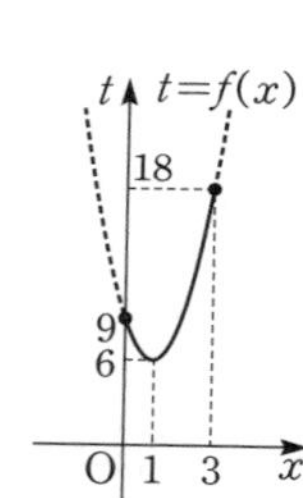

따라서 주어진 식은

$x=3$일 때 최댓값 18,

$x=1$일 때 최솟값 6

을 갖는다.

18

해결전략 | 두 이차함수의 그래프 위의 네 점의 좌표를 이용하여 직사각형 네 변의 길이를 나타내고 둘레의 길이에 대한 함수의 식을 구한다.

STEP 1 직사각형 ABCD의 둘레의 길이를 a에 대한 식으로 나타내기

$\overline{AD}=\overline{BC}=a-(-a)=2a$

$\overline{BA}=\overline{CD}=g(a)-f(a)$

$=(-2a^2+5)-(a^2-7)$

$=-3a^2+12$

직사각형 ABCD의 둘레의 길이를 $h(a)$라고 하면

$h(a)=\overline{AD}+\overline{BC}+\overline{BA}+\overline{CD}$

$=2(\overline{AD}+\overline{BA})$

$=2(2a-3a^2+12)$

$=-6a^2+4a+24\ (0<a<2)$

STEP 2 직사각형 ABCD의 둘레의 길이가 최대가 되는 a의 값 구하기

$h(a)=-6a^2+4a+24$

$=-6\left(a^2-\frac{2}{3}a+\frac{1}{9}-\frac{1}{9}\right)+24$

$=-6\left(a-\frac{1}{3}\right)^2+\frac{74}{3}$

이므로 $a=\frac{1}{3}$일 때 직사각형 ABCD의 둘레의 길이가 최대가 된다.

상위권 도약 문제 171~172쪽

01 $-\frac{3}{2}\le k<-\frac{3}{8}$	02 ㄱ, ㄴ, ㄷ		03 ⑤
04 11	05 60	06 $4\sqrt{3}$	07 110	08 ⑤

01

해결전략 | 주어진 조건을 만족시키는 그래프의 개형을 그려 본다.

STEP 1 이차함수의 식을 완전제곱식으로 나타내어 꼭짓점의 좌표 구하기

$y=x^2+3x+2k+3$

$=\left(x+\frac{3}{2}\right)^2+2k+\frac{3}{4}$

의 그래프의 꼭짓점의 좌표는 $\left(-\frac{3}{2},\ 2k+\frac{3}{4}\right)$이고, y축과 만나는 점의 y좌표는 $2k+3$이다.

STEP 2 k의 값의 범위 구하기

이 그래프가 제4사분면만을 지나지 않으려면 그래프의 개형은 오른쪽 그림과 같아야 한다.

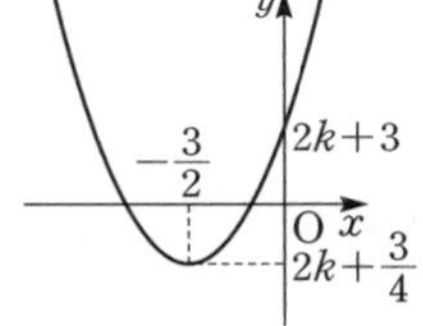

(i) 꼭짓점이 제3사분면 위에 있어야 하므로

$2k+\frac{3}{4}<0$

$2k<-\frac{3}{4}$

$\therefore k<-\frac{3}{8}$

(ii) y축과 만나는 점의 y좌표가 0 이상이어야 하므로

$2k+3\ge 0,\ 2k\ge -3$

$\therefore k\ge -\frac{3}{2}$

(i), (ii)에서 구하는 상수 k의 값의 범위는

$-\frac{3}{2}\le k<-\frac{3}{8}$

02

해결전략 | 방정식 $f(x)=g(x)$의 실근은 두 함수 $y=f(x)$, $y=g(x)$의 그래프의 교점의 x좌표와 같음을 이용하여 보기의 참, 거짓을 판별한다.

ㄱ. 함수 $y=f(x)$의 그래프가 x축에 접하므로 이차방정식 $f(x)=0$의 판별식을 D_1이라고 하면

$D_1=a^2-4b=0$ (참)

ㄴ. ㄱ에 의하여 $a^2=4b$

이므로

$a^2-4d=4b-4d$

이때 오른쪽 그림에서 b, d는 두 함수의 그래프가 y축과 만나는 점의 y좌표이므로

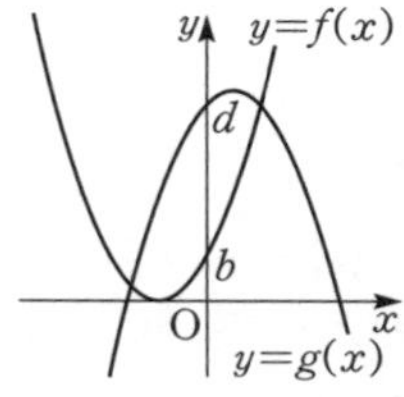

$4b-4d=4(b-d)<0$

$\therefore a^2-4d<0$ (참)

ㄷ. 두 그래프가 서로 다른 두 점에서 만나므로 이차방정식 $f(x)=g(x)$는 서로 다른 두 실근을 갖는다.

$x^2+ax+b=-x^2+cx+d$에서

$2x^2+(a-c)x+b-d=0$

이 이차방정식의 판별식을 D_2라고 하면 이차방정식이 서로 다른 두 실근을 가지므로

$D_2=(a-c)^2-8(b-d)>0$ (참)

따라서 ㄱ, ㄴ, ㄷ 모두 옳다.

◉→ 다른 풀이

ㄷ. $(a-c)^2\ge 0$이고 $b-d<0$이므로

$(a-c)^2-8(b-d)>0$ (참)

03

해결전략 | 이차함수 $y=f(x)$의 그래프와 직선 $y=g(x)$가 접하려면 이차방정식 $f(x)=g(x)$, 즉 $f(x)-g(x)=0$의 판별식을 D라고 할 때, $D=0$이어야 한다.

STEP 1 이차함수의 그래프와 직선이 접하는 조건 알아보기

직선 $y=2mx+m^2+2m+1$이 이차함수 $y=ax^2+bx+c$의 그래프와 접하려면 이차방정식

$2mx+m^2+2m+1=ax^2+bx+c$, 즉

$ax^2+(b-2m)x+c-m^2-2m-1=0$ …… ㉠

이 중근을 가져야 한다.

STEP 2 판별식을 이용하여 m에 대한 식 구하기

이차방정식 ㉠의 판별식을 D라고 하면

$D=(b-2m)^2-4a(c-m^2-2m-1)=0$

$b^2-4bm+4m^2-4ac+4am^2+8am+4a=0$

$(4+4a)m^2-4(b-2a)m+b^2-4a(c-1)=0$

STEP 3 항등식의 성질을 이용하여 a, b, c의 값 구하기

위 식이 임의의 실수 m에 대하여 항상 성립해야 하므로

$4+4a=0$, $b-2a=0$, $b^2-4a(c-1)=0$

$\therefore a=-1$, $b=-2$, $c=0$

STEP 4 $a^2+b^2+c^2$의 값 구하기

$\therefore a^2+b^2+c^2=(-1)^2+(-2)^2+0^2=5$

04

해결전략 | 이차함수의 식을 표준형으로 바꾸어 a의 값을 구하고, 이차함수의 그래프와 직선이 접하는 조건을 이용한다.

STEP 1 조건 (가)를 이용하여 a의 값 구하기

$f(x)=x^2+ax-(b-7)^2$

$=\left(x+\frac{a}{2}\right)^2-\frac{a^2}{4}-(b-7)^2$

이므로 함수 $f(x)$는 $x=-\frac{a}{2}$에서 최솟값을 갖는다.

조건 (가)에 의하여 $-\frac{a}{2}=-1$이므로

$a=2$

STEP 2 조건 (나)를 이용하여 a와 c의 관계식과 b의 값 구하기

조건 (나)에서 이차함수 $y=f(x)$의 그래프와 직선 $y=cx$가 한 점에서만 만나므로 이차방정식

$x^2+ax-(b-7)^2=cx$, 즉

$x^2+(a-c)x-(b-7)^2=0$ …… ㉠

은 중근을 갖는다.

이차방정식 ㉠의 판별식을 D라고 하면

$D=(a-c)^2+4(b-7)^2=0$

이때 $(a-c)^2\geq 0$, $4(b-7)^2\geq 0$이므로

$(a-c)^2=0$, $4(b-7)^2=0$

$\therefore a=c$, $b=7$

STEP 3 $a+b+c$의 값 구하기

따라서 $a=c=2$, $b=7$이므로

$a+b+c=2+7+2=11$

05

해결전략 | 이차함수의 그래프가 x축에 접할 때에는 꼭짓점이 x축 위에 있음을 이용한다.

STEP 1 이차함수의 그래프의 꼭짓점의 좌표 구하기

$f(x)=-x^2+px-q$

$=-\left(x-\frac{p}{2}\right)^2+\frac{p^2}{4}-q$

조건 (가)에 의하여 함수 $y=f(x)$의 그래프가 x축에 접하므로

$\frac{p^2}{4}-q=0$

따라서 $f(x)=-\left(x-\frac{p}{2}\right)^2$이므로 이차함수의 그래프의 꼭짓점의 좌표는 $\left(\frac{p}{2}, 0\right)$이다.

STEP 2 p^2, q의 값 구하기

조건 (나)에 의하여 $-p\leq x\leq p$에서 이차함수 $y=f(x)$의 그래프는 오른쪽 그림과 같으므로 $f(x)$의 최솟값은 $f(-p)$이다.

$f(-p)=-\left(-\frac{3}{2}p\right)^2$

$=-\frac{9}{4}p^2$

따라서 $-\frac{9}{4}p^2=-54$이므로

$p^2=(-54)\times\left(-\frac{4}{9}\right)=24$

$\frac{p^2}{4}-q=0$에서 $q=\frac{p^2}{4}$이므로

$q=\frac{24}{4}=6$

STEP 3 p^2+q^2의 값 구하기

$\therefore p^2+q^2=24+6^2=60$

06

해결전략 | $x+y=k$로 놓고 주어진 등식에 대입하여 k의 최솟값을 구한다.

STEP 1 $x+y=k$로 놓고 정리하기

$x+y=k$로 놓으면

$y=-x+k$ …… ㉠

STEP 2 정리한 식을 주어진 이차식에 대입하기

$x^2-2xy+y^2-\sqrt{3}(x+y)+12=0$에서

$(x+y)^2-\sqrt{3}(x+y)-4xy+12=0$

이 식에 ㉠을 대입하면

$k^2-\sqrt{3}k-4x(-x+k)+12=0$

$4x^2-4kx+k^2-\sqrt{3}k+12=0$

STEP 3 판별식을 이용하여 최솟값 구하기

이 이차방정식의 판별식을 D라고 하면 실근을 가져야 하므로

$\frac{D}{4}=(-2k)^2-4(k^2-\sqrt{3}k+12)\geq0$

$4\sqrt{3}k-48\geq0$, $\sqrt{3}k\geq12$

$\therefore k\geq4\sqrt{3}$

따라서 $x+y=k$의 최솟값은 $4\sqrt{3}$이다.

◉→ 다른 풀이

주어진 식을 정리하면

$(x+y)^2-\sqrt{3}(x+y)-4xy+12=0$

$x+y=u$, $xy=v$로 놓으면

$u^2-\sqrt{3}u-4v+12=0$ …… ㉠

한편, x, y는 t에 대한 이차방정식 $t^2-ut+v=0$의 두 실근이므로 이 이차방정식의 판별식을 D라고 하면

$D=u^2-4v\geq0$ …… ㉡

㉠에서 $u^2-4v=\sqrt{3}u-12$를 ㉡에 대입하면

$\sqrt{3}u-12\geq0$, $\sqrt{3}u\geq12$

$\therefore u\geq4\sqrt{3}$

따라서 $x+y=u$의 최솟값은 $4\sqrt{3}$이다.

07

해결전략 | 변수 x를 정하고 (판매 금액)=(가격)×(판매량)임을 이용하여 이차함수의 식으로 나타낸다.

STEP 1 가격의 변화와 판매량의 변화를 식으로 나타내기

인상되는 가격을 x만 원이라고 하면 조건 (가), (나)에 의하여 A의 가격이 $(100+x)$만 원일 때, 판매량은 $(2400-20x)$대이다.

이때 가격과 판매량은 양수이므로

$0<x<120$

STEP 2 전체 판매 금액을 이차함수의 식으로 나타내기

전체 판매 금액을 y만 원이라고 하면

$y=(100+x)(2400-20x)$

$=-20x^2+400x+240000$

$=-20(x-10)^2+242000$ $(0<x<120)$

STEP 3 전체 판매 금액이 최대일 때의 A의 가격 구하기

따라서 가격을 10만 원 올렸을 때 전체 판매 금액이 최대가 되므로 A의 가격은 110만 원이다.

$\therefore a=110$

08

해결전략 | $\overline{DH}=x$로 놓고 직사각형 DEFG의 넓이를 구하고, $\overline{BI}=10$임을 이용하여 원의 반지름의 길이를 구한다.

STEP 1 직사각형 DEFG의 넓이 구하기

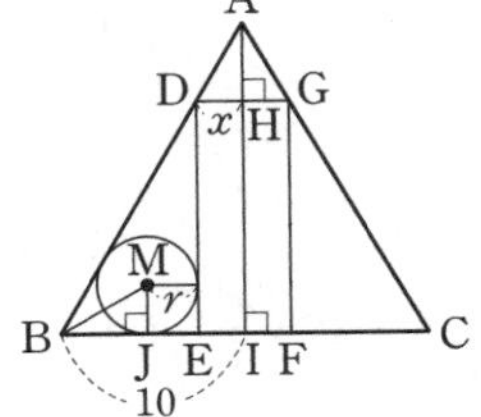

오른쪽 그림과 같이 점 A에서 선분 DG, 선분 BC에 내린 수선의 발을 각각 H, I라 하고, 원과 선분 BC의 교점을 J라고 하자.

직각삼각형 ADH에서 선분 DH의 길이를 x $(0<x<10)$라고 하면

$\overline{AH}=\sqrt{3}x$ → △ADH는 ∠ADH=60°, ∠DAH=30°인 직각삼각형이야.

직각삼각형 ABI에서 $\overline{DE}=\overline{AI}-\overline{AH}$이므로

$\overline{DE}=10\sqrt{3}-\sqrt{3}x$

직사각형 DEFG의 넓이를 $S(x)$라고 하면

$S(x)=2x(10\sqrt{3}-\sqrt{3}x)$

$=-2\sqrt{3}(x^2-10x)$

$=-2\sqrt{3}(x-5)^2+50\sqrt{3}$

따라서 $x=5$일 때 직사각형 DEFG의 넓이는 최대이다.

STEP 2 원의 둘레의 길이 구하기

원의 반지름의 길이를 r라고 하면

$\overline{EI}=x$, $\overline{JE}=r$

또, 원의 중심을 M이라고 하면 직각삼각형 MBJ에서 $\overline{MJ}=r$이므로

$\overline{BJ}=\sqrt{3}r$

$\therefore \overline{BI}=\overline{BJ}+\overline{JE}+\overline{EI}$

$=\sqrt{3}r+r+x$

$=x+(1+\sqrt{3})r=10$

이 식에 $x=5$를 대입하면

$r=\frac{5(\sqrt{3}-1)}{2}$

따라서 원의 둘레의 길이는

$2\pi\times\frac{5(\sqrt{3}-1)}{2}=(5\sqrt{3}-5)\pi$

STEP 3 p^2+q^2의 값 구하기

이때 p, q는 유리수이므로

$p=5$, $q=-5$

$\therefore p^2+q^2=5^2+(-5)^2=50$

풍쌤의 비법

특수한 직각삼각형의 세 변의 길이의 비

①

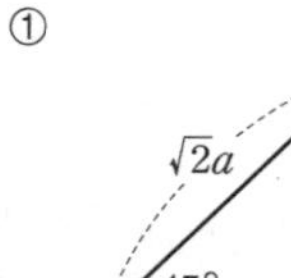
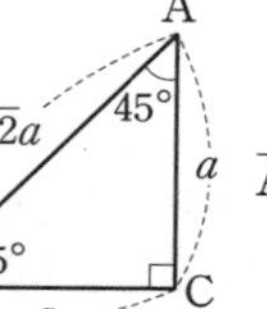

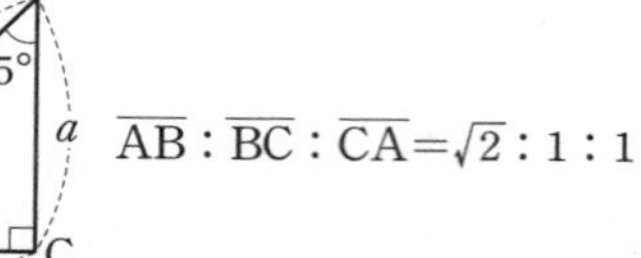

$\overline{AB}:\overline{BC}:\overline{CA}=\sqrt{2}:1:1$

②

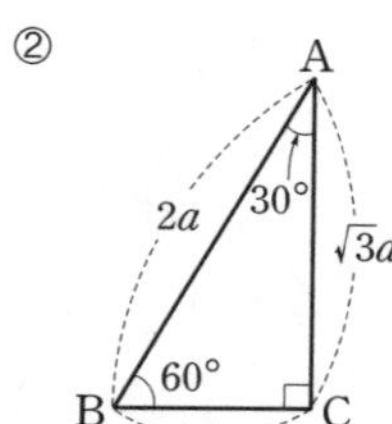

$\overline{AB}:\overline{BC}:\overline{CA}=2:1:\sqrt{3}$

07 여러 가지 방정식

개념확인

174~175쪽

01 답 (1) $x=2$ 또는 $x=-1\pm\sqrt{3}i$

(2) $x=-2$ 또는 $x=0$(중근) 또는 $x=3$

(1) $x^3-8=0$의 좌변을 인수분해하면

$(x-2)(x^2+2x+4)=0$

$x-2=0$ 또는 $x^2+2x+4=0$

$\therefore x=2$ 또는 $x=-1\pm\sqrt{3}i$

(2) $x^4-x^3-6x^2=0$의 좌변을 인수분해하면

$x^2(x^2-x-6)=0$

$x^2(x+2)(x-3)=0$

$x^2=0$ 또는 $x+2=0$ 또는 $x-3=0$

$\therefore x=0$(중근) 또는 $x=-2$ 또는 $x=3$

02 답 (1) $x=-2$ 또는 $x=1$ 또는 $x=3$

(2) $x=\pm\sqrt{2}i$ 또는 $x=\pm\sqrt{3}$

(3) $x=\pm 2i$ 또는 $x=\pm 1$

(4) $x=1\pm\sqrt{2}$ 또는 $x=-1\pm\sqrt{2}$

(5) $x=\dfrac{3\pm\sqrt{5}}{2}$ 또는 $x=\dfrac{-1\pm\sqrt{3}i}{2}$

(1) $f(x)=x^3-2x^2-5x+6$으로 놓으면

$f(1)=1-2-5+6=0$

이므로 조립제법을 이용하여

1	1	−2	−5	6
		1	−1	−6
	1	−1	−6	0

$f(x)$를 인수분해하면

$f(x)=(x-1)(x^2-x-6)$

따라서 주어진 방정식은

$(x-1)(x^2-x-6)=0$

$(x-1)(x+2)(x-3)=0$

$\therefore x=-2$ 또는 $x=1$ 또는 $x=3$

(2) $x^2-1=X$로 놓으면 주어진 방정식은

$X^2+X-6=0$

$(X+3)(X-2)=0$

$\therefore X=-3$ 또는 $X=2$

(i) $X=-3$일 때, $x^2-1=-3$에서

$x^2=-2$ $\quad\therefore x=\pm\sqrt{2}i$

(ii) $X=2$일 때, $x^2-1=2$에서

$x^2=3$ $\quad\therefore x=\pm\sqrt{3}$

(i), (ii)에 의하여

$x=\pm\sqrt{2}i$ 또는 $x=\pm\sqrt{3}$

(3) $x^2=X$로 놓으면 주어진 방정식은

$X^2+3X-4=0$

$(X+4)(X-1)=0$

$\therefore X=-4$ 또는 $X=1$

(i) $X=-4$일 때,

$x^2=-4 \quad \therefore x=\pm 2i$

(ii) $X=1$일 때,

$x^2=1 \quad \therefore x=\pm 1$

(i), (ii)에 의하여

$x=\pm 2i$ 또는 $x=\pm 1$

(4) $x^4-6x^2+1=0$에서

$(x^4-2x^2+1)-4x^2=0$

$(x^2-1)^2-(2x)^2=0$

$(x^2-2x-1)(x^2+2x-1)=0$

$x^2-2x-1=0$ 또는 $x^2+2x-1=0$

$\therefore x=1\pm\sqrt{2}$ 또는 $x=-1\pm\sqrt{2}$

(5) $x^4-2x^3-x^2-2x+1=0$에서 $x\neq 0$이므로 양변을 x^2으로 나누면

$x^2-2x-1-\frac{2}{x}+\frac{1}{x^2}=0$

$x^2+\frac{1}{x^2}-2\left(x+\frac{1}{x}\right)-1=0$

$\left(x+\frac{1}{x}\right)^2-2-2\left(x+\frac{1}{x}\right)-1=0$

$\left(x+\frac{1}{x}\right)^2-2\left(x+\frac{1}{x}\right)-3=0$

$x+\frac{1}{x}=X$로 놓으면

$X^2-2X-3=0$

$(X+1)(X-3)=0$

$\therefore X=-1$ 또는 $X=3$

(i) $X=-1$일 때, $x+\frac{1}{x}=-1$에서

$x^2+x+1=0$

$\therefore x=\frac{-1\pm\sqrt{3}i}{2}$

(ii) $X=3$일 때, $x+\frac{1}{x}=3$에서

$x^2-3x+1=0$

$\therefore x=\frac{3\pm\sqrt{5}}{2}$

(i), (ii)에 의하여

$x=\frac{3\pm\sqrt{5}}{2}$ 또는 $x=\frac{-1\pm\sqrt{3}i}{2}$

03 답 (1) $\frac{1}{2}$ (2) $\frac{5}{2}$ (3) $-\frac{3}{2}$

04 답 $x^3+2x^2-13x+10=0$

세 근의 합은 $-5+1+2=-2$

두 근끼리의 곱의 합은

$(-5)\times 1+1\times 2+2\times(-5)=-13$

세 근의 곱은 $(-5)\times 1\times 2=-10$

따라서 구하는 삼차방정식은

$x^3+2x^2-13x+10=0$

05 답 $2+\sqrt{5}$

계수가 유리수이고 두 근이 1, $2-\sqrt{5}$이므로 나머지 한 근은 $2-\sqrt{5}$의 켤레근인 $2+\sqrt{5}$이다.

06 답 (1) 0 (2) -1

$x^3=1$에서 $x^3-1=0$, 즉

$(x-1)(x^2+x+1)=0$

이때 ω는 $x^3=1$과 x^2+x+1의 한 허근이므로

$\omega^3=1$, $\omega^2+\omega+1=0$

(1) $\omega^{10}+\omega^5+1=(\omega^3)^3\times\omega+\omega^3\times\omega^2+1$

$=\omega+\omega^2+1=0$

(2) $\frac{\omega^{10}}{\omega^5+1}=\frac{(\omega^3)^3\times\omega}{\omega^3\times\omega^2+1}=\frac{\omega}{\omega^2+1}=\frac{\omega}{-\omega}=-1$

필수유형 01

177쪽

01-1 답 (1) $x=-2$ 또는 $x=1$ 또는 $x=2$

(2) $x=-1$ 또는 $x=2$ 또는 $x=5$

(3) $x=\frac{1}{3}$ 또는 $x=\frac{1}{2}$ 또는 $x=2$

해결전략 | 인수정리와 조립제법을 이용하여 주어진 방정식의 좌변을 인수분해한다.

(1) **STEP 1** $f(x)=x^3-x^2-4x+4$로 놓고 $f(\alpha)=0$을 만족시키는 α의 값 구하여 $f(x)$를 인수분해하기

$f(x)=x^3-x^2-4x+4$로 놓으면

$f(1)=1-1-4+4=0$

이므로 조립제법을 이용하여 $f(x)$를 인수분해하면

1	1	−1	−4	4
		1	0	−4
	1	0	−4	0

$f(x)=(x-1)(x^2-4)$

$=(x-1)(x+2)(x-2)$

STEP 2 주어진 방정식의 근 구하기

따라서 주어진 방정식은 $(x-1)(x+2)(x-2)=0$

$\therefore x=-2$ 또는 $x=1$ 또는 $x=2$

(2) STEP 1 $f(x)=x^3-6x^2+3x+10$으로 놓고 $f(\alpha)=0$을 만족시키는 α의 값 구하여 $f(x)$를 인수분해하기

$f(x)=x^3-6x^2+3x+10$으로 놓으면

$f(-1)=-1-6-3+10=0$

이므로 조립제법을 이용하여 $f(x)$를 인수분해하면

-1	1	-6	3	10
		-1	7	-10
	1	-7	10	0

$f(x)=(x+1)(x^2-7x+10)$
$=(x+1)(x-2)(x-5)$

STEP 2 주어진 방정식의 근 구하기

따라서 주어진 방정식은 $(x+1)(x-2)(x-5)=0$

$\therefore x=-1$ 또는 $x=2$ 또는 $x=5$

(3) STEP 1 $f(x)=6x^3-17x^2+11x-2$로 놓고 $f(\alpha)=0$을 만족시키는 α의 값 구하여 $f(x)$를 인수분해하기

$f(x)=6x^3-17x^2+11x-2$로 놓으면

$f(2)=48-68+22-2=0$

이므로 조립제법을 이용하여 $f(x)$를 인수분해하면

2	6	-17	11	-2
		12	-10	2
	6	-5	1	0

$f(x)=(x-2)(6x^2-5x+1)$
$=(x-2)(3x-1)(2x-1)$

STEP 2 주어진 방정식의 근 구하기

따라서 주어진 방정식은

$(x-2)(3x-1)(2x-1)=0$

$\therefore x=\frac{1}{3}$ 또는 $x=\frac{1}{2}$ 또는 $x=2$

01-2 답 (1) $x=-3$ 또는 $x=-1$ 또는 $x=1$ 또는 $x=3$

(2) $x=-5$ 또는 $x=-1$ 또는 $x=1$ 또는 $x=3$

(3) $x=-\frac{1}{2}$ 또는 $x=\frac{1}{2}$ 또는 $x=2$(중근)

해결전략 | 인수정리와 조립제법을 이용하여 주어진 방정식의 좌변을 인수분해한다.

(1) STEP 1 $f(x)=x^4-10x^2+9$로 놓고 $f(\alpha)=0$을 만족시키는 α의 값 구하여 $f(x)$를 인수분해하기

$f(x)=x^4-10x^2+9$로 놓으면

$f(-1)=0$, $f(1)=0$

이므로 조립제법을 이용하여 $f(x)$를 인수분해하면

-1	1	0	-10	0	9
		-1	1	9	-9
1	1	-1	-9	9	0
		1	0	-9	
	1	0	-9	0	

$f(x)=(x+1)(x-1)(x^2-9)$
$=(x+1)(x-1)(x+3)(x-3)$

STEP 2 주어진 방정식의 근 구하기

따라서 주어진 방정식은

$(x+1)(x-1)(x+3)(x-3)=0$

$\therefore x=-3$ 또는 $x=-1$ 또는 $x=1$ 또는 $x=3$

(2) STEP 1 $f(x)=x^4+2x^3-16x^2-2x+15$로 놓고 $f(\alpha)=0$을 만족시키는 α의 값 구하여 $f(x)$를 인수분해하기

$f(x)=x^4+2x^3-16x^2-2x+15$로 놓으면

$f(-1)=0$, $f(1)=0$

이므로 조립제법을 이용하여 $f(x)$를 인수분해하면

-1	1	2	-16	-2	15
		-1	-1	17	-15
1	1	1	-17	15	0
		1	2	-15	
	1	2	-15	0	

$f(x)=(x+1)(x-1)(x^2+2x-15)$
$=(x+1)(x-1)(x+5)(x-3)$

STEP 2 주어진 방정식의 근 구하기

따라서 주어진 방정식은

$(x+1)(x-1)(x+5)(x-3)=0$

$\therefore x=-5$ 또는 $x=-1$ 또는 $x=1$ 또는 $x=3$

(3) STEP 1 $f(x)=4x^4-16x^3+15x^2+4x-4$로 놓고 $f(\alpha)=0$을 만족시키는 α의 값 구하여 $f(x)$를 인수분해하기

$f(x)=4x^4-16x^3+15x^2+4x-4$로 놓으면

$f(2)=0$이므로 조립제법을 이용하여 $f(x)$를 인수분해하면

2	4	-16	15	4	-4
		8	-16	-2	4
2	4	-8	-1	2	0
		8	0	-2	
	4	0	-1	0	

$f(x)=(x-2)^2(4x^2-1)$
$=(x-2)^2(2x+1)(2x-1)$

STEP 2 주어진 방정식의 근 구하기

따라서 주어진 방정식은

$(x-2)^2(2x+1)(2x-1)=0$

$\therefore x=-\frac{1}{2}$ 또는 $x=\frac{1}{2}$ 또는 $x=2$(중근)

01-3 답 -2

해결전략 | 인수정리와 조립제법을 이용하여 주어진 방정식의 좌변을 인수분해한다.

STEP 1 $f(x)=x^4+x^3-x^2-7x-6$으로 놓고 $f(\alpha)=0$을 만족시키는 α의 값 구하여 $f(x)$를 인수분해하기

$f(x)=x^4+x^3-x^2-7x-6$으로 놓으면

$f(-1)=0, f(2)=0$

이므로 조립제법을 이용하여 $f(x)$를 인수분해하면

-1	1	1	-1	-7	-6
		-1	0	1	6
2	1	0	-1	-6	0
		2	4	6	
	1	2	3	0	

$f(x)=(x+1)(x-2)(x^2+2x+3)$

STEP 2 주어진 방정식의 근 구하기

따라서 주어진 방정식은

$(x+1)(x-2)(x^2+2x+3)=0$

$\therefore x=-1$ 또는 $x=2$ 또는 $x=-1\pm\sqrt{2}i$

STEP 3 모든 실근의 곱 구하기

따라서 모든 실근의 곱은 $(-1)\times2=-2$

> **풍쌤의 비법**
>
> $(x+1)(x-2)(x^2+2x+3)=0$에서 이차방정식 $x^2+2x+3=0$의 판별식이 0보다 작으므로 $x^2+2x+3=0$의 근은 허근임을 알 수 있다.
> 따라서 $x^2+2x+3=0$은 근의 공식을 이용하여 해를 구하면 된다.

01-4 답 4

해결전략 | 인수정리와 조립제법을 이용하여 주어진 방정식의 좌변을 인수분해한다.

STEP 1 $f(x)=x^4-6x^3+15x^2-22x+12$로 놓고 $f(\alpha)=0$을 만족시키는 α의 값 구하여 $f(x)$를 인수분해하기

$f(x)=x^4-6x^3+15x^2-22x+12$로 놓으면

$f(1)=0, f(3)=0$

이므로 조립제법을 이용하여 $f(x)$를 인수분해하면

1	1	-6	15	-22	12
		1	-5	10	-12
3	1	-5	10	-12	0
		3	-6	12	
	1	-2	4	0	

$f(x)=(x-1)(x-3)(x^2-2x+4)$

STEP 2 주어진 방정식의 근 구하기

따라서 주어진 방정식은

$(x-1)(x-3)(x^2-2x+4)=0$

$\therefore x=1$ 또는 $x=3$ 또는 $x=1\pm\sqrt{3}i$

STEP 3 모든 실근의 합 구하기

따라서 모든 실근의 합은

$1+3=4$

01-5 답 1

해결전략 | 인수정리와 조립제법을 이용하여 주어진 방정식의 좌변을 인수분해하고, 근과 계수의 관계를 이용하여 $\alpha+\beta$, $\alpha\beta$의 값을 구한다.

STEP 1 $f(x)=x^3-x^2+2$로 놓고 $f(\alpha)=0$을 만족시키는 α의 값 구하여 $f(x)$를 인수분해하기

$f(x)=x^3-x^2+2$로 놓으면

$f(-1)=0$이므로

조립제법을 이용하여 $f(x)$를 인수분해하면

-1	1	-1	0	2
		-1	2	-2
	1	-2	2	0

$f(x)=(x+1)(x^2-2x+2)$

STEP 2 주어진 방정식의 근 구하기

따라서 주어진 방정식은 $(x+1)(x^2-2x+2)=0$

$\therefore x=-1$ 또는 $x^2-2x+2=0$

STEP 3 $\alpha+\beta$, $\alpha\beta$의 값 구하기

따라서 주어진 방정식의 두 허근 α, β는 방정식 $x^2-2x+2=0$의 근이므로 이차방정식의 근과 계수의 관계에 의하여

$\alpha+\beta=2,\ \alpha\beta=2$

STEP 4 $\frac{1}{\alpha}+\frac{1}{\beta}$의 값 구하기

$\therefore \frac{1}{\alpha}+\frac{1}{\beta}=\frac{\alpha+\beta}{\alpha\beta}=\frac{2}{2}=1$

01-6 답 10

해결전략 | 인수정리와 조립제법을 이용하여 주어진 방정식의 좌변을 인수분해하고, 근과 계수의 관계를 이용하여 $\alpha+\beta$, $\alpha\beta$의 값을 구한다.

STEP 1 $f(x)=x^4-4x+3$으로 놓고 $f(\alpha)=0$을 만족시키는 α의 값 구하여 $f(x)$를 인수분해하기

$f(x)=x^4-4x+3$으로 놓으면 $f(1)=0$

이므로 조립제법을 이용하여 $f(x)$를 인수분해하면

$$\begin{array}{c|cccc}
1 & 1 & 0 & 0 & -4 & 3 \\
 & & 1 & 1 & 1 & -3 \\
\hline
1 & 1 & 1 & 1 & -3 & 0 \\
 & & 1 & 2 & 3 & \\
\hline
 & 1 & 2 & 3 & 0 &
\end{array}$$

$f(x)=(x-1)^2(x^2+2x+3)$

STEP 2 주어진 방정식의 근 구하기

따라서 주어진 방정식은

$(x-1)^2(x^2+2x+3)=0$

$\therefore x=1$(중근) 또는 $x^2+2x+3=0$

STEP 3 $\alpha+\beta$, $\alpha\beta$의 값 구하기

따라서 주어진 방정식의 두 허근 α, β는 방정식 $x^2+2x+3=0$의 근이므로 이차방정식의 근과 계수의 관계에 의하여

$\alpha+\beta=-2$, $\alpha\beta=3$

STEP 4 $\alpha^3+\beta^3$의 값 구하기

$\therefore \alpha^3+\beta^3=(\alpha+\beta)^3-3\alpha\beta(\alpha+\beta)$

$=(-2)^3-3\times3\times(-2)=10$

필수유형 02

179쪽

02-1 답 (1) $x=1$ 또는 $x=2$ 또는 $x=\frac{3\pm\sqrt{5}}{2}$

(2) $x=-5$ 또는 $x=3$ 또는 $x=-1\pm2i$

해결전략 | 공통부분을 치환하여 차수가 낮은 방정식으로 변형한다.

(1) **STEP 1 $x^2-3x=X$로 치환하기**

$x^2-3x=X$로 놓으면 주어진 방정식은

$X(X+3)+2=0$

STEP 2 X에 대한 방정식 풀기

$X^2+3X+2=0$, $(X+1)(X+2)=0$

$\therefore X=-1$ 또는 $X=-2$

STEP 3 주어진 방정식 풀기

(i) $X=-1$일 때, $x^2-3x=-1$에서

$x^2-3x+1=0$

$\therefore x=\frac{3\pm\sqrt{5}}{2}$

(ii) $X=-2$일 때, $x^2-3x=-2$에서

$x^2-3x+2=0$, $(x-1)(x-2)=0$

$\therefore x=1$ 또는 $x=2$

(i), (ii)에 의하여

$x=1$ 또는 $x=2$ 또는 $x=\frac{3\pm\sqrt{5}}{2}$

(2) **STEP 1 $x^2+2x=X$로 치환하기**

$x^2+2x=X$로 놓으면 주어진 방정식은

$X(X-10)-75=0$

STEP 2 X에 대한 방정식 풀기

$X^2-10X-75=0$, $(X+5)(X-15)=0$

$\therefore X=-5$ 또는 $X=15$

STEP 3 주어진 방정식 풀기

(i) $X=-5$일 때, $x^2+2x=-5$에서

$x^2+2x+5=0$

$\therefore x=-1\pm2i$

(ii) $X=15$일 때, $x^2+2x=15$에서

$x^2+2x-15=0$, $(x+5)(x-3)=0$

$\therefore x=-5$ 또는 $x=3$

(i), (ii)에 의하여

$x=-5$ 또는 $x=3$ 또는 $x=-1\pm2i$

02-2 답 (1) $x=-5$ 또는 $x=0$ 또는 $x=\frac{-5\pm\sqrt{15}i}{2}$

(2) $x=-3\pm2\sqrt{3}$ 또는 $x=-3\pm\sqrt{2}i$

해결전략 | 두 일차식의 상수항의 합이 같아지도록 두 개씩 짝을 지어 전개한 후 공통부분을 치환한다.

(1) **STEP 1 공통부분이 나오도록 주어진 방정식 변형하기**

$(x+1)(x+2)(x+3)(x+4)=24$에서

$\{(x+1)(x+4)\}\{(x+2)(x+3)\}=24$

$(x^2+5x+4)(x^2+5x+6)=24$

STEP 2 $x^2+5x=X$로 치환한 후 X에 대한 방정식 풀기

$x^2+5x=X$로 놓으면 주어진 방정식은

$(X+4)(X+6)=24$, $X^2+10X=0$

$X(X+10)=0$ $\quad\therefore X=0$ 또는 $X=-10$

STEP 3 주어진 방정식 풀기

(i) $X=0$일 때, $x^2+5x=0$에서

$x(x+5)=0$

$\therefore x=-5$ 또는 $x=0$

(ii) $X=-10$일 때, $x^2+5x=-10$에서

$x^2+5x+10=0$

$\therefore x=\frac{-5\pm\sqrt{15}i}{2}$

(i), (ii)에 의하여

$x=-5$ 또는 $x=0$ 또는 $x=\frac{-5\pm\sqrt{15}i}{2}$

(2) **STEP 1 공통부분이 나오도록 주어진 방정식 변형하기**

$x(x+2)(x+4)(x+6)=33$에서

$\{x(x+6)\}\{(x+2)(x+4)\}=33$

$(x^2+6x)(x^2+6x+8)=33$

STEP 2 $x^2+6x=X$로 치환한 후 X에 대한 방정식 풀기

$x^2+6x=X$로 놓으면 주어진 방정식은

$X(X+8)=33,\ X^2+8X-33=0$

$(X+11)(X-3)=0$

$\therefore X=-11$ 또는 $X=3$

STEP 3 주어진 방정식 풀기

(i) $X=-11$일 때, $x^2+6x=-11$에서

$x^2+6x+11=0$

$\therefore x=-3\pm\sqrt{2}i$

(ii) $X=3$일 때, $x^2+6x=3$에서

$x^2+6x-3=0$

$\therefore x=-3\pm2\sqrt{3}$

(i), (ii)에 의하여

$x=-3\pm2\sqrt{3}$ 또는 $x=-3\pm\sqrt{2}i$

02-3 답 -15

해결전략 | 공통부분을 치환하여 차수가 낮은 방정식으로 변형한다.

STEP 1 $x^2+4x=X$로 치환한 후 X에 대한 방정식 풀기

$x^2+4x=X$로 놓으면 주어진 방정식은

$(X+5)^2-12X-40=0$

$X^2-2X-15=0,\ (X+3)(X-5)=0$

$\therefore X=-3$ 또는 $X=5$

STEP 2 주어진 방정식 풀기

(i) $X=-3$일 때, $x^2+4x=-3$에서

$x^2+4x+3=0,\ (x+3)(x+1)=0$

$\therefore x=-3$ 또는 $x=-1$

(ii) $X=5$일 때, $x^2+4x=5$에서

$x^2+4x-5=0,\ (x+5)(x-1)=0$

$\therefore x=-5$ 또는 $x=1$

STEP 3 모든 실근의 곱 구하기

(i), (ii)에서 모든 실근의 곱은

$(-3)\times(-1)\times(-5)\times1=-15$

02-4 답 1

해결전략 | 공통부분을 치환하여 차수가 낮은 방정식으로 변형한다.

STEP 1 $x^2+4=X$로 치환한 후 X에 대한 방정식 풀기

$x^2+4=X$로 놓으면 주어진 방정식은

$(X+2x)(X-3x)+4x^2=0$

$X^2-xX-2x^2=0,\ (X+x)(X-2x)=0$

$\therefore X=-x$ 또는 $X=2x$

STEP 2 두 이차방정식에서 두 근의 합 각각 구하기

(i) $X=-x$일 때, $x^2+4=-x$에서

$x^2+x+4=0$

이차방정식의 근과 계수의 관계에 의하여 두 근의 합은 -1이다.

(ii) $X=2x$일 때, $x^2+4=2x$에서

$x^2-2x+4=0$

이차방정식의 근과 계수의 관계에 의하여 두 근의 합은 2이다.

STEP 3 모든 근의 합 구하기

(i), (ii)에서 모든 근의 합은

$-1+2=1$

풍쌤의 비법

사차방정식의 모든 근의 합을 구하는 것이므로 근의 조건을 살필 필요가 없다. 두 이차방정식에서 근과 계수의 관계를 이용하여 두 근의 합을 각각 구하면 된다.

02-5 답 -2

해결전략 | 공통부분이 나오도록 식을 변형하여 전개한다.

STEP 1 공통부분이 나오도록 주어진 방정식 변형하기

$(x+1)(x-2)(x-3)(x+6)-28x^2=0$에서

$\{(x+1)(x+6)\}\{(x-2)(x-3)\}-28x^2=0$

$(x^2+7x+6)(x^2-5x+6)-28x^2=0$

STEP 2 $x^2+6=X$로 치환한 후 X에 대한 방정식 풀기

$x^2+6=X$로 놓으면 주어진 방정식은

$(X+7x)(X-5x)-28x^2=0$

$X^2+2xX-63x^2=0,\ (X+9x)(X-7x)=0$

$\therefore X=-9x$ 또는 $X=7x$

STEP 3 두 이차방정식에서 두 근의 합 각각 구하기

(i) $X=-9x$일 때, $x^2+6=-9x$에서

$x^2+9x+6=0$

이차방정식의 근과 계수의 관계에 의하여 두 근의 합은 -9이다.

(ii) $X=7x$일 때, $x^2+6=7x$에서

$x^2-7x+6=0$

이차방정식의 근과 계수의 관계에 의하여 두 근의 합은 7이다.

STEP 4 모든 근의 합 구하기

(i), (ii)에서 모든 근의 합은

$-9+7=-2$

02-6 답 8

해결전략 | 공통부분을 치환하여 차수가 낮은 방정식으로 변형하고, α, β, $\overline{\alpha}$, $\overline{\beta}$의 관계를 생각한다.

STEP 1 $x^2+x=X$로 치환한 후 X에 대한 방정식 풀기

$x^2+x=X$로 놓으면 주어진 방정식은

$(X-1)(X+3)-5=0$

$X^2+2X-8=0$, $(X+4)(X-2)=0$

$\therefore X=-4$ 또는 $X=2$

STEP 2 주어진 방정식 풀기

(i) $X=-4$일 때, $x^2+x=-4$에서

$x^2+x+4=0$

(ii) $X=2$일 때, $x^2+x=2$에서

$x^2+x-2=0$, $(x+2)(x-1)=0$

$\therefore x=-2$ 또는 $x=1$

STEP 3 $\alpha\overline{\alpha}+\beta\overline{\beta}$의 값 구하기

따라서 서로 다른 두 허근 α, β는 이차방정식 $x^2+x+4=0$의 두 근이고, 이 두 근은 서로 켤레근이므로

$\overline{\alpha}=\beta$ 또는 $\overline{\beta}=\alpha$

또, 이차방정식의 근과 계수의 관계에 의하여 $\alpha\beta=4$이므로

$\alpha\overline{\alpha}+\beta\overline{\beta}=\alpha\beta+\beta\alpha=2\alpha\beta$

$=2\times4=8$

필수유형 03 181쪽

03-1 답 (1) $x=\pm3i$ 또는 $x=\pm2\sqrt{2}$

(2) $x=-1\pm i$ 또는 $x=1\pm i$

(3) $x=\frac{-3\pm\sqrt{5}}{2}$ 또는 $x=\frac{-5\pm\sqrt{21}}{2}$

해결전략 | 주어진 방정식을 이차방정식 꼴로 변형하여 푼다.

(1) **STEP 1 $x^2=X$로 치환한 후 X에 대한 방정식 풀기**

$x^2=X$로 놓으면 주어진 방정식은

$X^2+X-72=0$

$(X-8)(X+9)=0$ $\quad\therefore X=8$ 또는 $X=-9$

STEP 2 주어진 방정식 풀기

즉, $x^2=8$ 또는 $x^2=-9$이므로

$x=\pm2\sqrt{2}$ 또는 $x=\pm3i$

(2) **STEP 1 주어진 방정식을 $A^2-B^2=0$ 꼴로 변형하기**

$x^4+4=0$에서 $(x^4+4x^2+4)-4x^2=0$

$(x^2+2)^2-(2x)^2=0$

STEP 2 주어진 방정식 풀기

$(x^2+2x+2)(x^2-2x+2)=0$

$x^2+2x+2=0$ 또는 $x^2-2x+2=0$

$\therefore x=-1\pm i$ 또는 $x=1\pm i$

(3) **STEP 1 양변을 x^2으로 나누어 정리하기**

$x\neq0$이므로 $x^4+8x^3+17x^2+8x+1=0$의 양변을 x^2으로 나누면

$x^2+8x+17+\frac{8}{x}+\frac{1}{x^2}=0$

$x^2+\frac{1}{x^2}+8\left(x+\frac{1}{x}\right)+17=0$

$\left(x+\frac{1}{x}\right)^2-2+8\left(x+\frac{1}{x}\right)+17=0$

$\left(x+\frac{1}{x}\right)^2+8\left(x+\frac{1}{x}\right)+15=0$

STEP 2 $x+\frac{1}{x}=X$로 치환한 후 X에 대한 방정식 풀기

$x+\frac{1}{x}=X$로 놓으면 주어진 방정식은

$X^2+8X+15=0$, $(X+3)(X+5)=0$

$\therefore X=-3$ 또는 $X=-5$

STEP 3 주어진 방정식 풀기

(i) $X=-3$일 때, $x+\frac{1}{x}=-3$에서

$x^2+3x+1=0$ $\quad\therefore x=\frac{-3\pm\sqrt{5}}{2}$

(ii) $X=-5$일 때, $x+\frac{1}{x}=-5$에서

$x^2+5x+1=0$ $\quad\therefore x=\frac{-5\pm\sqrt{21}}{2}$

(i), (ii)에 의하여

$x=\frac{-3\pm\sqrt{5}}{2}$ 또는 $x=\frac{-5\pm\sqrt{21}}{2}$

03-2 답 -2

해결전략 | 주어진 방정식에서 $x^2=X$로 치환하여 좌변을 인수분해한 후 푼다.

STEP 1 $x^2=X$로 치환한 후 X에 대한 방정식 풀기

$x^2=X$로 놓으면 주어진 방정식은 $X^2+2X-8=0$

$(X+4)(X-2)=0$ $\quad\therefore X=-4$ 또는 $X=2$

STEP 2 주어진 방정식 풀기

즉, $x^2=-4$ 또는 $x^2=2$이므로

$x=\pm 2i$ 또는 $x=\pm\sqrt{2}$

STEP 3 모든 실근의 곱 구하기

따라서 모든 실근의 곱은

$\sqrt{2}\times(-\sqrt{2})=-2$

03-3 답 $2+2\sqrt{6}$

해결전략 | 주어진 방정식을 $A^2-B^2=0$ 꼴로 변형한 후 좌변을 인수분해한 후 푼다.

STEP 1 주어진 방정식을 $A^2-B^2=0$ 꼴로 변형하기

$x^4-14x^2+25=0$에서 $(x^4-10x^2+25)-4x^2=0$

$(x^2-5)^2-(2x)^2=0$

STEP 2 주어진 방정식 풀기

$(x^2+2x-5)(x^2-2x-5)=0$

$x^2+2x-5=0$ 또는 $x^2-2x-5=0$

$\therefore x=-1\pm\sqrt{6}$ 또는 $x=1\pm\sqrt{6}$

STEP 3 $\alpha-\beta$의 값 구하기

따라서 $\alpha=1+\sqrt{6}$, $\beta=-1-\sqrt{6}$이므로

$\alpha-\beta=(1+\sqrt{6})-(-1-\sqrt{6})=2+2\sqrt{6}$

03-4 답 -6

해결전략 | 양변을 x^2으로 나눈 후 $x+\frac{1}{x}=X$로 치환하여 방정식을 푼다.

STEP 1 양변을 x^2으로 나누어 정리하기

$x\neq 0$이므로 $x^4+5x^3-4x^2+5x+1=0$의 양변을 x^2으로 나누면

$x^2+5x-4+\frac{5}{x}+\frac{1}{x^2}=0$

$x^2+\frac{1}{x^2}+5\left(x+\frac{1}{x}\right)-4=0$

$\left(x+\frac{1}{x}\right)^2-2+5\left(x+\frac{1}{x}\right)-4=0$

$\left(x+\frac{1}{x}\right)^2+5\left(x+\frac{1}{x}\right)-6=0$

STEP 2 $x+\frac{1}{x}=X$로 치환한 후 X에 대한 방정식 풀기

$x+\frac{1}{x}=X$로 놓으면 주어진 방정식은

$X^2+5X-6=0$, $(X+6)(X-1)=0$

$\therefore X=-6$ 또는 $X=1$

STEP 3 주어진 방정식 풀기

(i) $X=-6$일 때, $x+\frac{1}{x}=-6$에서

$x^2+6x+1=0 \qquad \therefore x=-3\pm 2\sqrt{2}$

(ii) $X=1$일 때, $x+\frac{1}{x}=1$에서

$x^2-x+1=0 \qquad \therefore x=\frac{1\pm\sqrt{3}i}{2}$

STEP 4 모든 실근의 합 구하기

(i), (ii)에서 모든 실근의 합은

$(-3+2\sqrt{2})+(-3-2\sqrt{2})=-6$

03-5 답 -4

해결전략 | 양변을 x^2으로 나눈 후 $x+\frac{1}{x}=X$로 치환하여 방정식을 푼다.

STEP 1 양변을 x^2으로 나누어 정리하기

$x\neq 0$이므로 $x^4+8x^3+18x^2+8x+1=0$의 양변을 x^2으로 나누면

$x^2+8x+18+\frac{8}{x}+\frac{1}{x^2}=0$

$x^2+\frac{1}{x^2}+8\left(x+\frac{1}{x}\right)+18=0$

$\left(x+\frac{1}{x}\right)^2-2+8\left(x+\frac{1}{x}\right)+18=0$

$\left(x+\frac{1}{x}\right)^2+8\left(x+\frac{1}{x}\right)+16=0$

STEP 2 $x+\frac{1}{x}=X$로 치환한 후 X에 대한 방정식 풀기

$x+\frac{1}{x}=X$로 놓으면 주어진 방정식은

$X^2+8X+16=0$

$(X+4)^2=0 \qquad \therefore X=-4$(중근)

STEP 3 $\alpha+\frac{1}{\alpha}$의 값 구하기

즉, $x+\frac{1}{x}=-4$에서 $x^2+4x+1=0$

이 이차방정식의 판별식을 D라고 하면

$\frac{D}{4}=2^2-1>0$

이므로 서로 다른 두 실근을 갖는다.

따라서 α는 방정식 $x^2+4x+1=0$, 즉 $x+\frac{1}{x}=-4$의 한 실근이므로

$\alpha+\frac{1}{\alpha}=-4$

03-6 답 45

해결전략 | 양변을 x^2으로 나눈 후 $x+\frac{1}{x}=X$로 치환하여 방정식을 푼다.

STEP 1 양변을 x^2으로 나누어 정리하기

$x\neq 0$이므로 $x^4+6x^3-5x^2+6x+1=0$의 양변을 x^2으로

나누면

$x^2+6x-5+\frac{6}{x}+\frac{1}{x^2}=0$

$x^2+\frac{1}{x^2}+6\left(x+\frac{1}{x}\right)-5=0$

$\left(x+\frac{1}{x}\right)^2-2+6\left(x+\frac{1}{x}\right)-5=0$

$\left(x+\frac{1}{x}\right)^2+6\left(x+\frac{1}{x}\right)-7=0$

STEP 2 $x+\frac{1}{x}=X$로 치환한 후 X에 대한 방정식 풀기

$x+\frac{1}{x}=X$로 놓으면 주어진 방정식은

$X^2+6X-7=0$

$(X+7)(X-1)=0$ $\quad\therefore X=-7$ 또는 $X=1$

STEP 3 이차방정식의 판별식을 이용하여 실근을 갖는 경우 판별하기

(i) $X=-7$일 때, $x+\frac{1}{x}=-7$에서

$x^2+7x+1=0$

이 이차방정식의 판별식을 D_1이라고 하면

$D_1=7^2-4\times1\times1=45>0$

이므로 서로 다른 두 실근을 갖는다.

(ii) $X=1$일 때, $x+\frac{1}{x}=1$에서

$x^2-x+1=0$

이 이차방정식의 판별식을 D_2라고 하면

$D_2=(-1)^2-4\times1\times1=-3<0$

이므로 서로 다른 두 허근을 갖는다.

α는 주어진 사차방정식의 한 실근이므로 이차방정식 $x^2+7x+1=0$의 한 근이다.

$\therefore \alpha^2+7\alpha+1=0$

STEP 4 $\left(\alpha-\frac{1}{\alpha}\right)^2$의 값 구하기

$\alpha\neq0$이므로 $\alpha^2+7\alpha+1=0$의 양변을 α로 나누면

$\alpha+7+\frac{1}{\alpha}=0$ $\quad\therefore \alpha+\frac{1}{\alpha}=-7$

$\therefore \left(\alpha-\frac{1}{\alpha}\right)^2=\left(\alpha+\frac{1}{\alpha}\right)^2-4$

$=(-7)^2-4=45$

> 풍쌤의 비법
>
> **곱셈 공식의 변형**
>
> $\left(\alpha-\frac{1}{\alpha}\right)^2=\left(\alpha+\frac{1}{\alpha}\right)^2-4$
>
> $\left(\alpha+\frac{1}{\alpha}\right)^2=\left(\alpha-\frac{1}{\alpha}\right)^2+4$

필수유형 04

183쪽

04-1 답 1

해결전략 | 방정식 $f(x)=0$의 한 근이 α이면 $f(\alpha)=0$임을 이용하여 미정계수를 구한다.

STEP 1 주어진 방정식에 $x=3$을 대입하여 k의 값 구하기

$x^3-kx^2+(k+2)x-9=0$의 한 근이 3이므로 $x=3$을 대입하면

$27-9k+3(k+2)-9=0$

$-6k=-24$ $\quad\therefore k=4$

STEP 2 주어진 방정식의 좌변을 인수분해하기

즉, 주어진 방정식은 $x^3-4x^2+6x-9=0$

$f(x)=x^3-4x^2+6x-9$로 놓으면

$f(3)=0$

이므로 조립제법을 이용하여 $f(x)$를 인수분해하면

3	1	−4	6	−9
		3	−3	9
	1	−1	3	0

$f(x)=(x-3)(x^2-x+3)$

따라서 주어진 방정식은

$(x-3)(x^2-x+3)=0$

STEP 3 나머지 두 근의 합 구하기

이때 나머지 두 근은 이차방정식 $x^2-x+3=0$의 근이므로 이차방정식의 근과 계수의 관계에 의하여 두 근의 합은 1이다.

04-2 답 3

해결전략 | 방정식 $f(x)=0$의 한 근이 α이면 $f(\alpha)=0$임을 이용하여 미정계수를 구한다.

STEP 1 주어진 방정식에 $x=1$을 대입하여 a의 값 구하기

$ax^3+x^2+x-3=0$의 한 근이 1이므로 $x=1$을 대입하면

$a+1+1-3=0$ $\quad\therefore a=1$

STEP 2 주어진 방정식의 좌변을 인수분해하기

즉, 주어진 방정식은 $x^3+x^2+x-3=0$

$f(x)=x^3+x^2+x-3$으로 놓으면

$f(1)=0$

이므로 조립제법을 이용하여 $f(x)$를 인수분해하면

1	1	1	1	−3
		1	2	3
	1	2	3	0

$f(x)=(x-1)(x^2+2x+3)$

따라서 주어진 방정식은

$(x-1)(x^2+2x+3)=0$

STEP 3 나머지 두 근의 곱 구하기

이때 나머지 두 근은 이차방정식 $x^2+2x+3=0$의 근이므로 이차방정식의 근과 계수의 관계에 의하여 두 근의 곱은 3이다.

04-3 답 8

해결전략 | 방정식 $f(x)=0$의 한 근이 α이면 $f(\alpha)=0$임을 이용하여 미정계수를 구한다.

STEP1 주어진 방정식에 $x=2$를 대입하여 a의 값 구하기

$x^3-(a+4)x^2+(4a+1)x-2a=0$의 한 근이 2이므로 $x=2$를 대입하면

$8-4(a+4)+2(4a+1)-2a=0$

$2a=6 \quad \therefore a=3$

STEP2 주어진 방정식의 좌변을 인수분해하기

즉, 주어진 방정식은 $x^3-7x^2+13x-6=0$

$f(x)=x^3-7x^2+13x-6$으로 놓으면

$f(2)=0$

이므로 조립제법을 이용하여 $f(x)$를 인수분해하면

2	1	−7	13	−6
		2	−10	6
	1	−5	3	0

$f(x)=(x-2)(x^2-5x+3)$

따라서 주어진 방정식은

$(x-2)(x^2-5x+3)=0$

STEP3 $\alpha+\beta$의 값 구하기

이때 나머지 두 근은 이차방정식 $x^2-5x+3=0$의 근이므로 이차방정식의 근과 계수의 관계에 의하여

$\alpha+\beta=5$

STEP4 $a+\alpha+\beta$의 값 구하기

$\therefore a+\alpha+\beta=3+5=8$

04-4 답 −10

해결전략 | 방정식 $f(x)=0$의 두 근이 α, β이면 $f(\alpha)=0$, $f(\beta)=0$임을 이용하여 미정계수를 구한다.

STEP1 a, b의 값 구하기

$2x^4+ax^3+bx^2-x+a=0$의 두 근이 1, −2이므로

$x=1$, $x=-2$를 각각 대입하면

$2+a+b-1+a=0$에서

$2a+b=-1$ ······ ㉠

$32-8a+4b+2+a=0$에서

$-7a+4b=-34$ ······ ㉡

㉠, ㉡을 연립하여 풀면 $a=2$, $b=-5$

STEP2 ab의 값 구하기

$\therefore ab=2\times(-5)=-10$

04-5 답 2

해결전략 | 방정식 $f(x)=0$의 두 근이 α, β이면 $f(\alpha)=0$, $f(\beta)=0$임을 이용하여 미정계수를 구한다.

STEP1 a, b의 값 구하기

$x^4+ax^3+3x^2+x+b=0$의 두 근이 −1, 2이므로

$x=-1$, $x=2$를 각각 대입하면

$1-a+3-1+b=0$에서

$-a+b=-3$ ······ ㉠

$16+8a+12+2+b=0$에서

$8a+b=-30$ ······ ㉡

㉠, ㉡을 연립하여 풀면 $a=-3$, $b=-6$

STEP2 주어진 방정식의 좌변을 인수분해하기

즉, 주어진 방정식은 $x^4-3x^3+3x^2+x-6=0$

$f(x)=x^4-3x^3+3x^2+x-6$으로 놓으면

$f(-1)=0$, $f(2)=0$

이므로 조립제법을 이용하여 $f(x)$를 인수분해하면

−1	1	−3	3	1	−6
		−1	4	−7	6
2	1	−4	7	−6	0
		2	−4	6	
	1	−2	3	0	

$f(x)=(x+1)(x-2)(x^2-2x+3)$

따라서 주어진 방정식은

$(x+1)(x-2)(x^2-2x+3)=0$

STEP3 나머지 두 근의 합 구하기

이때 나머지 두 근은 이차방정식 $x^2-2x+3=0$의 근이므로 이차방정식의 근과 계수의 관계에 의하여

두 근의 합은 2이다.

04-6 답 10

해결전략 | 방정식 $f(x)=0$의 한 근이 α이면 $f(\alpha)=0$임을 이용하여 미정계수를 구한다.

STEP1 주어진 방정식에 $x=3i$를 대입하여 k의 값 구하기

$x^3-x^2+kx-k=0$의 한 근이 $3i$이므로 $x=3i$를 대입하면

$-27i+9+3ki-k=0$, $(9-k)+(3k-27)i=0$

$9-k=0$, $3k-27=0$ ($\because$ k는 실수)

$\therefore k=9$

STEP2 주어진 방정식의 좌변을 인수분해하기

즉, 주어진 방정식은

$x^3-x^2+9x-9=0$

$x^2(x-1)+9(x-1)=0$, $(x-1)(x^2+9)=0$

STEP3 $k+\alpha$의 값 구하기

따라서 주어진 방정식의 실근 $\alpha=1$이므로

$k+\alpha=9+1=10$

> **풍쌤의 비법**
>
> a, b, c, d가 실수일 때
>
> (1) $a+bi=0 \Longleftrightarrow a=0, b=0$
>
> (2) $a+bi=c+di \Longleftrightarrow a=c, b=d$

필수유형 05

185쪽

05-1 답 $-\frac{7}{8}$

해결전략 | 좌변을 인수분해한 후 중근을 가지는 경우를 나누어 생각한다.

STEP 1 주어진 방정식의 좌변을 인수분해하기

$f(x)=x^3+(2k-1)x+2k$로 놓으면

$f(-1)=-1-(2k-1)+2k=0$

이므로 조립제법을 이용하여 $f(x)$를 인수분해하면

$$\begin{array}{r|rrrr} -1 & 1 & 0 & 2k-1 & 2k \\ & & -1 & 1 & -2k \\ \hline & 1 & -1 & 2k & 0 \end{array}$$

$f(x)=(x+1)(x^2-x+2k)$

따라서 주어진 방정식은 $(x+1)(x^2-x+2k)=0$

STEP 2 중근을 갖는 경우를 나누어 생각하기

이때 방정식 $f(x)=0$이 중근을 가지려면

(i) 이차방정식 $x^2-x+2k=0$이 $x=-1$을 근으로 갖는 경우

$1+1+2k=0 \qquad \therefore k=-1$

(ii) 이차방정식 $x^2-x+2k=0$이 중근을 갖는 경우

이차방정식 $x^2-x+2k=0$의 판별식을 D라고 하면

$D=(-1)^2-4\times1\times2k=0$

$1-8k=0 \qquad \therefore k=\frac{1}{8}$

STEP 3 모든 실수 k의 값의 합 구하기

(i), (ii)에서 구하는 모든 실수 k의 값의 합은

$-1+\frac{1}{8}=-\frac{7}{8}$

05-2 답 $a>1$

해결전략 | 좌변을 인수분해한 후 한 개의 실근과 두 개의 허근을 갖는 경우를 생각한다.

STEP 1 주어진 방정식의 좌변을 인수분해하기

$f(x)=x^3-3x^2+(a+2)x-a$로 놓으면

$f(1)=1-3+a+2-a=0$

이므로 조립제법을 이용하여 $f(x)$를 인수분해하면

$$\begin{array}{r|rrrr} 1 & 1 & -3 & a+2 & -a \\ & & 1 & -2 & a \\ \hline & 1 & -2 & a & 0 \end{array}$$

$f(x)=(x-1)(x^2-2x+a)$

따라서 주어진 방정식은 $(x-1)(x^2-2x+a)=0$

STEP 2 실수 a의 값의 범위 구하기

주어진 방정식이 한 개의 실근과 두 개의 허근을 가지려면 이차방정식 $x^2-2x+a=0$이 허근을 가져야 하므로 이차방정식 $x^2-2x+a=0$의 판별식을 D라고 하면

$\frac{D}{4}=(-1)^2-a<0$

$\therefore a>1$

05-3 답 2

해결전략 | 좌변을 인수분해한 후 근이 모두 실수가 되는 경우를 생각한다.

STEP 1 주어진 방정식의 좌변을 인수분해하기

$f(x)=x^3-2x^2+(a-3)x+a$로 놓으면

$f(-1)=-1-2-a+3+a=0$

이므로 조립제법을 이용하여 $f(x)$를 인수분해하면

$$\begin{array}{r|rrrr} -1 & 1 & -2 & a-3 & a \\ & & -1 & 3 & -a \\ \hline & 1 & -3 & a & 0 \end{array}$$

$f(x)=(x+1)(x^2-3x+a)$

따라서 주어진 방정식은 $(x+1)(x^2-3x+a)=0$

STEP 2 실수 a의 값의 범위 구하기

주어진 방정식의 근이 모두 실수가 되려면 이차방정식 $x^2-3x+a=0$이 실근을 가져야 하므로 이차방정식 $x^2-3x+a=0$의 판별식을 D라고 하면

$D=(-3)^2-4\times1\times a\ge0$

$\therefore a\le\frac{9}{4}$

STEP 3 정수 a의 최댓값 구하기

따라서 구하는 정수 a의 최댓값은 2이다.

05-4 답 6

해결전략 | 좌변을 인수분해한 후 서로 다른 세 실근을 갖는 경우를 생각한다.

STEP 1 주어진 방정식의 좌변을 인수분해하기

$f(x)=x^3+(8-a)x^2+(a^2-8a)x-a^3$으로 놓으면

$f(a)=a^3+(8-a)\times a^2+(a^2-8a)\times a-a^3=0$

이므로 조립제법을 이용하여 $f(x)$를 인수분해하면

$$\begin{array}{c|cccc} a & 1 & 8-a & a^2-8a & -a^3 \\ & & a & 8a & a^3 \\ \hline & 1 & 8 & a^2 & 0 \end{array}$$

$f(x)=(x-a)(x^2+8x+a^2)$

따라서 주어진 방정식은 $(x-a)(x^2+8x+a^2)=0$

STEP 2 실수 a의 값의 범위 구하기

주어진 방정식이 서로 다른 세 실근을 가지려면 이차방정식 $x^2+8x+a^2=0$이 서로 다른 두 실근을 가져야 하므로 이차방정식 $x^2+8x+a^2=0$의 판별식을 D라고 하면

$\frac{D}{4}=4^2-a^2>0$

$\therefore a^2<16$

STEP 3 정수 a의 개수 구하기

$a^2<16$을 만족시키는 정수 a는 $-3,\ -2,\ -1,\ 0,\ 1,\ 2,\ 3$이다.

이때 $x=a$는 이차방정식 $x^2+8x+a^2=0$의 근이 아니어야 하므로 $a^2+8a+a^2\neq0$

$2a^2+8a\neq0$

$2a(a+4)\neq0$

$\therefore a\neq0,\ a\neq-4$

따라서 정수 a는 $-3,\ -2,\ -1,\ 1,\ 2,\ 3$의 6개이다.

05-5 답 $-\frac{1}{4}$

해결전략 | 주어진 방정식은 실근 2를 가지므로 이차방정식 $x^2-4kx+3k+1=0$은 다른 실근 한 개를 가져야 한다. 따라서 주어진 방정식이 중근을 갖는 경우를 나누어 생각한다.

STEP 1 주어진 방정식 풀기

$(x-2)(x^2-4kx+3k+1)=0$에서

$x=2$ 또는 $x^2-4kx+3k+1=0$

STEP 2 중근을 갖는 경우를 나누어 생각하기

(i) $x^2-4kx+3k+1=0$이 $x=2$를 근으로 갖는 경우

$x^2-4kx+3k+1=0$에 $x=2$를 대입하면

$4-8k+3k+1=0 \qquad \therefore k=1$

그런데 $k=1$이면 주어진 방정식은

$(x-2)(x^2-4x+4)=0$, 즉 $(x-2)^3=0$이므로

이 방정식의 서로 다른 실근은 $x=2$의 1개이다.

(ii) $x^2-4kx+3k+1=0$이 중근을 갖는 경우

이차방정식 $x^2-4kx+3k+1=0$의 판별식을 D라고 하면

$\frac{D}{4}=(-2k)^2-(3k+1)=0$

$4k^2-3k-1=0,\ (4k+1)(k-1)=0$

$\therefore k=-\frac{1}{4}$ 또는 $k=1$

STEP 3 실수 k의 값 구하기

(i), (ii)에서 $k\neq1$이어야 하므로 서로 다른 두 실근을 갖도록 하는 실수 k의 값은 $-\frac{1}{4}$이다.

05-6 답 $k>\frac{9}{2}$

해결전략 | 좌변을 인수분해한 후 실근이 오직 하나뿐인 경우를 생각한다.

STEP 1 주어진 방정식의 좌변을 인수분해하기

$f(x)=x^3-5x^2+2(k-3)x+2k$로 놓으면

$f(-1)=-1-5-2(k-3)+2k=0$

이므로 조립제법을 이용하여 $f(x)$를 인수분해하면

$$\begin{array}{c|cccc} -1 & 1 & -5 & 2(k-3) & 2k \\ & & -1 & 6 & -2k \\ \hline & 1 & -6 & 2k & 0 \end{array}$$

$f(x)=(x+1)(x^2-6x+2k)$

따라서 주어진 방정식은 $(x+1)(x^2-6x+2k)=0$

STEP 2 $x^2-6x+2k=0$이 실근을 갖지 않는 경우 생각하기

(i) 이차방정식 $x^2-6x+2k=0$이 실근을 갖지 않는 경우

이차방정식 $x^2-6x+2k=0$의 판별식을 D라고 하면

$\frac{D}{4}=(-3)^2-2k<0 \qquad \therefore k>\frac{9}{2}$

STEP 3 $x^2-6x+2k=0$이 $x=-1$을 중근으로 갖는 경우 생각하기

(ii) $x^2-6x+2k=0$이 $x=-1$을 중근으로 갖는 경우

$x^2-6x+2k=0$에 $x=-1$을 대입하면

$1+6+2k=0 \qquad \therefore k=-\frac{7}{2}$

$k=-\frac{7}{2}$일 때, $x^2-6x-7=0$에서

$(x+1)(x-7)=0$

$\therefore x=-1$ 또는 $x=7$

그런데 $x=-1$을 중근으로 갖는다는 것에 모순이다.

STEP 4 실수 k의 값의 범위 구하기

(i), (ii)에서 실근이 오직 하나뿐일 때, 실수 k의 값의 범위는 $k>\frac{9}{2}$

필수유형 06 187쪽

06-1 답 2

해결전략 | 삼차방정식의 근과 계수의 관계를 이용하여 주어진 식의 값을 구한다.

STEP1 $\alpha+\beta+\gamma$, $\alpha\beta+\beta\gamma+\gamma\alpha$, $\alpha\beta\gamma$의 값 구하기

삼차방정식 $x^3-2x^2+3x-1=0$의 근과 계수의 관계에 의하여

$\alpha+\beta+\gamma=2$, $\alpha\beta+\beta\gamma+\gamma\alpha=3$, $\alpha\beta\gamma=1$

STEP2 $\frac{1}{\alpha\beta}+\frac{1}{\beta\gamma}+\frac{1}{\gamma\alpha}$의 값 구하기

$\therefore \frac{1}{\alpha\beta}+\frac{1}{\beta\gamma}+\frac{1}{\gamma\alpha}=\frac{\alpha+\beta+\gamma}{\alpha\beta\gamma}=\frac{2}{1}=2$

06-2 답 (1) $-\frac{3}{4}$ (2) $\frac{5}{6}$ (3) $\frac{10}{9}$

해결전략 | 삼차방정식의 근과 계수의 관계를 이용하여 주어진 식의 값을 구한다.

STEP1 $\alpha+\beta+\gamma$, $\alpha\beta+\beta\gamma+\gamma\alpha$, $\alpha\beta\gamma$의 값 구하기

삼차방정식 $6x^3+2x^2-3x-4=0$의 근과 계수의 관계에 의하여

$\alpha+\beta+\gamma=-\frac{2}{6}=-\frac{1}{3}$

$\alpha\beta+\beta\gamma+\gamma\alpha=\frac{-3}{6}=-\frac{1}{2}$

$\alpha\beta\gamma=-\frac{-4}{6}=\frac{2}{3}$

STEP2 주어진 식의 값 구하기

(1) $\frac{1}{\alpha}+\frac{1}{\beta}+\frac{1}{\gamma}=\frac{\alpha\beta+\beta\gamma+\gamma\alpha}{\alpha\beta\gamma}=\frac{-\frac{1}{2}}{\frac{2}{3}}=-\frac{3}{4}$

(2) $(1+\alpha)(1+\beta)(1+\gamma)$

$=1+(\alpha+\beta+\gamma)+(\alpha\beta+\beta\gamma+\gamma\alpha)+\alpha\beta\gamma$

$=1+\left(-\frac{1}{3}\right)+\left(-\frac{1}{2}\right)+\frac{2}{3}=\frac{5}{6}$

(3) $\alpha^2+\beta^2+\gamma^2=(\alpha+\beta+\gamma)^2-2(\alpha\beta+\beta\gamma+\gamma\alpha)$

$=\left(-\frac{1}{3}\right)^2-2\times\left(-\frac{1}{2}\right)=\frac{10}{9}$

06-3 답 ㄴ, ㄷ, ㄹ

해결전략 | 삼차방정식의 근과 계수의 관계를 이용하여 보기의 식의 값의 참, 거짓을 판별한다.

STEP1 $\alpha+\beta+\gamma$, $\alpha\beta+\beta\gamma+\gamma\alpha$, $\alpha\beta\gamma$의 값 구하기

삼차방정식 $x^3-6x^2+11x-6=0$의 근과 계수의 관계에 의하여

$\alpha+\beta+\gamma=6$, $\alpha\beta+\beta\gamma+\gamma\alpha=11$, $\alpha\beta\gamma=6$

STEP2 참, 거짓 판별하기

ㄱ. (거짓), ㄴ. (참), ㄷ. (참)

ㄹ. $\alpha^2+\beta^2+\gamma^2=(\alpha+\beta+\gamma)^2-2(\alpha\beta+\beta\gamma+\gamma\alpha)$

$=6^2-2\times11=14$ (참)

ㅁ. $\alpha^3+\beta^3+\gamma^3$

$=(\alpha+\beta+\gamma)(\alpha^2+\beta^2+\gamma^2-\alpha\beta-\beta\gamma-\gamma\alpha)+3\alpha\beta\gamma$

$=6\times(14-11)+3\times6=36$ (거짓)

따라서 옳은 것은 ㄴ, ㄷ, ㄹ이다.

06-4 답 -4

해결전략 | 삼차방정식의 근과 계수의 관계를 이용하여 주어진 식의 값을 구한다.

STEP1 $\alpha+\beta+\gamma$, $\alpha\beta+\beta\gamma+\gamma\alpha$, $\alpha\beta\gamma$의 값 구하기

삼차방정식 $x^3+2x^2-3x+4=0$의 근과 계수의 관계에 의하여

$\alpha+\beta+\gamma=-2$, $\alpha\beta+\beta\gamma+\gamma\alpha=-3$, $\alpha\beta\gamma=-4$

STEP2 $(3+\alpha)(3+\beta)(3+\gamma)$의 값 구하기

$\therefore (3+\alpha)(3+\beta)(3+\gamma)$

$=27+9(\alpha+\beta+\gamma)+3(\alpha\beta+\beta\gamma+\gamma\alpha)+\alpha\beta\gamma$

$=27+9\times(-2)+3\times(-3)+(-4)$

$=27-18-9-4=-4$

06-5 답 8

해결전략 | 비례식으로 주어진 세 근을 한 문자에 대하여 나타내고, 삼차방정식의 근과 계수의 관계를 이용하여 상수의 값을 구한다.

STEP1 세 근을 3α, 4α, 12α $(\alpha\neq0)$로 놓고 α의 값 구하기

주어진 삼차방정식의 세 근을 3α, 4α, 12α $(\alpha\neq0)$라고 하면 삼차방정식의 근과 계수의 관계에 의하여

$3\alpha+4\alpha+12\alpha=\frac{19}{12}$, $19\alpha=\frac{19}{12}$

$\therefore \alpha=\frac{1}{12}$

STEP2 세 근 구하기

세 근이 3α, 4α, 12α, 즉 $\frac{1}{4}$, $\frac{1}{3}$, 1이다.

STEP3 a의 값 구하기

이때 두 근끼리의 곱의 합은 $\frac{a}{12}$이므로

$\frac{1}{4}\times\frac{1}{3}+\frac{1}{3}\times1+1\times\frac{1}{4}=\frac{a}{12}$

$\frac{1}{12}+\frac{1}{3}+\frac{1}{4}=\frac{a}{12}$

$\frac{8}{12}=\frac{a}{12}$ $\therefore a=8$

06-6 답 -7

해결전략 | 삼차방정식의 근과 계수의 관계에서 $\alpha+\beta+\gamma$의 값을 이용하여 주어진 식을 변형한 후 간단히 한다.

STEP 1 $\alpha+\beta+\gamma$, $\alpha\beta+\beta\gamma+\gamma\alpha$, $\alpha\beta\gamma$**의 값 구하기**

삼차방정식 $x^3-2x^2+kx+6=0$의 근과 계수의 관계에 의하여

$\alpha+\beta+\gamma=2$, $\alpha\beta+\beta\gamma+\gamma\alpha=k$, $\alpha\beta\gamma=-6$

STEP 2 $\alpha+\beta+\gamma=2$**임을 이용하여 주어진 식을 정리하기**

$\alpha+\beta+\gamma=2$에서

$\alpha+\beta=2-\gamma$, $\beta+\gamma=2-\alpha$, $\gamma+\alpha=2-\beta$

이것을 $(\alpha+\beta)(\beta+\gamma)(\gamma+\alpha)=-8$에 대입하면

$(2-\gamma)(2-\alpha)(2-\beta)=-8$

STEP 3 주어진 식을 만족시키는 상수 k의 값 구하기

$8-4(\alpha+\beta+\gamma)+2(\alpha\beta+\beta\gamma+\gamma\alpha)-\alpha\beta\gamma=-8$

$8-4\times2+2\times k+6=-8$

$2k=-14 \qquad \therefore k=-7$

필수유형 07

189쪽

07-1 답 $x^3+3x^2+2x+1=0$

해결전략 | $\alpha+\beta+\gamma$, $\alpha\beta+\beta\gamma+\gamma\alpha$, $\alpha\beta\gamma$의 값을 이용하여 주어진 세 수를 근으로 하는 삼차방정식을 구한다.

STEP 1 $\alpha+\beta+\gamma$, $\alpha\beta+\beta\gamma+\gamma\alpha$, $\alpha\beta\gamma$**의 값 구하기**

삼차방정식 $x^3+2x^2+3x+1=0$의 근과 계수의 관계에 의하여

$\alpha+\beta+\gamma=-2$, $\alpha\beta+\beta\gamma+\gamma\alpha=3$, $\alpha\beta\gamma=-1$

STEP 2 세 근 $\frac{1}{\alpha}$, $\frac{1}{\beta}$, $\frac{1}{\gamma}$에 대하여 세 근의 합, 두 근끼리의 곱의 합, 세 근의 곱 구하기

구하는 삼차방정식의 세 근이 $\frac{1}{\alpha}$, $\frac{1}{\beta}$, $\frac{1}{\gamma}$이므로

$$(\text{세 근의 합})=\frac{1}{\alpha}+\frac{1}{\beta}+\frac{1}{\gamma}=\frac{\alpha\beta+\beta\gamma+\gamma\alpha}{\alpha\beta\gamma}=\frac{3}{-1}=-3$$

$$(\text{두 근끼리의 곱의 합})=\frac{1}{\alpha}\times\frac{1}{\beta}+\frac{1}{\beta}\times\frac{1}{\gamma}+\frac{1}{\gamma}\times\frac{1}{\alpha}=\frac{\alpha+\beta+\gamma}{\alpha\beta\gamma}=\frac{-2}{-1}=2$$

$$(\text{세 근의 곱})=\frac{1}{\alpha}\times\frac{1}{\beta}\times\frac{1}{\gamma}=\frac{1}{\alpha\beta\gamma}=\frac{1}{-1}=-1$$

STEP 3 $\frac{1}{\alpha}$, $\frac{1}{\beta}$, $\frac{1}{\gamma}$을 세 근으로 하고 x^3의 계수가 1인 삼차방정식 구하기

따라서 $\frac{1}{\alpha}$, $\frac{1}{\beta}$, $\frac{1}{\gamma}$을 세 근으로 하고 x^3의 계수가 1인 삼차방정식은

$x^3-(-3)x^2+2x-(-1)=0$

즉, $x^3+3x^2+2x+1=0$

07-2 답 -6

해결전략 | $\alpha+\beta+\gamma$, $\alpha\beta+\beta\gamma+\gamma\alpha$, $\alpha\beta\gamma$의 값을 이용하여 주어진 세 수를 근으로 하는 삼차방정식을 구한다.

STEP 1 $\alpha+\beta+\gamma$, $\alpha\beta+\beta\gamma+\gamma\alpha$, $\alpha\beta\gamma$**의 값 구하기**

삼차방정식 $x^3+4x^2+7x-2=0$의 근과 계수의 관계에 의하여

$\alpha+\beta+\gamma=-4$, $\alpha\beta+\beta\gamma+\gamma\alpha=7$, $\alpha\beta\gamma=2$

STEP 2 세 근 $\frac{1}{\alpha}$, $\frac{1}{\beta}$, $\frac{1}{\gamma}$에 대하여 세 근의 합, 두 근끼리의 곱의 합, 세 근의 곱 구하기

구하는 삼차방정식의 세 근이 $\frac{1}{\alpha}$, $\frac{1}{\beta}$, $\frac{1}{\gamma}$이므로

$$(\text{세 근의 합})=\frac{1}{\alpha}+\frac{1}{\beta}+\frac{1}{\gamma}=\frac{\alpha\beta+\beta\gamma+\gamma\alpha}{\alpha\beta\gamma}=\frac{7}{2}$$

$$(\text{두 근끼리의 곱의 합})=\frac{1}{\alpha}\times\frac{1}{\beta}+\frac{1}{\beta}\times\frac{1}{\gamma}+\frac{1}{\gamma}\times\frac{1}{\alpha}=\frac{\alpha+\beta+\gamma}{\alpha\beta\gamma}=\frac{-4}{2}=-2$$

$$(\text{세 근의 곱})=\frac{1}{\alpha}\times\frac{1}{\beta}\times\frac{1}{\gamma}=\frac{1}{\alpha\beta\gamma}=\frac{1}{2}$$

STEP 3 $\frac{1}{\alpha}$, $\frac{1}{\beta}$, $\frac{1}{\gamma}$을 세 근으로 하고 x^3의 계수가 1인 삼차방정식 구하기

따라서 $\frac{1}{\alpha}$, $\frac{1}{\beta}$, $\frac{1}{\gamma}$을 세 근으로 하고 x^3의 계수가 1인 삼차방정식은

$x^3-\frac{7}{2}x^2-2x-\frac{1}{2}=0$

STEP 4 $a+b+c$**의 값 구하기**

따라서 $a=-\frac{7}{2}$, $b=-2$, $c=-\frac{1}{2}$이므로

$a+b+c=-\frac{7}{2}+(-2)+\left(-\frac{1}{2}\right)=-6$

07-3 답 $x^3-6x^2+7x-6=0$

해결전략 | $\alpha+\beta+\gamma$, $\alpha\beta+\beta\gamma+\gamma\alpha$, $\alpha\beta\gamma$의 값을 이용하여 주어진 세 수를 근으로 하는 삼차방정식을 구한다.

STEP 1 $\alpha+\beta+\gamma$, $\alpha\beta+\beta\gamma+\gamma\alpha$, $\alpha\beta\gamma$**의 값 구하기**

삼차방정식 $x^3-3x^2-2x-4=0$의 근과 계수의 관계에 의하여

$\alpha+\beta+\gamma=3$, $\alpha\beta+\beta\gamma+\gamma\alpha=-2$, $\alpha\beta\gamma=4$

STEP 2 세 근 $\alpha+1$, $\beta+1$, $\gamma+1$에 대하여 세 근의 합, 두 근끼리의 곱의 합, 세 근의 곱 구하기

구하는 삼차방정식의 세 근이 $\alpha+1$, $\beta+1$, $\gamma+1$이므로

(세 근의 합)$=(\alpha+1)+(\beta+1)+(\gamma+1)$

$=\alpha+\beta+\gamma+3=3+3=6$

(두 근끼리의 곱의 합)

$=(\alpha+1)(\beta+1)+(\beta+1)(\gamma+1)+(\gamma+1)(\alpha+1)$

$=\alpha\beta+\beta\gamma+\gamma\alpha+2(\alpha+\beta+\gamma)+3$

$=-2+2\times3+3=7$

(세 근의 곱)$=(\alpha+1)(\beta+1)(\gamma+1)$

$=\alpha\beta\gamma+(\alpha\beta+\beta\gamma+\gamma\alpha)+(\alpha+\beta+\gamma)+1$

$=4-2+3+1=6$

STEP 3 $\alpha+1$, $\beta+1$, $\gamma+1$을 세 근으로 하고 x^3의 계수가 1인 삼차방정식 구하기

따라서 $\alpha+1$, $\beta+1$, $\gamma+1$을 세 근으로 하고 x^3의 계수가 1인 삼차방정식은

$x^3-6x^2+7x-6=0$

07-4 답 5

해결전략 | $\alpha+\beta+\gamma$, $\alpha\beta+\beta\gamma+\gamma\alpha$, $\alpha\beta\gamma$의 값을 이용하여 주어진 세 수를 근으로 하는 삼차방정식을 구한다.

STEP 1 $\alpha+\beta+\gamma$, $\alpha\beta+\beta\gamma+\gamma\alpha$, $\alpha\beta\gamma$의 값 구하기

삼차방정식 $x^3-4x^2+2x-3=0$의 근과 계수의 관계에 의하여

$\alpha+\beta+\gamma=4$, $\alpha\beta+\beta\gamma+\gamma\alpha=2$, $\alpha\beta\gamma=3$

STEP 2 세 근 $\alpha+\beta$, $\beta+\gamma$, $\gamma+\alpha$에 대하여 세 근의 합, 두 근끼리의 곱의 합, 세 근의 곱 구하기

구하는 삼차방정식의 세 근이 $\alpha+\beta$, $\beta+\gamma$, $\gamma+\alpha$이므로

(세 근의 합)$=(\alpha+\beta)+(\beta+\gamma)+(\gamma+\alpha)$

$=2(\alpha+\beta+\gamma)=2\times4=8$

$\alpha+\beta+\gamma=4$에서

$\alpha+\beta=4-\gamma$, $\beta+\gamma=4-\alpha$, $\gamma+\alpha=4-\beta$이므로

(두 근끼리의 곱의 합)

$=(\alpha+\beta)(\beta+\gamma)+(\beta+\gamma)(\gamma+\alpha)+(\gamma+\alpha)(\alpha+\beta)$

$=(4-\gamma)(4-\alpha)+(4-\alpha)(4-\beta)+(4-\beta)(4-\gamma)$

$=48-8(\alpha+\beta+\gamma)+\alpha\beta+\beta\gamma+\gamma\alpha$

$=48-8\times4+2=18$

(세 근의 곱)

$=(\alpha+\beta)(\beta+\gamma)(\gamma+\alpha)$

$=(4-\gamma)(4-\alpha)(4-\beta)$

$=64-16(\alpha+\beta+\gamma)+4(\alpha\beta+\beta\gamma+\gamma\alpha)-\alpha\beta\gamma$

$=64-16\times4+4\times2-3=5$

STEP 3 $\alpha+\beta$, $\beta+\gamma$, $\gamma+\alpha$를 세 근으로 하고 x^3의 계수가 1인 삼차방정식 구하기

따라서 $\alpha+\beta$, $\beta+\gamma$, $\gamma+\alpha$를 세 근으로 하고 x^3의 계수가 1인 삼차방정식은

$x^3-8x^2+18x-5=0$

STEP 4 $a+b+c$의 값 구하기

따라서 $a=-8$, $b=18$, $c=-5$이므로

$a+b+c=-8+18+(-5)=5$

07-5 답 $x^3-6x^2+6x-9=0$

해결전략 | $\alpha+\beta+\gamma$, $\alpha\beta+\beta\gamma+\gamma\alpha$, $\alpha\beta\gamma$의 값을 이용하여 주어진 세 수를 근으로 하는 삼차방정식을 구한다.

STEP 1 $\alpha+\beta+\gamma$, $\alpha\beta+\beta\gamma+\gamma\alpha$, $\alpha\beta\gamma$의 값 구하기

삼차방정식 $x^3+2x^2+6x+3=0$의 근과 계수의 관계에 의하여

$\alpha+\beta+\gamma=-2$, $\alpha\beta+\beta\gamma+\gamma\alpha=6$, $\alpha\beta\gamma=-3$

STEP 2 세 근 $\alpha\beta$, $\beta\gamma$, $\gamma\alpha$에 대하여 세 근의 합, 두 근끼리의 곱의 합, 세 근의 곱 구하기

구하는 삼차방정식의 세 근이 $\alpha\beta$, $\beta\gamma$, $\gamma\alpha$이므로

(세 근의 합)$=\alpha\beta+\beta\gamma+\gamma\alpha=6$

(두 근끼리의 곱의 합)

$=\alpha\beta\times\beta\gamma+\beta\gamma\times\gamma\alpha+\gamma\alpha\times\alpha\beta$

$=\alpha\beta\gamma(\alpha+\beta+\gamma)$

$=(-3)\times(-2)=6$

(세 근의 곱)$=\alpha\beta\times\beta\gamma\times\gamma\alpha=(\alpha\beta\gamma)^2=(-3)^2=9$

STEP 3 $\alpha\beta$, $\beta\gamma$, $\gamma\alpha$를 세 근으로 하고 x^3의 계수가 1인 삼차방정식 구하기

따라서 $\alpha\beta$, $\beta\gamma$, $\gamma\alpha$를 세 근으로 하고 x^3의 계수가 1인 삼차방정식은

$x^3-6x^2+6x-9=0$

07-6 답 14

해결전략 | 주어진 조건에서 방정식 $P(x)-1=0$의 세 근을 구한 후 세 수를 근으로 하는 삼차방정식을 구한다.

STEP 1 방정식 $P(x)-1=0$의 세 근 구하기

$P(1)-1=P(3)-1=P(5)-1=0$이므로 방정식 $P(x)-1=0$의 세 근은 1, 3, 5이다.

STEP 2 1, 3, 5를 세 근으로 하고 x^3의 계수가 1인 삼차방정식 구하기

1, 3, 5를 세 근으로 하고 x^3의 계수가 1인 삼차방정식은

$x^3-(1+3+5)x^2+(1\times3+3\times5+5\times1)x$

$-1\times3\times5=0$

즉, $x^3-9x^2+23x-15=0$

STEP 3 방정식 $P(x)=0$의 모든 근의 곱 구하기

$P(x)-1=x^3-9x^2+23x-15$이므로

$P(x)=x^3-9x^2+23x-14$

따라서 삼차방정식의 근과 계수의 관계에 의하여 방정식 $P(x)=0$의 모든 근의 곱은 14이다.

필수유형 08 191쪽

08-1 답 5

해결전략 | 켤레근의 성질을 이용하여 삼차방정식의 미지수를 구한다.

STEP 1 켤레근의 성질 이용하기

삼차방정식 $x^3-4x^2+mx+n=0$의 계수가 모두 유리수이므로 한 근이 $1-\sqrt{2}$이면 $1+\sqrt{2}$도 근이다.

STEP 2 m, n의 값 구하기

나머지 한 근을 α라고 하면 삼차방정식의 근과 계수의 관계에 의하여

$(1-\sqrt{2})+(1+\sqrt{2})+\alpha=4 \quad \therefore \alpha=2$

$(1-\sqrt{2})(1+\sqrt{2})+(1-\sqrt{2})\alpha+(1+\sqrt{2})\alpha=m$에서

$-1+2\alpha=m \quad \therefore m=3$

$(1-\sqrt{2})(1+\sqrt{2})\alpha=-n$에서

$-\alpha=-n \quad \therefore n=2$

STEP 3 $m+n$의 값 구하기

$\therefore m+n=3+2=5$

08-2 답 19

해결전략 | 켤레근의 성질을 이용하여 삼차방정식의 미지수를 구한다.

STEP 1 켤레근의 성질 이용하기

삼차방정식 $x^3+ax^2+bx-10=0$의 계수가 모두 실수이므로 한 근이 $2+i$이면 $2-i$도 근이다.

STEP 2 a, b의 값 구하기

나머지 한 근을 α라고 하면 삼차방정식의 근과 계수의 관계에 의하여

$(2+i)+(2-i)+\alpha=-a \quad \therefore a=-\alpha-4$

$(2+i)(2-i)+(2+i)\alpha+(2-i)\alpha=b$

$\therefore b=4\alpha+5$

$(2+i)(2-i)\alpha=10$에서 $5\alpha=10 \quad \therefore \alpha=2$

$\therefore a=-2-4=-6$, $b=4\times2+5=13$

STEP 3 $b-a$의 값 구하기

$\therefore b-a=13-(-6)=19$

08-3 답 −40

해결전략 | 켤레근의 성질을 이용하여 사차방정식의 미지수를 구한다.

STEP 1 켤레근의 성질 이용하기

주어진 사차방정식의 계수가 모두 유리수이므로 두 근이 $2+\sqrt{3}$, $3+\sqrt{5}$이면 $2-\sqrt{3}$, $3-\sqrt{5}$도 근이다.

STEP 2 사차방정식 구하기

따라서 사차방정식은

$(x-2-\sqrt{3})(x-2+\sqrt{3})(x-3-\sqrt{5})(x-3+\sqrt{5})=0$

$\{(x-2)^2-(\sqrt{3})^2\}\{(x-3)^2-(\sqrt{5})^2\}=0$

$(x^2-4x+1)(x^2-6x+4)=0$

$x^4-10x^3+29x^2-22x+4=0$

STEP 3 ab의 값 구하기

따라서 $a=-10$, $b=4$이므로

$ab=(-10)\times4=-40$

08-4 답 −19

해결전략 | 켤레근의 성질을 이용하여 삼차방정식의 미지수를 구한다.

STEP 1 분모의 유리화와 켤레근의 성질 이용하기

주어진 삼차방정식의 계수가 모두 유리수이므로 한 근이 $\frac{1}{2-\sqrt{3}}$, 즉 $2+\sqrt{3}$이면 $2-\sqrt{3}$도 근이다.

STEP 2 a, b의 값 구하기

나머지 한 근을 α라고 하면 삼차방정식의 근과 계수의 관계에 의하여

$(2+\sqrt{3})+(2-\sqrt{3})+\alpha=0 \quad \therefore \alpha=-4$

$(2+\sqrt{3})(2-\sqrt{3})+(2+\sqrt{3})\alpha+(2-\sqrt{3})\alpha=a$에서

$1+4\alpha=a \quad \therefore a=-15$

$(2-\sqrt{3})(2+\sqrt{3})\alpha=b$에서 $\alpha=b \quad \therefore b=-4$

STEP 3 $a+b$의 값 구하기

$\therefore a+b=-15+(-4)=-19$

08-5 답 −42

해결전략 | 켤레근의 성질을 이용하여 사차방정식의 미지수를 구한다.

STEP 1 분모의 실수화와 켤레근의 성질 이용하기

주어진 사차방정식의 계수가 모두 실수이므로 한 근이

$\frac{2}{1-i}=\frac{2(1+i)}{(1-i)(1+i)}=\frac{2(1+i)}{1-i^2}=1+i$

이면 $1-i$도 근이다.

STEP2 주어진 조건을 이용하여 사차방정식 나타내기

한편, 실근이 중근이므로 이 실근을 α라고 하면 사차방정식은

$(x-1-i)(x-1+i)(x-\alpha)^2=0$

$(x^2-2x+2)(x^2-2\alpha x+\alpha^2)=0$

$x^4-2(\alpha+1)x^3+(\alpha^2+4\alpha+2)x^2-2\alpha(\alpha+2)x+2\alpha^2=0$

STEP3 a, b의 값 구하기

이것이 $x^4-4x^3+ax^2+bx+2=0$과 같아야 하므로

$-2(\alpha+1)=-4$, $\alpha^2+4\alpha+2=a$,

$-2\alpha(\alpha+2)=b$, $2\alpha^2=2$

$\therefore \alpha=1$

$a=1+4+2=7$, $b=-2\times3=-6$

STEP4 ab의 값 구하기

$\therefore ab=7\times(-6)=-42$

08-6 답 2

해결전략 | 주어진 방정식의 좌변을 인수분해한 후 이차방정식의 근과 계수의 관계를 이용하여 미지수를 구한다.

STEP1 주어진 방정식의 좌변을 인수분해하기

$f(x)=x^3+(k-1)x^2-k$로 놓으면

$f(1)=1+(k-1)-k=0$

이므로 조립제법을 이용하여 $f(x)$를 인수분해하면

1	1	$k-1$	0	$-k$
		1	k	k
	1	k	k	0

$f(x)=(x-1)(x^2+kx+k)$

따라서 주어진 방정식은 $(x-1)(x^2+kx+k)=0$

STEP2 이차방정식의 근과 계수의 관계를 이용하여 k의 값 구하기

이때 주어진 삼차방정식의 실근은 1이고 계수가 모두 실수인 삼차방정식의 한 허근이 z이므로 다른 한 허근은 $\overline{z}$이다.

즉, 이차방정식 $x^2+kx+k=0$의 두 근이 z, $\overline{z}$이므로 이차방정식의 근과 계수의 관계에 의하여

$z+\overline{z}=-k$

이때 $z+\overline{z}=-2$이므로

$-k=-2$

$\therefore k=2$

필수유형 09

09-1 답 (1) -1 (2) 0 (3) 3

해결전략 | 방정식 $x^3=1$의 한 허근을 ω라고 하면 $\omega^3=1$, $\omega^2+\omega+1=0$, $\omega+\overline{\omega}=-1$, $\omega\overline{\omega}=1$ ($\overline{\omega}$는 ω의 켤레복소수)임을 이용하여 주어진 식의 값을 구한다.

STEP1 방정식 $x^3=1$의 여러 가지 허근의 성질 구하기

$x^3=1$의 한 허근이 ω이므로 $\omega^3=1$

$x^3=1$에서 $x^3-1=0$, 즉 $(x-1)(x^2+x+1)=0$

이때 ω는 허근이므로 이차방정식의 $x^2+x+1=0$의 근이고, 이차방정식의 계수가 모두 실수이고 한 허근이 ω이므로 다른 한 근은 $\overline{\omega}$이다.

$\therefore \overline{\omega}^3=1$, $\omega^2+\omega+1=0$, $\overline{\omega}^2+\overline{\omega}+1=0$,

$\omega+\overline{\omega}=-1$, $\omega\overline{\omega}=1$

STEP2 ω에 대한 관계식을 이용하여 주어진 식의 값 구하기

(1) $\overline{\omega}^2+\frac{1}{\overline{\omega}^2}=\overline{\omega}^2+\frac{\overline{\omega}}{\overline{\omega}^2\times\overline{\omega}}=\overline{\omega}^2+\frac{\overline{\omega}}{\overline{\omega}^3}$

$=\overline{\omega}^2+\overline{\omega}=-1$

(2) $\omega^{2005}+\omega^{2003}+1=(\omega^3)^{668}\times\omega+(\omega^3)^{667}\times\omega^2+1$

$=\omega^2+\omega+1=0$

(3) $(1-\omega)(1-\overline{\omega})=1-(\omega+\overline{\omega})+\omega\overline{\omega}$

$=1-(-1)+1=3$

09-2 답 0

해결전략 | 방정식 $x^3=1$의 한 허근을 ω라고 하면 $\omega^3=1$, $\omega^2+\omega+1=0$임을 이용하여 주어진 식의 값을 구한다.

STEP1 방정식 $x^3=1$의 여러 가지 허근의 성질 구하기

$x^3=1$의 한 허근이 ω이므로 $\omega^3=1$

$x^3=1$에서 $x^3-1=0$, 즉 $(x-1)(x^2+x+1)=0$

이때 ω는 허근이므로 이차방정식의 $x^2+x+1=0$의 근이다.

$\therefore \omega^2+\omega+1=0$

STEP2 ω에 대한 관계식을 이용하여 주어진 식의 값 구하기

$\therefore 1+\omega+\omega^2+\omega^3+\omega^4+\omega^5+\cdots+\omega^{2021}$

$=(1+\omega+\omega^2)+\omega^3(1+\omega+\omega^2)+\cdots$

$+(\omega^3)^{673}(1+\omega+\omega^2)$

$=0+0+\cdots+0=0$

09-3 답 -3

해결전략 | 방정식 $x^3=1$의 한 허근을 ω라고 하면 $\omega^3=1$, $\omega^2+\omega+1=0$임을 이용하여 주어진 식의 값을 구한다.

STEP1 방정식 $x^3=1$의 여러 가지 허근의 성질 구하기

$x^3=1$의 한 허근이 ω이므로 $\omega^3=1$

$x^3=1$에서 $x^3-1=0$, 즉 $(x-1)(x^2+x+1)=0$

이때 ω는 허근이므로 이차방정식 $x^2+x+1=0$의 근이다.

$\therefore \omega^2+\omega+1=0$

STEP 2 ω에 대한 관계식을 이용하여 주어진 식의 값 구하기

$$\therefore \frac{\omega^5}{\omega+1}+\frac{1+\omega^2}{\omega^4}+\frac{\omega^3}{\omega^2+\omega}$$
$$=\frac{\omega^3\times\omega^2}{-\omega^2}+\frac{-\omega}{\omega^3\times\omega}+\frac{\omega^3}{-1}$$
$$=-1-1-1=-3$$

09-4 답 $-\omega+1$

해결전략 | 방정식 $x^3=-1$의 한 허근을 ω라고 하면 $\omega^3=-1$, $\omega^2-\omega+1=0$임을 이용하여 주어진 식의 값을 구한다.

STEP 1 방정식 $x^3=-1$의 여러 가지 허근의 성질 구하기

$x^3=-1$의 한 허근이 ω이므로 $\omega^3=-1$

$x^3=-1$에서 $x^3+1=0$, 즉 $(x+1)(x^2-x+1)=0$

이때 ω는 허근이므로 이차방정식 $x^2-x+1=0$의 근이다.

$\therefore \omega^2-\omega+1=0$

STEP 2 ω에 대한 관계식을 이용하여 주어진 식의 값 구하기

$$\therefore 1-\omega+\omega^2-\omega^3+\cdots+\omega^{28}$$
$$=(1-\omega+\omega^2)-(\omega^3-\omega^4+\omega^5)+(\omega^6-\omega^7+\omega^8)-\cdots+(\omega^{24}-\omega^{25}+\omega^{26})-(\omega^{27}-\omega^{28})$$
$$=(1-\omega+\omega^2)-\omega^3(1-\omega+\omega^2)+\omega^6(1-\omega+\omega^2)-\cdots+\omega^{24}(1-\omega+\omega^2)-\omega^{27}(1-\omega)$$
$$=0-0+0-\cdots+0-(-1)^9(1-\omega)$$
$$=-\omega+1$$

09-5 답 2

해결전략 | 방정식 $x^2+x+1=0$의 한 허근을 ω라고 하면 $\omega^3=1$임을 이용하여 주어진 식의 값을 구한다.

STEP 1 주어진 방정식을 정리하여 ω에 대한 관계식 찾기

방정식 $x^2+x+1=0$의 한 허근이 ω이므로

$\omega^2+\omega+1=0$

$\omega^2+\omega+1=0$의 양변에 $\omega-1$을 곱하면

$(\omega-1)(\omega^2+\omega+1)=0$

$\omega^3-1=0 \qquad \therefore \omega^3=1$

STEP 2 ω에 대한 관계식을 이용하여 주어진 식을 간단히 하기

$$\therefore 1+2\omega+3\omega^2+4\omega^3+5\omega^4+6\omega^5$$
$$=1+2\omega+3\omega^2+4\omega^3+5\omega^3\times\omega+6\omega^3\times\omega^2$$
$$=1+2\omega+3\omega^2+4+5\omega+6\omega^2$$
$$=9\omega^2+7\omega+5$$
$$=9(-\omega-1)+7\omega+5$$
$$=-2\omega-4$$

STEP 3 $a-b$의 값 구하기

따라서 $a=-2$, $b=-4$이므로

$a-b=-2-(-4)=2$

09-6 답 1

해결전략 | 방정식 $x^2-x+1=0$의 한 허근을 ω라고 하면 $\omega^3=-1$임을 이용하여 주어진 식의 값을 구한다.

STEP 1 주어진 방정식을 정리하여 ω에 대한 관계식 찾기

방정식 $x^2-x+1=0$의 한 허근이 ω이므로

$\omega^2-\omega+1=0$

$\omega^2-\omega+1=0$의 양변에 $\omega+1$을 곱하면

$(\omega+1)(\omega^2-\omega+1)=0$

$\omega^3+1=0 \qquad \therefore \omega^3=-1$

STEP 2 ω에 대한 관계식을 이용하여 z를 간단히 하기

$$\therefore z=\frac{1+\omega^{100}}{1-\omega^{125}}=\frac{1+(\omega^3)^{33}\times\omega}{1-(\omega^3)^{41}\times\omega^2}$$
$$=\frac{1+(-1)^{33}\times\omega}{1-(-1)^{41}\times\omega^2}$$
$$=\frac{1-\omega}{1+\omega^2}=\frac{-\omega^2}{\omega}=-\omega$$

STEP 3 $z\overline{z}$의 값 구하기

ω가 이차방정식 $x^2-x+1=0$의 한 허근이면 $\overline{\omega}$도 근이므로 이차방정식의 근과 계수의 관계에 의하여

$\omega+\overline{\omega}=1$, $\omega\overline{\omega}=1$

$\therefore z\overline{z}=(-\omega)(-\overline{\omega})=\omega\overline{\omega}=1$

발전유형 10

195쪽

10-1 답 5

해결전략 | 주어진 조건을 이용하여 방정식을 세운 후 이 방정식을 풀어 문제의 뜻에 맞는 해를 구한다.

STEP 1 주어진 조건을 x에 대한 방정식으로 나타내기

상자의 밑면의 가로의 길이는 $(40-2x)$ cm, 세로의 길이는 $(30-2x)$ cm, 높이는 x cm이므로 상자의 부피는

$x(40-2x)(30-2x)=3000$

STEP 2 x에 대한 방정식 풀기

$x^3-35x^2+300x-750=0$

$(x-5)(x^2-30x+150)=0$

$\therefore x=5$ 또는 $x=15\pm5\sqrt{3}$

STEP 3 주어진 조건을 만족시키는 x의 값 구하기

그런데 x는 자연수이므로 $x=5$

10-2 답 2

해결전략 | 주어진 조건을 이용하여 방정식을 세운 후 이 방정식을 풀어 문제의 뜻에 맞는 해를 구한다.

STEP 1 주어진 조건을 x에 대한 방정식으로 나타내기

처음 정육면체의 한 모서리의 길이가 x cm이므로 직육면체의 부피는

$(x-1)(x+2)(x+3)=\frac{5}{2}x^3$

STEP 2 x에 대한 방정식 풀기

$x^3+4x^2+x-6=\frac{5}{2}x^3$

$\frac{3}{2}x^3-4x^2-x+6=0$

$3x^3-8x^2-2x+12=0$

$(x-2)(3x^2-2x-6)=0$

$\therefore x=2$ 또는 $x=\frac{1\pm\sqrt{19}}{3}$

STEP 3 주어진 조건을 만족시키는 x의 값 구하기

그런데 x는 자연수이므로

$x=2$

10-3 답 2

해결전략 | 주어진 조건을 이용하여 방정식을 세운 후 이 방정식을 풀어 문제의 뜻에 맞는 해를 구한다.

STEP 1 처음 정육면체의 한 모서리의 길이를 x cm라고 한 후 주어진 조건을 x에 대한 방정식으로 나타내기

처음 정육면체의 한 모서리의 길이를 x cm라고 하면 직육면체의 부피는

$(x+1)(x+2)\times\frac{1}{2}x=\frac{3}{2}x^3$

STEP 2 x에 대한 방정식 풀기

$2x^3-3x^2-2x=0$, $x(2x+1)(x-2)=0$

$\therefore x=0$ 또는 $x=-\frac{1}{2}$ 또는 $x=2$

STEP 3 주어진 조건을 만족시키는 x의 값 구하기

그런데 x는 자연수이므로

$x=2$

10-4 답 6 cm

해결전략 | 주어진 조건을 이용하여 방정식을 세운 후 이 방정식을 풀어 문제의 뜻에 맞는 해를 구한다.

STEP 1 처음 3개의 구의 반지름의 길이를 각각 $(x-1)$ cm, x cm, $(x+1)$ cm라고 한 후 주어진 조건을 x에 대한 방정식으로 나타내기

처음 3개의 구의 반지름의 길이를 각각 $(x-1)$ cm, x cm, $(x+1)$ cm라고 하면 새로 만든 구의 반지름의 길이는 $(x+2)$ cm이므로

$\frac{4}{3}\pi(x-1)^3+\frac{4}{3}\pi x^3+\frac{4}{3}\pi(x+1)^3=\frac{4}{3}\pi(x+2)^3$

STEP 2 x에 대한 방정식 풀기

$3x^3+6x=x^3+6x^2+12x+8$

$x^3-3x^2-3x-4=0$, $(x-4)(x^2+x+1)=0$

$\therefore x=4$ ($\because x^2+x+1\neq0$)

STEP 3 새로 만든 구의 반지름의 길이 구하기

따라서 새로 만든 구의 반지름의 길이는

$4+2=6$(cm)

10-5 답 6

해결전략 | 주어진 조건을 이용하여 방정식을 세운 후 이 방정식을 풀어 문제의 뜻에 맞는 해를 구한다.

STEP 1 원의 접선의 성질을 이용하여 x에 대한 방정식 세우기

$\overline{PC}=\overline{PB}+\overline{BC}$

$=x^2-2x+6+4x=x^2+2x+6$

이므로

$\overline{PA}^2=\overline{PB}\times\overline{PC}$에서

$(\sqrt{21}x)^2=(x^2-2x+6)(x^2+2x+6)$

STEP 2 x에 대한 방정식 풀기

$21x^2=x^4+8x^2+36$, $x^4-13x^2+36=0$

$x^2=t$ $(t>0)$로 놓으면 $t^2-13t+36=0$

$(t-4)(t-9)=0$ $\therefore t=4$ 또는 $t=9$

즉, $x^2=4$ 또는 $x^2=9$

STEP 3 주어진 조건을 만족시키는 x의 값 구하기

이때 $x>0$이므로

$x^2=4$일 때 $x=2$, $x^2=9$일 때 $x=3$

STEP 4 모든 x의 값의 곱 구하기

따라서 모든 x의 값의 곱은

$2\times3=6$

풍쌤의 비법

원의 외부의 한 점 P에서 원에 그은 접선과 할선이 그 원과 만나는 점을 각각 A, B, C라고 하면

$\overline{PA}^2=\overline{PB}\times\overline{PC}$

가 성립한다.

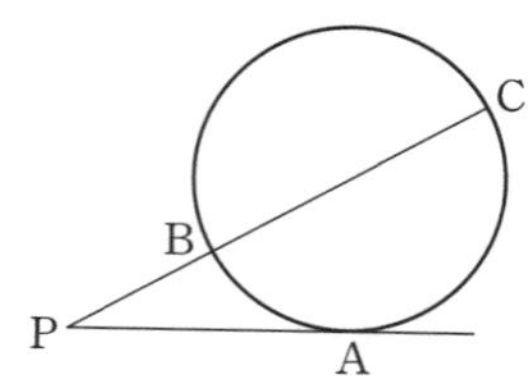

실전 연습 문제 196~198쪽

01 ③	02 ①	03 6	04 ②	05 ①
06 ④	07 7	08 ②	09 ②	10 ①
11 $x^3+6x^2+9x-1=0$			12 -6	13 7
14 ④	15 ⑤	16 ①	17 ㄱ, ㄷ, ㄹ	
18 5				

01

해결전략 | 인수정리와 조립제법을 이용하여 주어진 방정식의 좌변을 인수분해한다.

STEP 1 $f(x)=x^3-3x^2+2x+6$으로 놓고 $f(\alpha)=0$을 만족시키는 α의 값 구하여 $f(x)$를 인수분해하기

$f(x)=x^3-3x^2+2x+6$으로 놓으면

$f(-1)=-1-3-2+6=0$

이므로 조립제법을 이용하여 $f(x)$를 인수분해하면

$$\begin{array}{r|rrrr} -1 & 1 & -3 & 2 & 6 \\ & & -1 & 4 & -6 \\ \hline & 1 & -4 & 6 & 0 \end{array}$$

$f(x)=(x+1)(x^2-4x+6)$

STEP 2 주어진 방정식의 근 구하기

따라서 주어진 방정식은 $(x+1)(x^2-4x+6)=0$

$\therefore x=-1$ 또는 $x=2\pm\sqrt{2}i$

STEP 3 $a^2+b^2+c^2$의 값 구하기

따라서 $a=-1$, $b=2$, $c=\sqrt{2}$이므로

$a^2+b^2+c^2=(-1)^2+2^2+(\sqrt{2})^2$

$=1+4+2=7$

02

해결전략 | 인수정리와 조립제법을 이용하여 주어진 방정식의 좌변을 인수분해한다.

STEP 1 $f(x)=2x^3+x^2+2x+3$으로 놓고 $f(\alpha)=0$을 만족시키는 α의 값 구하여 $f(x)$를 인수분해하기

$f(x)=2x^3+x^2+2x+3$으로 놓으면

$f(-1)=-2+1-2+3=0$

이므로 조립제법을 이용하여 $f(x)$를 인수분해하면

$$\begin{array}{r|rrrr} -1 & 2 & 1 & 2 & 3 \\ & & -2 & 1 & -3 \\ \hline & 2 & -1 & 3 & 0 \end{array}$$

$f(x)=(x+1)(2x^2-x+3)$

STEP 2 α에 대한 관계식 구하기

따라서 주어진 방정식은 $(x+1)(2x^2-x+3)=0$

이때 α는 이 삼차방정식의 허근이므로 $\alpha\neq-1$이고, α는 이차방정식 $2x^2-x+3=0$의 근이다.

즉, $2\alpha^2-\alpha+3=0$에서 $2\alpha^2-\alpha=-3$

STEP 3 $4\alpha^2-2\alpha+7$의 값 구하기

$\therefore 4\alpha^2-2\alpha+7=2(2\alpha^2-\alpha)+7$

$=2\times(-3)+7=1$

> **풍쌤의 비법**
>
> 보통 허근에 대한 식의 값을 구하는 문제는 직접 허근을 구하기보다는 허근을 이용한 조건식을 찾아 식을 변형하여 해결하는 것이 대부분이다.

03

해결전략 | 공통부분을 치환하여 차수가 낮은 방정식으로 변형한다.

STEP 1 $x^2-5x=X$로 치환하기

$x^2-5x=X$로 놓으면 주어진 방정식은

$X(X+13)+42=0$

STEP 2 X에 대한 방정식 풀기

$X^2+13X+42=0$, $(X+6)(X+7)=0$

$\therefore X=-6$ 또는 $X=-7$

STEP 3 주어진 방정식 풀기

(i) $X=-6$일 때, $x^2-5x=-6$에서

$x^2-5x+6=0$, $(x-2)(x-3)=0$

$\therefore x=2$ 또는 $x=3$

(ii) $X=-7$일 때, $x^2-5x=-7$에서

$x^2-5x+7=0$

이 이차방정식의 판별식을 D라고 하면

$D=(-5)^2-4\times1\times7=-3<0$

이므로 서로 다른 두 허근을 갖는다.

STEP 4 모든 실근의 곱 구하기

(i), (ii)에서 구하는 모든 실근의 곱은

$2\times3=6$

> **풍쌤의 비법**
>
> (ii)에서 이차방정식의 근과 계수의 관계에 의하여 두 근의 곱을 7이라고 하면 안 된다. 이때의 두 근은 실근이 아닌 허근일 수도 있기 때문이다. 이 문제에서는 모든 실근의 곱을 구하는 것이므로 인수분해되지 않는 이차방정식은 이차방정식의 판별식을 이용하여 실근을 갖는지 꼭 확인한다.

04

해결전략 | 공통부분을 치환하여 차수가 낮은 방정식으로 변형한다.

STEP 1 $x^2=X$로 치환한 후 X에 대한 방정식 풀기

$x^4+3x^2-10=0$에서 $x^2=X$로 놓으면

$X^2+3X-10=0$, $(X+5)(X-2)=0$

$\therefore X=-5$ 또는 $X=2$

STEP 2 주어진 방정식의 근 구하기

즉, $x^2=-5$ 또는 $x^2=2$이므로

$x=\pm\sqrt{5}i$ 또는 $x=\pm\sqrt{2}$

STEP 3 $\alpha^2+\beta^2+\gamma^2+\sigma^2$의 값 구하기

$\alpha^2+\beta^2+\gamma^2+\sigma^2$의 값은

$(-\sqrt{5}i)^2+(\sqrt{5}i)^2+(-\sqrt{2})^2+(\sqrt{2})^2$

$=-5+(-5)+2+2$

$=-6$

05

해결전략 | 양변을 x^2으로 나눈 후 $x+\frac{1}{x}=X$로 치환하여 방정식을 푼다.

STEP 1 양변을 x^2으로 나누어 정리하기

$x\neq0$이므로 $x^4-10x^3+26x^2-10x+1=0$의 양변을 x^2으로 나누면

$x^2-10x+26-\frac{10}{x}+\frac{1}{x^2}=0$

$x^2+\frac{1}{x^2}-10\left(x+\frac{1}{x}\right)+26=0$

$\left(x+\frac{1}{x}\right)^2-2-10\left(x+\frac{1}{x}\right)+26=0$

$\left(x+\frac{1}{x}\right)^2-10\left(x+\frac{1}{x}\right)+24=0$

STEP 2 $x+\frac{1}{x}=X$로 치환한 후 X에 대한 방정식 풀기

$x+\frac{1}{x}=X$로 놓으면 주어진 방정식은

$X^2-10X+24=0$, $(x-4)(x-6)=0$

$\therefore X=4$ 또는 $X=6$

STEP 3 주어진 방정식 풀기

(i) $X=4$일 때, $x+\frac{1}{x}=4$에서

$x^2-4x+1=0$

$\therefore x=2\pm\sqrt{3}$

(ii) $X=6$일 때, $x+\frac{1}{x}=6$에서

$x^2-6x+1=0$

$\therefore x=3\pm2\sqrt{2}$

STEP 4 모든 실근의 합 구하기

(i), (ii)에 의하여 모든 실근의 합은

$(2+\sqrt{3})+(2-\sqrt{3})+(3+2\sqrt{2})+(3-2\sqrt{2})=10$

06

해결전략 | 방정식 $f(x)=0$의 한 근이 α이면 $f(\alpha)=0$임을 이용하여 미정계수를 구한다.

STEP 1 주어진 방정식에 $x=-2$를 대입하여 a의 값 구하기

$x^4-x^3+ax^2+x+6=0$의 한 근이 -2이므로 $x=-2$를 대입하면

$16-(-8)+4a+(-2)+6=0$

$4a+28=0 \quad \therefore a=-7$

STEP 2 주어진 방정식의 좌변을 인수분해하기

즉, 주어진 방정식은 $x^4-x^3-7x^2+x+6=0$

$f(x)=x^4-x^3-7x^2+x+6$으로 놓으면

$f(-2)=0$, $f(1)=0$

이므로 조립제법을 이용하여 $f(x)$를 인수분해하면

-2	1	-1	-7	1	6
		-2	6	2	-6
1	1	-3	-1	3	0
		1	-2	-3	
	1	-2	-3	0	

$f(x)=(x+2)(x-1)(x^2-2x-3)$

$=(x+2)(x+1)(x-1)(x-3)$

STEP 3 주어진 방정식의 근 구하기

따라서 주어진 방정식은

$(x+2)(x+1)(x-1)(x-3)=0$

$\therefore x=-2$ 또는 $x=-1$ 또는 $x=1$ 또는 $x=3$

STEP 4 $a+b$의 값 구하기

따라서 $a=-7$, $b=3$이므로

$a+b=-7+3=-4$

07

해결전략 | 좌변을 인수분해한 후 서로 다른 세 실근을 갖는 경우를 생각한다.

STEP 1 주어진 방정식의 좌변을 인수분해하기

$f(x)=x^3-7x^2+(k+6)x-k$로 놓으면

$f(1)=1-7+k+6-k=0$

이므로 조립제법을 이용하여 $f(x)$를 인수분해하면

1	1	-7	$k+6$	$-k$
		1	-6	k
	1	-6	k	0

$f(x)=(x-1)(x^2-6x+k)$ ······ ❶

STEP 2 주어진 방정식의 근 구하기

따라서 주어진 방정식은 $(x-1)(x^2-6x+k)=0$

$\therefore x=1$ 또는 $x^2-6x+k=0$

STEP 3 실수 k의 값의 범위 구하기

주어진 방정식이 서로 다른 세 실근을 가지려면 이차방정식 $x^2-6x+k=0$이 서로 다른 두 실근을 가져야 하므로 이차방정식 $x^2-6x+k=0$의 판별식을 D라고 하면

$\frac{D}{4}=(-3)^2-k>0$ $\quad\therefore k<9$ ······ ❷

STEP 4 정수 k의 개수 구하기

$k<9$를 만족시키는 정수 k는 1, 2, 3, 4, 5, 6, 7, 8이다.

이때 $x=1$은 이차방정식 $x^2-6x+k=0$의 근이 아니어야 하므로

$1-6+k\neq0$ $\quad\therefore k\neq5$

따라서 구하는 정수 k는 1, 2, 3, 4, 6, 7, 8의 7개이다.

······ ❸

채점 요소	배점
❶ 주어진 방정식의 좌변을 인수분해하기	20 %
❷ 이차방정식의 판별식을 이용하여 실수 k의 값의 범위 구하기	60 %
❸ 정수 k의 개수 구하기	20 %

08

해결전략 | 삼차방정식의 근과 계수의 관계를 이용하여 주어진 식의 값을 구한다.

STEP 1 $\alpha+\beta+\gamma$, $\alpha\beta+\beta\gamma+\gamma\alpha$, $\alpha\beta\gamma$의 값 구하기

방정식 $(x-3)(x-1)(x+2)+1=x$에서

$x^3-2x^2-6x+7=0$

삼차방정식의 근과 계수의 관계에 의하여

$\alpha+\beta+\gamma=2$, $\alpha\beta+\beta\gamma+\gamma\alpha=-6$, $\alpha\beta\gamma=-7$

STEP 2 $\alpha^3+\beta^3+\gamma^3$의 값 구하기

$\alpha^2+\beta^2+\gamma^2=(\alpha+\beta+\gamma)^2-2(\alpha\beta+\beta\gamma+\gamma\alpha)$

$=2^2-2\times(-6)=16$

$\therefore \alpha^3+\beta^3+\gamma^3$

$=(\alpha+\beta+\gamma)(\alpha^2+\beta^2+\gamma^2-\alpha\beta-\beta\gamma-\gamma\alpha)+3\alpha\beta\gamma$

$=2\times(16+6)+3\times(-7)=23$

09

해결전략 | 삼차방정식의 근과 계수의 관계를 이용하여 주어진 식의 값을 구한다.

STEP 1 $\alpha+\beta+\gamma$, $\alpha\beta+\beta\gamma+\gamma\alpha$, $\alpha\beta\gamma$의 값 구하기

삼차방정식 $x^3+2x^2-5x+3=0$의 근과 계수의 관계에 의하여

$\alpha+\beta+\gamma=-2$, $\alpha\beta+\beta\gamma+\gamma\alpha=-5$, $\alpha\beta\gamma=-3$

STEP 2 $(3-\alpha)(3-\beta)(3-\gamma)$의 값 구하기

$\therefore (3-\alpha)(3-\beta)(3-\gamma)$

$=27-9(\alpha+\beta+\gamma)+3(\alpha\beta+\beta\gamma+\gamma\alpha)-\alpha\beta\gamma$

$=27-9\times(-2)+3\times(-5)-(-3)=33$

10

해결전략 | 삼차방정식의 근과 계수의 관계를 이용하여 주어진 조건을 만족시키는 미지수의 값을 구한다.

STEP 1 주어진 삼차방정식의 세 근을 -3, α, β라 하고 삼차방정식의 근과 계수의 관계를 이용하여 관계식 세우기

$x^3+ax^2+2bx+24=0$의 세 근을 -3, α, β라고 하면

삼차방정식의 근과 계수의 관계에 의하여

$\alpha+\beta-3=-a$ $\quad\therefore \alpha+\beta=3-a$

$\alpha\beta-3\alpha-3\beta=2b$ $\quad\therefore \alpha\beta=3(\alpha+\beta)+2b$

$-3\alpha\beta=-24$ $\quad\therefore \alpha\beta=8$

STEP 2 $\alpha^2+\beta^2=20$임을 이용하여 a, b의 값 구하기

이때 $\alpha^2+\beta^2=20$에서 $(\alpha+\beta)^2-2\alpha\beta=20$이므로

$(3-a)^2-2\times8=20$, $a^2-6a-27=0$

$(a+3)(a-9)=0$ $\quad\therefore a=-3$ ($\because a<0$)

$\alpha+\beta=3-a$에서 $\alpha+\beta=3-(-3)=6$

$\alpha\beta=3(\alpha+\beta)+2b$에서 $8=3\times6+2b$

$2b=-10$ $\quad\therefore b=-5$

STEP 3 ab의 값 구하기

$\therefore ab=(-3)\times(-5)=15$

11

해결전략 | 삼차방정식의 근과 계수의 관계를 이용하여 주어진 조건을 만족시키는 삼차방정식을 구한다.

STEP 1 $\alpha+\beta+\gamma$, $\alpha\beta+\beta\gamma+\gamma\alpha$, $\alpha\beta\gamma$의 값 구하기

삼차방정식 $x^3+3x-1=0$의 근과 계수의 관계에 의하여

$\alpha+\beta+\gamma=0$, $\alpha\beta+\beta\gamma+\gamma\alpha=3$, $\alpha\beta\gamma=1$

STEP 2 $\alpha^2+\beta^2+\gamma^2$, $\alpha^2\beta^2+\beta^2\gamma^2+\gamma^2\alpha^2$, $\alpha^2\beta^2\gamma^2$의 값 구하기

구하는 삼차방정식의 세 근이 α^2, β^2, γ^2이므로

(세 근의 합)$=\alpha^2+\beta^2+\gamma^2$

$=(\alpha+\beta+\gamma)^2-2(\alpha\beta+\beta\gamma+\gamma\alpha)$

$=0-2\times3=-6$

(두 근끼리의 곱의 합)

$=\alpha^2\beta^2+\beta^2\gamma^2+\gamma^2\alpha^2$

$=(\alpha\beta+\beta\gamma+\gamma\alpha)^2-2\alpha\beta\gamma(\alpha+\beta+\gamma)$

$=3^2-2\times1\times0=9$

(세 근의 곱)$=\alpha^2\beta^2\gamma^2=(\alpha\beta\gamma)^2=1^2=1$

STEP 3 α^2, β^2, γ^2을 세 근으로 하고 x^3의 계수가 1인 삼차방정식 구하기

따라서 α^2, β^2, γ^2을 세 근으로 하고 x^3의 계수가 1인 삼차방정식은

$x^3-(-6)x^2+9x-1=0$, 즉 $x^3+6x^2+9x-1=0$

12

해결전략 | 삼차방정식의 근과 계수의 관계를 이용하여 주어진 조건을 만족시키는 삼차방정식을 구한다.

STEP 1 $\alpha+\beta+\gamma$, $\alpha\beta+\beta\gamma+\gamma\alpha$, $\alpha\beta\gamma$의 값 구하기

$x^3-6x^2+7x-3=0$의 세 근이 $\alpha+1$, $\beta+1$, $\gamma+1$이므로 삼차방정식의 근과 계수의 관계에 의하여

$(\alpha+1)+(\beta+1)+(\gamma+1)=6$에서

$\alpha+\beta+\gamma=3$

$(\alpha+1)(\beta+1)+(\beta+1)(\gamma+1)+(\gamma+1)(\alpha+1)=7$에서

$(\alpha\beta+\beta\gamma+\gamma\alpha)+2(\alpha+\beta+\gamma)+3=7$

$(\alpha\beta+\beta\gamma+\gamma\alpha)+2\times3+3=7$

$\therefore \alpha\beta+\beta\gamma+\gamma\alpha=-2$

$(\alpha+1)(\beta+1)(\gamma+1)=3$에서

$\alpha\beta\gamma+(\alpha\beta+\beta\gamma+\gamma\alpha)+(\alpha+\beta+\gamma)+1=3$

$\alpha\beta\gamma+(-2)+3+1=3$

$\therefore \alpha\beta\gamma=1$ …… ❶

STEP 2 a, b, c의 값 구하기

그런데 $x^3+ax^2+bx+c=0$의 세 근이 α, β, γ이므로 삼차방정식의 근과 계수의 관계에 의하여

$\alpha+\beta+\gamma=-a$, $\alpha\beta+\beta\gamma+\gamma\alpha=b$, $\alpha\beta\gamma=-c$

$\therefore a=-3$, $b=-2$, $c=-1$ …… ❷

STEP 3 abc의 값 구하기

$\therefore abc=(-3)\times(-2)\times(-1)=-6$ …… ❸

채점 요소	배점
❶ $\alpha+\beta+\gamma$, $\alpha\beta+\beta\gamma+\gamma\alpha$, $\alpha\beta\gamma$의 값 구하기	50 %
❷ a, b, c의 값 구하기	30 %
❸ abc의 값 구하기	20 %

13

해결전략 | 켤레근의 성질을 이용하여 삼차방정식의 미지수를 구한다.

STEP 1 켤레근의 성질 이용하기

삼차방정식 $x^3+ax^2+bx-7=0$의 계수가 모두 실수이므로 한 근이 $2+\sqrt{3}i$이면 $2-\sqrt{3}i$도 근이다. …… ❶

STEP 2 삼차방정식의 근과 계수의 관계를 이용하여 식 세우기

나머지 한 근을 α라고 하면 삼차방정식의 근과 계수의 관계에 의하여

$(2+\sqrt{3}i)+(2-\sqrt{3}i)+\alpha=-a$

$(2+\sqrt{3}i)(2-\sqrt{3}i)+(2+\sqrt{3}i)\alpha+(2-\sqrt{3}i)\alpha=b$

$(2+\sqrt{3}i)(2-\sqrt{3}i)\alpha=7$ …… ❷

STEP 3 α의 값 구하기

$7\alpha=7$ $\quad\therefore \alpha=1$ …… ❸

STEP 4 a, b의 값 구하기

$(2+\sqrt{3}i)+(2-\sqrt{3}i)+1=-a$

$\therefore a=-5$

$(2+\sqrt{3}i)(2-\sqrt{3}i)+2+\sqrt{3}i+2-\sqrt{3}i=b$

$\therefore b=11$ …… ❹

STEP 5 $a+b+\alpha$의 값 구하기

$\therefore a+b+\alpha=-5+11+1=7$ …… ❺

채점 요소	배점
❶ 켤레근의 성질을 이용하여 다른 한 근 구하기	20 %
❷ 삼차방정식의 근과 계수의 관계를 이용하여 관계식 세우기	30 %
❸ α의 값 구하기	10 %
❹ a, b의 값 구하기	30 %
❺ $a+b+\alpha$의 값 구하기	10 %

14

해결전략 | 주어진 조건에서 방정식 $f(x)=0$의 세 근을 찾아 $f(x)$를 구하고 $f(x)$에 x 대신 $4x$를 대입한다.

STEP 1 삼차방정식 $f(x)=0$의 세 근을 구하여 $f(x)$ 구하기

조건 (가)에서 $f(x)=0$의 근은 8이다.

조건 (나)에서 $f(x)=0$의 근은 $4i$, $-4i$이다.

$\therefore f(x)=(x-8)(x-4i)(x+4i)$

STEP 2 x 대신 $4x$를 대입하여 $f(4x)=0$ 구하기

$f(x)$에 x 대신 $4x$를 대입하면

$f(4x)=(4x-8)(4x-4i)(4x+4i)$

$\quad=64(x-2)(x-i)(x+i)$

STEP 3 $f(4x)=0$의 세 근의 합 구하기

따라서 삼차방정식 $f(4x)=0$의 세 근이 2, i, $-i$이므로 세 근의 합은

$2+i+(-i)=2$

15

해결전략 | 방정식 $x^2+x+1=0$의 한 허근을 ω라고 하면 $\omega^3=1$임을 이용하여 주어진 식의 값을 구한다.

STEP 1 주어진 방정식을 정리하여 ω에 대한 관계식 찾기

방정식 $x^2+x+1=0$의 한 허근이 ω이므로

$\omega^2+\omega+1=0$

$\omega^2+\omega+1=0$의 양변에 $\omega-1$을 곱하면

$(\omega-1)(\omega^2+\omega+1)=0$

$\omega^3-1=0$

$\therefore\ \omega^3=1$

STEP 2 $\omega^3=1$이면 $\omega^{3n-2}=\omega$, $\omega^{3n-1}=\omega^2$, $\omega^{3n}=1$ (n은 자연수)임을 이용하여 주어진 식 간단히 하기

$\omega=\omega^4=\omega^7=\cdots=\omega^{58}$

$\omega^2=\omega^5=\omega^8=\cdots=\omega^{59}$

$\omega^3=\omega^6=\omega^9=\cdots=\omega^{60}$

$\therefore$ (주어진 식)$=20\left(\frac{1}{\omega+1}+\frac{1}{\omega^2+1}+\frac{1}{\omega^3+1}\right)$

STEP 3 $\omega^2+\omega+1=0$임을 이용하여 주어진 식의 값 구하기

$\omega^2+\omega+1=0$이므로

$\omega+1=-\omega^2$, $\omega^2+1=-\omega$

$\therefore$ (주어진 식)$=20\left(\frac{1}{-\omega^2}+\frac{1}{-\omega}+\frac{1}{1+1}\right)$

$=20\left(\frac{-1-\omega}{\omega^2}+\frac{1}{2}\right)$

$=20\left(\frac{\omega^2}{\omega^2}+\frac{1}{2}\right)$

$=20\left(1+\frac{1}{2}\right)=30$

16

해결전략 | $\omega=\frac{1-\sqrt{3}i}{2}$를 변형하여 ω에 대한 관계식을 구한 후 이를 이용하여 식의 값을 구한다.

STEP 1 $\omega=\frac{1-\sqrt{3}i}{2}$를 변형하여 ω에 대한 관계식 구하기

$\omega=\frac{1-\sqrt{3}i}{2}$에서

$2\omega-1=-\sqrt{3}i$

양변을 제곱하면

$4\omega^2-4\omega+1=-3$

$4\omega^2-4\omega+4=0$

$\therefore\ \omega^2-\omega+1=0$

양변에 $\omega+1$을 곱하면

$(\omega+1)(\omega^2-\omega+1)=0$

$\omega^3+1=0$

$\therefore\ \omega^3=-1$

STEP 2 $\omega^{2020}+\frac{1}{\omega^{2020}}$의 값 구하기

$\therefore\ \omega^{2020}+\frac{1}{\omega^{2020}}=(\omega^3)^{673}\times\omega+\frac{1}{(\omega^3)^{673}\times\omega}$

$=(-1)^{673}\times\omega+\frac{1}{(-1)^{673}\times\omega}$

$=-\omega-\frac{1}{\omega}=-\frac{\omega^2+1}{\omega}$

$=-\frac{\omega}{\omega}=-1$

17

해결전략 | 방정식 $x^3=1$의 한 허근을 ω라고 하면 $\omega^3=1$, $\omega^2+\omega+1=0$임을 이용하여 주어진 보기의 참, 거짓을 판별한다.

STEP 1 주어진 방정식을 정리하여 ω에 대한 관계식 찾기

방정식 $x^3=1$의 한 허근이 ω이므로

$\omega^3=1$

$x^3-1=0$에서

$(x-1)(x^2+x+1)=0$

ω는 이차방정식 $x^2+x+1=0$의 한 허근이므로

$\omega^2+\omega+1=0$

STEP 2 ω에 대한 관계식을 이용하여 보기의 참, 거짓 판별하기

ㄱ. ω, $\overline{\omega}$는 $x^2+x+1=0$의 두 허근이므로

이차방정식의 근과 계수의 관계에 의하여

$\omega+\overline{\omega}=-1$

$\therefore\ \omega+\overline{\omega}+1=-1+1=0$ (참)

ㄴ. $\frac{1}{\omega}+\frac{1}{\omega^2}=\frac{\omega^2+\omega}{\omega^3}=\frac{-1}{1}=-1$ (거짓)

ㄷ. $\omega^{2021}=(\omega^3)^{673}\times\omega^2=\omega^2$

$\frac{1}{\omega^{2021}}=\frac{1}{\omega^2}=\frac{\omega}{\omega^3}=\omega$

$\therefore\ \omega^{2021}+\frac{1}{\omega^{2021}}=\omega^2+\omega=-1$ (참)

ㄹ. ω, $\overline{\omega}$는 $x^2+x+1=0$의 두 허근이므로

이차방정식의 근과 계수의 관계에서 $\omega\overline{\omega}=1$이고

$\omega^3=1$이므로

$\omega\overline{\omega}=\omega^3$ $\quad\therefore\ \overline{\omega}=\omega^2$

또, $\omega\overline{\omega}=1$에서

$\overline{\omega}=\frac{1}{\omega}$

$\therefore\ \overline{\omega}=\omega^2=\frac{1}{\omega}$ (참)

ㅁ. $1+\omega^2+\omega^4+\omega^6+\omega^8+\omega^{10}+\omega^{12}$

$=1+\omega^2+\omega^3\times\omega+(\omega^3)^2+(\omega^3)^2\times\omega^2+(\omega^3)^3\times\omega+(\omega^3)^4$

$=1+\omega^2+\omega+1+\omega^2+\omega+1$

$=0+0+1=1$ (거짓)

따라서 옳은 것은 ㄱ, ㄷ, ㄹ이다.

18

해결전략 | 주어진 조건을 이용하여 방정식을 세운 후 이 방정식을 풀어 문제의 뜻에 맞는 해를 구한다.

STEP 1 직사각형 MPND의 두 변의 길이를 x로 나타내기

직사각형 MPND에서 $\overline{MD}:\overline{ND}=2:1$이고

$\overline{ND}=x$ cm이므로 $\overline{MD}=2x$ cm

STEP 2 부채꼴의 성질과 점 P를 포함하는 도형의 길이를 x에 대한 방정식으로 나타내기

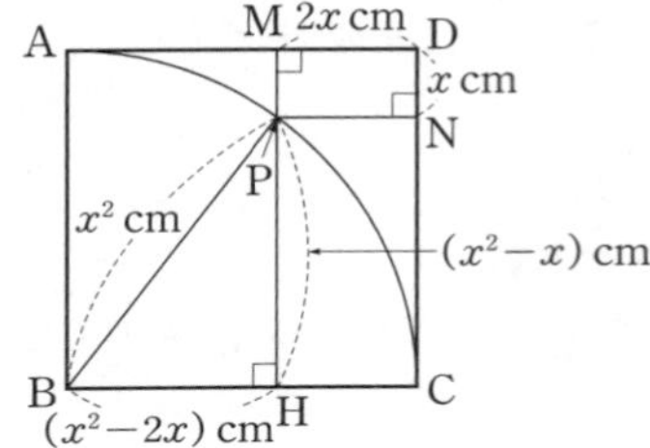

점 P에서 선분 BC에 내린 수선의 발을 H라고 할 때, 직각삼각형 PBH에서

$\overline{BH}=\overline{AM}=\overline{AD}-\overline{MD}=x^2-2x(\text{cm})$

$\overline{PH}=\overline{CN}=\overline{CD}-\overline{ND}=x^2-x(\text{cm})$

$\overline{PB}=\overline{AB}=x^2$ cm이고

$\overline{PB}^2=\overline{PH}^2+\overline{BH}^2$이므로

$(x^2)^2=(x^2-x)^2+(x^2-2x)^2$

STEP 3 x에 대한 방정식 풀기

$x^4-6x^3+5x^2=0$

$x^2(x^2-6x+5)=0$

$x^2(x-1)(x-5)=0$

$\therefore x=0$ 또는 $x=1$ 또는 $x=5$

STEP 4 조건을 만족시키는 x의 값 구하기

삼각형 PBH의 각 변의 길이는 양수이므로

$x^2-2x>0$, $x^2-x>0$, $x^2>0$이다.

그런데 $x=0$ 또는 $x=1$일 때에는 조건에 맞지 않으므로

$x=5$

상위권 도약 문제 199~200쪽

01 ②	02 3	03 ②	04 -1	05 $-\frac{21}{2}$
06 ⑤				

01

해결전략 | 인수정리와 조립제법을 이용하여 주어진 방정식의 좌변을 인수분해한다.

STEP 1 $f(x)=x^3-3x^2+9x+13$으로 놓고 $f(a)=0$을 만족시키는 a의 값 구하여 $f(x)$를 인수분해하기

$f(x)=x^3-3x^2+9x+13$으로 놓으면

$f(-1)=-1-3-9+13=0$

이므로 조립제법을 이용하여 $f(x)$를 인수분해하면

-1	1	-3	9	13
		-1	4	-13
	1	-4	13	0

$f(x)$

$=(x+1)(x^2-4x+13)$

STEP 2 z의 값으로 가능한 수 찾기

따라서 주어진 방정식은

$(x+1)(x^2-4x+13)=0$

$\therefore x=-1$ 또는 $x=2\pm3i$

$z=-1$이면 $\bar{z}=-1$에서

$\frac{z-\bar{z}}{i}=\frac{-1-(-1)}{i}=0$

이므로 조건 (나)를 만족시키지 않는다.

따라서 z는 $2+3i$, $2-3i$ 중 하나이다.

STEP 3 주어진 조건을 이용하여 z 구하기

$z=a+bi$라고 하면 조건 (나)에서

$\frac{z-\bar{z}}{i}=\frac{a+bi-(a-bi)}{i}=\frac{2bi}{i}=2b$

이고 $\frac{z-\bar{z}}{i}$가 음의 실수이므로 b는 음수이다.

$\therefore z=2-3i$

STEP 4 $a+b$의 값 구하기

따라서 $a=2$, $b=-3$이므로

$a+b=2+(-3)=-1$

풍쌤의 비법

조건 (나)에서 $\frac{z-\bar{z}}{i}=2b$이고, 이때 b는 음의 실수이므로 $z=a+bi$ 꼴에서 허수부분이 존재한다.

따라서 $(x+1)(x^2-4x+13)=0$에서 $z\neq-1$임을 알 수 있다.

02

해결전략 | 주어진 방정식에 $x=1$을 대입하여 a의 값이 될 수 있는 수를 찾고, 각각 방정식의 근의 조건을 따져 본다.

STEP 1 방정식에 $x=1$을 대입하여 a의 값 구하기

주어진 방정식에 $x=1$을 대입하면

$1-(4+a)+5a-a^2=0$, $a^2-4a+3=0$

$(a-1)(a-3)=0$ $\quad\therefore a=1$ 또는 $a=3$

STEP 2 각각 a의 값에 대하여 삼차방정식의 근 구하기

(i) $a=1$일 때, $x^3-5x^2+5x-1=0$

$f(x)=x^3-5x^2+5x-1$로 놓으면

$f(1)=0$

이므로 조립제법을 이용하여 $f(x)$를 인수분해하면

1	1	−5	5	−1
		1	−4	1
	1	−4	1	0

$f(x)=(x-1)(x^2-4x+1)$

따라서 주어진 방정식은 $(x-1)(x^2-4x+1)=0$

$\therefore x=1$ 또는 $x=2\pm\sqrt{3}$

(ii) $a=3$일 때, $x^3-7x^2+15x-9=0$

$f(x)=x^3-7x^2+15x-9$로 놓으면

$f(1)=0$

이므로 조립제법을 이용하여 $f(x)$를 인수분해하면

1	1	−7	15	−9
		1	−6	9
	1	−6	9	0

$f(x)=(x-1)(x^2-6x+9)$

$=(x-1)(x-3)^2$

따라서 주어진 방정식은 $(x-1)(x-3)^2=0$

$\therefore x=1$ 또는 $x=3$(중근)

STEP 3 근의 조건에 맞는 a의 값 구하기

(i), (ii)에 의하여 1과 두 개의 양의 정수인 근을 갖도록 하는 a의 값은

$a=3$

03

해결전략 | 켤레근의 성질을 이용하여 삼차방정식과 이차방정식의 미지수를 구한다.

STEP 1 켤레근의 성질을 이용하여 두 방정식의 근의 조건 구하기

방정식 $x^3+ax^2+bx+c=0$의 계수가 모두 실수이므로 $1+\sqrt{3}i$가 근이면 $1-\sqrt{3}i$도 근이다.

이때 $1+\sqrt{3}i$ 또는 $1-\sqrt{3}i$가 이차방정식 $x^2+ax+2=0$의 근이면 a가 실수인 이차방정식은 존재하지 않는다.

따라서 주어진 삼차방정식과 이차방정식의 공통근 m은 $m\neq 1\pm\sqrt{3}i$이다.

STEP 2 이차방정식의 근과 계수의 관계를 이용하여 삼차방정식 세우기

두 수 $1+\sqrt{3}i$, $1-\sqrt{3}i$를 두 근으로 하고 x^2의 계수가 1인 이차방정식은

(두 근의 합)$=(1+\sqrt{3}i)+(1-\sqrt{3}i)=2$,

(두 근의 곱)$=(1+\sqrt{3}i)(1-\sqrt{3}i)=4$에서

$x^2-2x+4=0$

따라서 주어진 삼차방정식은

$(x^2-2x+4)(x-m)=0$

$x^3+(-m-2)x^2+(2m+4)x-4m=0$

STEP 3 m의 값 구하기

이것이 $x^3+ax^2+bx+c=0$과 같아야 하므로 이차항의 계수를 비교하면

$a=-m-2$ $\quad\cdots\cdots$ ㉠

또, 공통인 근이 m이므로 $x=m$을 이차방정식 $x^2+ax+2=0$에 대입하면

$m^2+am+2=0$

㉠을 이 식에 대입하면

$m^2+(-m-2)m+2=0$

$-2m+2=0$ $\quad\therefore m=1$

04

해결전략 | 방정식 $x^2+x+1=0$의 한 근을 α라고 하면 $\alpha^3=1$임을 이용하여 주어진 식의 값을 구한다.

STEP 1 인수분해 공식을 이용하여 주어진 식을 정리하기

$a^3+b^3+c^3-3abc=0$에서

$(a+b+c)(a^2+b^2+c^2-ab-bc-ca)=0$

$\frac{1}{2}(a+b+c)\{(a-b)^2+(b-c)^2+(c-a)^2\}=0$

a, b, c는 자연수이므로 $a+b+c\neq 0$

$a-b=0$, $b-c=0$, $c-a=0$

$\therefore a=b=c$

STEP 2 $a=b=c$를 이용하여 α에 대한 관계식 구하기

$ax^2+bx+c=0$에 $b=a$, $c=a$를 대입하면

$ax^2+ax+a=0$에서 $a(x^2+x+1)=0$

$\therefore x^2+x+1=0$

이 방정식의 한 근이 α이므로 $\alpha^2+\alpha+1=0$

위 식의 양변에 $\alpha-1$을 곱하면

$(\alpha-1)(\alpha^2+\alpha+1)=0$ $\quad\therefore \alpha^3=1$

STEP 3 $\alpha^{1000}+\alpha^{1001}$의 값 구하기

$\therefore \alpha^{1000}+\alpha^{1001}=(\alpha^3)^{333}\times\alpha+(\alpha^3)^{333}\times\alpha^2$

$=\alpha+\alpha^2=-1$

> **풍쌤의 비법**
>
> $a^2+b^2+c^2-ab-bc-ca$
>
> $=\frac{1}{2}(2a^2+2b^2+2c^2-2ab-2bc-2ca)$
>
> $=\frac{1}{2}\{(a^2-2ab+b^2)+(b^2-2bc+c^2)+(c^2-2ca+a^2)\}$
>
> $=\frac{1}{2}\{(a-b)^2+(b-c)^2+(c-a)^2\}$

05

해결전략 | 방정식 $x^2+x+1=0$의 한 근을 ω라고 하면 $\omega^3=1$임을 이용하여 주어진 식의 값을 구한다.

STEP1 주어진 방정식을 정리하여 ω에 대한 관계식 찾기

이차방정식 $x^2+x+1=0$의 한 허근이 ω이므로

$\omega^2+\omega+1=0$

$\omega^2+\omega+1=0$의 양변에 $\omega-1$을 곱하면

$(\omega-1)(\omega^2+\omega+1)=0$

$\omega^3-1=0$

$\therefore \omega^3=1$

STEP2 $f(n)$의 값의 규칙성 찾기

$f(1)=\frac{\omega}{1+\omega^2}=\frac{\omega}{-\omega}=-1$

$f(2)=\frac{\omega^2}{1+\omega^4}=\frac{\omega^2}{1+\omega^3\times\omega}=\frac{\omega^2}{1+\omega}=\frac{\omega^2}{-\omega^2}=-1$

$f(3)=\frac{\omega^3}{1+\omega^6}=\frac{\omega^3}{1+(\omega^3)^2}=\frac{1}{2}$

$f(4)=\frac{\omega^4}{1+\omega^8}=\frac{\omega^3\times\omega}{1+(\omega^3)^2\times\omega^2}=\frac{\omega}{1+\omega^2}=f(1)$

$f(5)=\frac{\omega^5}{1+\omega^{10}}=\frac{\omega^3\times\omega^2}{1+(\omega^3)^3\times\omega}=\frac{\omega^2}{1+\omega}=f(2)$

$f(6)=\frac{\omega^6}{1+\omega^{12}}=\frac{(\omega^3)^2}{1+(\omega^3)^4}=\frac{1}{2}=f(3)$

⋮

따라서

$f(1)=f(4)=f(7)=\cdots=f(19)=-1$,

$f(2)=f(5)=f(8)=\cdots=f(20)=-1$,

$f(3)=f(6)=f(9)=\cdots=f(21)=\frac{1}{2}$

STEP3 주어진 식의 값 구하기

$\therefore f(1)+f(2)+f(3)+\cdots+f(21)$

$=\left(-1-1+\frac{1}{2}\right)\times 7$

$=-\frac{21}{2}$

06

해결전략 | 방정식 $x^2+x+1=0$의 한 근을 ω라고 하면 다른 한 근은 $\overline{\omega}$이므로 $\omega^3=1$, $\omega^2+\omega+1=0$, $\overline{\omega}^3=1$, $\overline{\omega}^2+\overline{\omega}+1=0$임을 이용하여 보기의 참, 거짓을 판별한다.

STEP1 ω, $\overline{\omega}$의 관계식을 이용하여 보기의 참, 거짓 판별하기

ㄱ. ω가 방정식 $x^3=1$의 한 허근이므로 ω의 켤레복소수인 $\overline{\omega}$도 방정식 $x^3=1$의 한 허근이다.

$\therefore \overline{\omega}^3=1$ (참)

ㄴ. 방정식 $x^3=1$의 두 허근이 ω, $\overline{\omega}$이므로

$(x-1)(x^2+x+1)=0$에서

$\omega^2+\omega+1=0$, $\overline{\omega}^2+\overline{\omega}+1=0$

$\frac{1}{\omega}+\left(\frac{1}{\omega}\right)^2=\frac{1}{\omega}+\frac{1}{\omega^2}=\frac{\omega+1}{\omega^2}=\frac{-\omega^2}{\omega^2}=-1$

$\frac{1}{\overline{\omega}}+\left(\frac{1}{\overline{\omega}}\right)^2=\frac{1}{\overline{\omega}}+\frac{1}{\overline{\omega}^2}=\frac{\overline{\omega}+1}{\overline{\omega}^2}=\frac{-\overline{\omega}^2}{\overline{\omega}^2}=-1$

$\therefore \frac{1}{\omega}+\left(\frac{1}{\omega}\right)^2=\frac{1}{\overline{\omega}}+\left(\frac{1}{\overline{\omega}}\right)^2$ (참)

ㄷ. 이차방정식 $x^2+x+1=0$의 두 허근이 ω, $\overline{\omega}$이므로 근과 계수의 관계에 의하여

$\omega+\overline{\omega}=-1$, $\omega\overline{\omega}=1$

$(-\omega-1)^n=(\omega^2)^n$,

$\left(\frac{\overline{\omega}}{\omega+\overline{\omega}}\right)^n=(-\overline{\omega})^n$

$=\left(-\frac{1}{\omega}\right)^n$

$=(-1)^n\times\left(\frac{1}{\omega}\right)^n$

$=(-1)^n\times\left(\frac{\omega^3}{\omega}\right)^n$

$=(-1)^n\times(\omega^2)^n$

이므로 $(-\omega-1)^n=\left(\frac{\overline{\omega}}{\omega+\overline{\omega}}\right)^n$에서

$(\omega^2)^n=(-1)^n\times(\omega^2)^n$

양변을 $(\omega^2)^n$으로 나누면 $1=(-1)^n$

즉, 주어진 조건을 만족시키는 n은 짝수이므로 100 이하의 짝수 n의 개수는 50이다. (참)

따라서 ㄱ, ㄴ, ㄷ 모두 옳다.

08 연립방정식

개념확인 202~203쪽

01 답 (1) $\begin{cases} x=-1 \\ y=-4 \end{cases}$ 또는 $\begin{cases} x=4 \\ y=1 \end{cases}$

(2) $\begin{cases} x=-2\sqrt{6} \\ y=\sqrt{6} \end{cases}$ 또는 $\begin{cases} x=2\sqrt{6} \\ y=-\sqrt{6} \end{cases}$

또는 $\begin{cases} x=\sqrt{15} \\ y=\sqrt{15} \end{cases}$ 또는 $\begin{cases} x=-\sqrt{15} \\ y=-\sqrt{15} \end{cases}$

(1) $\begin{cases} x-y=3 & \cdots\cdots ㉠ \\ x^2+y^2=17 & \cdots\cdots ㉡ \end{cases}$

㉠에서 $y=x-3$ ······ ㉢

㉢을 ㉡에 대입하면

$x^2+(x-3)^2=17$, $x^2-3x-4=0$

$(x+1)(x-4)=0$ $\quad\therefore x=-1$ 또는 $x=4$

이것을 ㉢에 대입하면

$x=-1$일 때 $y=-4$, $x=4$일 때 $y=1$

따라서 주어진 연립방정식의 해는

$\begin{cases} x=-1 \\ y=-4 \end{cases}$ 또는 $\begin{cases} x=4 \\ y=1 \end{cases}$

(2) $\begin{cases} x^2+xy-2y^2=0 & \cdots\cdots ㉠ \\ x^2+y^2=30 & \cdots\cdots ㉡ \end{cases}$

㉠의 좌변을 인수분해하면

$(x+2y)(x-y)=0$

$\therefore x=-2y$ 또는 $x=y$

(i) $x=-2y$를 ㉡에 대입하면

$(-2y)^2+y^2=30$, $y^2=6$

$\therefore x=\mp2\sqrt{6}$, $y=\pm\sqrt{6}$ (복부호 동순)

(ii) $x=y$를 ㉡에 대입하면

$y^2+y^2=30$, $y^2=15$

$\therefore x=\pm\sqrt{15}$, $y=\pm\sqrt{15}$ (복부호 동순)

(i), (ii)에서 주어진 연립방정식의 해는

$\begin{cases} x=-2\sqrt{6} \\ y=\sqrt{6} \end{cases}$ 또는 $\begin{cases} x=2\sqrt{6} \\ y=-\sqrt{6} \end{cases}$

또는 $\begin{cases} x=\sqrt{15} \\ y=\sqrt{15} \end{cases}$ 또는 $\begin{cases} x=-\sqrt{15} \\ y=-\sqrt{15} \end{cases}$

02 답 $\begin{cases} x=-2 \\ y=3 \end{cases}$ 또는 $\begin{cases} x=3 \\ y=-2 \end{cases}$

주어진 연립방정식에서 x, y는 t에 대한 이차방정식 $t^2-t-6=0$의 두 근이므로

$(t+2)(t-3)=0$ $\quad\therefore t=-2$ 또는 $t=3$

따라서 주어진 연립방정식의 해는

$\begin{cases} x=-2 \\ y=3 \end{cases}$ 또는 $\begin{cases} x=3 \\ y=-2 \end{cases}$

03 답 (1) -25 (2) $a\le\frac{5}{6}$

(1) $2x+y=k$에서 $y=-2x+k$

이것을 $x^2+y^2=5$에 대입하면

$x^2+(-2x+k)^2=5$

$\therefore 5x^2-4kx+k^2-5=0$ ······ ㉠

주어진 연립방정식이 오직 한 쌍의 해를 가지려면 이차방정식 ㉠이 중근을 가져야 하므로 ㉠의 판별식을 D라고 하면

$\frac{D}{4}=(-2k)^2-5(k^2-5)=0$

$4k^2-5k^2+25=0$, $k^2=25$ $\quad\therefore k=\pm5$

따라서 모든 실수 k의 값의 곱은

$5\times(-5)=-25$

(2) 주어진 연립방정식에서 x, y는 t에 대한 이차방정식 $t^2-2(a-3)t+a^2+4=0$의 두 근이다.

주어진 연립방정식이 실근을 가지려면 이 이차방정식이 실근을 가져야 하므로 판별식을 D라고 하면

$\frac{D}{4}=\{-(a-3)\}^2-(a^2+4)\ge0$

$-6a+5\ge0$ $\quad\therefore a\le\frac{5}{6}$

04 답 -2

$x^2-3x-10=0$에서 $(x+2)(x-5)=0$

$\therefore x=-2$ 또는 $x=5$

$x^2-6x-16=0$에서 $(x+2)(x-8)=0$

$\therefore x=-2$ 또는 $x=8$

따라서 공통근은 -2이다.

05 답 $x=-6$, $y=1$ 또는 $x=0$, $y=-5$ 또는 $x=2$, $y=9$ 또는 $x=8$, $y=3$

$xy-2x-y-5=0$에서 $x(y-2)-y=5$

$x(y-2)-(y-2)=7$

$\therefore (x-1)(y-2)=7$

x, y가 정수이므로 $x-1$, $y-2$도 정수이다.

이때 $x-1$, $y-2$의 곱이 7인 경우는 다음 표와 같다.

$x-1$	-7	-1	1	7
$y-2$	-1	-7	7	1

$\therefore x=-6$, $y=1$ 또는 $x=0$, $y=-5$

또는 $x=2$, $y=9$ 또는 $x=8$, $y=3$

01-1 답 (1) $\begin{cases} x=-\frac{6}{5} \\ y=\frac{17}{5} \end{cases}$ 또는 $\begin{cases} x=2 \\ y=-3 \end{cases}$

(2) $\begin{cases} x=-3 \\ y=-4 \end{cases}$ 또는 $\begin{cases} x=4 \\ y=3 \end{cases}$

해결전략 | 일차방정식을 한 문자에 대하여 정리한 후 이차방정식에 대입하여 푼다.

(1) **STEP1 $2x+y=1$을 y에 대하여 정리한 후 이차방정식에 대입하여 풀기**

$2x+y=1$에서 $y=1-2x$ …… ㉠

㉠을 $x^2+y^2=13$에 대입하면

$x^2+(1-2x)^2=13$, $5x^2-4x-12=0$

$(5x+6)(x-2)=0$ $\therefore x=-\frac{6}{5}$ 또는 $x=2$

STEP2 연립방정식의 해 구하기

이것을 ㉠에 대입하면

$x=-\frac{6}{5}$일 때 $y=\frac{17}{5}$, $x=2$일 때 $y=-3$

따라서 주어진 연립방정식의 해는

$\begin{cases} x=-\frac{6}{5} \\ y=\frac{17}{5} \end{cases}$ 또는 $\begin{cases} x=2 \\ y=-3 \end{cases}$

(2) **STEP1 $x-y=1$을 x에 대하여 정리한 후 이차방정식에 대입하여 풀기**

$x-y=1$에서 $x=y+1$ …… ㉠

㉠을 $x^2+y^2=25$에 대입하면

$(y+1)^2+y^2=25$, $y^2+y-12=0$

$(y+4)(y-3)=0$ $\therefore y=-4$ 또는 $y=3$

STEP2 연립방정식의 해 구하기

이것을 ㉠에 대입하면

$y=-4$일 때 $x=-3$, $y=3$일 때 $x=4$

따라서 주어진 연립방정식의 해는

$\begin{cases} x=-3 \\ y=-4 \end{cases}$ 또는 $\begin{cases} x=4 \\ y=3 \end{cases}$

01-2 답 3

해결전략 | 일차방정식을 한 문자에 대하여 정리한 후 이차방정식에 대입하여 연립방정식의 해를 구한다.

STEP1 $x+2y=5$를 x에 대하여 정리한 후 이차방정식에 대입하여 풀기

$x+2y=5$에서 $x=5-2y$ …… ㉠

㉠을 $2x^2+y^2=19$에 대입하면

$2(5-2y)^2+y^2=19$, $9y^2-40y+31=0$

$(y-1)(9y-31)=0$ $\therefore y=1$ 또는 $y=\frac{31}{9}$

이것을 ㉠에 대입하면

$y=1$일 때 $x=3$, $y=\frac{31}{9}$일 때 $x=-\frac{17}{9}$

따라서 주어진 연립방정식의 해는

$\begin{cases} x=3 \\ y=1 \end{cases}$ 또는 $\begin{cases} x=-\frac{17}{9} \\ y=\frac{31}{9} \end{cases}$

STEP2 정수 x, y에 대하여 xy의 값 구하기

이때 x, y는 정수이므로 $x=3$, $y=1$

$\therefore xy=3\times1=3$

01-3 답 15

해결전략 | 일차방정식을 이차방정식에 대입하여 푼다.

STEP1 $x=y+5$를 이차방정식에 대입하여 풀기

$x=y+5$를 $x^2-2y^2=50$에 대입하면

$(y+5)^2-2y^2=50$, $y^2-10y+25=0$

$(y-5)^2=0$ $\therefore y=5$

이것을 $x=y+5$에 대입하면 $x=10$

주어진 연립방정식의 해는 $x=10$, $y=5$

STEP2 $\alpha+\beta$의 값 구하기

따라서 $\alpha=10$, $\beta=5$이므로 $\alpha+\beta=10+5=15$

01-4 답 2

해결전략 | 일차방정식을 한 문자에 대하여 정리한 후 이차방정식에 대입하여 푼다.

STEP1 $x-y-1=0$을 y에 대하여 정리한 후 이차방정식에 대입하여 풀기

$x-y-1=0$에서 $y=x-1$ …… ㉠

㉠을 $x^2-xy+2y=4$에 대입하면

$x^2-x(x-1)+2(x-1)=4$

$3x=6$ $\therefore x=2$

이것을 ㉠에 대입하면 $y=1$

주어진 연립방정식의 해는 $x=2$, $y=1$

STEP2 $\alpha\beta$의 값 구하기

따라서 $\alpha=2$, $\beta=1$이므로 $\alpha\beta=2\times1=2$

01-5 답 6

해결전략 | 일차방정식을 한 문자에 대하여 정리한 후 이차방정식에 대입하여 푼다.

STEP1 $x-y+2=0$을 x에 대하여 정리한 후 이차방정식에 대입하여 풀기

$x-y+2=0$에서 $x=y-2$ …… ㉠

㉠을 $x^2+y^2-xy=12$에 대입하면

$(y-2)^2+y^2-(y-2)y=12$, $y^2-2y-8=0$

$(y+2)(y-4)=0$ $\therefore y=-2$ 또는 $y=4$

이것을 ㉠에 대입하면

$y=-2$일 때 $x=-4$, $y=4$일 때 $x=2$

주어진 연립방정식의 해는

$\begin{cases} x=-4 \\ y=-2 \end{cases}$ 또는 $\begin{cases} x=2 \\ y=4 \end{cases}$

STEP2 $x+y$의 최댓값 구하기

$\therefore x+y=-6$ 또는 $x+y=6$

따라서 $x+y$의 최댓값은 6이다.

01-6 답 2

해결전략 | 주어진 두 연립방정식을 이용하여 새로운 연립방정식을 만들어 해결한다.

STEP1 주어진 두 연립방정식과 해가 같은 새로운 연립방정식 만들기

주어진 두 연립방정식의 해는 연립방정식 $\begin{cases} x^2-y^2=-1 \\ 2x+2y=1 \end{cases}$ 의 해와 같다.

STEP2 연립방정식의 해 구하기

$2x+2y=1$에서 $x+y=\frac{1}{2}$ …… ㉠

$x^2-y^2=-1$에서 $(x+y)(x-y)=-1$ …… ㉡

㉠을 ㉡에 대입하면

$\frac{1}{2}(x-y)=-1$ $\therefore x-y=-2$ …… ㉢

연립방정식 $\begin{cases} x+y=\frac{1}{2} \\ x-y=-2 \end{cases}$를 풀면 $x=-\frac{3}{4}$, $y=\frac{5}{4}$

STEP3 a, b의 값 구하기

㉢에서 $b=-2$

$x=-\frac{3}{4}$, $y=\frac{5}{4}$를 $3x+y=a$에 대입하면 $a=-1$

$\therefore ab=(-1)\times(-2)=2$

> **풍쌤의 비법**
>
> 두 연립방정식의 해가 일치한다.
> $\Longleftrightarrow$ 각각의 4개의 방정식이 공통인 해를 가진다.
> 따라서 미지수가 없는 두 방정식을 연립하여 해를 구하고, 그 해를 나머지 두 방정식에 대입하여 미지수를 구한다.

필수유형 02

207쪽

02-1 답 (1) $\begin{cases} x=-4 \\ y=2 \end{cases}$ 또는 $\begin{cases} x=4 \\ y=-2 \end{cases}$ 또는 $\begin{cases} x=-2\sqrt{2} \\ y=-2\sqrt{2} \end{cases}$ 또는 $\begin{cases} x=2\sqrt{2} \\ y=2\sqrt{2} \end{cases}$

(2) $\begin{cases} x=-\sqrt{6} \\ y=2\sqrt{6} \end{cases}$ 또는 $\begin{cases} x=\sqrt{6} \\ y=-2\sqrt{6} \end{cases}$ 또는 $\begin{cases} x=4 \\ y=2 \end{cases}$ 또는 $\begin{cases} x=-4 \\ y=-2 \end{cases}$

해결전략 | 인수분해가 되는 이차방정식을 인수분해한 후 다른 이차방정식에 대입하여 푼다.

(1) **STEP1 인수분해가 되는 이차방정식 인수분해하기**

$x^2+xy-2y^2=0$에서

$(x+2y)(x-y)=0$

$\therefore x=-2y$ 또는 $x=y$

STEP2 인수분해하여 얻은 일차방정식을 다른 이차방정식에 대입하여 풀기

(i) $x=-2y$를 $x^2+2y^2=24$에 대입하면

$(-2y)^2+2y^2=24$, $y^2=4$

$\therefore x=\mp4$, $y=\pm2$ (복부호 동순)

(ii) $x=y$를 $x^2+2y^2=24$에 대입하면

$y^2+2y^2=24$, $y^2=8$

$\therefore x=\pm2\sqrt{2}$, $y=\pm2\sqrt{2}$ (복부호 동순)

(i), (ii)에서 주어진 연립방정식의 해는

$\begin{cases} x=-4 \\ y=2 \end{cases}$ 또는 $\begin{cases} x=4 \\ y=-2 \end{cases}$

또는 $\begin{cases} x=-2\sqrt{2} \\ y=-2\sqrt{2} \end{cases}$ 또는 $\begin{cases} x=2\sqrt{2} \\ y=2\sqrt{2} \end{cases}$

(2) **STEP1 인수분해가 되는 이차방정식 인수분해하기**

$2x^2-3xy-2y^2=0$에서

$(2x+y)(x-2y)=0$

$\therefore x=-\frac{1}{2}y$ 또는 $x=2y$

STEP2 인수분해하여 얻은 일차방정식을 이차방정식에 대입하여 풀기

(i) $x=-\frac{1}{2}y$를 $2x^2+y^2=36$에 대입하면

$2\times\left(-\frac{1}{2}y\right)^2+y^2=36$, $y^2=24$

$\therefore x=\mp\sqrt{6}$, $y=\pm2\sqrt{6}$ (복부호 동순)

(ii) $x=2y$를 $2x^2+y^2=36$에 대입하면

$2\times(2y)^2+y^2=36$, $y^2=4$

$\therefore x=\pm4$, $y=\pm2$ (복부호 동순)

(i), (ii)에서 주어진 연립방정식의 해는

$\begin{cases} x=-\sqrt{6} \\ y=2\sqrt{6} \end{cases}$ 또는 $\begin{cases} x=\sqrt{6} \\ y=-2\sqrt{6} \end{cases}$

또는 $\begin{cases} x=4 \\ y=2 \end{cases}$ 또는 $\begin{cases} x=-4 \\ y=-2 \end{cases}$

02-2 답 (1) $\begin{cases} x=1 \\ y=2 \end{cases}$ 또는 $\begin{cases} x=-1 \\ y=-2 \end{cases}$

또는 $\begin{cases} x=\frac{3\sqrt{21}}{7} \\ y=\frac{\sqrt{21}}{7} \end{cases}$ 또는 $\begin{cases} x=-\frac{3\sqrt{21}}{7} \\ y=-\frac{\sqrt{21}}{7} \end{cases}$

(2) $\begin{cases} x=2 \\ y=1 \end{cases}$ 또는 $\begin{cases} x=\frac{25}{8} \\ y=-\frac{19}{8} \end{cases}$

해결전략 | 상수항이나 이차항을 소거하여 인수분해한 후 이차방정식에 대입하여 푼다.

(1) **STEP1 상수항을 소거하여 인수분해하기**

$\begin{cases} 4x^2-9xy+5y^2=6 & \cdots\cdots ㉠ \\ x^2-xy+y^2=3 & \cdots\cdots ㉡ \end{cases}$

㉠$-$㉡$\times 2$를 하면 $2x^2-7xy+3y^2=0$

$(2x-y)(x-3y)=0 \qquad \therefore x=\frac{1}{2}y$ 또는 $x=3y$

STEP2 인수분해하여 얻은 일차방정식을 이차방정식에 대입하여 풀기

(i) $x=\frac{1}{2}y$를 ㉡에 대입하면

$\left(\frac{1}{2}y\right)^2-\frac{1}{2}y\times y+y^2=3,\ y^2=4$

$\therefore x=\pm1,\ y=\pm2$ (복부호 동순)

(ii) $x=3y$를 ㉡에 대입하면

$(3y)^2-3y\times y+y^2=3,\ y^2=\frac{3}{7}$

$\therefore x=\pm\frac{3\sqrt{21}}{7},\ y=\pm\frac{\sqrt{21}}{7}$ (복부호 동순)

(i), (ii)에서 주어진 연립방정식의 해는

$\begin{cases} x=1 \\ y=2 \end{cases}$ 또는 $\begin{cases} x=-1 \\ y=-2 \end{cases}$

또는 $\begin{cases} x=\frac{3\sqrt{21}}{7} \\ y=\frac{\sqrt{21}}{7} \end{cases}$ 또는 $\begin{cases} x=-\frac{3\sqrt{21}}{7} \\ y=-\frac{\sqrt{21}}{7} \end{cases}$

(2) **STEP1 이차항 소거하기**

$\begin{cases} x^2-y^2+2x+y=8 & \cdots\cdots ㉠ \\ 2x^2-2y^2+x+y=9 & \cdots\cdots ㉡ \end{cases}$

㉠$\times 2-$㉡을 하면 $3x+y=7$

$\therefore y=-3x+7 \qquad \cdots\cdots ㉢$

STEP2 인수분해하여 얻은 일차방정식을 이차방정식에 대입하여 풀기

㉢을 ㉠에 대입하면

$x^2-(-3x+7)^2+2x+(-3x+7)=8$

$8x^2-41x+50=0,\ (x-2)(8x-25)=0$

$\therefore x=2$ 또는 $x=\frac{25}{8}$

이것을 ㉢에 대입하면

$x=2$일 때 $y=1$, $x=\frac{25}{8}$일 때 $y=-\frac{19}{8}$

따라서 주어진 연립방정식의 해는

$\begin{cases} x=2 \\ y=1 \end{cases}$ 또는 $\begin{cases} x=\frac{25}{8} \\ y=-\frac{19}{8} \end{cases}$

02-3 답 $4\sqrt{2}$

해결전략 | 인수분해가 되는 이차방정식을 인수분해한 후 다른 이차방정식에 대입하여 푼다.

STEP1 인수분해가 되는 이차방정식 인수분해하기

$x^2-2xy-3y^2=0$에서 $(x-3y)(x+y)=0$

$\therefore x=3y$ 또는 $x=-y$

STEP2 인수분해하여 얻은 일차방정식을 이차방정식에 대입하여 풀기

(i) $x=3y$를 $x^2+y^2=20$에 대입하면

$(3y)^2+y^2=20,\ y^2=2$

$\therefore x=\pm3\sqrt{3}$ 또는 $y=\pm\sqrt{2}$ (복부호 동순)

(ii) $x=-y$를 $x^2+y^2=20$에 대입하면

$(-y)^2+y^2=20,\ y^2=10$

$\therefore x=\mp\sqrt{10}$ 또는 $y=\pm\sqrt{10}$ (복부호 동순)

STEP3 $a+b$의 값 구하기

(i), (ii)에서 $a>0,\ b>0$, 즉 $x>0,\ y>0$이므로

$x=3\sqrt{2},\ y=\sqrt{2}$

따라서 $a=3\sqrt{2},\ b=\sqrt{2}$이므로

$a+b=3\sqrt{2}+\sqrt{2}=4\sqrt{2}$

02-4 답 3

해결전략 | 인수분해가 되는 이차방정식을 인수분해한 후 다른 이차방정식에 대입하여 푼다.

STEP1 인수분해가 되는 이차방정식 인수분해하기

$x^2-xy-2y^2=0$에서 $(x-2y)(x+y)=0$

$\therefore x=2y$ 또는 $x=-y$

STEP2 인수분해하여 얻은 일차방정식을 이차방정식에 대입하여 풀기

(i) $x=2y$를 $2x^2+y^2=9$에 대입하면

$2\times(2y)^2+y^2=9$, $y^2=1$

$\therefore x=\pm2$, $y=\pm1$ (복부호 동순)

$\therefore a+b=3$ 또는 $a+b=-3$

(ii) $x=-y$를 $2x^2+y^2=9$에 대입하면

$2\times(-y)^2+y^2=9$, $y^2=3$

$\therefore x=\mp\sqrt{3}$, $y=\pm\sqrt{3}$ (복부호 동순)

$\therefore a+b=0$

STEP3 $a+b$의 최댓값 구하기

(i), (ii)에서 $a+b$의 최댓값은 3이다.

02-5 답 5

해결전략 | 이차항을 소거하여 얻은 일차방정식을 이차방정식에 대입하여 푼다.

STEP1 이차항 소거하기

$$\begin{cases} x^2+y^2+2y=1 & \cdots\cdots ㉠ \\ x^2+y^2+x+y=2 & \cdots\cdots ㉡ \end{cases}$$

㉠－㉡을 하면 $y-x=-1$

$\therefore y=x-1$ ...... ㉢

STEP2 이차항을 소거하여 얻은 일차방정식을 이차방정식에 대입하여 풀기

㉢을 ㉠에 대입하면

$x^2+(x-1)^2+2(x-1)=1$, $x^2=1$

$\therefore x=1$ 또는 $x=-1$

이것을 ㉢에 대입하면

$x=1$일 때 $y=0$, $x=-1$일 때 $y=-2$

주어진 연립방정식의 해는 $\begin{cases} x=1 \\ y=0 \end{cases}$ 또는 $\begin{cases} x=-1 \\ y=-2 \end{cases}$

STEP3 $\alpha^2+\beta^2$의 최댓값 구하기

$\therefore \alpha^2+\beta^2=1$ 또는 $\alpha^2+\beta^2=5$

따라서 $\alpha^2+\beta^2$의 최댓값은 5이다.

02-6 답 4

해결전략 | 인수분해가 되는 이차방정식을 인수분해한 후 다른 이차방정식에 대입하여 푼다.

STEP1 인수분해가 되는 이차방정식 인수분해하기

$x^2-3xy+2y^2=0$에서 $(x-y)(x-2y)=0$

$\therefore x=y$ 또는 $x=2y$

STEP2 인수분해하여 얻은 일차방정식을 이차방정식에 대입하여 풀기

(i) $x=y$를 $x^2+y^2+3x+1=0$에 대입하면

$y^2+y^2+3y+1=0$, $2y^2+3y+1=0$

$(y+1)(2y+1)=0$ $\quad\therefore y=-1$ 또는 $y=-\frac{1}{2}$

이것을 $x=y$에 대입하면

$y=-1$일 때 $x=-1$, $y=-\frac{1}{2}$일 때 $x=-\frac{1}{2}$

(ii) $x=2y$를 $x^2+y^2+3x+1=0$에 대입하면

$(2y)^2+y^2+3\times2y+1=0$, $5y^2+6y+1=0$

$(y+1)(5y+1)=0$ $\quad\therefore y=-1$ 또는 $y=-\frac{1}{5}$

이것을 $x=2y$에 대입하면

$y=-1$일 때 $x=-2$, $y=-\frac{1}{5}$일 때 $x=-\frac{2}{5}$

STEP3 순서쌍 (x, y)의 개수 구하기

따라서 순서쌍 (x, y)는 $(-1, -1)$,

$\left(-\frac{1}{2}, -\frac{1}{2}\right)$, $(-2, -1)$, $\left(-\frac{2}{5}, -\frac{1}{5}\right)$의 4개이다.

필수유형 03

209쪽

03-1 답 (1) $\begin{cases} x=3 \\ y=5 \end{cases}$ 또는 $\begin{cases} x=5 \\ y=3 \end{cases}$ 또는 $\begin{cases} x=-3 \\ y=-5 \end{cases}$ 또는 $\begin{cases} x=-5 \\ y=-3 \end{cases}$

(2) $\begin{cases} x=-2 \\ y=1 \end{cases}$ 또는 $\begin{cases} x=1 \\ y=-2 \end{cases}$ 또는 $\begin{cases} x=1 \\ y=1 \end{cases}$

해결전략 | $x+y=a$, $xy=b$로 놓은 후 a, b에 대한 연립방정식을 풀어 해를 구한다.

(1) **STEP1 $x+y=a$, $xy=b$로 놓고 주어진 연립방정식을 a, b에 대한 연립방정식으로 변형하여 풀기**

$x+y=a$, $xy=b$로 놓으면 주어진 연립방정식은

$$\begin{cases} a^2-2b=34 & \cdots\cdots ㉠ \\ b=15 & \cdots\cdots ㉡ \end{cases}$$

㉡을 ㉠에 대입하면

$a^2-30=34$, $a^2=64$ $\quad\therefore a=\pm8$

$\therefore a=8$, $b=15$ 또는 $a=-8$, $b=15$

STEP2 주어진 연립방정식 풀기

(i) $a=8$, $b=15$, 즉 $x+y=8$, $xy=15$일 때,

x, y는 t에 대한 이차방정식 $t^2-8t+15=0$의 두 근이므로

$(t-3)(t-5)=0$ $\quad\therefore t=3$ 또는 $t=5$

$\therefore \begin{cases} x=3 \\ y=5 \end{cases}$ 또는 $\begin{cases} x=5 \\ y=3 \end{cases}$

(ii) $a=-8$, $b=15$, 즉 $x+y=-8$, $xy=15$일 때,

x, y는 t에 대한 이차방정식 $t^2+8t+15=0$의 두 근이므로

$(t+3)(t+5)=0$ $\quad\therefore t=-3$ 또는 $t=-5$

$\therefore \begin{cases} x=-3 \\ y=-5 \end{cases}$ 또는 $\begin{cases} x=-5 \\ y=-3 \end{cases}$

(i), (ii)에서 구하는 해는

$\begin{cases} x=3 \\ y=5 \end{cases}$ 또는 $\begin{cases} x=5 \\ y=3 \end{cases}$ 또는 $\begin{cases} x=-3 \\ y=-5 \end{cases}$ 또는 $\begin{cases} x=-5 \\ y=-3 \end{cases}$

(2) STEP1 **$x+y=a$, $xy=b$로 놓고 주어진 연립방정식을 a, b에 대한 연립방정식으로 변형하여 풀기**

$x+y=a$, $xy=b$로 놓으면 주어진 연립방정식은

$\begin{cases} a^2-2b+a=4 & \cdots\cdots ㉠ \\ a^2-b=3 & \cdots\cdots ㉡ \end{cases}$

㉡에서 $b=a^2-3$ ······ ㉢

㉢을 ㉠에 대입하면

$a^2-2(a^2-3)+a=4$, $a^2-a-2=0$

$(a+1)(a-2)=0$ $\quad \therefore a=-1$ 또는 $a=2$

이것을 ㉢에 대입하면

$a=-1$일 때 $b=-2$, $a=2$일 때 $b=1$

STEP2 **주어진 연립방정식 풀기**

(i) $a=-1$, $b=-2$, 즉 $x+y=-1$, $xy=-2$일 때, x, y는 t에 대한 이차방정식 $t^2+t-2=0$의 두 근이므로

$(t+2)(t-1)=0$ $\quad \therefore t=-2$ 또는 $t=1$

$\therefore \begin{cases} x=-2 \\ y=1 \end{cases}$ 또는 $\begin{cases} x=1 \\ y=-2 \end{cases}$

(ii) $a=2$, $b=1$, 즉 $x+y=2$, $xy=1$일 때, x, y는 t에 대한 이차방정식 $t^2-2t+1=0$의 두 근이므로

$(t-1)^2=0$ $\quad \therefore t=1$ (중근) $\quad \therefore \begin{cases} x=1 \\ y=1 \end{cases}$

(i), (ii)에서 구하는 해는

$\begin{cases} x=-2 \\ y=1 \end{cases}$ 또는 $\begin{cases} x=1 \\ y=-2 \end{cases}$ 또는 $\begin{cases} x=1 \\ y=1 \end{cases}$

03-2 답 4

해결전략 | $x+y=a$, $xy=b$로 놓은 후 a, b에 대한 연립방정식을 풀어 해를 구한다.

STEP1 **$x+y=a$, $xy=b$로 놓고 주어진 연립방정식을 a, b에 대한 연립방정식으로 변형하여 풀기**

$x+y=a$, $xy=b$로 놓으면 주어진 연립방정식은

$\begin{cases} a^2-2b=13 & \cdots\cdots ㉠ \\ b=-6 & \cdots\cdots ㉡ \end{cases}$

㉡을 ㉠에 대입하면

$a^2+12=13$, $a^2=1$ $\quad \therefore a=\pm 1$

$\therefore a=1$, $b=-6$ 또는 $a=-1$, $b=-6$

STEP2 **주어진 연립방정식 풀기**

(i) $a=1$, $b=-6$, 즉 $x+y=1$, $xy=-6$일 때, x, y는 t에 대한 이차방정식 $t^2-t-6=0$의 두 근이므로

$(t+2)(t-3)=0$ $\quad \therefore t=-2$ 또는 $t=3$

$\therefore \begin{cases} x=-2 \\ y=3 \end{cases}$ 또는 $\begin{cases} x=3 \\ y=-2 \end{cases}$

(ii) $a=-1$, $b=-6$, 즉 $x+y=-1$, $xy=-6$일 때, x, y는 t에 대한 이차방정식 $t^2+t-6=0$의 두 근이므로

$(t+3)(t-2)=0$ $\quad \therefore t=-3$ 또는 $t=2$

$\therefore \begin{cases} x=-3 \\ y=2 \end{cases}$ 또는 $\begin{cases} x=2 \\ y=-3 \end{cases}$

(i), (ii)에서 구하는 해는

$\begin{cases} x=-2 \\ y=3 \end{cases}$ 또는 $\begin{cases} x=3 \\ y=-2 \end{cases}$ 또는 $\begin{cases} x=-3 \\ y=2 \end{cases}$ 또는 $\begin{cases} x=2 \\ y=-3 \end{cases}$

STEP3 **순서쌍 (x, y)의 개수 구하기**

따라서 순서쌍 (x, y)의 개수는 $(-2, 3)$, $(3, -2)$, $(-3, 2)$, $(2, -3)$의 4이다.

03-3 답 2

해결전략 | $x+y=a$, $xy=b$로 놓은 후 a, b에 대한 연립방정식을 풀어 해를 구한다.

STEP1 **$x+y=a$, $xy=b$로 놓고 주어진 연립방정식을 a, b에 대한 연립방정식으로 변형하여 풀기**

$x+y=a$, $xy=b$로 놓으면 주어진 연립방정식은

$\begin{cases} a-b=-1 & \cdots\cdots ㉠ \\ a^2-4b=1 & \cdots\cdots ㉡ \end{cases}$

㉠에서 $b=a+1$ ······ ㉢

㉢을 ㉡에 대입하면

$a^2-4(a+1)=1$, $a^2-4a-5=0$

$(a+1)(a-5)=0$ $\quad \therefore a=-1$ 또는 $a=5$

이것을 ㉢에 대입하면

$a=-1$일 때 $b=0$, $a=5$일 때 $b=6$

STEP2 **주어진 연립방정식 풀기**

(i) $a=-1$, $b=0$, 즉 $x+y=-1$, $xy=0$일 때, x, y는 t에 대한 이차방정식 $t^2+t=0$의 두 근이므로

$t(t+1)=0$ $\quad \therefore t=0$ 또는 $t=-1$

$\therefore \begin{cases} x=0 \\ y=-1 \end{cases}$ 또는 $\begin{cases} x=-1 \\ y=0 \end{cases}$

(ii) $a=5$, $b=6$, 즉 $x+y=5$, $xy=6$일 때, x, y는 t에 대한 이차방정식 $t^2-5t+6=0$의 두 근이므로

$(t-2)(t-3)=0 \qquad \therefore t=2$ 또는 $t=3$

$\therefore \begin{cases} x=2 \\ y=3 \end{cases}$ 또는 $\begin{cases} x=3 \\ y=2 \end{cases}$

(i), (ii)에서 구하는 해는

$\begin{cases} x=0 \\ y=-1 \end{cases}$ 또는 $\begin{cases} x=-1 \\ y=0 \end{cases}$ 또는 $\begin{cases} x=2 \\ y=3 \end{cases}$ 또는 $\begin{cases} x=3 \\ y=2 \end{cases}$

STEP 3 자연수 x, y의 순서쌍 (x, y)의 개수 구하기

따라서 자연수 x, y의 순서쌍 (x, y)는

$(2, 3)$, $(3, 2)$의 2개이다.

03-4 답 13

해결전략 | $x+y=a$, $xy=b$로 놓은 후 a, b에 대한 연립방정식을 풀어 해를 구한다.

STEP 1 $x+y=a$, $xy=b$로 놓고 주어진 연립방정식을 a, b에 대한 연립방정식으로 변형하여 풀기

$x+y=a$, $xy=b$로 놓으면 주어진 연립방정식은

$\begin{cases} a+b=11 & \cdots\cdots ㉠ \\ a^2-3b=7 & \cdots\cdots ㉡ \end{cases}$

㉠에서 $b=11-a$ ······ ㉢

㉢을 ㉡에 대입하면 $a^2-3(11-a)=7$

$a^2+3a-40=0$, $(a+8)(a-5)=0$

$\therefore a=-8$ 또는 $a=5$

이것을 ㉢에 대입하면

$a=-8$일 때 $b=19$, $a=5$일 때 $b=6$

STEP 2 주어진 연립방정식 풀기

(i) $a=-8$, $b=19$, 즉 $x+y=-8$, $xy=19$일 때,

x, y는 t에 대한 이차방정식 $t^2+8t+19=0$의 두 근이다. 이 이차방정식의 판별식을 D라고 하면

$\dfrac{D}{4}=4^2-19=-3<0$

이므로 서로 다른 두 허근을 갖는다. 즉, 이 이차방정식을 만족시키는 자연수 x, y의 값은 존재하지 않는다.

(ii) $a=5$, $b=6$, 즉 $x+y=5$, $xy=6$일 때,

x, y는 t에 대한 이차방정식 $t^2-5t+6=0$의 두 근이므로

$(t-2)(t-3)=0 \qquad \therefore t=2$ 또는 $t=3$

$\therefore \begin{cases} x=2 \\ y=3 \end{cases}$ 또는 $\begin{cases} x=3 \\ y=2 \end{cases}$

(i), (ii)에서 구하는 해는

$\begin{cases} x=2 \\ y=3 \end{cases}$ 또는 $\begin{cases} x=3 \\ y=2 \end{cases}$

STEP 3 x^2+y^2의 값 구하기

$\therefore x^2+y^2=2^2+3^2=13$

03-5 답 17

해결전략 | $x+y=a$, $xy=b$로 놓은 후 a, b에 대한 연립방정식을 풀어 해를 구한다.

STEP 1 $x+y=a$, $xy=b$로 놓고 주어진 연립방정식을 a, b에 대한 연립방정식으로 변형하여 풀기

$\begin{cases} xy+x+y=9 \\ x^2y+xy^2=20 \end{cases}$에서 $\begin{cases} xy+x+y=9 \\ xy(x+y)=20 \end{cases}$

$x+y=a$, $xy=b$로 놓으면 주어진 연립방정식은

$\begin{cases} a+b=9 & \cdots\cdots ㉠ \\ ab=20 & \cdots\cdots ㉡ \end{cases}$

㉠에서 $b=9-a$ ······ ㉢

㉢을 ㉡에 대입하면 $a(9-a)=20$

$a^2-9a+20=0$, $(a-4)(a-5)=0$

$\therefore a=4$ 또는 $a=5$

이것을 ㉢에 대입하면

$a=4$일 때 $b=5$, $a=5$일 때 $b=4$

STEP 2 주어진 연립방정식 풀기

(i) $a=4$, $b=5$, 즉 $x+y=4$, $xy=5$일 때,

x, y는 t에 대한 이차방정식 $t^2-4t+5=0$의 두 근이다. 이 이차방정식의 판별식을 D라고 하면

$\dfrac{D}{4}=(-2)^2-5=-1<0$

이므로 서로 다른 두 허근을 갖는다.

즉, 이 이차방정식을 만족시키는 자연수 x, y의 값은 존재하지 않는다.

(ii) $a=5$, $b=4$, 즉 $x+y=5$, $xy=4$일 때,

x, y는 t에 대한 이차방정식 $t^2-5t+4=0$의 두 근이므로

$(t-1)(t-4)=0$

$\therefore t=1$ 또는 $t=4$

$\therefore \begin{cases} x=1 \\ y=4 \end{cases}$ 또는 $\begin{cases} x=4 \\ y=1 \end{cases}$

(i), (ii)에서 구하는 해는

$\begin{cases} x=1 \\ y=4 \end{cases}$ 또는 $\begin{cases} x=4 \\ y=1 \end{cases}$

STEP 3 x^2+y^2의 값 구하기

$\therefore x^2+y^2=1^2+4^2=17$

> **풍쌤의 비법**
>
> $a=5$, $b=4$, 즉 $x+y=5$, $xy=4$일 때 t에 대한 이차방정식을 세워 x, y의 값을 구하지 않고 곱셈 공식의 변형을 이용하여 풀 수도 있다. 즉,
>
> $x^2+y^2=(x+y)^2-2xy=5^2-2\times4=17$

03-6 답 $-\frac{1}{2}$

해결전략 | 주어진 방정식을 정리하여 x, y를 두 근으로 하는 이차방정식을 구한다.

STEP4 주어진 방정식을 정리하기

$\begin{cases} xy=8 \\ \frac{1}{x}+\frac{1}{y}=\frac{3}{4} \end{cases}$에서 $\begin{cases} xy=8 \\ \frac{x+y}{xy}=\frac{3}{4} \end{cases}$

즉, $\begin{cases} xy=8 \\ \frac{x+y}{8}=\frac{3}{4} \end{cases}$이므로 $\begin{cases} xy=8 \\ x+y=6 \end{cases}$

STEP2 이차방정식의 두 근의 합과 곱을 이용하여 x, y를 두 근으로 하는 이차방정식 만들어 풀기

$x+y=6$, $xy=8$일 때, x, y는 t에 대한 이차방정식 $t^2-6t+8=0$의 두 근이므로

$(t-2)(t-4)=0$ $\therefore t=2$ 또는 $t=4$

$\therefore x=2$, $y=4$ ($\because a<b$, 즉 $x<y$)

STEP3 주어진 이차방정식의 두 근의 합 구하기

$a=2$, $b=4$를 $bx^2+ax-1=0$에 대입하면

$4x^2+2x-1=0$

따라서 이 이차방정식의 두 근의 합은 이차방정식의 근과 계수의 관계에 의하여

$-\frac{2}{4}=-\frac{1}{2}$

필수유형 04

211쪽

04-1 답 (1) 4 (2) $a\le\frac{15}{4}$

해결전략 | 일차방정식을 이차방정식에 대입한 후 이차방정식의 판별식을 이용하여 주어진 해의 조건을 만족시키는 a의 값을 구한다.

(1) STEP1 일차방정식을 이차방정식에 대입한 후 정리하기

$\begin{cases} x+y=a & \cdots\cdots ㉠ \\ x^2+y^2=8 & \cdots\cdots ㉡ \end{cases}$

㉠에서 $y=-x+a$ ······ ㉢

㉢을 ㉡에 대입하면 $x^2+(-x+a)^2=8$

$\therefore 2x^2-2ax+a^2-8=0$ ······ ㉣

STEP2 주어진 해의 조건을 만족시키는 a의 값 구하기

주어진 연립방정식이 오직 한 쌍의 해를 가지려면 이차방정식 ㉣이 중근을 가져야 하므로 ㉣의 판별식을 D라고 하면

$\frac{D}{4}=(-a)^2-2(a^2-8)=0$, $a^2=16$

$\therefore a=4$ ($\because a>0$)

(2) STEP1 주어진 조건을 만족시키는 이차방정식 구하기

$\begin{cases} x+y=2a-16 \\ xy=a^2+4 \end{cases}$를 만족시키는 실수 x, y는 t에 대한 이차방정식 $t^2-2(a-8)t+a^2+4=0$ ······ ㉠

의 두 근이다.

STEP2 해의 조건을 만족시키는 a의 값의 범위 구하기

주어진 연립방정식이 실근을 가지려면 이차방정식 ㉠이 실근을 가져야 하므로 ㉠의 판별식을 D라고 하면

$\frac{D}{4}=\{-(a-8)\}^2-(a^2+4)\ge0$, $-16a+60\ge0$

$\therefore a\le\frac{15}{4}$

04-2 답 7

해결전략 | 일차방정식을 이차방정식에 대입한 후 이차방정식의 판별식을 이용하여 주어진 해의 조건을 만족시키는 k의 값을 구한다.

STEP1 일차방정식을 이차방정식에 대입한 후 정리하기

$\begin{cases} 2x-y=5 & \cdots\cdots ㉠ \\ x^2-2y=k & \cdots\cdots ㉡ \end{cases}$

㉠에서 $y=2x-5$ ······ ㉢

㉢을 ㉡에 대입하면 $x^2-2(2x-5)=k$

$\therefore x^2-4x+10-k=0$ ······ ㉣

STEP2 주어진 해의 조건을 만족시키는 k의 값 구하기

주어진 연립방정식이 오직 한 쌍의 해를 가지려면 이차방정식 ㉣이 중근을 가져야 하므로 ㉣의 판별식을 D라고 하면

$\frac{D}{4}=(-2)^2-(10-k)=0$, $-6+k=0$

$\therefore k=6$

STEP3 $\alpha+\beta+k$의 값 구하기

㉣에 $k=6$을 대입하면

$x^2-4x+4=0$, $(x-2)^2=0$

$\therefore x=2$

$x=2$를 ㉢에 대입하면 $y=-1$

$\therefore \alpha=2$, $\beta=-1$

$\therefore \alpha+\beta+k=2+(-1)+6=7$

04-3 답 0

해결전략 | 이차방정식의 판별식을 이용하여 주어진 해의 조건을 만족시키는 a의 값의 범위를 구한다.

STEP1 주어진 조건을 만족시키는 이차방정식 구하기

$\begin{cases} x+y=2(a-2) \\ xy=a^2+2a \end{cases}$를 만족시키는 실수 x, y는 t에 대한

이차방정식 $t^2-2(a-2)t+a^2+2a=0$ ...... ㉠

의 두 근이다.

STEP2 해의 조건을 만족시키는 a의 값의 범위 구하기

주어진 연립방정식이 실근을 가지려면 이 이차방정식 ㉠이 실근을 가져야 하므로 ㉠의 판별식을 D라고 하면

$\frac{D}{4}=\{-(a-2)\}^2-(a^2+2a)\geq 0,\ -6a+4\geq 0$

$\therefore a\leq \frac{2}{3}$

STEP3 정수 a의 최댓값 구하기

따라서 정수 a의 최댓값은 0이다.

04-4 답 $a<-2$

해결전략 | 일차방정식을 이차방정식에 대입한 후 이차방정식의 판별식을 이용하여 주어진 해의 조건을 만족시키는 a의 값의 범위를 구한다.

STEP1 일차방정식을 이차방정식에 대입한 후 정리하기

$\begin{cases} x^2+2x-2y=0 & \cdots\cdots ㉠ \\ x+y=a & \cdots\cdots ㉡ \end{cases}$

㉡에서 $y=-x+a$ ...... ㉢

㉢을 ㉠에 대입하면

$x^2+2x-2(-x+a)=0$

$\therefore x^2+4x-2a=0$ ...... ㉣

STEP2 주어진 해의 조건을 만족시키는 a의 값의 범위 구하기

주어진 연립방정식의 실근이 존재하지 않으려면 이차방정식 ㉣의 실근이 존재하지 않아야 하므로 ㉣의 판별식을 D라고 하면

$\frac{D}{4}=2^2-(-2a)<0,\ 4+2a<0$

$\therefore a<-2$

04-5 답 5

해결전략 | 이차방정식의 판별식을 이용하여 주어진 해의 조건을 만족시키는 k의 값의 범위를 구한다.

STEP1 주어진 조건을 만족시키는 이차방정식 구하기

$\begin{cases} x+y=6 & \cdots\cdots ㉠ \\ x+y+xy=3k-1 & \cdots\cdots ㉡ \end{cases}$

㉠을 ㉡에 대입하면 $6+xy=3k-1$

$\therefore xy=3k-7$ ...... ㉢

㉠, ㉢을 만족시키는 실수 x, y는 t에 대한 이차방정식

$t^2-6t+3k-7=0$ ...... ㉣

의 두 실근이다.

STEP2 해의 조건을 만족시키는 k의 값의 범위 구하기

주어진 연립방정식이 실근을 가지려면 이차방정식 ㉣이 실근을 가져야 하므로 ㉣의 판별식을 D라고 하면

$\frac{D}{4}=(-3)^2-(3k-7)\geq 0,\ -3k+16\geq 0$

$\therefore k\leq \frac{16}{3}$

STEP3 양의 정수 k의 개수 구하기

따라서 양의 정수 k는 1, 2, 3, 4, 5의 5개이다.

04-6 답 −6

해결전략 | 일차방정식을 이차방정식에 대입한 후 이차방정식의 판별식을 이용하여 주어진 해의 조건을 만족시키는 k의 값의 범위를 구한다.

STEP1 일차방정식을 이차방정식에 대입한 후 정리하기

$\begin{cases} x+y=k & \cdots\cdots ㉠ \\ 2x^2+x-y^2=5-2k^2 & \cdots\cdots ㉡ \end{cases}$

㉠에서 $y=-x+k$ ...... ㉢

㉢을 ㉡에 대입하면 $2x^2+x-(-x+k)^2=5-2k^2$

$\therefore x^2+(2k+1)x+k^2-5=0$ ...... ㉣

STEP2 주어진 해의 조건을 만족시키는 k의 값의 범위 구하기

주어진 연립방정식의 실근이 존재하지 않으려면 이차방정식 ㉣의 실근이 존재하지 않아야 하므로 ㉣의 판별식을 D라고 하면

$D=(2k+1)^2-4(k^2-5)<0,\ 4k+21<0$

$\therefore k<-\frac{21}{4}$

STEP3 정수 k의 최댓값 구하기

따라서 정수 k의 최댓값은 -6이다.

필수유형 05

213쪽

05-1 답 2 m

해결전략 | 꽃밭의 가로의 길이를 x m, 세로의 길이를 y m로 놓고 연립방정식을 세워 해결한다.

STEP1 꽃밭의 가로의 길이를 x m, 세로의 길이를 y m로 놓고 연립방정식 세우기

꽃밭의 가로의 길이를 x m, 세로의 길이를 y m라고 하면

둘레의 길이가 12 m이므로

$2(x+y)=12 \quad \therefore x+y=6$ ...... ㉠

대각선의 길이가 $2\sqrt{5}$ m이므로

$\sqrt{x^2+y^2}=2\sqrt{5} \quad \therefore x^2+y^2=20$ ...... ㉡

STEP2 연립방정식을 풀어 x, y의 값 구하기

㉠에서 $y=6-x$ ······ ㉢

㉢을 ㉡에 대입하면

$x^2+(6-x)^2=20$, $x^2-6x+8=0$

$(x-2)(x-4)=0$ $\therefore x=2$ 또는 $x=4$

이것을 ㉢에 대입하면

$x=2$일 때 $y=4$, $x=4$일 때 $y=2$

STEP3 꽃밭의 가로의 길이와 세로의 길이의 차 구하기

따라서 꽃밭의 가로의 길이와 세로의 길이의 차는

$4-2=2$(m)

05-2 답 48 m²

해결전략 | 처음 직사각형 모양의 땅의 가로의 길이를 x m, 세로의 길이를 y m로 놓고 연립방정식을 세워 해결한다.

STEP1 처음 직사각형 모양의 땅의 가로의 길이를 x m, 세로의 길이를 y m로 놓고 연립방정식 세우기

처음 땅의 가로의 길이를 x m, 세로의 길이를 y m라고 하면 대각선의 길이가 10 m이므로

$\sqrt{x^2+y^2}=10$ $\therefore x^2+y^2=100$ ······ ㉠

가로의 길이를 1 m 줄이고, 세로의 길이를 2 m 늘이면 땅의 넓이가 8 m²만큼 넓어지므로

$(x-1)(y+2)=xy+8$

$\therefore y=2x-10$ ······ ㉡

STEP2 연립방정식을 풀어 x, y의 값 구하기

㉡을 ㉠에 대입하면

$x^2+(2x-10)^2=100$, $x^2-8x=0$

$x(x-8)=0$ $\therefore x=8$ ($\because x>0$)

$x=8$을 ㉡에 대입하면 $y=6$

STEP3 처음 땅의 넓이 구하기

따라서 처음 땅의 넓이는

$8\times6=48$(m²)

05-3 답 2 cm

해결전략 | 직각삼각형의 빗변이 아닌 두 변의 길이를 각각 x cm, y cm로 놓고 연립방정식을 세워 해결한다.

STEP1 직각삼각형의 빗변의 길이 구하기

넓이가 25π cm²인 원의 반지름의 길이는 5 cm이고, 원에 내접하는 직각삼각형의 빗변의 길이는 원의 지름의 길이와 같으므로 직각삼각형의 빗변의 길이는 10 cm이다.

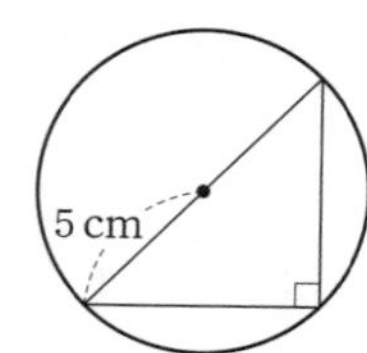

STEP2 직각삼각형의 빗변이 아닌 두 변의 길이를 각각 x cm, y cm로 놓고 연립방정식 세우기

직각삼각형의 빗변이 아닌 두 변의 길이를 각각 x cm, y cm라고 하면 직각삼각형의 둘레의 길이가 24 cm이므로

$x+y+10=24$ $\therefore x+y=14$ ······ ㉠

빗변의 길이가 10 cm이므로

$x^2+y^2=100$ ······ ㉡

STEP3 연립방정식을 풀어 x, y의 값 구하기

㉠에서 $y=14-x$ ······ ㉢

㉢을 ㉡에 대입하면

$x^2+(14-x)^2=100$, $x^2-14x+48=0$

$(x-6)(x-8)=0$ $\therefore x=6$ 또는 $x=8$

이것을 ㉢에 대입하면

$x=6$일 때 $y=8$, $x=8$일 때 $y=6$

STEP4 빗변이 아닌 두 변의 길이의 차 구하기

따라서 빗변이 아닌 두 변의 길이의 차는

$8-6=2$(cm)

05-4 답 2

해결전략 | 두 원 O_1, O_2의 반지름의 길이를 각각 r_1, r_2로 놓고 연립방정식을 세워 해결한다.

STEP1 두 원 O_1, O_2의 반지름의 길이를 각각 r_1, r_2로 놓고 연립방정식 세우기

두 원 O_1, O_2의 반지름의 길이를 각각 r_1, r_2라고 하면 두 원의 둘레의 길이의 합이 12π이므로

$2\pi r_1+2\pi r_2=12\pi$ $\therefore r_1+r_2=6$ ······ ㉠

두 원의 넓이의 합이 20π이므로

$\pi r_1^2+\pi r_2^2=20\pi$ $\therefore r_1^2+r_2^2=20$ ······ ㉡

STEP2 연립방정식을 풀어 r_1, r_2의 값 구하기

㉠에서 $r_2=6-r_1$ ······ ㉢

㉢을 ㉡에 대입하면

$r_1^2+(6-r_1)^2=20$, $r_1^2-6r_1+8=0$

$(r_1-2)(r_1-4)=0$ $\therefore r_1=2$ 또는 $r_1=4$

이것을 ㉢에 대입하면

$r_1=2$일 때 $r_2=4$, $r_1=4$일 때 $r_2=2$

STEP3 두 원의 반지름의 길이의 차 구하기

따라서 두 원의 반지름의 길이의 차는

$4-2=2$

05-5 답 83

해결전략 | 십의 자리 숫자를 x, 일의 자리 숫자를 y로 놓고 연립방정식을 세워 해결한다.

STEP1 십의 자리 숫자를 x, 일의 자리 숫자를 y로 놓고 연립 방정식 세우기

십의 자리 숫자를 x, 일의 자리 숫자를 y라고 하면 각 자리의 숫자의 제곱의 합은 73이므로

$x^2+y^2=73$ …… ㉠

일의 자리 숫자와 십의 자리 숫자를 바꾼 정수와 처음 정수의 합은 121이므로

$(10y+x)+(10x+y)=121$

$\therefore x+y=11$ …… ㉡

STEP2 연립방정식을 풀어 x, y의 값 구하기

㉡에서 $y=11-x$ …… ㉢

㉢을 ㉠에 대입하면

$x^2+(11-x)^2=73$, $x^2-11x+24=0$

$(x-3)(x-8)=0$ $\therefore x=3$ 또는 $x=8$

이것을 ㉢에 대입하면

$x=3$일 때 $y=8$, $x=8$일 때 $y=3$

STEP3 처음 정수 구하기

이때 십의 자리 숫자가 일의 자리 숫자보다 크므로 처음 정수는 83이다.

05-6 답 60

해결전략 | 남아 있는 입체도형의 겉넓이를 이용하여 연립방정식을 세워 해결한다.

STEP1 남아 있는 입체도형의 겉넓이를 S로 놓고 방정식 세우기

남아 있는 입체도형의 겉넓이를 S라고 하면 S는 정육면체의 겉넓이에서 원기둥의 두 밑면의 넓이를 빼고 원기둥의 옆면의 넓이를 더한 것과 같으므로

$S=6a^2-2\pi b^2+2\pi ab=6a^2+2\pi(ab-b^2)$

STEP2 a, b가 유리수임을 이용하여 연립방정식 풀기

$S=216+16\pi$이므로

$6a^2+2\pi(ab-b^2)=216+16\pi$에서

$6a^2-216+2\pi(ab-b^2-8)=0$

이때 a, b가 유리수, π가 무리수이므로

$6a^2-216=0$, $ab-b^2-8=0$

$6a^2=216$에서 $a^2=36$ $\therefore a=6$ ($\because a>0$)

$a=6$을 $ab-b^2-8=0$에 대입하면

$b^2-6b+8=0$, $(b-2)(b-4)=0$

$\therefore b=2$ 또는 $b=4$

그런데 $a>2b$이므로 $b=2$

STEP3 $15(a-b)$의 값 구하기

$\therefore 15(a-b)=15\times(6-2)=60$

필수유형 06

215쪽

06-1 답 (1) $k=-3$ 또는 $k=0$ (2) -2

해결전략 | 두 이차방정식의 공통근을 α라 하고 α에 대한 연립방정식을 푼다.

(1) **STEP1 두 이차방정식의 공통근을 α라 하고 α에 대한 연립방정식 세우기**

두 이차방정식의 공통근을 α라고 하면

$\begin{cases} \alpha^2+(k+2)\alpha-3=0 & \cdots\cdots ㉠ \\ \alpha^2-\alpha+k=0 & \cdots\cdots ㉡ \end{cases}$

STEP2 실수 k의 값 구하기

㉠−㉡을 하면 $(k+3)\alpha-(k+3)=0$

$(k+3)(\alpha-1)=0$ $\therefore k=-3$ 또는 $\alpha=1$

(i) $k=-3$일 때,

두 이차방정식이 모두 $x^2-x-3=0$으로 일치하므로 공통근을 갖는다.

(ii) $\alpha=1$일 때,

이것을 ㉠에 대입하면

$1+k+2-3=0$ $\therefore k=0$

(i), (ii)에서 $k=-3$ 또는 $k=0$

(2) **STEP1 두 이차방정식의 공통근을 α라 하고 α에 대한 연립방정식 세우기**

두 이차방정식의 공통근을 α라고 하면

$\alpha^2+3(k-1)\alpha-7k=0$ …… ㉠

$\alpha^2-(3k+1)\alpha+7k=0$ …… ㉡

STEP2 실수 k의 값 구하기

㉠+㉡을 하면 $2\alpha^2-4\alpha=0$

$\alpha(\alpha-2)=0$ $\therefore \alpha=2$ ($\because \alpha\neq0$)

$\alpha=2$를 ㉠에 대입하면

$4+3(k-1)\times2-7k=0$

$\therefore k=-2$

06-2 답 $\frac{1}{2}$

해결전략 | 두 이차방정식의 공통근 α에 대한 연립방정식을 푼다.

STEP1 두 이차방정식의 공통근 α에 대한 연립방정식 세우기

두 이차방정식의 공통근이 α이므로

$\begin{cases} 2\alpha^2+2m\alpha-1=0 & \cdots\cdots ㉠ \\ 2\alpha^2+m\alpha+m-1=0 & \cdots\cdots ㉡ \end{cases}$

STEP2 $m+\alpha$의 값 구하기

㉠−㉡을 하면 $m\alpha-m=0$, $m(\alpha-1)=0$

$\therefore m=0$ 또는 $\alpha=1$

(i) $m=0$일 때,

두 이차방정식이 모두 $2x^2-1=0$으로 일치하므로 공통근은 2개이다.

(ii) $\alpha=1$일 때,

이것을 ㉠에 대입하면

$2+2m-1=0 \qquad \therefore m=-\frac{1}{2}$

(i), (ii)에서 $m+\alpha=-\frac{1}{2}+1=\frac{1}{2}$

06-3 답 $-\frac{2}{3}$

해결전략 | 두 이차방정식의 공통근 α에 대한 연립방정식을 푼다.

STEP1 두 이차방정식의 공통근 α에 대한 연립방정식 세우기

두 이차방정식의 공통근이 α이므로

$\begin{cases} 3\alpha^2+(2k-1)\alpha+k=0 & \cdots\cdots ㉠ \\ 3\alpha^2-(k+1)\alpha+4k=0 & \cdots\cdots ㉡ \end{cases}$

STEP2 $k\alpha$의 값 구하기

㉠−㉡을 하면

$3k\alpha-3k=0,\ k(\alpha-1)=0$

$\therefore k=0$ 또는 $\alpha=1$

(i) $k=0$일 때,

두 이차방정식이 모두 $3x^2-x=0$으로 일치하므로 공통근은 2개이다.

(ii) $\alpha=1$일 때,

이것을 ㉠에 대입하면

$3+2k-1+k=0 \qquad \therefore k=-\frac{2}{3}$

(i), (ii)에서 $k\alpha=\left(-\frac{2}{3}\right)\times 1=-\frac{2}{3}$

06-4 답 2

해결전략 | 두 방정식의 좌변을 인수분해한 후 공통근을 갖도록 하는 미지수의 값을 구한다.

STEP1 두 방정식의 좌변을 인수분해하여 근 구하기

$x^2-2x-3=0$에서 $(x+1)(x-3)=0$

$\therefore x=-1$ 또는 $x=3$ $\cdots\cdots$ ㉠

$f(x)=x^3-(a+2)x^2+(2a+1)x-a$로 놓으면

$f(1)=0$이므로

$f(x)=(x-1)\{x^2-(a+1)x+a\}$

$\quad\ =(x-1)^2(x-a)$

따라서 방정식 $f(x)=0$의 근은

$x=1$(중근) 또는 $x=a$ $\cdots\cdots$ ㉡

STEP2 모든 실수 a의 값의 합 구하기

두 방정식이 공통근을 가지려면 ㉠, ㉡에서

$a=-1$ 또는 $a=3$

따라서 모든 실수 a의 값의 합은

$-1+3=2$

06-5 답 1

해결전략 | 두 이차방정식의 공통근을 α라 하고 α에 대한 연립방정식을 푼다.

STEP1 두 이차방정식의 공통근을 α라 하고 α에 대한 연립방정식 세우기

두 이차방정식의 공통근을 α라고 하면

$\alpha^2+a^2\alpha+b^2-2a=0$ $\cdots\cdots$ ㉠

$\alpha^2-2a\alpha+a^2+b^2=0$ $\cdots\cdots$ ㉡

STEP2 $a+b$의 값 구하기

㉠−㉡을 하면

$(a^2+2a)\alpha-(a^2+2a)=0,\ a(a+2)(\alpha-1)=0$

$\therefore a=0$ 또는 $a=-2$ 또는 $\alpha=1$

(i) $a=0$일 때,

두 이차방정식이 모두 $x^2+b^2=0$으로 일치하므로 서로 다른 두 이차방정식이라는 조건을 만족시키지 않는다.

(ii) $a=-2$일 때,

두 이차방정식이 모두 $x^2+4x+b^2+4=0$으로 일치하므로 서로 다른 두 이차방정식이라는 조건을 만족시키지 않는다.

(iii) $\alpha=1$일 때,

$\alpha=1$을 ㉠에 대입하면

$1+a^2+b^2-2a=0,\ (a-1)^2+b^2=0$

a, b가 실수이므로 $a-1=0,\ b=0$

$\therefore a=1,\ b=0$

(i)~(iii)에서 $a+b=1+0=1$

06-6 답 16

해결전략 | 두 삼차방정식의 공통근을 α라 하고 α에 대한 연립방정식을 푼다.

STEP1 두 삼차방정식의 공통근을 α라 하고 α에 대한 연립방정식 세우기

두 삼차방정식 $x^3+ax^2+bx+1=0$, $x^3+bx^2+ax+1=0$의 공통근을 α라고 하면

$\alpha^3+a\alpha^2+b\alpha+1=0$ $\cdots\cdots$ ㉠

$\alpha^3+b\alpha^2+a\alpha+1=0$ $\cdots\cdots$ ㉡

STEP2 $a+b$의 값 구하기

㉠－㉡을 하면

$(a-b)\alpha^2-(a-b)\alpha=0$, $(a-b)\alpha(\alpha-1)=0$

$\therefore a=b$ 또는 $\alpha=0$ 또는 $\alpha=1$

(i) $a=b$일 때,

두 삼차방정식이 모두 $x^3+ax^2+ax+1=0$으로 일치하므로 서로 다른 두 삼차방정식이라는 조건을 만족시키지 않는다.

(ii) $\alpha=0$일 때,

$\alpha=0$을 ㉠에 대입하면 $1=0$이므로 등식이 성립하지 않는다.

(iii) $\alpha=1$일 때,

$\alpha=1$을 ㉠에 대입하면

$1+a+b+1=0$ $\quad\therefore a+b=-2$

STEP3 a^2+b^2의 값 구하기

(i)~(iii)에서 $a+b=-2$이고 $ab=-6$이므로

$a^2+b^2=(a+b)^2-2ab$

$=(-2)^2-2\times(-6)$

$=16$

발전유형 07

217쪽

07-1 답 (1) $x=-1,\ y=-1$ 또는 $x=-3,\ y=-3$

(2) $x=-2,\ y=-1$

해결전략 | 주어진 방정식을 정수 조건 또는 실수 조건을 이용할 수 있도록 변형한 후 해결한다.

(1) STEP1 주어진 방정식을 (일차식)×(일차식)=(정수) 꼴로 정리하기

$xy+2x+2y+3=0$에서

$x(y+2)+2(y+2)=1$

$\therefore (x+2)(y+2)=1$

STEP2 x, y가 정수임을 이용하여 x, y의 값 구하기

이때 x, y가 정수이므로 $x+2$, $y+2$도 정수이고 $x+2$, $y+2$의 곱이 1인 경우는 다음 표와 같다.

$x+2$	1	-1
$y+2$	1	-1

$\therefore x=-1,\ y=-1$ 또는 $x=-3,\ y=-3$

(2) STEP1 주어진 방정식을 A^2+B^2 꼴로 변형하기

$x^2-4xy+5y^2+2y+1=0$에서

$x^2-4xy+4y^2+y^2+2y+1=0$

$\therefore (x-2y)^2+(y+1)^2=0$

STEP2 x, y가 실수임을 이용하여 x, y의 값 구하기

x, y는 실수이므로 (실수)$^2\ge0$

즉, 주어진 방정식이 성립하려면

$x-2y=0$, $y+1=0$

$\therefore x=-2,\ y=-1$

07-2 답 $x=1,\ y=5$ 또는 $x=2,\ y=4$ 또는 $x=5,\ y=3$

해결전략 | 주어진 방정식을 양의 정수 조건을 이용할 수 있도록 변형한 후 해결한다.

STEP1 주어진 방정식을 (일차식)×(일차식)=(정수) 꼴로 정리하기

$xy-2x+y-8=0$에서 $x(y-2)+(y-2)=6$

$\therefore (x+1)(y-2)=6$

STEP2 x, y가 양의 정수임을 이용하여 x, y의 값 구하기

이때 x, y가 양의 정수이므로 $x+1$은 양의 정수, $y-2$는 정수이고 $x+1$, $y-2$의 곱이 6인 경우는 다음 표와 같다.

$x+1$	1	2	3	6
$y-2$	6	3	2	1

$\therefore x=0,\ y=8$ 또는 $x=1,\ y=5$

또는 $x=2,\ y=4$ 또는 $x=5,\ y=3$

그런데 x, y가 양의 정수이므로 구하는 x, y의 값은

$x=1,\ y=5$ 또는 $x=2,\ y=4$ 또는 $x=5,\ y=3$

07-3 답 12

해결전략 | 주어진 방정식을 양의 정수 조건을 이용할 수 있도록 변형한 후 해결한다.

STEP1 주어진 방정식을 (일차식)×(일차식)=(정수) 꼴로 정리하기

$ab=a^2+b+3$에서 $a^2-ab+b+3=0$

$a^2-1-b(a-1)=-4$

$\therefore (a-1)(a-b+1)=-4$

STEP2 a, b가 양의 정수임을 이용하여 a, b의 값 구하기

이때 a, b가 양의 정수이므로 $a-1$은 0 이상의 정수, $a-b+1$은 정수이고 $a-1$, $a-b+1$의 곱이 -4인 경우는 다음 표와 같다.

$a-1$	1	2	4
$a-b+1$	-4	-2	-1

$\therefore a=2,\ b=7$ 또는 $a=3,\ b=6$ 또는 $a=5,\ b=7$

STEP3 $a+b$의 최댓값 구하기

따라서 $a+b$의 최댓값은 $a=5,\ b=7$일 때이므로 12이다.

07-4 답 4

해결전략 | 이차방정식의 근과 계수의 관계를 이용하여 관계식을 구한 후 정수 조건을 이용할 수 있도록 변형하여 해결한다.

STEP1 이차방정식의 근과 계수의 관계를 이용하여 관계식 구하기

이차방정식 $x^2-kx+k+2=0$의 두 근을 α, β라고 하면 이차방정식의 근과 계수의 관계에 의하여

$\alpha+\beta=k$ ...... ㉠

$\alpha\beta=k+2$ ...... ㉡

STEP2 관계식을 (일차식)×(일차식)=(정수) 꼴로 정리하기

㉠을 ㉡에 대입하면

$\alpha\beta=\alpha+\beta+2$

$\alpha\beta-\alpha-\beta=2$

$\alpha(\beta-1)-(\beta-1)-1=2$

$\therefore (\alpha-1)(\beta-1)=3$

STEP3 α, β가 정수임을 이용하여 α, β의 값 구하기

이때 α, β가 정수이므로 $\alpha-1$, $\beta-1$은 정수이고 $\alpha-1$, $\beta-1$의 곱이 3인 경우는 다음 표와 같다.

$\alpha-1$	1	3	-1	-3
$\beta-1$	3	1	-3	-1

$\therefore \alpha=2$, $\beta=4$ 또는 $\alpha=4$, $\beta=2$

또는 $\alpha=0$, $\beta=-2$ 또는 $\alpha=-2$, $\beta=0$

STEP4 모든 상수 k의 값의 합 구하기

㉠에서 $k=\alpha+\beta$이므로 $k=6$ 또는 $k=-2$

따라서 모든 상수 k의 값의 합은

$6+(-2)=4$

07-5 답 $x=-2$, $y=6$

해결전략 | 주어진 방정식을 x에 대하여 내림차순으로 정리한 후 이차방정식의 판별식을 이용하여 해결한다.

STEP1 주어진 방정식을 x에 대하여 내림차순으로 정리하기

주어진 방정식을 x에 대하여 내림차순으로 정리하면

$3x^2+2yx+y^2-8y+24=0$ ...... ㉠

STEP2 이차방정식의 판별식을 이용하여 x, y의 값 구하기

x가 실수이므로 x에 대한 이차방정식 ㉠은 실근을 가져야 한다.

㉠의 판별식을 D라고 하면

$\frac{D}{4}=y^2-3(y^2-8y+24)\geq 0$

$-2y^2+24y-72\geq 0$, $y^2-12y+36\leq 0$

$(y-6)^2\leq 0$

이때 y가 실수이므로 $y=6$

$y=6$을 ㉠에 대입하면

$3x^2+12x+12=0$

$x^2+4x+4=0$

$(x+2)^2=0$ $\quad\therefore x=-2$

> **풍쌤의 비법**
>
> 실수 조건이 주어진 부정방정식에서 x^2, y^2, x, y 이외에 xy가 있으면 인수분해가 어려운 경우가 많으므로 이때는 한 문자에 대한 내림차순으로 정리한 후 이차방정식의 판별식을 이용하는 것이 좋다.

07-6 답 9

해결전략 | 항등식의 성질을 이용하여 a, b 사이의 관계식을 구한 후 자연수 조건을 이용하여 해결한다.

STEP1 $x^2-x=X$로 치환하여 주어진 식 정리하기

$(x^2-x)(x^2-x+3)+k(x^2-x)+8$

$=(x^2-x+a)(x^2-x+b)$

에서 $x^2-x=X$로 놓으면

$X(X+3)+kX+8=(X+a)(X+b)$

$X^2+(k+3)X+8=X^2+(a+b)X+ab$ ...... ㉠

STEP2 항등식의 성질을 이용하여 a, b 사이의 관계식 구하기

㉠은 X에 대한 항등식이므로

$a+b=k+3$, $ab=8$

STEP3 a, b가 자연수임을 이용하여 상수 k의 값 구하기

$ab=8$이고 a, b $(a<b)$가 자연수이므로

$a=1$, $b=8$ 또는 $a=2$, $b=4$

(i) $a=1$, $b=8$인 경우

$k+3=a+b=1+8=9$ $\quad\therefore k=6$

(ii) $a=2$, $b=4$인 경우

$k+3=a+b=2+4=6$ $\quad\therefore k=3$

STEP4 모든 상수 k의 값의 합 구하기

(i), (ii)에서 모든 상수 k의 값의 합은

$6+3=9$

> **풍쌤의 비법**
>
> $Ax^2+Bx+C=A'x^2+B'x+C'$이 x에 대한 항등식이면
>
> $A=A'$, $B=B'$, $C=C'$

실전 연습 문제 218~220쪽

01 ③	02 ③	03 0	04 ①	05 ①
06 20	07 ⑤	08 25	09 ①	10 ⑤
11 3	12 ④	13 30	14 ⑤	15 −1
16 ④	17 ②	18 ②		

01

해결전략 | 일차방정식을 한 문자에 대하여 정리한 후 이차방정식에 대입하여 푼다.

STEP1 $2x-y=3$을 y에 대하여 정리한 후 이차방정식에 대입하여 풀기

$2x-y=3$에서 $y=2x-3$ ...... ㉠

㉠을 $x^2-y=2$에 대입하면

$x^2-(2x-3)=2$, $x^2-2x+1=0$

$(x-1)^2=0$ $\therefore x=1$

이것을 ㉠에 대입하면 $y=-1$

따라서 주어진 연립방정식의 해는

$x=1$, $y=-1$

STEP2 $\alpha+\beta$의 값 구하기

즉, $\alpha=1$, $\beta=-1$이므로

$\alpha+\beta=1+(-1)=0$

02

해결전략 | 일차방정식을 한 문자에 대하여 정리한 후 이차방정식에 대입하여 푼다.

STEP1 $x-y=3$을 y에 대하여 정리한 후 이차방정식에 대입하여 풀기

$x-y=3$에서 $y=x-3$ ...... ㉠

㉠을 $x^2+3xy+y^2=-1$에 대입하면

$x^2+3x(x-3)+(x-3)^2=-1$

$5x^2-15x+10=0$, $x^2-3x+2=0$

$(x-1)(x-2)=0$

$\therefore x=1$ 또는 $x=2$

이것을 ㉠에 대입하면

$x=1$일 때 $y=-2$, $x=2$일 때 $y=-1$

따라서 주어진 연립방정식의 해는

$\begin{cases} x=1 \\ y=-2 \end{cases}$ 또는 $\begin{cases} x=2 \\ y=-1 \end{cases}$

STEP2 $3\alpha-\beta$의 값 구하기

이때 $|\alpha|<|\beta|$에서 $\alpha=1$, $\beta=-2$이므로

$3\alpha-\beta=3\times1-(-2)=5$

03

해결전략 | 주어진 두 연립방정식을 이용하여 새로운 연립방정식을 만들어 해결한다.

STEP1 주어진 두 연립방정식과 해가 같은 새로운 연립방정식 만들기

두 연립방정식의 공통인 해는 연립방정식

$\begin{cases} x+y=7 \\ x^2+y^2=25 \end{cases}$를 만족시킨다.

STEP2 연립방정식의 해 구하기

$x+y=7$에서 $y=7-x$ ...... ㉠

㉠을 $x^2+y^2=25$에 대입하면

$x^2+(7-x)^2=25$, $x^2-7x+12=0$

$(x-3)(x-4)=0$ $\therefore x=3$ 또는 $x=4$

이것을 ㉠에 대입하면

$x=3$일 때 $y=4$, $x=4$일 때 $y=3$

STEP3 $a-b$의 값 구하기

(i) $x=3$, $y=4$를 $ax-y=1$, $x-y=b$에 각각 대입하면

$3a-4=1$, $3-4=b$ $\therefore a=\frac{5}{3}$, $b=-1$

(ii) $x=4$, $y=3$을 $ax-y=1$, $x-y=b$에 각각 대입하면

$4a-3=1$, $4-3=b$ $\therefore a=1$, $b=1$

(i), (ii)에서 a, b는 자연수이므로

$a=1$, $b=1$

$\therefore a-b=1-1=0$

04

해결전략 | 인수분해가 되는 이차방정식을 인수분해한 후 다른 이차방정식에 대입하여 푼다.

STEP1 인수분해가 되는 이차방정식 인수분해하기

$x^2-y^2=0$에서 $(x-y)(x+y)=0$

$\therefore x=y$ 또는 $x=-y$

STEP2 인수분해하여 얻은 일차방정식을 이차방정식에 대입하여 풀기

(i) $x=y$를 $x^2+xy+2y^2=4$에 대입하면

$y^2+y\times y+2y^2=4$, $y^2=1$

$\therefore x=\pm1$, $y=\pm1$ (복부호 동순)

$\therefore \alpha+\beta=2$ 또는 $\alpha+\beta=-2$

(ii) $x=-y$를 $x^2+xy+2y^2=4$에 대입하면

$(-y)^2+(-y)\times y+2y^2=4$, $y^2=2$

$\therefore x=\mp\sqrt{2}$, $y=\pm\sqrt{2}$ (복부호 동순)

$\therefore \alpha+\beta=0$

STEP3 $\alpha+\beta$의 최댓값 구하기

(i), (ii)에서 $\alpha+\beta$의 최댓값은 2이다.

05

해결전략 | 인수분해가 되는 이차방정식을 인수분해한 후 이차방정식에 대입하여 푼다.

STEP1 인수분해가 되는 이차방정식 인수분해하기

$4x^2+y^2=4xy$에서 $4x^2-4xy+y^2=0$

$(2x-y)^2=0 \quad \therefore y=2x$

STEP2 인수분해하여 얻은 일차방정식을 이차방정식에 대입하여 풀기

$y=2x$를 $x^2+y^2=40$에 대입하면

$x^2+(2x)^2=40,\ x^2=8 \quad \therefore x=\pm2\sqrt{2}$

이것을 $y=2x$에 대입하면

$y=\pm4\sqrt{2}$

주어진 연립방정식의 해는

$\begin{cases} x=2\sqrt{2} \\ y=4\sqrt{2} \end{cases}$ 또는 $\begin{cases} x=-2\sqrt{2} \\ y=-4\sqrt{2} \end{cases}$

STEP3 $\alpha\beta$의 값 구하기

$\therefore \alpha\beta=16$

06

해결전략 | 상수항을 소거하여 인수분해한 후 이차방정식에 대입하여 푼다.

STEP1 상수항을 소거하여 인수분해하기

$\begin{cases} x^2-xy=12 & \cdots\cdots ㉠ \\ xy-y^2=4 & \cdots\cdots ㉡ \end{cases}$

㉠$-$㉡$\times3$을 하면 $x^2-4xy+3y^2=0$

$(x-3y)(x-y)=0$

$\therefore x=3y$ 또는 $x=y$ …… ❶

STEP2 인수분해하여 얻은 일차방정식을 이차방정식에 대입하여 풀기

(i) $x=3y$를 ㉠에 대입하면

$(3y)^2-3y\times y=12$

$y^2=2 \quad \therefore y=\pm\sqrt{2}$

$y=\pm\sqrt{2}$를 $x=3y$에 대입하면 $x=\pm3\sqrt{2}$

(ii) $x=y$를 ㉠에 대입하면

$y^2-y^2=12$

$0=12$

따라서 해가 존재하지 않는다. …… ❷

STEP3 $\alpha^2+\beta^2$의 값 구하기

(i), (ii)에서

$\alpha^2+\beta^2=18+2=20$ …… ❸

채점 요소	배점
❶ 주어진 연립방정식의 상수항을 소거하여 두 개의 일차방정식 얻기	30 %
❷ 인수분해하여 얻은 일차방정식을 이차방정식에 대입하여 풀기	60 %
❸ $\alpha^2+\beta^2$의 값 구하기	10 %

07

해결전략 | 이차항을 소거하여 인수분해한 후 이차방정식에 대입하여 푼다.

STEP1 이차항 소거하기

$\begin{cases} 2x^2+3y-2x=9 & \cdots\cdots ㉠ \\ x^2+y-3x=-1 & \cdots\cdots ㉡ \end{cases}$

㉠$-$㉡$\times2$를 하면

$y+4x=11 \quad \therefore y=11-4x$ …… ㉢

STEP2 이차항을 소거하여 얻은 일차방정식을 이차방정식에 대입하여 풀기

㉢을 ㉡에 대입하면

$x^2+11-4x-3x=-1$

$x^2-7x+12=0,\ (x-3)(x-4)=0$

$\therefore x=3$ 또는 $x=4$

이것을 ㉢에 대입하면

$x=3$일 때 $y=-1$, $x=4$일 때 $y=-5$

주어진 연립방정식의 해는

$\begin{cases} x=3 \\ y=-1 \end{cases}$ 또는 $\begin{cases} x=4 \\ y=-5 \end{cases}$

STEP3 $(\alpha-\beta)^2$의 최댓값 구하기

$\therefore (\alpha-\beta)^2=16$ 또는 $(\alpha-\beta)^2=81$

따라서 $(\alpha-\beta)^2$의 최댓값은 81이다.

08

해결전략 | $x+y=a,\ x-y=b$로 놓은 후 $a,\ b$에 대한 연립방정식을 풀어 해를 구한다.

STEP1 $x+y=a,\ x-y=b$로 놓은 후 $a,\ b$에 대한 연립방정식 풀기

$\begin{cases} x^2-y^2=6 \\ (x+y)^2-2(x+y)=3 \end{cases}$에서

$\begin{cases} (x+y)(x-y)=6 \\ (x+y)^2-2(x+y)-3=0 \end{cases}$

이때 $x+y=a,\ x-y=b$로 놓으면

$\begin{cases} ab=6 \\ a^2-2a-3=0 \end{cases}$

$a^2-2a-3=0$에서 $(a+1)(a-3)=0$

$\therefore a=-1$ 또는 $a=3$

주어진 조건에서 x, y는 양수이므로 $a=3$

$a=3$을 $ab=6$에 대입하면

$3b=6 \qquad \therefore b=2$

STEP2 x, y의 값 구하기

$a=3$, $b=2$, 즉 $x+y=3$, $x-y=2$

두 식을 연립하여 풀면

$x=\frac{5}{2}$, $y=\frac{1}{2}$

STEP3 $20xy$의 값 구하기

$\therefore 20xy=20\times\frac{5}{2}\times\frac{1}{2}=25$

09

해결전략 | $x+y=a$, $xy=b$로 놓은 후 a, b에 대한 연립방정식을 풀어 해를 구한다.

STEP1 $x+y=a$, $xy=b$로 놓고 주어진 연립방정식을 a, b에 대한 연립방정식으로 변형하여 풀기

$x+y=a$, $xy=b$로 놓으면 주어진 연립방정식은

$\begin{cases} a^2-2b=20 & \cdots\cdots ㉠ \\ b=-8 & \cdots\cdots ㉡ \end{cases}$

㉡을 ㉠에 대입하면

$a^2+16=20$, $a^2=4 \qquad \therefore a=\pm2$

$\therefore a=2$, $b=-8$ 또는 $a=-2$, $b=-8$

STEP2 주어진 연립방정식 풀기

(i) $a=2$, $b=-8$, 즉 $x+y=2$, $xy=-8$일 때,

x, y는 t에 대한 이차방정식 $t^2-2t-8=0$의 두 근이므로

$(t+2)(t-4)=0$

$\therefore t=-2$ 또는 $t=4$

$\therefore \begin{cases} x=-2 \\ y=4 \end{cases}$ 또는 $\begin{cases} x=4 \\ y=-2 \end{cases}$

(ii) $a=-2$, $b=-8$, 즉 $x+y=-2$, $xy=-8$일 때,

x, y는 t에 대한 이차방정식 $t^2+2t-8=0$의 두 근이므로

$(t+4)(t-2)=0$

$\therefore t=-4$ 또는 $t=2$

$\therefore \begin{cases} x=-4 \\ y=2 \end{cases}$ 또는 $\begin{cases} x=2 \\ y=-4 \end{cases}$

(i), (ii)에서 구하는 해는

$\begin{cases} x=-2 \\ y=4 \end{cases}$ 또는 $\begin{cases} x=4 \\ y=-2 \end{cases}$ 또는 $\begin{cases} x=-4 \\ y=2 \end{cases}$ 또는 $\begin{cases} x=2 \\ y=-4 \end{cases}$

STEP3 $M-m$의 값 구하기

따라서 $x-y$의 최댓값 $M=6$, 최솟값 $m=-6$이므로

$M-m=6-(-6)=12$

10

해결전략 | $x+y=a$, $xy=b$로 놓은 후 a, b에 대한 연립방정식을 풀어 해를 구한다.

STEP1 $x+y=a$, $xy=b$로 놓고 주어진 연립방정식을 a, b에 대한 연립방정식으로 변형하여 풀기

$\begin{cases} xy+x+y=7 \\ x^2y+xy^2=12 \end{cases}$에서 $\begin{cases} xy+x+y=7 \\ xy(x+y)=12 \end{cases}$

$x+y=a$, $xy=b$로 놓으면 주어진 연립방정식은

$\begin{cases} a+b=7 & \cdots\cdots ㉠ \\ ab=12 & \cdots\cdots ㉡ \end{cases}$

㉠에서 $b=7-a$ $\cdots\cdots$ ㉢

㉢을 ㉡에 대입하면

$a(7-a)=12$, $a^2-7a+12=0$

$(a-3)(a-4)=0 \qquad \therefore a=3$ 또는 $a=4$

이것을 ㉢에 대입하면

$a=3$일 때 $b=4$, $a=4$일 때 $b=3$

STEP2 주어진 연립방정식 풀기

(i) $a=3$, $b=4$, 즉 $x+y=3$, $xy=4$일 때,

x, y는 t에 대한 이차방정식 $t^2-3t+4=0$의 두 근이다.

이 이차방정식의 판별식을 D라고 하면

$D=(-3)^2-16=-7<0$

이므로 서로 다른 두 허근을 갖는다.

즉, 이 이차방정식을 만족시키는 실수 x, y의 값은 존재하지 않는다.

(ii) $a=4$, $b=3$, 즉 $x+y=4$, $xy=3$일 때,

x, y는 t에 대한 이차방정식 $t^2-4t+3=0$의 두 근이므로

$(t-1)(t-3)=0 \qquad \therefore t=1$ 또는 $t=3$

$\therefore \begin{cases} x=1 \\ y=3 \end{cases}$ 또는 $\begin{cases} x=3 \\ y=1 \end{cases}$

(i), (ii)에서 주어진 연립방정식의 해는

$\begin{cases} x=1 \\ y=3 \end{cases}$ 또는 $\begin{cases} x=3 \\ y=1 \end{cases}$

STEP3 $x-y$의 값 구하기

이때 $x>y$이므로 $x=3$, $y=1$

$\therefore x-y=3-1=2$

11

해결전략 | 이차방정식의 판별식을 이용하여 주어진 해의 조건을 만족시키는 a의 값의 범위를 구한다.

STEP1 주어진 조건을 만족시키는 이차방정식 구하기

$\begin{cases} x+y=2a+4 \\ xy=3a^2+4 \end{cases}$를 만족시키는 실수 x, y는 t에 대한 이차

방정식 $t^2-2(a+2)t+3a^2+4=0$ …… ㉠

의 두 근이다. …… ❶

STEP 2 해의 조건을 만족시키는 a의 값의 범위 구하기

주어진 연립방정식이 실근을 가지려면 이차방정식 ㉠이 실근을 가져야 하므로 판별식을 D라고 하면

$\frac{D}{4}=\{-(a+2)\}^2-(3a^2+4)\geq 0$

$-2a^2+4a\geq 0$, $-a^2+a\geq 0$,

$a^2-2a\leq 0$, $a(a-2)\leq 0$

$\therefore 0\leq a\leq 2$ …… ❷

STEP 3 모든 정수 a의 값의 합 구하기

따라서 모든 정수 a의 값은 0, 1, 2이므로 그 합은

$0+1+2=3$ …… ❸

채점 요소	배점
❶ x, y를 두 근으로 하는 이차방정식 구하기	30 %
❷ 이차방정식의 판별식을 이용하여 a의 값의 범위 구하기	50 %
❸ 모든 정수 a의 값의 합 구하기	20 %

12

해결전략 | 일차방정식을 이차방정식에 대입한 후 이차방정식의 판별식을 이용하여 주어진 해의 조건을 만족시키는 범위를 구한다.

STEP 1 일차방정식을 이차방정식에 대입한 후 정리하기

$\begin{cases} x+y=2a & \cdots\cdots ㉠ \\ 2x^2+y^2=b & \cdots\cdots ㉡ \end{cases}$

㉠에서 $y=-x+2a$

이것을 ㉡에 대입하면

$2x^2+(-x+2a)^2=b$

$\therefore 3x^2-4ax+4a^2-b=0$ …… ㉢

STEP 2 주어진 해의 조건을 만족시키는 a, b 사이에 관계식 찾기

주어진 연립방정식이 오직 한 쌍의 해를 가지려면 이차방정식 ㉢이 중근을 가져야 하므로 ㉢의 판별식을 D라고 하면

$\frac{D}{4}=(-2a)^2-3(4a^2-b)=0$, $-8a^2+3b=0$

$\therefore 3b=8a^2$

STEP 3 $4a+3b$의 최솟값 구하기

$\therefore 4a+3b=4a+8a^2=8\left(a^2+\frac{1}{2}a\right)$

$=8\left\{a^2+\frac{1}{2}a+\left(\frac{1}{4}\right)^2\right\}-8\times\left(\frac{1}{4}\right)^2$

$=8\left(a+\frac{1}{4}\right)^2-\frac{1}{2}$

따라서 구하는 최솟값은 $-\frac{1}{2}$이다.

> **풍쌤의 비법**
>
> 이차함수 $y=ax^2+bx+c$의 최댓값과 최솟값은 $y=a(x-p)^2+q$ 꼴로 고친 후에 구한다.
>
> (1) $a>0$이면 최댓값은 없고 최솟값은 q이다.
>
> (2) $a<0$이면 최댓값은 q이고 최솟값은 없다.

13

해결전략 | 두 정사각형의 둘레의 길이의 합과 넓이의 합을 이용하여 연립방정식을 세워 해결한다.

STEP 1 두 정사각형의 둘레의 길이의 합을 이용하여 방정식 세우기

두 정사각형의 둘레의 길이의 합이 160 cm이므로

$4(a+b)=160$, $a+b=40$

$\therefore a=40-b$ …… ㉠

STEP 2 두 정사각형의 넓이의 합을 이용하여 방정식 세우기

두 정사각형의 넓이의 합이 1000 cm^2이므로

$a^2+b^2=1000$ …… ㉡

STEP 3 연립방정식을 풀어 a, b의 값 구하기

㉠을 ㉡에 대입하면

$(40-b)^2+b^2=1000$, $b^2-40b+300=0$

$(b-10)(b-30)=0$ $\therefore b=10$ 또는 $b=30$

이것을 ㉠에 대입하면

$b=10$일 때 $a=30$, $b=30$일 때 $a=10$

따라서 $a>b$이므로 $a=30$

14

해결전략 | 주어진 연립방정식을 풀어 r, h의 값을 구한 후 해결한다.

STEP 1 주어진 연립방정식을 풀어 r, h의 값 구하기

$\begin{cases} r+2h=8 & \cdots\cdots ㉠ \\ r^2-2h^2=8 & \cdots\cdots ㉡ \end{cases}$

㉠에서 $r=8-2h$ …… ㉢

㉢을 ㉡에 대입하면

$(8-2h)^2-2h^2=8$, $h^2-16h+28=0$

$(h-2)(h-14)=0$ $\therefore h=2$ 또는 $h=14$

이것을 ㉢에 대입하면

$h=2$일 때 $r=4$, $h=14$일 때 $r=-20$

이때 $h>0$, $r>0$이므로 $h=2$, $r=4$

STEP 2 용기의 부피 구하기

따라서 용기의 부피는

$\pi r^2h=\pi\times4^2\times2=32\pi$

15

해결전략 | 두 이차방정식의 공통근 α에 대한 연립방정식을 푼다.

STEP1 두 이차방정식의 공통근 α에 대한 연립방정식 세우기

두 이차방정식의 공통근이 α이므로

$\begin{cases}2\alpha^2+(2k-1)\alpha+k=0 & \cdots\cdots ㉠\\ 2\alpha^2-(k+1)\alpha+4k=0 & \cdots\cdots ㉡\end{cases}$

…… ❶

STEP2 두 이차방정식이 오직 한 개의 공통근 α를 가질 때, k의 값 구하기

㉠−㉡을 하면 $3k\alpha-3k=0$

$3k(\alpha-1)=0 \quad \therefore k=0$ 또는 $\alpha=1$

(i) $k=0$일 때,

두 이차방정식이 모두 $2x^2-x=0$으로 일치하므로 공통근은 2개이다.

(ii) $\alpha=1$일 때,

이것을 ㉠에 대입하면

$2+(2k-1)+k=0 \quad \therefore k=-\frac{1}{3}$ …… ❷

STEP3 $6k+\alpha$의 값 구하기

(i), (ii)에서 $6k+\alpha=6\times\left(-\frac{1}{3}\right)+1=-1$ …… ❸

채점 요소	배점
❶ α에 대한 연립방정식 세우기	20 %
❷ 두 이차방정식이 오직 한 개의 공통근 α를 가질 때, k의 값 구하기	60 %
❸ $6k+\alpha$의 값 구하기	20 %

16

해결전략 | 두 이차방정식의 공통근을 α라 하고 α에 대한 연립방정식을 푼다. .

STEP1 두 이차방정식의 공통근을 α라 하고 α에 대한 연립방정식 세우기

두 이차방정식의 공통근을 α라고 하면

$\begin{cases}p\alpha^2+\alpha+1=0 & \cdots\cdots ㉠\\ \alpha^2+p\alpha+1=0 & \cdots\cdots ㉡\end{cases}$

STEP2 두 이차방정식이 오직 한 개의 공통근 α를 가질 때, p의 값 구하기

㉠−㉡을 하면

$(p-1)\alpha^2-(p-1)\alpha=0$

$(p-1)(\alpha^2-\alpha)=0$

$(p-1)\alpha(\alpha-1)=0$

이때 $\alpha\neq0$이므로 $p=1$ 또는 $\alpha=1$

(i) $p=1$일 때,

두 이차방정식이 모두 $x^2+x+1=0$이고, 이 이차방정식의 판별식을 D라고 하면

$D=1^2-4\times1\times1=-3<0$이므로 허근을 갖는다.

즉, 공통인 실근을 갖는다는 조건에 맞지 않는다.

(ii) $\alpha=1$일 때,

이것을 ㉠에 대입하면

$p+1+1=0 \quad \therefore p=-2$

(i), (ii)에서 $p=-2$

17

해결전략 | 이차방정식의 근과 계수의 관계를 이용하여 관계식을 구한 후 음의 정수 조건을 이용할 수 있도록 변형하여 해결한다.

STEP1 이차방정식의 근과 계수의 관계를 이용하여 관계식 구하기

이차방정식 $x^2-mx+m+5=0$의 두 근을 α, β라고 하면 이차방정식의 근과 계수의 관계에 의하여

$\alpha+\beta=m$ …… ㉠

$\alpha\beta=m+5$ …… ㉡

STEP2 관계식을 (일차식)×(일차식)=(정수) 꼴로 정리하기

㉡−㉠을 하면 $\alpha\beta-\alpha-\beta=5$

$\alpha(\beta-1)-(\beta-1)-1=5$

$\therefore (\alpha-1)(\beta-1)=6$

STEP3 α, β가 음의 정수임을 이용하여 α, β의 값 구하기

이때 α, β가 음의 정수이므로 $\alpha-1$, $\beta-1$도 음의 정수이고 $\alpha-1\leq-2$, $\beta-1\leq-2$이다.

또, $\alpha-1$, $\beta-1$의 곱이 6인 경우는 다음 표와 같다.

$\alpha-1$	-3	-2
$\beta-1$	-2	-3

$\therefore \alpha=-2$, $\beta=-1$ 또는 $\alpha=-1$, $\beta=-2$

STEP4 상수 m의 값 구하기

㉠에서 $m=\alpha+\beta$이므로 $m=-2+(-1)=-3$

18

해결전략 | 주어진 방정식을 $A^2+B^2=0$ 꼴로 변형한 후 실수 조건을 이용하여 해결한다.

STEP1 주어진 방정식을 $A^2+B^2=0$ 꼴로 변형하기

$x^2y^2+x^2+4y^2-6xy+1=0$에서
$(x^2y^2-2xy+1)+(x^2-4xy+4y^2)=0$
$\therefore (xy-1)^2+(x-2y)^2=0$

STEP2 x, y가 실수임을 이용하여 x, y 사이의 관계식 구하기

이때 x, y가 실수이므로 $(\text{실수})^2\ge 0$
즉, 주어진 방정식이 성립하려면
$xy-1=0$, $x-2y=0$
$\therefore xy=1$, $x=2y$

STEP3 x^2+y^2의 값 구하기

$x=2y$를 $xy=1$에 대입하면
$2y\times y=1 \qquad \therefore y^2=\frac{1}{2}$
또, $x=2y$에서 $x^2=(2y)^2=4y^2=4\times\frac{1}{2}=2$
$\therefore x^2+y^2=2+\frac{1}{2}=\frac{5}{2}$

상위권 도약 문제 221~222쪽

01 20	**02** 1	**03** 2	**04** ⑤	**05** $4-\sqrt{2}$
06 32	**07** 32	**08** 46		

01

해결전략 | $x\ge y$, $x<y$인 경우 각각 연립방정식을 정리한 후 해를 구한다.

STEP1 $x\ge y$인 경우 연립방정식의 해 구하기

(i) $x\ge y$일 때, $<x, y>=x$이므로
$\begin{cases} 2x-4y^2=x & \cdots\cdots ㉠ \\ x-y+5=x & \cdots\cdots ㉡ \end{cases}$
㉡에서 $y=5$이므로 이것을 ㉠에 대입하면
$2x-100=x \qquad \therefore x=100$
연립방정식의 해는 $x=100$, $y=5$

STEP2 $x<y$인 경우 연립방정식의 해 구하기

(ii) $x<y$일 때, $<x, y>=-y$이므로
$\begin{cases} 2x-4y^2=-y & \cdots\cdots ㉢ \\ x-y+5=-y & \cdots\cdots ㉣ \end{cases}$
㉣에서 $x=-5$이므로 이것을 ㉢에 대입하면
$-10-4y^2=-y$, $4y^2-y+10=0$
이 이차방정식의 판별식을 D라고 하면
$D=(-1)^2-4\times4\times10<0$이므로 허근을 갖는다.

STEP3 $\frac{\alpha}{\beta}$의 값 구하기

(i), (ii)에서 $\alpha=100$, $\beta=5$이므로
$\frac{\alpha}{\beta}=\frac{100}{5}=20$

02

해결전략 | $x+y=a$, $xy=b$로 놓은 후 a, b에 대한 연립방정식을 풀어 해를 구한다.

STEP1 주어진 연립방정식을 $x+y$, xy에 대한 연립방정식으로 변형하기

$\begin{cases} (x-y)^2+xy=1 \\ (x-y)^2+3xy=3 \end{cases}$에서 $\begin{cases} (x+y)^2-3xy=1 \\ (x+y)^2-xy=3 \end{cases}$

STEP2 $x+y=a$, $xy=b$로 놓고 주어진 연립방정식을 a, b에 대한 연립방정식으로 변형하기

$x+y=a$, $xy=b$로 놓으면 주어진 연립방정식은
$\begin{cases} a^2-3b=1 & \cdots\cdots ㉠ \\ a^2-b=3 & \cdots\cdots ㉡ \end{cases}$
㉠$-$㉡을 하면
$-2b=-2 \qquad \therefore b=1$
이것을 ㉡에 대입하면
$a^2-1=3$, $a^2=4 \qquad \therefore a=\pm2$
$\therefore a=-2$, $b=1$ 또는 $a=2$, $b=1$

STEP3 주어진 연립방정식 풀기

(i) $a=-2$, $b=1$, 즉 $x+y=-2$, $xy=1$일 때,
x, y는 t에 대한 이차방정식 $t^2+2t+1=0$의 두 근이므로
$(t+1)^2=0 \qquad \therefore t=-1$
$\therefore x=-1$ 또는 $y=-1$

(ii) $a=2$, $b=1$, 즉 $x+y=2$, $xy=1$일 때,
x, y는 t에 대한 이차방정식 $t^2-2t+1=0$의 두 근이므로
$(t-1)^2=0 \qquad \therefore t=1$
$\therefore x=1$ 또는 $y=1$

STEP4 $\alpha\beta$의 값 구하기

(i), (ii)에서 $\alpha\beta=1$

03

해결전략 | 이차방정식의 판별식을 이용하여 주어진 해의 조건을 만족시키는 범위를 구한다.

STEP1 주어진 연립방정식을 정리하여 일차방정식 찾기

$(x+1)(y+1)=k$에서
$xy+(x+y)+1-k=0 \qquad \cdots\cdots ㉠$
$(x-2)(y-2)=k$에서
$xy-2(x+y)+4-k=0 \qquad \cdots\cdots ㉡$
㉠$-$㉡을 하면

$3(x+y)-3=0 \qquad \therefore x+y=1$

STEP 2 일차방정식을 대입하여 이차방정식 찾기

$x+y=1$에서 $y=1-x$

이것을 ㉠에 대입하면

$x(1-x)+2-k=0$

$\therefore x^2-x+k-2=0$ …… ㉢

STEP 3 이차방정식의 판별식을 이용하여 k의 값의 범위 구하기

주어진 연립방정식이 실근을 가지려면 이차방정식 ㉢이 실근을 가지므로 ㉢의 판별식을 D라고 하면

$D=(-1)^2-4(k-2)\geq 0,\ -4k\geq -9$

$\therefore k\leq \frac{9}{4}$

STEP 4 자연수 k의 개수 구하기

따라서 구하는 자연수 k는 1, 2의 2개이다.

04

해결전략 | $x^2-8x+1=n^2$ (n은 자연수)으로 놓고 적당한 수를 더하여 완전제곱식을 만든다. 좌변에 합차 공식을 적용하여 x의 값을 구한다.

STEP 1 $x^2-8x+1=n^2$으로 놓고 두 일차식의 곱으로 나타내기

자연수 n에 대하여 $x^2-8x+1=n^2$이라고 하면

$x^2-8x+16-15=n^2,\ (x-4)^2-n^2=15$

$(x-4+n)(x-4-n)=15$

STEP 2 주어진 조건을 만족하는 자연수 x의 값 구하기

이때 x, n은 모두 자연수이므로 $x+n\geq 2$에서

$x-4+n\geq -2$

또, $x-4+n>x-4-n$이므로 $x-4+n$, $x-4-n$이 될 수 있는 값은 다음과 같다.

$x-4+n$	-1	5	15
$x-4-n$	-15	3	1

(i) $\begin{cases} x-4+n=-1 \\ x-4-n=-15 \end{cases}$일 때

$2x-8=-16 \qquad \therefore x=-4$

(ii) $\begin{cases} x-4+n=5 \\ x-4-n=3 \end{cases}$일 때

$2x-8=8 \qquad \therefore x=8$

(iii) $\begin{cases} x-4+n=15 \\ x-4-n=1 \end{cases}$일 때

$2x-8=16 \qquad \therefore x=12$

(i)~(iii)에서 x는 자연수이므로

$x=8$ 또는 $x=12$

따라서 구하는 x의 값은 합은 20이다.

05

해결전략 | 직각삼각형의 빗변이 아닌 두 변의 길이를 x, y로 놓고 연립방정식을 세워 해결한다.

STEP 1 직각삼각형의 빗변이 아닌 두 변의 길이를 x, y로 놓고 연립방정식 세우기

직각삼각형의 빗변의 길이는 외접원의 지름의 길이와 같으므로 6이다.

직각삼각형의 빗변이 아닌 두 변의 길이를 각각 x, y라고 하면

C, 6, y, 1, 1, 1, A, B, x

$x^2+y^2=36$ …… ㉠

$\triangle ABC=\frac{1}{2}xy=\frac{1}{2}\times(x+y+6)\times 1$

$\therefore xy=x+y+6$ …… ㉡

STEP 2 $x+y=a$, $xy=b$로 놓고 x, y에 대한 연립방정식을 a, b에 대한 연립방정식으로 변형하여 풀기

㉠, ㉡에서 $x+y=a$, $xy=b$로 놓으면

$\begin{cases} a^2-2b=36 & \cdots\cdots ㉢ \\ b=a+6 & \cdots\cdots ㉣ \end{cases}$

㉣을 ㉢에 대입하면 $a^2-2(a+6)=36$

$a^2-2a-48=0,\ (a+6)(a-8)=0$

$\therefore a=8\ (\because x+y=a>0)$

이것을 ㉣에 대입하면 $b=14$

STEP 3 이차방정식의 두 근의 합과 곱을 이용하여 x, y를 두 근으로 하는 이차방정식을 구한 후 이차방정식의 근 구하기

$a=8$, $b=14$, 즉 $x+y=8$, $xy=14$일 때,

x, y는 t에 대한 이차방정식 $t^2-8t+14=0$의 두 근이므로 이차방정식의 근의 공식에 의하여

$t=4\pm\sqrt{16-14}=4\pm\sqrt{2}$

$\therefore \begin{cases} x=4+\sqrt{2} \\ y=4-\sqrt{2} \end{cases}$ 또는 $\begin{cases} x=4-\sqrt{2} \\ y=4+\sqrt{2} \end{cases}$

STEP 4 직각삼각형 ABC의 세 변 중 가장 짧은 변의 길이 구하기

따라서 직각삼각형 ABC의 세 변 중 가장 짧은 변의 길이는 $4-\sqrt{2}$이다.

06

해결전략 | 두 이차방정식의 공통근을 α라 하고 α에 대한 연립방정식을 푼다.

STEP 1 두 이차방정식의 공통근을 α라 하고 α의 값 구하기

두 이차방정식의 공통근을 α라고 하면

$\begin{cases} \alpha^2+p\alpha+q=0 & \cdots\cdots ㉠ \\ \alpha^2+q\alpha+p=0 & \cdots\cdots ㉡ \end{cases}$

㉠−㉡을 하면

$(p-q)\alpha-(p-q)=0$

$(p-q)(\alpha-1)=0 \qquad \therefore \alpha=1 \ (\because p\neq q)$

STEP2 공통이 아닌 두 근의 비와 이차방정식의 근과 계수의 관계를 이용하여 관계식 세우기

주어진 두 이차방정식의 공통이 아닌 두 근의 비가 1 : 3이므로 한 근을 a $(a\neq 1)$라고 하면 다른 한 근은 $3a$이다.
이때 a, 1은 이차방정식 $x^2+px+q=0$의 근이고 $3a$, 1은 이차방정식 $x^2+qx+p=0$의 근이므로 이차방정식의 근과 계수의 관계에 의하여

$a+1=-p$ ...... ㉢, $\quad a=q$ ...... ㉣

$3a+1=-q$ ...... ㉤, $\quad 3a=p$ ...... ㉥

STEP3 $64(p^2-q^2)$의 값 구하기

㉢, ㉥에서 $a+1=-3a$이므로

$4a=-1 \qquad \therefore a=-\frac{1}{4}$

$a=-\frac{1}{4}$을 ㉥, ㉣에 각각 대입하면 $p=-\frac{3}{4}$, $q=-\frac{1}{4}$

$\therefore 64(p^2-q^2)=64\times\left(\frac{9}{16}-\frac{1}{16}\right)=64\times\frac{1}{2}=32$

풍쌤의 비법

두 이차방정식 $x^2+px+q=0$, $x^2+qx+p=0$이 오직 한 개의 공통근을 갖고 공통이 아닌 근이 있으므로 두 이차방정식은 일치하지 않는다.
즉, $p=q$이면 두 이차방정식이 일치하므로 STEP1에서 $p\neq q$인 이유가 여기에 있다.

07

해결전략 | 주어진 방정식을 자연수 조건을 이용할 수 있도록 변형한 후 해결한다.

STEP1 주어진 방정식을 (일차식)×(일차식)=(정수) 꼴로 정리하기

$\frac{1}{a}+\frac{1}{b}=\frac{2}{9}$의 양변에 $9ab$를 곱하여 정리하면

$9a+9b-2ab=0$, $a(9-2b)-\frac{9}{2}(9-2b)=-\frac{81}{2}$

$\therefore (2a-9)(2b-9)=81$

STEP2 a, b가 자연수임을 이용하여 a, b의 값 구하기

이때 a, b가 자연수이므로 $2a-9\geq -7$, $2b-9\geq -7$이고 $2a-9$, $2b-9$의 곱이 81인 경우는 다음 표와 같다.

$2a-9$	1	3	9	27	81
$2b-9$	81	27	9	3	1

$\therefore a=5$, $b=45$ 또는 $a=6$, $b=18$ 또는 $a=9$, $b=9$ 또는 $a=18$, $b=6$ 또는 $a=45$, $b=5$

STEP3 $M-m$의 값 구하기

따라서 $a+b$의 최댓값 M과 최솟값 m은

$M=5+45=50$, $m=9+9=18$

$\therefore M-m=50-18=32$

08

해결전략 | 주어진 방정식을 정수 조건을 이용할 수 있도록 변형한 후 해결한다.

STEP1 삼차방정식의 한 근을 구하기

$f(x)=ax^3+2bx^2+4bx+8a$로 놓으면

$f(-2)=0$이므로 삼차방정식 $f(x)=0$은 $x=-2$를 근으로 갖는다.

STEP2 삼차방정식의 근과 계수의 관계를 이용하여 다른 두 근 사이의 관계식 구하기

삼차방정식 $f(x)=0$의 서로 다른 세 근을 α, β, -2 (α, β는 정수)라고 하면 삼차방정식의 근과 계수의 관계에 의하여

$\alpha+\beta+(-2)=-\frac{2b}{a}$ ...... ㉠

$-2\alpha\beta=-8 \qquad \therefore \alpha\beta=4$

STEP3 세 근이 정수임을 이용하여 순서쌍의 개수 구하기

$\alpha\beta=4$를 만족시키는 서로 다른 정수 α, β는 1, 4 또는 -1, -4뿐이므로 $\alpha+\beta=5$ 또는 $\alpha+\beta=-5$

$\alpha+\beta=5$를 ㉠에 대입하면 $5+(-2)=-\frac{2b}{a}$에서

$-\frac{2b}{a}=3 \qquad \therefore b=-\frac{3}{2}a$

$\alpha+\beta=-5$를 ㉠에 대입하면 $-5+(-2)=-\frac{2b}{a}$에서

$-\frac{2b}{a}=-7 \qquad \therefore b=\frac{7}{2}a$

(i) $b=-\frac{3}{2}a$일 때, $|b|\leq 50$에 대입하면

$\left|-\frac{3}{2}a\right|\leq 50$에서 $-\frac{100}{3}\leq a\leq\frac{100}{3}$

즉, b가 정수가 되려면 a는 -32부터 32까지의 짝수 $(a\neq 0)$가 되어야 하므로 가능한 a의 개수는 32이다.

(ii) $b=\frac{7}{2}a$일 때, $|b|\leq 50$에 대입하면

$\left|\frac{7}{2}a\right|\leq 50$에서 $-\frac{100}{7}\leq a\leq\frac{100}{7}$

즉, b가 정수가 되려면 a는 -14부터 14까지의 짝수 $(a\neq 0)$가 되어야 하므로 가능한 a의 개수는 14이다.

(i), (ii)에서 구하는 순서쌍 (a, b)의 개수는 $32+14=46$

09 연립일차부등식

개념확인 224~225쪽

01 답 (1) $<$ (2) $<$ (3) $>$ (4) $<$

02 답 (1) $x<\frac{a+1}{a}$ (2) $x>\frac{a+1}{a}$

(3) 해는 모든 실수이다.

(3) $a=0$일 때, $0\times x<1$이므로 해는 모든 실수이다.

03 답 (1) $-4<x<3$ (2) $2<x\le4$

(3) $x\ge1$ (4) $x<2$

04 답 (1) $1\le x<4$ (2) 해는 없다. (3) $x>3$

05 답 (1) $-10\le x\le4$ (2) $x\le-2$ 또는 $x\ge4$

(3) $-2\le x\le3$

(1) $|x+3|\le7$에서

$-7\le x+3\le7$

$\therefore -10\le x\le4$

(2) $|1-x|\ge3$에서

$1-x\ge3$ 또는 $1-x\le-3$

$-x\ge2$ 또는 $-x\le-4$

$\therefore x\le-2$ 또는 $x\ge4$

(3) $|x+1|+|x-2|\le5$에서 절댓값 기호 안의 식이 0이 되는 x의 값은 $x=-1$, $x=2$

(i) $x<-1$일 때,

$x+1<0$, $x-2<0$이므로

$-(x+1)-(x-2)\le5$, $-2x+1\le5$

$-2x\le4$ $\therefore x\ge-2$

그런데 $x<-1$이므로

$-2\le x<-1$ …… ㉠

(ii) $-1\le x<2$일 때,

$x+1\ge0$, $x-2<0$이므로

$(x+1)-(x-2)\le5$

$3\le5$이므로 항상 성립한다.

$\therefore -1\le x<2$ …… ㉡

(iii) $x\ge2$일 때,

$x+1>0$, $x-2\ge0$이므로

$(x+1)+(x-2)\le5$, $2x-1\le5$

$2x\le6$ $\therefore x\le3$

그런데 $x\ge2$이므로

$2\le x\le3$ …… ㉢

㉠, ㉡, ㉢을 합한 범위는 $-2\le x\le3$

필수유형 01 227쪽

01-1 답 ㄱ, ㄹ

해결전략 | 부등식의 기본 성질을 이용하여 참, 거짓을 판단한다.

ㄱ. 양변에서 같은 수를 빼면 부등호의 방향은 바뀌지 않는다. (참)

ㄴ. $c>0$이므로 $\frac{1}{c}>0$, $d<0$이므로 $\frac{1}{d}<0$

즉, $\frac{1}{d}<0<\frac{1}{c}$이므로 $\frac{1}{c}>\frac{1}{d}$ (거짓)

ㄷ. $a>b$, $d<0$이므로 $ad<bd$ (거짓)

ㄹ. $a>b$, $d<0$이므로 $\frac{a}{d}<\frac{b}{d}$

$\therefore \frac{a}{d}-c<\frac{b}{d}-c$ (참)

따라서 옳은 것은 ㄱ, ㄹ이다.

01-2 답 풀이 참조

해결전략 | $ax>b$의 꼴로 정리한 후 $a>0$, $a<0$, $a=0$인 경우로 나누어 해를 구한다.

(1) $ax-2>x+3a$에서

$(a-1)x>3a+2$

(i) $a-1>0$일 때,

$x>\frac{3a+2}{a-1}$

(ii) $a-1<0$일 때,

$x<\frac{3a+2}{a-1}$

(iii) $a-1=0$, 즉 $a=1$일 때,

$0\times x>5$이므로 해는 없다.

(2) $a(x+a)>1-x$에서

$ax+a^2>1-x$

$(a+1)x>-(a^2-1)$

$\therefore (a+1)x>-(a+1)(a-1)$

(i) $a+1>0$일 때,

$x>\frac{-(a+1)(a-1)}{a+1}$

$\therefore x>1-a$

(ii) $a+1<0$일 때,

$x<\frac{-(a+1)(a-1)}{a+1}$

$\therefore x<1-a$

(iii) $a+1=0$, 즉 $a=-1$일 때,

$0\times x>0$이므로 해는 없다.

01-3 답 (1) $x<-\frac{7}{5}$ (2) $x<-\frac{1}{4}$

해결전략 | 일차부등식 $ax>b$에서 해가 존재하지 않으려면 $a=0$이고, $b\geq0$이어야 한다.

(1) **STEP1 a, b의 조건 구하기**

$bx-a>ax-2b$에서 $(b-a)x>a-2b$

이 부등식의 해가 없으려면

$b-a=0$, $a-2b\geq0$이어야 한다.

$b-a=0$에서 $b=a$ …… ㉠

㉠을 $a-2b\geq0$에 대입하면

$a-2a\geq0$ $\therefore a\leq0$ …… ㉡

STEP2 $-2bx-2a<3bx+5a$의 해 구하기

㉠을 $-2bx-2a<3bx+5a$에 대입하면

$-2ax-2a<3ax+5a$, $-5ax<7a$

이때 ㉡에서 $a\leq0$, 즉 $-5a\geq0$이므로 $x<-\frac{7}{5}$

(2) **STEP1 a의 값 구하기**

$a^2x-1>x+3a$에서 $(a^2-1)x>3a+1$

$(a+1)(a-1)x>3a+1$

이 부등식의 해가 없으려면

$(a+1)(a-1)=0$, $3a+1\geq0$이어야 한다.

(ⅰ) $(a+1)(a-1)=0$에서

$a=-1$ 또는 $a=1$

(ⅱ) $3a+1\geq0$에서 $a\geq-\frac{1}{3}$

(ⅰ), (ⅱ)에 의하여 $a=1$

STEP2 $a(a-2)x>3x+a$의 해 구하기

$a=1$을 $a(a-2)x>3x+a$에 대입하면

$-x>3x+1$, $-4x>1$ $\therefore x<-\frac{1}{4}$

01-4 답 (1) $x>1$ (2) -4

해결전략 | 주어진 부등식의 부등호와 그 해의 부등호의 방향이 다르면 x의 계수는 음수이다.

(1) **STEP1 a, b의 조건 구하기**

$(a-b)x+2a-b>0$에서

$(a-b)x>-2a+b$

이 부등식의 해가 $x<1$이므로 $a-b<0$ …… ㉠

$\therefore x<\frac{-2a+b}{a-b}$

따라서 $\frac{-2a+b}{a-b}=1$이므로 $-2a+b=a-b$

$2b=3a$ $\therefore b=\frac{3}{2}a$ …… ㉡

㉡을 ㉠에 대입하면

$a-\frac{3}{2}a<0$ $\therefore a>0$

STEP2 $(a+2b)x+2a-4b>0$의 해 구하기

㉡을 $(a+2b)x+2a-4b>0$에 대입하면

$(a+3a)x+2a-6a>0$, $4ax>4a$

이때 $a>0$이므로 $x>1$

(2) **STEP1 주어진 부등식 정리하기**

$a-b=0$에서 $b=a$ …… ㉠

㉠을 주어진 부등식에 대입하면

$(a+2a)x>5a-4a+8$, $3ax>a+8$

이 부등식의 해가 $x<-1$이므로 $3a<0$

$\therefore x<\frac{a+8}{3a}$

STEP2 $a+b$의 값 구하기

따라서 $\frac{a+8}{3a}=-1$이므로 $a+8=-3a$

$4a=-8$ $\therefore a=-2$

$a=-2$를 ㉠에 대입하면 $b=-2$

$\therefore a+b=-2+(-2)=-4$

01-5 답 -3

해결전략 | 일차부등식 $ax>b$에서 해가 모든 실수이려면 $a=0$이고, $b<0$이어야 한다.

STEP1 주어진 부등식 정리하기

$a^2x-a>9x-3$에서 $(a^2-9)x>a-3$

$(a+3)(a-3)x>a-3$

STEP2 a의 값 구하기

이 부등식의 해가 모든 실수이려면

$(a+3)(a-3)=0$, $a-3<0$이어야 한다.

(ⅰ) $(a+3)(a-3)=0$에서

$a=-3$ 또는 $a=3$

(ⅱ) $a-3<0$에서 $a<3$

(ⅰ), (ⅱ)에 의하여 $a=-3$

01-6 답 2

해결전략 | 일차부등식 $ax\leq b$에서 해가 모든 실수이려면 $a=0$이고, $b\geq0$이어야 한다.

STEP1 주어진 부등식 정리하기

$a^2x+a(x-1)-1\leq6x$에서

$a^2x+ax-6x\leq a+1$

$(a^2+a-6)x\leq a+1$

$(a+3)(a-2)x\leq a+1$

STEP 2 **a의 값 구하기**

이 부등식이 모든 실수 x에 대하여 성립하려면

$(a+3)(a-2)=0$, $a+1\geq 0$이어야 한다.

(i) $(a+3)(a-2)=0$에서

$a=-3$ 또는 $a=2$

(ii) $a+1\geq 0$에서 $a\geq -1$

(i), (ii)에 의하여 $a=2$

필수유형 02 229쪽

02-1 답 (1) $-2<x<2$ (2) $-3\leq x<8$

해결전략 | 괄호가 있는 부등식은 분배법칙을 이용하여 괄호를 풀고, 계수가 분수 또는 소수이면 적당한 수를 곱하여 계수를 정수로 고친다.

(1) STEP 1 **각 부등식의 해 구하기**

$4x+8>3(x+2)$에서 $4x+8>3x+6$

$\therefore x>-2$ ...... ㉠

$2(x-2)+1<3-x$에서 $2x-4+1<3-x$

$3x<6$ $\therefore x<2$ ...... ㉡

STEP 2 **연립부등식의 해 구하기**

㉠, ㉡을 수직선 위에 나타내면 오른쪽 그림과 같으므로 주어진 연립부등식의 해는

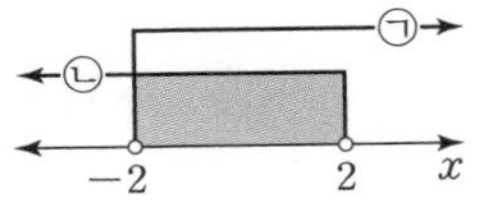

$-2<x<2$

(2) STEP 1 **각 부등식의 해 구하기**

$0.4(-3-x)+1>0.2x-5$에서

$4(-3-x)+10>2x-50$

$-12-4x+10>2x-50$, $-6x>-48$

$\therefore x<8$ ...... ㉠

$\frac{x-3}{6}\leq\frac{3x+7}{2}$에서 $x-3\leq 3(3x+7)$

$x-3\leq 9x+21$, $-8x\leq 24$

$\therefore x\geq -3$ ...... ㉡

STEP 2 **연립부등식의 해 구하기**

㉠, ㉡을 수직선 위에 나타내면 오른쪽 그림과 같으므로 주어진 연립부등식의 해는

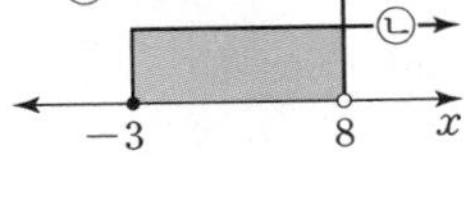

$-3\leq x<8$

02-2 답 -4

해결전략 | 각 부등식의 해를 구한 후, 구한 해를 수직선 위에 나타내어 공통부분을 찾는다.

STEP 1 **각 부등식의 해 구하기**

$2x+1<10-x$에서 $3x<9$

$\therefore x<3$ ...... ㉠

$3x+5\geq 4x+9$에서 $-x\geq 4$

$\therefore x\leq -4$ ...... ㉡

STEP 2 **연립부등식의 해 구하기**

㉠, ㉡을 수직선 위에 나타내면 오른쪽 그림과 같으므로 주어진 연립부등식의 해는

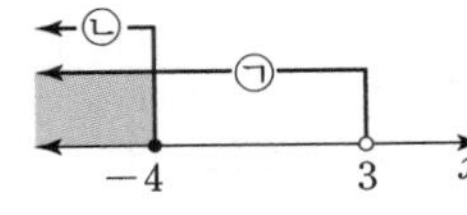

$x\leq -4$

STEP 3 **x의 최댓값 구하기**

따라서 x의 최댓값은 -4이다.

02-3 답 (1) 해는 없다. (2) $x=3$

해결전략 | 연립부등식의 해를 수직선 위에 나타내었을 때, 공통부분이 없으면 해가 없고, 공통부분이 한 점이면 해가 한 개이다.

(1) STEP 1 **각 부등식의 해 구하기**

$6x-1<x-2$에서 $5x<-1$

$\therefore x<-\frac{1}{5}$ ...... ㉠

$\frac{2}{3}x-\frac{1}{2}\geq\frac{2x-3}{12}$에서 $8x-6\geq 2x-3$

$6x\geq 3$ $\therefore x\geq\frac{1}{2}$ ...... ㉡

STEP 2 **연립부등식의 해 구하기**

㉠, ㉡을 수직선 위에 나타내면 오른쪽 그림과 같으므로 주어진 연립부등식의 해는 없다.

(2) STEP 1 **각 부등식의 해 구하기**

$x-1\geq -2(x-4)$에서 $x-1\geq -2x+8$

$3x\geq 9$ $\therefore x\geq 3$ ...... ㉠

$3(x-1)\leq -2(x-6)$에서 $3x-3\leq -2x+12$

$5x\leq 15$ $\therefore x\leq 3$ ...... ㉡

STEP 2 **연립부등식의 해 구하기**

㉠, ㉡을 수직선 위에 나타내면 오른쪽 그림과 같으므로 주어진 연립부등식의 해는 $x=3$

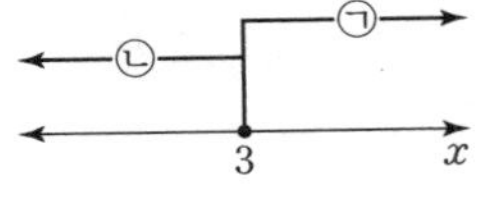

02-4 답 4

해결전략 | 괄호가 있는 부등식은 분배법칙을 이용하여 괄호를 풀고, 계수가 분수 또는 소수이면 적당한 수를 곱하여 계수를 정수로 고친다.

STEP1 각 부등식의 해 구하기

$0.3(x+4)\le 0.4x+2$에서 $3(x+4)\le 4x+20$

$3x+12\le 4x+20$, $-x\le 8$

$\therefore x\ge -8$ …… ㉠

$\frac{x}{2}-1\le\frac{x}{3}+1$에서 $3x-6\le 2x+6$

$\therefore x\le 12$ …… ㉡

STEP2 연립부등식의 해 구하기

㉠, ㉡을 수직선 위에 나타내면 오른쪽 그림과 같으므로 주어진 연립부등식의 해는

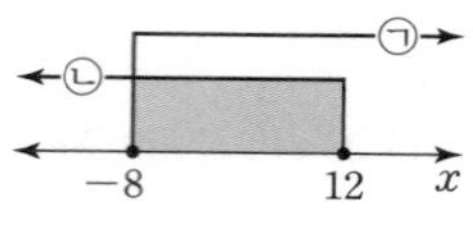

$-8\le x\le 12$

STEP3 $M+m$의 값 구하기

따라서 연립부등식을 만족시키는 x의 최댓값 M과 최솟값 m은 $M=12$, $m=-8$

$\therefore M+m=12+(-8)=4$

02-5 답 ⑤

해결전략 | 연립부등식을 풀어 a, b의 값을 알아내고, 부등식 $bx-a<0$의 해를 구한다.

STEP1 각 부등식의 해 구하기

$2(4-x)+8>6x-8$에서 $8-2x+8>6x-8$

$-8x>-24$ $\quad\therefore x<3$ …… ㉠

$\frac{x}{4}+2\le\frac{5x+13}{2}$에서 $x+8\le 2(5x+13)$

$x+8\le 10x+26$, $-9x\le 18$

$\therefore x\ge -2$ …… ㉡

STEP2 a, b의 값 구하기

㉠, ㉡을 수직선 위에 나타내면 오른쪽 그림과 같으므로 주어진 연립부등식의 해는

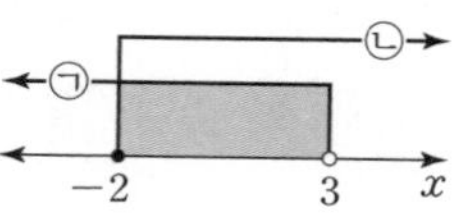

$-2\le x<3$

$\therefore a=-2$, $b=3$

STEP3 $bx-a<0$의 해 구하기

$a=-2$, $b=3$을 $bx-a<0$에 대입하면

$3x+2<0$, $3x<-2$ $\quad\therefore x<-\frac{2}{3}$

따라서 부등식 $bx-a<0$의 해가 아닌 것은 ⑤이다.

02-6 답 14

해결전략 | 연립부등식의 해를 구한 다음, 조건에 맞는 미지수의 범위를 구한다.

STEP1 각 부등식의 해 구하기

$x+2>3$에서 $x>1$ …… ㉠

$3x<a+1$에서 $x<\frac{a+1}{3}$ …… ㉡

STEP2 정수 x의 값 구하기

주어진 연립부등식의 해가 존재해야 하므로 연립부등식의 해는 오른쪽 그림과 같이

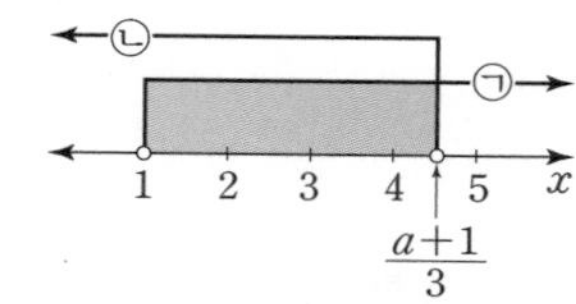

$1<x<\frac{a+1}{3}$이고, 연립부등식을 만족시키는 모든 정수 x의 값의 합이 9이므로 정수 x의 값은 2, 3, 4이다.

STEP3 자연수 x의 최댓값 구하기

즉, $4<\frac{a+1}{3}\le 5$가 되어야 하므로 $11<a\le 14$이다.

따라서 자연수 a의 최댓값은 14이다.

> **풍쌤의 비법**
>
> $1<x<\frac{a+1}{3}$에서 정수 x는 2, 3, 4뿐이어야 하므로 $\frac{a+1}{3}$의 범위는 4보다 크고 5보다 작거나 같아야 한다.
>
> 왜냐하면 x가 $\frac{a+1}{3}$보다 작으므로 $\frac{a+1}{3}$이 4보다 커야 x가 4를 포함하기 때문이다. 또한, $\frac{a+1}{3}$이 5가 되어도 x가 $\frac{a+1}{3}$보다 작으므로 x는 5를 포함하지 않는다.
>
> 이와 같이 x가 $\frac{a+1}{3}$을 포함하는지 포함하지 않는지 잘 살펴야 한다.

필수유형 03 231쪽

03-1 답 (1) $x\ge 2$ (2) $x=1$ (3) 해는 없다.

해결전략 | $A<B<C$ 꼴의 부등식은 $\begin{cases}A<B\\B<C\end{cases}$ 꼴로 바꾸어 푼다.

(1) STEP1 두 일차부등식으로 나타내어 각각의 해 구하기

$x<2x+4\le 5x-2$에서 $\begin{cases}x<2x+4\\2x+4\le 5x-2\end{cases}$

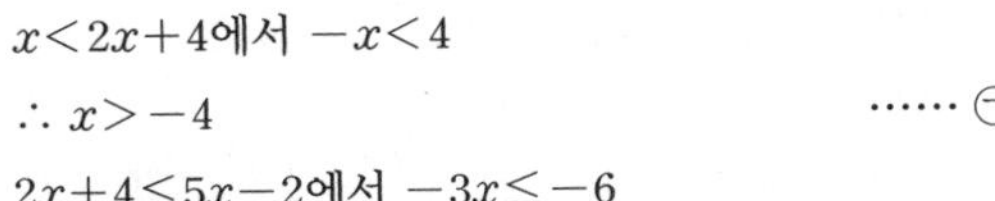

$x<2x+4$에서 $-x<4$

$\therefore x>-4$ ...... ㉠

$2x+4\le 5x-2$에서 $-3x\le -6$

$\therefore x\ge 2$ ...... ㉡

STEP 2 주어진 부등식의 해 구하기

㉠, ㉡을 수직선 위에 나타내면 오른쪽 그림과 같으므로 주어진 부등식의 해는

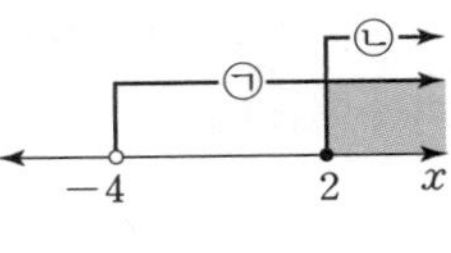

$x\ge 2$

(2) STEP 1 두 일차부등식으로 나타내어 각각의 해 구하기

$x+1\le 3-x\le 2x$에서 $\begin{cases} x+1\le 3-x \\ 3-x\le 2x \end{cases}$

$x+1\le 3-x$에서 $2x\le 2$

$\therefore x\le 1$ ...... ㉠

$3-x\le 2x$에서 $-3x\le -3$

$\therefore x\ge 1$ ...... ㉡

STEP 2 주어진 부등식의 해 구하기

㉠, ㉡을 수직선 위에 나타내면 오른쪽 그림과 같으므로 주어진 부등식의 해는

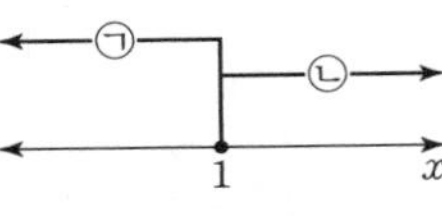

$x=1$

(3) STEP 1 두 일차부등식으로 나타내어 각각의 해 구하기

$x-2<-5+2x\le x-3$에서 $\begin{cases} x-2<-5+2x \\ -5+2x\le x-3 \end{cases}$

$x-2<-5+2x$에서 $-x<-3$

$\therefore x>3$ ...... ㉠

$-5+2x\le x-3$에서 $x\le 2$ ...... ㉡

STEP 2 주어진 부등식의 해 구하기

㉠, ㉡을 수직선 위에 나타내면 오른쪽 그림과 같으므로 주어진 부등식의 해는 없다.

03-2 답 (1) $-4<x<10$ (2) $1<x\le\frac{3}{2}$

해결전략 | $A<B<C$ 꼴의 부등식은 $\begin{cases} A<B \\ B<C \end{cases}$ 꼴로 바꾸어 푼다.

(1) STEP 1 두 일차부등식으로 나타내어 각각의 해 구하기

$0.4x-5<0.2x-3<0.5x-\frac{9}{5}$에서

$\begin{cases} 0.4x-5<0.2x-3 \\ 0.2x-3<0.5x-\frac{9}{5} \end{cases}$

$0.4x-5<0.2x-3$에서 $4x-50<2x-30$

$2x<20$ $\therefore x<10$ ...... ㉠

$0.2x-3<0.5x-\frac{9}{5}$에서 $2x-30<5x-18$

$-3x<12$ $\therefore x>-4$ ...... ㉡

STEP 2 주어진 부등식의 해 구하기

㉠, ㉡을 수직선 위에 나타내면 오른쪽 그림과 같으므로 주어진 부등식의 해는

$-4<x<10$

(2) STEP 1 두 일차부등식으로 나타내어 각각의 해 구하기

$5(x-1)\le -x+4<\frac{2x+13}{5}$에서

$\begin{cases} 5(x-1)\le -x+4 \\ -x+4<\frac{2x+13}{5} \end{cases}$

$5(x-1)\le -x+4$에서 $5x-5\le -x+4$

$6x\le 9$ $\therefore x\le\frac{3}{2}$ ...... ㉠

$-x+4<\frac{2x+13}{5}$에서 $-5x+20<2x+13$

$-7x<-7$ $\therefore x>1$ ...... ㉡

STEP 2 주어진 부등식의 해 구하기

㉠, ㉡을 수직선 위에 나타내면 오른쪽 그림과 같으므로 주어진 부등식의 해는

$1<x\le\frac{3}{2}$

03-3 답 7

해결전략 | $A<B<C$ 꼴의 부등식은 $\begin{cases} A<B \\ B<C \end{cases}$ 꼴로 바꾸어 푼다.

STEP 1 두 일차부등식으로 나타내어 각각의 해 구하기

$-2<\frac{1}{2}x-3$에서 $-4<x-6$

$-x<-2$ $\therefore x>2$ ...... ㉠

$\frac{1}{2}x-3<2$에서 $x-6<4$ $\therefore x<10$ ...... ㉡

STEP 2 주어진 부등식의 해 구하기

㉠, ㉡을 수직선 위에 나타내면 오른쪽 그림과 같으므로 주어진 부등식의 해는

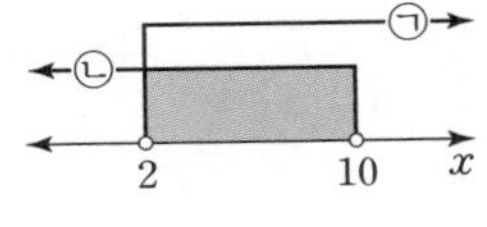

$2<x<10$

STEP 3 정수 x의 개수 구하기

따라서 구하는 정수 x의 개수는 3, 4, 5, 6, 7, 8, 9의 7이다.

다른 풀이

$-2<\frac{1}{2}x-3<2$에서

$1<\frac{1}{2}x<5$ $\quad\therefore 2<x<10$

따라서 구하는 정수 x의 개수는 3, 4, 5, 6, 7, 8, 9의 7이다.

03-4 답 $\frac{1}{2}<x\le 5$

해결전략 | a의 값을 구한 다음 $A<B<C$ 꼴의 부등식을 푼다.

STEP 1 자연수 a의 값 구하기

$0<-\frac{1}{2}a+1<3$에서 $-1<-\frac{1}{2}a<2$

$\therefore -4<a<2$

그런데 a는 자연수이므로 $a=1$

STEP 2 주어진 부등식의 해 구하기

$a=1$을 $-3x-a\le-4(x-1)<2x+a$에 대입하면

$-3x-1\le-4(x-1)<2x+1$

즉, $\begin{cases}-3x-1\le-4(x-1)\\-4(x-1)<2x+1\end{cases}$

$-3x-1\le-4(x-1)$에서

$-3x-1\le-4x+4$ $\quad\therefore x\le5$ ...... ㉠

$-4(x-1)<2x+1$에서 $-4x+4<2x+1$

$-6x<-3$ $\quad\therefore x>\frac{1}{2}$ ...... ㉡

㉠, ㉡을 수직선 위에 나타내면 오른쪽 그림과 같으므로 주어진 부등식의 해는

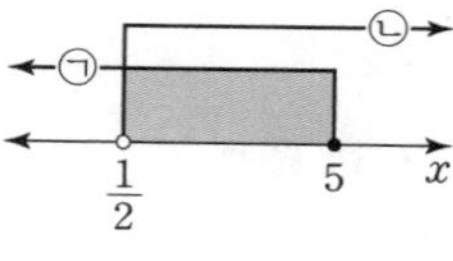

$\frac{1}{2}<x\le5$

03-5 답 8

해결전략 | 연립부등식의 해를 먼저 구한 다음 $A<B<C$ 꼴의 부등식을 푼다.

STEP 1 각 부등식의 해 구하기

$5x-3<2x+9$에서 $3x<12$

$\therefore x<4$ ...... ㉠

$\frac{2(x-1)}{3}+\frac{3}{2}\le\frac{4x+7}{2}$에서 $4(x-1)+9\le3(4x+7)$

$4x+5\le12x+21$, $-8x\le16$

$\therefore x\ge-2$ ...... ㉡

STEP 2 연립부등식의 해 구하기

㉠, ㉡을 수직선 위에 나타내면 오른쪽 그림과 같으므로 주어진 연립부등식의 해는

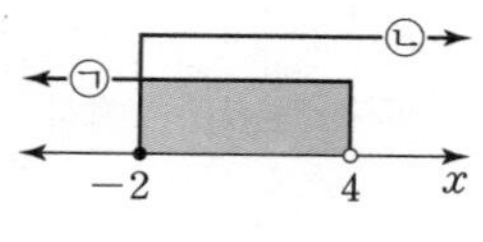

$-2\le x<4$

STEP 3 정수 a의 값 구하기

따라서 x의 값 중 가장 큰 정수는 3이므로 $M=3$

즉, 부등식 $a-6<3<\frac{a+2}{3}$에서 $\begin{cases}a-6<3\\3<\frac{a+2}{3}\end{cases}$

$a-6<3$에서 $a<9$ ...... ㉢

$3<\frac{a+2}{3}$에서 $9<a+2$

$-a<-7$ $\quad\therefore a>7$ ...... ㉣

㉢, ㉣에서 $7<a<9$

따라서 구하는 정수 a의 값은 8이다.

03-6 답 $-\frac{1}{2}\le x\le2$

해결전략 | 잘못 푼 연립부등식의 해로부터 a, b의 값을 구한다.

STEP 1 잘못 변형한 연립부등식을 풀고 a, b의 값 구하기

$3x-b\le x+2a$에서 $2x\le2a+b$

$\therefore x\le\frac{2a+b}{2}$ ...... ㉠

$3x-b\le5x+a$에서 $-2x\le a+b$

$\therefore x\ge\frac{-a-b}{2}$ ...... ㉡

이 연립부등식의 해가 $-3\le x\le2$이므로 ㉠, ㉡에서

$\frac{-a-b}{2}\le x\le\frac{2a+b}{2}$이고, $\frac{-a-b}{2}=-3$, $\frac{2a+b}{2}=2$

두 식을 연립하여 풀면 $a=-2$, $b=8$

STEP 2 처음 부등식의 해를 바르게 구하기

따라서 처음 부등식은

$3x-8\le x-4\le5x-2$이므로 $\begin{cases}3x-8\le x-4\\x-4\le5x-2\end{cases}$

$3x-8\le x-4$에서 $2x\le4$

$\therefore x\le2$ ...... ㉢

$x-4\le5x-2$에서 $-4x\le2$

$\therefore x\ge-\frac{1}{2}$ ...... ㉣

㉢, ㉣에서 처음 부등식의 해는 $-\frac{1}{2}\le x\le2$

필수유형 04

233쪽

04-1 답 1

해결전략 | 각각의 일차부등식을 풀어 연립부등식의 해를 구하고 주어진 해와 비교하여 미지수의 값을 구한다.

STEP 1 각 일차부등식의 해 구하기

$\frac{x-a}{2}>\frac{1}{3}x-\frac{1}{6}$에서 $3(x-a)>2x-1$

$3x-3a>2x-1 \qquad \therefore x>3a-1$

$0.3x+1>0.5x$에서 $3x+10>5x$

$-2x>-10 \qquad \therefore x<5$

STEP 2 a의 값 구하기

이때 주어진 연립부등식의 해가 $2<x<5$이므로

$3a-1=2 \qquad \therefore a=1$

04-2 답 -1

해결전략 | 각각의 일차부등식을 풀어 연립부등식의 해를 구하고 주어진 해와 비교하여 미지수의 값을 구한다.

STEP 1 각 일차부등식의 해 구하기

$2x-a>3$에서 $2x>a+3$

$\therefore x>\frac{a+3}{2}$

$-2x+4>b$에서 $-2x>b-4$

$\therefore x<\frac{4-b}{2}$

STEP 2 a, b의 값 구하기

이때 주어진 연립부등식의 해가 $2<x<3$이므로

$\frac{a+3}{2}=2,\ \frac{4-b}{2}=3$

$\therefore a=1,\ b=-2$

STEP 3 $a+b$의 값 구하기

$\therefore a+b=1+(-2)=-1$

04-3 답 4

해결전략 | 연립부등식의 해가 한 개인 경우는 각각의 일차부등식의 공통부분이 한 점일 때이다.

STEP 1 각 일차부등식의 해 구하기

$x-\frac{x-1}{2}\ge\frac{x}{4}+a$에서 $4x-2(x-1)\ge x+4a$

$2x+2\ge x+4a \qquad \therefore x\ge 4a-2$

$0.4(x+b)\ge 0.6x-1$에서

$4(x+b)\ge 6x-10,\ -2x\ge -4b-10$

$\therefore x\le 2b+5$

STEP 2 a, b의 값 구하기

이때 주어진 연립부등식의 해가 $x=-1$이므로

$4a-2=-1,\ 2b+5=-1$

$\therefore a=\frac{1}{4},\ b=-3$

STEP 3 $4a-b$의 값 구하기

$\therefore 4a-b=4\times\frac{1}{4}-(-3)=1+3=4$

04-4 답 $a=-7$, $b=6$

해결전략 | $A<B<C$ 꼴의 부등식은 $\begin{cases}A<B\\B<C\end{cases}$ 꼴로 바꾸어 푼다.

STEP 1 두 일차부등식으로 나타내어 각각의 해 구하기

$3x+a\le -x+5\le b(x+2)$에서

$\begin{cases}3x+a\le -x+5\\-x+5\le b(x+2)\end{cases}$

$3x+a\le -x+5$에서 $4x\le 5-a$

$\therefore x\le\frac{5-a}{4}$ ...... ㉠

$-x+5\le b(x+2)$에서 $-x+5\le bx+2b$

$(-1-b)x\le 2b-5$ ...... ㉡

이때 주어진 부등식의 해가 $-1\le x\le 3$이므로

부등식 ㉠의 해는 $x\le 3$이고 부등식 ㉡의 해는 $x\ge -1$이어야 한다.

즉, $-1-b<0$이므로

$x\ge\frac{2b-5}{-1-b}$

STEP 2 a, b의 값 구하기

따라서 $\frac{5-a}{4}=3,\ \frac{2b-5}{-1-b}=-1$이므로

$5-a=12,\ 2b-5=1+b$

$\therefore a=-7,\ b=6$

> **풍쌤의 비법**
>
> $(-1-b)x\le 2b-5$에서
>
> ① $-1-b>0$이면 $x\le\frac{2b-5}{-1-b}$
>
> ② $-1-b=0$, 즉 $b=-1$이면 $0\times x\le -7$
> 이므로 주어진 부등식의 해가 $-1\le x\le 3$이 될 수 없다.

04-5 답 $x>-10$

해결전략 | 주어진 해의 범위를 만족시키는 미지수의 값을 먼저 구한다.

STEP 1 두 일차부등식으로 나타내어 각각의 해 구하기

$4x-a\le x+6<2x-b$에서 $\begin{cases} 4x-a\le x+6 \\ x+6<2x-b \end{cases}$

$4x-a\le x+6$에서 $3x\le a+6$

$\therefore x\le\frac{a+6}{3}$

$x+6<2x-b$에서 $-x<-b-6$

$\therefore x>b+6$

STEP 2 **a, b의 값 구하기**

이때 주어진 부등식의 해가 $-2<x\le5$이므로

$\frac{a+6}{3}=5$, $b+6=-2$

$\therefore a=9$, $b=-8$ ...... ㉠

STEP 3 **부등식 $b(x+2)<-5.5x+a$의 해 구하기**

㉠을 $b(x+2)<-5.5x+a$에 대입하면

$-8(x+2)<-5.5x+9$

$-80(x+2)<-55x+90$

$-80x-160<-55x+90$

$-25x<250$ $\therefore x>-10$

04-6 답 4

해결전략 | 연립부등식의 해는 각 부등식의 해의 공통부분임을 이용한다.

STEP 1 **연립부등식의 해를 이용하여 a의 값 구하기**

연립부등식 $\begin{cases} ax+4\le-2(x+a) \\ bx+24<-2ax+5b \end{cases}$ 의 해가 $x<3$이므로

각 부등식의 해의 공통부분이 $x<3$이다.

$ax+4\le-2(x+a)$에서 $ax+4\le-2x-2a$

$(a+2)x\le-2(a+2)$ ...... ㉠

(i) $a+2>0$일 때,

부등식 ㉠의 해는 $x\le-2$이고, 이때 연립부등식의 해는 $x<3$이 될 수 없다.

(ii) $a=-2$일 때,

$0\times x\le0$이므로 부등식 ㉠의 해는 모든 실수이고, 이때 연립부등식의 해는 $x<3$이 될 수 있다.

(iii) $a+2<0$일 때,

부등식 ㉠의 해는 $x\ge-2$이고, 이때 연립부등식의 해는 $x<3$이 될 수 없다.

(i)~(iii)에 의하여 $a=-2$

STEP 2 **연립부등식의 해를 이용하여 b의 값 구하기**

$a=-2$를 $bx+24<-2ax+5b$에 대입하면

$bx+24<4x+5b$

$(b-4)x<5b-24$

이 부등식의 해가 $x<3$이어야 하므로

$b-4>0$

$\therefore x<\frac{5b-24}{b-4}$

따라서 $\frac{5b-24}{b-4}=3$이므로

$5b-24=3b-12$

$2b=12$ $\therefore b=6$

STEP 3 **$a+b$의 값 구하기**

$\therefore a+b=-2+6=4$

필수유형 05

235쪽

05-1 답 (1) $k\le19$ (2) $k\le\frac{9}{4}$

해결전략 | 연립부등식이 해를 가지려면 공통부분이 있어야 하고, 해를 갖지 않으려면 공통부분이 없어야 한다.

(1) STEP 1 **각 일차부등식의 해 구하기**

$0.4x-2.6\le1$에서 $4x-26\le10$

$4x\le36$ $\therefore x\le9$ ...... ㉠

$2(x-5)\le3x-k$에서 $2x-10\le3x-k$

$-x\le-k+10$ $\therefore x\ge k-10$ ...... ㉡

STEP 2 **해의 조건에 맞는 실수 k의 값의 범위 구하기**

주어진 연립부등식이 해를 가지려면 오른쪽 그림에서

$k-10\le9$ $\therefore k\le19$

(2) STEP 1 **각 일차부등식의 해 구하기**

$3x+2\le2(x+3)$에서 $3x+2\le2x+6$

$\therefore x\le4$ ...... ㉠

$\frac{3x+k}{3}>\frac{4x-k}{5}+2$에서

$5(3x+k)>3(4x-k)+30$

$15x+5k>12x-3k+30$, $3x>-8k+30$

$\therefore x>-\frac{8}{3}k+10$ ...... ㉡

STEP 2 **해의 조건에 맞는 실수 k의 값의 범위 구하기**

주어진 연립부등식이 해를 갖지 않으려면 오른쪽 그림에서

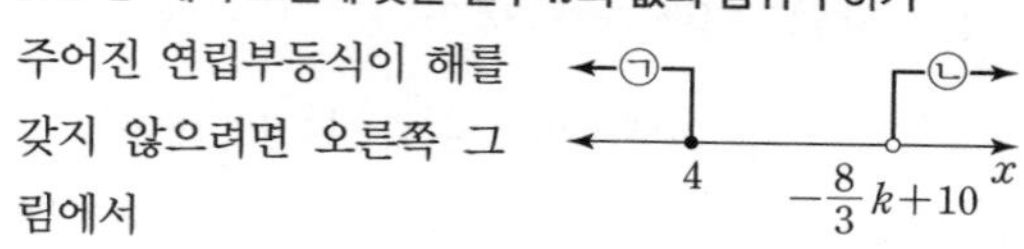

$-\frac{8}{3}k+10\ge4$, $-\frac{8}{3}k\ge-6$

$\therefore k\le\frac{9}{4}$

05-2 답 $a<-1$

해결전략 | 연립부등식이 해를 가지려면 두 일차부등식의 해가 공통부분이 있도록 해를 수직선 위에 나타내야 한다.

STEP1 두 일차부등식으로 나타내어 각각의 해 구하기

$\frac{7x+4}{3}<3x+2$에서 $7x+4<9x+6$

$-2x<2$ $\quad\therefore x>-1$ …… ㉠

$3x+2<2x-a$에서 $x<-a-2$ …… ㉡

STEP2 해의 조건에 맞는 실수 a의 값의 범위 구하기

주어진 부등식이 해를 가지려면 오른쪽 그림에서

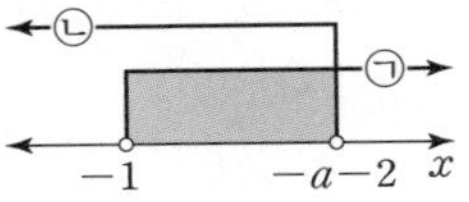

$-a-2>-1$, $-a>1$

$\therefore a<-1$

05-3 답 $a\le0$

해결전략 | 연립부등식이 해를 갖지 않으려면 두 일차부등식의 해가 공통부분이 없도록 해를 수직선 위에 나타내야 한다.

STEP1 두 일차부등식으로 나타내어 각각의 해 구하기

$\frac{x-a}{2}\le\frac{5-x}{3}$에서 $3(x-a)\le2(5-x)$

$3x-3a\le10-2x$, $5x\le3a+10$

$\therefore x\le\frac{3a+10}{5}$ …… ㉠

$\frac{5-x}{3}<3x-5$에서 $5-x<9x-15$

$-10x<-20$ $\quad\therefore x>2$ …… ㉡

STEP2 해의 조건에 맞는 실수 a의 값의 범위 구하기

주어진 연립부등식이 해를 갖지 않으려면 오른쪽 그림에서

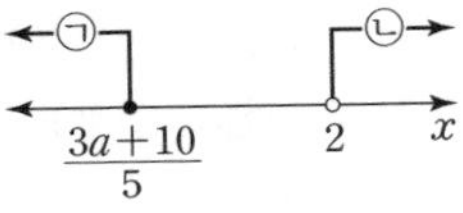

$\frac{3a+10}{5}\le2$, $3a+10\le10$

$3a\le0$ $\quad\therefore a\le0$

05-4 답 13

해결전략 | 연립부등식의 해를 수직선 위에 나타내어 해를 갖지 않도록 하는 실수 a의 값의 범위를 구한다.

STEP1 각 일차부등식의 해 구하기

$x-2\le2x-a$에서 $-x\le-a+2$

$\therefore x\ge a-2$ …… ㉠

$\frac{3x-4}{2}\le12+0.1x$에서 $5(3x-4)\le120+x$

$15x-20\le120+x$, $14x\le140$

$\therefore x\le10$ …… ㉡

STEP2 해의 조건에 맞는 실수 a의 값의 범위 구하기

주어진 연립부등식이 해를 갖지 않으려면 오른쪽 그림에서

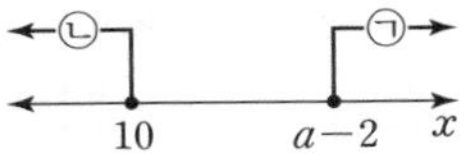

$a-2>10$ $\quad\therefore a>12$

STEP3 정수 a의 최솟값 구하기

따라서 구하는 정수 a의 최솟값은 13이다.

05-5 답 $0\le a\le1$

해결전략 | 각 부등식의 해를 수직선 위에 나타내고 공통부분이 2개의 정수를 포함하도록 하는 a의 값의 범위를 구한다.

STEP1 각 일차부등식의 해 구하기

$3x-5<4$에서 $3x<9$ $\quad\therefore x<3$ …… ㉠

$x\ge a$ …… ㉡

STEP2 해의 조건에 맞는 실수 a의 값의 범위 구하기

주어진 연립부등식을 만족시키는 정수 x가 2개이므로 오른쪽 그림에서

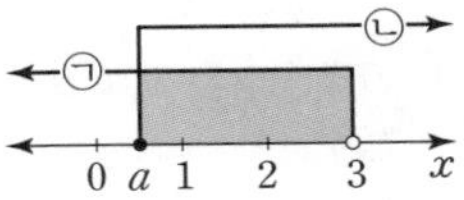

$0<a\le1$

05-6 답 9

해결전략 | 각 부등식의 해를 수직선 위에 나타내고 공통부분이 8개의 정수를 포함하도록 하는 a의 값의 범위를 구한다.

STEP1 두 일차부등식으로 나타내어 각각의 해 구하기

$3x-1<5x+3$에서 $-2x<4$ $\quad\therefore x>-2$

$5x+3\le4x+a$에서 $x\le a-3$

STEP2 부등식의 해의 조건에 맞는 자연수 a의 값 구하기

주어진 부등식을 만족시키는 정수 x가 8개이므로 오른쪽 그림에서 $6\le a-3<7$

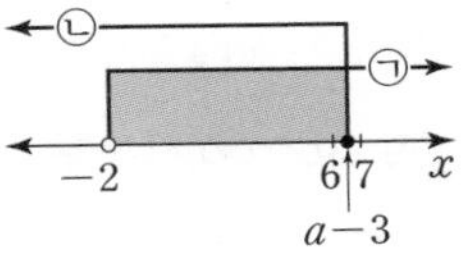

$\therefore 9\le a<10$

따라서 구하는 자연수 a의 값은 9이다.

필수유형 06 237쪽

06-1 답 (1) $x<-2$ 또는 $x>3$ (2) $\frac{1}{4}\le x\le\frac{3}{2}$

(3) $x\le-1$ 또는 $x\ge2$

해결전략 | 절댓값 기호 안의 식의 값이 0이 되는 x의 값을 기준으로 범위를 나누어 부등식을 푼다.

(1) **STEP 1 x의 값의 범위에 따라 경우를 나누어 부등식 풀기**

$|2x-1|>5$에서 절댓값 기호 안의 식 $2x-1$이 0이 되는 $x=\frac{1}{2}$을 기준으로 구간을 나누면

(i) $x<\frac{1}{2}$일 때, $-(2x-1)>5$이므로

$-2x>4$　　$\therefore x<-2$

그런데 $x<\frac{1}{2}$이므로 $x<-2$

(ii) $x\geq\frac{1}{2}$일 때, $2x-1>5$이므로

$2x>6$　　$\therefore x>3$

그런데 $x\geq\frac{1}{2}$이므로 $x>3$

STEP 2 주어진 부등식의 해 구하기

(i), (ii)에서 주어진 부등식의 해는

$x<-2$ 또는 $x>3$

(2) **STEP 1 x의 값의 범위에 따라 경우를 나누어 부등식 풀기**

$|3x-2|-1\leq x$에서 절댓값 기호 안의 식 $3x-2$가 0이 되는 $x=\frac{2}{3}$를 기준으로 구간을 나누면

(i) $x<\frac{2}{3}$일 때, $-(3x-2)-1\leq x$이므로

$-4x\leq-1$　　$\therefore x\geq\frac{1}{4}$

그런데 $x<\frac{2}{3}$이므로 $\frac{1}{4}\leq x<\frac{2}{3}$

(ii) $x\geq\frac{2}{3}$일 때, $(3x-2)-1\leq x$이므로

$2x\leq3$　　$\therefore x\leq\frac{3}{2}$

그런데 $x\geq\frac{2}{3}$이므로 $\frac{2}{3}\leq x\leq\frac{3}{2}$

STEP 2 주어진 부등식의 해 구하기

(i), (ii)에서 주어진 부등식의 해는 $\frac{1}{4}\leq x\leq\frac{3}{2}$

(3) **STEP 1 x의 값의 범위에 따라 경우를 나누어 부등식 풀기**

$|x|+|x-1|\geq3$에서 절댓값 기호 안의 식 x, $x-1$이 0이 되는 $x=0$, $x=1$을 기준으로 구간을 나누면

(i) $x<0$일 때, $-x-(x-1)\geq3$이므로

$-2x\geq2$　　$\therefore x\leq-1$

그런데 $x<0$이므로 $x\leq-1$

(ii) $0\leq x<1$일 때, $x-(x-1)\geq3$이므로

$0\times x\geq2$

따라서 해는 없다.

(iii) $x\geq1$일 때, $x+(x-1)\geq3$이므로

$2x\geq4$　　$\therefore x\geq2$

그런데 $x\geq1$이므로 $x\geq2$

STEP 2 주어진 부등식의 해 구하기

(i)~(iii)에서 주어진 부등식의 해는

$x\leq-1$ 또는 $x\geq2$

06-2 답 20

해결전략 | 절댓값 기호 안의 식의 값이 0이 되는 x의 값을 기준으로 범위를 나누어 부등식을 푼다.

STEP 1 x의 값의 범위에 따라 경우를 나누어 부등식 풀기

절댓값 기호 안의 식 $x-2$가 0이 되는 $x=2$를 기준으로 구간을 나누면

(i) $x<2$일 때, $1<-(x-2)<7$이므로

$1<-x+2<7$, $-1<-x<5$　　$\therefore -5<x<1$

그런데 $x<2$이므로 $-5<x<1$

(ii) $x\geq2$일 때, $1<x-2<7$이므로

$3<x<9$

그런데 $x\geq2$이므로 $3<x<9$

STEP 2 주어진 부등식의 해 구하기

(i), (ii)에서 주어진 부등식의 해는

$-5<x<1$ 또는 $3<x<9$

STEP 3 정수 x의 값의 합 구하기

따라서 주어진 부등식을 만족시키는 정수 x는 -4, -3, -2, -1, 0, 4, 5, 6, 7, 8이므로 그 합은 20이다.

06-3 답 7

해결전략 | $a>0$일 때 $|x|<a$의 해는 $-a<x<a$임을 이용한다.

STEP 1 각 일차부등식의 해 구하기

$2x+5\leq9$에서 $2x\leq4$　　$\therefore x\leq2$　　…… ㉠

$|x-3|\leq7$에서 $-7\leq x-3\leq7$

$\therefore -4\leq x\leq10$　　…… ㉡

STEP 2 연립부등식의 해 구하기

㉠, ㉡을 수직선 위에 나타내면 오른쪽 그림과 같으므로 주어진 연립부등식의 해는

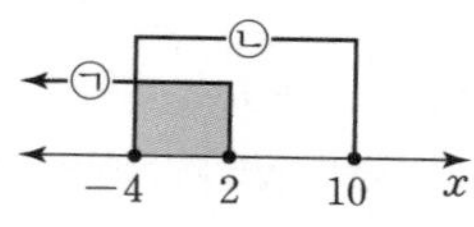

$-4\leq x\leq2$

따라서 정수 x는 -4, -3, -2, -1, 0, 1, 2의 7개이다.

06-4 답 12

해결전략 | $\sqrt{(a-b)^2}=|a-b|$임을 이용하고, 절댓값 기호를 2개 포함하는 일차부등식은 x의 값의 범위를 3개로 나누어 푼다.

STEP 1 주어진 부등식을 간단히 정리하기

$\sqrt{x^2-4x+4}=\sqrt{(x-2)^2}=|x-2|$이므로

$|2x-3|\le\sqrt{x^2-4x+4}+6$에서

$|2x-3|\le|x-2|+6$ …… ㉠

STEP 2 부등식의 해 구하기

㉠에서 절댓값 기호 안의 식 $2x-3$, $x-2$가 0이 되는 $x=\frac{3}{2}$, $x=2$를 기준으로 구간을 나누면

(i) $x<\frac{3}{2}$일 때, $-(2x-3)\le-(x-2)+6$이므로

$-2x+3\le-x+2+6$, $-x\le5$ $\quad\therefore x\ge-5$

그런데 $x<\frac{3}{2}$이므로 $-5\le x<\frac{3}{2}$

(ii) $\frac{3}{2}\le x<2$일 때, $2x-3\le-(x-2)+6$이므로

$2x-3\le-x+2+6$, $3x\le11$ $\quad\therefore x\le\frac{11}{3}$

그런데 $\frac{3}{2}\le x<2$이므로 $\frac{3}{2}\le x<2$

(iii) $x\ge2$일 때, $2x-3\le x-2+6$이므로

$x\le7$

그런데 $x\ge2$이므로 $2\le x\le7$

(i)~(iii)에서 주어진 부등식의 해는

$-5\le x\le7$

STEP 3 $\beta-\alpha$의 값 구하기

따라서 $\alpha=-5$, $\beta=7$이므로

$\beta-\alpha=7-(-5)=12$

06-5 답 $\frac{3}{2}$

해결전략 | 절댓값 기호를 2개 포함하는 일차부등식은 x의 값의 범위를 3개로 나누어 푼다.

STEP 1 $|x+1|+|x-4|\le6$에서 x의 값의 범위에 따라 경우를 나누어 부등식 풀기

$|x+1|+|x-4|\le6$에서 절댓값 기호 안의 식 $x+1$, $x-4$가 0이 되는 $x=-1$, $x=4$를 기준으로 구간을 나누면

(i) $x<-1$일 때, $-(x+1)-(x-4)\le6$이므로

$-2x\le3$ $\quad\therefore x\ge-\frac{3}{2}$

그런데 $x<-1$이므로 $-\frac{3}{2}\le x<-1$

(ii) $-1\le x<4$일 때, $(x+1)-(x-4)\le6$이므로

$0\times x\le1$

따라서 해는 모든 실수이다.

그런데 $-1\le x<4$이므로 $-1\le x<4$

(iii) $x\ge4$일 때, $(x+1)+(x-4)\le6$이므로

$2x\le9$ $\quad\therefore x\le\frac{9}{2}$

그런데 $x\ge4$이므로 $4\le x\le\frac{9}{2}$

(i)~(iii)에서 주어진 부등식의 해는

$-\frac{3}{2}\le x\le\frac{9}{2}$ …… ㉠

STEP 2 $|x-a|\le3$의 해 구하기

$|x-a|\le3$에서 $-3\le x-a\le3$

$\therefore a-3\le x\le a+3$ …… ㉡

STEP 3 두 부등식의 해를 비교하여 a의 값 구하기

㉠, ㉡의 해가 일치하므로

$a-3=-\frac{3}{2}$, $a+3=\frac{9}{2}$ $\quad\therefore a=\frac{3}{2}$

06-6 답 $a\le1$ 또는 $a\ge5$

해결전략 | 부등식 $ax<b$에서 $a>0$이면 $x<\frac{b}{a}$, $a<0$이면 $x>\frac{b}{a}$임을 이용한다.

STEP 1 $|4-2x|<x+1$의 해 구하기

$|4-2x|<x+1$에서 절댓값 기호 안의 식 $4-2x$가 0이 되는 $x=2$를 기준으로 구간을 나누면

(i) $x<2$일 때, $4-2x>0$이므로

$4-2x<x+1$, $-3x<-3$ $\quad\therefore x>1$

그런데 $x<2$이므로 $1<x<2$

(ii) $x\ge2$일 때, $4-2x\le0$이므로

$-(4-2x)<x+1$ $\quad\therefore x<5$

그런데 $x\ge2$이므로 $2\le x<5$

(i), (ii)에서 $|4-2x|<x+1$의 해는

$1<x<5$ …… ㉠

STEP 2 연립부등식의 해가 없도록 하는 실수 a의 값의 범위 구하기

$a(x+3)>a^2+3x$에서 $ax+3a>a^2+3x$

$(a-3)x>a(a-3)$ …… ㉡

(iii) $a-3>0$이면 ㉡의 해는 $x>a$

주어진 연립부등식이 해를 갖지 않으려면 오른쪽 그림에서 $a\ge5$

(iv) $a-3<0$이면 ㉡의 해는 $x<a$

주어진 연립부등식이 해를 갖지 않으려면 오른쪽 그림에서 $a\le1$

(v) $a=3$일 때, ㉡에서 $0\times x>0$이므로 해는 없다.

즉, 주어진 연립부등식의 해는 없다.

(iii)~(v)에 의하여 연립부등식이 해를 갖지 않도록 하는 a의 값의 범위는

$a\le 1$ 또는 $a\ge 5$

발전유형 07

239쪽

07-1 답 $\frac{200}{3}$ g 이상 100 g 이하

해결전략 | 두 식품 A, B에 대하여 각각 1 g에 들어 있는 열량과 단백질의 양을 먼저 구한다.

STEP 1 미지수 정하기

식품 B를 x g 섭취한다고 하면 식품 A는 $(200-x)$ g을 섭취하게 된다.

STEP 2 연립부등식 세우기

두 식품 A, B에 대하여 각각 1 g에 들어 있는 열량과 단백질의 양은 다음과 같다.

식품	열량(kcal)	단백질(g)
A	$\frac{120}{100}$	$\frac{8}{100}$
B	$\frac{300}{100}$	$\frac{6}{100}$

연립부등식을 세우면

$$\begin{cases} \frac{120}{100}(200-x)+\frac{300}{100}x\ge 360 \\ \frac{8}{100}(200-x)+\frac{6}{100}x\ge 14 \end{cases}$$

STEP 3 연립부등식의 해 구하기

$\frac{120}{100}(200-x)+\frac{300}{100}x\ge 360$에서

$2(200-x)+5x\ge 600$, $3x\ge 200$

$\therefore x\ge \frac{200}{3}$ …… ㉠

$\frac{8}{100}(200-x)+\frac{6}{100}x\ge 14$에서

$4(200-x)+3x\ge 700$, $-x\ge -100$

$\therefore x\le 100$ …… ㉡

㉠, ㉡에서 연립부등식의 해는 $\frac{200}{3}\le x\le 100$

따라서 섭취해야 하는 식품 B의 양은 $\frac{200}{3}$ g 이상 100 g 이하이다.

07-2 답 32

해결전략 | 연속하는 세 짝수를 x, $x+2$, $x+4$로 놓고 조건에 맞는 부등식을 세운다.

STEP 1 미지수를 정하여 연립부등식 세우기

연속하는 세 짝수를 x, $x+2$, $x+4$라고 하면

$87<x+(x+2)+(x+4)<93$

STEP 2 연립부등식의 해 구하기

$87<3x+6<93$, $81<3x<87$

$\therefore 27<x<29$

STEP 3 조건에 맞는 답 구하기

그런데 x는 짝수이므로 $x=28$

따라서 세 짝수 중 가장 큰 수는

$28+4=32$

07-3 답 35권

해결전략 | 학생 수를 미지수를 놓고, 학생 수를 먼저 구한 다음 공책의 수를 구한다.

STEP 1 미지수를 정하여 연립부등식 세우기

학생 수를 x라고 하면 공책의 수는 $4x+3$이므로

$8(x-4)+3\le 4x+3\le 8(x-4)+6$

STEP 2 연립부등식의 해 구하기

$8(x-4)+3\le 4x+3$에서 $8x-32+3\le 4x+3$

$4x\le 32$ $\quad\therefore x\le 8$ …… ㉠

$4x+3\le 8(x-4)+6$에서 $4x+3\le 8x-32+6$

$-4x\le -29$ $\quad\therefore x\ge \frac{29}{4}$ …… ㉡

㉠, ㉡에서 연립부등식의 해는

$\frac{29}{4}\le x\le 8$

STEP 3 조건에 맞는 답 구하기

그런데 x는 자연수이므로 $x=8$

따라서 공책의 수는

$4\times 8+3=35$(권)

07-4 답 $\frac{17}{7}<x<\frac{17}{5}$

해결전략 | 삼각형의 세 변의 길이는 모두 양수이고, 삼각형의 두 변의 길이의 합은 나머지 한 변의 길이보다 크다.

STEP 1 삼각형의 세 변의 길이는 모두 양수임을 이용하여 식 세우기

삼각형의 세 변의 길이는 모두 양수이므로

$x>0$, $18-3x>0$, $3x+1>0$에서 $0<x<6$ …… ㉠

STEP 2 **삼각형의 두 변의 길이의 합은 나머지 한 변의 길이보다 크다는 성질을 이용하여 식 세우기**

삼각형의 두 변의 길이의 합은 나머지 한 변의 길이보다 커야 하므로

$x+(18-3x)>3x+1$ …… ㉡

$(18-3x)+(3x+1)>x$ …… ㉢

$x+(3x+1)>18-3x$ …… ㉣

㉡에서 $-5x>-17$ $\therefore x<\frac{17}{5}$ …… ㉤

㉢에서 $x<19$ …… ㉥

㉣에서 $7x>17$ $\therefore x>\frac{17}{7}$ …… ㉦

STEP 3 **주어진 조건에 맞는 x의 값의 범위 구하기**

따라서 ㉠, ㉤, ㉥, ㉦을 모두 만족시켜야 하므로 구하는 x의 값의 범위는

$\frac{17}{7}<x<\frac{17}{5}$

07-5 답 86

해결전략 | 7명씩 앉을 때, 남은 빈 의자 8개를 제외한 나머지 의자 1개에는 학생이 1명에게 7명까지 앉을 수 있다.

STEP 1 **미지수를 정하여 연립부등식 세우기**

의자의 개수를 x라고 하면 전체 학생 수는 $6x+24$명이므로

$7(x-9)+1\le 6x+24\le 7(x-9)+7$

STEP 2 **연립부등식의 해 구하기**

$7(x-9)+1\le 6x+24$에서

$7x-63+1\le 6x+24$ $\therefore x\le 86$ …… ㉠

$6x+24\le 7(x-9)+7$에서

$6x+24\le 7x-63+7$

$-x\le -80$ $\therefore x\ge 80$ …… ㉡

㉠, ㉡에서 연립부등식의 해는

$80\le x\le 86$

STEP 3 **조건에 맞는 의자의 개수 구하기**

따라서 의자의 최대 개수는 86이다.

> 참고

한 의자에 7명씩 앉으면 의자가 8개 남는다.

의자의 개수를 x라고 하면

① 빈 의자의 개수: 8

② 7명씩 앉은 의자의 개수: $x-9$

③ 마지막 1개의 의자에는 최소 1명에서 최대 7명까지 앉을 수 있다.

07-6 답 55

해결전략 | 사탕 15개가 채워지지 않는 상자 1개에는 사탕이 1개에서 15개까지 들어 있을 수 있다.

STEP 1 **미지수를 정하여 연립부등식 세우기**

상자의 개수를 x라고 하면 한 상자에 사탕을 12개씩 담으면 사탕이 45개 남게 되므로 사탕의 개수는 $12x+45$이다.

또, 한 상자에 사탕을 15개씩 담으면 15개가 채워지지 않는 상자가 1개 있고 빈 상자가 2개 남게 되므로

$15(x-3)+1\le 12x+45\le 15(x-3)+14$

STEP 2 **연립부등식의 해 구하기**

$15(x-3)+1\le 12x+45$에서

$15x-45+1\le 12x+45$

$3x\le 89$ $\therefore x\le\frac{89}{3}$ …… ㉠

$12x+45\le 15(x-3)+14$에서

$12x+45\le 15x-45+14$

$-3x\le -76$ $\therefore x\ge\frac{76}{3}$ …… ㉡

㉠, ㉡에서 연립부등식의 해는

$\frac{76}{3}\le x\le\frac{89}{3}$

STEP 3 **$M+m$의 값 구하기**

그런데 x는 자연수이므로 $26\le x\le 29$

따라서 상자의 개수의 최댓값은 29, 최솟값은 26이므로

$M=29$, $m=26$

$\therefore M+m=29+26=55$

유형 특강 241쪽

답 (1) $x<-4$ 또는 $x>2$ (2) $0\le x<1$ 또는 $2<x\le 3$ (3) $-3\le x\le 3$

(1) STEP 1 **함수 $y=|x+1|$의 그래프 그리기**

절댓값 기호 안의 식의 값이 0이 되는 x의 값은

$x+1=0$에서 $x=-1$

(i) $x<-1$일 때,

$y=-(x+1)$ $\therefore y=-x-1$

(ii) $x\ge -1$일 때,

$y=x+1$

(i), (ii)에서 $y=|x+1|$의 그래프는 오른쪽 그림과 같다.

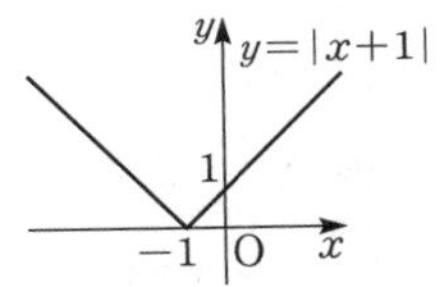

STEP 2 **함수 $y=|x+1|$의 그래프와 직선 $y=3$의 교점의 x좌표 구하기**

$y=|x+1|$의 그래프와 직선 $y=3$의 교점의 x좌표는

(i) $x<-1$일 때,

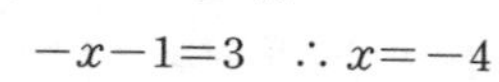

$-x-1=3 \quad \therefore x=-4$

(ii) $x \geq -1$일 때,

$x+1=3 \quad \therefore x=2$

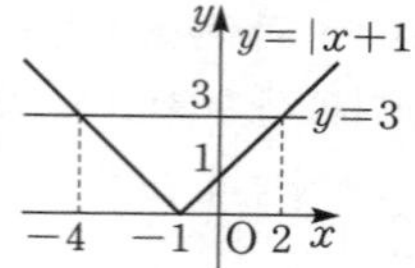

STEP 3 **그래프를 이용하여 부등식의 해 구하기**

$|x+1|>3$의 해는 $y=|x+1|$의 그래프가 직선 $y=3$의 위쪽에 있는 x의 값의 범위이다.

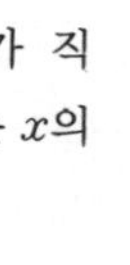

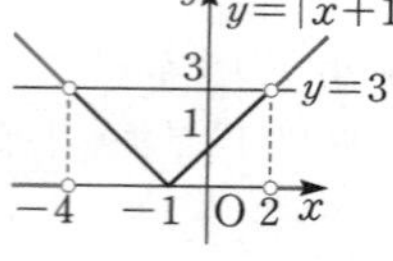

따라서 구하는 해는

$x<-4$ 또는 $x>2$

(2) STEP 1 **함수 $y=|-2x+3|$의 그래프 그리기**

절댓값 기호 안의 식의 값이 0이 되는 x의 값은

$-2x+3=0$에서 $x=\frac{3}{2}$

(i) $x<\frac{3}{2}$일 때,

$y=-2x+3$

(ii) $x \geq \frac{3}{2}$일 때,

$y=-(-2x+3)$

$\therefore y=2x-3$

(i), (ii)에서 $y=|-2x+3|$의 그래프는 오른쪽 그림과 같다.

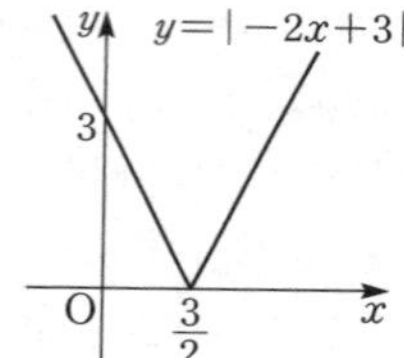

STEP 2 **함수 $y=|-2x+3|$의 그래프와 직선 $y=1$, $y=3$의 교점의 x좌표 구하기**

$y=|-2x+3|$의 그래프와 직선 $y=1$의 교점의 x좌표는

(i) $x<\frac{3}{2}$일 때,

$-2x+3=1 \quad \therefore x=1$

(ii) $x \geq \frac{3}{2}$일 때,

$2x-3=1 \quad \therefore x=2$

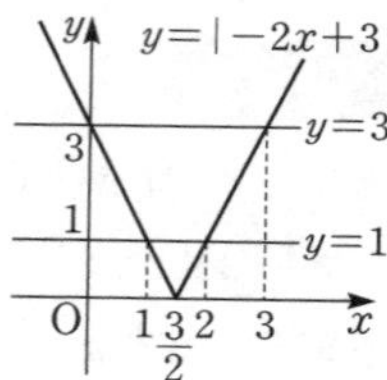

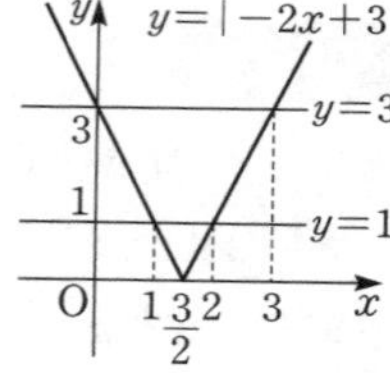

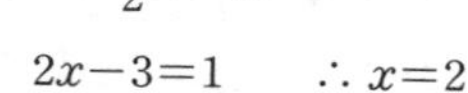

$y=|-2x+3|$의 그래프와 직선 $y=3$의 교점의 x좌표는

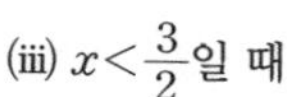

(iii) $x<\frac{3}{2}$일 때,

$-2x+3=3 \quad \therefore x=0$

(iv) $x \geq \frac{3}{2}$일 때,

$2x-3=3 \quad \therefore x=3$

STEP 3 **그래프를 이용하여 부등식의 해 구하기**

$1<|-2x+3| \leq 3$의 해는 $y=|-2x+3|$의 그래프가 직선 $y=1$의 위쪽, 직선 $y=3$과 만나거나 그 아래쪽에 있는 x의 값의 범위이다.

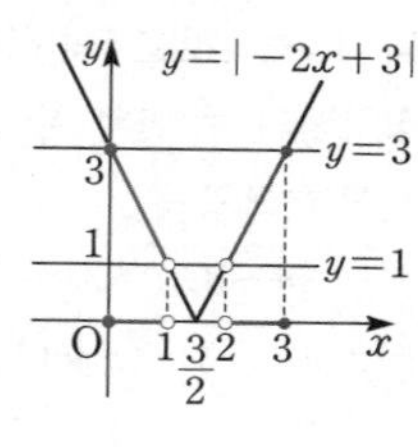

따라서 구하는 해는

$0 \leq x<1$ 또는 $2<x \leq 3$

(3) STEP 1 **함수 $y=|x+2|+|x-2|$의 그래프 그리기**

절댓값 기호 안의 식의 값이 0이 되는 x의 값은

$x+2=0$에서 $x=-2$

$x-2=0$에서 $x=2$

(i) $x<-2$일 때,

$y=-(x+2)-(x-2) \quad \therefore y=-2x$

(ii) $-2 \leq x<2$일 때,

$y=x+2-(x-2) \quad \therefore y=4$

(iii) $x \geq 2$일 때,

$y=x+2+x-2$

$\therefore y=2x$

(i)~(iii)에서 $y=|x+2|+|x-2|$의 그래프는 오른쪽 그림과 같다.

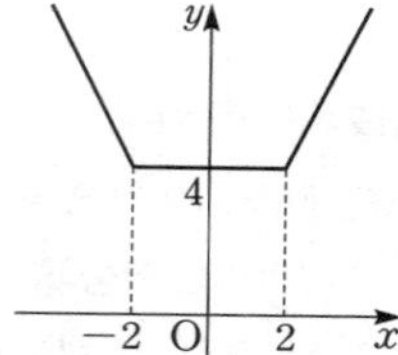

STEP 2 **함수 $y=|x+2|+|x-2|$의 그래프와 직선 $y=6$의 교점의 x좌표 구하기**

$y=|x+2|+|x-2|$의 그래프와 직선 $y=6$의 교점의 x좌표는

(i) $x<-2$일 때,

$-2x=6 \quad \therefore x=-3$

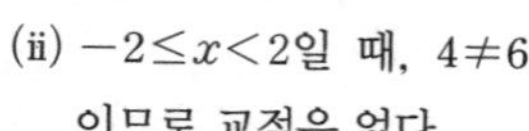

(ii) $-2 \leq x<2$일 때, $4 \neq 6$이므로 교점은 없다.

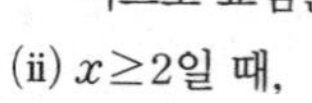

(ii) $x \geq 2$일 때,

$2x=6 \quad \therefore x=3$

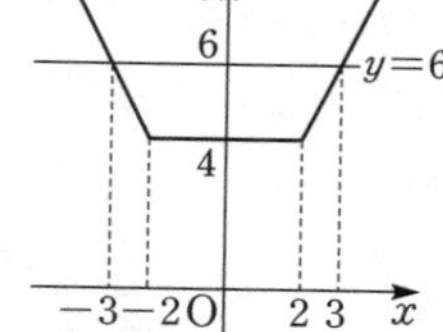

STEP 3 **그래프를 이용하여 부등식의 해 구하기**

$|x+2|+|x-2| \leq 6$의 해는 $y=|x+2|+|x-2|$의 그래프가 직선 $y=6$과 만나거나 그 아래쪽에 있는 x의 값의 범위이다.

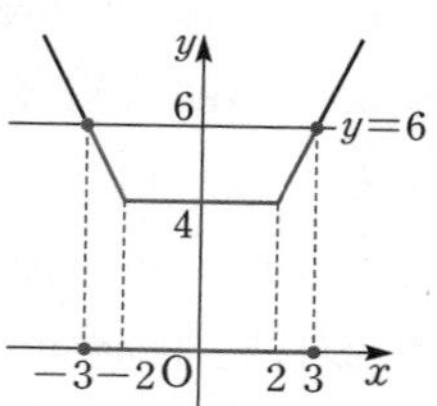

따라서 구하는 해는

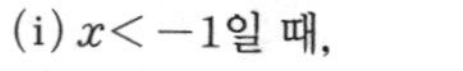

$-3 \leq x \leq 3$

실전 연습 문제 242~244쪽

01 ④ 02 ① 03 ③ 04 -13
05 해는 없다. 06 1 07 ⑤
08 $a=-19$, $b=33$ 09 ② 10 ④
11 $a\le -10$ 12 ② 13 ⑤ 14 -5
15 90 16 9, 10, 11 17 59
18 400 g 이상 600 g 이하

01

해결전략 | 부등식의 기본 성질을 이용하여 참, 거짓을 판단한다.

ㄱ. [반례] $a=2$, $b=-1$이면 $ab<0$이지만
$a+b>0$ (거짓)

ㄴ. $(a-b)^2-(a+b)^2=-4ab>0$이므로
$(a-b)^2>(a+b)^2$
$\therefore |a-b|>|a+b|$ (참)

ㄷ. $\frac{a-b}{a}-\frac{a+b}{b}=\frac{-(a^2+b^2)}{ab}>0$이므로
$\frac{a-b}{a}>\frac{a+b}{b}$ (참)

따라서 옳은 것은 ㄴ, ㄷ이다.

02

해결전략 | 일차부등식 $ax>b$에서 해가 모든 실수이려면 $a=0$이고, $b<0$이어야 한다.

STEP1 부등식의 해가 모든 실수일 조건 구하기

$a(3x-2)>b(2x-1)$에서 $(3a-2b)x>2a-b$
이 부등식의 해가 모든 실수이려면
$3a-2b=0$, $2a-b<0$
이어야 한다.

(i) $3a-2b=0$에서 $b=\frac{3}{2}a$

(ii) $2a-b<0$에서
$2a-\frac{3}{2}a=\frac{1}{2}a<0$ $\quad\therefore a<0$

STEP2 $ax+4b>3a-2bx$의 해 구하기

$ax+4b>3a-2bx$에서 $(a+2b)x>3a-4b$
$b=\frac{3}{2}a$를 대입하면
$(a+3a)x>3a-6a$ $\quad\therefore 4ax>-3a$
이때 $a<0$이므로
$x<-\frac{3}{4}$

03

해결전략 | 일차항의 계수를 정수로 바꾼 다음 연립부등식의 해를 구한다.

STEP1 연립부등식의 해 구하기

$\frac{x}{3}-1\ge\frac{x-1}{2}$에서 $2x-6\ge 3(x-1)$
$2x-6\ge 3x-3$, $-x\ge 3$
$\therefore x\le -3$ …… ㉠
$0.3x-2<0.4x+1$에서
$3x-20<4x+10$, $-x<30$
$\therefore x>-30$ …… ㉡

㉠, ㉡을 수직선 위에 나타내면 오른쪽 그림과 같으므로 주어진 연립부등식의 해는
$-30<x\le -3$

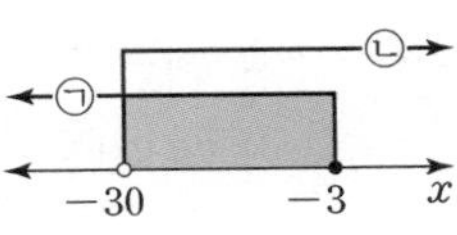

STEP2 A의 값의 범위 구하기

이때 $1\le -\frac{1}{3}x<10$이므로 $6\le -\frac{1}{3}x+5<15$
$\therefore 6\le A<15$

04

해결전략 | 연립부등식의 해를 구한 다음, 이 해가 $4x+a>2$의 해에 포함되는 실수 a의 값의 범위를 구한다.

STEP1 연립부등식의 해 구하기

$0.1x+\frac{2}{5}\le 0.3x$에서 $x+4\le 3x$
$-2x\le -4$ $\quad\therefore x\ge 2$ …… ㉠
$4(x-2)+5\ge 3x+1$에서 $4x-3\ge 3x+1$
$\therefore x\ge 4$ …… ㉡

㉠, ㉡을 수직선 위에 나타내면 오른쪽 그림과 같으므로 주어진 연립부등식의 해는
$x\ge 4$ …… ㉢

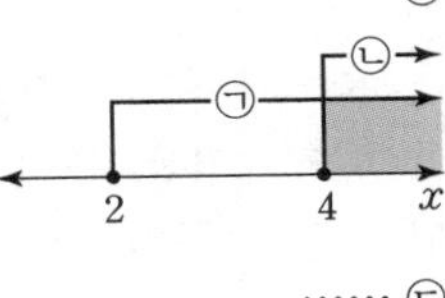

STEP2 정수 a의 최솟값 구하기

$4x+a>2$에서 $x>\frac{2-a}{4}$ …… ㉣

㉢이 ㉣을 만족시키려면 오른쪽 그림에서
$\frac{2-a}{4}<4$
$2-a<16$
$\therefore a>-14$

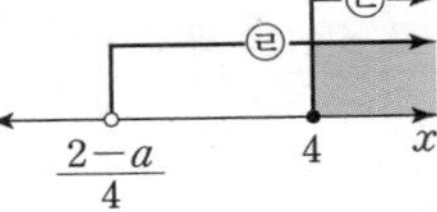

따라서 정수 a의 최솟값은 -13이다.

풍쌤의 비법

주어진 연립부등식의 해가 일차부등식을 만족시키므로 연립부등식의 모든 해는 일차부등식의 해의 범위에 포함되어야 한다. 만약 해의 범위에 포함되지 않는 x의 값이 존재한다면 그 값은 부등식을 만족시키지 않으므로 연립부등식의 모든 해가 포함되도록 실수 a의 값의 범위를 정해야 한다.

05

해결전략 | a의 값을 구한 다음 부등식의 해를 구한다.

STEP 1 자연수 a의 값 구하기

$0<-\frac{3}{4}a+1<2$에서 $-1<-\frac{3}{4}a<1$

$\therefore -\frac{4}{3}<a<\frac{4}{3}$

그런데 a는 자연수이므로

$a=1$ …… ❶

STEP 2 부등식의 해 구하기

$a=1$을 $2+3x+a\le\frac{8}{3}(x+1)<3x-a$에 대입하면

$3x+3\le\frac{8}{3}(x+1)<3x-1$

$$\begin{cases} 3x+3\le\frac{8}{3}(x+1) \\ \frac{8}{3}(x+1)<3x-1 \end{cases}$$

$3x+3\le\frac{8}{3}(x+1)$의 양변에 3을 곱하면

$9x+9\le 8x+8 \quad \therefore x\le -1$ …… ㉠

$\frac{8}{3}(x+1)<3x-1$의 양변에 3을 곱하면

$8x+8<9x-3$

$-x<-11 \quad \therefore x>11$ …… ㉡

㉠, ㉡을 수직선 위에 나타내면 오른쪽 그림과 같으므로 주어진 부등식의 해는 없다.

…… ❷

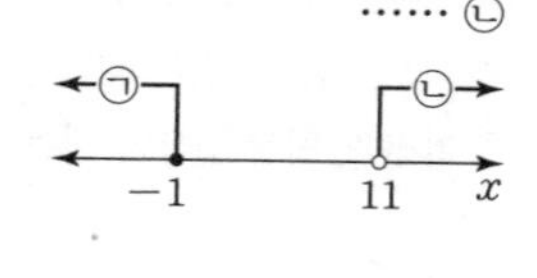

채점 요소	배점
❶ a의 값 구하기	40 %
❷ 부등식의 해 구하기	60 %

06

해결전략 | $A<B<C$ 꼴의 부등식은 $\begin{cases} A<B \\ B<C \end{cases}$ 꼴로 바꾸어 푼다.

STEP 1 부등식의 해 구하기

주어진 부등식에서

$$\begin{cases} 0.2x-0.9\le-\frac{1}{5}x+0.3 \\ -\frac{1}{5}x+0.3<\frac{3}{10}x+1.8 \end{cases}$$

$0.2x-0.9\le-\frac{1}{5}x+0.3$의 양변에 10을 곱하면

$2x-9\le-2x+3,\ 4x\le12$

$\therefore x\le3$ …… ㉠

$-\frac{1}{5}x+0.3<\frac{3}{10}x+1.8$의 양변에 10을 곱하면

$-2x+3<3x+18,\ -5x<15$

$\therefore x>-3$ …… ㉡

㉠, ㉡을 수직선 위에 나타내면 오른쪽 그림과 같으므로 주어진 부등식의 해는

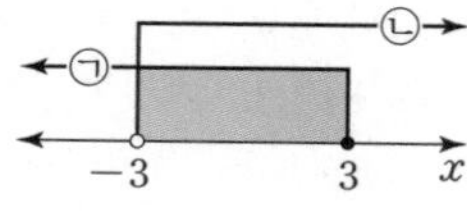

$-3<x\le3$

STEP 2 $M+m$의 값 구하기

따라서 x의 값 중에서 가장 큰 정수 M과 가장 작은 정수 m을 구하면

$M=3,\ m=-2$

$\therefore M+m=3+(-2)=1$

07

해결전략 | 각각의 일차부등식을 풀어 연립부등식의 해를 구하고 주어진 해와 비교하여 미지수의 값을 구한다.

STEP 1 각 일차부등식의 해 구하기

$4x-1\ge2x+a$에서 $2x\ge a+1$

$\therefore x\ge\frac{a+1}{2}$

$-x+2>b$에서 $-x>b-2$

$\therefore x<-b+2$

STEP 2 a, b의 값 구하기

이때 주어진 연립부등식의 해가 $-2\le x<4$이므로

$\frac{a+1}{2}=-2,\ -b+2=4$

$\therefore a=-5,\ b=-2$

STEP 3 $\frac{a}{5}x+b>0$의 해 구하기

$a=-5,\ b=-2$를 $\frac{a}{5}x+b>0$에 대입하면

$-x-2>0,\ -x>2 \quad \therefore x<-2$

따라서 부등식 $\frac{a}{5}x+b>0$의 해가 될 수 없는 것은 ⑤이다.

08

해결전략 | x의 계수의 부호에 따라 경우를 나누어 미지수의 값을 구한다.

STEP 1 x의 계수가 양수일 때, 정수 a, b의 값 구하기

(i) $2a+b>0$일 때,

$\frac{5a+2b-1}{2a+b}<x<\frac{2a+b-5}{2a+b}$이므로

$\frac{5a+2b-1}{2a+b}=2$, $\frac{2a+b-5}{2a+b}=6$

$5a+2b-1=4a+2b$, $2a+b-5=12a+6b$

$a=1$, $10a+5b=-5$

$\therefore a=1, b=-3$

그런데 $2a+b<0$이므로 성립하지 않는다. …… ❶

STEP 2 x의 계수가 음수일 때, 정수 a, b의 값 구하기

(ii) $2a+b<0$일 때,

$\frac{2a+b-5}{2a+b}<x<\frac{5a+2b-1}{2a+b}$이므로

$\frac{2a+b-5}{2a+b}=2$, $\frac{5a+2b-1}{2a+b}=6$

$2a+b-5=4a+2b$, $5a+2b-1=12a+6b$

$2a+b=-5$, $7a+4b=-1$

두 식을 연립하여 풀면 $a=-19$, $b=33$

이때 $2a+b<0$이므로 성립한다. …… ❷

(i), (ii)에 의하여

$a=-19$, $b=33$ …… ❸

채점 요소	배점
❶ x의 계수가 양수일 때, 정수 a, b의 값 구하기	40 %
❷ x의 계수가 음수일 때, 정수 a, b의 값 구하기	40 %
❸ 주어진 조건에 맞는 정수 a, b의 값 구하기	20 %

09

해결전략 | 각 부등식의 공통부분이 음의 정수 3개를 포함하도록 하는 k의 값의 범위를 구한다.

STEP 1 각 일차부등식의 해 구하기

$\frac{x+1}{3}\geq k-x$에서 $x+1\geq 3k-3x$, $4x\geq 3k-1$

$\therefore x\geq\frac{3k-1}{4}$ …… ㉠

$\frac{x-3}{2}<\frac{1-2x}{3}$에서 $3(x-3)<2(1-2x)$

$3x-9<2-4x$, $7x<11$

$\therefore x<\frac{11}{7}$ …… ㉡

STEP 2 해의 조건을 만족시키는 실수 k의 값의 범위 구하기

주어진 연립부등식을 만족시키는 음의 정수 x가 3개이므로 오른쪽 그림에서

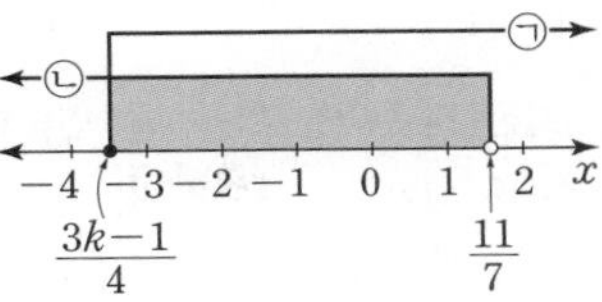

$-4<\frac{3k-1}{4}\leq -3$

$-16<3k-1\leq -12$, $-15<3k\leq -11$

$\therefore -5<k\leq -\frac{11}{3}$

STEP 3 모든 정수 k의 값의 합 구하기

따라서 정수 k는 -4, -3이므로 모든 정수 k의 합은 -7이다.

10

해결전략 | 각 일차부등식의 해를 구한 후 해의 공통부분에 자연수인 해가 없도록 수직선 위에 나타낸다.

STEP 1 각 일차부등식의 해 구하기

$\frac{1}{3}x+2>\frac{3x-2}{6}$에서 $2x+12>3x-2$

$-x>-14$ $\quad\therefore x<14$ …… ㉠

$2(x-k)<x-3$에서 $2x-2k<x-3$

$\therefore x<2k-3$ …… ㉡

STEP 2 해의 조건에 맞는 실수 k의 값의 범위 구하기

주어진 연립부등식을 만족시키는 x의 값 중 자연수가 없으려면 오른쪽 그림에서

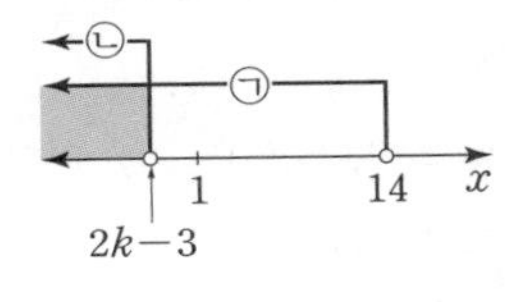

$2k-3\leq 1$, $2k\leq 4$

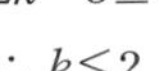

$\therefore k\leq 2$

따라서 실수 k의 최댓값은 2이다.

11

해결전략 | 연립부등식의 해가 없으려면 각 일차부등식의 해의 공통부분이 없어야 한다.

STEP 1 각 일차부등식의 해 구하기

$3x+7>x+1$에서 $2x>-6$

$\therefore x>-3$ …… ㉠

$2-x\leq a-5x$에서 $4x\leq a-2$

$\therefore x\leq\frac{a-2}{4}$ …… ㉡

STEP 2 해의 조건에 맞는 실수 a의 값의 범위 구하기

주어진 연립부등식의 해가 없으려면 오른쪽 그림에서

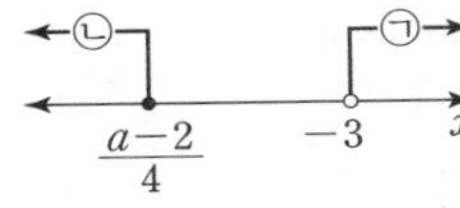

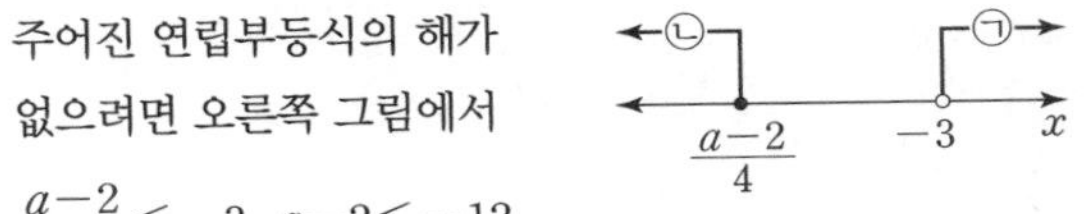

$\frac{a-2}{4}\leq -3$, $a-2\leq -12$

$\therefore a\leq -10$

12

해결전략 | 주어진 부등식을 연립부등식으로 나타내고 해를 구한 후 해가 존재하도록 하는 실수 a의 값의 범위를 구한다.

STEP1 각 일차부등식의 해 구하기

$5x+a<3x-5<9x+17$에서

$\begin{cases} 5x+a<3x-5 \\ 3x-5<9x+17 \end{cases}$

$5x+a<3x-5$에서 $2x<-a-5$

$\therefore x<\frac{-a-5}{2}$ ...... ㉠

$3x-5<9x+17$에서 $-6x<22$

$\therefore x>-\frac{11}{3}$ ...... ㉡

STEP2 해의 조건에 맞는 실수 a의 값의 범위 구하기

주어진 연립부등식의 해가 존재하려면 오른쪽 그림에서

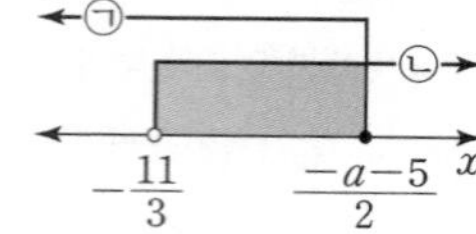

$-\frac{11}{3}<\frac{-a-5}{2}$

$-22<-3a-15$

$3a<7$ $\therefore a<\frac{7}{3}$

STEP3 정수 a의 최댓값 구하기

따라서 구하는 정수 a의 최댓값은 2이다.

13

해결전략 | 절댓값 기호 안의 식의 값이 0이 되는 x의 값을 기준으로 범위를 나누어 부등식을 푼다.

STEP1 x의 값의 범위에 따라 경우를 나누어 부등식 풀기

$|3x-1|<x+a$에서 절댓값 기호 안의 식 $3x-1$이 0이 되는 $x=\frac{1}{3}$을 기준으로 구간을 나누면

(i) $x<\frac{1}{3}$일 때, $-(3x-1)<x+a$이므로

$-3x+1<x+a$, $-4x<a-1$

$\therefore x>\frac{1-a}{4}$

이때 a가 양수이므로 $\frac{1-a}{4}<x<\frac{1}{3}$

(ii) $x\geq\frac{1}{3}$일 때, $3x-1<x+a$이므로

$2x<a+1$ $\therefore x<\frac{a+1}{2}$

이때 a가 양수이므로 $\frac{1}{3}\leq x<\frac{a+1}{2}$

(i), (ii)에서 부등식의 해는

$\frac{1-a}{4}<x<\frac{a+1}{2}$

STEP2 a의 값 구하기

이때 주어진 부등식의 해가 $-1<x<3$이므로

$\frac{1-a}{4}=-1$, $\frac{a+1}{2}=3$

$\therefore a=5$

> **풍쌤의 비법**
>
> (i)에서 $\frac{1-a}{4}$의 값의 범위에 따라서 x의 값의 범위가 달라진다.
>
> $a>0$이므로 $1-a<1$에서 $\frac{1-a}{4}<\frac{1}{4}$
>
> 즉, $\frac{1-a}{4}$의 값은 $\frac{1}{3}$보다 작으므로 x의 값의 범위는 $\frac{1-a}{4}<x<\frac{1}{3}$이 된다.
>
> 마찬가지로 (ii)에서 $\frac{a+1}{2}$의 값의 범위를 알아보자.
>
> $a>0$이므로 $a+1>1$에서 $\frac{a+1}{2}>\frac{1}{2}$
>
> 즉, $\frac{a+1}{2}$의 값은 $\frac{1}{3}$보다 크므로 x의 값의 범위는 $\frac{1}{3}\leq x<\frac{a+1}{2}$이 된다.

14

해결전략 | 절댓값 기호 안의 식의 값이 0이 되는 때의 x의 값을 기준으로 범위를 나누어 부등식을 푼다.

STEP1 x의 값의 범위에 따라 경우를 나누어 부등식 풀기

$|3x+1|+|x|\leq a$에서 절댓값 기호 안의 식 $3x+1$, x가 0이 되는 $x=-\frac{1}{3}$, $x=0$을 기준으로 구간을 나누면

(i) $x<-\frac{1}{3}$일 때, $-(3x+1)-x\leq a$이므로

$-4x\leq a+1$ $\therefore x\geq-\frac{a+1}{4}$

이때 $a>1$이므로 $-\frac{a+1}{4}<-\frac{1}{2}$

그런데 $x<-\frac{1}{3}$이므로 $-\frac{a+1}{4}\leq x<-\frac{1}{3}$

(ii) $-\frac{1}{3}\leq x<0$일 때, $(3x+1)-x\leq a$이므로

$2x\leq a-1$ $\therefore x\leq\frac{a-1}{2}$

이때 $a>1$이므로 $\frac{a-1}{2}>0$

그런데 $-\frac{1}{3}\leq x<0$이므로 $-\frac{1}{3}\leq x<0$

(iii) $x\ge0$일 때, $(3x+1)+x\le a$이므로

$4x\le a-1 \qquad \therefore x\le\frac{a-1}{4}$

이때 $a>1$이므로 $\frac{a-1}{4}>0$

그런데 $x\ge0$이므로 $0\le x\le\frac{a-1}{4}$

(i)~(iii)에서 주어진 부등식의 해는

$-\frac{a+1}{4}\le x\le\frac{a-1}{4}$ …… ㉠

STEP 2 **$0\le x-b\le2$의 해 구하기**

$0\le x-b\le2$에서 $b\le x\le b+2$ …… ㉡

STEP 3 **ab의 값 구하기**

㉠, ㉡이 서로 같으므로

$-\frac{a+1}{4}=b,\ \frac{a-1}{4}=b+2$

$a+4b=-1,\ a-4b=9$

두 식을 연립하여 풀면 $a=4,\ b=-\frac{5}{4}$

$\therefore ab=4\times\left(-\frac{5}{4}\right)=-5$

15

해결전략 | 연립부등식의 해가 없으려면 두 일차부등식의 공통부분이 없어야 한다.

STEP 1 **각 일차부등식의 해 구하기**

$20|x-10|<a$에서 $|x-10|<\frac{a}{20}$

$-\frac{a}{20}<x-10<\frac{a}{20}$ ($\because a>0$)

$\therefore 10-\frac{a}{20}<x<10+\frac{a}{20}$ …… ㉠

$20x-a<20$에서 $20x<20+a$

$\therefore x<1+\frac{a}{20}$ …… ㉡ …… ❶

STEP 2 **양수 a의 최댓값 구하기**

주어진 연립부등식의 해가 없으려면 오른쪽 그림에서

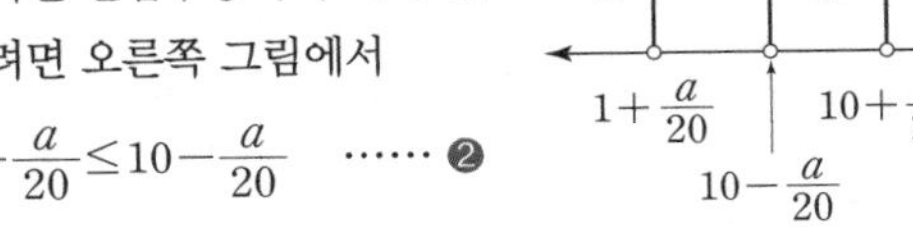

$1+\frac{a}{20}\le10-\frac{a}{20}$ …… ❷

$\frac{a}{10}\le9 \qquad \therefore a\le90$

따라서 양수 a의 최댓값은 90이다. …… ❸

채점 요소	배점
❶ 각 일차부등식의 해 구하기	40 %
❷ 해가 없는 조건 이용하여 부등식 세우기	40 %
❸ 양수 a의 최댓값 구하기	20 %

16

해결전략 | 과자를 9봉지씩 담을 때, 남는 빈 상자 2개를 제외한 나머지 상자 1개에는 과자가 1봉지에서 9봉지까지 들어 있을 수 있다.

STEP 1 **미지수를 정하여 연립부등식 세우기**

상자의 개수를 x라고 하면 과자는 $(6x+7)$봉지이므로

$9(x-3)+1\le6x+7\le9(x-3)+9$

STEP 2 **연립부등식의 해 구하기**

$9(x-3)+1\le6x+7$에서

$9x-27+1\le6x+7$

$3x\le33 \qquad \therefore x\le11$ …… ㉠

$6x+7\le9(x-3)+9$에서

$6x+7\le9x-27+9$

$-3x\le-25 \qquad \therefore x\ge\frac{25}{3}$ …… ㉡

㉠, ㉡에서 연립부등식의 해는

$\frac{25}{3}\le x\le11$

STEP 3 **가능한 상자의 개수 구하기**

따라서 가능한 상자의 개수는 9, 10, 11이다.

17

해결전략 | 십의 자리의 숫자가 a, 일의 자리의 숫자가 b인 수는 $10a+b$임을 이용한다.

STEP 1 **미지수를 정하여 연립부등식 세우기**

구하는 자연수의 십의 자리의 숫자를 x라고 하면 일의 자리의 숫자는 $x+4$이므로

$$\begin{cases} x+(x+4)\ge14 \\ 10(x+4)+x>2\{10x+(x+4)\}-34 \end{cases}$$ …… ❶

STEP 2 **연립부등식의 해 구하기**

$x+(x+4)\ge14$에서 $2x+4\ge14$

$2x\ge10 \qquad \therefore x\ge5$ …… ㉠

$10(x+4)+x>2\{10x+(x+4)\}-34$에서

$11x+40>22x-26,\ -11x>-66$

$\therefore x<6$ …… ㉡

㉠, ㉡에서 연립부등식의 해는 $5\le x<6$ …… ❷

STEP 3 **처음 자연수 구하기**

이때 x는 자연수이므로 $x=5$

따라서 처음 자연수는 59이다. …… ❸

채점 요소	배점
❶ 연립부등식 세우기	40 %
❷ 연립부등식의 해 구하기	40 %
❸ 처음 자연수 구하기	20 %

18

해결전략 | (소금의 양)$=\dfrac{(\text{소금물의 농도})}{100}\times$(소금물의 양)임을 이용하여 연립부등식을 세운다.

STEP 1 미지수를 정하여 연립부등식 세우기

3 %소금물의 양을 x g이라고 하면 12 %의 소금물의 양은 $(900-x)$ g이므로

$$\frac{6}{100}\times 900\le\frac{3}{100}\times x+\frac{12}{100}\times(900-x)\le\frac{8}{100}\times 900$$

STEP 2 연립부등식의 해 구하기

$\frac{6}{100}\times 900\le\frac{3}{100}\times x+\frac{12}{100}\times(900-x)$에서

$1800\le x+3600-4x$, $3x\le 1800$

$\therefore x\le 600$ …… ㉠

$\frac{3}{100}\times x+\frac{12}{100}\times(900-x)\le\frac{8}{100}\times 900$에서

$x+3600-4x\le 2400$, $-3x\le -1200$

$\therefore x\ge 400$ …… ㉡

㉠, ㉡에서 연립부등식의 해는 $400\le x\le 600$

따라서 3 %의 소금물은 400 g 이상 600 g 이하 들어 있다.

상위권 도약 문제 245~246쪽

01 5	**02** $-\frac{9}{2}<k\le-\frac{5}{2}$	**03** 2	**04** -24
05 4	**06** ⑤	**07** 22	**08** ①

01

해결전략 | 크지 않다는 것은 작거나 같다는 것을 의미한다.

STEP 1 x가 자연수일 때, 식 간단히 하기

(i) $x=k$ (k는 자연수)일 때,

$[x]=k$, $<x>=k$이므로

$[x]+<x>\le 9$에서 $k+k\le 9$

$2k\le 9$ $\quad\therefore k\le\frac{9}{2}$

$\therefore x=1$ 또는 $x=2$ 또는 $x=3$ 또는 $x=4$

STEP 2 x가 자연수가 아닌 실수일 때, 식 간단히 하기

(ii) $k-1<x<k$ (k는 자연수)일 때,

$[x]=k-1$, $<x>=k$이므로

$[x]+<x>\le 9$에서 $k-1+k\le 9$

$2k\le 10$ $\quad\therefore k\le 5$

$\therefore 0<x<1$ 또는 $1<x<2$ 또는 $2<x<3$ 또는 $3<x<4$ 또는 $4<x<5$

(i), (ii)에 의하여 $0<x<5$이므로

$a=0$, $b=5$

$\therefore a+b=0+5=5$

02

해결전략 | 연립부등식의 해의 개수의 조건을 만족시키는 실수 k의 값의 범위를 구한다.

STEP 1 각 일차부등식의 해 구하기

$4x+2k\le 5x-4$에서 $-x\le -2k-4$

$\therefore x\ge 2k+4$ …… ㉠

$2x+13>6x-5$에서 $-4x>-18$

$\therefore x<\frac{9}{2}$ …… ㉡

STEP 2 조건을 만족시키는 실수 k의 값의 범위 구하기

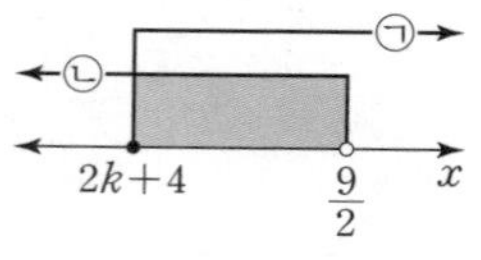

연립부등식의 해가 존재하려면 오른쪽 그림과 같아야 한다. 이때 정수 x가 이 범위 안에 6개 포함된다면 x의 값은 -1, 0, 1, 2, 3, 4이고, 10개 포함된다면 x의 값은 -5, -4, -3, -2, -1, 0, 1, 2, 3, 4이다.

정수 x가 6개 이상 10개 미만이므로 x의 값의 범위 안에는 -1은 반드시 포함되고, -5는 포함되지 않음을 알 수 있다.

즉, $-5<2k+4\le -1$에서 $-9<2k\le -5$

$\therefore -\frac{9}{2}<k\le-\frac{5}{2}$

03

해결전략 | $A<B<C$ 꼴의 부등식을 $\begin{cases}A<B\\B<C\end{cases}$로 바꾸어 문제를 해결한다.

STEP 1 $\begin{cases}A<B\\B<C\end{cases}$ 꼴로 변형한 연립부등식의 해 구하기

$\frac{1}{2}x+\frac{3}{2}<x-\frac{2a+3}{4}$에서

$2x+6<4x-2a-3$, $-2x<-2a-9$

$\therefore x>a+\frac{9}{2}$ …… ㉠

$x-\frac{2a+3}{4}\le\frac{3}{4}x-\frac{a-2}{4}$에서

$4x-2a-3\le 3x-a+2$ $\quad\therefore x\le a+5$ …… ㉡

STEP 2 주어진 조건을 만족시키는 정수 a의 값 구하기

㉠, ㉡에서 $a+\frac{9}{2}<x\le a+5$이고, 이를 만족시키는 정수 x가 오직 7뿐이므로 다음을 모두 만족시켜야 한다.

(i) $6\le a+\frac{9}{2}<7$일 때, $\frac{3}{2}\le a<\frac{5}{2}$

(ii) $7\le a+5<8$일 때, $2\le a<3$

(i), (ii)에서 공통부분은 $2\le a<\frac{5}{2}$이므로 정수 a의 값은 2이다.

04

해결전략 | 절댓값 기호를 포함한 일차부등식의 해의 조건을 이용한다.

STEP 1 이차방정식이 서로 다른 두 실근을 가질 조건을 이용하기

이차방정식 $ax^2+b=0$이 서로 다른 두 실근을 가지므로 주어진 이차방정식의 판별식을 D라고 하면

$D=-4ab>0$ $\quad\therefore ab<0$ …… ㉠

STEP 2 $|ax+4|\ge b$의 해 구하기

부등식 $|ax+4|\ge b$의 해가 $x\le-4$ 또는 $x\ge 8$이므로 $b>0$이다.

또, ㉠에 의하여 $a<0$이다.

$|ax+4|\ge b$에서 $ax+4\le -b$ 또는 $ax+4\ge b$

$\therefore x\ge -\frac{b}{a}-\frac{4}{a}$ 또는 $x\le \frac{b}{a}-\frac{4}{a}$

STEP 3 주어진 조건을 이용하여 $a+b$의 값 구하기

이 부등식의 해가 $x\le -4$ 또는 $x\ge 8$이므로

$-\frac{b}{a}-\frac{4}{a}=8$ …… ㉡

$\frac{b}{a}-\frac{4}{a}=-4$ …… ㉢

㉡+㉢을 하면 $-\frac{8}{a}=4$ $\quad\therefore a=-2$

$a=-2$를 ㉡에 대입하면 $\frac{b}{2}+2=8$

$\frac{b}{2}=6$ $\quad\therefore b=12$

$\therefore ab=(-2)\times 12=-24$

> **풍쌤의 비법**
>
> 절댓값의 성질에 의하여 실수 x의 값에 관계없이 $|ax+4|\ge 0$이므로 만약 $b\le 0$이면 부등식 $|ax+4|\ge b$는 모든 실수 x에 대하여 성립한다.
> 즉, 해가 모든 실수가 되므로 문제에서 주어진 해를 만족시키지 못한다.

05

해결전략 | 절댓값 기호 안의 식의 값이 0이 되는 x의 값을 기준으로 범위를 나누어 푼다.

STEP 1 x의 값의 범위에 따라 정수를 나누어 부등식 풀기

구간을 나누면

(i) $x<0$일 때, $-x-4n<x<x+4n$이므로

$-x-4n<x$, $x<x+4n$ $\quad\therefore x>-2n$

그런데 $x<0$이므로 $-2n<x<0$

(ii) $x\ge 0$일 때, $x-4n<x<-x+4n$이므로

$x-4n<x$, $x<-x+4n$ $\quad\therefore x<2n$

그런데 $x\ge 0$이므로 $0\le x<2n$

(i), (ii)에서 주어진 부등식의 해는

$-2n<x<2n$ …… ㉠

STEP 2 n의 값 구하기

㉠에서 부등식의 만족하는 정수의 개수는 $4n-1$이므로

$4n-1=15$ $\quad\therefore n=4$

06

해결전략 | $a>0$일 때, $|x|<a$의 해는 $-a<x<a$임을 이용한다.

STEP 1 주어진 부등식을 간단히 정리하기

$\sqrt{16x^2+8x+1}=\sqrt{(4x+1)^2}=|4x+1|$이므로

주어진 부등식은 $|x|+|4x+1|\le a$

STEP 2 x의 값의 범위에 따라 경우를 나누어 부등식 풀기

절댓값 기호 안의 식 x, $4x+1$이 0이 되는 $x=0$, $x=-\frac{1}{4}$을 기준으로 구간을 나누면

(i) $x<-\frac{1}{4}$일 때, $-x-(4x+1)\le a$이므로

$-5x\le a+1$ $\quad\therefore x\ge -\frac{a+1}{5}$

$a>1$에서 $-\frac{a+1}{5}<-\frac{2}{5}$이므로

$-\frac{a+1}{5}\le x<-\frac{1}{4}$

(ii) $-\frac{1}{4}\le x<0$일 때, $-x+(4x+1)\le a$이므로

$3x\le a-1$ $\quad\therefore x\le \frac{a-1}{3}$

$a>1$에서 $\frac{a-1}{3}>0$이므로

$-\frac{1}{4}\le x<0$

(iii) $x\ge0$일 때, $x+(4x+1)\le a$이므로

$5x\le a-1 \qquad \therefore x\le\frac{a-1}{5}$

$a>1$에서 $\frac{a-1}{5}>0$이므로

$0\le x\le\frac{a-1}{5}$

(i)~(iii)에 의하여 주어진 부등식의 해는

$-\frac{a+1}{5}\le x\le\frac{a-1}{5}$

STEP 3 $a+b$의 값 구하기

이때 부등식의 해가 $b\le x\le b+2$이므로

$-\frac{a+1}{5}=b,\ \frac{a-1}{5}=b+2$

$a+5b=-1,\ a-5b=11$

두 식을 연립하여 풀면 $a=5,\ b=-\frac{6}{5}$

$\therefore a+b=5+\left(-\frac{6}{5}\right)=\frac{19}{5}$

07

해결전략 | x의 계수의 부호에 따라 경우를 나누어 미지수의 값을 구한다.

STEP 1 주어진 식을 정리하기

주어진 부등식의 해가 $-4\le x\le8$이므로 $b>0$이다.

$|(a-b)x+4|\le b$에서

$-b\le(a-b)x+4\le b$

$\therefore -b-4\le(a-b)x\le b-4$ ...... ㉠

STEP 2 a, b의 값 구하기

이때 $a-b$의 부호를 알 수 없으므로 다음 두 가지 경우로 나누어 생각해야 한다.

(i) $a-b>0$일 때,

㉠의 각 변을 $a-b$로 나누면

$\frac{-b-4}{a-b}\le x\le\frac{b-4}{a-b}$

주어진 부등식의 해가 $-4\le x\le8$이므로

$\frac{-b-4}{a-b}=-4,\ \frac{b-4}{a-b}=8$

$4a-5b=4,\ 8a-9b=-4$

두 식을 연립하여 풀면 $a=-14,\ b=-12$

그런데 $a-b=-2<0$이므로 조건에 맞지 않는다.

(ii) $a-b<0$일 때,

㉠의 각 변을 $a-b$로 나누면

$\frac{b-4}{a-b}\le x\le\frac{-b-4}{a-b}$

주어진 부등식의 해가 $-4\le x\le8$이므로

$\frac{b-4}{a-b}=-4,\ \frac{-b-4}{a-b}=8$

$4a-3b=4,\ 8a-7b=-4$

두 식을 연립하여 풀면 $a=10,\ b=12$

이때 $a-b=-2<0$이므로 조건에 맞는다.

(i), (ii)에 의하여 $a=10,\ b=12$

STEP 3 $a+b$의 값 구하기

$\therefore a+b=10+12=22$

08

해결전략 | 사용 요금 구하는 공식을 이용하여 식을 세운다.

STEP 1 통화 시간에 따른 A, B, C 요금제의 요금을 계산하는 식 세우기

한 달 동안의 통화 시간 t $(t=0,\ 1,\ 2,\ \cdots)$분에 따른

A 요금제의 요금은

$y=10000+150t$ $(t=0,\ 1,\ 2,\ \cdots)$

B 요금제의 요금은

$\begin{cases} y=20200 & (t=0,\ 1,\ 2,\ \cdots,\ 60) \\ y=20200+120(t-60) & (t=61,\ 62,\ 63,\ \cdots) \end{cases}$

C 요금제의 요금은

$\begin{cases} y=28900 & (t=0,\ 1,\ 2,\ \cdots,\ 120) \\ y=28900+90(t-120) & (t=121,\ 122,\ 123,\ \cdots) \end{cases}$

STEP 2 B 요금제가 A, C 요금제보다 저렴한 요금이기 위한 시간 구하기

(i) B 요금제의 요금이 A 요금제의 요금보다 저렴한 시간 t의 구간은

$20200+120(t-60)<10000+150t$이므로

$-30t<-3000 \qquad \therefore t>100$ ...... ㉠

(ii) B 요금제의 요금이 C 요금제의 요금보다 저렴한 시간 t의 구간은

$20200+120(t-60)<28900+90(t-120)$이므로

$30t<5100 \qquad \therefore t<170$ ...... ㉡

(i), (ii)에 의하여 B 요금제의 요금이 A 요금제의 요금보다 저렴하고 C 요금제의 요금보다 저렴할 때는 ㉠, ㉡의 공통부분 $100<t<170$이므로 $b-a$의 최댓값은 70이다.

10 이차부등식

개념확인 248~251쪽

01 답 (1) $x<-2$ 또는 $x>4$

(2) $-2\le x\le 4$

02 답 (1) $x<-1$ 또는 $x>3$

(2) $-2<x<5$

(3) $-\frac{1}{3}\le x\le 1$

(4) 모든 실수

(1) $x^2-2x-3>0$에서 $(x+1)(x-3)>0$

$\therefore x<-1$ 또는 $x>3$

(2) $x^2-3x-10<0$에서 $(x+2)(x-5)<0$

$\therefore -2<x<5$

(3) 양변에 -1을 곱하면 $3x^2-2x-1\le 0$에서

$(3x+1)(x-1)\le 0$ $\quad\therefore -\frac{1}{3}\le x\le 1$

(4) $x^2-2x+1\ge 0$에서

$(x-1)^2\ge 0$

따라서 해는 모든 실수이다.

03 답 (1) $x^2-6x+5<0$ (2) $x^2-2x-8\ge 0$

(1) $(x-1)(x-5)<0$

$\therefore x^2-6x+5<0$

(2) $(x-4)(x+2)\ge 0$

$\therefore x^2-2x-8\ge 0$

04 답 (1) $-4<m<4$ (2) $-6\le m\le 2$

(1) 모든 실수 x에 대하여 주어진 부등식이 성립하려면 이차함수 $y=x^2-mx+4$의 그래프가 x축보다 위쪽에 있어야 하므로 이차방정식 $x^2-mx+4=0$의 판별식을 D라고 하면

$D=(-m)^2-4\times1\times4<0$

$m^2-16<0$, $(m+4)(m-4)<0$

$\therefore -4<m<4$

(2) 모든 실수 x에 대하여 주어진 부등식이 성립하려면 이차함수 $y=-x^2-mx+m-3$의 그래프가 x축에 접하거나 x축보다 항상 아래쪽에 있어야 하므로 이차방정식 $-x^2-mx+m-3=0$, 즉

$x^2+mx-m+3=0$의 판별식을 D라고 하면

$D=m^2-4\times1\times(-m+3)\le 0$

$m^2+4m-12\le 0$, $(m+6)(m-2)\le 0$

$\therefore -6\le m\le 2$

05 답 (1) $5<x<8$ (2) 해는 없다.

(1) $5x-6>3x+4$에서 $2x>10$

$\therefore x>5$ …… ㉠

$x^2-7x-8<0$에서 $(x+1)(x-8)<0$

$\therefore -1<x<8$ …… ㉡

㉠, ㉡을 수직선 위에 나타내면 다음 그림과 같다.

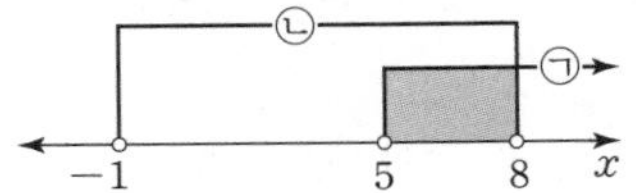

따라서 ㉠, ㉡의 공통부분을 구하면

$5<x<8$

(2) $x^2-x-12>0$에서 $(x+3)(x-4)>0$

$\therefore x<-3$ 또는 $x>4$ …… ㉠

$x^2+2x-3\le 0$에서 $(x+3)(x-1)\le 0$

$\therefore -3\le x\le 1$ …… ㉡

㉠, ㉡을 수직선 위에 나타내면 다음 그림과 같다.

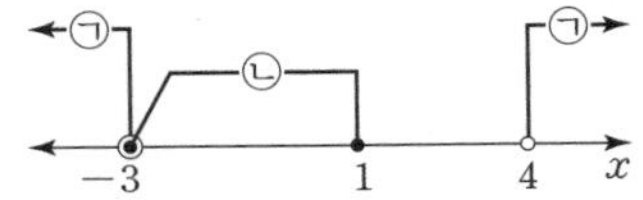

따라서 ㉠, ㉡의 공통부분이 없으므로 해는 없다.

06 답 (1) $k\le -3$ (2) $k\ge 1$

이차방정식 $x^2+(k+1)x+1=0$의 두 근을 α, β, 판별식을 D라고 하면

$D=(k+1)^2-4\times1\times1$

$=k^2+2k-3$

$=(k+3)(k-1)$

(1) 두 근이 모두 양수일 조건은 $D\ge 0$, $\alpha+\beta>0$, $\alpha\beta>0$이므로

(i) $D=(k+3)(k-1)\ge 0$

$\therefore k\le -3$ 또는 $k\ge 1$

(ii) $\alpha+\beta=-k-1>0$ $\quad\therefore k<-1$

(iii) $\alpha\beta=1>0$

(i)~(iii)에서 k의 값의 범위는 $k\le -3$

(2) 두 근이 모두 음수일 조건은 $D\ge 0$, $\alpha+\beta<0$, $\alpha\beta>0$이므로

(i) $D=(k+3)(k-1)\ge 0$

$\therefore k\le -3$ 또는 $k\ge 1$

(ii) $\alpha+\beta=-k-1<0$ $\quad\therefore k>-1$

(iii) $\alpha\beta=1>0$

(i)~(iii)에서 k의 값의 범위는 $k\ge 1$

07 답 $\ge$, $>$, $>$

필수유형 01 253쪽

01-1 답 (1) $-3<x<2$

(2) $x<-6$ 또는 $-2<x<0$ 또는 $x>4$

해결전략 | 주어진 두 이차함수의 그래프에서 조건을 만족시키는 위치 관계를 파악하여 이차부등식의 해를 구한다.

(1) **STEP1 주어진 부등식을 만족시키는 x의 값의 범위 파악하기**

부등식 $f(x)<g(x)$의 해는 $y=f(x)$의 그래프가 $y=g(x)$의 그래프보다 아래쪽에 있는 부분의 x의 값의 범위이다.

STEP2 부등식의 해 구하기

따라서 구하는 해는

$-3<x<2$

(2) **STEP1 주어진 부등식을 만족시키는 두 함수의 부호 정하기**

$f(x)g(x)<0$의 해는

$f(x)>0$, $g(x)<0$ 또는 $f(x)<0$, $g(x)>0$

을 만족시키는 x의 값의 범위이다.

STEP2 부등식의 해 구하기

(i) $f(x)>0$, $g(x)<0$을 만족시키는 x의 값의 범위는

$f(x)>0$에서 $x<-6$ 또는 $x>0$ …… ㉠

$g(x)<0$에서 $x<-2$ 또는 $x>4$ …… ㉡

㉠, ㉡의 공통부분은

$x<-6$ 또는 $x>4$

(ii) $f(x)<0$, $g(x)>0$을 만족시키는 x의 값의 범위는

$f(x)<0$에서 $-6<x<0$ …… ㉢

$g(x)>0$에서 $-2<x<4$ …… ㉣

㉢, ㉣의 공통부분은

$-2<x<0$

(i), (ii)에 의하여 부등식 $f(x)g(x)<0$의 해는

$x<-6$ 또는 $-2<x<0$ 또는 $x>4$

01-2 답 $x\le-7$ 또는 $x\ge0$

해결전략 | 주어진 두 이차함수의 그래프에서 조건을 만족시키는 위치 관계를 파악하여 이차부등식의 해를 구한다.

부등식 $f(x)-g(x)\ge0$, 즉 $f(x)\ge g(x)$의 해는 $y=f(x)$의 그래프가 $y=g(x)$의 그래프보다 위쪽에 있거나 만나는 부분의 x의 값의 범위이므로 구하는 해는

$x\le-7$ 또는 $x\ge0$

01-3 답 12

해결전략 | 부등식 $0<g(x)<f(x)$의 해는 $y=g(x)$의 그래프를 기준으로 조건을 만족시키는 x의 값의 범위를 그래프에서 찾는다.

STEP1 주어진 부등식을 만족시키는 x의 값의 범위 파악하기

부등식 $0<g(x)<f(x)$의 해는 $y=g(x)$의 그래프에서 x축보다 위쪽에 있고 $y=f(x)$의 그래프보다 아래쪽에 있는 부분의 x의 값의 범위이므로

$5<x<7$

STEP2 $\alpha+\beta$의 값 구하기

따라서 $\alpha=5$, $\beta=7$이므로

$\alpha+\beta=5+7=12$

01-4 답 $-2\le x\le1$

해결전략 | 주어진 이차부등식을 변형하고 두 함수의 그래프의 위치 관계를 파악하여 이차부등식의 해를 구한다.

STEP1 주어진 이차부등식 변형하기

$ax^2+(b-m)x+c-n\le0$에서

$ax^2+bx+c-(mx+n)\le0$

$\therefore ax^2+bx+c\le mx+n$

STEP2 변형된 부등식에서 이차함수와 직선의 관계 파악하기

부등식 $ax^2+bx+c\le mx+n$의 해는 이차함수 $y=ax^2+bx+c$의 그래프가 직선 $y=mx+n$보다 아래쪽에 있거나 만나는 부분의 x의 값의 범위이므로

$-2\le x\le1$

01-5 답 $x\le a$ 또는 $x\ge c$

해결전략 | 부등식 $A\ge B\ge C$는 두 부등식 $A\ge B$와 $B\ge C$를 하나로 나타낸 것임을 이용한다.

STEP1 주어진 부등식의 의미 이해하기

부등식 $f(x)\ge h(x)\ge g(x)$는

$f(x)\ge h(x)$이고 $h(x)\ge g(x)$

STEP2 주어진 부등식을 만족시키는 x의 값의 범위 구하기

(i) $f(x)\ge h(x)$의 해는 $y=f(x)$의 그래프가 $y=h(x)$의 그래프보다 위쪽에 있거나 만나는 부분의 x의 값의 범위이므로

$x\le a$ 또는 $x\ge b$

(ii) $h(x)\ge g(x)$의 해는 $y=h(x)$의 그래프가 $y=g(x)$의 그래프보다 위쪽에 있거나 만나는 부분의 x의 값의 범위이므로

$x\le a$ 또는 $x\ge c$

(i), (ii)에 의하여 부등식 $f(x)\ge h(x)\ge g(x)$의 해는

$x\le a$ 또는 $x\ge c$

→ 주어진 그래프에서 $b<c$

01-6 답 9

해결전략 | 두 함수의 그래프의 위치 관계를 이용하여 주어진 이차부등식의 해를 구한다.

STEP1 두 점 A, B의 좌표와 p의 값의 부호 구하기

$f(x)=x^2+px+p$

$=\left(x+\frac{p}{2}\right)^2+p-\frac{p^2}{4}$

이므로 $A\left(-\frac{p}{2},\ p-\frac{p^2}{4}\right)$, $B(0,\ p)$

주어진 함수 $y=f(x)$의 그래프에서 축의 방정식이

$x=-\frac{p}{2}$이고 축이 y축의 왼쪽에 있으므로

$-\frac{p}{2}<0 \qquad \therefore p>0$

STEP2 정수 p의 값 구하기

$p>0$이므로 부등식 $f(x)-g(x)\le 0$, 즉 $f(x)\le g(x)$의 해는 함수 $y=f(x)$의 그래프가 직선 $y=g(x)$의 아래쪽에 있는 부분의 x의 값의 범위이므로 $-\frac{p}{2}\le x\le 0$

$-\frac{p}{2}\le x\le 0$을 만족시키는 정수 x의 개수가 3이 되도록 하는 p의 값의 범위는

$-3<-\frac{p}{2}\le -2$

$\therefore 4\le p<6$

따라서 정수 p의 값은 4, 5이다.

STEP3 $M-m$의 값 구하기

따라서 정수 p의 최댓값은 5, 최솟값은 4이므로

$M=5,\ m=4$

$\therefore M+m=5+4=9$

필수유형 02 255쪽

02-1 답 (1) $x\ne 3$인 모든 실수 (2) $x=-2$ (3) 모든 실수 (4) 해는 없다. (5) $-3\le x\le 1$ (6) 해는 없다.

해결전략 | 부등식의 모든 항을 좌변으로 이항하여 정리한 후 좌변의 이차식을 인수분해하여 해를 구한다. 이때 인수분해되지 않으면 $a(x-p)^2+q$ 꼴로 변형한다.

(1) $x^2-6x+9>0$에서

$(x-3)^2>0$

그런데 $(x-3)^2\ge 0$이므로 주어진 부등식의 해는 $x\ne 3$인 모든 실수이다.

(2) $x^2+4x+4\le 0$에서

$(x+2)^2\le 0$

그런데 $(x+2)^2\ge 0$이므로 주어진 부등식의 해는 $x=-2$

(3) $9x^2\ge 6x-1$에서

$9x^2-6x+1\ge 0$

$\therefore (3x-1)^2\ge 0$

그런데 $(3x-1)^2\ge 0$이므로 주어진 부등식의 해는 모든 실수이다.

(4) $12x-9>4x^2$에서

$-4x^2+12x-9>0$

$4x^2-12x+9<0 \qquad \therefore (2x-3)^2<0$

그런데 $(2x-3)^2\ge 0$이므로 주어진 부등식의 해는 없다.

(5) $x^2+2x-3\le 0$에서

$(x+3)(x-1)\le 0$

$\therefore -3\le x\le 1$

(6) $x^2<8x-18$에서

$x^2-8x+18<0$

좌변을 완전제곱식 꼴로 변형하면

$x^2-8x+18=(x-4)^2+2\ge 2$

이므로 주어진 부등식의 해는 없다.

02-2 답 ㄷ, ㄹ

해결전략 | 부등식의 모든 항을 좌변으로 이항하여 정리한 후 좌변의 이차식을 인수분해하여 해를 구한다. 이때 인수분해되지 않으면 $a(x-p)^2+q$ 꼴로 변형한다.

ㄱ. $3x^2+12x+12>0$에서

$3(x^2+4x+4)>0$

$\therefore 3(x+2)^2>0$

그런데 $(x+2)^2\ge 0$이므로

$3(x+2)^2\ge 0$

따라서 주어진 부등식의 해는 $x\ne -2$인 모든 실수이다.

ㄴ. $x^2+3x-10>0$에서

$(x+5)(x-2)>0$

$\therefore x<-5$ 또는 $x>2$

ㄷ. $4x\ge x^2+7$에서

$x^2-4x+7\le 0$

$\therefore (x-2)^2+3\le 0$

이때 $(x-2)^2\ge 0$이므로 $(x-2)^2+3\ge 3$

따라서 주어진 부등식의 해는 없다.

ㄹ. $-x^2+8x-16>0$에서 $x^2-8x+16<0$

$\therefore (x-4)^2<0$

이때 $(x-4)^2\ge0$이므로 주어진 부등식의 해는 없다.

따라서 이차부등식 중 해가 없는 것은 ㄷ, ㄹ이다.

02-3 답 $3\sqrt{5}$

해결전략 | 근의 공식을 이용하여 이차부등식의 해를 구한다.

STEP1 이차부등식의 해 구하기

이차방정식 $x^2-7x+1=0$의 해는 $x=\frac{7\pm3\sqrt{5}}{2}$이므로

이차부등식 $x^2-7x+1\ge0$에서

$\left(x-\frac{7-3\sqrt{5}}{2}\right)\left(x-\frac{7+3\sqrt{5}}{2}\right)\ge0$

$\therefore x\le\frac{7-3\sqrt{5}}{2}$ 또는 $x\ge\frac{7+3\sqrt{5}}{2}$

STEP2 $\beta-\alpha$의 값 구하기

따라서 $\alpha=\frac{7-3\sqrt{5}}{2}$, $\beta=\frac{7+3\sqrt{5}}{2}$이므로

$\beta-\alpha=\frac{7+3\sqrt{5}}{2}-\frac{7-3\sqrt{5}}{2}=3\sqrt{5}$

다른 풀이

STEP1 이차방정식의 근과 계수의 관계와 곱셈 공식의 변형을 이용하여 $(\beta-\alpha)^2$의 값 구하기

α, β가 이차방정식 $x^2-7x+1=0$의 두 근이므로 근과 계수의 관계에 의하여

$\alpha+\beta=7$, $\alpha\beta=1$

$\therefore (\beta-\alpha)^2=(\alpha+\beta)^2-4\alpha\beta=7^2-4\times1=45$

STEP2 $\beta-\alpha$의 값 구하기

이때 $\beta>\alpha$에서 $\beta-\alpha>0$이므로

$\beta-\alpha=\sqrt{45}=3\sqrt{5}$

02-4 답 9

해결전략 | 절댓값 기호 안의 식의 값이 0이 되는 x의 값을 기준으로 구간을 나누어 해를 구한다.

STEP1 x의 값의 범위를 나누어 해 구하기

$x^2-2x-4<4|x-1|$에서 절댓값 기호 안의 식의 값이 0이 되는 x의 값은 $x-1=0$에서 $x=1$

(i) $x\ge1$일 때,

$x^2-2x-4<4(x-1)$, $x^2-6x<0$

$x(x-6)<0 \quad \therefore 0<x<6$

그런데 $x\ge1$이므로 $1\le x<6$

(ii) $x<1$일 때,

$x^2-2x-4<-4(x-1)$, $x^2+2x-8<0$

$(x+4)(x-2)<0 \quad \therefore -4<x<2$

그런데 $x<1$이므로 $-4<x<1$

(i), (ii)에 의하여 주어진 부등식의 해는 $-4<x<6$

STEP2 주어진 조건을 만족시키는 정수 x의 개수 구하기

따라서 정수 x는 -3, -2, -1, 0, 1, 2, 3, 4, 5의 9개이다.

02-5 답 12

해결전략 | 절댓값 기호 안의 식의 값이 0이 되는 x의 값을 기준으로 구간을 나누어 해를 구한다.

STEP1 x의 값의 범위를 나누어 해 구하기

$x^2-x-8>2|x-2|$에서 절댓값 기호 안의 식의 값이 0이 되는 x의 값은 $x-2=0$에서 $x=2$

(i) $x\ge2$일 때,

$x^2-x-8>2(x-2)$, $x^2-3x-4>0$

$(x+1)(x-4)>0 \quad \therefore x<-1$ 또는 $x>4$

그런데 $x\ge2$이므로 $x>4$

(ii) $x<2$일 때,

$x^2-x-8>-2(x-2)$, $x^2+x-12>0$

$(x+4)(x-3)>0 \quad \therefore x<-4$ 또는 $x>3$

그런데 $x<2$이므로 $x<-4$

(i), (ii)에 의하여 주어진 부등식의 해는

$x<-4$ 또는 $x>4$

STEP2 $\beta-2\alpha$의 값 구하기

따라서 $\alpha=-4$, $\beta=4$이므로

$\beta-2\alpha=4-2\times(-4)=12$

02-6 답 4

해결전략 | 주어진 이차부등식의 해를 구한 다음 모든 정수인 해의 값의 합이 7이 되도록 하는 정수 a의 값을 구한다.

STEP1 주어진 이차부등식의 해 구하기

$x^2-2(a-3)x+a^2-6a\le0$에서

$x^2-2(a-3)x+a(a-6)\le0$

$(x-a)(x-a+6)\le0$

$\therefore a-6\le x\le a$

STEP2 조건을 만족시키는 정수 a의 값 구하기

이때 a는 정수이고 모든 정수 x의 값의 합이 7이므로

$(a-6)+(a-5)+(a-4)+(a-3)+(a-2)+(a-1)+a=7$

$7a-21=7$, $7a=28 \quad \therefore a=4$

03-1 답 4

해결전략 | 해가 $x<\alpha$ 또는 $x>\beta$ $(\alpha<\beta)$이고 x^2의 계수가 1인 이차부등식은 $(x-\alpha)(x-\beta)>0$이다.

STEP1 주어진 해를 이용하여 이차부등식 구하기

해가 $x<2$ 또는 $x>3$이고 x^2의 계수가 1인 이차부등식은

$(x-2)(x-3)>0$

$\therefore x^2-5x+6>0$

양변에 3을 곱하면 $3x^2-15x+18>0$

STEP2 a, b의 값 구하기

이 부등식이 $3x^2-(a+1)x+b>0$과 같으므로

$a+1=15$, $b=18$ $\quad\therefore a=14$, $b=18$

STEP3 $b-a$의 값 구하기

$\therefore b-a=18-14=4$

03-2 답 -7

해결전략 | 해가 $\alpha<x<\beta$이고 x^2의 계수가 1인 이차부등식은 $(x-\alpha)(x-\beta)<0$이다.

STEP1 주어진 해를 이용하여 이차부등식 구하기

해가 $-\frac{1}{3}<x<\frac{7}{3}$이고 x^2의 계수가 1인 이차부등식은

$\left(x+\frac{1}{3}\right)\left(x-\frac{7}{3}\right)<0$

$\therefore x^2-2x-\frac{7}{9}<0$ ······ ㉠

㉠과 주어진 부등식 $ax^2+6x+b>0$의 부등호의 방향이 다르므로

$a<0$

㉠의 양변에 a를 곱하면

$ax^2-2ax-\frac{7}{9}a>0$

STEP2 a, b의 값 구하기

이 부등식이 $ax^2+6x+b>0$과 같으므로

$6=-2a$, $b=-\frac{7}{9}a$ $\quad\therefore a=-3$, $b=\frac{7}{3}$

STEP3 ab의 값 구하기

$\therefore ab=(-3)\times\frac{7}{3}=-7$

03-3 답 $x=-\frac{1}{4}$

해결전략 | 해가 $x=\alpha$이고 x^2의 계수가 1인 이차부등식은 $(x-\alpha)^2\le0$이다.

STEP1 주어진 해를 이용하여 이차부등식 구하기

해가 $x=4$이고 x^2의 계수가 1인 이차부등식은

$(x-4)^2\le0$

$\therefore x^2-8x+16\le0$

이 부등식이 $x^2+ax+b\le0$과 같으므로

$a=-8$, $b=16$

STEP2 이차부등식 $bx^2-ax+1\le0$의 해 구하기

이것을 $bx^2-ax+1\le0$에 대입하면

$16x^2+8x+1\le0$

$(4x+1)^2\le0$

$\therefore x=-\frac{1}{4}$

03-4 답 $x\le395$ 또는 $x\ge403$

해결전략 | 주어진 해를 이용하여 이차식 $f(x)$를 구하고, x에 $400-x$를 대입하여 해를 구한다.

STEP1 주어진 해를 이용하여 이차부등식 구하기

해가 $-3<x<5$이고 x^2의 계수가 1인 이차부등식은

$(x+3)(x-5)<0$이므로

$f(x)=a(x+3)(x-5)$ $(a<0)$

로 놓을 수 있다. 이때

$$\begin{aligned}f(400-x)&=a(400-x+3)(400-x-5)\\&=a(403-x)(395-x)\\&=a(x-395)(x-403)\end{aligned}$$

STEP2 부등식 $f(400-x)\le0$의 해 구하기

즉, $f(400-x)\le0$에서 $a(x-395)(x-403)\le0$

이때 $a<0$이므로 $(x-395)(x-403)\ge0$

$\therefore x\le395$ 또는 $x\ge403$

03-5 답 11

해결전략 | 주어진 해를 이용하여 a, b, c 사이의 관계식을 구하고, 이차부등식에 대입하여 해를 구한다.

STEP1 주어진 해를 이용하여 이차부등식 구하기

해가 $x<-3$ 또는 $x>6$이고 x^2의 계수가 1인 이차부등식은

$(x+3)(x-6)>0$

$\therefore x^2-3x-18>0$ ······ ㉠

㉠과 주어진 이차부등식 $ax^2+bx+c>0$의 부등호의 방향이 같으므로

$a>0$

㉠의 양변에 a를 곱하면

$ax^2-3ax-18a>0$

STEP2 b, c를 a에 대한 식으로 나타내기

이 부등식이 $ax^2+bx+c>0$과 같으므로

$b=-3a$, $c=-18a$

STEP3 부등식 $ax^2+cx-24b<0$의 해 구하기

이것을 $ax^2+cx-24b<0$에 대입하면

$ax^2-18ax+72a<0$

양변을 a로 나누면

$x^2-18x+72<0$ ($\because a>0$)

$(x-6)(x-12)<0$

$\therefore 6<x<12$

STEP4 정수 x의 최댓값 구하기

따라서 정수 x의 최댓값은 11이다.

03-6 답 -8

해결전략 | 절댓값 기호 안의 식의 값이 0이 되는 x의 값을 기준으로 구간을 나누어 해를 구한다.

STEP1 절댓값 기호 안의 식이 0보다 클 때와 작을 때로 나누어 부등식 $5-x<3|x+1|$의 해 구하기

$5-x<3|x+1|$에서 절댓값 기호 안의 식의 값이 0이 되는 x의 값은 $x+1=0$에서 $x=-1$

(i) $x\geq-1$일 때,

$5-x<3(x+1)$, $-4x<-2$ $\quad\therefore x>\frac{1}{2}$

(ii) $x<-1$일 때,

$5-x<-3(x+1)$, $2x<-8$ $\quad\therefore x<-4$

(i), (ii)에 의하여 $x<-4$ 또는 $x>\frac{1}{2}$

STEP2 a, b의 값 구하기

주어진 두 부등식의 해가 일치하므로 부등식

$ax^2+7x+b>0$의 해도 $x<-4$ 또는 $x>\frac{1}{2}$이다.

해가 $x<-4$ 또는 $x>\frac{1}{2}$이고 x^2의 계수가 1인 이차부등식은

$(x+4)\left(x-\frac{1}{2}\right)>0$

$\therefore x^2+\frac{7}{2}x-2>0$

양변에 2를 곱하면

$2x^2+7x-4>0$

이 부등식이 $ax^2+7x+b>0$과 같으므로

$a=2$, $b=-4$

STEP3 ab의 값 구하기

$\therefore ab=2\times(-4)=-8$

필수유형 04 259쪽

04-1 답 $a<-24$ 또는 $a>0$

해결전략 | 이차부등식 $f(x)>0$의 해는 x^2의 계수가 양수일 때와 음수일 때로 나누어 함수 $y=f(x)$의 그래프와 x축이 교점을 갖는지 알아본다.

STEP1 x^2의 계수가 양수일 때와 음수일 때로 나누어 해 구하기

(i) $a>0$일 때,

이차함수 $y=2ax^2+ax-3$의 그래프는 아래로 볼록하므로 주어진 이차부등식은 항상 해를 갖는다.

(ii) $a<0$일 때,

이차부등식 $2ax^2+ax-3>0$이 해를 가지려면 이차방정식 $2ax^2+ax-3=0$이 서로 다른 두 실근을 가져야 하므로 이 이차방정식의 판별식을 D라고 하면

$D=a^2+24a>0$, $a(a+24)>0$

$\therefore a<-24$ 또는 $a>0$

그런데 $a<0$이므로 $a<-24$

STEP2 a의 값의 범위 구하기

(i), (ii)에 의하여 a의 값의 범위는

$a<-24$ 또는 $a>0$

04-2 답 2, 18

해결전략 | 이차방정식 $ax^2+bx+c=0$의 판별식을 D라고 할 때, 이차부등식 $ax^2+bx+c\leq0$의 해가 한 개이려면 $a>0$, $D=0$이어야 한다.

이차부등식 $x^2-(k-6)x+2k\leq0$의 해가 오직 한 개 존재하므로 이차방정식 $x^2-(k-6)x+2k=0$의 판별식을 D라고 하면

$D=\{-(k-6)\}^2-8k=0$

$k^2-20k+36=0$, $(k-2)(k-18)=0$

$\therefore k=2$ 또는 $k=18$

04-3 답 $a<-3$ 또는 $a>1$

해결전략 | 주어진 부등식에 $f(x)$, $g(x)$를 대입하여 정리하고, 해를 갖기 위한 조건을 이용한다.

STEP1 부등식 $f(x)>g(x)$ 정리하기

$f(x)>g(x)$에서 $x^2+2x+a+2>2x^2-2ax+a+6$

$\therefore x^2-2(a+1)x+4<0$ $\quad\cdots\cdots$ ㉠

STEP2 해를 가질 조건 구하기

이차부등식 ㉠이 해를 가지려면 이차방정식

$x^2-2(a+1)x+4=0$이 서로 다른 두 실근을 가져야 하

므로 이 이차방정식의 판별식을 D라고 하면

$\frac{D}{4}=\{-(a+1)\}^2-4>0$

$a^2+2a-3>0$, $(a+3)(a-1)>0$

$\therefore a<-3$ 또는 $a>1$

04-4 답 -4

해결전략 | 이차방정식 $ax^2+bx+c=0$의 판별식을 D라고 할 때, 이차부등식 $ax^2+bx+c\geq0$의 해가 한 개이려면 $a<0$, $D=0$이어야 한다.

STEP1 조건을 만족시키는 이차항의 계수의 조건 구하기

이차부등식 $(a+2)x^2-8x+2a\geq0$의 해가 오직 한 개 존재하려면

($a+2>0$이면 이차함수의 그래프는 아래로 볼록하므로 항상 해를 갖는다.)

$a+2<0$　　$\therefore a<-2$　　…… ㉠

STEP2 판별식 $D=0$일 조건 구하기

또, 이차방정식 $(a+2)x^2-8x+2a=0$의 판별식을 D라고 하면

$\frac{D}{4}=(-4)^2-(a+2)\times2a=0$

$-2a^2-4a+16=0$, $a^2+2a-8=0$

$(a+4)(a-2)=0$

$\therefore a=-4$ 또는 $a=2$

STEP3 a의 값 구하기

㉠에서 $a<-2$이므로 $a=-4$

04-5 답 $a<-2$ 또는 $a>3$

해결전략 | x^2의 계수 $a-3$의 값의 범위에 따라 경우를 나누어 이차부등식이 해를 갖게 하는 a의 값의 범위를 구한다.

STEP1 a의 값의 범위에 따른 해 구하기

$a=3$이면 이차부등식이 되지 않으므로 $a\neq3$

(i) $a>3$일 때,

이차함수 $y=(a-3)x^2+2(a-3)x-5$의 그래프는 아래로 볼록하므로 주어진 이차부등식의 해는 항상 존재한다.

(ii) $a<3$일 때,

주어진 이차부등식의 해가 존재하려면 이차방정식 $(a-3)x^2+2(a-3)x-5=0$이 서로 다른 두 실근을 가져야 하므로 이 이차방정식의 판별식을 D라고 하면

$\frac{D}{4}=(a-3)^2-(a-3)\times(-5)>0$

$a^2-a-6>0$, $(a+2)(a-3)>0$

$\therefore a<-2$ 또는 $a>3$

그런데 $a<3$이므로 $a<-2$

STEP2 조건을 만족시키는 a의 값의 범위 구하기

(i), (ii)에 의하여 a의 값의 범위는

$a<-2$ 또는 $a>3$

04-6 답 12

해결전략 | 이차부등식 $f(x)<0$을 만족시키지 않는 x의 값이 오직 하나뿐인 것은 이차부등식 $f(x)\geq0$이 오직 한 개의 실근을 가질 조건으로 바꾸어 생각한다. 즉, $-ax^2+24x-4a\geq0$을 만족시키는 x의 값이 m 한 개뿐이다.

STEP1 x의 값이 오직 한 개뿐일 때의 조건 구하기

이차부등식 $-ax^2+24x-4a<0$을 만족시키지 않는 x의 값이 오직 하나뿐이면 부등식 $-ax^2+24x-4a\geq0$이 오직 한 개의 실근을 가져야 한다.

STEP2 a, m의 값 구하기

즉, $ax^2-24x+4a\leq0$이 오직 한 개의 실근을 가져야 하므로

$a>0$　　…… ㉠

또, 이차방정식 $ax^2-24x+4a=0$의 판별식을 D라고 하면

$\frac{D}{4}=(-12)^2-4a^2=0$

$a^2-36=0$, $(a+6)(a-6)=0$

$\therefore a=-6$ 또는 $a=6$　　…… ㉡

㉠, ㉡에 의하여 $a=6$

따라서 $-6x^2+24x-24<0$, 즉 $-6(x-2)^2<0$을 만족시키지 않는 x의 값은 오직 2뿐이므로

$m=2$

STEP3 am의 값 구하기

$\therefore am=6\times2=12$

필수유형 05

261쪽

05-1 답 $-2<k<4$

해결전략 | 모든 실수 x에 대하여 $x^2+bx+c>0$이 성립하려면 이차방정식 $x^2+bx+c=0$의 판별식 $D=b^2-4c<0$이어야 한다.

모두 실수 x에 대하여 이차부등식 $x^2-2kx+2k+8>0$이 성립하므로 이차방정식 $x^2-2kx+2k+8=0$의 판별식을 D라고 하면

$\frac{D}{4}=k^2-(2k+8)<0$, $(k+2)(k-4)<0$

$\therefore -2<k<4$

05-2 답 $\frac{1}{2}\le a\le 1$

해결전략 | 이차방정식 $ax^2+bx+c=0$의 판별식을 D라고 할 때, 이차부등식 $ax^2+bx+c\ge0$이 항상 성립할 조건은 $a>0$, $D\ge0$이다.

STEP1 조건을 만족시키는 a의 조건 구하기

모든 실수 x에 대하여 이차부등식 $ax^2-2(2a-1)x+2a-1\ge0$이 성립하려면 이차함수 $y=ax^2-2(2a-1)x+2a-1$의 그래프가 아래로 볼록해야 하므로

$a>0$ …… ㉠

STEP2 판별식 $D\le0$일 조건 구하기

또, 이차방정식 $ax^2-2(2a-1)x+2a-1=0$의 판별식을 D라고 하면

$\frac{D}{4}=\{-(2a-1)\}^2-a(2a-1)\le0$

$2a^2-3a+1\le0$, $(2a-1)(a-1)\le0$

$\therefore \frac{1}{2}\le a\le1$ …… ㉡

STEP3 a의 값의 범위 구하기

㉠, ㉡의 공통부분을 구하면 $\frac{1}{2}\le a\le1$

05-3 답 $-3<k<5$

해결전략 | 이차부등식 $x^2+bx+c\le0$이 해를 갖지 않을 조건은 이차부등식 $x^2+bx+c>0$의 해가 모든 실수일 때로 바꾸어 생각한다.

STEP1 주어진 이차부등식의 해가 존재하지 않을 조건 구하기

이차부등식 $x^2-(k+3)x+2(k+3)\le0$의 해가 존재하지 않으려면 모든 실수 x에 대하여 이차부등식 $x^2-(k+3)x+2(k+3)>0$이 성립해야 한다.

STEP2 k의 값의 범위 구하기

이차방정식 $x^2-(k+3)x+2(k+3)=0$의 판별식을 D라고 하면

$D=\{-(k+3)\}^2-4\times2(k+3)<0$

$k^2-2k-15<0$, $(k+3)(k-5)<0$

$\therefore -3<k<5$

> **풍쌤의 비법**
>
> 이차부등식 $ax^2+bx+c\le0$이 해를 갖지 않는다.
>
> ➡ 이차부등식 $ax^2+bx+c>0$의 해는 모든 실수이다.
>
> ➡ 이차방정식 $ax^2+bx+c=0$의 판별식을 D라고 하면 $a>0$, $D<0$

05-4 답 $-1\le k\le2$

해결전략 | 모든 실수 x에 대하여 $\sqrt{f(x)}$가 실수가 되려면 $f(x)\ge0$이어야 한다.

STEP1 주어진 식이 실수가 되도록 하는 조건 구하기

모든 실수 x에 대하여 $\sqrt{x^2+2(k-1)x-k+3}$이 실수가 되려면 모든 실수 x에 대하여 부등식 $x^2+2(k-1)x-k+3\ge0$이 성립해야 한다.

STEP2 k의 값의 범위 구하기

이차방정식 $x^2+2(k-1)x-k+3=0$의 판별식을 D라고 하면 $D=(k-1)^2-(-k+3)\le0$

$k^2-k-2\le0$, $(k+1)(k-2)\le0$

$\therefore -1\le k\le2$

05-5 답 $-1\le k\le3$

해결전략 | 이차항의 계수 $k-3$의 부호에 따른 해를 각각 구한다.

STEP1 주어진 부등식의 해가 존재하지 않을 조건 구하기

부등식 $(k-3)x^2-2(k-3)x-4>0$의 해가 존재하지 않으려면 모든 실수 x에 대하여

$(k-3)x^2-2(k-3)x-4\le0$ …… ㉠

이 성립해야 한다.

STEP2 k의 값의 범위에 따른 해 구하기

㉠에서 이차부등식이라는 조건이 없으므로 이차항의 계수 $k-3$이 $k-3=0$일 때와 $k-3\ne0$일 때로 나누면

(i) $k=3$일 때,

$0\times x^2-0\times x-4=-4<0$이므로 ㉠은 모든 실수 x에 대하여 성립한다.

(ii) $k\ne3$일 때,

모든 실수 x에 대하여 ㉠이 성립하려면

$k-3<0$ $\therefore k<3$ …… ㉡

또, 이차방정식 $(k-3)x^2-2(k-3)x-4=0$의 판별식을 D라고 하면

$\frac{D}{4}=\{-(k-3)\}^2-(k-3)\times(-4)\le0$

$k^2-2k-3\le0$

$(k+1)(k-3)\le0$

$\therefore -1\le k\le3$ …… ㉢

㉡, ㉢의 공통부분을 구하면

$-1\le k<3$

STEP3 k의 값의 범위 구하기

(i), (ii)에 의하여 k의 값의 범위는

$-1\le k\le3$

05-6 답 $-4<a\le 0$

해결전략 | 주어진 문장을 부등식으로 나타내고, 이차항의 계수에 따른 해를 각각 구한다.

STEP1 부등식으로 나타내기

$ax^2+7ax+1$이 $2(3ax+1)$보다 항상 작으므로

$ax^2+7ax+1<2(3ax+1)$

$\therefore ax^2+ax-1<0$ ······ ㉠

STEP2 a의 값의 범위에 따른 해 구하기

㉠에서 이차부등식이라는 조건이 없으므로 이차항의 계수 a가 $a=0$일 때와 $a\ne 0$일 때로 나누면

(i) $a=0$일 때,

$0\times x^2+0\times x-1=-1<0$

이므로 ㉠은 모든 실수 x에 대하여 성립한다.

(ii) $a\ne 0$일 때,

부등식 ㉠이 모든 실수 x에 대하여 성립하려면

$a<0$ ······ ㉡

또, 이차방정식 $ax^2+ax-1=0$의 판별식을 D라고 하면

$D=a^2-4\times a\times(-1)<0$

$a^2+4a<0$

$a(a+4)<0$

$\therefore -4<a<0$ ······ ㉢

㉡, ㉢의 공통부분을 구하면

$-4<a<0$

STEP3 a의 값의 범위 구하기

(i), (ii)에 의하여 a의 값의 범위는

$-4<a\le 0$

> 풍쌤의 비법
>
> 최고차항의 계수가 a인 부등식은 $a=0$인 경우와 $a\ne 0$인 경우로 나누어 푼다.
> 이차부등식이라는 조건이 없으므로 이차항의 계수가 0이어도 된다는 것에 주의한다.

필수유형 06 263쪽

06-1 답 $-4<k<4$

해결전략 | 함수 $y=f(x)$의 그래프가 함수 $y=g(x)$의 그래프보다 항상 위쪽에 있으려면 모든 실수 x에 대하여 $f(x)>g(x)$이어야 한다.

STEP1 두 그래프의 위치 관계를 부등식으로 나타내기

이차함수 $y=x^2+(k+1)x+3$의 그래프가 직선 $y=x-1$보다 항상 위쪽에 있으려면 모든 실수 x에 대하여

$x^2+(k+1)x+3>x-1$, 즉 $x^2+kx+4>0$

이 성립해야 한다.

STEP2 k의 값의 범위 구하기

이차방정식 $x^2+kx+4=0$의 판별식을 D라고 하면

$D=k^2-16<0$

$(k+4)(k-4)<0$

$\therefore -4<k<4$

06-2 답 $-8<a<-2$

해결전략 | 함수 $y=f(x)$의 그래프가 함수 $y=g(x)$의 그래프보다 항상 아래쪽에 있으려면 모든 실수 x에 대하여 $f(x)<g(x)$, 즉 $f(x)-g(x)<0$이 성립해야 한다.

STEP1 두 그래프의 위치 관계를 부등식으로 나타내기

이차함수 $y=ax^2-8x-3$의 그래프가 직선 $y=2ax-1$보다 항상 아래쪽에 있으려면 모든 실수 x에 대하여 $ax^2-8x-3<2ax-1$, 즉

$ax^2-2(a+4)x-2<0$ ······ ㉠

이 성립해야 한다.

STEP2 a의 값의 범위 구하기

모든 실수 x에 대하여 부등식 ㉠이 성립하려면

$a<0$ ······ ㉡

또, 이차방정식 $ax^2-2(a+4)x-2=0$의 판별식을 D라고 하면

$\frac{D}{4}=\{-(a+4)\}^2-a\times(-2)<0$

$a^2+10a+16<0$

$(a+8)(a+2)<0$

$\therefore -8<a<-2$ ······ ㉢

㉡, ㉢의 공통부분을 구하면

$-8<a<-2$

06-3 답 4

해결전략 | 함수 $y=f(x)$의 그래프와 함수 $y=g(x)$의 그래프가 서로 만나지 않으려면 $y=f(x)$의 그래프가 $y=g(x)$의 그래프보다 항상 위쪽 또는 아래쪽에 있어야 한다.

STEP1 두 그래프의 위치 관계를 부등식으로 나타내기

이차함수 $y=-x^2+2(a-2)x+a^2-5a$의 그래프는 위로 볼록하므로 직선 $y=4x+1$과 만나지 않으려면

$y=-x^2+2(a-2)x+a^2-5a$의 그래프가 직선 $y=4x+1$보다 항상 아래쪽에 있어야 한다.
따라서 모든 실수 x에 대하여
$-x^2+2(a-2)x+a^2-5a<4x+1$, 즉
$-x^2+2(a-4)x+a^2-5a-1<0$
$\therefore\ x^2-2(a-4)x-a^2+5a+1>0$

STEP2 a의 값의 범위 구하기

이차방정식 $x^2-2(a-4)x-a^2+5a+1=0$의 판별식을 D라고 하면
$\frac{D}{4}=\{-(a-4)\}^2-(-a^2+5a+1)<0$
$2a^2-13a+15<0$
$(2a-3)(a-5)<0$
$\therefore\ \frac{3}{2}<a<5$

STEP3 정수 a의 최댓값 구하기

따라서 구하는 정수 a의 최댓값은 4이다.

06-4 답 $a=7$, $b=-3$

해결전략 | 함수 $y=f(x)$의 그래프가 함수 $y=g(x)$의 그래프보다 위쪽에 있는 부분의 x의 값의 범위는 $f(x)>g(x)$의 해이다.

STEP1 두 그래프의 위치 관계를 부등식으로 나타내기

이차함수 $y=-x^2+ax+b$의 그래프가 직선 $y=2x+1$보다 위쪽에 있는 부분의 x의 값의 범위는
$-x^2+ax+b>2x+1$, 즉
$x^2+(2-a)x+1-b<0$ …… ㉠
의 해이다.

STEP2 주어진 해를 만족시키는 이차부등식 구하기

한편, 해가 $1<x<4$이고 x^2의 계수가 1인 이차부등식은
$(x-1)(x-4)<0$
$\therefore\ x^2-5x+4<0$ …… ㉡

STEP3 a, b의 값 구하기

㉠과 ㉡이 같아야 하므로
$2-a=-5$, $1-b=4$
$\therefore\ a=7$, $b=-3$

06-5 답 2

해결전략 | 함수 $y=f(x)$의 그래프가 함수 $y=g(x)$의 그래프보다 위쪽에 있는 부분의 x의 값의 범위는 $f(x)>g(x)$의 해이다.

STEP1 두 그래프의 위치 관계를 부등식으로 나타내기

이차함수 $y=2x^2-3x-7$의 그래프가 이차함수 $y=x^2+2ax+b$의 그래프보다 위쪽에 있는 부분의 x의 값의 범위는 $2x^2-3x-7>x^2+2ax+b$, 즉
$x^2-(3+2a)x-7-b>0$ …… ㉠
의 해이다.

STEP2 주어진 해를 만족시키는 이차부등식 구하기

한편, 해가 $x<-3$ 또는 $x>2$이고 x^2의 계수가 1인 이차부등식은
$(x+3)(x-2)>0$
$\therefore\ x^2+x-6>0$ …… ㉡

STEP3 a, b의 값 구하기

㉠과 ㉡이 같아야 하므로
$-3-2a=1$, $-7-b=-6$
$\therefore\ a=-2$, $b=-1$

STEP4 ab의 값 구하기

$\therefore\ ab=(-2)\times(-1)=2$

06-6 답 6

해결전략 | 함수 $y=f(x)$의 그래프가 함수 $y=g(x)$의 그래프보다 위쪽에 있는 부분의 x의 값의 범위는 $f(x)>g(x)$의 해이다.

STEP1 두 그래프의 위치 관계를 부등식으로 나타내기

이차함수 $y=mx^2+2x-5$의 그래프가 이차함수 $y=x^2+2mx-8$의 그래프보다 항상 위쪽에 있으려면 모든 실수 x에 대하여
$mx^2+2x-5>x^2+2mx-8$, 즉
$(m-1)x^2-2(m-1)x+3>0$ …… ㉠
이 성립해야 한다.

STEP2 m의 값의 범위에 따른 해 구하기

(i) $m=1$일 때,
$0\times x^2-0\times x+3=3>0$이므로 모든 실수 x에 대하여 ㉠이 성립한다.

(ii) $m\neq1$일 때,
모든 실수 x에 대하여 ㉠이 성립하려면
$m-1>0$ $\quad\therefore\ m>1$ …… ㉡
또, 이차방정식 $(m-1)x^2-2(m-1)x+3=0$의 판별식을 D라고 하면
$\frac{D}{4}=\{-(m-1)\}^2-3(m-1)<0$
$m^2-5m+4<0$, $(m-1)(m-4)<0$
$\therefore\ 1<m<4$ …… ㉢
㉡, ㉢의 공통부분을 구하면 $1<m<4$

STEP3 **m의 값의 범위 구하기**

(i), (ii)에 의하여 m의 값의 범위는 $1 \le m < 4$

STEP4 **모든 정수 m의 값의 합 구하기**

따라서 주어진 조건을 만족하는 정수 m의 값은 1, 2, 3이므로 구하는 합은

$1+2+3=6$

필수유형 07　　265쪽

07-1　답 $a<\frac{2}{3}$

해결전략 | 제한된 범위에서 이차부등식 $f(x)>0$이 항상 성립하려면 ($f(x)$의 최솟값)>0이어야 한다.

STEP1 **이차부등식의 조건에 맞는 그래프 그리기**

$f(x)=x^2-2x-3a+2$라고 하면

$f(x)=(x-1)^2-3a+1$

$2 \le x \le 4$에서 $f(x)>0$이 항상 성립하려면 이차함수 $y=f(x)$의 그래프는 오른쪽 그림과 같아야 한다.

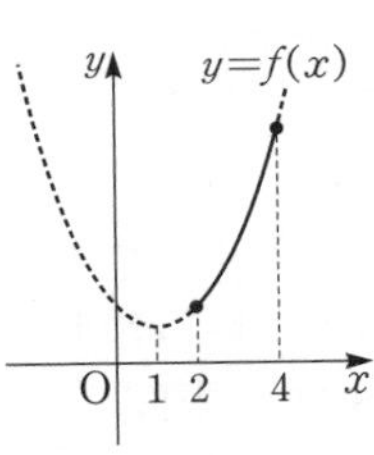

STEP2 **a의 값의 범위 구하기**

즉, $f(2)>0$이어야 하므로 $4-4-3a+2>0$

$-3a+2>0$　　$\therefore a<\frac{2}{3}$

07-2　답 2

해결전략 | 제한된 범위에서 이차부등식 $f(x)\le 0$이 항상 성립하려면 ($f(x)$의 최댓값)≤ 0이어야 한다.

STEP1 **이차부등식의 조건에 맞는 그래프 그리기**

$f(x)=x^2-4x-4k+3$이라고 하면 $f(x)=(x-2)^2-4k-1$

$3 \le x \le 5$에서 $f(x)\le 0$이 항상 성립하려면 이차함수 $y=f(x)$의 그래프는 오른쪽 그림과 같아야 한다.

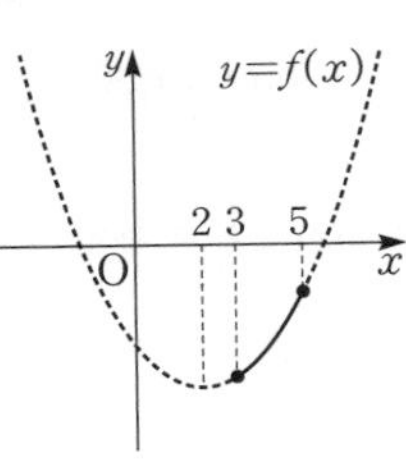

STEP2 **k의 값의 범위 구하기**

즉, $f(5)\le 0$이어야 하므로

$25-20-4k+3\le 0$

$-4k+8 \le 0$　　$\therefore k \ge 2$

STEP3 **k의 최솟값 구하기**

따라서 상수 k의 최솟값은 2이다.

07-3　답 7

해결전략 | 제한된 범위에서 이차부등식 $f(x)<0$이 항상 성립하려면 ($f(x)$의 최댓값)<0이어야 한다.

STEP1 **이차부등식의 조건에 맞는 그래프 그리기**

$f(x)=-x^2+4x+a^2-20$이라고 하면 $f(x)=-(x-2)^2+a^2-16$

$-1 \le x \le 3$에서 $f(x)<0$이 항상 성립하려면 이차함수 $y=f(x)$의 그래프는 오른쪽 그림과 같아야 한다.

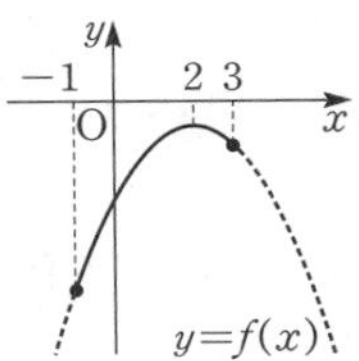

STEP2 **a의 값의 범위 구하기**

즉, $f(2)<0$이어야 하므로

$a^2-16<0$, $(a+4)(a-4)<0$

$\therefore -4<a<4$

STEP3 **정수 a의 개수 구하기**

따라서 정수는 -3, -2, -1, 0, 1, 2, 3의 7개이다.

07-4　답 16

해결전략 | 제한된 범위에서 이차부등식 $f(x)<0$이 항상 성립하려면 ($f(x)$의 최댓값)<0이어야 한다.

STEP1 **이차부등식의 조건에 맞는 그래프 그리기**

$f(x)=x^2-2(a-3)x-a$라고 하자. $-1 \le x \le 2$에서 $f(x)<0$이 항상 성립하려면 이차함수 $y=f(x)$의 그래프는 오른쪽 그림과 같아야 한다.

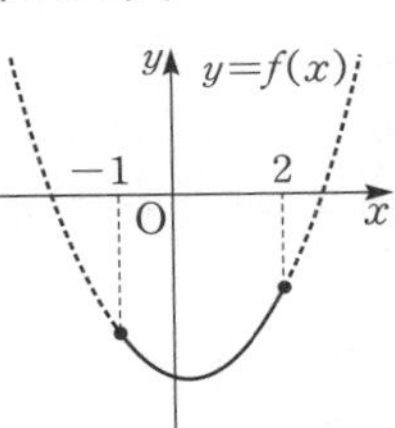

STEP2 **a의 값의 범위 구하기**

즉, $f(-1)<0$, $f(2)<0$이어야 하므로

(i) $f(-1)<0$에서 $1+2a-6-a<0$

$a-5<0$　　$\therefore a<5$　　…… ㉠

(ii) $f(2)<0$에서 $4-4a+12-a<0$

$-5a+16<0$　　$\therefore a>\frac{16}{5}$　　…… ㉡

㉠, ㉡의 공통부분을 구하면 $\frac{16}{5}<a<5$

STEP3 **$\alpha\beta$의 값 구하기**

따라서 $\alpha=\frac{16}{5}$, $\beta=5$이므로

$\alpha\beta=\frac{16}{5}\times 5=16$

07-5　답 $-3<a<4$

해결전략 | 제한된 범위에서 이차부등식 $f(x)>g(x)$가 항상

성립하려면 ($f(x)-g(x)$의 최솟값)>0이어야 한다.

STEP1 이차부등식의 조건에 맞는 그래프 그리기

$x^2+a^2-5<2x^2+6x+a$에서

$x^2+6x-a^2+a+5>0$

$f(x)=x^2+6x-a^2+a+5$라고 하면

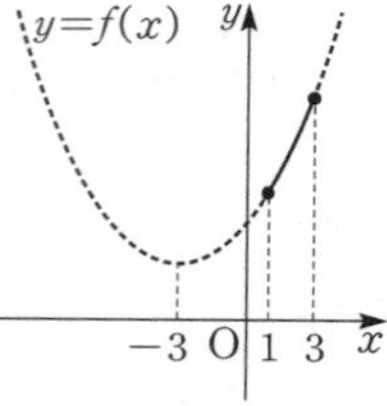

$f(x)=(x+3)^2-a^2+a-4$

$1\le x\le 3$에서 $f(x)>0$이 항상 성립하려면 이차함수 $y=f(x)$의 그래프는 오른쪽 그림과 같아야 한다.

STEP2 a의 값의 범위 구하기

즉, $f(1)>0$이어야 하므로 $1+6-a^2+a+5>0$

$a^2-a-12<0$, $(a+3)(a-4)<0$

$\therefore -3<a<4$

07-6 답 $-\frac{3}{4}<a<\frac{19}{12}$

해결전략 | 제한된 범위에서 이차부등식 $f(x)>0$이 항상 성립하려면 ($f(x)$의 최솟값)>0이어야 한다. 대칭축의 위치에 따라 $f(x)$의 최솟값이 달라지므로 대칭축의 위치를 파악한다.

STEP1 대칭축의 위치에 따른 a의 값의 범위 구하기

$f(x)=(x-2a)^2-4a^2+4a+3$에서

대칭축의 방정식이 $x=2a$이므로

(i) $2a<0$, 즉 $a<0$일 때,

$0\le x\le 4$에서 $f(x)$의 최솟값은 $f(0)=4a+3$이므로

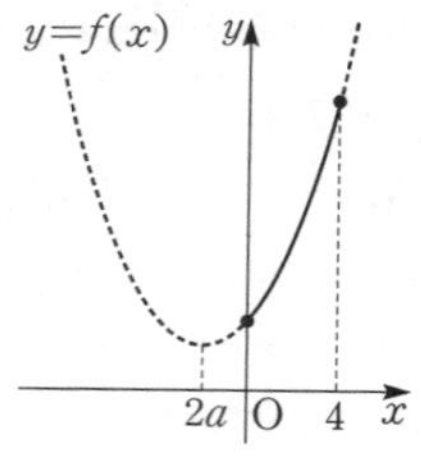

$4a+3>0$ $\quad\therefore a>-\frac{3}{4}$

그런데 $a<0$이므로

$-\frac{3}{4}<a<0$

(ii) $0\le 2a\le 2$, 즉 $0\le a\le 1$일 때,

$0\le x\le 4$에서 $f(x)$의 최솟값은

$f(2a)=-4a^2+4a+3$

이므로

$-4a^2+4a+3>0$

$4a^2-4a-3<0$

$(2a+1)(2a-3)<0$

$\therefore -\frac{1}{2}<a<\frac{3}{2}$

그런데 $0\le a\le 1$이므로

$0\le a\le 1$

(iii) $2a>2$, 즉 $a>1$일 때,

$0\le x\le 4$에서 $f(x)$의 최솟값은 $f(4)=-12a+19$이므로

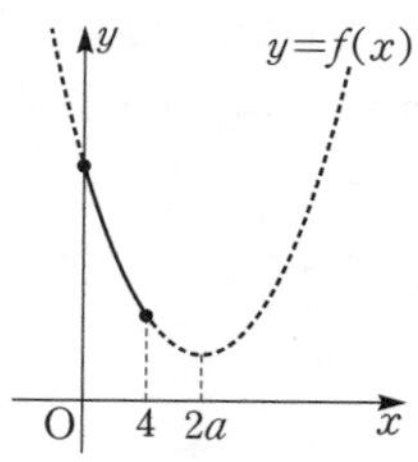

$-12a+19>0$

$\therefore a<\frac{19}{12}$

그런데 $a>1$이므로

$1<a<\frac{19}{12}$

STEP2 a의 값의 범위 구하기

(i)~(iii)에 의하여 a의 값의 범위는

$-\frac{3}{4}<a<\frac{19}{12}$

필수유형 08 267쪽

08-1 답 40

해결전략 | 주어진 조건에 맞게 이차부등식을 세워 부등식을 풀고, 문제의 뜻에 맞게 값을 구한다.

STEP1 이차부등식 세우기

새로 만든 직사각형의 가로, 세로의 길이는 각각 $(50-x)$ cm, $(20+x)$ cm이므로 넓이가 600 cm^2 이상이 되려면

$(50-x)(20+x)\ge 600$

STEP2 이차부등식의 해 구하기

$-x^2+30x+400\ge 0$

$x^2-30x-400\le 0$

$(x+10)(x-40)\le 0$

$\therefore -10\le x\le 40$

STEP3 x의 최댓값 구하기

그런데 $0\le x<50$이어야 하므로

$0\le x\le 40$

따라서 x의 최댓값은 40이다.

08-2 답 9

해결전략 | 주어진 조건에 맞게 이차부등식을 세워 부등식을 풀고, 문제의 뜻에 맞는 값을 구한다.

STEP1 이차부등식 세우기

정육면체의 부피는 k^3이고,

새로 만든 직육면체의 부피는

$k(k-3)(k+6)=k^3+3k^2-18k$

이때 직육면체의 부피가 정육면체의 부피보다 작게 되도록 하려면

$k^3+3k^2-18k<k^3$

STEP 2 이차부등식의 해 구하기

$3k^2-18k<0$, $3k(k-6)<0$

$\therefore 0<k<6$

STEP 3 모든 자연수 k의 값의 합 구하기

그런데 $k-3>0$이므로 $k>3$ (→ 높이는 양수이므로)

$\therefore 3<k<6$

따라서 자연수 k는 4, 5이므로 구하는 합은

$4+5=9$

08-3 답 $-4\le m\le \frac{5}{2}$

해결전략 | 좌표평면 위에 네 점을 나타내고 사각형 ABCD를 파악한다.

STEP 1 이차부등식 세우기

네 점 A, B, C, D를 좌표평면 위에 나타내면 다음 그림과 같다.

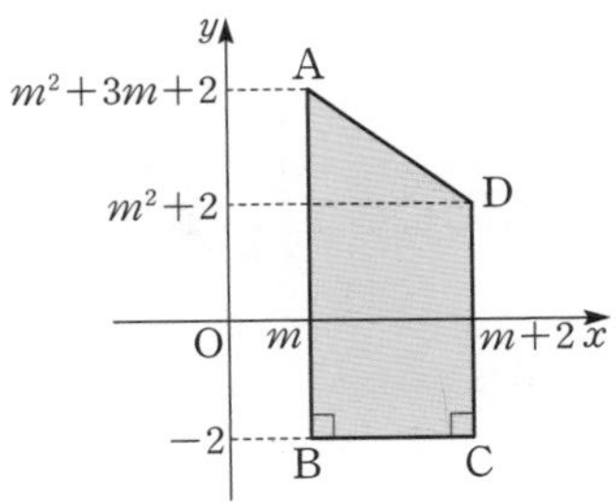

이때 사각형 ABCD는 사다리꼴이고 $\overline{AB}=m^2+3m+4$, $\overline{CD}=m^2+4$, $\overline{BC}=2$이므로 그 넓이가 28 이하이려면

$\frac{1}{2}\times\{(m^2+4)+(m^2+3m+4)\}\times 2\le 28$

STEP 2 이차부등식의 해 구하기

$2m^2+3m+8\le 28$, $2m^2+3m-20\le 0$

$(m+4)(2m-5)\le 0$

$\therefore -4\le m\le \frac{5}{2}$

08-4 답 1700원

해결전략 | (판매액)=(가격)×(판매량)임을 이용하여 이차부등식을 세워 부등식을 풀고, 문제의 뜻에 맞는 값을 구한다.

STEP 1 이차부등식 세우기

라면 한 그릇의 가격을 $100x$원만큼 내리면 라면 한 그릇의 가격은 $(2000-100x)$원이다.

라면 판매량은 $20x$그릇이 늘어나므로 하루의 라면 판매량은 $(200+20x)$그릇이다.

따라서 하루의 라면 판매액의 합계가 442000원 이상이 되려면

$(2000-100x)(200+20x)\ge 442000$

STEP 2 이차부등식의 해 구하기

$2000x^2-20000x+42000\le 0$

$x^2-10x+21\le 0$, $(x-3)(x-7)\le 0$

$\therefore 3\le x\le 7$

STEP 3 라면 한 그릇의 가격의 최댓값 구하기

따라서 라면 한 그릇의 가격의 최댓값은 $x=3$일 때 1700원이다.

08-5 답 $\frac{13}{6}$초

해결전략 | 주어진 이차함수의 식에 $y=5$를 대입하여 조건에 맞는 이차부등식을 세운다.

STEP 1 이차부등식 세우기

공의 지면으로부터의 높이가 5 m 이상이려면

$-6t^2+17t\ge 5$

STEP 2 이차부등식의 해 구하기

$6t^2-17t+5\le 0$, $(3t-1)(2t-5)\le 0$

$\therefore \frac{1}{3}\le t\le \frac{5}{2}$

STEP 3 높이가 5 m 이상인 시간 구하기

따라서 공의 지면으로부터의 높이가 5 m 이상인 시간은

$\frac{5}{2}-\frac{1}{3}=\frac{13}{6}$(초)

08-6 답 100

해결전략 | (매출)=(가격)×(판매량)임을 이용하여 이차부등식을 세워 부등식을 풀고, 문제의 뜻에 맞는 값을 구한다.

STEP 1 이차부등식 세우기

작년 상품 한 개의 가격을 a원, 판매량을 b개라고 하면 작년보다 가격이 x % 올랐으므로 올해 상품 한 개의 가격은

$a\left(1+\frac{x}{100}\right)$(원)

판매량이 $\frac{x}{2}$ % 감소했으므로 올해의 판매량은 (→ $\frac{\frac{x}{2}}{100}=\frac{x}{200}$)

$b\left(1-\frac{x}{200}\right)$(개)

작년 매출은 ab원이고,

올해 매출은 $a\left(1+\frac{x}{100}\right)\times b\left(1-\frac{x}{200}\right)$(원)

이때 매출은 작년 대비 12 % 이상 증가하였으므로

$a\left(1+\frac{x}{100}\right)\times b\left(1-\frac{x}{200}\right)\geq ab\left(1+\frac{12}{100}\right)$

STEP2 이차부등식의 해 구하기

$\left(1+\frac{x}{100}\right)\left(1-\frac{x}{200}\right)\geq\left(1+\frac{12}{100}\right)$,

$(100+x)(200-x)\geq 22400$

$x^2-100x+2400\leq 0$

$(x-40)(x-60)\leq 0\qquad\therefore\ 40\leq x\leq 60$

STEP3 $\alpha+\beta$의 값 구하기

따라서 $\alpha=40$, $\beta=60$이므로

$\alpha+\beta=40+60=100$

필수유형 09

269쪽

09-1 답 (1) $-1\leq x\leq 2$
(2) $-1\leq x<2$ 또는 $4<x\leq 8$

해결전략 | 연립이차부등식의 풀이는 각 이차부등식의 해를 구한 다음 수직선 위에 나타내고, 각 해의 공통부분을 구한다.

(1) STEP1 각 이차부등식의 해 구하기

$x^2-x-2\leq 0$에서 $(x+1)(x-2)\leq 0$

$\therefore\ -1\leq x\leq 2$ ...... ㉠

$x^2+2x-15<0$에서 $(x+5)(x-3)<0$

$\therefore\ -5<x<3$ ...... ㉡

STEP2 연립부등식의 해 구하기

㉠, ㉡을 수직선 위에 나타내면 다음 그림과 같다.

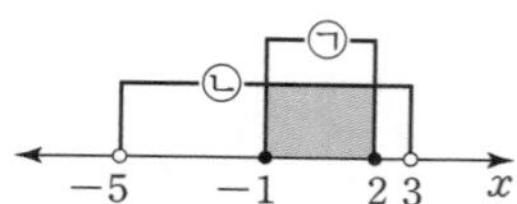

㉠, ㉡의 공통부분을 구하면 $-1\leq x\leq 2$

(2) STEP1 각 이차부등식의 해 구하기

$2x^2-4x+2\leq x^2+3x+10<3x^2-9x+26$에서

$\begin{cases}2x^2-4x+2\leq x^2+3x+10\\ x^2+3x+10<3x^2-9x+26\end{cases}$

$2x^2-4x+2\leq x^2+3x+10$에서

$x^2-7x-8\leq 0$, $(x+1)(x-8)\leq 0$

$\therefore\ -1\leq x\leq 8$ ...... ㉠

$x^2+3x+10<3x^2-9x+26$에서

$-2x^2+12x-16<0$

$x^2-6x+8>0$, $(x-2)(x-4)>0$

$\therefore\ x<2$ 또는 $x>4$ ...... ㉡

STEP2 연립부등식의 해 구하기

㉠, ㉡을 수직선 위에 나타내면 다음 그림과 같다.

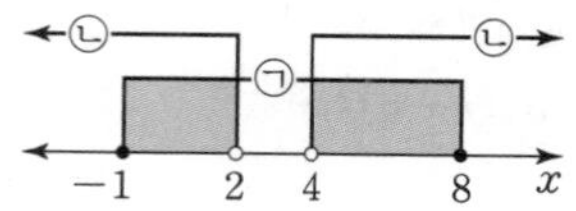

㉠, ㉡의 공통부분을 구하면

$-1\leq x<2$ 또는 $4<x\leq 8$

09-2 답 13

해결전략 | 연립이차부등식의 풀이는 각 이차부등식의 해를 구한 다음 수직선 위에 나타내고, 각 해의 공통부분을 구한다.

STEP1 각 이차부등식의 해 구하기

$x^2-x-56\leq 0$에서 $(x+7)(x-8)\leq 0$

$\therefore\ -7\leq x\leq 8$ ...... ㉠

$2x^2-3x-2>0$에서 $(2x+1)(x-2)>0$

$\therefore\ x<-\frac{1}{2}$ 또는 $x>2$ ...... ㉡

STEP2 연립부등식의 해 구하기

㉠, ㉡을 수직선 위에 나타내면 다음 그림과 같다.

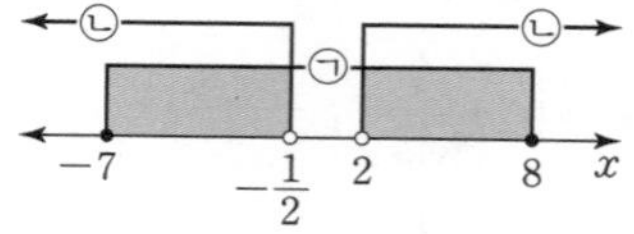

㉠, ㉡의 공통부분을 구하면

$-7\leq x<-\frac{1}{2}$ 또는 $2<x\leq 8$

STEP3 조건을 만족시키는 정수 x의 개수 구하기

따라서 주어진 부등식을 만족시키는 정수 x는 -7, -6, -5, -4, -3, -2, -1, 3, 4, 5, 6, 7, 8의 13개이다.

09-3 답 22

해결전략 | $A<B<C$ 꼴의 부등식은 두 부등식 $A<B$, $B<C$의 해를 각각 구한 후, 공통부분을 구한다.

STEP1 각 이차부등식의 해 구하기

$2x^2-4x-1\leq x^2+3x+7<3x^2-11x+27$에서

$\begin{cases}2x^2-4x-1\leq x^2+3x+7\\ x^2+3x+7<3x^2-11x+27\end{cases}$

$2x^2-4x-1\leq x^2+3x+7$에서

$x^2-7x-8\leq 0$, $(x+1)(x-8)\leq 0$

$\therefore\ -1\leq x\leq 8$ ...... ㉠

$x^2+3x+7<3x^2-11x+27$에서

$-2x^2+14x-20<0$, $x^2-7x+10>0$

$(x-2)(x-5)>0$

$\therefore x<2$ 또는 $x>5$ …… ㉡

STEP 2 두 부등식의 공통부분 구하기

㉠, ㉡을 수직선 위에 나타내면 다음 그림과 같다.

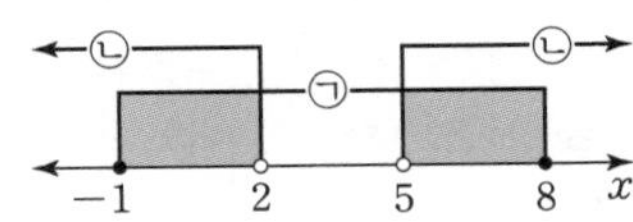

㉠, ㉡의 공통부분을 구하면

$-1\le x<2$ 또는 $5<x\le 8$

STEP 3 모든 자연수 x의 값의 합 구하기

따라서 자연수 x의 값은 1, 6, 7, 8이므로 구하는 합은

$1+6+7+8=22$

09-4 답 12

해결전략 | $x^2-7|x|+12\le 0$은 $x\ge 0$, $x<0$일 때로 나누어 해를 구하고, 연립부등식의 해를 구한다.

STEP 1 각 부등식의 해 구하기

$x^2+3x-10>0$에서 $(x+5)(x-2)>0$

$\therefore x<-5$ 또는 $x>2$ …… ㉠

$x^2-7|x|+12\le 0$에서

(i) $x\ge 0$일 때,

$x^2-7x+12\le 0$, $(x-3)(x-4)\le 0$

$\therefore 3\le x\le 4$

(ii) $x<0$일 때,

$x^2+7x+12\le 0$, $(x+4)(x+3)\le 0$

$\therefore -4\le x\le -3$

(i), (ii)에 의하여 $x^2-7|x|+12\le 0$의 해는

$-4\le x\le -3$ 또는 $3\le x\le 4$ …… ㉡

STEP 2 두 부등식의 공통부분 구하기

㉠, ㉡을 수직선 위에 나타내면 다음 그림과 같다.

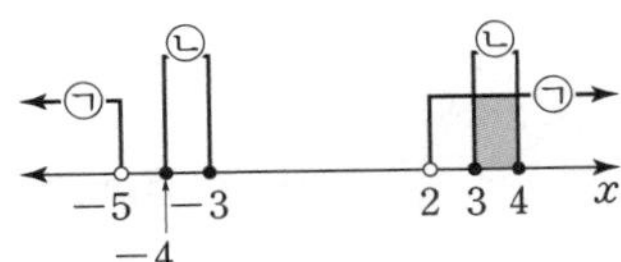

㉠, ㉡의 공통부분을 구하면 $3\le x\le 4$

STEP 3 $\alpha\beta$의 값 구하기

따라서 $\alpha=3$, $\beta=4$이므로

$\alpha\beta=3\times 4=12$

◉→ 다른 풀이

$x^2=|x|^2$이므로 $x^2-7|x|+12\le 0$에서

$|x|^2-7|x|+12\le 0$, $(|x|-3)(|x|-4)\le 0$

$\therefore 3\le |x|\le 4$

$|x|\ge 3$에서 $x\le -3$ 또는 $x\ge 3$ …… ㉢

$|x|\le 4$에서 $-4\le x\le 4$ …… ㉣

㉢, ㉣의 공통부분을 구하면

$-4\le x\le -3$ 또는 $3\le x\le 4$

09-5 답 -2

해결전략 | 연립부등식의 해를 구한 다음 그 해가 주어진 해와 같도록 미지수의 값을 정한다.

STEP 1 각 이차부등식의 해 구하기

$(x-a)^2<a^2$에서 $x^2-2ax+a^2<a^2$

$x(x-2a)<0$

$a<0$에서 $2a<0$이므로

$2a<x<0$ …… ㉠

$x^2+a<(a+1)x$에서 $x^2-(a+1)x+a<0$

$(x-1)(x-a)<0$

$a<0$이므로 $a<x<1$ …… ㉡

STEP 2 두 부등식의 공통부분 구하기

㉠, ㉡을 수직선 위에 나타내면 다음 그림과 같다.

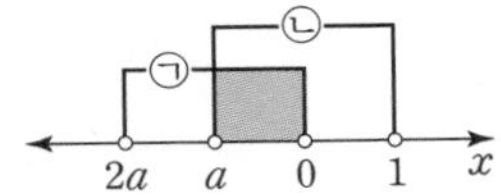

㉠, ㉡의 공통부분을 구하면

$a<x<0$

STEP 3 a, b의 값 구하기

이때 주어진 연립부등식의 해가 $b<x<b+1$이므로

$b=a$, $b+1=0$

$\therefore a=-1$, $b=-1$

STEP 4 $a+b$의 값 구하기

$\therefore a+b=-1+(-1)=-2$

09-6 답 -6

해결전략 | 연립부등식의 해를 구한 다음 그 해가 이차부등식의 해와 같도록 미지수의 값을 정한다.

STEP 1 각 부등식의 해 구하기

$x^2+x-12\le 0$에서 $(x+4)(x-3)\le 0$

$\therefore -4\le x\le 3$ …… ㉠

$x^2+12\ge 2x^2+4x$에서

$x^2+4x-12\le 0$, $(x+6)(x-2)\le 0$

$\therefore -6\le x\le 2$ …… ㉡

STEP2 두 부등식의 공통부분 구하기

㉠, ㉡을 수직선 위에 나타내면 다음 그림과 같다.

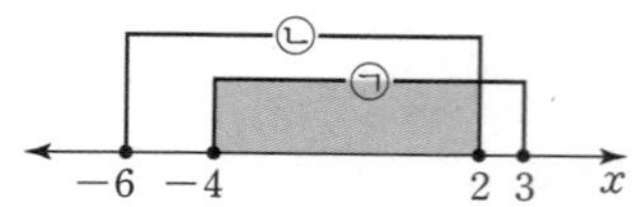

㉠, ㉡의 공통부분을 구하면

$-4 \le x \le 2$

STEP3 a, b의 값 구하기

해가 $-4 \le x \le 2$이고 x^2의 계수가 1인 이차부등식은

$(x+4)(x-2) \le 0 \qquad \therefore x^2+2x-8 \le 0$

양변에 -2를 곱하면 $-2x^2-4x+16 \ge 0$

이 부등식이 $ax^2+bx+16 \ge 0$과 같으므로

$a=-2$, $b=-4$

STEP4 $a+b$의 값 구하기

$\therefore a+b=-2+(-4)=-6$

필수유형 10 271쪽

10-1 답 $a \le -1$

해결전략 | 연립이차부등식의 해가 주어지면 각 부등식의 해의 공통부분이 주어진 해와 일치하도록 수직선 위에 나타내어 미정계수의 값의 범위를 구한다.

STEP1 각 이차부등식의 해 구하기

$x^2-3x-4 \le 0$에서 $(x+1)(x-4) \le 0$

$\therefore -1 \le x \le 4$ …… ㉠

$x^2-(3+a)x+3a > 0$에서

$(x-3)(x-a) > 0$ …… ㉡

(i) $a<3$일 때, $x<a$ 또는 $x>3$

(ii) $a=3$일 때, $(x-3)^2>0$이므로 $x \ne 3$인 모든 실수

(iii) $a>3$일 때, $x<3$ 또는 $x>a$

STEP2 조건을 만족시키는 a의 값의 범위 구하기

㉠, ㉡의 공통부분이 $3<x \le 4$가 되려면 다음 그림과 같아야 하므로 ㉡의 해는

$x<a$ 또는 $x>3$ (단, $a<3$)

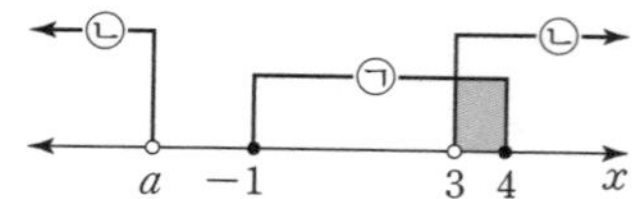

따라서 a의 값의 범위는

$a \le -1$

> **풍쌤의 비법**
>
> 실수 a의 값의 범위에서 경계가 되는 값의 포함 여부를 확인할 때는 그 값을 부등식에 대입하여 주어진 조건을 만족시키는지 확인한다.
>
> $a=-1$이면 부등식 $x^2-2x-3>0$의 해는
>
> $(x+1)(x-3)<0$에서 $x<-1$ 또는 $x>3$
>
> 즉, ㉠, ㉡의 공통부분은 $3<x \le 4$이므로 $a=-1$은 조건을 만족시킨다.

10-2 답 $4<a \le 5$

해결전략 | 연립이차부등식의 해가 주어지면 각 부등식의 해의 공통부분이 주어진 해와 일치하도록 수직선 위에 나타내어 미정계수의 값의 범위를 구한다.

STEP1 각 이차부등식의 해 구하기

$x^2-3x>0$에서 $x(x-3)>0$

$\therefore x<0$ 또는 $x>3$ …… ㉠

$x^2-(a+2)x+2a<0$에서 $(x-2)(x-a)<0$ …… ㉡

(i) $a<2$일 때, $a<x<2$

(ii) $a=2$일 때, $(x-2)^2<0$이므로 해가 없다.

(iii) $a>2$일 때, $2<x<a$

STEP2 조건을 만족시키는 a의 값의 범위 구하기

㉠, ㉡을 동시에 만족시키는 정수 x의 값이 4뿐이려면 다음 그림과 같아야 하므로 ㉡의 해는

$2<x<a$

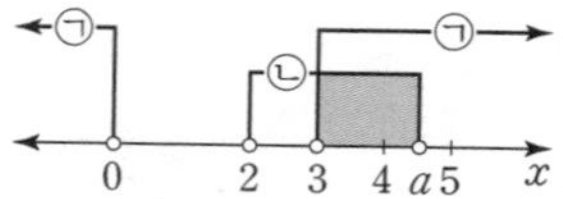

따라서 a의 값의 범위는

$4<a \le 5$

10-3 답 $-1<x<8$

해결전략 | 연립이차부등식의 해가 주어지면 각 부등식의 해의 공통부분이 주어진 해와 일치하도록 수직선 위에 나타내어 미정계수의 값의 범위를 구한다.

STEP1 조건을 만족시키는 두 부등식의 해 구하기

$x^2+ax+b \ge 0$의 해를 A, $x^2+cx+d \le 0$의 해를 B라 하고, 두 부등식을 동시에 만족시키는 x의 값의 범위가 $2 \le x \le 3$, $x=4$가 되도록 수직선 위에 나타내면 다음 그림과 같다.

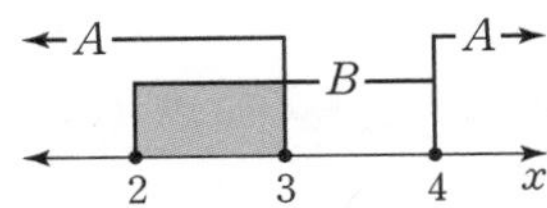

따라서 이차부등식 $x^2+ax+b\geq0$의 해는

$x\leq3$ 또는 $x\geq4$이고, 이차부등식 $x^2+cx+d\leq0$의 해는 $2\leq x\leq4$이다.

STEP2 a, b, c, d의 값 구하기

해가 $x\leq3$ 또는 $x\geq4$이고 x^2의 계수가 1인 이차부등식은

$(x-3)(x-4)\geq0 \qquad \therefore x^2-7x+12\geq0$

$\therefore a=-7, b=12$

해가 $2\leq x\leq4$이고 x^2의 계수가 1인 이차부등식은

$(x-2)(x-4)\leq0 \qquad \therefore x^2-6x+8\leq0$

$\therefore c=-6, d=8$

STEP3 $x^2+ax-d\leq0$의 해 구하기

$x^2+ax-d<0$, 즉 $x^2-7x-8<0$에서

$(x+1)(x-8)<0$

$\therefore -1<x<8$

10-4 답 $-1<x<0$

해결전략 | 해의 부등호에서 함숫값을 유추하여 미지수의 값을 구한다.

STEP1 주어진 조건을 이용하여 두 함수 $f(x)$, $g(x)$ 구하기

연립부등식 $\begin{cases}3x^2+ax+b<0\\x^2+(b-a)x+b+5\leq0\end{cases}$의 해가

$-1\leq x<3$이므로 $f(x)<0$의 해는 $\alpha<x<3\ (\alpha<1)$,

$g(x)\leq0$의 해는 $1\leq x\leq\beta\ (\beta>3)$이어야 한다.

따라서 $f(3)=0$, $g(-1)=0$이다.
→ 해의 ≤, <에서 알 수 있어.

$g(-1)=1-(b-a)+b+5=6+a=0$

$\therefore a=-6$

$f(3)=27+3a+b=0$

$\therefore b=27-3a=9$

$\therefore f(x)=3x^2-6x-9,\ g(x)=x^2-3x-4$

STEP2 부등식 $4f(x)-9g(x)<0$의 해 구하기

$4f(x)-9g(x)<0$에서

$4(3x^2-6x-9)-9(x^2-3x-4)<0$

$3x^2+3x<0,\ 3x(x+1)<0$

$\therefore -1<x<0$

10-5 답 $0<a\leq10$

해결전략 | 연립부등식이 해를 갖지 않는다는 것은 두 부등식의 해의 공통부분이 없음을 이용한다.

STEP1 각 이차부등식의 해 구하기

$2|x-2|<a$에서

$|x-2|<\frac{a}{2},\ -\frac{a}{2}<x-2<\frac{a}{2}$

$\therefore -\frac{a}{2}+2<x<\frac{a}{2}+2$ …… ㉠

$x^2+8x+15<0$에서 $(x+5)(x+3)<0$

$\therefore -5<x<-3$ …… ㉡

STEP2 조건을 만족시키는 양수 a의 값의 범위 구하기

주어진 연립부등식이 해를 갖지 않으려면 ㉠, ㉡의 공통부분이 존재하지 않아야 한다.

이때 $a>0$이므로 $\frac{a}{2}+2>0$이고 주어진 연립부등식이 해를 갖지 않으려면 다음 그림과 같다.

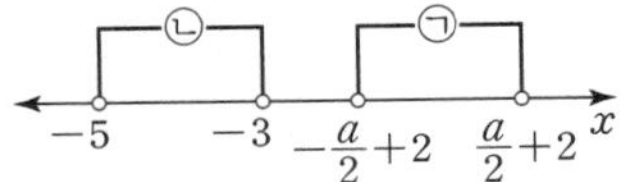

즉, $-\frac{a}{2}+2\geq-3$이어야 하므로 $-\frac{a}{2}\geq-5$

$\therefore a\leq10$

그런데 $a>0$이므로 $0<a\leq10$

10-6 답 $a<-4$ 또는 $a>3$

해결전략 | 연립부등식의 해를 구한 다음 해가 항상 존재하도록 수직선에 나타낸다.

STEP1 각 부등식의 해 구하기

$x^2+x-30>0$에서 $(x+6)(x-5)>0$

$\therefore x<-6$ 또는 $x>5$ …… ㉠

$|x-a|\leq2$에서 $-2\leq x-a\leq2$

$\therefore a-2\leq x\leq a+2$ …… ㉡

STEP2 조건을 만족시키는 a의 값의 범위 구하기

㉠, ㉡에서 부등식의 해가 항상 존재하려면 다음 그림과 같아야 한다.

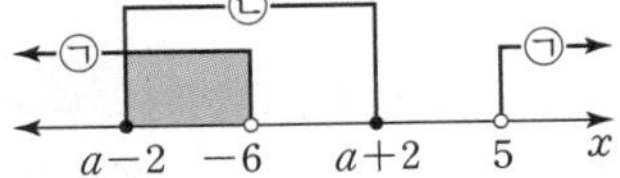

또는

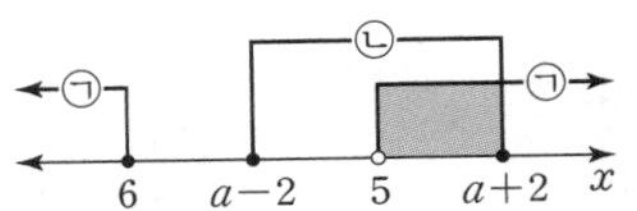

즉, $a-2<-6$ 또는 $a+2>5$이어야 한다.

따라서 a의 값의 범위는

$a<-4$ 또는 $a>3$

 발전유형 11 273쪽

11-1 답 18 m

해결전략 | 구하는 값을 x로 놓고 조건에 맞게 연립부등식을 세운다.

STEP1 구하는 값을 x로 놓고, 연립부등식 세우기

둘레의 길이가 60 m인 직사각형 모양의 화단의 짧은 변의 길이를 x m라고 하면 긴 변의 길이는 $(30-x)$ m이므로

$x>0$, $30-x>0$, $x<30-x$

$\therefore 0<x<15$ ...... ㉠

이때 화단의 넓이가 144 m^2 이상 216 m^2 이하이므로

$144\le x(30-x)\le 216$

STEP2 연립부등식의 해 구하기

(i) $144\le x(30-x)$에서

$x^2-30x+144\le 0$, $(x-6)(x-24)\le 0$

$\therefore 6\le x\le 24$ ...... ㉡

(ii) $x(30-x)\le 216$에서

$x^2-30x+216\ge 0$, $(x-12)(x-18)\ge 0$

$\therefore x\le 12$ 또는 $x\ge 18$ ...... ㉢

㉡, ㉢의 공통부분을 구하면

$6\le x\le 12$ 또는 $18\le x\le 24$

STEP3 주어진 조건을 만족시키는 x의 값의 범위 구하기

그런데 ㉠에서 $0<x<15$이므로

$6\le x\le 12$

STEP4 최댓값과 최솟값의 합 구하기

따라서 직사각형 모양의 화단의 짧은 변의 길이의 최댓값은 12 m, 최솟값은 6 m이므로 구하는 합은

$12+6=18$(m)

11-2 답 2 cm 이상 5 cm 이하

해결전략 | 구하는 값을 x로 놓고 조건에 맞게 연립부등식을 세운다.

STEP1 구하는 값을 x로 놓고, 연립부등식 세우기

둘레의 길이가 40 cm인 직사각형 모양의 끈의 짧은 변의 길이를 x cm라고 하면 긴 변의 길이는 $(20-x)$ cm이므로

$x>0$, $20-x>0$, $x<20-x$

$\therefore 0<x<10$

직사각형의 넓이가 36 cm^2 이상 75 cm^2 이하이므로

$36\le x(20-x)\le 75$

STEP2 연립부등식의 해 구하기

(i) $36\le x(20-x)$에서

$x^2-20x+36\le 0$, $(x-2)(x-18)\le 0$

$\therefore 2\le x\le 18$ ...... ㉠

(ii) $x(20-x)\le 75$에서

$x^2-20x+75\ge 0$, $(x-5)(x-15)\ge 0$

$\therefore x\le 5$ 또는 $x\ge 15$ ...... ㉡

㉠, ㉡의 공통부분을 구하면

$2\le x\le 5$ 또는 $15\le x\le 18$

STEP3 주어진 조건을 만족시키는 x의 값의 범위 구하기

그런데 ㉠에서 $0<x<10$이므로 $2\le x\le 5$

따라서 짧은 변의 길이는 2 cm 이상 5 cm 이하로 하면 된다.

11-3 답 4

해결전략 | 삼각형의 가장 긴 변의 길이는 나머지 두 변의 길이의 합보다 작다는 삼각형의 결정 조건을 이용하여 부등식을 세운 후 연립부등식을 풀어 조건에 맞는 값을 구한다.

STEP1 삼각형의 결정 조건을 이용하여 x의 값의 범위 구하기

세 수 x^2, $3x+1$, $2x+1$이 삼각형의 세 변의 길이가 되려면

(→ 길이가 가장 긴 변을 확정할 수 없어.)

$x^2+(3x+1)>2x+1$ ...... ㉠

$x^2+(2x+1)>3x+1$ ...... ㉡

$(3x+1)+(2x+1)>x^2$ ...... ㉢

㉠에서 $x^2+x>0$, $x(x+1)>0$

$\therefore x<-1$ 또는 $x>0$ ...... ㉣

㉡에서 $x^2-x>0$, $x(x-1)>0$

$\therefore x<0$ 또는 $x>1$ ...... ㉤

㉢에서 $x^2-5x-2<0$

$\therefore \frac{5-\sqrt{33}}{2}<x<\frac{5+\sqrt{33}}{2}$ ...... ㉥

STEP2 각 조건의 공통부분 구하기

㉣, ㉤, ㉥의 공통부분을 구하면

$1<x<\frac{5+\sqrt{33}}{2}$

STEP3 정수 x의 개수 구하기

이때 $5<\sqrt{33}<6$이므로 $5<\frac{5+\sqrt{33}}{2}<6$

따라서 $1<x<5.\times\times\times$이므로 정수 x는 2, 3, 4, 5의 4개이다.

11-4 답 9

해결전략 | 삼각형의 결정 조건과 둔각삼각형이 되는 조건을 이용하여 부등식을 세운 후 연립부등식을 풀어 조건에 맞는

값을 구한다.

STEP1 삼각형의 결정 조건을 이용하여 x의 값의 범위 구하기

변의 길이는 양수이므로

$x>0$, $3x-1>0$, $3x+1>0$

$\therefore x>\frac{1}{3}$ ...... ㉠

세 변 중 길이가 가장 긴 변은 $3x+1$이므로 삼각형의 결정 조건에 의하여

$x+(3x-1)>3x+1$

$\therefore x>2$ ...... ㉡

STEP2 둔각삼각형이 되기 위한 조건을 이용하여 x의 값의 범위 구하기

둔각삼각형이 되려면

$(3x+1)^2>x^2+(3x-1)^2$

$9x^2+6x+1>10x^2-6x+1$, $x^2-12x<0$

$x(x-12)<0$ $\quad\therefore 0<x<12$ ...... ㉢

STEP3 각 조건의 공통부분 구하기

㉠, ㉡, ㉢의 공통부분을 구하면 $2<x<12$

따라서 정수 x는 3, 4, 5, ⋯, 11의 9개이다.

> **풍쌤의 비법**
>
> 삼각형 ABC의 세 변의 길이가 a, b, c (c가 가장 긴 변)일 때, 삼각형의 결정 조건은
>
> [조건1] 세 변의 길이는 양수이다. 즉, $a>0$, $b>0$, $c>0$
>
> [조건2] 두 변의 길이의 합은 나머지 한 변의 길이보다 크다. 즉, $a+b>c$
>
> 이때 삼각형의 모양은
>
> ① 직각삼각형이 될 조건: $c^2=a^2+b^2$
>
> ② 예각삼각형이 될 조건: $c^2<a^2+b^2$
>
> ③ 둔각삼각형이 될 조건: $c^2>a^2+b^2$

11-5 답 18

해결전략 | 직사각형, 삼각형의 넓이 구하는 공식을 이용하여 연립부등식을 세워 조건에 맞는 값을 구한다.

STEP1 직사각형 PQCR, 두 삼각형 APR와 PBQ의 넓이를 a에 대한 식으로 나타내기

오른쪽 그림과 같이 두 삼각형 APR과 PBQ는 모두 직각이등변삼각형이다.

이때 $\overline{QC}=a$ $(0<a<12)$이므로

$\overline{BQ}=\overline{PQ}=12-a$

$\overline{AR}=\overline{PR}=a$

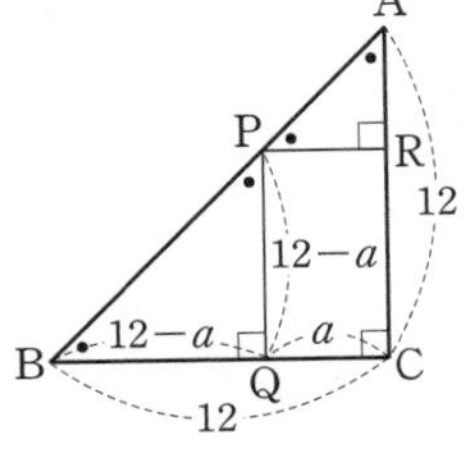

따라서 직사각형 PQCR의 넓이는 $a(12-a)$,

△PBQ의 넓이는 $\frac{1}{2}(12-a)^2$,

△APR의 넓이는 $\frac{1}{2}a^2$이다.

STEP2 직사각형 PQCR의 넓이가 두 삼각형 APR와 PBQ의 각각의 넓이보다 큼을 이용하여 a의 값의 범위 구하기

직사각형 PQCR의 넓이는 두 삼각형 APR와 PBQ의 각각의 넓이보다 크므로

$$\begin{cases} a(12-a)>\frac{1}{2}a^2 \\ a(12-a)>\frac{1}{2}(12-a)^2 \end{cases}$$

$a(12-a)>\frac{1}{2}a^2$에서

$\frac{3}{2}a^2-12a<0$, $\frac{3}{2}a(a-8)<0$

$\therefore 0<a<8$ ...... ㉠

$a(12-a)>\frac{1}{2}(12-a)^2$에서

$12a-a^2>\frac{1}{2}(144-24a+a^2)$

$24a-2a^2>144-24a+a^2$

$3a^2-48a+144<0$

$a^2-16a+48<0$

$(a-4)(a-12)<0$

$\therefore 4<a<12$ ...... ㉡

㉠, ㉡의 공통부분을 구하면

$4<a<8$

STEP3 모든 자연수 a의 값의 합 구하기

따라서 자연수 a의 값은 5, 6, 7이므로 구하는 합은

$5+6+7=18$

필수유형 12 275쪽

12-1 답 (1) $k\le 2$ 또는 $k\ge 5$ (2) $2<k<5$

해결전략 | 이차방정식의 판별식을 이용한다.

STEP1 이차방정식의 판별식 구하기

이차방정식 $x^2+2(k-3)x+k-1=0$의 판별식을 D라 고 하면

$\frac{D}{4}=(k-3)^2-(k-1)=k^2-7k+10$

$=(k-2)(k-5)$

STEP2 근의 조건에 따른 k의 값의 범위 구하기

(1) 이차방정식 $x^2+2(k-3)x+k-1=0$이 실근을 가지므로

$\frac{D}{4}=(k-2)(k-5)\geq0$

$\therefore k\leq2$ 또는 $k\geq5$

(2) 이차방정식 $x^2+2(k-3)x+k-1=0$이 허근을 가지므로

$\frac{D}{4}=(k-2)(k-5)<0$

$\therefore 2<k<5$

12-2 답 $2\leq k<5$

해결전략 | 이차방정식의 판별식을 이용하여 실근과 허근을 가질 조건을 구하고, 공통부분을 구한다.

STEP1 $x^2-kx+1=0$이 실근을 가질 조건 구하기

이차방정식 $x^2-kx+1=0$의 판별식을 D_1이라고 하면 이 이차방정식이 실근을 가지므로

$D_1=(-k)^2-4\geq0$, $(k+2)(k-2)\geq0$

$\therefore k\leq-2$ 또는 $k\geq2$ …… ㉠

STEP2 $x^2+2kx+4x+5=0$이 허근을 가질 조건 구하기

이차방정식 $x^2+2kx+4k+5=0$의 판별식을 D_2라고 하면 이 이차방정식이 허근을 가지므로

$\frac{D_2}{4}=k^2-(4k+5)<0$

$k^2-4k-5<0$, $(k+1)(k-5)<0$

$\therefore -1<k<5$ …… ㉡

STEP3 각 조건의 공통부분 구하기

㉠, ㉡의 공통부분을 구하면

$2\leq k<5$

12-3 답 1

해결전략 | 이차방정식의 판별식을 이용하여 중근을 가질 조건을 먼저 구한다.

STEP1 $x^2+2(a-1)x+a^2+2a-3=0$이 중근을 가질 조건 구하기

이차방정식 $x^2+2(a-1)x+a^2+2a-3=0$의 판별식을 D_1이라고 하면 이 이차방정식이 중근을 가지므로

$\frac{D}{4}=(a-1)^2-(a^2+2a-3)=0$

$-4a+4=0$ $\quad\therefore a=1$

STEP2 $x^2-(b+4)x+5a+2b=0$이 허근을 가질 조건 구하기

이차방정식 $x^2-(b+4)x+5a+2b=0$에 $a=1$을 대입한 $x^2-(b+4)x+5+2b=0$의 판별식을 D_2라고 하면 이 이차방정식이 허근을 가지므로

$D_2=\{-(b+4)\}^2-4(5+2b)<0$

$b^2-4<0$, $(b+2)(b-2)<0$

$\therefore -2<b<2$

STEP3 자연수 b의 최솟값 구하기

따라서 자연수 b의 최솟값은 1이다.

12-4 답 $-2<m<6$

해결전략 | 이차방정식의 판별식을 이용하여 실근과 허근을 가질 조건을 구하고, 공통부분을 구한다.

STEP1 $x^2+2\sqrt{2}x-m(m+1)=0$이 실근을 가질 조건 구하기

이차방정식 $x^2+2\sqrt{2}x-m(m+1)=0$의 판별식을 D_1이라고 하면 이 이차방정식이 실근을 가지므로

$\frac{D_1}{4}=(\sqrt{2})^2+m(m+1)$

$=m^2+m+2=\left(m+\frac{1}{2}\right)^2+\frac{7}{4}>0$

따라서 모든 실수 m에 대하여 실근을 갖는다. …… ㉠

STEP2 $x^2-(m-2)x+4=0$이 허근을 가질 조건 구하기

이차방정식 $x^2-(m-2)x+4=0$의 판별식을 D_2라고 하면 이 이차방정식이 허근을 가지므로

$D_2=\{-(m-2)\}^2-16<0$

$m^2-4m-12<0$, $(m+2)(m-6)<0$

$\therefore -2<m<6$ …… ㉡

STEP3 각 조건의 공통부분 구하기

㉠, ㉡의 공통부분을 구하면

$-2<m<6$

12-5 답 $a\leq0$ 또는 $a\geq4$

해결전략 | 적어도 하나가 실근을 가질 조건은 각 이차방정식이 실근을 가질 a의 값의 범위를 합한 것이다.

STEP1 두 이차방정식이 각각 실근을 가질 조건 구하기

이차방정식 $x^2-2ax+5a=0$의 판별식을 D_1이라고 하면 이 이차방정식이 실근을 가지므로

$\frac{D_1}{4}=(-a)^2-5a\geq0$

$a^2-5a\geq0$, $a(a-5)\geq0$

$\therefore a\leq0$ 또는 $a\geq5$ …… ㉠

이차방정식 $x^2+ax-a^2+5a=0$의 판별식을 D_2라고 하면 이 이차방정식이 실근을 가지므로

$D_2=a^2-4(-a^2+5a)\ge 0$

$5a^2-20a\ge 0$, $5a(a-4)\ge 0$

$\therefore a\le 0$ 또는 $a\ge 4$ …… ㉡

STEP2 a의 값의 범위 구하기

두 이차방정식 중 적어도 하나가 실근을 가져야 하므로 ㉠, ㉡에 의하여

$a\le 0$ 또는 $a\ge 4$

12-6 답 서로 다른 두 허근

해결전략 | 이차방정식이 허근을 가질 조건을 이용하여 k의 값의 범위를 구한다.

STEP1 $x^2+4kx+k^2+k=0$이 허근을 가질 조건 구하기

이차방정식 $x^2+4kx+k^2+k=0$의 판별식을 D_1이라고 하면 이 이차방정식이 허근을 가지므로

$\frac{D_1}{4}=(2k)^2-(k^2+k)<0$

$3k^2-k<0$, $k(3k-1)<0$

$\therefore 0<k<\frac{1}{3}$

STEP2 $x^2-2kx+k^2+2k+1=0$의 근 판별하기

이차방정식 $x^2-2kx+k^2+2k+1=0$의 판별식을 D_2라고 하면

$\frac{D_2}{4}=(-k)^2-(k^2+2k+1)=-2k-1$

이때 $0<k<\frac{1}{3}$에서 $0<2k<\frac{2}{3}$

$-\frac{2}{3}<-2k<0$

$\therefore -\frac{5}{3}<-2k-1<-1$

따라서 $\frac{D_2}{4}<0$이므로 이차방정식

$x^2-2kx+k^2+2k+1=0$은 서로 다른 두 허근을 갖는다.

필수유형 13 277쪽

13-1 답 (1) $1\le a<2$ (2) $a>2$ (3) $a\le -2$

해결전략 | 이차방정식의 판별식과 근과 계수의 관계를 이용하여 두 실근의 부호에 따른 a의 값의 범위를 구한다.

STEP1 이차방정식의 판별식 구하기

이차방정식 $x^2+2ax+2-a=0$의 두 근을 α, β라 하고 판별식을 D라고 하면

$\frac{D}{4}=a^2-(2-a)$

$=a^2+a-2$

$=(a+2)(a-1)$

STEP2 두 근의 부호에 따른 a의 값의 범위 구하기

(1) 두 근이 모두 음수이므로

(i) $\frac{D}{4}=(a+2)(a-1)\ge 0$

$\therefore a\le -2$ 또는 $a\ge 1$

(ii) $\alpha+\beta=-2a<0$ $\quad\therefore a>0$

(iii) $\alpha\beta=2-a>0$ $\quad\therefore a<2$

(i)~(iii)에서 공통부분을 구하면 $1\le a<2$

(2) 두 근의 부호가 서로 다르므로 $\alpha\beta<0$에서

$2-a<0$ $\quad\therefore a>2$

(3) 두 근이 모두 양수이므로

(i) $\frac{D}{4}=(a+2)(a-1)\ge 0$

$\therefore a\le -2$ 또는 $a\ge 1$

(ii) $\alpha+\beta=-2a>0$ $\quad\therefore a<0$

(iii) $\alpha\beta=2-a>0$ $\quad\therefore a<2$

(i)~(iii)에서 공통부분을 구하면 $a\le -2$

13-2 답 -3

해결전략 | 이차방정식의 두 근이 모두 양수일 조건을 이용하여 미지수의 값을 구한다.

STEP1 이차방정식의 두 근이 모두 양수일 조건 구하기

이차방정식 $x^2+2(k+2)x+(k+4)=0$의 두 근을 α, β라 하고 판별식을 D라고 할 때, 두 근이 모두 양수이려면

(i) $\frac{D}{4}=(k+2)^2-(k+4)\ge 0$

$k^2+3k\ge 0$, $k(k+3)\ge 0$

$\therefore k\le -3$ 또는 $k\ge 0$

(ii) $\alpha+\beta=-2(k+2)>0$ $\quad\therefore k<-2$

(iii) $\alpha\beta=k+4>0$ $\quad\therefore k>-4$

STEP2 각 조건의 공통부분 구하기

(i)~(iii)에서 공통부분을 구하면 $-4<k\le -3$

STEP3 k의 최댓값 구하기

따라서 k의 최댓값은 -3이다.

13-3 답 3

해결전략 | 두 근의 부호가 서로 다르고 절댓값이 같으면 두 근의 합이 0이고, 두 근의 곱은 음수임을 이용한다.

STEP1 두 근의 조건에 맞는 범위 구하기

이차방정식 $3x^2+(a^2+a-12)x+a^2-16=0$의 두 근을 α, β라고 하면 두 근의 부호가 서로 다르므로

$\alpha\beta=\frac{a^2-16}{3}<0$

$a^2-16<0$, $(a+4)(a-4)<0$

$\therefore -4<a<4$ ...... ㉠

또, 두 근의 절댓값이 같으므로

$\alpha+\beta=-\frac{a^2+a-12}{3}=0$

$a^2+a-12=0$, $(a+4)(a-3)=0$

$\therefore a=-4$ 또는 $a=3$ ...... ㉡

STEP2 각 조건의 공통부분 구하기

㉠, ㉡의 공통부분을 구하면

$a=3$

13-4 답 2

해결전략 | 이차방정식의 두 근을 α, β라고 하면 두 근의 부호가 서로 다르고, 합이 양수일 조건은 $\alpha\beta<0$, $\alpha+\beta>0$

STEP1 두 근의 부호가 서로 다를 때의 조건 구하기

이차방정식 $x^2+(a-3)x-a+1=0$의 두 근을 α, β라고 하면 두 근의 부호가 서로 다르므로

$\alpha\beta=-a+1<0$ $\therefore a>1$ ...... ㉠

두 근의 합이 양수이므로

$\alpha+\beta=-(a-3)>0$ $\therefore a<3$ ...... ㉡

STEP2 각 조건의 공통부분 구하기

㉠, ㉡의 공통부분을 구하면

$1<a<3$

STEP3 정수 a의 값 구하기

따라서 정수 a의 값은 2이다.

13-5 답 $2<k<4$

해결전략 | 음수인 근의 절댓값이 양수인 근보다 크면 두 근의 합은 음수이다.

STEP1 두 근의 부호가 서로 다를 때의 조건 구하기

이차방정식 $x^2-(k^2-5k+4)x-3k+6=0$의 두 근을 α, β라고 하면 두 근의 부호가 서로 다르므로

$\alpha\beta=-3k+6<0$

$\therefore k>2$ ...... ㉠

또, 음수인 근의 절댓값이 양수인 근보다 크므로

$\alpha+\beta=k^2-5k+4<0$

$(k-1)(k-4)<0$ $\therefore 1<k<4$ ...... ㉡

STEP2 각 조건의 공통부분 구하기

㉠, ㉡의 공통부분을 구하면

$2<k<4$

> **풍쌤의 비법**
>
> 계수가 실수인 이차방정식 $ax^2+bx+c=0$의 두 실근을 α, β라 하고 두 실근의 부호가 서로 다를 때
>
> (1) 음수인 근의 절댓값이 양수인 근보다 작으면
> ➡ $\alpha+\beta>0$, $\alpha\beta<0$
>
> (2) 음수인 근의 절댓값이 양수인 근보다 크면
> ➡ $\alpha+\beta<0$, $\alpha\beta<0$
>
> (3) 두 근의 절댓값이 같으면
> ➡ $\alpha+\beta=0$, $\alpha\beta<0$

13-6 답 $k\le-2$

해결전략 | 이차방정식의 두 근 중 적어도 하나는 음수가 되는 경우를 나누어 각 조건을 만족시키는 k의 값의 범위를 구한다. 이때 구하는 k의 값의 범위는 각 범위를 합한 것임에 주의한다.

STEP1 두 근의 조건에 따른 범위 구하기

이차방정식 $x^2-2kx+k+6=0$의 두 근을 α, β라 하고, 판별식을 D라고 할 때, 두 근 중 적어도 하나가 음수인 경우는

(i) 두 근이 모두 음수일 때,

$\frac{D}{4}=k^2-k-6\ge0$이므로

$(k+2)(k-3)\ge0$

$\therefore k\le-2$ 또는 $k\ge3$ ...... ㉠

$\alpha+\beta=2k<0$ $\therefore k<0$ ...... ㉡

$\alpha\beta=k+6>0$ $\therefore k>-6$ ...... ㉢

㉠, ㉡, ㉢의 공통부분을 구하면

$-6<k\le-2$

(ii) 한 근이 음수, 다른 한 근이 0일 때,

$\frac{D}{4}=k^2-k-6>0$이므로

$(k+2)(k-3)>0$

$\therefore k<-2$ 또는 $k>3$ ...... ㉣

$\alpha+\beta=2k<0$ $\therefore k<0$ ...... ㉤

$\alpha\beta=k+6=0$ $\therefore k=-6$ ...... ㉥

㉣, ㉤, ㉥의 공통부분을 구하면

$k=-6$

(iii) 한 근이 음수, 다른 한 근이 양수일 때,

$\alpha\beta=k+6<0$ $\therefore k<-6$

STEP2 k의 값의 범위 구하기

(i)~(iii)에 의하여 k의 값의 범위는 $k\le-2$

필수유형 14 　279쪽

14-1 답 (1) $k\le-1$ 　(2) $k>\frac{7}{2}$

해결전략 | 주어진 조건을 만족시키는 그래프를 그려 본다.

(1) STEP1 조건에 맞는 그래프 그리기

$f(x)=x^2-2kx+2k+3$
$=(x-k)^2-k^2+2k+3$

이라고 하면 이차방정식 $f(x)=0$의 두 근이 1보다 작으므로 이차함수 $y=f(x)$의 그래프는 오른쪽 그림과 같아야 한다.

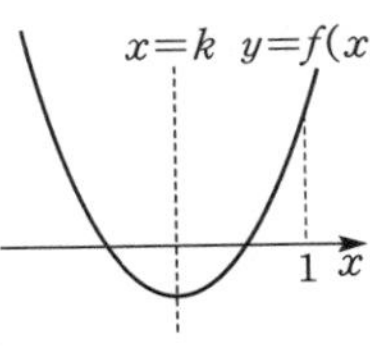

STEP2 조건을 만족시키는 k의 값의 범위 구하기

(i) 이차방정식 $f(x)=0$의 판별식을 D라고 하면

$\frac{D}{4}=(-k)^2-(2k+3)\ge0$

$k^2-2k-3\ge0$, $(k+1)(k-3)\ge0$

$\therefore k\le-1$ 또는 $k\ge3$

(ii) $f(1)=1-2k+2k+3>0$에서

$4>0$이므로 k는 모든 실수이다.

(iii) 이차함수 $y=f(x)$의 그래프의 축의 방정식이 $x=k$이므로 $k<1$

(i)~(iii)의 공통부분을 구하면 $k\le-1$

(2) STEP1 조건에 맞는 그래프 그리기

$f(x)=x^2-2kx+2k+3$이라고 하면 이차방정식 $f(x)=0$의 두 근 사이에 2가 있으므로 이차함수 $y=f(x)$의 그래프는 오른쪽 그림과 같아야 한다.

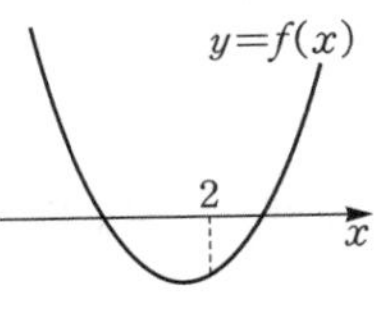

STEP2 조건을 만족시키는 k의 값의 범위 구하기

즉, $f(2)<0$이어야 하므로

$4-4k+2k+3<0$, $-2k+7<0$

$\therefore k>\frac{7}{2}$

14-2 답 0

해결전략 | 이차방정식의 두 근의 위치를 판별식과 경계에서의 함숫값, 축의 위치를 이용하여 구한다.

STEP1 조건에 맞는 그래프 그리기

$f(x)=x^2+4px+4p-1$
$=(x+2p)^2-4p^2+4p-1$

이라고 하면 이차방정식 $f(x)=0$의 두 근이 모두 -2보다 크므로 이차함수 $y=f(x)$의 그래프는 오른쪽 그림과 같아야 한다.

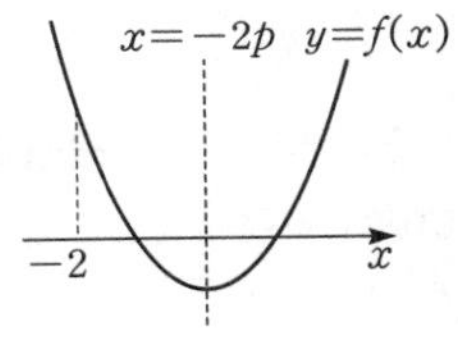

STEP2 조건을 만족시키는 p의 값의 범위 구하기

(i) 이차방정식 $f(x)=0$의 판별식을 D라고 하면

$\frac{D}{4}=(2p)^2-(4p-1)\ge0$

$4p^2-4p+1\ge0$

$\therefore (2p-1)^2\ge0$

따라서 p는 모든 실수이다.

(ii) $f(-2)=4-8p+4p-1>0$에서

$-4p+3>0$ 　$\therefore p<\frac{3}{4}$

(iii) 이차함수 $y=f(x)$의 그래프의 축의 방정식이 $x=-2p$이므로

$-2p>-2$ 　$\therefore p<1$

(i)~(iii)에서 공통부분을 구하면

$p<\frac{3}{4}$

STEP3 정수 p의 최댓값 구하기

따라서 정수 p의 최댓값은 0이다.

14-3 답 $k>15$

해결전략 | 주어진 조건을 만족시키는 그래프를 그려 본다.

STEP1 조건에 맞는 그래프 그리기

$f(x)=3x^2-2(k-1)x+3k-1$

이라고 하면 이차방정식 $f(x)=0$의 한 근이 1과 2 사이에 있고 다른 한 근은 2보다 크므로 이차함수 $y=f(x)$의 그래프는 오른쪽 그림과 같아야 한다.

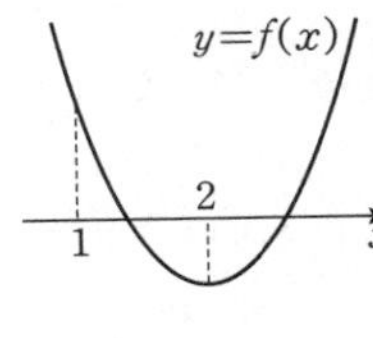

STEP2 조건을 만족시키는 k의 값의 범위 구하기

$f(1)=3-2(k-1)+3k-1>0$에서

$k+4>0$

$\therefore k>-4$ 　…… ㉠

$f(2)=12-4k+4+3k-1<0$에서

$-k+15<0$

$\therefore k>15$ 　…… ㉡

㉠, ㉡의 공통부분을 구하면

$k>15$

14-4 답 $\frac{9}{5}<a<3$

해결전략 | 주어진 조건을 만족시키는 그래프를 그려 본다.

STEP1 조건에 맞는 그래프 그리기

$f(x)=ax^2-3x+a-3\ (a\neq0)$이라고 하면 주어진 조건을 만족시키는 이차함수 $y=f(x)$의 그래프는 다음 그림과 같이 두 경우가 있다.

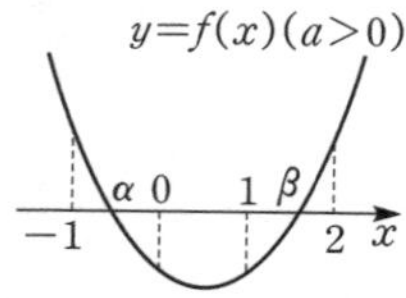

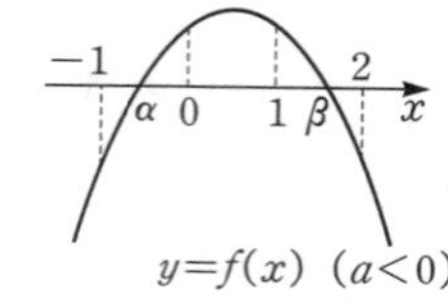

STEP2 조건을 만족시키는 a의 값의 범위 구하기

이차방정식 $f(x)=0$의 한 근이 -1과 0 사이에 있을 조건은

$f(-1)\times f(0)<0$이므로

$(a+3+a-3)(a-3)<0$

$2a(a-3)<0$

$\therefore 0<a<3$ ...... ㉠

이차방정식 $f(x)=0$의 다른 한 근이 1과 2 사이에 있을 조건은

$f(1)\times f(2)<0$이므로

$(a-3+a-3)(4a-6+a-3)<0$

$2(a-3)(5a-9)<0$

$\therefore \frac{9}{5}<a<3$ ...... ㉡

㉠, ㉡의 공통부분을 구하면

$\frac{9}{5}<a<3$

14-5 답 $-2<a<2$

해결전략 | 미지수가 없는 이차방정식의 해를 구한 다음 다른 이차방정식의 해의 조건을 이용한다.

STEP1 조건을 이용하여 그래프 그리기

$x^2-6x+8=0$에서 $(x-2)(x-4)=0$

$\therefore x=2$ 또는 $x=4$

이때 이차방정식 $x^2+ax-8=0$의 한 근만이 2와 4 사이에 있어야 하므로 $f(x)=x^2+ax-8$이라고 하면 이차함수 $y=f(x)$의 그래프는 다음 그림과 같아야 한다.

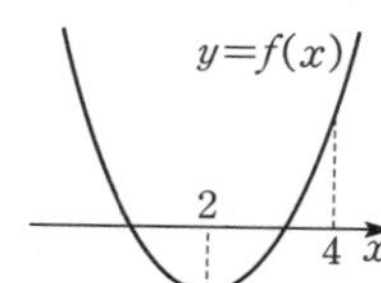

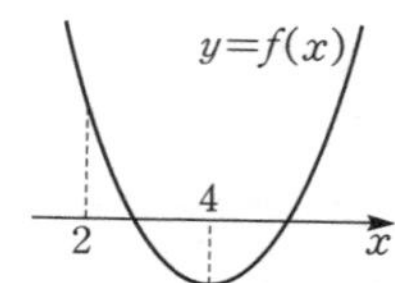

STEP2 조건을 만족시키는 a의 값의 범위 구하기

즉, $f(2)f(4)<0$이므로

$(4+2a-8)(16+4a-8)<0$

$(2a-4)(4a+8)<0$

$8(a-2)(a+2)<0$

$\therefore -2<a<2$

14-6 답 2

해결전략 | 이차방정식의 해의 조건을 이용한다.

STEP1 $P(x)-3(x+1)Q(x)+mx^2$을 간단히 정리하기

$P(x)-3(x+1)Q(x)+mx^2$

$=3x^3+x+11-3(x+1)(x^2-x+1)+mx^2$

$=3x^3+x+11-3(x^3+1)+mx^2$

$=mx^2+x+8$

STEP2 조건에 맞는 그래프 그리기

$f(x)=mx^2+x+8$이라고 하면 이차방정식 $f(x)=0$의 한 근이 2보다 작고 다른 한 근이 2보다 크므로 이차함수 $y=f(x)$의 그래프는 다음 그림과 같이 두 경우가 있다.

(i) $m>0$일 때,

$f(2)=4m+10<0$이므로

$m<-\frac{5}{2}$

그런데 $m>0$이므로 주어진 조건을 만족시키는 정수 m은 존재하지 않는다.

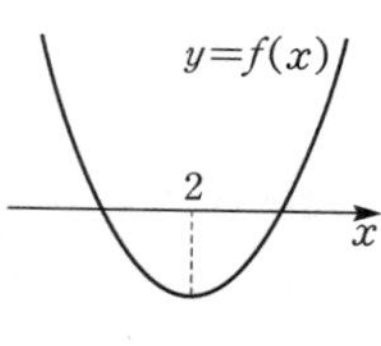

(ii) $m<0$일 때,

$f(2)=4m+10>0$이므로

$m>-\frac{5}{2}$

그런데 $m<0$이므로

$-\frac{5}{2}<m<0$

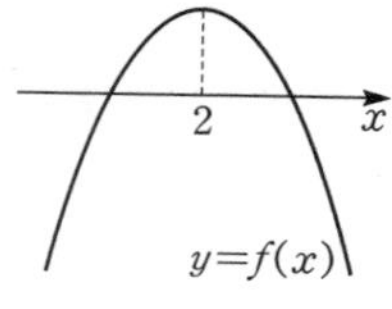

STEP3 조건을 만족시키는 m의 값의 범위 구하기

(i), (ii)에 의하여 m의 값의 범위는 $-\frac{5}{2}<m<0$

STEP4 정수 m의 개수 구하기

따라서 정수 m은 -2, -1의 2개이다.

실전 연습 문제 280~282쪽

01 ④	**02** ③	**03** -3	**04** -2	**05** ②
06 21	**07** 3	**08** ③	**09** 7	
10 $2\le x\le 11$		**11** ⑤	**12** $-\frac{5}{2}\le a<\frac{1}{2}$	
13 ③	**14** 0	**15** $-\frac{3}{2}<a<0$		
16 $3<x\le\frac{20}{3}$				

01

해결전략 | 부등식 $0<f(x)<g(x)$의 해는 $y=f(x)$의 그래프를 기준으로 하여 조건을 만족시키는 x의 값의 범위를 그래프에서 찾는다.

STEP1 주어진 부등식을 만족시키는 x의 값의 범위 구하기

부등식 $0<f(x)<g(x)$의 해는 $y=f(x)$의 그래프가 x축보다 위쪽에 있고 $y=g(x)$의 그래프보다 아래쪽에 있는 부분의 x의 값의 범위이므로

$6<x<7$

STEP2 $\alpha+\beta$의 값 구하기

따라서 $\alpha=6$, $\beta=7$이므로

$\alpha+\beta=6+7=13$

02

해결전략 | 이차항의 계수의 부호에 따른 해의 개수를 구한다.

ㄱ. $a>0$일 때, 주어진 부등식의 양변을 a로 나누면

$x^2-4x+10\le 0$

이때 $x^2-4x+10=(x-2)^2+6\ge 6$이므로 부등식의 해는 없다. (참)

ㄴ. $a=0$일 때, 부등식은 $0\le 0$

이 부등식은 모든 실수 x에 대하여 성립하므로 부등식의 해는 모든 실수이다. (거짓)

ㄷ. $a<0$일 때, 주어진 부등식의 양변을 a로 나누면

$x^2-4x+10\ge 0$

이때 $x^2-4x+10=(x-2)^2+6\ge 6$이므로 부등식의 해는 모든 실수이다. (참)

따라서 옳은 것은 ㄱ, ㄷ이다.

03

해결전략 | 근과 계수의 관계를 이용하여 조건을 구한 다음 문제를 해결한다.

STEP1 정희가 잘못 보고 푼 결과를 이용하여 조건 구하기

정희는 이차부등식 $ax^2+bx+c<0$에서 c를 잘못 보았으므로 a와 b는 제대로 본 것이다.

이때 정희가 구한 해가 $-6<x<3$이므로 $a>0$이고, 근과 계수의 관계에 의하여

$-\frac{b}{a}=-6+3=-3$

$\therefore b=3a$ …… ㉠ …… ❶

STEP2 효빈이가 잘못 보고 푼 결과를 이용하여 조건 구하기

효빈이는 a를 잘못 보고 푼 해가 $x<2$ 또는 $x>4$이므로 a를 a'으로 보았다고 하면 근과 계수의 관계에 의하여

$-\frac{b}{a'}=2+4=6$

$\therefore b=-6a'$ …… ㉡

$\frac{c}{a'}=2\times 4=8$ $\quad\therefore c=8a'$ …… ㉢

㉡에서 $a'=-\frac{1}{6}b$이므로 이것을 ㉢에 대입하면

$c=8\times\left(-\frac{1}{6}b\right)=-\frac{4}{3}b$

$=-\frac{4}{3}\times 3a$ ($\because$ ㉠)

$=-4a$ …… ❷

STEP3 바르게 푼 이차부등식의 해 구하기

그러므로 주어진 부등식은 $ax^2+3ax-4a<0$

이때 $a>0$이므로 $x^2+3x-4<0$

$(x+4)(x-1)<0$

$\therefore -4<x<1$

STEP4 $\alpha+\beta$의 값 구하기

따라서 $\alpha=-4$, $\beta=1$이므로

$\alpha+\beta=-4+1=-3$ …… ❸

채점 요소	배점
❶ 정희의 기준으로 조건 구하기	40 %
❷ 효빈이의 기준으로 조건 구하기	50 %
❸ $\alpha+\beta$의 값 구하기	10 %

04

해결전략 | x^2의 계수 $a-1$의 값의 범위에 따라 경우를 나누어 이차부등식이 해를 갖게 하는 a의 값의 범위를 구한다.

STEP1 a의 값의 범위에 따른 해 구하기

$a=1$이면 이차부등식이 되지 않으므로

$a\ne 1$

(i) $a>1$일 때,

이차함수 $y=(a-1)x^2+4x+a+2$의 그래프는 아래로 볼록하므로 주어진 부등식의 해는 항상 존재한다.

(ⅱ) $a<1$일 때,

주어진 이차부등식의 해가 존재하려면 이차방정식 $(a-1)x^2+4x+a+2=0$이 서로 다른 두 실근을 가져야 하므로 이 이차방정식의 판별식을 D라고 하면

$\frac{D}{4}=2^2-(a-1)(a+2)>0$

$-a^2-a+6>0$

$a^2+a-6<0$

$(a+3)(a-2)<0$

$\therefore -3<a<2$

그런데 $a<1$이므로 $-3<a<1$

STEP2 주어진 조건을 만족시키는 a의 값의 범위 구하기

(ⅰ), (ⅱ)에 의하여 a의 값의 범위는

$-3<a<1$ 또는 $a>1$

STEP3 정수 a의 최솟값 구하기

따라서 정수 a의 최솟값은 -2이다.

05

해결전략 | 이차부등식 $x^2+bx+c<0$이 해를 갖지 않을 조건은 이차부등식 $x^2+bx+c\geq 0$의 해가 모든 실수일 때로 바꾸어 생각한다.

STEP1 주어진 이차부등식의 해가 존재하지 않을 조건 구하기

이차부등식 $f(x)<0$의 해가 없으려면 모든 실수 x에 대하여 $f(x)\geq 0$이 성립해야 한다.

즉, 이차함수 $f(x)=x^2-2ax+9a$의 그래프가 x축과 한 점에서 만나거나 만나지 않아야 한다.

STEP2 a의 값의 범위 구하기

이차방정식 $x^2-2ax+9a=0$의 판별식을 D라고 하면

$\frac{D}{4}=(-a)^2-9a\leq 0,\ a(a-9)\leq 0$

$\therefore 0\leq a\leq 9$

STEP3 정수 a의 개수 구하기

따라서 정수 a는 $0, 1, 2, \cdots, 9$의 10개이다.

06

해결전략 | 모든 실수 x에 대하여 $\sqrt{f(x)}$의 값이 실수가 되려면 $f(x)\geq 0$이어야 한다.

STEP1 근호 안의 조건 구하기

모든 실수 x에 대하여 $\sqrt{(k+1)x^2-(k+1)x+5}$의 값이 실수가 되려면 모든 실수 x에 대하여 부등식

$(k+1)x^2-(k+1)x+5\geq 0$ …… ㉠

이 성립해야 한다.

STEP2 조건에 따른 k의 값의 범위 구하기

(ⅰ) $k+1=0$, 즉 $k=-1$일 때,

$0\times x^2-0\times x+5=5\geq 0$

이므로 ㉠이 모든 실수 x에 대하여 성립한다.

$\therefore k=-1$

(ⅱ) $k+1\neq 0$, 즉 $k\neq -1$일 때,

모든 실수 x에 대하여 ㉠이 성립하려면 이차항의 계수가 0보다 커야 하므로

$k+1>0$에서 $k>-1$ …… ㉡

또, 이차방정식 $(k+1)x^2-(k+1)x+5=0$의 판별식을 D라고 하면

$D=\{-(k+1)\}^2-20(k+1)\leq 0$

$k^2-18k-19\leq 0,\ (k+1)(k-19)\leq 0$

$\therefore -1\leq k\leq 19$ …… ㉢

㉡, ㉢의 공통부분을 구하면 $-1<k\leq 19$

(ⅰ), (ⅱ)에 의하여 k의 값의 범위는 $-1\leq k\leq 19$

STEP3 정수 k의 개수 구하기

따라서 정수 k는 $-1, 0, 1, \cdots, 19$의 21개이다.

07

해결전략 | 함수 $y=f(x)$의 그래프가 함수 $y=g(x)$의 그래프보다 아래쪽에 있는 부분의 x의 값의 범위가 부등식 $f(x)<g(x)$의 해이다.

STEP1 두 그래프의 위치 관계를 부등식으로 나타내기

이차함수 $y=x^2+7x+a$의 그래프가 직선 $y=x+3$보다 아래쪽에 있는 부분의 x의 값의 범위는

$x^2+7x+a<x+3$, 즉

$x^2+6x+a-3<0$ …… ㉠

의 해이다.

STEP2 주어진 해를 만족시키는 이차부등식 구하기

해가 $b<x<1$이고 x^2의 계수가 1인 이차부등식은

$(x-b)(x-1)<0$

$\therefore x^2-(b+1)x+b<0$ …… ㉡

STEP3 a, b의 값 구하기

㉠과 ㉡이 같아야 하므로

$6=-(b+1),\ a-3=b$

$\therefore a=-4,\ b=-7$

STEP4 $a-b$의 값 구하기

$\therefore a-b=-4-(-7)=3$

08

해결전략 | 제한된 범위에서 이차부등식 $f(x)>0$이 항상 성

립하려면 ($f(x)$의 최솟값)>0이어야 한다.

STEP1 **$x^2-7x+10<0$의 해 구하기**

$x^2-7x+10<0$에서 $(x-2)(x-5)<0$

$\therefore 2<x<5$

STEP2 **$x^2-2x+k^2-3>0$의 조건에 맞는 그래프 그리기**

$f(x)=x^2-2x+k^2-3$이라고 하면

$f(x)=(x-1)^2+k^2-4$

$2<x<5$에서 $f(x)>0$이 항상 성립하려면 이차함수 $y=f(x)$의 그래프는 오른쪽 그림과 같아야 한다.

STEP3 **k의 값의 범위 구하기**

즉, $f(2)\geq 0$이어야 하므로

$k^2-3\geq 0$

$(k+\sqrt{3})(k-\sqrt{3})\geq 0$

$\therefore k\leq -\sqrt{3}$ 또는 $k\geq\sqrt{3}$

STEP4 **$\alpha\beta$의 값 구하기**

따라서 $\alpha=-\sqrt{3}$, $\beta=\sqrt{3}$이므로

$\alpha\beta=(-\sqrt{3})\times\sqrt{3}=-3$

09

해결전략 | 제한된 범위에서 이차부등식 $f(x)\leq 0$이 항상 성립하려면 ($f(x)$의 최댓값)≤ 0이어야 한다.

STEP1 **조건에 맞는 그래프 그리기**

$x^2-2x+3\leq -x^2+k$에서

$2x^2-2x+3-k\leq 0$

$f(x)=2x^2-2x+3-k$라고 하면

$f(x)=2\left(x-\frac{1}{2}\right)^2+\frac{5}{2}-k$

$-1\leq x\leq 1$에서 $f(x)\leq 0$이어야 하므로 이차함수 $y=f(x)$의 그래프는 오른쪽 그림과 같아야 한다.

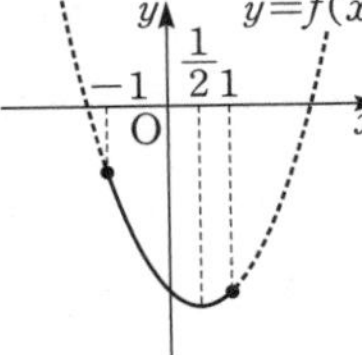

STEP2 **k의 최솟값 구하기**

즉, $-1\leq x\leq 1$에서 $f(x)$는 $x=-1$에서 최댓값을 갖고, 그 최댓값이 0보다 작거나 같아야 하므로

$f(-1)=7-k\leq 0 \qquad \therefore k\geq 7$

따라서 k의 최솟값은 7이다.

10

해결전략 | $\overline{BC}$를 x에 대한 식으로 나타내고 직각삼각형의 넓이를 이용하여 이차부등식을 세운다.

STEP1 **이차부등식 세우기**

$\overline{AB}+\overline{BC}=13$ cm이고, $\overline{AB}=x$ cm이므로

$\overline{BC}=(13-x)$ cm

$\therefore \triangle ABC=\frac{1}{2}\times\overline{AB}\times\overline{BC}=\frac{1}{2}x(13-x)$ ...... ❶

삼각형 ABC의 넓이가 11 cm^2 이상이어야 하므로

$\frac{1}{2}x(13-x)\geq 11$ ...... ❷

STEP2 **이차부등식의 해 구하기**

$x^2-13x+22\leq 0$, $(x-2)(x-11)\leq 0$

$\therefore 2\leq x\leq 11$ ...... ❸

채점 요소	배점
❶ 삼각형 ABC의 넓이를 x에 대한 식으로 나타내기	40%
❷ 삼각형의 넓이를 이용하여 이차부등식 세우기	30%
❸ x의 값의 범위 구하기	30%

11

해결전략 | $|x-p|\leq q$는 $-q\leq x-p\leq q$임을 이용하여 풀고, 연립부등식의 해를 구한다.

STEP1 **각 부등식의 해 구하기**

$|x-1|\leq 3$에서 $-3\leq x-1\leq 3$

$\therefore -2\leq x\leq 4$ ...... ㉠

$x^2-8x+15>0$에서 $(x-3)(x-5)>0$

$\therefore x<3$ 또는 $x>5$ ...... ㉡

STEP2 **연립부등식의 해 구하기**

㉠, ㉡을 수직선 위에 나타내면 다음과 같다.

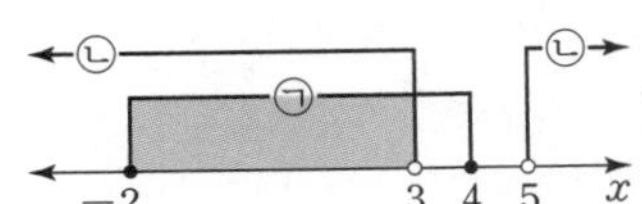

㉠, ㉡의 공통부분을 구하면 $-2\leq x<3$

STEP3 **정수 x의 개수 구하기**

따라서 정수 x는 -2, -1, 0, 1, 2의 5개이다.

12

해결전략 | 연립이차부등식의 해가 주어지면 각 부등식의 해의 공통부분이 주어진 해와 일치하도록 수직선 위에 나타내어 미정계수의 값의 범위를 구한다.

STEP1 **각 이차부등식의 해 구하기**

$x^2-4x>0$에서 $x(x-4)>0$

$\therefore x<0$ 또는 $x>4$ ...... ㉠

$2x^2+(4a+3)x+6a<0$에서

$(2x+3)(x+2a)<0$ …… ㉡

(i) $-2a<-\frac{3}{2}$일 때, ㉡의 해는

$-2a<x<-\frac{3}{2}$

(ii) $-2a=-\frac{3}{2}$, 즉 $a=\frac{3}{4}$일 때 $(2x+3)^2\geq 0$이므로

해가 없다.

(iii) $-2a>-\frac{3}{2}$일 때, ㉡의 해는

$-\frac{3}{2}<x<-2a$

STEP2 조건을 만족시키는 a의 값의 범위 구하기

㉠, ㉡을 동시에 만족시키는 정수 x가 -1뿐이려면 다음 그림과 같아야 하므로 ㉡의 해는

$-\frac{3}{2}<x<-2a$

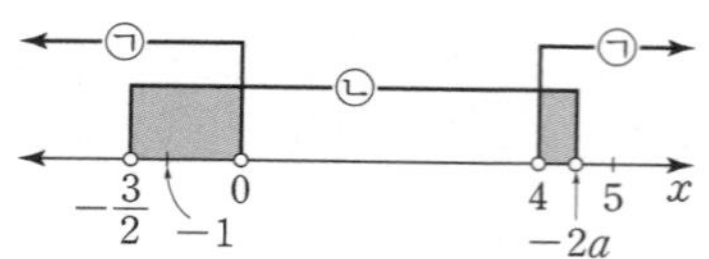

따라서 $-1<-2a\leq 5$이므로

$-\frac{5}{2}\leq a<\frac{1}{2}$

13

해결전략 | 이차부등식이 항상 성립하는 조건과 이차방정식이 서로 다른 두 양수인 근을 가질 조건을 이용한다.

STEP1 조건 ㈎를 만족시키는 조건 구하기

조건 ㈎에서 이차부등식 $6tx^2-2tx+1\geq 0$이 모든 실수 x에 대하여 성립하므로 $t>0$이고, 이차방정식 $6tx^2-2tx+1=0$의 판별식을 D_1이라고 하면

$\frac{D_1}{4}=(-t)^2-6t\leq 0$

$t(t-6)\leq 0$ $\quad\therefore 0\leq t\leq 6$

그런데 $t>0$이므로 $0<t\leq 6$ …… ㉠

STEP2 조건 ㈏를 만족시키는 조건 구하기

조건 ㈏에서 이차방정식 $x^2+2(t-4)x+1=0$의 서로 다른 두 근이 모두 양수이므로 이 이차방정식의 판별식을 D_2라고 하면

$\frac{D_2}{4}=(t-4)^2-1>0$에서

$t^2-8t+15>0$, $(t-3)(t-5)>0$

$\therefore t<3$ 또는 $t>5$ …… ㉡

(두 근의 합)$=-2(t-4)>0$에서 $t<4$ …… ㉢

(두 근의 곱)$=1>0$ …… ㉣

㉡, ㉢, ㉣에서 $t<3$ …… ㉤

STEP3 각 조건의 공통부분 구하기

㉠, ㉤의 공통부분을 구하면

$0<t<3$

STEP4 정수 t의 개수 구하기

따라서 정수 t는 1, 2의 2개이다.

14

해결전략 | 이차방정식이 두 실근을 가질 조건을 이용하여 두 실근의 제곱의 합을 구한다.

STEP1 이차방정식이 실근을 가질 조건 구하기

이차방정식 $x^2-kx+k(k-2)=0$이 실근을 가지므로 이 이차방정식의 판별식을 D라고 하면

$D=(-k)^2-4k(k-2)\geq 0$

$3k^2-8k\leq 0$

$k(3k-8)\leq 0$

$\therefore 0\leq k\leq \frac{8}{3}$ …… ❶

STEP2 이차방정식의 근과 계수의 관계를 이용한 식 구하기

주어진 이차방정식의 두 실근이 α, β이므로 근과 계수의 관계에 의하여

$\alpha+\beta=k$, $\alpha\beta=k(k-2)$

$$\begin{aligned}\therefore \alpha^2+\beta^2&=(\alpha+\beta)^2-2\alpha\beta\\&=k^2-2k(k-2)\\&=-k^2+4k\\&=-(k-2)^2+4\end{aligned}$$ …… ❷

STEP3 $\alpha^2+\beta^2$의 최솟값 구하기

$y=\alpha^2+\beta^2$이라고 하면

$y=-(k-2)^2+4$ $\left(0\leq k\leq \frac{8}{3}\right)$

의 그래프는 오른쪽 그림과 같으므로 최솟값은 $k=0$일 때이다.

따라서 최솟값은 0이다.

…… ❸

채점 요소	배점
❶ 판별식을 이용하여 k의 값의 범위 구하기	40%
❷ $\alpha^2+\beta^2$을 k에 대한 식으로 나타내기	40%
❸ $\alpha^2+\beta^2$의 최솟값 구하기	20%

15

해결전략 | 주어진 조건을 만족시키는 그래프를 그려 보고, 이차방정식의 근의 위치에 따른 조건을 이용한다.

STEP1 조건에 맞는 그래프 그리기

이차방정식 $x^2-2(a+1)x+2a-3=0$에서

$f(x)=x^2-2(a+1)x+2a-3$이라고 하면 주어진 조건을 만족시키는 이차함수 $y=f(x)$의 그래프는 다음 그림과 같다.

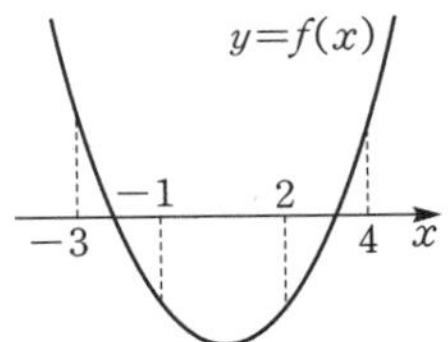

STEP2 조건을 만족시키는 a의 값의 범위 구하기

이차방정식 $f(x)=0$의 한 근이 -3과 -1 사이에 있을 조건은

$f(-3)\times f(-1)<0$이므로

$(9+6a+6+2a-3)(1+2a+2+2a-3)<0$

$4a(8a+12)<0$

$16a(2a+3)<0$

$\therefore -\frac{3}{2}<a<0$ …… ㉠

이차방정식 $f(x)=0$의 다른 한 근이 2와 4 사이에 있을 조건은

$f(2)\times f(4)<0$이므로

$(4-4a-4+2a-3)(16-8a-8+2a-3)<0$

$(-2a-3)(-6a+5)<0$

$(2a+3)(6a-5)<0$

$\therefore -\frac{3}{2}<a<\frac{5}{6}$ …… ㉡

㉠, ㉡의 공통부분을 구하면

$-\frac{3}{2}<a<0$

16

해결전략 | 주어진 조건을 이용하여 연립부등식을 세우고, 조건에 맞는 값을 구한다.

STEP1 단면의 네 변의 길이가 모두 양수임을 이용하여 x의 값의 범위 구하기

옆면의 폭이 x cm이므로 단면의 아랫변의 길이는

$(40-2x)$ cm

단면의 윗변의 길이는 아랫변의 길이보다 옆면의 폭, 즉 x cm만큼 길다고 했으므로

$(40-2x)+x=(40-x)$(cm)

이때 단면인 사다리꼴의 네 변의 길이는 모두 양수이므로

$x>0$, $40-2x>0$, $40-x>0$

$\therefore 0<x<20$ …… ㉠

STEP2 단면을 이용하여 이차부등식 세우기

등변사다리꼴의 단면을 그림으로 나타내면 다음 그림과 같다.

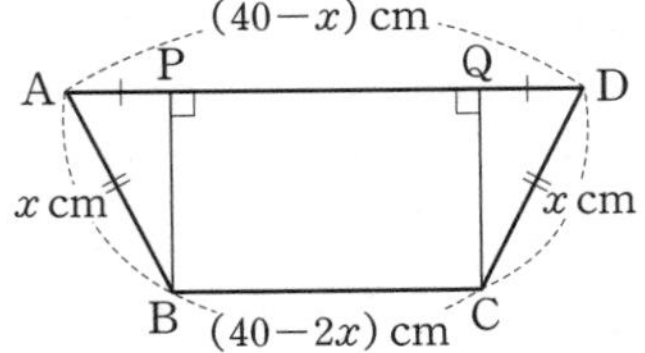

이때 두 점 B, C에서 $\overline{AD}$에 내린 수선의 발을 각각 P, Q라고 하면 사각형 ABCD는 등변사다리꼴이므로

$\overline{AP}=\overline{DQ}$ …… ㉡

$\overline{AD}=(\overline{AP}+\overline{DQ})+\overline{PQ}$이므로

$40-x=(\overline{AP}+\overline{DQ})+40-2x$

$\therefore \overline{AP}+\overline{DQ}=x$(cm)

이때 ㉡에 의하여

$\overline{AP}=\frac{x}{2}$(cm)

직각삼각형 ABP에서 피타고라스 정리에 의하여

$\overline{BP}=\sqrt{\overline{AB}^2-\overline{AP}^2}$

$=\sqrt{x^2-\left(\frac{x}{2}\right)^2}$

$=\frac{\sqrt{3}}{2}x$(cm)

주어진 조건에서 사다리꼴 ABCD의 넓이가 $100\sqrt{3}$ cm^2 이하이므로

$\frac{1}{2}\times(\overline{BC}+\overline{AD})\times\overline{BP}\leq 100\sqrt{3}$

$\frac{1}{2}\times\{(40-2x)+(40-x)\}\times\frac{\sqrt{3}}{2}x\leq 100\sqrt{3}$

$x(80-3x)\leq 400$

STEP3 조건을 만족시키는 x의 값의 범위 구하기

$3x^2-80x+400\geq 0$

$(3x-20)(x-20)\geq 0$

$\therefore x\leq\frac{20}{3}$ 또는 $x\geq 20$ …… ㉢

주어진 조건 $x>3$과 ㉠, ㉢의 공통부분을 구하면

$3<x\leq\frac{20}{3}$

상위권 도약 문제 283~284쪽

01 ⑤	02 ⑤	03 ⑤	04 ④	05 6
06 ④	07 ①	08 15		

01

해결전략 | 조건에 맞는 그림을 그린 후 조건을 만족시키는 x의 값의 범위를 찾는다.

STEP 1 이차항의 계수가 음수인 이차함수의 그래프와 직선 그리기

직선 $y=x+1$에서 $y=3$일 때 $x=2$, $y=8$일 때 $x=7$이므로 직선 $y=x+1$과 이차항의 계수가 음수인 이차함수 $y=f(x)$의 그래프는 다음 그림과 같이 점 $(2,\ 3)$과 점 $(7,\ 8)$에서 만난다.

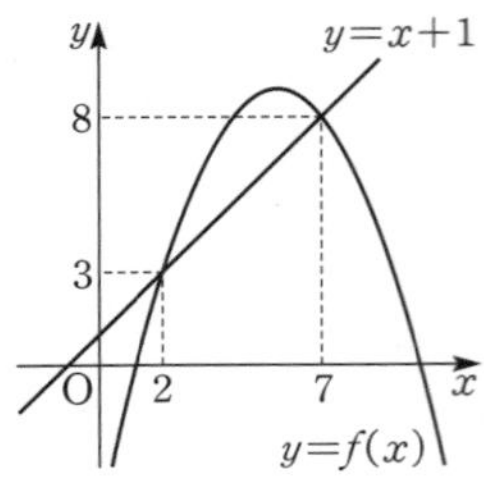

STEP 2 조건을 만족시키는 x의 값 구하기

이때 이차부등식 $f(x)-x-1>0$, 즉 $f(x)>x+1$의 해는 이차함수 $y=f(x)$의 그래프가 직선 $y=x+1$보다 위쪽에 있을 때의 x의 값의 범위와 같으므로

$2<x<7$

STEP 3 정수 x의 값의 합 구하기

따라서 이차부등식 $f(x)-x-1>0$을 만족시키는 정수 x는 3, 4, 5, 6이므로 구하는 합은

$3+4+5+6=18$

02

해결전략 | 조건 (가)에서 $\frac{1-x}{4}=t$로 놓고 주어진 해를 이용하여 이차식 $f(t)$를 구하고, 조건 (나)에서 이차부등식이 항상 성립할 조건을 이용하여 k의 값의 범위를 구한다.

STEP 1 조건 (가)를 이용하여 $f(x)$ 구하기

조건 (가)에서 부등식 $f\left(\frac{1-x}{4}\right)\le0$의 해가 $-7\le x\le9$이므로 $\frac{1-x}{4}=t$라고 하면

$-9\le -x\le7,\ -8\le1-x\le8$

$-2\le\frac{1-x}{4}\le2 \qquad \therefore\ -2\le t\le2$

즉, 부등식 $f(t)\le0$의 해가 $-2\le t\le2$이므로

$f(t)=k(t+2)(t-2)\ (k>0)$

라고 할 수 있다.

$\therefore\ f(x)=k(x+2)(x-2)=k(x^2-4)$ …… ㉠

STEP 2 조건 (나)를 이용하여 k의 값의 범위 구하기

조건 (나)에서 부등식 $f(x)\ge2x-\frac{13}{3}$이 항상 성립하므로

이차부등식 $kx^2-2x-4k+\frac{13}{3}\ge0$의 해는 모든 실수이다.

따라서 이차방정식 $kx^2-2x-4k+\frac{13}{3}=0$의 판별식을 D라고 하면

$\frac{D}{4}=1-k\left(-4k+\frac{13}{3}\right)\le0$

$4k^2-\frac{13}{3}k+1\le0,\ 12k^2-13k+3\le0$

$(3k-1)(4k-3)\le0$

$\therefore\ \frac{1}{3}\le k\le\frac{3}{4}$

STEP 3 $f(3)$의 값의 범위 구하기

㉠에서 $f(3)=5k$이므로

$\frac{5}{3}\le f(3)\le\frac{15}{4}$

STEP 4 $M-m$의 값 구하기

따라서 $M=\frac{15}{4}$, $m=\frac{5}{3}$이므로

$M-m=\frac{15}{4}-\frac{5}{3}=\frac{25}{12}$

03

해결전략 | 이차함수의 그래프와 직선의 교점의 좌표가 모두 양수이어야 함을 이용한다.

STEP 1 두 함수의 그래프가 제1사분면의 서로 다른 두 점에서 만날 조건 구하기

이차함수 $y=x^2+(2k+1)x+k+7$의 그래프와 직선 $y=x+1$의 교점의 x좌표는 두 식을 연립한 이차방정식

$x^2+(2k+1)x+k+7=x+1$, 즉

$x^2+2kx+k+6=0$ …… ㉠

의 실근과 같다.

따라서 주어진 조건을 만족시키려면 이차방정식 ㉠이 서로 다른 두 양의 실근을 가져야 한다.

STEP 2 이차방정식의 서로 다른 두 근이 모두 양수일 조건 구하기

이차방정식 ㉠의 판별식을 D라고 하면 서로 다른 두 근

이 모두 양수이므로

(i) $\frac{D}{4}=k^2-(k+6)>0$

$k^2-k-6>0$, $(k+2)(k-3)>0$

$\therefore k<-2$ 또는 $k>3$

(ii) (두 근의 합)$=-2k>0$ $\therefore k<0$

(iii) (두 근의 곱)$=k+6>0$ $\therefore k>-6$

(i)~(iii)에서 공통부분을 구하면

$-6<k<-2$

STEP2 $\alpha\beta$의 값 구하기

따라서 $\alpha=-6$, $\beta=-2$이므로

$\alpha\beta=(-6)\times(-2)=12$

04

해결전략 | 세 지점 A, B, C를 수직선 위에 놓고 보관창고까지의 거리와 생산량의 곱이 하루에 드는 총 운송비임을 이용하여 이차부등식을 세운다.

STEP1 보관창고에서 세 지점 A, B, C까지의 거리를 미지수를 이용하여 나타내기

세 지점 A, B, C를 A를 원점으로 하는 수직선 위에 놓으면

A(0), B(−10), C(20)

보관창고의 좌표를 t라고 하면 보관창고는 A와 C 사이에 있으므로

$0<t<20$ …… ㉠

STEP2 운송비가 공장과 보관창고 사이의 거리의 제곱에 정비례함을 이용하여 이차부등식 세우기

세 지점 A, B, C의 공장에서 각각 100개, 200개, 300개의 제품을 생산하므로 총 운송비는

$100t^2+200(t+10)^2+300(20-t)^2$

이고 하루에 드는 총 운송비가 155000원 이하이므로

$100t^2+200(t+10)^2+300(20-t)^2\le155000$

STEP3 이차부등식의 해 구하기

$t^2+2(t+10)^2+3(20-t)^2\le1550$

$6t^2-80t-150\le0$, $3t^2-40t-75\le0$

$(3t+5)(t-15)\le0$

$\therefore -\frac{5}{3}\le t\le15$ …… ㉡

㉠, ㉡의 공통부분을 구하면

$0<t\le15$

따라서 보관창고는 A지점에서 최대 15 km 떨어진 지점까지 지을 수 있다.

05

해결전략 | 주어진 이차부등식의 해는 $\frac{1}{2}a^2-a$, $\frac{3}{2}a$의 대소 관계에 의하여 달라지므로 두 가지 경우로 나누어야 한다. 이때 두 가지 경우로 나누어 구한 해가 $\beta-\alpha$가 자연수인 조건을 만족해야 함을 이용한다.

STEP1 주어진 조건 이해하기

조건 (가)에서 $\beta-\alpha$가 자연수가 되기 위해서는 α, β가 모두 정수이거나 α, β가 각각 정수가 아닌 실수이어야 한다.

조건 (나)에서 $\alpha\le x\le\beta$를 만족시키는 정수 x의 개수가 3이 되기 위해서 α, β가 모두 정수인 경우에는

$\beta-\alpha=2$ …… ㉠

α, β가 각각 정수가 아닌 실수인 경우에는

$\beta-\alpha=3$ …… ㉡

이어야 한다.

STEP2 $\frac{1}{2}a^2-a>\frac{3}{2}a$인 경우의 a의 값 구하기

(i) $\frac{1}{2}a^2-a>\frac{3}{2}a$인 경우

$\frac{1}{2}a^2-a>\frac{3}{2}a$에서 $a^2-2a>3a$

$a^2-5a>0$, $a(a-5)>0$ $\therefore a<0$ 또는 $a>5$

이차부등식 $(2x-a^2+2a)(2x-3a)\le0$의 해는

$\frac{3}{2}a\le x\le\frac{1}{2}a^2-a$

ⓐ α, β가 모두 정수인 경우

$\beta-\alpha=\left(\frac{1}{2}a^2-a\right)-\frac{3}{2}a$

$=\frac{1}{2}a^2-\frac{5}{2}a=2$ ($\because$ ㉠)

이므로

$a^2-5a-4=0$ $\therefore a=\frac{5\pm\sqrt{41}}{2}$

그런데 $a=\frac{5\pm\sqrt{41}}{2}$이면 α와 β가 각각 정수가 아니므로 구하는 a는 없다.

ⓑ α, β가 각각 정수가 아닌 실수인 경우

$\beta-\alpha=\left(\frac{1}{2}a^2-a\right)-\frac{3}{2}a$

$=\frac{1}{2}a^2-\frac{5}{2}a=3$ ($\because$ ㉡)

이므로

$a^2-5a-6=0$, $(a+1)(a-6)=0$

$\therefore a=-1$ 또는 $a=6$

이때 $a=-1$이면 $\alpha=-\frac{3}{2}$, $\beta=\frac{3}{2}$이므로 α와 β가

각각 정수가 아닌 실수이고, $a=6$이면 $\alpha=9$, $\beta=12$, 즉 α와 β가 모두 정수이므로 조건을 만족시키지 않는다.

$\therefore a=-1$

STEP3 $\frac{1}{2}a^2-a<\frac{3}{2}a$인 경우의 a의 값 구하기

(ii) $\frac{1}{2}a^2-a<\frac{3}{2}a$인 경우

$\frac{1}{2}a^2-a<\frac{3}{2}a$에서 $a^2-2a<3a$

$a^2-5a<0$, $a(a-5)<0$ $\quad\therefore 0<a<5$

이차부등식 $(2x-a^2+2a)(2x-3a)\le 0$의 해는

$\frac{1}{2}a^2-a\le x\le\frac{3}{2}a$

ⓐ α, β가 모두 정수인 경우

$\beta-\alpha=\frac{3}{2}a-\left(\frac{1}{2}a^2-a\right)$

$=-\frac{1}{2}a^2+\frac{5}{2}a=2$ ($\because$ ㉠)

이므로

$a^2-5a+4=0$, $(a-1)(a-4)=0$

$\therefore a=1$ 또는 $a=4$

이때 $a=1$이면 $\alpha=-\frac{1}{2}$, $\beta=\frac{3}{2}$, 즉 α와 β가 각각 정수가 아니므로 조건을 만족시키지 않고, $a=4$이면 $\alpha=4$, $\beta=6$이므로 α와 β가 모두 정수이다.

$\therefore a=4$

ⓑ α, β가 각각 정수가 아닌 실수인 경우

$\beta-\alpha=\frac{3}{2}a-\left(\frac{1}{2}a^2-a\right)$

$=-\frac{1}{2}a^2+\frac{5}{2}a=3$ ($\because$ ㉡)

이므로

$a^2-5a+6=0$, $(a-2)(a-3)=0$

$\therefore a=2$ 또는 $a=3$

이때 $a=2$이면 $\alpha=0$, $\beta=3$, 즉 α와 β가 모두 정수이므로 조건을 만족시키지 않고, $a=3$이면 $\alpha=\frac{3}{2}$, $\beta=\frac{9}{2}$이므로 α와 β가 각각 정수가 아닌 실수이다.

$\therefore a=3$

STEP4 모든 실수 a의 값의 합 구하기

(i), (ii)에 의하여 조건을 만족시키는 모든 실수 a의 값의 합은

$-1+4+3=6$

06

해결전략 | 각 부등식을 풀고 a의 값에 따른 연립부등식의 해를 수직선에 그려 참, 거짓을 판별한다.

STEP1 각 이차부등식의 해 구하기

$15x^2>2x+1$에서 $15x^2-2x-1>0$

$(5x+1)(3x-1)>0$

$\therefore x<-\frac{1}{5}$ 또는 $x>\frac{1}{3}$ ...... ㉠

$x^2-(3+a)x+3a<0$에서

$(x-a)(x-3)<0$ ...... ㉡

STEP2 보기의 참, 거짓 판별하기

ㄱ. $a=3$일 때,

㉡에서 $(x-3)^2<0$이므로 ㉡을 만족시키는 x의 값이 없으므로 연립부등식을 만족시키는 실수 x가 존재하지 않는다. (참)

ㄴ. $5<a\le 6$일 때,

㉡의 해는 $3<x<a$이므로 ㉠, ㉡을 수직선에 나타내면 다음 그림과 같다.

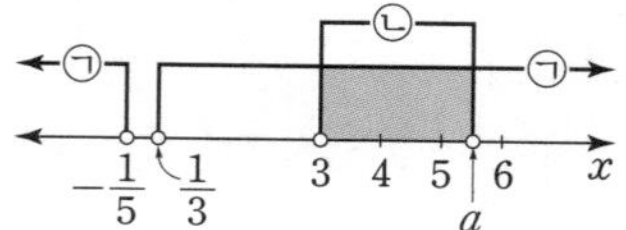

위의 그림에서 연립부등식을 만족시키는 정수 x의 값은 4, 5이다. (거짓)

ㄷ. 주어진 연립부등식을 만족시키는 정수 x의 값이 -1, 1, 2만 존재하려면 다음 그림과 같아야 한다.

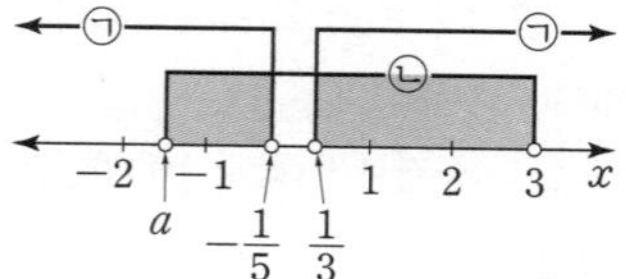

즉, 실수 a의 값의 범위는 $-2\le a<-1$ (참)

따라서 옳은 것은 ㄱ, ㄷ이다.

07

해결전략 | $0<a<\sqrt{2}$에서 주어진 연립부등식의 해는 a의 값에 따라 달라지므로 $a=\frac{1}{2}$, $a=1$을 기준으로 범위를 나누어 생각한다.

STEP1 각 이차부등식의 해 구하기

$x^2-a^2x\ge 0$에서 $x(x-a^2)\ge 0$

$\therefore x\le 0$ 또는 $x\ge a^2$ ...... ㉠

$x^2-4ax+4a^2-1<0$에서

$\{x-(2a-1)\}\{x-(2a+1)\}<0$

$\therefore\ 2a-1<x<2a+1$ ...... ㉡

이때 $0<a<\sqrt{2}$에서 항상 $2a-1\le a^2$, $a^2<2a+1$이 성립한다.

STEP2 **a의 값에 따른 정수 x의 값 구하기**

(i) $0<a<\frac{1}{2}$일 때,

$-1<2a-1<0$, $0<a^2<\frac{1}{4}$, $1<2a+1<2$

이므로 연립부등식의 해는

$2a-1<x\le 0$ 또는 $a^2\le x<2a+1$

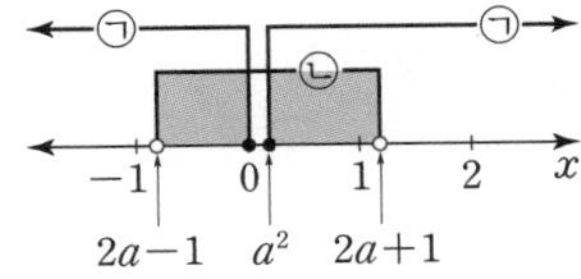

따라서 정수 x는 $x=0$, 1의 2개가 존재한다.

(ii) $a=\frac{1}{2}$일 때,

연립부등식의 해는 $\frac{1}{4}\le x<2$이므로 정수 x는 1의 1개가 존재한다.

(iii) $\frac{1}{2}<a<1$일 때,

$0<2a-1<1$, $\frac{1}{4}<a^2<1$, $2<2a+1<3$

이고 $a^2>2a-1$이므로 연립부등식의 해는

$a^2\le x<2a+1$

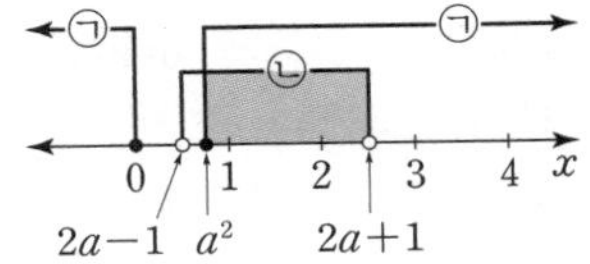

따라서 정수 x는 1, 2의 2개가 존재한다.

(iv) $a=1$일 때,

연립부등식의 해는 $1<x<3$이므로 정수 x는 2의 1개가 존재한다.

(v) $1<a<\sqrt{2}$일 때,

$1<2a-1<2\sqrt{2}-1<2$, $1<a^2<2$,

$3<2a+1<1+2\sqrt{2}<4$

이고 $a^2>2a-1$이므로 연립부등식의 해는

$a^2\le x<2a+1$

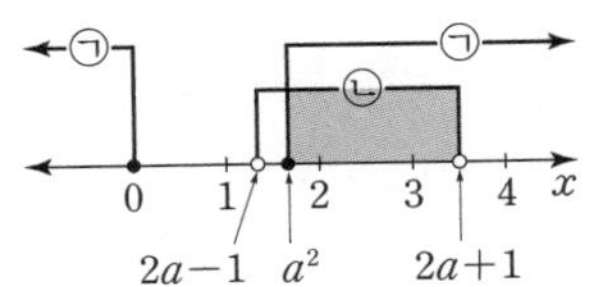

따라서 정수 x는 2, 3의 2개가 존재한다.

STEP3 **주어진 조건을 만족시키는 a의 값의 합 구하기**

(i)~(v)에 의하여 정수 x의 개수가 1인 것은 $a=\frac{1}{2}$ 또는 $a=1$일 때이다.

따라서 모든 실수 a의 값의 합은

$\frac{1}{2}+1=\frac{3}{2}$

08

해결전략 | 직사각형의 꼭짓점의 좌표를 구한 다음, 주어진 조건을 이용하여 연립부등식을 세워 조건에 맞는 값을 구한다.

STEP1 **세 점 A, B, C의 좌표 구하기**

$f(x)=-x^2+2kx+k^2+4$에서 점 A가 y축 위의 점이므로

$A(0,\ k^2+4)$

따라서 점 A를 지나고 x축에 평행한 직선은 $y=k^2+4$

점 B의 x좌표를 구하기 위해 $y=f(x)$와 $y=k^2+4$를 연립하면

$-x^2+2kx+k^2+4=k^2+4$

$x^2-2kx=0$, $x(x-2k)=0$

$\therefore\ x=0$ 또는 $x=2k$

$\therefore\ B(2k,\ k^2+4)$, $C(2k,\ 0)$

STEP2 **사각형의 둘레의 길이를 이용하여 연립부등식 세우기**

$k>0$이므로

$g(k)=2\times 2k+2(k^2+4)$

$\quad\ =2k^2+4k+8$

$14\le 2k^2+4k+8\le 78$에서

$7\le k^2+2k+4\le 39$

STEP3 **연립부등식의 해 구하기**

(i) $7\le k^2+2k+4$에서

$k^2+2k-3\ge 0$, $(k+3)(k-1)\ge 0$

$\therefore\ k\le -3$ 또는 $k\ge 1$ ...... ㉠

(ii) $k^2+2k+4\le 39$에서

$k^2+2k-35\le 0$, $(k+7)(k-5)\le 0$

$\therefore\ -7\le k\le 5$ ...... ㉡

㉠, ㉡의 공통부분을 구하면

$-7\le k\le -3$ 또는 $1\le k\le 5$

이때 $k>0$이므로 $1\le k\le 5$

STEP4 **k의 값의 합 구하기**

따라서 모든 자연수 k의 값의 합은

$1+2+3+4+5=15$

평면좌표

개념확인 286~287쪽

01 답 (1) 5　(2) 6　(3) $\sqrt{13}$　(4) 5

(1) $\overline{AB}=|4-(-1)|=5$

(2) $\overline{AB}=|-3-3|=6$

(3) $\overline{OA}=\sqrt{3^2+(-2)^2}=\sqrt{13}$

(4) $\overline{AB}=\sqrt{(5-1)^2+(2-5)^2}=5$

02 답 (1) P(1)　(2) Q(13)

(1) $\frac{3\times3+2\times(-2)}{3+2}=1$　$\therefore$ P(1)

(2) $\frac{3\times3-2\times(-2)}{3-2}=13$　$\therefore$ Q(13)

03 답 (1) P(1, 5)　(2) $M\left(\frac{1}{2}, \frac{9}{2}\right)$　(3) Q(5, 9)

(1) $\frac{2\times2+1\times(-1)}{2+1}=1$, $\frac{2\times6+1\times3}{2+1}=5$

$\therefore$ P(1, 5)

(2) $\frac{-1+2}{2}=\frac{1}{2}$, $\frac{3+6}{2}=\frac{9}{2}$　$\therefore M\left(\frac{1}{2}, \frac{9}{2}\right)$

(3) $\frac{2\times2-1\times(-1)}{2-1}=5$, $\frac{2\times6-1\times3}{2-1}=9$

$\therefore$ Q(5, 9)

04 답 (1) G(−2, 2)　(2) G(2, 3)

(1) $\frac{0-2-4}{3}=-2$, $\frac{2-1+5}{3}=2$　$\therefore$ G(−2, 2)

(2) $\frac{2+1+3}{3}=2$, $\frac{5-2+6}{3}=3$　$\therefore$ G(2, 3)

필수유형 01 289쪽

01-1 답 5

해결전략 | 두 점 A, B 사이의 거리를 a에 대한 식으로 나타낸다.

$\overline{AB}=\sqrt{13}$이므로

$\sqrt{(2-a)^2+(1-3)^2}=\sqrt{13}$

$\sqrt{a^2-4a+8}=\sqrt{13}$

양변을 제곱하면 $a^2-4a+8=13$

$a^2-4a-5=0$, $(a+1)(a-5)=0$

$\therefore a=5$ ($\because a>0$)

01-2 답 3

해결전략 | 두 점 사이의 거리를 구하는 공식을 이용하여 $\overline{AB}$, $\overline{BC}$를 k에 대한 식으로 나타낸다.

$\overline{AB}=\overline{BC}$이므로

$\sqrt{\{-3-(-k+4)\}^2+(k-1)^2}$

$=\sqrt{\{1-(-3)\}^2+(5-k)^2}$

$\sqrt{(k-7)^2+(k-1)^2}=\sqrt{4^2+(5-k)^2}$

양변을 제곱하면

$(k-7)^2+(k-1)^2=4^2+(5-k)^2$

$2k^2-16k+50=k^2-10k+41$

$k^2-6k+9=0$, $(k-3)^2=0$

$\therefore k=3$

01-3 답 −1

해결전략 | 주어진 조건과 두 점 사이의 거리를 구하는 공식을 이용하여 a에 대한 식을 세운다.

$2\overline{AB}=3\overline{CD}$에서 $4\overline{AB}^2=9\overline{CD}^2$

$\overline{AB}^2=(5-a)^2+(-a-4)^2=2a^2-2a+41$,

$\overline{CD}^2=(2+2)^2+(3-1)^2=20$

이므로 $4(2a^2-2a+41)=180$

$8a^2-8a-16=0$, $a^2-a-2=0$

$(a+1)(a-2)=0$　$\therefore a=-1$ ($\because a<0$)

01-4 답 3

해결전략 | $\overline{AB}$를 a에 대한 식으로 나타내고, 완전제곱식의 꼴을 이용하여 최솟값을 구한다. 즉, 이차식 $a(x-p)^2+q$ $(a\neq0)$는 $a>0$이면 $x=p$에서 최솟값 q를 가짐을 이용한다.

$\overline{AB}=\sqrt{(4-a)^2+(a-2)^2}$

$=\sqrt{2a^2-12a+20}$

$=\sqrt{2(a-3)^2+2}$

따라서 선분 AB의 길이는 $a=3$일 때 최소가 되고, 최솟값 $\sqrt{2}$를 갖는다.

01-5 답 9

해결전략 | 두 점 사이의 거리를 a에 대한 부등식으로 나타낸다.

$\overline{AB}\leq10$에서 $\overline{AB}^2\leq100$

$(2-4)^2+(a+a)^2\leq100$, $4a^2+4\leq100$

$4a^2\leq96$, $a^2\leq24$

$\therefore -\sqrt{24}\leq a\leq\sqrt{24}$

따라서 정수 a는 $-4, -3, -2, \cdots, 3, 4$의 9개이다.

01-6 답 $16\sqrt{5}$ m

해결전략 | 두 사람 A, B 각각의 위치를 좌표로 나타내고, 완전제곱식의 꼴을 이용하여 두 점 사이의 거리의 최솟값을 구한다.

STEP 1 각 사람의 위치를 좌표로 나타내기

t초 후 점 A의 좌표는 $(80-4t,\ 0)$, 점 B의 좌표는 $(0,\ 2t)$로 나타낼 수 있다.

STEP 2 $\overline{AB}$의 길이를 t에 대한 식으로 나타내고, 완전제곱식의 꼴로 변형하기

$$\overline{AB}=\sqrt{(4t-80)^2+4t^2}=\sqrt{20t^2-640t+6400}=\sqrt{20(t-16)^2+1280}$$

STEP 3 두 사람 사이의 거리의 최솟값 구하기

따라서 $t=16$일 때 $\overline{AB}$의 최솟값은 $\sqrt{1280}=16\sqrt{5}$이다.

즉, A, B 두 사람 사이의 거리의 최솟값은 $16\sqrt{5}$ m이다.

필수유형 02

291쪽

02-1 답 (1) $P(2,\ 0)$ (2) $P(0,\ -1)$

해결전략 | 점 P의 좌표를 정하고, $\overline{AP}=\overline{BP}$이면 $\overline{AP}^2=\overline{BP}^2$임을 이용한다.

(1) **STEP 1** 점 P의 x좌표 구하기

점 P가 x축 위의 점이므로 점 P의 좌표를 $(a,\ 0)$이라고 하면 $\overline{AP}=\overline{BP}$에서 $\overline{AP}^2=\overline{BP}^2$이므로

$(a+1)^2+1^2=(a-1)^2+(-3)^2$

$a^2+2a+1+1=a^2-2a+1+9$

$4a=8 \quad \therefore a=2$

STEP 2 점 P의 좌표 구하기

따라서 점 P의 좌표는 $(2,\ 0)$이다.

(2) **STEP 1** 점 P의 y좌표 구하기

점 P가 y축 위의 점이므로 P의 좌표를 $(0,\ a)$라고 하면 $\overline{AP}=\overline{BP}$에서 $\overline{AP}^2=\overline{BP}^2$이므로

$4^2+a^2=(-1)^2+(a-3)^2$

$16+a^2=1+a^2-6a+9$

$6a=-6 \quad \therefore a=-1$

STEP 2 점 P의 좌표 구하기

따라서 점 P의 좌표는 $(0,\ -1)$이다.

02-2 답 $P(5,\ 7)$

해결전략 | 점 P의 좌표를 정하고, $\overline{AP}=\overline{BP}$이면 $\overline{AP}^2=\overline{BP}^2$임을 이용한다.

STEP 1 점 P의 좌표를 a에 대한 식으로 나타내기

점 P가 직선 $y=2x-3$ 위의 점이므로 점 P의 좌표를 $(a,\ 2a-3)$으로 놓을 수 있다.

STEP 2 a의 값 구하기

$\overline{AP}=\overline{BP}$에서 $\overline{AP}^2=\overline{BP}^2$이므로

$(a-1)^2+(2a-4)^2=(a+1)^2+(2a-6)^2$

$5a^2-18a+17=5a^2-22a+37$

$4a=20 \quad \therefore a=5$

STEP 3 점 P의 좌표 구하기

따라서 점 P의 좌표는 $(5,\ 7)$이다.

02-3 답 $P\left(\frac{5}{4},\ \frac{5}{4}\right)$

해결전략 | 점 P의 좌표를 정하고, $\overline{AP}=\overline{BP}$이면 $\overline{AP}^2=\overline{BP}^2$임을 이용한다.

STEP 1 점 P의 좌표를 a에 대한 식으로 나타내기

점 P가 직선 $y=x$ 위의 점이므로 점 P의 좌표를 $(a,\ a)$로 놓을 수 있다.

$\overline{AP}=\overline{BP}$에서 $\overline{AP}^2=\overline{BP}^2$이므로

$(a+2)^2+(a-1)^2=(a-4)^2+(a-3)^2$

STEP 2 a의 값 구하기

$2a^2+2a+5=2a^2-14a+25$

$16a=20 \quad \therefore a=\frac{5}{4}$

STEP 3 점 P의 좌표 구하기

따라서 점 P의 좌표는 $\left(\frac{5}{4},\ \frac{5}{4}\right)$이다.

02-4 답 $2\sqrt{2}$

해결전략 | 두 점 P, Q의 좌표를 정하고, $\overline{AP}^2=\overline{BP}^2$, $\overline{AQ}^2=\overline{BQ}^2$임을 이용한다.

STEP 1 점 P의 좌표 구하기

점 P가 x축 위의 점이므로 점 P의 좌표를 $(a,\ 0)$이라고 하면 $\overline{AP}=\overline{BP}$에서 $\overline{AP}^2=\overline{BP}^2$이므로

$(a-2)^2+(-1)^2=(a+1)^2+(-4)^2$

$a^2-4a+5=a^2+2a+17$

$-6a=12 \quad \therefore a=-2$

$\therefore P(-2,\ 0)$

STEP 2 점 Q의 좌표 구하기

점 Q가 y축 위의 점이므로 점 Q의 좌표를 $(0,\ b)$라고 하면 $\overline{AQ}=\overline{BQ}$에서 $\overline{AQ}^2=\overline{BQ}^2$이므로

$(-2)^2+(b-1)^2=1^2+(b-4)^2$

$b^2-2b+5=b^2-8b+17$

$6b=12 \quad \therefore b=2$

$\therefore Q(0, 2)$

STEP 3 $\overline{PQ}$의 길이 구하기

$\therefore \overline{PQ}=\sqrt{2^2+2^2}=2\sqrt{2}$

02-5 답 $(2, 3)$

해결전략 | 삼각형의 외심에서 세 꼭짓점에 이르는 거리는 모두 같음을 이용한다.

STEP 1 외심의 성질 알기

삼각형 ABC의 외심을 P라고 하면

$\overline{AP}=\overline{BP}=\overline{CP}$이므로 $\overline{AP}^2=\overline{BP}^2=\overline{CP}^2$

STEP 2 외심의 좌표 구하기

점 P의 좌표를 (a, b)라고 하면

$\overline{AP}^2=\overline{BP}^2$에서 $a^2+(b-2)^2=(a-3)^2+(b-1)^2$

$a^2+b^2-4b+4=a^2-6a+b^2-2b+10$

$6a-2b=6 \quad \therefore 3a-b=3$ ...... ㉠

$\overline{AP}^2=\overline{CP}^2$에서 $a^2+(b-2)^2=(a-4)^2+(b-4)^2$

$a^2+b^2-4b+4=a^2-8a+b^2-8b+32$

$8a+4b=28$

$\therefore 2a+b=7$ ...... ㉡

㉠, ㉡을 연립하여 풀면 $a=2, b=3$

따라서 외심의 좌표는 $(2, 3)$이다.

02-6 답 $\sqrt{5}$ km

해결전략 | 각각의 위치를 좌표평면 위에 나타낸 후 조건을 만족시키는 식을 세운다.

STEP 1 각 위치를 좌표로 나타내기

집의 위치를 원점 $O(0, 0)$이라 하고 오른쪽 그림과 같은 좌표평면을 생각하면 학교의 위치는 $A(4, -2)$, 도서관의 위치는 $B(3, 1)$이다.

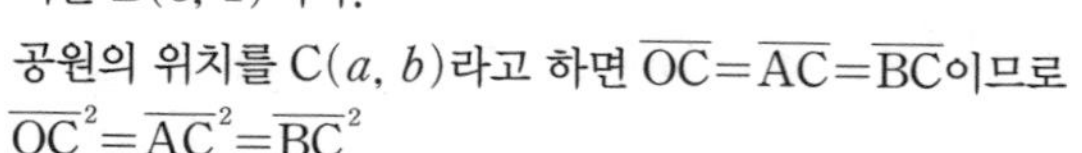

공원의 위치를 $C(a, b)$라고 하면 $\overline{OC}=\overline{AC}=\overline{BC}$이므로

$\overline{OC}^2=\overline{AC}^2=\overline{BC}^2$

STEP 2 점 C의 좌표 구하기

$\overline{OC}^2=\overline{AC}^2$에서 $a^2+b^2=(a-4)^2+(b+2)^2$

$8a-4b=20 \quad \therefore 2a-b=5$ ...... ㉠

$\overline{OC}^2=\overline{BC}^2$에서 $a^2+b^2=(a-3)^2+(b-1)^2$

$6a+2b=10 \quad \therefore 3a+b=5$ ...... ㉡

㉠, ㉡을 연립하여 풀면 $a=2, b=-1$

$\therefore C(2, -1)$

STEP 3 집에서 공원까지의 거리 구하기

따라서 집에서 공원까지의 거리는

$\overline{OC}=\sqrt{2^2+(-1)^2}=\sqrt{5}$(km)

필수유형 03 293쪽

03-1 답 66

해결전략 | 두 점 사이의 거리를 구하는 공식을 이용하여 최솟값을 구한다.

STEP 1 점 P의 좌표를 정하고, $\overline{AP}^2+\overline{BP}^2$을 식으로 나타내기

점 P가 x축 위의 점이므로 점 P의 좌표를 $(a, 0)$이라고 하면

$\overline{AP}^2+\overline{BP}^2=(a-1)^2+(-5)^2+(a-9)^2+(-3)^2$

$=2a^2-20a+116$

$=2(a-5)^2+66$

STEP 2 최솟값 구하기

따라서 $\overline{AP}^2+\overline{BP}^2$은 $a=5$일 때 최솟값 66을 갖는다.

03-2 답 $P(0, -3)$

해결전략 | 두 점 사이의 거리를 구하는 공식을 이용하여 이차식을 세운 후, 완전제곱식의 꼴로 만들어 최솟값을 구한다.

STEP 1 점 P의 좌표를 정하고, $\overline{AP}^2+\overline{BP}^2$을 식으로 나타내기

점 P의 좌표를 (a, b)라고 하면

$\overline{AP}^2+\overline{BP}^2=(a-2)^2+(b-3)^2+(a+2)^2+(b+9)^2$

$=2a^2+2b^2+12b+98$

$=2a^2+2(b+3)^2+80$

STEP 2 조건을 만족시키는 점 P의 좌표 구하기

따라서 $\overline{AP}^2+\overline{BP}^2$은 $a=0, b=-3$일 때 최솟값 80을 가지므로 구하는 점 P의 좌표는 $(0, -3)$이다.

03-3 답 11

해결전략 | 두 점 사이의 거리를 구하는 공식을 이용하여 이차식을 세운 후, 완전제곱식의 꼴로 만들어 최솟값을 구한다.

STEP 1 점 P의 좌표를 정하고, $\overline{AP}^2+\overline{BP}^2$을 식으로 나타내기

점 P가 직선 $y=2x-1$ 위의 점이므로 점 P의 좌표를 $(a, 2a-1)$이라고 하면

$\overline{AP}^2+\overline{BP}^2$

$=(a+2)^2+(2a-3)^2+(a-2)^2+(2a-2)^2$

$=10a^2-20a+21$

$=10(a-1)^2+11$

STEP 2 최솟값 구하기

따라서 $\overline{AP}^2+\overline{BP}^2$은 $a=1$일 때 최솟값 11을 갖는다.

03-4 답 $P(1, 2)$

해결전략 | 두 점 사이의 거리를 구하는 공식을 이용하여 이차식을 세운 후, 완전제곱식의 꼴로 만들어 최솟값을 구한다.

STEP 1 점 P의 좌표를 정하고, $\overline{OP}^2+\overline{AP}^2+\overline{BP}^2$을 식으로 나타내기

점 P의 좌표를 (a, b)라고 하면

$\overline{OP}^2+\overline{AP}^2+\overline{BP}^2$

$=a^2+b^2+(a-3)^2+b^2+a^2+(b-6)^2$

$=3a^2-6a+3b^2-12b+45$

$=3(a-1)^2+3(b-2)^2+30$

STEP 2 최솟값 구하기

따라서 $\overline{OP}^2+\overline{AP}^2+\overline{BP}^2$은 $a=1$, $b=2$일 때 최솟값 30을 가지므로 점 P의 좌표는 $(1, 2)$이다.

03-5 답 3

해결전략 | 두 점 사이의 거리를 구하는 공식을 이용하여 이차식을 세운 후, 완전제곱식의 꼴로 만들어 최솟값을 구한다.

STEP 1 점 P의 좌표를 정하고, $\overline{AP}^2+\overline{BP}^2+\overline{CP}^2$을 식으로 나타내기

점 P의 좌표를 (a, b)라고 하면

$\overline{AP}^2+\overline{BP}^2+\overline{CP}^2$

$=(a+3)^2+(b-1)^2+(a-2)^2+(b+2)^2$
$\quad+(a-1)^2+(b-4)^2$

$=3a^2+3b^2-6b+35$

$=3a^2+3(b-1)^2+32$

STEP 2 조건을 만족시키는 점 P의 좌표 구하기

따라서 $\overline{AP}^2+\overline{BP}^2+\overline{CP}^2$은 $a=0$, $b=1$일 때 최솟값 32를 가지므로 점 P의 좌표는 $(0, 1)$이다.

STEP 3 $\overline{AP}$의 길이 구하기

따라서 선분 AP의 길이는

$\sqrt{(0+3)^2+(1-1)^2}=3$

03-6 답 2

해결전략 | 두 점 사이의 거리를 구하는 공식을 이용하여 이차식을 세운 후, 완전제곱식의 꼴로 만들어 최솟값을 구한다.

STEP 1 점 P의 좌표를 정하고, $\overline{AP}^2+\overline{BP}^2$을 식으로 나타내기

점 P의 좌표를 (a, b)라고 하면

$\overline{AP}^2+\overline{BP}^2$

$=(a+4)^2+(b-1)^2+(a-k)^2+(b-5)^2$

$=2a^2+2(4-k)a+2b^2-12b+42+k^2$

$=2\left(a+\frac{4-k}{2}\right)^2+2(b-3)^2+24+\frac{k^2+8k-16}{2}$

STEP 2 최솟값 구하기

따라서 $\overline{AP}^2+\overline{BP}^2$은 $a=\frac{k-4}{2}$, $b=3$일 때 최솟값

$24+\frac{k^2+8k-16}{2}$을 갖는다.

STEP 3 k의 값 구하기

조건에서 최솟값이 26이므로

$24+\frac{k^2+8k-16}{2}=26$

$k^2+8k-20=0$, $(k+10)(k-2)=0$

$\therefore k=2$ ($\because k>0$)

필수유형 04

295쪽

04-1 답 정삼각형

해결전략 | 삼각형의 세 변의 길이를 각각 구하여 세 변의 길이 사이의 관계를 파악한다.

STEP 1 삼각형의 세 변의 길이 구하기

$\overline{AB}=\sqrt{(0-\sqrt{3})^2+(4-1)^2}=2\sqrt{3}$

$\overline{BC}=\sqrt{(-\sqrt{3}-0)^2+(1-4)^2}=2\sqrt{3}$

$\overline{CA}=\sqrt{\{\sqrt{3}-(-\sqrt{3})\}^2+(1-1)^2}=2\sqrt{3}$

STEP 2 삼각형의 모양 결정하기

따라서 $\overline{AB}=\overline{BC}=\overline{CA}$이므로 삼각형 ABC는 정삼각형이다.

04-2 답 $\angle B=90°$인 직각이등변삼각형

해결전략 | 삼각형의 세 변의 길이를 각각 구하여 세 변의 길이 사이의 관계를 파악한다.

STEP 1 삼각형의 세 변의 길이 구하기

$\overline{AB}=\sqrt{\{2-(-2)\}^2+\{0-(-3)\}^2}=5$

$\overline{BC}=\sqrt{(-1-2)^2+(4-0)^2}=5$

$\overline{CA}=\sqrt{\{-2-(-1)\}^2+(-3-4)^2}=5\sqrt{2}$

STEP 2 삼각형의 모양 결정하기

따라서 $\overline{AB}=\overline{BC}$이고 $\overline{AB}^2+\overline{BC}^2=\overline{CA}^2$이므로 삼각형 ABC는 $\angle B=90°$인 직각이등변삼각형이다.

04-3 답 $\angle A=90°$인 직각삼각형

해결전략 | 삼각형의 세 변의 길이를 각각 구하여 세 변의 길이 사이의 관계를 파악한다.

STEP 1 삼각형의 세 변의 길이 구하기

$\overline{AB}=\sqrt{\{6-(-6)\}^2+(-4-4)^2}=\sqrt{208}$
$=4\sqrt{13}$

$\overline{BC}=\sqrt{(-2-6)^2+\{10-(-4)\}^2}=\sqrt{280}$
$=2\sqrt{65}$

$\overline{CA}=\sqrt{\{-6-(-2)\}^2+(4-10)^2}=\sqrt{52}$
$=2\sqrt{13}$

STEP 2 삼각형의 모양 결정하기

따라서 $\overline{AB}^2+\overline{CA}^2=\overline{BC}^2$이므로 삼각형 ABC는 $\angle A=90°$인 직각삼각형이다.

04-4 답 4

해결전략 | 직각삼각형임을 이용하여 넓이를 구한다.

삼각형 ABC는 선분 AB를 빗변으로 하는 직각삼각형이므로

$\overline{AB}^2=\overline{AC}^2+\overline{BC}^2$

$6^2+(-2)^2=2^2+(a-2)^2+(2-6)^2+a^2$

$40=2a^2-4a+24,\ a^2-2a-8=0$

$(a+2)(a-4)=0$

$\therefore a=-2$ 또는 $a=4$

그런데 점 C는 제1사분면 위의 점이므로

$a=4$

04-5 답 4

해결전략 | 미지수가 없는 좌표를 이용하여 한 변의 길이를 구하고, 두 변의 길이가 같은 경우를 나누어 생각한다.

STEP 1 $\overline{AB}$의 길이 구하기

$\overline{AB}=\sqrt{(4-0)^2+(1-3)^2}=2\sqrt{5}$

STEP 2 a의 값 구하기

(i) $\overline{AB}=\overline{AC}$인 경우

$\overline{AB}^2=\overline{AC}^2$이므로

$20=3^2+(a-3)^2$

$a^2-6a-2=0$

이때 $a=3\pm\sqrt{11}$이므로 a는 정수가 아니다.

(ii) $\overline{AB}=\overline{BC}$인 경우

$\overline{AB}^2=\overline{BC}^2$이므로

$20=(3-4)^2+(a-1)^2$

$a^2-2a-18=0$

이때 $a=1\pm\sqrt{19}$이므로 a는 정수가 아니다.

(iii) $\overline{AC}=\overline{BC}$인 경우

$\overline{AC}^2=\overline{BC}^2$이므로

$3^2+(a-3)^2=(3-4)^2+(a-1)^2$

$a^2-6a+18=a^2-2a+2$

$-4a=-16 \qquad \therefore a=4$

(i)~(iii)에서 $a=4$

04-6 답 P(3, 9)

해결전략 | 교점 A, B의 좌표를 구하고, 점 P의 좌표를 정하여 $\overline{AP}=\overline{BP}$이면 $\overline{AP}^2=\overline{BP}^2$임을 이용한다.

STEP 1 두 점 A, B의 좌표 구하기

이차함수 $y=x^2$의 그래프와 직선 $y=2x+8$의 교점 A, B의 x좌표는

$x^2=2x+8$에서 $x^2-2x-8=0$

$(x+2)(x-4)=0 \qquad \therefore x=-2$ 또는 $x=4$

$\therefore$ A$(-2, 4)$, B$(4, 16)$ 또는 A$(4, 16)$, B$(-2, 4)$

STEP 2 점 P의 좌표를 정하고, 점 P의 x좌표 구하기

점 P가 이차함수 $y=x^2$의 그래프 위의 점이므로 점 P의 좌표를 (a, a^2)이라고 하면 $\overline{AP}=\overline{BP}$에서 $\overline{AP}^2=\overline{BP}^2$이므로

$(a+2)^2+(a^2-4)^2=(a-4)^2+(a^2-16)^2$

$a^2+4a+a^4-8a^2+20=a^2-8a+a^4-32a^2+272$

$24a^2+12a-252=0,\ 2a^2+a-21=0$

$(a-3)(2a+7)=0$

$\therefore a=3$ 또는 $a=-\frac{7}{2}$

그런데 점 P는 제1사분면 위의 점이므로

$a=3$

STEP 3 점 P의 좌표 구하기

따라서 점 P의 좌표는 $(3, 9)$이다.

필수유형 05

297쪽

05-1 답 풀이 참조

해결전략 | 직선 BC를 x축, 선분 BC의 중점을 지나는 직선을 y축으로 하는 좌표평면으로 도형을 옮기고, 각 꼭짓점의 좌표를 정한다.

STEP 1 주어진 도형을 좌표평면 위에 나타내기

오른쪽 그림과 같이 직선 BC를 x축으로 하고, $\overline{BO}=\overline{CO}$인 점 O를 원점이 되도록 좌표평면을 잡는다.

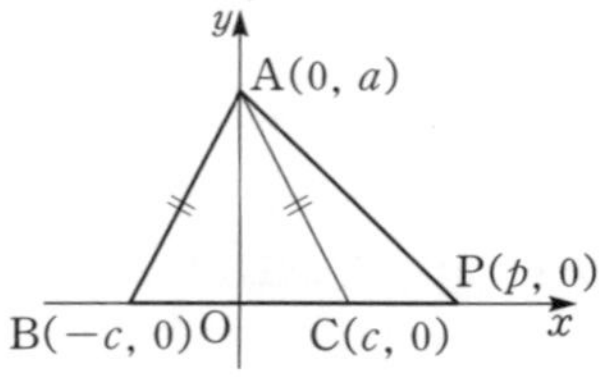

y, A(0, a), P(p, 0), B(−c, 0), O, C(c, 0), x

STEP 2 점의 좌표를 대입하여 관계식이 성립함을 보이기

삼각형 ABC가 $\overline{AB}=\overline{AC}$인 이등변삼각형이므로 세 꼭짓점의 좌표를 각각 A$(0, a)$, B$(-c, 0)$, C$(c, 0)$이라 하고, 변 BC의 연장선 위의 점 P의 좌표를 $(p, 0)$이라고 하자.

$\overline{AP}^2-\overline{AB}^2=p^2+(-a^2)-\{(-c)^2+(-a)^2\}$

$=p^2-c^2$

$\overline{BP}\times\overline{CP}=|p-(-c)|\times|p-c|$

$=p^2-c^2$

따라서 $\overline{AP}^2-\overline{AB}^2=\overline{BP}\times\overline{CP}$가 성립한다.

05-2 답 (가) 2, (나) $a+c$, (다) $2(a^2+b^2+c^2)$, (라) $a^2+b^2+c^2$

해결전략 | 평행사변형은 대변의 길이가 같음을 이용하여 점 D의 좌표를 구하고, 빈칸에 들어갈 것을 구한다.

STEP 1 평행사변형 ABCD를 좌표평면 위에 나타내기

오른쪽 그림과 같이 직선 BC를 x축으로 하고, 점 B를 지나고 직선 BC에 수직인 직선을 y축으로 하는 좌표평면을 잡으면 점 B는 원점이 된다.

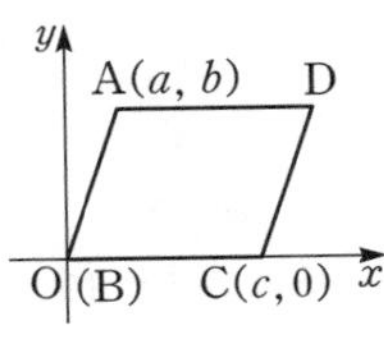

STEP 2 점의 좌표를 대입하여 관계식이 성립함을 보이기

이때 두 점 A, C의 좌표를 각각 A(a, b), C$(c, 0)$이라고 하면 점 D($\boxed{a+c}$, b)이므로

$\overline{AC}^2+\overline{BD}^2$

$=(c-a)^2+(-b)^2+(a+c)^2+b^2$

$=c^2-2ac+a^2+b^2+a^2+2ac+c^2+b^2$

$=\boxed{2(a^2+b^2+c^2)}$ ······ ㉠

$\overline{AB}^2+\overline{BC}^2=\boxed{a^2+b^2+c^2}$ ······ ㉡

따라서 ㉠, ㉡에서 $\overline{AC}^2+\overline{BD}^2=\boxed{2}(\overline{AB}^2+\overline{BC}^2)$이 성립한다.

∴ (가) 2, (나) $a+c$, (다) $2(a^2+b^2+c^2)$, (라) $a^2+b^2+c^2$

05-3 답 풀이 참조

해결전략 | 직선 BC를 x축, 직선 AB를 y축으로 하고 네 점 A, B, C, D의 좌표를 정한다.

STEP 1 직사각형 ABCD를 좌표평면 위에 나타내기

오른쪽 그림과 같이 직선 BC를 x축, 직선 AB를 y축으로 하는 좌표평면을 잡으면 점 B는 원점이다.

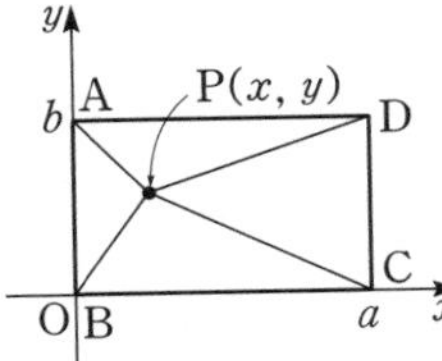

STEP 2 점의 좌표를 대입하여 관계식이 성립함을 보이기

이때 세 점 A, C, D의 좌표를 A$(0, b)$, C$(a, 0)$, D(a, b)라 하고 점 P의 좌표를 (x, y)라고 하면

$\overline{PA}^2+\overline{PC}^2=x^2+(y-b)^2+(x-a)^2+y^2$

$=2x^2-2ax+2y^2-2by+a^2+b^2$

$\overline{PB}^2+\overline{PD}^2=x^2+y^2+(x-a)^2+(y-b)^2$

$=2x^2-2ax+2y^2-2by+a^2+b^2$

따라서 $\overline{PA}^2+\overline{PC}^2=\overline{PB}^2+\overline{PD}^2$이 성립한다.

05-4 답 (가) 3, (나) $-2c$, (다) $3(a^2+b^2+2c^2)$, (라) $a^2+b^2+2c^2$

해결전략 | 두 점 사이의 거리 공식을 이용하여 빈칸에 들어갈 것을 구한다.

STEP 1 삼각형 ABC를 좌표평면 위에 나타내기

다음 그림과 같이 직선 BC를 x축, $\overline{BD}=2\overline{CD}$인 점 D가 원점 O가 되도록 좌표평면을 잡는다.

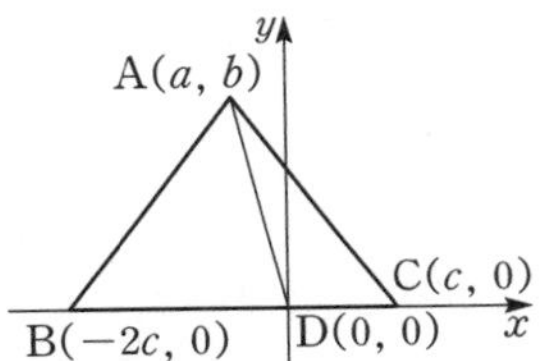

STEP 2 점의 좌표를 대입하여 관계식이 성립함을 보이기

이때 삼각형 ABC의 세 꼭짓점을 A(a, b), B($\boxed{-2c}$, 0), C$(c, 0)$이라고 하면

$\overline{AB}^2+2\overline{AC}^2=(a+2c)^2+b^2+2\{(a-c)^2+b^2\}$

$=\boxed{3(a^2+b^2+2c^2)}$ ······ ㉠

$\overline{AD}^2+2\overline{CD}^2=\boxed{a^2+b^2+2c^2}$ ······ ㉡

따라서 ㉠, ㉡에서 $\overline{AB}^2+2\overline{AC}^2=\boxed{3}(\overline{AD}^2+2\overline{CD}^2)$이 성립한다.

∴ (가) 3, (나) $-2c$, (다) $3(a^2+b^2+2c^2)$, (라) $a^2+b^2+2c^2$

필수유형 06

299쪽

06-1 답 $(-6, -3)$

해결전략 | 선분의 내분점과 외분점을 구하는 공식을 이용하여 두 점 P, Q의 좌표를 구한다.

STEP 1 두 점 P, Q의 좌표 구하기

선분 AB를 $3:2$로 내분하는 점 P의 좌표는

$\left(\dfrac{3\times(-2)+2\times3}{3+2}, \dfrac{3\times1+2\times6}{3+2}\right)$

∴ P$(0, 3)$

선분 AB를 3 : 2로 외분하는 점 Q의 좌표는

$$\left(\frac{3\times(-2)-2\times3}{3-2},\ \frac{3\times1-2\times6}{3-2}\right)$$

$\therefore$ Q$(-12,\ -9)$

STEP 2 **선분 PQ의 중점의 좌표 구하기**

따라서 선분 PQ의 중점의 좌표는

$$\left(\frac{-12}{2},\ \frac{3-9}{2}\right) \qquad \therefore (-6,\ -3)$$

06-2 답 12

해결전략 | 선분 AB를 4 : 3으로 내분하는 점의 x좌표가 0임을 이용한다.

STEP 1 **선분 AB를 4 : 3으로 내분하는 점의 좌표 구하기**

선분 AB를 4 : 3으로 내분하는 점의 좌표는

$$\left(\frac{4\times(-9)+3\times a}{4+3},\ \frac{4\times0+3\times4}{4+3}\right)$$

$$\therefore \left(\frac{3a-36}{7},\ \frac{12}{7}\right)$$

STEP 2 **a의 값 구하기**

이 점이 y축 위에 있으므로

$$\frac{3a-36}{7}=0 \qquad \therefore a=12$$

06-3 답 8

해결전략 | 선분 AB를 2 : 1로 외분하는 점을 a에 대한 식으로 나타내고, 주어진 점의 좌표와 비교한다.

STEP 1 **선분 AB를 2 : 1로 외분하는 점의 좌표 구하기**

선분 AB를 2 : 1로 외분하는 점의 좌표는

$$\left(\frac{2\times(-3)-1\times a}{2-1},\ \frac{2\times4-1\times1}{2-1}\right)$$

$\therefore (-6-a,\ 7)$

STEP 2 **주어진 외분점과 비교하여 a, b의 값 구하기**

주어진 외분점의 좌표는 $(-7,\ b)$이므로

$-6-a=-7,\ 7=b \qquad \therefore a=1,\ b=7$

$\therefore a+b=1+7=8$

06-4 답 $\mathrm{P}\left(0,\ \frac{4}{3}\right)$

해결전략 | 삼등분하는 점 중에서 점 A에 가까운 점이 선분 AB를 어떻게 내분하는지 파악한다.

STEP 1 **점 P의 위치 파악하기**

점 P가 선분 AB를 삼등분하는 점 중에서 점 A에 가까운 점이므로 점 P는 선분 AB를 1 : 2로 내분하는 점이다.

STEP 2 **점 P의 좌표 구하기**

따라서 점 P의 좌표는

$$\left(\frac{1\times4+2\times(-2)}{1+2},\ \frac{1\times(-2)+2\times3}{1+2}\right)$$

$\therefore \mathrm{P}\left(0,\ \frac{4}{3}\right)$

06-5 답 10

해결전략 | 사등분점 중에서 점 B에 가까운 점이 선분 AB를 어떻게 내분하는지 파악한다.

STEP 1 **점 P의 위치 파악하기**

점 P가 선분 AB의 사등분점 중에서 점 B에 가까운 점이므로 점 P는 선분 AB를 3 : 1로 내분하는 점이다.

STEP 2 **점 P의 좌표 구하기**

따라서 점 P의 좌표는

$$\left(\frac{3\times8+1\times(-4)}{3+1},\ \frac{3\times6+1\times2}{3+1}\right)$$

$\therefore$ P$(5,\ 5)$

따라서 $a=5,\ b=5$이므로

$a+b=5+5=10$

06-6 답 3

해결전략 | $\overline{\mathrm{BP}}=k$라 하고, 두 점 사이의 거리를 k에 대한 식으로 나타내어 각 점 사이의 거리를 k와 비교한다.

STEP 1 **$\overline{\mathrm{BP}}=k$라 하고 각 점 사이의 거리를 k에 대한 식으로 나타내기**

선분 AB를 2 : 1로 내분하는 점이 P이므로

$\overline{\mathrm{BP}}=k$라고 하면

$\overline{\mathrm{AP}}=2k \qquad \therefore \overline{\mathrm{AB}}=3k$

선분 AB를 2 : 1로 외분하는 점이 Q이므로

$\overline{\mathrm{BQ}}=\overline{\mathrm{AB}}=3k \qquad \therefore \overline{\mathrm{AQ}}=6k$

$\therefore \overline{\mathrm{PQ}}=\overline{\mathrm{AQ}}-\overline{\mathrm{AP}}=6k-2k=4k$

STEP 2 **중점을 M이라 하고, $\overline{\mathrm{AM}}$, $\overline{\mathrm{BM}}$의 길이 구하기**

따라서 선분 PQ의 중점을 M이라고 하면

$\overline{\mathrm{PM}}=\overline{\mathrm{MQ}}=2k$이므로

$\overline{\mathrm{AM}}=\overline{\mathrm{AP}}+\overline{\mathrm{PM}}=2k+2k=4k$

$\overline{\mathrm{BM}}=\overline{\mathrm{PM}}-\overline{\mathrm{PB}}=2k-k=k$

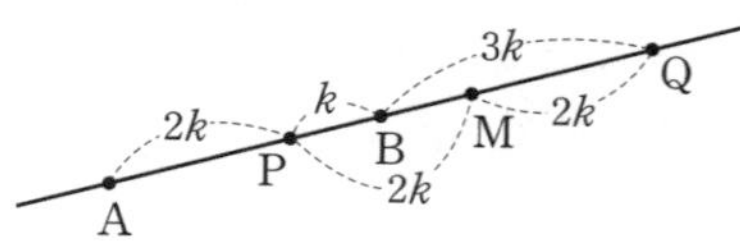

STEP 3 **m, n의 값 구하기**

따라서 점 M은 선분 AB를 4 : 1로 외분하므로

$m=4,\ n=1 \qquad \therefore m-n=4-1=3$

풍쌤의 비법

① 선분 AB를 m : n으로 내분하는 점을 직선 위에 표현할 때는 선분 AB를 $(m+n)$등분하여 나타낸다.

② 선분 AB를 m : n으로 외분하는 점을 직선 위에 표현할 때는 선분 AB를 $|m-n|$등분하여 나타내면 각 점 사이의 길이의 비를 쉽게 구할 수 있다.

예 선분 AB를 5 : 3으로 내분하는 점, 외분하는 점은 다음과 같이 나타낼 수 있다.

- 선분 AB를 8등분하여 점 A에서 $5k$, 점 B에서 $3k$ 떨어진 점 P가 선분 AB를 5 : 3으로 내분하는 점이다.
- 선분 AB를 $|5-3|$등분, 즉 $8k$를 이등분한 $4k$를 단위로 $\overline{AQ}=5\times4k$, $\overline{BQ}=3\times4k$인 직선 AB 위의 점 Q가 선분 AB를 5 : 3으로 외분하는 점이다.

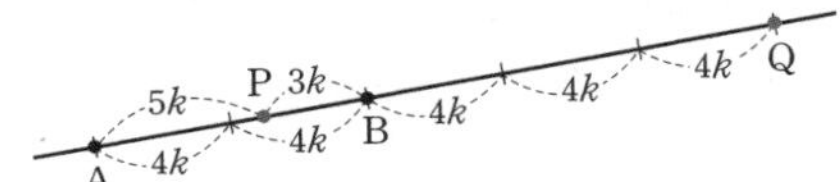

필수유형 07 301쪽

07-1 답 C(7, 7)

해결전략 | 주어진 조건을 그림으로 나타내어 선분의 길이의 비와 점의 위치를 파악한다.

STEP 1 $2\overline{AB}=3\overline{BC}$를 이용하여 점 C의 위치 파악하기

$2\overline{AB}=3\overline{BC}$에서

$\overline{AB}:\overline{BC}=3:2$

따라서 점 C가 선분 AB의 연장선 위의 점일 때, 점 C는 오른쪽 그림과 같이 선분 AB를 5 : 2로 외분하는 점이다.

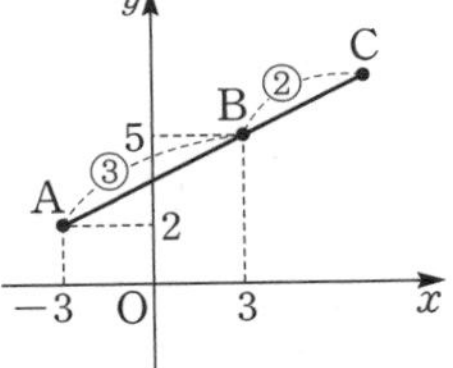

STEP 2 점 C의 좌표 구하기

따라서 선분 AB를 5 : 2로 외분하는 점 C의 좌표는

$\left(\dfrac{5\times3-2\times(-3)}{5-2},\ \dfrac{5\times5-2\times2}{5-2}\right)$

$\therefore$ C(7, 7)

다른 풀이

STEP 1 $2\overline{AB}=3\overline{BC}$를 이용하여 점 C의 위치 파악하기

$2\overline{AB}=3\overline{BC}$에서 $\overline{AB}:\overline{BC}=3:2$이므로 점 B는 선분 AC를 3 : 2로 내분하는 점이다.

STEP 2 점 C의 좌표 구하기

점 C의 좌표를 $(a,\ b)$라고 하면

$\dfrac{3\times a+2\times(-3)}{3+2}=3,\ \dfrac{3\times b+2\times2}{3+2}=5$

$\therefore a=7,\ b=7$

따라서 점 C의 좌표는 (7, 7)이다.

07-2 답 2

해결전략 | 내분점을 k에 대한 식으로 나타내고, 내분점이 직선 위에 있음을 이용하여 식을 세운다.

STEP 1 내분하는 점의 좌표 구하기

선분 AB를 $1:k$로 내분하는 점의 좌표는

$\left(\dfrac{1\times5+k\times(-4)}{1+k},\ \dfrac{1\times(-1)+k\times2}{1+k}\right)$

$\therefore \left(\dfrac{5-4k}{1+k},\ \dfrac{2k-1}{1+k}\right)$

STEP 2 k의 값 구하기

이 점이 직선 $y=-x$ 위에 있으므로

$\dfrac{2k-1}{1+k}=-\dfrac{5-4k}{1+k},\ 2k-1=-5+4k$

$-2k=-4 \qquad \therefore k=2$

07-3 답 $\frac{1}{3}<t<\frac{5}{6}$

해결전략 | 선분 AB의 내분점을 t에 대한 식으로 나타내고, x좌표가 음수, y좌표가 양수임을 이용한다.

STEP 1 선분 AB의 내분점의 좌표 구하기

선분 AB를 $t:(1-t)$로 내분하는 점의 좌표는

$\left(\dfrac{t\times1+(1-t)\times(-5)}{t+(1-t)},\ \dfrac{t\times4+(1-t)\times(-2)}{t+(1-t)}\right)$

$\therefore (6t-5,\ 6t-2)$

STEP 2 내분점이 제2사분면에 존재하는 t의 값의 범위 구하기

이 점이 제2사분면 위에 있으므로

(x좌표)<0, (y좌표)>0에서

$6t-5<0,\ 6t-2>0 \qquad \therefore \dfrac{1}{3}<t<\dfrac{5}{6}$

07-4 답 10

해결전략 | 두 삼각형의 넓이의 비를 이용하여 점 P가 선분 AB를 외분하는 비율을 구한다.

STEP 1 넓이의 비를 이용하여 $\overline{AP}:\overline{BP}$의 비 구하기

삼각형 OAP의 넓이가 삼각형 OBP의 넓이의 2배이므로

$\overline{AP}:\overline{BP}=2:1$

따라서 점 P는 다음 그림과 같이 선분 AB를 $2:1$로 외분하는 점이다.

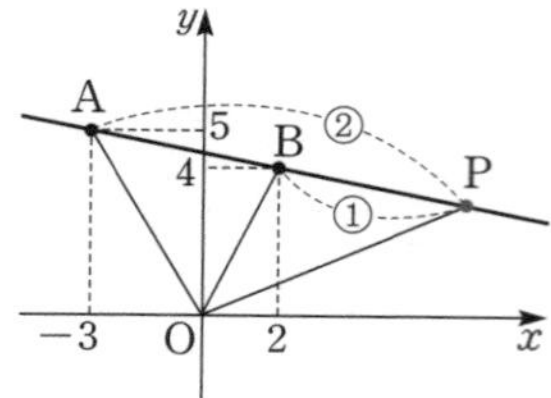

STEP 2 점 P의 좌표 구하기

선분 AB를 $2:1$로 외분하는 점 P의 좌표는

$\left(\frac{2\times2-1\times(-3)}{2-1}, \frac{2\times4-1\times5}{2-1}\right)$

$\therefore$ P$(7, 3)$

따라서 $a=7$, $b=3$이므로 $a+b=7+3=10$

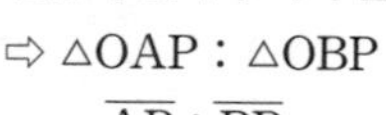

높이가 같은 두 삼각형 OAP, OBP의 넓이의 비는 밑변의 길이의 비와 같다.

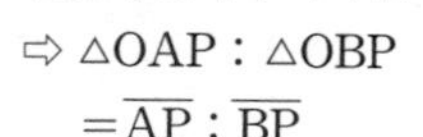

⇨ $\triangle OAP : \triangle OBP = \overline{AP} : \overline{BP}$

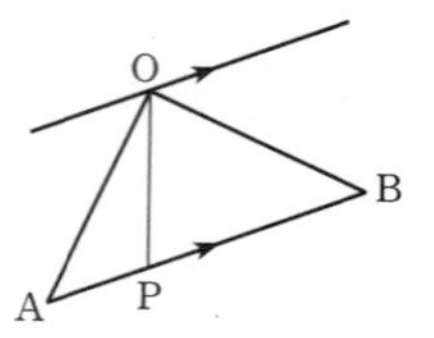

07-5 답 C$(0, 1)$, C$(4, 3)$

해결전략 | 주어진 조건을 그림으로 나타내고, 점 C가 $\overline{AB}$ 위에 있는 경우와 $\overline{AB}$의 연장선에 있는 경우로 나누어 생각한다.

STEP 1 $\overline{AB}:\overline{BC}$ 구하기

$\overline{AB}=2\overline{BC}$에서 $\overline{AB}:\overline{BC}=2:1$

STEP 2 점 C의 좌표 구하기

(i) 점 C가 선분 AB 위의 점일 때, 점 C는 오른쪽 그림과 같이 선분 AB의 중점이므로 점 C의 좌표는

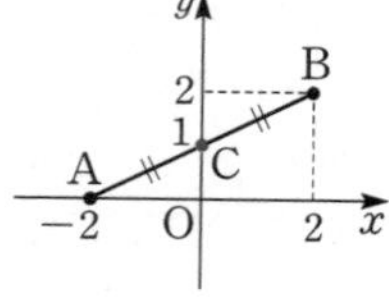

$\left(\frac{-2+2}{2}, \frac{0+2}{2}\right)$

$\therefore$ C$(0, 1)$

(ii) 점 C가 선분 AB의 연장선 위의 점일 때, 점 C는 오른쪽 그림과 같이 선분 AB를 $3:1$로 외분하는 점이므로 점 C의 좌표는

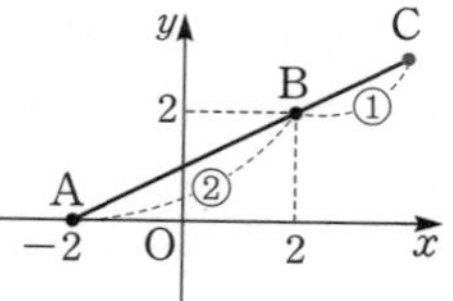

$\left(\frac{3\times2-1\times(-2)}{3-1}, \frac{3\times2-1\times0}{3-1}\right)$

$\therefore$ C$(4, 3)$

(i), (ii)에서 점 C의 좌표는 $(0, 1)$, $(4, 3)$이다.

07-6 답 $12\sqrt{5}$

해결전략 | 두 삼각형의 넓이의 비를 이용하여 선분의 내분하는 비율, 외분하는 비율을 구한다.

STEP 1 넓이의 비를 이용하여 점 P의 위치 파악하기

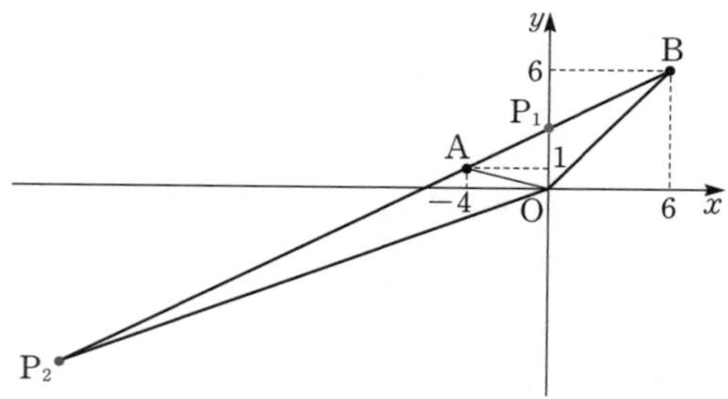

$\triangle OAP : \triangle OBP = 2:3$이므로

점 P는 선분 AB를 $2:3$으로 내분하는 점 P_1과 외분하는 점 P_2의 2개가 생긴다.

STEP 2 두 점 P_1, P_2의 좌표 구하기

선분 AB를 $2:3$으로 내분하는 점 P_1의 좌표는

$\left(\frac{2\times6+3\times(-4)}{2+3}, \frac{2\times6+3\times1}{2+3}\right)$

$\therefore P_1(0, 3)$

선분 AB를 $2:3$으로 외분하는 점 P_2의 좌표는

$\left(\frac{2\times6-3\times(-4)}{2-3}, \frac{2\times6-3\times1}{2-3}\right)$

$\therefore P_2(-24, -9)$

STEP 3 $\overline{P_1P_2}$의 길이 구하기

$\therefore \overline{P_1P_2}=\sqrt{(0-24)^2+(-9-3)^2}=12\sqrt{5}$

필수유형 08

303쪽

08-1 답 3

해결전략 | 세 점 A, B, C의 좌표를 이용하여 무게중심의 좌표를 구한 후, 주어진 점의 좌표와 비교한다.

삼각형 ABC의 무게중심의 좌표가 $(-3, 2)$이므로

$\frac{a+b-2}{3}=-3$, $\frac{-a+3+1}{3}=2$

$a+b-2=-9$, $-a+4=6$

두 식을 연립하여 풀면 $a=-2$, $b=-5$

$\therefore a-b=-2-(-5)=3$

08-2 답 $(1, -1)$

해결전략 | 세 점 A, B, C의 좌표를 이용하여 무게중심의 좌표를 구한 후, 주어진 점의 좌표와 비교한다.

STEP 1 무게중심의 좌표를 이용하여 식 세우기

삼각형 ABC의 무게중심의 좌표가 $(2, 1)$이므로

$\frac{4+x_1+x_2}{3}=2$, $\frac{5+y_1+y_2}{3}=1$

$4+x_1+x_2=6$, $5+y_1+y_2=3$

$\therefore x_1+x_2=2$, $y_1+y_2=-2$

STEP 2 변 BC의 중점의 좌표 구하기

이때 변 BC의 중점의 좌표는 $\left(\frac{x_1+x_2}{2}, \frac{y_1+y_2}{2}\right)$이므로 $(1, -1)$이다.

◉→ 다른 풀이 1

변 BC의 중점을 $M(a, b)$라고 하면 삼각형 ABC의 무게중심은 선분 AM을 $2:1$로 내분하는 점이므로 무게중심의 좌표는

$\left(\frac{2\times a+1\times 4}{2+1}, \frac{2\times b+1\times 5}{2+1}\right)$ $\quad\therefore \left(\frac{2a+4}{3}, \frac{2b+5}{3}\right)$

이 점이 점 $(2, 1)$과 일치하므로

$\frac{2a+4}{3}=2$, $\frac{2b+5}{3}=1$ $\quad\therefore a=1$, $b=-1$

따라서 변 BC의 중점의 좌표는 $(1, -1)$이다.

◉→ 다른 풀이 2

변 BC의 중점을 M, 삼각형 ABC의 무게중심을 G라고 하면 점 M은 선분 AG를 $3:1$로 외분하는 점이다.

따라서 점 M의 좌표는

$\left(\frac{3\times 2-1\times 4}{3-1}, \frac{3\times 1-1\times 5}{3-1}\right)$

$\therefore M(1, -1)$

08-3 답 8

해결전략 | 삼각형의 무게중심은 세 중선을 각 꼭짓점으로부터 각각 $2:1$로 내분한다.

STEP 1 무게중심의 성질 알기

변 BC의 중점을 M이라고 하면 삼각형 ABC의 무게중심은 선분 AM을 $2:1$로 내분하는 점이다.

STEP 2 무게중심의 좌표 구하기

$A(1, 1)$, $M(7, 4)$이므로 삼각형 ABC의 무게중심의 좌표는

$\left(\frac{2\times 7+1\times 1}{2+1}, \frac{2\times 4+1\times 1}{2+1}\right)$ $\quad\therefore (5, 3)$

따라서 $a=5$, $b=3$이므로

$a+b=5+3=8$

08-4 답 $\left(1, \frac{2}{3}\right)$

해결전략 | 두 점 B, C의 좌표를 임의로 설정하고, 주어진 조건을 이용하여 x좌표, y좌표의 합을 구한다.

STEP 1 중점의 좌표를 이용하여 두 점 B, C의 좌표 구하기

두 점 B, C의 좌표를 각각 (a_1, b_1), (a_2, b_2)라고 하자.

두 점 $M(x_1, y_1)$, $N(x_2, y_2)$는 각각 두 변 AB, AC의 중점이므로

$\frac{1+a_1}{2}=x_1$, $\frac{6+b_1}{2}=y_1$, $\frac{1+a_2}{2}=x_2$, $\frac{6+b_2}{2}=y_2$

$\therefore a_1=2x_1-1$, $b_1=2y_1-6$, $a_2=2x_2-1$, $b_2=2y_2-6$

STEP 2 무게중심의 좌표 구하기

그런데 $x_1+x_2=2$, $y_1+y_2=4$이므로

$a_1+a_2=2x_1-1+2x_2-1=2(x_1+x_2)-2$
$\quad=2\times 2-2=2$

$b_1+b_2=2y_1-6+2y_2-6=2(y_1+y_2)-12$
$\quad=2\times 4-12=-4$

따라서 삼각형 ABC의 무게중심의 좌표는

$\left(\frac{1+a_1+a_2}{3}, \frac{6+b_1+b_2}{3}\right)$ $\quad\therefore \left(1, \frac{2}{3}\right)$

08-5 답 $(0, 2)$

해결전략 | 중점의 좌표를 이용하여 각 꼭짓점의 좌표를 구한다.

STEP 1 두 점 B, C의 좌표 구하기

점 B의 좌표를 (a, b)라고 하면 변 AB의 중점의 좌표가 $(-2, 4)$이므로

$\frac{2+a}{2}=-2$, $\frac{6+b}{2}=4$

$\therefore a=-6$, $b=2$

$\therefore B(-6, 2)$

점 C의 좌표를 (c, d)라고 하면 변 AC의 중점의 좌표가 $(3, 2)$이므로

$\frac{2+c}{2}=3$, $\frac{6+d}{2}=2$

$\therefore c=4$, $d=-2$

$\therefore C(4, -2)$

STEP 2 무게중심의 좌표 구하기

따라서 삼각형 ABC의 무게중심의 좌표는

$\left(\frac{2-6+4}{3}, \frac{6+2-2}{3}\right)$ $\quad\therefore (0, 2)$

◉→ 다른 풀이

STEP 1 주어진 두 중점을 이용하여 무게중심의 외분하는 비율 알기

오른쪽 그림과 같이 삼각형 ABC에서 세 변 AB, BC, CA의 중점을 각각 P, Q, R라고 하자.

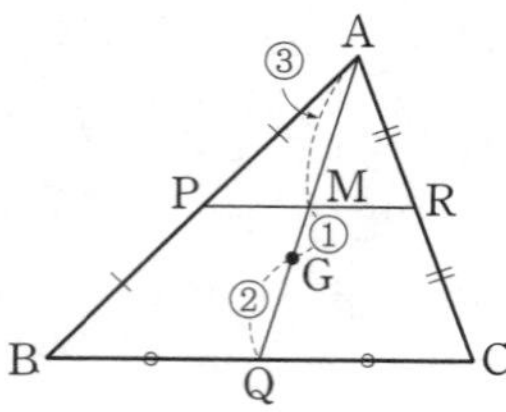

선분 PR의 중점을 M, 삼각형 ABC의 무게중심을 G라고 하면 $\overline{AM}:\overline{MG}:\overline{GQ}=3:1:2$가 되므로 무게중심 G는 선분 AM을 $4:1$로 외분하는 점이다.

STEP 2 중점 M의 좌표 구하기

이때 $P(-2, 4)$, $R(3, 2)$이므로 점 M의 좌표는

$\left(\frac{-2+3}{2}, \frac{4+2}{2}\right)$ $\quad\therefore M\left(\frac{1}{2}, 3\right)$

STEP 3 무게중심의 좌표 구하기

따라서 삼각형 ABC의 무게중심의 좌표는

$\left(\frac{4\times\frac{1}{2}-1\times2}{4-1}, \frac{4\times3-1\times6}{4-1}\right)$ $\quad\therefore (0, 2)$

08-6 답 (6, 5)

해결전략 | 각 꼭짓점의 좌표를 임의로 잡아서 무게중심의 좌표를 구한다.

STEP 1 세 점 P, Q, R의 좌표를 이용하여 세 점 A, B, C의 좌표 사이의 관계식 구하기

삼각형 ABC의 세 꼭짓점의 좌표를 $A(x_1, y_1)$, $B(x_2, y_2)$, $C(x_3, y_3)$이라고 하자.

세 변 AB, BC, CA를 $2:1$로 내분하는 점의 좌표가 각각 $P(7, 2)$, $Q(8, 7)$, $R(3, 6)$이므로 점 P의 좌표에서

$\frac{2\times x_2+1\times x_1}{2+1}=7$, $\frac{2\times y_2+1\times y_1}{2+1}=2$

$\therefore 2x_2+x_1=21$, $2y_2+y_1=6$

다른 점 Q, R에서도 마찬가지로 하면

$2x_3+x_2=24$, $2y_3+y_2=21$

$2x_1+x_3=9$, $2y_1+y_3=18$

이때 $(2x_2+x_1)+(2x_3+x_2)+(2x_1+x_3)=54$이므로

$x_1+x_2+x_3=18$ $\quad\cdots\cdots$ ㉠

또, $(2y_2+y_1)+(2y_3+y_2)+(2y_1+y_3)=45$이므로

$y_1+y_2+y_3=15$ $\quad\cdots\cdots$ ㉡

STEP 2 무게중심의 좌표 구하기

따라서 삼각형 ABC의 무게중심의 좌표는

$\left(\frac{x_1+x_2+x_3}{3}, \frac{y_1+y_2+y_3}{3}\right)$

이므로 ㉠, ㉡에서

$\left(\frac{18}{3}, \frac{15}{3}\right)$ $\quad\therefore (6, 5)$

◉→ 다른 풀이

△ABC와 △PQR의 무게중심이 일치하므로 △ABC의 무게중심의 좌표는

$\left(\frac{7+8+3}{3}, \frac{2+7+6}{3}\right)$ $\quad\therefore (6, 5)$

풍쌤의 비법

삼각형 ABC의 세 변 AB, BC, CA를 $m:n$ $(m>0, n>0)$으로 내분하는 점을 각각 P, Q, R라고 할 때, 삼각형 ABC와 삼각형 PQR의 무게중심이 일치한다.

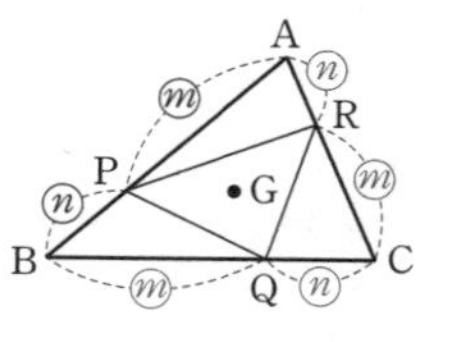

필수유형 09 305쪽

09-1 답 D(−4, 9)

해결전략 | 평행사변형의 두 대각선은 서로 다른 것을 이등분한다.

STEP 1 평행사변형의 대각선의 성질 알기

평행사변형의 두 대각선은 서로 다른 것을 이등분하므로 $\overline{AC}$의 중점과 $\overline{BD}$의 중점이 일치한다.

STEP 2 점 D의 좌표 구하기

$\overline{AC}$의 중점의 좌표는

$\left(\frac{-2+0}{2}, \frac{3+5}{2}\right)$ $\quad\therefore (-1, 4)$

점 D의 좌표를 (a, b)라고 하면 $\overline{BD}$의 중점의 좌표는

$\left(\frac{2+a}{2}, \frac{-1+b}{2}\right)$

이때 $\overline{BD}$의 중점과 $\overline{AC}$의 중점이 일치하므로

$\frac{2+a}{2}=-1$, $\frac{-1+b}{2}=4$

$2+a=-2$, $-1+b=8$

$\therefore a=-4$, $b=9$

따라서 점 D의 좌표는 $(-4, 9)$이다.

09-2 답 −2

해결전략 | 마름모는 네 변의 길이가 모두 같고 두 대각선이 서로 다른 것을 수직이등분한다.

STEP 1 $\overline{AB}=\overline{BC}$임을 이용하여 a의 값 구하기

$\overline{AB}=\overline{BC}$에서 $\overline{AB}^2=\overline{BC}^2$이므로

$(2-a)^2+(1-1)^2=(6-2)^2+(4-1)^2$

$a^2-4a+4=25$, $a^2-4a-21=0$

$(a+3)(a-7)=0$ $\quad\therefore a=-3$ ($\because a<0$)

STEP 2 대각선의 중점의 좌표 구하기

$\overline{AC}$의 중점의 좌표는

$\left(\frac{a+6}{2}, \frac{1+4}{2}\right)$ $\therefore \left(\frac{3}{2}, \frac{5}{2}\right)$

$\overline{BD}$의 중점의 좌표는

$\left(\frac{2+b}{2}, \frac{1+4}{2}\right)$ $\therefore \left(\frac{2+b}{2}, \frac{5}{2}\right)$

STEP 3 STEP 2에서 구한 중점의 좌표를 이용하여 b의 값 구하기

이때 $\overline{AC}$의 중점과 $\overline{BD}$의 중점이 일치하므로

$\frac{3}{2}=\frac{2+b}{2}$ $\therefore b=1$

$\therefore a+b=-3+1=-2$

09-3 답 -14

해결전략 | 정사각형은 네 변의 길이가 같고 두 대각선은 서로 다른 것을 수직이등분한다.

STEP 1 정사각형의 대각선의 성질 알기

정사각형의 두 대각선이 서로 다른 것을 수직이등분하므로 $\overline{AC}$의 중점과 $\overline{BD}$의 중점이 일치한다.

STEP 2 대각선의 중점의 좌표 구하기

$\overline{AC}$의 중점의 좌표는

$\left(\frac{-3+6}{2}, \frac{1+4}{2}\right)$ $\therefore \left(\frac{3}{2}, \frac{5}{2}\right)$

$\overline{BD}$의 중점의 좌표는

$\left(\frac{3+0}{2}, \frac{a+b}{2}\right)$ $\therefore \left(\frac{3}{2}, \frac{a+b}{2}\right)$

이때 $\overline{BD}$의 중점과 $\overline{AC}$의 중점이 일치하므로

$\frac{a+b}{2}=\frac{5}{2}$ $\therefore a+b=5$ ...... ㉠

STEP 3 두 대각선이 서로 수직임을 이용하여 a, b의 값 구하기

$\overline{AC}$의 기울기는 $\frac{4-1}{6-(-3)}=\frac{1}{3}$

$\overline{BD}$의 기울기는 $\frac{a-b}{3-0}=\frac{a-b}{3}$

이때 $\overline{AC}$와 $\overline{BD}$가 수직이므로

$\frac{1}{3}\times\frac{a-b}{3}=-1$ $\therefore a-b=-9$ ...... ㉡

㉠, ㉡에서 $a=-2$, $b=7$ $\therefore ab=-14$

09-4 답 10

해결전략 | 마름모의 두 대각선은 서로 다른 것을 수직이등분한다.

STEP 1 마름모의 대각선의 성질 알기

마름모의 두 대각선이 서로 다른 것을 수직이등분하므로 $\overline{AC}$의 중점과 $\overline{BD}$의 중점이 일치한다.

STEP 2 대각선의 중점의 좌표 구하기

$\overline{AC}$의 중점의 좌표는

$\left(\frac{1+5}{2}, \frac{3+1}{2}\right)$ $\therefore (3, 2)$

$\overline{BD}$의 중점의 좌표는

$\left(\frac{x_1+x_2}{2}, \frac{y_1+y_2}{2}\right)$

STEP 3 STEP 2에서 구한 중점의 좌표를 이용하여 $x_1+x_2+y_1+y_2$의 값 구하기

이때 $\overline{AC}$의 중점과 $\overline{BD}$의 중점이 일치하므로

$\frac{x_1+x_2}{2}=3$, $\frac{y_1+y_2}{2}=2$

따라서 $x_1+x_2=6$, $y_1+y_2=4$이므로

$x_1+x_2+y_1+y_2=10$

09-5 답 C(5, 3), D(0, 4)

해결전략 | 평행사변형 ABCD의 두 대각선의 교점은 $\overline{AC}$의 중점, $\overline{BD}$의 중점과 일치함을 이용한다.

STEP 1 점 C의 좌표 구하기

두 대각선 AC, BD의 교점은 $\overline{AC}$와 $\overline{BD}$의 각각의 중점이다.

$C(x_1, y_1)$, $D(x_2, y_2)$라고 하면

$\overline{AC}$의 중점의 좌표는 $\left(\frac{-3+x_1}{2}, \frac{-1+y_1}{2}\right)$이므로

$\frac{-3+x_1}{2}=1$, $\frac{-1+y_1}{2}=1$ $\therefore x_1=5$, $y_1=3$

$\therefore$ C(5, 3)

STEP 2 점 D의 좌표 구하기

또, $\overline{BD}$의 중점의 좌표는 $\left(\frac{2+x_2}{2}, \frac{-2+y_2}{2}\right)$이므로

$\frac{2+x_2}{2}=1$, $\frac{-2+y_2}{2}=1$ $\therefore x_2=0$, $y_2=4$

$\therefore$ D(0, 4)

09-6 답 $3\sqrt{5}$

해결전략 | 직사각형을 좌표평면 위로 옮겨 각 꼭짓점의 좌표를 정한 후, 무게중심의 좌표를 구한다.

STEP 1 좌표평면 위에 나타내기

오른쪽 그림과 같이 점 B를 원점, 직선 BC를 x축, 직선 AB를 y축으로 하는 좌표평면을 잡으면

A(0, 18), B(0, 0), C(12, 0), D(12, 18)

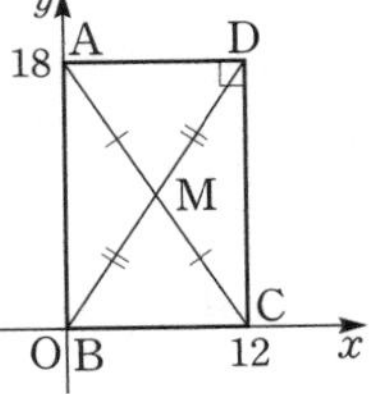

STEP 2 두 대각선의 중점의 좌표 구하기

직사각형의 두 대각선은 서로 다른 것을 이등분하므로 점

M의 좌표는 선분 BD의 중점 (6, 9)이다.

STEP 3 무게중심의 좌표 찾기

삼각형 ABD의 무게중심 G의 좌표는

$\left(\frac{0+0+12}{3}, \frac{18+0+18}{3}\right)$ $\quad \therefore G(4, 12)$

삼각형 CDM의 무게중심 H의 좌표는

$\left(\frac{12+12+6}{3}, \frac{0+18+9}{3}\right)$ $\quad \therefore H(10, 9)$

STEP 4 두 점 G와 H 사이의 거리 구하기

따라서 두 점 G와 H 사이의 거리는

$\overline{GH}=\sqrt{(10-4)^2+(9-12)^2}=3\sqrt{5}$

발전유형 10 307쪽

10-1 답 $D\left(\frac{77}{18}, \frac{25}{6}\right)$

해결전략 | 각의 이등분선의 성질을 이용하여 점 D가 $\overline{BC}$를 내분하는 비율을 구한다.

STEP 1 $\overline{BD}:\overline{CD}$의 비 구하기

$\overline{AD}$는 $\angle A$의 이등분선이므로

$\overline{AB}:\overline{AC}=\overline{BD}:\overline{CD}$

이때 $\overline{AB}=\sqrt{4^2+(-3)^2}=5$,

$\overline{AC}=\sqrt{5^2+(15-3)^2}=13$이므로

$\overline{BD}:\overline{CD}=\overline{AB}:\overline{AC}=5:13$

STEP 2 점 D의 좌표 구하기

따라서 점 D는 $\overline{BC}$를 $5:13$으로 내분하는 점이므로 점 D의 좌표는

$\left(\frac{5\times5+13\times4}{5+13}, \frac{5\times15+13\times0}{5+13}\right)$

$\therefore D\left(\frac{77}{18}, \frac{25}{6}\right)$

10-2 답 $\frac{13}{3}$

해결전략 | 각의 이등분선의 성질을 이용하여 점 D가 $\overline{BC}$를 내분하는 비율을 구한다.

STEP 1 $\overline{BD}:\overline{CD}$의 비 구하기

$\overline{AD}$는 $\angle A$의 이등분선이므로

$\overline{AB}:\overline{AC}=\overline{BD}:\overline{CD}$

이때 $\overline{AB}=\sqrt{1^2+(-3)^2}=\sqrt{10}$,

$\overline{AC}=\sqrt{2^2+(9-3)^2}=2\sqrt{10}$

이므로

$\overline{BD}:\overline{CD}=\overline{AB}:\overline{AC}=1:2$

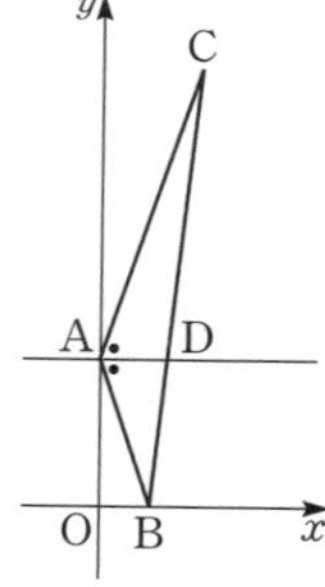

STEP 2 점 D의 좌표 구하기

따라서 점 D는 $\overline{BC}$를 $1:2$로 내분하는 점이므로 점 D의 좌표는

$\left(\frac{1\times2+2\times1}{1+2}, \frac{1\times9+2\times0}{1+2}\right)$

$\therefore D\left(\frac{4}{3}, 3\right)$

STEP 3 $a+b$의 값 구하기

따라서 $a=\frac{4}{3}$, $b=3$이므로

$a+b=\frac{4}{3}+3=\frac{13}{3}$

10-3 답 $\frac{7}{3}$

해결전략 | 각의 이등분선의 성질을 이용하여 점 D가 $\overline{BC}$를 내분하는 비율을 구한다.

STEP 1 $\overline{BD}:\overline{CD}$의 비 구하기

$\overline{AD}$는 $\angle A$의 이등분선이므로

$\overline{AB}:\overline{AC}=\overline{BD}:\overline{CD}$

이때 $\overline{AB}=\sqrt{(-3+3)^2+(-4)^2}=4$,

$\overline{AC}=\sqrt{(1+3)^2+(-3)^2}=5$이므로

$\overline{BD}:\overline{CD}=\overline{AB}:\overline{AC}=4:5$

STEP 2 점 D의 좌표 구하기

따라서 점 D는 $\overline{BC}$를 $4:5$로 내분하는 점이므로 점 D의 좌표는

$\left(\frac{4\times1+5\times(-3)}{4+5}, \frac{4\times(-3)+5\times(-4)}{4+5}\right)$

$\therefore D\left(-\frac{11}{9}, -\frac{32}{9}\right)$

STEP 3 $a-b$의 값 구하기

따라서 $a=-\frac{11}{9}$, $b=-\frac{32}{9}$이므로

$a-b=-\frac{11}{9}-\left(-\frac{32}{9}\right)=\frac{7}{3}$

10-4 답 3 : 5

해결전략 | 각의 이등분선의 성질을 이용하여 점 D가 $\overline{AC}$를 내분하는 비율을 구한다.

STEP 1 삼각형 ABC의 내심의 성질을 이용하기

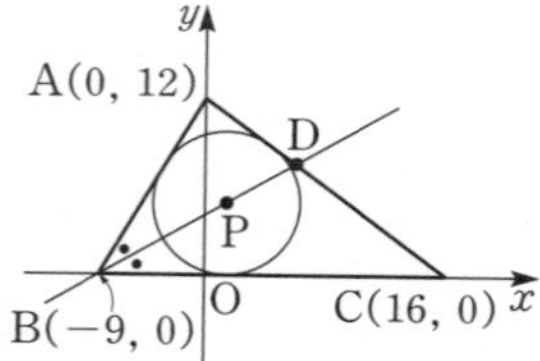

삼각형 ABC에 내접하는 원의 중심 P는 삼각형 ABC의 내심이므로 직선 BP는 $\angle B$의 이등분선이다.

STEP 2 $\overline{AD}:\overline{CD}$의 비 구하기

직선 BP가 변 AC와 만나는 점이 D이므로

$\overline{AB} : \overline{BC} = \overline{AD} : \overline{CD}$

이때 $\overline{AB} = \sqrt{(-9)^2 + (-12)^2} = 15$,

$\overline{BC} = |16 - (-9)| = 25$이므로

$\overline{AD} : \overline{CD} = \overline{AB} : \overline{BC}$

$= 15 : 25 = 3 : 5$

10-5 답 **13 : 10**

해결전략 | 각의 이등분선의 성질을 이용하여 점 D가 $\overline{BC}$를 내분하는 비율을 구한다.

STEP 1 **$\overline{BD} : \overline{CD}$의 비 구하기**

$\overline{AD}$는 $\angle A$의 이등분선이므로 $\overline{AB} : \overline{AC} = \overline{BD} : \overline{CD}$

이때 $\overline{AB} = \sqrt{(-7+2)^2 + (-13+1)^2} = 13$,

$\overline{AC} = \sqrt{(6+2)^2 + (5+1)^2} = 10$이므로

$\overline{BD} : \overline{CD} = \overline{AB} : \overline{AC} = 13 : 10$

STEP 2 **두 삼각형의 넓이의 비 구하기**

따라서 점 D는 $\overline{BC}$를 13 : 10으로 내분하는 점이므로 삼각형 ABD와 삼각형 ACD의 넓이의 비도 13 : 10이다.

10-6 답 **13**

해결전략 | 각의 이등분선의 성질을 이용하여 점 R가 $\overline{PQ}$를 내분하는 비율을 구한다.

STEP 1 **$\overline{PR} : \overline{QR}$의 비 구하기**

$\angle POQ$의 이등분선과 선분 PQ의 교점을 R라고 하자.

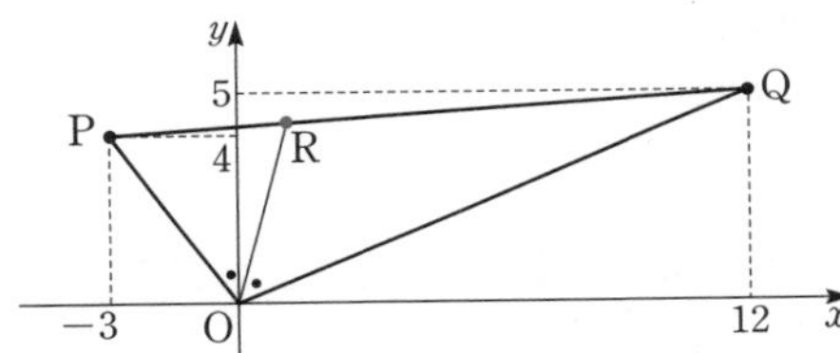

$\overline{OR}$는 $\angle POQ$의 이등분선이므로

$\overline{OP} : \overline{OQ} = \overline{PR} : \overline{QR}$

이때 $\overline{OP} = \sqrt{(-3)^2 + 4^2} = 5$, $\overline{OQ} = \sqrt{12^2 + 5^2} = 13$이므로

$\overline{PR} : \overline{QR} = \overline{OP} : \overline{OQ} = 5 : 13$

STEP 2 **점 R의 좌표 구하기**

따라서 점 R는 $\overline{PQ}$를 5 : 13으로 내분하는 점이므로 점 R의 좌표는

$\left(\frac{5 \times 12 + 13 \times (-3)}{5+13}, \frac{5 \times 5 + 13 \times 4}{5+13}\right)$

$\therefore R\left(\frac{7}{6}, \frac{77}{18}\right)$

STEP 3 **$a+b$의 값 구하기**

점 R의 x좌표는 $\frac{7}{6}$이므로 $a=6$, $b=7$

$\therefore a+b = 6+7 = 13$

실전 연습 문제 308~310쪽

01 ③	02 ④	03 2	04 ③	
05 $2x-y-1=0$	06 ③	07 58	08 ③	
09 ③	10 −8	11 ④	12 E(5, 0)	13 ②
14 ④	15 ①	16 11	17 7	18 $\frac{168}{11}$

01

해결전략 | 선분 AB의 길이를 a에 대한 식으로 나타낸다.

$\overline{AB} = \sqrt{(3-a)^2 + (a+1)^2} = \sqrt{2a^2 - 4a + 10}$

$= \sqrt{2(a-1)^2 + 8}$

따라서 선분 AB의 길이는 $a=1$일 때 최소가 되고, 최솟값 $2\sqrt{2}$를 갖는다.

02

해결전략 | 삼각형의 외심에서 세 꼭짓점에 이르는 거리는 모두 같음을 이용한다.

STEP 1 **외심의 성질을 이용하여 a, b의 값 구하기**

삼각형 ABC의 외심을 P(4, 4)라고 하면

$\overline{AP} = \overline{BP} = \overline{CP}$이므로 $\overline{AP}^2 = \overline{BP}^2 = \overline{CP}^2$

$\overline{AP}^2 = (4-a)^2 + (4+2)^2$

$\overline{BP}^2 = (4-b)^2 + (4-6)^2$

$\overline{CP}^2 = (4-a)^2 + (4-b)^2$

$\overline{BP}^2 = \overline{CP}^2$에서 $(a-4)^2 = 4$

$a-4 = \pm 2$ $\quad \therefore a=2$ 또는 $a=6$

$\overline{AP}^2 = \overline{CP}^2$에서 $(b-4)^2 = 36$

$b-4 = \pm 6$ $\quad \therefore b=-2$ 또는 $b=10$

STEP 2 **b의 값 구하기**

(i) $b=-2$일 때,

ⓐ $a=2$이면 세 점의 좌표는 A(2, −2), B(−2, 6), C(2, −2)이므로 점 A와 점 C의 좌표가 같아지므로 서로 다른 세 점이 될 수 없다.

ⓑ $a=6$이면 세 점의 좌표는 A(6, −2), B(−2, 6), C(6, −2)이므로 점 A와 점 C의 좌표가 같아지므로 서로 다른 세 점이 될 수 없다.

(ii) $b=10$일 때,

ⓐ $a=2$이면 세 점의 좌표가 A(2, −2), B(10, 6), C(2, 10)이므로 가능하다.

ⓑ $a=6$일 때, 세 점의 좌표가 A(6, −2), B(10, 6), C(6, 10)이므로 가능하다.

(i), (ii)에서 b의 값은 10이다.

03

해결전략 | 두 점 사이의 거리를 구하는 공식을 이용하여 이차식을 세운 후, 완전제곱식의 꼴로 만들어 최솟값을 구한다.

STEP1 점 P의 좌표를 정하고, $\overline{AP}^2+\overline{BP}^2+\overline{CP}^2$을 식으로 나타내기

점 P의 좌표를 (a, b)라고 하면

$\overline{AP}^2+\overline{BP}^2+\overline{CP}^2$

$=a^2+(b-3k)^2+(a+1)^2+b^2+(a-1)^2+b^2$

$=3a^2+3b^2-6bk+9k^2+2$

$=3a^2+3(b-k)^2+6k^2+2$ …… ❶

STEP2 조건을 만족시키는 점 P의 좌표 구하기

따라서 $\overline{AP}^2+\overline{BP}^2+\overline{CP}^2$은 $a=0$, $b=k$일 때 최솟값을 가지므로 점 P의 좌표는 $(0, k)$이다. …… ❷

STEP3 $\dfrac{\overline{AP}}{\overline{OP}}$의 값 구하기

$\overline{AP}=|3k-k|=2k$, $\overline{OP}=|k-0|=k$ ($\because k>0$)

$\therefore \dfrac{\overline{AP}}{\overline{OP}}=\dfrac{2k}{k}=2$ …… ❸

채점 요소	배점
❶ 점 P를 이용하여 완전제곱 꼴의 식 세우기	50 %
❷ 조건을 만족시키는 점 P의 좌표 구하기	30 %
❸ $\dfrac{\overline{AP}}{\overline{OP}}$의 값 구하기	20 %

04

해결전략 | 삼각형 ABC가 이등변삼각형임을 이용한다.

STEP1 이등변삼각형의 성질 알기

$\angle$ABC의 이등분선이 선분 AC의 중점을 지나므로 삼각형 ABC는 $\overline{BA}=\overline{BC}$인 이등변삼각형이다.

STEP2 a의 값 구하기

$\overline{BA}=\overline{BC}$이므로 $\sqrt{3^2+a^2}=|1-(-3)|=4$

$\sqrt{9+a^2}=4$, $9+a^2=16$, $a^2=7$

$\therefore a=\sqrt{7}$ ($\because a>0$)

05

해결전략 | 임의의 점 P를 정하고 점 P에서 두 점 A, B까지의 거리가 같다는 조건을 이용하여 식을 세운다.

STEP1 두 점에서 같은 거리에 있는 점을 임의로 잡기

두 점 A, B로부터 같은 거리에 있는 점을 $P(x, y)$라 고 하자.

STEP2 조건을 이용하여 식 세우기

$\overline{AP}=\overline{BP}$에서 $\overline{AP}^2=\overline{BP}^2$이므로

$(x+1)^2+(y-2)^2=(x-3)^2+y^2$

$x^2+2x+1+y^2-4y+4=x^2-6x+9+y^2$

$8x-4y-4=0$ $\quad\therefore 2x-y-1=0$

따라서 두 점으로부터 같은 거리에 있는 점의 자취의 방정식은

$2x-y-1=0$

06

해결전략 | 삼각형의 세 변의 길이를 각각 구하여 세 변의 길이 사이의 관계를 파악한다.

STEP1 삼각형의 세 변의 길이 구하기

$\overline{AB}=\sqrt{3^2+(1-3)^2}=\sqrt{13}$

$\overline{BC}=\sqrt{(5-3)^2+(4-1)^2}=\sqrt{13}$

$\overline{CA}=\sqrt{(-5)^2+(3-4)^2}=\sqrt{26}$

STEP2 삼각형의 모양 결정하기

따라서 $\overline{AB}=\overline{BC}$이고 $\overline{AB}^2+\overline{BC}^2=\overline{CA}^2$이므로

삼각형 ABC는 $\angle B=90^\circ$인 직각이등변삼각형이다.

07

해결전략 | 파푸스 정리를 이용한다.

파푸스 정리에 의하여

$\overline{AB}^2+\overline{AC}^2=2(\overline{AM}^2+\overline{BM}^2)$이므로

$8^2+\overline{AC}^2=2\times(6^2+5^2)$

$64+\overline{AC}^2=2\times(36+25)$

$\therefore \overline{AC}^2=58$

08

해결전략 | 점 B의 좌표를 임의의 문자로 놓고, 외분점을 구하는 공식을 이용한다.

STEP1 $B(a, b)$로 놓고 외분하는 점의 좌표 구하기

점 B의 좌표를 (a, b)라고 하면 선분 AB를 3 : 1로 외분하는 점의 좌표는

$\left(\dfrac{3\times a-1\times 2}{3-1}, \dfrac{3\times b-1\times 3}{3-1}\right)$

$\therefore \left(\dfrac{3a-2}{2}, \dfrac{3b-3}{2}\right)$

STEP2 점 B의 좌표 구하기

선분 AB를 3 : 1로 외분하는 점의 좌표가 $(5, 0)$이므로

$\dfrac{3a-2}{2}=5$, $\dfrac{3b-3}{2}=0$

$3a-2=10$, $3b-3=0$

$\therefore a=4$, $b=1$

따라서 점 B의 좌표는 $(4, 1)$이다.

09

해결전략 | 선분의 외분점을 t에 대한 식으로 나타내고, x좌표가 음수, y좌표가 양수임을 이용한다.

STEP 1 선분 AB의 외분점의 좌표 구하기

선분 AB를 $t:(1+t)$로 외분하는 점의 좌표는

$\left(\frac{t\times4-(1+t)\times1}{t-(1+t)}, \frac{t\times2-(1+t)\times1}{t-(1+t)}\right)$

$\therefore (1-3t,\ 1-t)$

STEP 2 외분점이 제2사분면에 존재하는 t의 값의 범위 구하기

점 $(1-3t,\ 1-t)$가 제2사분면 위에 있으므로

(x좌표)<0, (y좌표)>0에서

$1-3t<0,\ 1-t>0 \qquad \therefore \frac{1}{3}<t<1$

10

해결전략 | 두 삼각형의 넓이의 비를 이용하여 $\overline{BO}:\overline{OA}$를 구한다.

STEP 1 넓이의 비를 이용하여 점 O의 위치 파악하기

삼각형 BOC와 삼각형 OAC의 넓이의 비가 $2:1$이므로

$\overline{BO}:\overline{OA}=2:1$

따라서 점 O는 $\overline{AB}$를 $1:2$로 내분하는 점이다. …… ❶

STEP 2 점 B의 x좌표 구하기

$\frac{1\times a+2\times3}{1+2}=0 \qquad \therefore a=-6$ …… ❷

STEP 3 $a+b$의 값 구하기

점 B는 직선 $y=\frac{1}{3}x$ 위의 점이므로

$b=\frac{1}{3}a=\frac{1}{3}\times(-6)=-2$

$\therefore a+b=-6+(-2)=-8$ …… ❸

채점 요소	배점
❶ 점 O가 $\overline{AB}$를 내분하는 비율 구하기	40 %
❷ a의 값 구하기	40 %
❸ $a+b$의 값 구하기	20 %

◉→ 다른 풀이

STEP 1 넓이의 비를 이용하여 점 B의 위치 파악하기

삼각형 BOC와 삼각형 OAC의 넓이의 비가 $2:1$이므로

$\overline{BO}:\overline{OA}=2:1$

따라서 $\overline{AB}:\overline{OB}=3:2$이므로 점 B는 선분 AO를 $3:2$로 외분하는 점이다. …… ❶

STEP 2 점 B의 좌표 구하기

선분 AO를 $3:2$로 외분하는 점 B의 좌표는

$\left(\frac{3\times0-2\times3}{3-2}, \frac{3\times0-2\times1}{3-2}\right)$

$\therefore B(-6,\ -2)$ …… ❷

STEP 3 $a+b$의 값 구하기

따라서 $a=-6$, $b=-2$이므로

$a+b=-6+(-2)=-8$ …… ❸

채점 요소	배점
❶ 점 B가 $\overline{AO}$를 외분하는 비율 구하기	40 %
❷ 점 B의 좌표 구하기	50 %
❸ $a+b$의 값 구하기	10 %

11

해결전략 | 내분하는 점과 외분하는 점에서 각 선분의 길이의 비율을 이용하여 삼각형의 넓이의 비율을 구한다.

STEP 1 △APC와 △PCQ의 넓이 비교하기

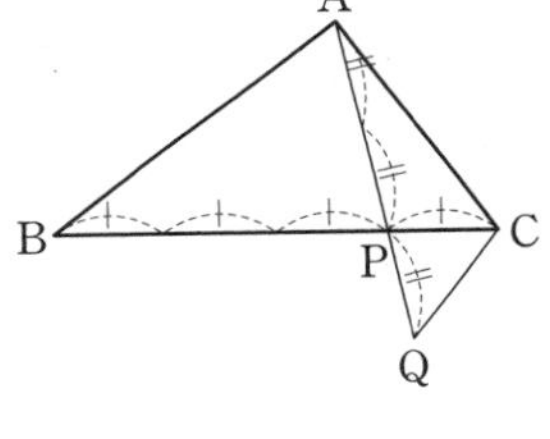

오른쪽 그림에서

$\overline{AQ}:\overline{PQ}=3:1$이므로

$\overline{AP}:\overline{PQ}=2:1$

따라서 삼각형 CPQ의 넓이를 k (k는 상수)라고 하면 삼각형 APC의 넓이는 $2k$이다.

STEP 2 △ABP와 △APC의 넓이 비교하기

점 P가 $\overline{BC}$를 $3:1$로 내분하므로

$\triangle ABP:\triangle APC=3:1$

이때 $\triangle APC=2k$이므로 $\triangle ABP=6k$

$\therefore \triangle ABC=\triangle ABP+\triangle APC$

$=6k+2k=8k$

STEP 3 $\frac{(\text{삼각형 ABC의 넓이})}{(\text{삼각형 CPQ의 넓이})}$의 값 구하기

$\therefore \frac{(\text{삼각형 ABC의 넓이})}{(\text{삼각형 CPQ의 넓이})}=\frac{8k}{k}=8$

12

해결전략 | 삼각형의 넓이의 비를 이용하여 선분을 내분하는 비율을 구한다.

STEP 1 점 D의 좌표 구하기

점 D는 선분 BC의 중점이므로 점 D의 좌표는

$\left(\frac{-2+10}{2}, \frac{-4+0}{2}\right) \qquad \therefore D(4,\ -2)$ …… ❶

STEP 2 넓이의 비를 이용하여 점 E의 위치 파악하기

삼각형 ABC의 넓이를 S라고 하면 점 D는 $\overline{BC}$의 중점이므로

$\triangle ABD=\triangle ADC=\frac{1}{2}S$

$\triangle ABC=8\triangle BDE$이므로

$\triangle BDE=\frac{1}{8}S$

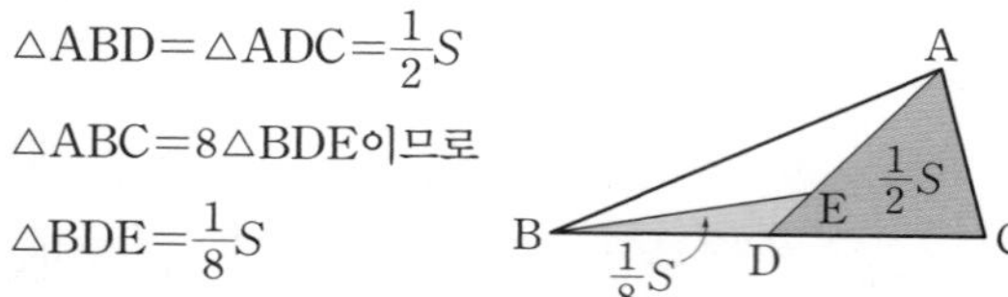

$\therefore \triangle ABE=\frac{1}{2}S-\frac{1}{8}S=\frac{3}{8}S$

따라서 $\overline{AE}:\overline{ED}=3:1$이므로 점 E는 선분 AD를 3 : 1로 내분하는 점이다. ...... ❷

STEP 3 점 E의 좌표 구하기

선분 AD를 3 : 1로 내분하는 점 E의 좌표는

$\left(\frac{3\times4+1\times8}{3+1}, \frac{3\times(-2)+1\times6}{3+1}\right)$

$\therefore$ E(5, 0) ...... ❸

채점 요소	배점
❶ 점 D의 좌표 구하기	30 %
❷ 점 E가 $\overline{AD}$를 내분하는 비율 구하기	40 %
❸ 점 E의 좌표 구하기	30 %

13

해결전략 | 각 점을 임의로 설정하고, 주어진 식을 완전제곱식의 꼴로 변형한다.

STEP 1 각 점의 좌표를 정하고, $\overline{AB}^2+\overline{BP}^2+\overline{CP}^2$을 식으로 나타내기

$A(x_1, y_1)$, $B(x_2, y_2)$, $C(x_3, y_3)$, $P(x, y)$라고 하면

$\overline{AP}^2+\overline{BP}^2+\overline{CP}^2$

$=(x-x_1)^2+(y-y_1)^2+(x-x_2)^2+(y-y_2)^2+(x-x_3)^2+(y-y_3)^2$

$=3x^2-2(x_1+x_2+x_3)x+(x_1^2+x_2^2+x_3^2)+3y^2-2(y_1+y_2+y_3)y+(y_1^2+y_2^2+y_3^2)$

$=3\left(x-\frac{x_1+x_2+x_3}{3}\right)^2+3\left(y-\frac{y_1+y_2+y_3}{3}\right)^2+x_1^2+x_2^2+x_3^2+y_1^2+y_2^2+y_3^2-\left\{\frac{(x_1+x_2+x_3)^2}{3}+\frac{(y_1+y_2+y_3)^2}{3}\right\}$

STEP 2 점 P의 위치 구하기

따라서 $\overline{AP}^2+\overline{BP}^2+\overline{CP}^2$의 값은

$x=\frac{x_1+x_2+x_3}{3}$, $y=\frac{y_1+y_2+y_3}{3}$일 때 최소이므로 점 P는 삼각형 ABC의 무게중심이다.

14

해결전략 | 내분점을 구하는 공식과 무게중심을 구하는 공식을 차례로 이용한다.

STEP 1 세 점 D, E, F의 좌표 구하기

세 점 D, E, F의 좌표를 각각 구하면

$\left(\frac{2\times(-5)+1\times1}{2+1}, \frac{2\times(-2)+1\times7}{2+1}\right)$

$\therefore$ D(−3, 1)

$\left(\frac{2\times4+1\times(-5)}{2+1}, \frac{2\times(-8)+1\times(-2)}{2+1}\right)$

$\therefore$ E(1, −6)

$\left(\frac{2\times1+1\times4}{2+1}, \frac{2\times7+1\times(-8)}{2+1}\right)$

$\therefore$ F(2, 2)

STEP 2 삼각형 DEF의 무게중심의 좌표 구하기

따라서 삼각형 DEF의 무게중심의 좌표는

$\left(\frac{-3+1+2}{3}, \frac{1-6+2}{3}\right)$ $\quad\therefore (0, -1)$

◉→ 다른 풀이

삼각형 DEF의 무게중심은 삼각형 ABC의 무게중심과 일치하므로 구하는 무게중심의 좌표는

$\left(\frac{1-5+4}{3}, \frac{7-2-8}{3}\right)$ $\quad\therefore (0, -1)$

15

해결전략 | 평행사변형의 두 대각선은 서로 다른 것을 이등분한다.

STEP 1 삼각형 ABD의 무게중심의 좌표를 이용하여 점 D의 좌표 구하기

점 D의 좌표를 (a, b)라고 하면 삼각형 ABD의 무게중심의 좌표가 (2, 4)이므로

$\frac{-1+5+a}{3}=2$, $\frac{4+8+b}{3}=4$

$a+4=6$, $b+12=12$ $\quad\therefore a=2, b=0$

$\therefore$ D(2, 0)

STEP 2 두 대각선의 중점의 좌표 구하기

점 C의 좌표를 (c, d)라고 하면 $\overline{AC}$의 중점의 좌표는

$\left(\frac{-1+c}{2}, \frac{4+d}{2}\right)$

$\overline{BD}$의 중점의 좌표는 $\left(\frac{5+2}{2}, \frac{8+0}{2}\right)$

$\therefore \left(\frac{7}{2}, 4\right)$

STEP 3 점 C의 좌표 구하기

이때 $\overline{AC}$의 중점과 $\overline{BD}$의 중점이 일치하므로

$\frac{-1+c}{2}=\frac{7}{2}$, $\frac{4+d}{2}=4$

$-1+c=7$, $4+d=8$ $\quad \therefore c=8$, $d=4$

$\therefore C(8, 4)$

16

해결전략 | 마름모의 대각선은 서로 다른 것을 수직이등분한다.

STEP 1 c의 값 구하기

$\overline{AC}$의 중점의 좌표는

$\left(\frac{0+12}{2}, \frac{a+c}{2}\right)$ $\quad \therefore \left(6, \frac{a+c}{2}\right)$

$\overline{BD}$의 중점의 좌표는

$\left(\frac{5+7}{2}, \frac{b+9}{2}\right)$ $\quad \therefore \left(6, \frac{b+9}{2}\right)$

이때 $\overline{AC}$의 중점과 $\overline{BD}$의 중점이 일치하므로

$\frac{a+c}{2}=\frac{b+9}{2}$ $\quad \therefore a+c=b+9$ ...... ㉠

$a-1=b+c$에서 $a-c=b+1$ ...... ㉡

㉠－㉡을 하면

$2c=8$ $\quad \therefore c=4$ ...... ❶

STEP 2 마름모의 한 변의 길이를 이용하여 a의 값 구하기

$C(12, 4)$, $D(7, 9)$이므로 마름모 ABCD의 한 변의 길이는

$\overline{CD}=\sqrt{(7-12)^2+(9-4)^2}=5\sqrt{2}$

$\overline{CD}=\overline{AD}$에서 $\overline{CD}^2=\overline{AD}^2$이므로

$50=7^2+(9-a)^2$

$a^2-18a+80=0$, $(a-8)(a-10)=0$

$\therefore a=8$ 또는 $a=10$ ...... ❷

STEP 3 $a+b$의 최솟값 구하기

(i) $a=8$일 때, ㉠에서 $8+4=b+9$ $\quad \therefore b=3$

$\therefore a+b=8+3=11$

(ii) $a=10$일 때, ㉠에서 $10+4=b+9$ $\quad \therefore b=5$

$\therefore a+b=10+5=15$

따라서 $a+b$의 최솟값은 11이다. ...... ❸

채점 요소	배점
❶ c의 값 구하기	40 %
❷ a의 값 구하기	40 %
❸ $a+b$의 최솟값 구하기	20 %

17

해결전략 | 각의 이등분선을 이용하여 점 D가 $\overline{BC}$를 내분하는 비율을 구한 후, 삼각형의 넓이의 비를 찾는다.

STEP 1 $\overline{BD}:\overline{CD}$ 구하기

$\overline{AD}$는 $\angle A$의 이등분선이므로 $\overline{AB}:\overline{AC}=\overline{BD}:\overline{CD}$

이때 $\overline{AB}=\sqrt{(-5-3)^2+(4+2)^2}=10$,

$\overline{AC}=\sqrt{(11-3)^2+(13+2)^2}=17$이므로

$\overline{BD}:\overline{CD}=\overline{AB}:\overline{AC}=10:17$

STEP 2 두 삼각형의 넓이의 비를 구하여 $q-p$의 값 구하기

따라서 점 D는 $\overline{BC}$를 $10:17$로 내분하는 점이므로

$\triangle ABD:\triangle ACD=\overline{BD}:\overline{CD}=10:17$

$\therefore q-p=17-10=7$

18

해결전략 | 두 점 사이의 거리를 이용하여 a, b의 값을 구하고 각의 이등분선의 성질을 이용하여 c의 값을 구한다.

STEP 1 점 A의 좌표 구하기

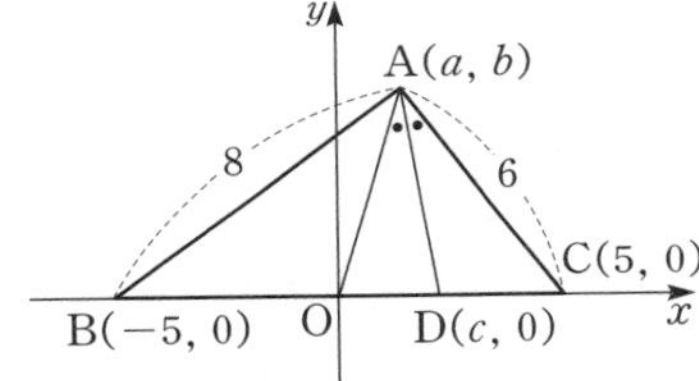

$\overline{AB}=8$이므로 $\overline{AB}^2=(a+5)^2+b^2=64$ ...... ㉠

$\overline{AC}=6$이므로 $\overline{AC}^2=(a-5)^2+b^2=36$ ...... ㉡

㉠－㉡을 하면 $20a=28$ $\quad \therefore a=\frac{7}{5}$ ...... ❶

점 A는 직선 $y=7x-5$ 위의 점이므로

$b=7\times\frac{7}{5}-5=\frac{24}{5}$ $\quad \therefore A\left(\frac{7}{5}, \frac{24}{5}\right)$ ...... ❷

STEP 2 점 D의 좌표 구하기

$\overline{AD}$는 $\angle OAC$의 이등분선이고

$\overline{OA}=\sqrt{\left(\frac{7}{5}\right)^2+\left(\frac{24}{5}\right)^2}=\sqrt{\frac{625}{25}}=5$

이므로 삼각형 AOC에서

$\overline{OD}:\overline{CD}=\overline{AO}:\overline{AC}=5:6$

따라서 점 D는 $\overline{OC}$를 $5:6$으로 내분하는 점이므로 점 D의 좌표는 $\left(\frac{5\times5+6\times0}{5+6}, 0\right)$ $\quad \therefore D\left(\frac{25}{11}, 0\right)$

$\therefore c=\frac{25}{11}$ ...... ❸

STEP 3 abc의 값 구하기

$\therefore abc=\frac{7}{5}\times\frac{24}{5}\times\frac{25}{11}=\frac{168}{11}$ ...... ❹

채점 요소	배점
❶ a의 값 구하기	25 %
❷ 점 A의 좌표 구하기	25 %
❸ c의 값 구하기	40 %
❹ abc의 값 구하기	10 %

상위권 도약 문제 311~312쪽

01 ③ 02 $\frac{5}{8}$ 03 16 04 53 05 ④

06 ⑤ 07 ⑤

01

해결전략 | 이차함수와 직선의 교점을 설정하고, 근과 계수의 관계를 이용하여 선분 PQ의 길이를 구한다.

STEP 1 점 M의 좌표 구하기

선분 MH의 길이가 1이므로 점 M의 x좌표가 1이고,

점 M은 직선 $y=\frac{1}{2}x+1$ 위의 점이므로

$M\left(1, \frac{3}{2}\right)$

STEP 2 $\alpha+\beta$, $\alpha\beta$의 값 구하기

한편, 이차함수 $y=ax^2$과 직선 $y=\frac{1}{2}x+1$의 두 교점 P, Q의 x좌표를 각각 α, β라고 하면

$P\left(\alpha, \frac{1}{2}\alpha+1\right)$, $Q\left(\beta, \frac{1}{2}\beta+1\right)$

이때 점 M은 선분 PQ의 중점이므로

$\frac{\alpha+\beta}{2}=1$, $\frac{\left(\frac{1}{2}\alpha+1\right)+\left(\frac{1}{2}\beta+1\right)}{2}=\frac{3}{2}$

$\therefore \alpha+\beta=2$

또, α, β는 이차방정식 $ax^2=\frac{1}{2}x+1$, 즉 $2ax^2-x-2=0$의 두 근이므로 근과 계수의 관계에 의하여

$\alpha+\beta=\frac{1}{2a}=2$ $\quad\therefore a=\frac{1}{4}$

$\therefore \alpha\beta=\frac{-2}{2a}=-\frac{1}{a}=-4$

STEP 3 $\overline{PQ}$의 길이 구하기

$$\overline{PQ}^2=(\alpha-\beta)^2+\left\{\left(\frac{1}{2}\alpha+1\right)-\left(\frac{1}{2}\beta+1\right)\right\}^2$$
$$=\frac{5}{4}(\alpha-\beta)^2$$
$$=\frac{5}{4}\{(\alpha+\beta)^2-4\alpha\beta\}$$
$$=\frac{5}{4}\{2^2-4\times(-4)\}$$
$$=25$$

$\therefore \overline{PQ}=5$ ($\because \overline{PQ}>0$)

02

해결전략 | 길이의 비를 이용하여 넓이의 비를 구한다.

STEP 1 삼각형 OAB의 넓이 구하기

삼각형 OAB에서 $\overline{OB}$를 밑변으로 하면 높이는 점 A의 y좌표가 되므로

$\triangle OAB=\frac{1}{2}\times6\times5=15$

STEP 2 △OAB와 △OAQ의 넓이의 비를 이용하여 식 세우기

점 Q가 선분 AB를 $m : n$ $(m>n)$으로 외분하므로

$\overline{AQ} : \overline{BQ}=m : n$이고

$\overline{AB} : \overline{AQ}=(m-n) : m$

따라서

$\triangle OAB : \triangle OAQ=\overline{AB} : \overline{AQ}=(m-n) : m$

이고 $\triangle OAB=15$, $\triangle OAQ=40$에서

$\triangle OAB : \triangle OAQ=15 : 40=3 : 8$이므로

$(m-n) : m=3 : 8$

STEP 3 $\frac{n}{m}$의 값 구하기

$3m=8(m-n)$, $8n=5m$

$\therefore n=\frac{5}{8}m$

$\therefore \frac{n}{m}=\frac{\frac{5}{8}m}{m}=\frac{5}{8}$

03

해결전략 | 주어진 조건을 그림으로 나타내고 선분의 비를 이용하여 삼각형의 넓이의 비를 구한다.

STEP 1 주어진 조건을 그림으로 나타내기

선분 BC를 $1 : 3$으로 내분하는 점 D, 선분 BC를 $2 : 3$으로 외분하는 점 E, 선분 AB를 $1 : 2$로 외분하는 점 F를 나타내면 다음 그림과 같다.

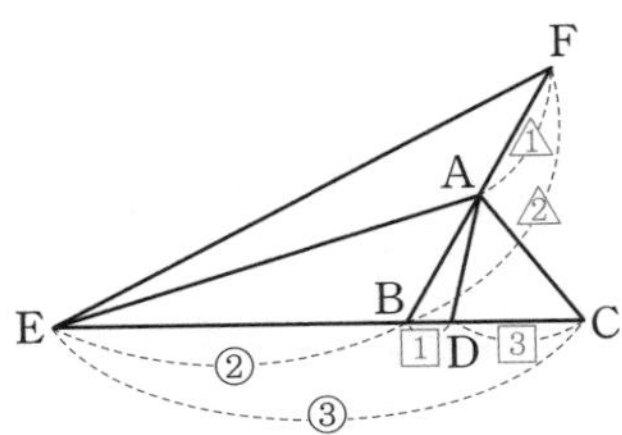

STEP 2 $\triangle$AEB와 $\triangle$ABD의 넓이의 비 구하기

$\overline{BD}:\overline{DC}=1:3$이므로 $\overline{BD}=a$라고 하면

$\overline{DC}=3a \qquad \therefore \overline{BC}=a+3a=4a$

또한, $\overline{EB}:\overline{EC}=2:3$에서 $\overline{EB}:\overline{BC}=2:1$이므로

$\overline{EB}=2\overline{BC}=8a$

따라서 $\triangle$AEB와 $\triangle$ABD의 밑변의 길이의 비는

$\overline{EB}:\overline{BD}=8a:a=8:1$이고 높이는 같으므로

$\triangle AEB:\triangle ABD=8:1$

$\therefore \triangle AEB=8\triangle ABD$ ...... ㉠

STEP 3 k의 값 구하기

한편, $\overline{FA}:\overline{FB}=1:2$에서

$\overline{FB}=2\overline{FA}$, 즉 $\overline{AB}=\overline{FA}$이므로

$\triangle AEB=\triangle FEA$

$\therefore \triangle FEB=2\triangle AEB$

$=2\times 8\triangle ABD$ ($\because$ ㉠)

$=16\triangle ABD$

$\therefore k=16$

04

해결전략 | 평행사변형의 두 대각선은 서로 다른 것을 이등분한다.

STEP 1 두 점 B, C의 좌표 구하기

B(x_1, y_1), C(x_2, y_2), D(x_3, y_3)이라고 하면 변 AB의 중점의 좌표가 $(5, 3)$이므로

$\frac{2+x_1}{2}=5$, $\frac{1+y_1}{2}=3$

$2+x_1=10$, $1+y_1=6$

$\therefore x_1=8, y_1=5$

$\therefore$ B$(8, 5)$

변 BC의 중점의 좌표가 $(9, 10)$이므로

$\frac{8+x_2}{2}=9$, $\frac{5+y_2}{2}=10$

$8+x_2=18$, $5+y_2=20$

$\therefore x_2=10, y_2=15$

$\therefore$ C$(10, 15)$

STEP 2 점 D의 좌표 구하기

한편, 평행사변형 ABCD에서 $\overline{BD}$의 중점의 좌표와 $\overline{AC}$의 중점의 좌표가 같으므로

$\frac{8+x_3}{2}=\frac{2+10}{2}$, $\frac{5+y_3}{2}=\frac{1+15}{2}$

$8+x_3=12$, $5+y_3=16 \qquad \therefore x_3=4, y_3=11$

$\therefore$ D$(4, 11)$

STEP 3 점 B, C, D의 모든 좌표의 값의 합 구하기

따라서 꼭짓점 B, C, D의 모든 좌표의 값의 합은

$8+5+10+15+4+11=53$

05

해결전략 | 삼각형의 세 중선의 교점은 삼각형의 무게중심임을 이용한다.

STEP 1 삼각형 OAB의 무게중심의 좌표를 이용하여 두 점 A, B의 좌표에 대한 식 세우기

두 점 A, B의 좌표를 각각 (a_1, b_1), (a_2, b_2)라고 하면 삼각형 OAB의 무게중심의 좌표가 $(5, 4)$이므로

$\frac{0+a_1+a_2}{3}=5$, $\frac{0+b_1+b_2}{3}=4$

$\therefore a_1+a_2=15$, $b_1+b_2=12$ ...... ㉠

STEP 2 외분하는 두 점 C, D의 좌표 구하기

$\overline{OA}$를 $2:1$로 외분하는 점 C의 좌표는

$\left(\frac{2\times a_1-1\times 0}{2-1}, \frac{2\times b_1-1\times 0}{2-1}\right) \qquad \therefore$ C$(2a_1, 2b_1)$

마찬가지로 $\overline{OB}$를 $2:1$로 외분하는 점 D의 좌표는

$(2a_2, 2b_2)$

STEP 3 삼각형 OCD의 무게중심임을 이용하여 점 E의 좌표 구하기

이때 $\overline{AD}$, $\overline{BC}$는 모두 삼각형 OCD의 중선이므로 교점 E는 삼각형 OCD의 무게중심이다.

따라서 점 E의 좌표는

$\left(\frac{0+2a_1+2a_2}{3}, \frac{0+2b_1+2b_2}{3}\right)$

㉠에 의하여

$\frac{2a_1+2a_2}{3}=\frac{2(a_1+a_2)}{3}=\frac{2\times 15}{3}=10$,

$\frac{2b_1+2b_2}{3}=\frac{2(b_1+b_2)}{3}=\frac{2\times 12}{3}=8$

즉, 점 E의 좌표는 $(10, 8)$이다.

따라서 $p=10$, $q=8$이므로

$p+q=10+8=18$

◉→ 다른 풀이

STEP 1 무게중심의 성질을 이용하여 닮은 도형의 닮음비 구하기

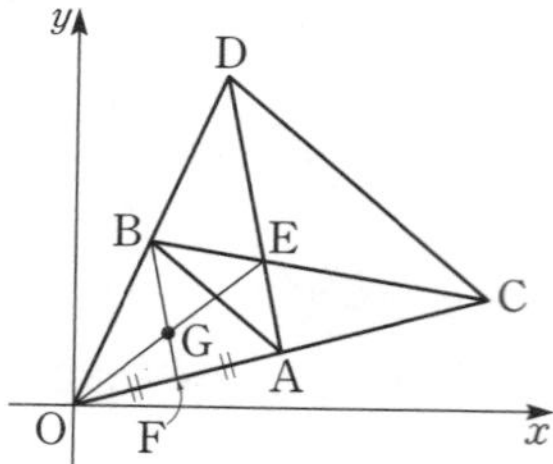

점 E는 삼각형 OCD의 무게중심이므로 점 E는 $\overline{DA}$를 2 : 1로 내분하는 점이다.

$\overline{OA}$의 중점을 F, 삼각형 OAB의 무게중심을 G라고 하면 점 G는 $\overline{BF}$를 2 : 1로 내분하는 점이므로 세 점 O, G, E는 한 직선 위에 있다.

이때 $\overline{OF} : \overline{OA} = 1 : 2$이므로 두 삼각형 OFG, OAE는 닮음비가 1 : 2인 닮은 도형이다.

STEP 2 점 E의 좌표 구하기

즉, $\overline{OG} : \overline{OE} = 1 : 2$이고 점 G의 좌표가 (5, 4)이므로

$p = 2 \times 5 = 10$, $q = 2 \times 4 = 8$

$\therefore p+q = 10+8 = 18$

06

해결전략 | 삼각형의 넓이를 이용하여 주어진 선분의 외분하는 비율, 내분하는 비율을 찾는다.

STEP 1 점 F의 위치 파악하기

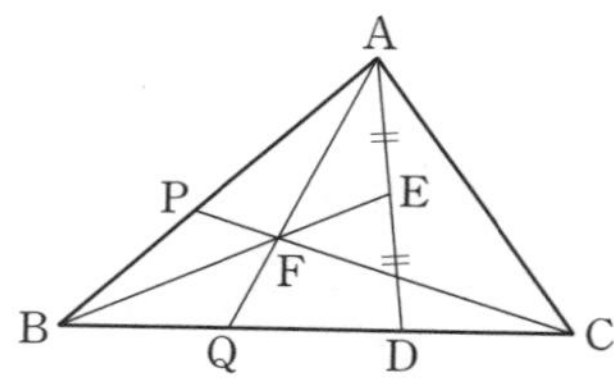

점 F는 삼각형 ABD의 중선인 $\overline{BE}$를 2 : 1로 내분하므로 삼각형 ABD의 무게중심이다.

STEP 2 $\overline{FP} : \overline{CP}$ 구하기

점 D는 $\overline{BC}$를 2 : 1로 내분하므로

$\triangle ADC = 3k$ (k는 상수)라고 하면 $\triangle ABD = 6k$

위의 그림과 같이 $\overline{AF}$의 연장선과 $\overline{BD}$의 교점을 Q라고 하면 $\overline{AQ}$는 삼각형 ABD의 중선이므로 $\triangle ABQ = 3k$

$\therefore \triangle ABC = \triangle ABQ + \triangle AQD + \triangle ADC = 9k$

이때 점 F는 $\overline{AQ}$를 2 : 1로 내분하므로 $\triangle ABF = 2k$

$\overline{AB}$를 밑변으로 하면 삼각형 ABF와 ABC의 높이의 비가 $\overline{FP} : \overline{CP}$이므로 $\overline{FP} : \overline{CP} = 2k : 9k = 2 : 9$

따라서 점 P는 $\overline{CF}$를 9 : 2로 외분하는 점이므로

$a=9$, $b=2$ …… ㉠

STEP 3 $\overline{AP} : \overline{BP}$ 구하기

한편, 점 F는 $\overline{PC}$를 2 : 7로 내분하는 점이다.

이때 $\triangle AFC = 4k$이고 $\triangle APF : \triangle AFC = 2 : 7$이므로

$\triangle APF : 4k = 2 : 7$ $\quad \therefore \triangle APF = \frac{8}{7}k$

$\triangle ABF = 2k$이므로 $\triangle BFP = 2k - \frac{8}{7}k = \frac{6}{7}k$

따라서

$\triangle APF : \triangle BFP = \frac{8}{7}k : \frac{6}{7}k = 4 : 3 = \overline{AP} : \overline{BP}$

이므로 $c=4$, $d=3$ …… ㉡

STEP 4 $ab+cd$의 값 구하기

㉠, ㉡에서 $ab+cd = 9 \times 2 + 4 \times 3 = 30$

07

해결전략 | 닮음을 이용하여 점 P가 선분 BC를 외분하는 비율을 구한다.

STEP 1 각 선분의 길이 구하기

$\overline{AB} = \sqrt{(-5)^2+(-9-3)^2} = 13$

$\overline{AD} = \overline{AC} = \sqrt{4^2+(-3)^2} = 5$

$\therefore \overline{BD} = \overline{AB} - \overline{AD} = 13-5 = 8$

STEP 2 닮음을 이용하여 $\overline{BC} : \overline{BP}$ 구하기

선분 DC와 선분 AP가 평행하므로 △BCD와 △BPA는 닮음이다. 즉,

$\overline{PB} : \overline{PC} = \overline{AB} : \overline{AD} = 13 : 5$

STEP 3 점 P의 좌표 구하기

따라서 점 P는 선분 BC를 13 : 5로 외분하는 점이므로 점 P의 좌표는

$\left(\frac{13 \times 4 - 5 \times (-5)}{13-5}, \frac{13 \times 0 - 5 \times (-9)}{13-5}\right)$

$\therefore P\left(\frac{77}{8}, \frac{45}{8}\right)$

풍쌤의 비법

$\overline{AB}$의 연장선과 $\overline{AC}$가 이루는 각을 $\overline{AP}$가 이등분한다.

이때 외각의 이등분선의 성질에 의하여

$\overline{AB} : \overline{AC} = \overline{BP} : \overline{CP}$

가 성립한다.

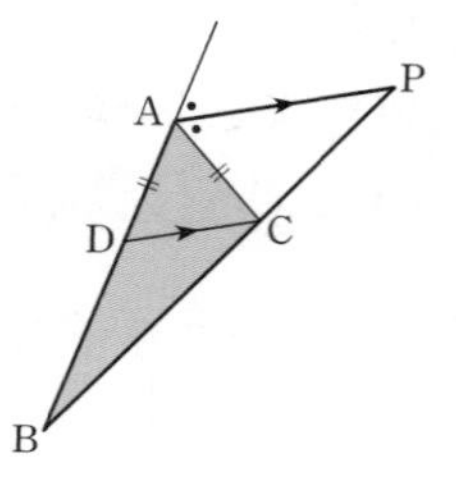

직선의 방정식

개념확인 314~315쪽

01 답 (1) $y=2x-1$ (2) $y=x+3$

02 답 $3x+y+6=0$

두 직선의 교점을 지나는 직선의 방정식은

$x+2y+1+k(2x-y+5)=0$ (단, k는 실수) …… ㉠

이 직선이 점 $(-2,\ 0)$을 지나므로

$-2+1+k(-4+5)=0 \qquad \therefore k=1$

$k=1$을 ㉠에 대입하면

$x+2y+1+(2x-y+5)=0$

$\therefore 3x+y+6=0$

03 답 (1) 4 (2) $-\frac{1}{4}$

04 답 (1) 4 (2) $\sqrt{5}$

(1) $\frac{|3\times2+4\times1+10|}{\sqrt{3^2+4^2}}=\frac{20}{5}=4$

(2) $\frac{|-5|}{\sqrt{2^2+1^2}}=\frac{5}{\sqrt{5}}=\sqrt{5}$

필수유형 01 317쪽

01-1 답 (1) $y=3x-11$ (2) $y=2x-19$

해결전략 | 한 점과 기울기가 주어진 직선의 방정식을 구한다.

(1) **STEP 1 내분점의 좌표 구하기**

선분 AB를 $2:1$로 내분하는 점의 좌표는

$\left(\frac{2\times5+1\times2}{2+1},\ \frac{2\times0+1\times3}{2+1}\right) \qquad \therefore (4,\ 1)$

STEP 2 직선의 방정식 구하기

따라서 기울기가 3이고 점 $(4,\ 1)$을 지나는 직선의 방정식은

$y-1=3(x-4) \qquad \therefore y=3x-11$

(2) **STEP 1 외분점의 좌표 구하기**

선분 AB를 $2:1$로 외분하는 점의 좌표는

$\left(\frac{2\times5-1\times2}{2-1},\ \frac{2\times0-1\times3}{2-1}\right) \qquad \therefore (8,\ -3)$

STEP 2 직선의 방정식 구하기

따라서 점 $(8,\ -3)$을 지나고 기울기가 2인 직선의 방정식은

$y-(-3)=2(x-8) \qquad \therefore y=2x-19$

01-2 답 $y=x+2$

해결전략 | 특수각에 대한 삼각비를 이용하여 직선의 기울기를 구한다.

STEP 1 기울기 구하기

x축의 양의 방향과 이루는 각의 크기가 $45°$이므로 기울기는 $\tan 45°=1$이다.

STEP 2 직선의 방정식 구하기

따라서 점 $(4,\ 6)$을 지나고 기울기가 1인 직선의 방정식은

$y-6=1\times(x-4) \qquad \therefore y=x+2$

01-3 답 $y=\frac{\sqrt{3}}{3}x+\sqrt{3}$

해결전략 | 특수각에 대한 삼각비를 이용하여 직선의 기울기를 구한 후 기울기가 m, y절편이 n인 직선의 방정식은 $y=mx+n$임을 이용한다.

STEP 1 기울기 구하기

x축의 양의 방향과 이루는 각의 크기가 $30°$이므로 기울기는 $\tan 30°=\frac{\sqrt{3}}{3}$이다.

STEP 2 직선의 방정식 구하기

따라서 기울기가 $\frac{\sqrt{3}}{3}$이고 y절편이 $\sqrt{3}$인 직선의 방정식은

$y=\frac{\sqrt{3}}{3}x+\sqrt{3}$

01-4 답 $y=2x-3$

해결전략 | 한 점과 기울기가 주어진 직선의 방정식을 구한다.

STEP 1 무게중심의 좌표 구하기

삼각형 ABC의 무게중심의 좌표는

$\left(\frac{1-1+6}{3},\ \frac{4+0-1}{3}\right) \qquad \therefore (2,\ 1)$

STEP 2 직선의 방정식 구하기

따라서 점 $(2,\ 1)$을 지나고 기울기가 2인 직선의 방정식은

$y-1=2(x-2) \qquad \therefore y=2x-3$

01-5 답 -2

해결전략 | x축의 음의 방향과 이루는 각의 크기를 구하여 특수각에 대한 삼각비를 이용하여 직선의 기울기를 구한다.

STEP1 기울기 구하기

x축의 양의 방향과 이루는 각의 크기가 135°이므로 음의 방향과 이루는 각의 크기는 45°이다.

따라서 기울기는 -1이다.

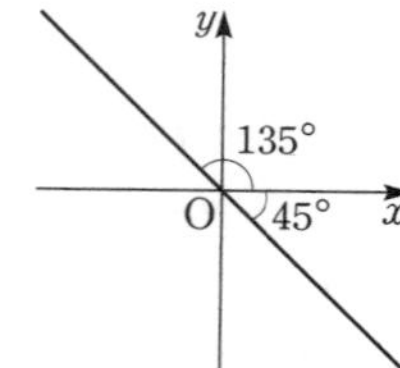

STEP2 직선의 방정식 구하기

점 $(1,\ -3)$을 지나고 기울기가 -1인 직선의 방정식은

$y-(-3)=-(x-1)$

$\therefore y=-x-2$

따라서 구하는 직선의 y절편은 -2이다.

풍쌤의 비법

x축의 양의 방향과 이루는 각의 크기가

(1) 30°일 때, 기울기는 $\tan 30°=\frac{\sqrt{3}}{3}$

(2) 45°일 때, 기울기는 $\tan 45°=1$

(3) 60°일 때, 기울기는 $\tan 60°=\sqrt{3}$

(4) 120°일 때, 음의 방향과 이루는 각의 크기가 60°이므로 기울기는 $-\tan 60°=-\sqrt{3}$

(5) 135°일 때, 음의 방향과 이루는 각의 크기가 45°이므로 기울기는 $-\tan 45°=-1$

(6) 150°일 때, 음의 방향과 이루는 각의 크기가 30°이므로 기울기는 $-\tan 30°=-\frac{\sqrt{3}}{3}$

01-6 답 $\frac{49}{4}$

해결전략 | 직각삼각형의 외심은 빗변의 중점임을 이용한다.

STEP1 외심의 좌표 구하기

삼각형 OAB가 직각삼각형이므로 외심은 빗변의 중점이다. 따라서 외심의 좌표는 선분 AB의 중점이므로

$\left(\frac{4+0}{2},\ \frac{0+6}{2}\right)$ $\quad\therefore (2,\ 3)$

STEP2 직선의 방정식 구하기

점 $(2,\ 3)$을 지나고 기울기가 -2인 직선의 방정식은

$y-3=-2(x-2)$ $\quad\therefore y=-2x+7$

STEP3 삼각형의 넓이 구하기

이 직선의 x절편이 $\frac{7}{2}$, y절편이 7이므로 이 직선과 x축, y축으로 둘러싸인 삼각형의 넓이는

$\frac{1}{2}\times\frac{7}{2}\times 7=\frac{49}{4}$

필수유형 02 319쪽

02-1 답 (1) $y=-\frac{5}{2}x+5$ (2) $y=4$

해결전략 | 두 점의 좌표를 이용해 직선의 기울기를 구한다.

(1) $y-0=\frac{5-0}{0-2}(x-2)$ $\quad\therefore y=-\frac{5}{2}x+5$

다른 풀이

x절편이 2이고, y절편이 5이므로 구하는 직선의 방정식은 $\frac{x}{2}+\frac{y}{5}=1$ $\quad\therefore y=-\frac{5}{2}x+5$

(2) y좌표가 같으므로 $y=4$

02-2 답 6

해결전략 | 직선의 방정식을 구하여 주어진 점을 대입한다.

STEP1 직선의 방정식 구하기

두 점 $(-2,\ 3)$, $(2,\ 5)$를 지나는 직선의 방정식은

$y-3=\frac{5-3}{2-(-2)}\{x-(-2)\}$

$\therefore y=\frac{1}{2}x+4$

STEP2 a의 값 구하기

이 직선이 점 $(a,\ 7)$을 지나므로

$7=\frac{1}{2}a+4$ $\quad\therefore a=6$

02-3 답 $y=\frac{1}{4}x+\frac{9}{4}$

해결전략 | 두 직선의 교점의 좌표를 구하여 두 점을 지나는 직선의 방정식을 구한다.

STEP1 두 직선의 교점의 좌표 구하기

두 직선의 방정식을 연립하여 풀면 $x=-1$, $y=2$이므로 교점의 좌표는 $(-1,\ 2)$이다.

STEP2 직선의 방정식 구하기

두 점 $(-1,\ 2)$, $(3,\ 3)$을 지나는 직선의 방정식은

$y-2=\frac{3-2}{3-(-1)}\{x-(-1)\}$ $\quad\therefore y=\frac{1}{4}x+\frac{9}{4}$

다른 풀이

STEP1 두 직선의 교점을 지나는 직선의 방정식 세우기

두 직선의 교점을 지나는 직선의 방정식은

$3x-2y+7+k(x+2y-3)=0$ (단, k는 실수) …… ㉠

STEP2 k의 값 구하기

이 직선이 점 $(3,\ 3)$을 지나므로

$9-6+7+k(3+6-3)=0$ $\quad\therefore k=-\frac{5}{3}$

STEP 3 **k의 값을 대입하여 직선의 방정식 구하기**

$k=-\frac{5}{3}$를 ㉠에 대입하면

$3x-2y+7-\frac{5}{3}(x+2y-3)=0$

$\frac{4}{3}x-\frac{16}{3}y+12=0 \qquad \therefore x-4y+9=0$

02-4 답 $y=3x-10$

해결전략 | 삼각형의 외심에서 세 꼭짓점에 이르는 거리가 같음을 이용한다.

STEP 1 **외심의 좌표 구하기**

외심의 좌표를 $\mathrm{P}(x, y)$라고 하면

$\overline{\mathrm{AP}}^2=\overline{\mathrm{BP}}^2=\overline{\mathrm{CP}}^2$이므로

$(x-4)^2+(y-2)^2=(x-2)^2+(y-6)^2$

$=(x-8)^2+(y-4)^2$

(i) $(x-4)^2+(y-2)^2=(x-2)^2+(y-6)^2$에서

$-4x+8y-20=0$

$\therefore x-2y+5=0$ ...... ㉠

(ii) $(x-4)^2+(y-2)^2=(x-8)^2+(y-4)^2$에서

$8x+4y-60=0$

$\therefore 2x+y-15=0$ ...... ㉡

㉠, ㉡을 연립하여 풀면 $x=5$, $y=5$

따라서 외심의 좌표는 $\mathrm{P}(5, 5)$이다.

STEP 2 **직선의 방정식 구하기**

두 점 $\mathrm{A}(4, 2)$, $\mathrm{P}(5, 5)$를 지나는 직선의 방정식은

$y-2=\frac{5-2}{5-4}(x-4) \qquad \therefore y=3x-10$

> 풍쌤의 비법
>
> **삼각형 ABC의 외심 P를 구하는 방법**
>
> (1) 삼각형의 외심에서 각 꼭짓점에 이르는 거리가 같다. 따라서 $\overline{\mathrm{AP}}^2=\overline{\mathrm{BP}}^2=\overline{\mathrm{CP}}^2$임을 이용하여 외심을 구할 수 있다.
>
> (2) 삼각형의 외심은 각 변의 수직이등분선의 교점이다. 따라서 선분 AB, 선분 BC의 수직이등분선의 교점을 구하면 그 점이 외심이 된다.

02-5 답 $y=10x+13$

해결전략 | 먼저 조건에 맞는 두 점 G, P의 좌표를 구한 후, 두 점을 지나는 직선의 방정식을 구한다.

STEP 1 **무게중심의 좌표 구하기**

삼각형 ABC의 무게중심 G의 좌표는

$\left(\frac{-2-4+3}{3}, \frac{6-1+4}{3}\right) \qquad \therefore \mathrm{G}(-1, 3)$

STEP 2 **점 P의 좌표 구하기**

선분 AB를 1 : 2로 외분하는 점 P의 좌표는

$\left(\frac{1\times(-4)-2\times(-2)}{1-2}, \frac{1\times(-1)-2\times6}{1-2}\right)$

$\therefore \mathrm{P}(0, 13)$

STEP 3 **직선의 방정식 구하기**

두 점 $\mathrm{G}(-1, 3)$, $\mathrm{P}(0, 13)$을 지나는 직선의 방정식은

$y-3=\frac{13-3}{0-(-1)}\{x-(-1)\}$

$\therefore y=10x+13$

02-6 답 16

해결전략 | x절편, y절편을 이용하여 직선의 방정식을 구한다.

STEP 1 **직선의 기울기 구하기**

직선의 y절편을 a $(a\neq0)$라고 하면 x절편은 $2a$ 또는 $-2a$이므로 두 점은

$(0, a)$, $(2a, 0)$ 또는 $(0, a)$, $(-2a, 0)$

이때 두 점을 지나는 직선의 기울기는 $-\frac{1}{2}$ 또는 $\frac{1}{2}$이다.

STEP 2 **직선의 방정식 구하기**

따라서 직선의 방정식은

$y=-\frac{1}{2}x+a$ 또는 $y=\frac{1}{2}x+a$

이 직선이 점 $(-4, 2)$를 지나야 하므로 $y=-\frac{1}{2}x+a$에 $x=-4$, $y=2$를 대입하면 $a=0$

즉, 이 직선은 원점을 지나게 되어 조건에 맞지 않다.

따라서 직선 $y=\frac{1}{2}x+a$가 점 $(-4, 2)$를 지나므로

$2=\frac{1}{2}\times(-4)+a \qquad \therefore a=4$

$\therefore y=\frac{1}{2}x+4$

STEP 3 **직선과 x축, y축으로 둘러싸인 도형의 넓이 구하기**

직선 $y=\frac{1}{2}x+4$와 x축, y축으로 둘러싸인 도형은 직각삼각형이고 x절편이 -8, y절편이 4이므로 구하는 도형의 넓이는

$\frac{1}{2}\times|-8|\times4=16$

다른 풀이

STEP 1 **y절편을 a로 놓고 직선의 방정식 세우기**

직선의 y절편을 a $(a\neq0)$라고 하면 x절편은 $2a$ 또는 $-2a$이므로 직선의 방정식은

$\frac{x}{2a}+\frac{y}{a}=1$ 또는 $-\frac{x}{2a}+\frac{y}{a}=1$

STEP 2 지나는 점 이용하여 직선의 방정식 구하기

이 직선이 점 $(-4, 2)$를 지나므로

(i) $\frac{x}{2a}+\frac{y}{a}=1$에 $x=-4$, $y=2$를 대입하면

$\frac{-4}{2a}+\frac{2}{a}=0\neq1$, 즉 조건을 만족시키지 않는다.

(ii) $-\frac{x}{2a}+\frac{y}{a}=1$에 $x=-4$, $y=2$를 대입하면

$\frac{4}{2a}+\frac{2}{a}=1$에서 $a=4$

즉, 구하는 직선의 방정식은 $-\frac{x}{8}+\frac{y}{4}=1$이다.

STEP 3 직선과 x축, y축으로 둘러싸인 도형의 넓이 구하기

직선 $-\frac{x}{8}+\frac{y}{4}=1$의 x절편은 -8, y절편은 4이므로 구하는 도형의 넓이는

$\frac{1}{2}\times|-8|\times4=16$

필수유형 03

321쪽

03-1 답 11

해결전략 | 세 점 중 임의의 두 점을 지나는 직선의 기울기가 항상 같으면 세 점은 한 직선 위에 있다.

STEP 1 조건을 만족시키는 k에 대한 식 세우기

세 점 A, B, C가 한 직선 위에 있으려면

(직선 AB의 기울기)=(직선 BC의 기울기)

이어야 하므로

$\frac{2-k}{k-(-3)}=\frac{8-2}{3-k}$

$(2-k)(3-k)=6(k+3)$, $k^2-5k+6=6k+18$

$\therefore k^2-11k-12=0$

STEP 2 모든 k의 값의 합 구하기

따라서 구하는 모든 실수 k의 값의 합은 이차방정식의 근과 계수의 관계에 의하여 11이다.

03-2 답 8

해결전략 | 삼각형을 이루지 않는 세 점은 일직선 위에 있다.

세 점 A, B, C를 꼭짓점으로 하는 삼각형이 존재하지 않으려면

(직선 AB의 기울기)=(직선 BC의 기울기)

이어야 하므로

$\frac{6-2}{4-(-2)}=\frac{k-6}{7-4}$에서

$\frac{2}{3}=\frac{k-6}{3}$

$k-6=2 \qquad \therefore k=8$

03-3 답 11

해결전략 | 두 점 $(-1, 2)$, $(2, a)$를 지나는 직선은 점 $(0, 5)$도 지나므로 두 점 $(-1, 2)$, $(0, 5)$를 지나는 직선과 같음을 이용한다.

STEP 1 직선의 방정식 구하기

두 점 $(-1, 2)$, $(0, 5)$를 지나는 직선의 방정식은

$y-5=\frac{5-2}{0-(-1)}(x-0) \qquad \therefore y=3x+5$

STEP 2 a의 값 구하기

이 직선이 점 $(2, a)$를 지나므로

$a=3\times2+5 \qquad \therefore a=11$

03-4 답 -42

해결전략 | 두 점 $(6, 4)$, $(-k, 7)$을 지나는 직선의 방정식을 구하여 점 $(k, 0)$을 대입한다.

STEP 1 k를 이용하여 직선의 방정식 세우기

두 점 $(6, 4)$, $(-k, 7)$을 지나는 직선의 방정식은

$y-4=\frac{7-4}{-k-6}(x-6)$

$\therefore y=\frac{3}{-k-6}(x-6)+4$

STEP 2 k의 값 구하기

이 직선이 점 $(k, 0)$을 지나므로

$0=\frac{3}{-k-6}(k-6)+4$, $3(k-6)-4(k+6)=0$

$\therefore k=-42$

03-5 답 $y=-\frac{3}{4}x+\frac{17}{2}$

해결전략 | k를 이용하여 직선의 방정식을 세우고 점 A를 이용하여 k의 값을 찾는다.

STEP 1 k를 이용하여 직선 BC의 방정식 세우기

직선 BC의 방정식은

$y-k=\frac{1-k}{k+1}(x-2)$ …… ㉠

STEP 2 **k의 값 구하기**

점 A$(-2, k+3)$이 이 직선 위에 있으므로

$(k+3)-k=\frac{1-k}{k+1}(-2-2)$

$3(k+1)=4k-4 \quad \therefore k=7$

STEP 3 **k의 값을 대입하여 직선 BC의 방정식 구하기**

$k=7$을 ㉠에 대입하면

$y-7=-\frac{6}{8}(x-2) \quad \therefore y=-\frac{3}{4}x+\frac{17}{2}$

03-6 답 8

해결전략 | 서로 다른 세 점이 한 직선 위에 있을 조건을 구해야 하므로 어느 두 점도 같지 않음에 주의한다.

STEP 1 **두 점 A, B의 x좌표가 같을 때 세 점을 지나는 직선이 있는지 살펴보기**

(i) $-2k-1=1$, 즉 $k=-1$일 때,

A$(1, 5)$, B$(1, 2)$, C$(1, 5)$이므로 주어진 세 점을 지나는 한 직선이 있다. 그런데, 두 점 A, C는 같은 점이므로 주어진 조건에 맞지 않는다.

STEP 2 **조건을 만족하는 k의 값 구하기**

(ii) $k\neq-1$일 때,

(직선 AB의 기울기)=(직선 BC의 기울기)이어야 하므로

$\frac{k+3-5}{1-(-2k-1)}=\frac{k+6-(k+3)}{k+2-1}$

$\frac{k-2}{2(k+1)}=\frac{3}{k+1}$

이때, $k\neq-1$이므로 $\frac{k-2}{2}=3 \quad \therefore k=8$

필수유형 04

323쪽

04-1 답 $y=-\frac{4}{3}x+2$

해결전략 | 삼각형의 한 꼭짓점을 지나고 넓이를 이등분하는 직선은 주어진 꼭짓점의 대변의 중점을 지난다.

STEP 1 **$\overline{AB}$의 중점의 좌표 구하기**

점 C를 지나는 직선 l이 삼각형 ABC의 넓이를 이등분하려면 $\overline{AB}$의 중점을 지나야 한다.

$\overline{AB}$의 중점의 좌표는

$\left(\frac{-4+4}{2}, \frac{1+3}{2}\right) \quad \therefore (0, 2)$

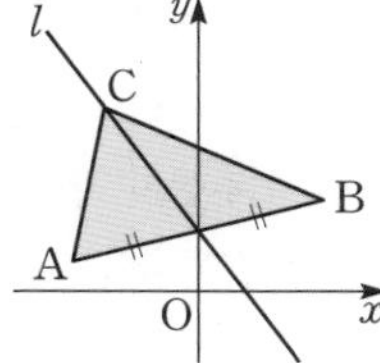

STEP 2 **직선 l의 방정식 구하기**

따라서 직선 l은 두 점 C$(-3, 6)$, $(0, 2)$를 지나므로 직선 l의 방정식은

$y-2=\frac{2-6}{0-(-3)}(x-0) \quad \therefore y=-\frac{4}{3}x+2$

04-2 답 $y=x$

해결전략 | 평행사변형의 넓이를 이등분하는 직선은 두 대각선의 교점을 지남을 이용한다.

STEP 1 **사각형 결정하기**

주어진 사각형은 오른쪽 그림과 같이 $\overline{AB}$와 $\overline{CD}$가 x축과 평행하고 $\overline{AB}=\overline{CD}=4$이므로 평행사변형이다.

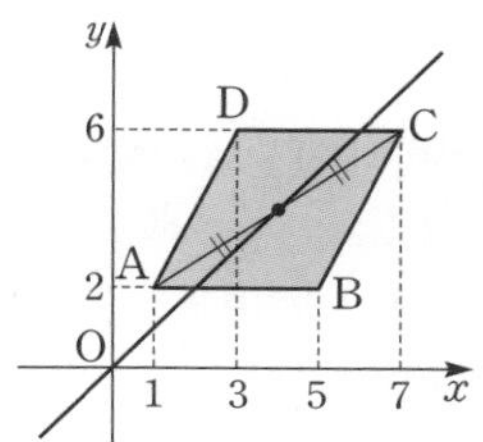

STEP 2 **평행사변형의 대각선의 중점의 좌표 구하기**

원점을 지나면서 평행사변형 ABCD의 넓이를 이등분하는 직선은 평행사변형의 두 대각선의 교점을 지나야 한다.

평행사변형 ABCD의 두 대각선의 교점은 $\overline{AC}$의 중점이므로

$\left(\frac{1+7}{2}, \frac{2+6}{2}\right) \quad \therefore (4, 4)$

STEP 3 **직선의 방정식 구하기**

따라서 두 점 $(0, 0)$, $(4, 4)$를 지나는 직선의 방정식은

$y-0=\frac{4-0}{4-0}(x-0) \quad \therefore y=x$

04-3 답 $-\frac{2}{3}$

해결전략 | 점 B의 좌표를 구하고, 삼각형 OAB의 넓이를 이등분하는 직선 $y=mx$는 $\overline{AB}$의 중점을 지남을 이용한다.

STEP 1 **점 B의 좌표 구하기**

x축 위의 점 B의 좌표를 $(a, 0)$이라고 하면

점 A$(2, -4)$가 이차함수의 그래프의 꼭짓점이므로

$2=\frac{0+a}{2}$에서 $a=4 \quad \therefore$ B$(4, 0)$

STEP 2 **$\overline{AB}$의 중점의 좌표 구하기**

직선 $y=mx$는 원점을 지나므로 직선이 삼각형 OAB의 넓이를 이등분하려면 $\overline{AB}$의 중점을 지나야 한다.

$\overline{AB}$의 중점의 좌표는

$\left(\frac{2+4}{2}, \frac{-4+0}{2}\right) \quad \therefore (3, -2)$

STEP 3 **m의 값 구하기**

따라서 직선 $y=mx$는 점 $(3, -2)$를 지나므로

$-2=3m \quad \therefore m=-\frac{2}{3}$

04-4 답 $y=4x-7$

해결전략 | 점 P가 $\overline{BC}$ 위의 점이므로 점 P는 $\overline{BC}$를 1 : 2로 내분하는 점이다.

STEP1 점 P의 좌표 구하기

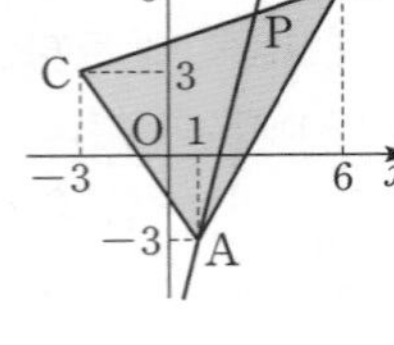

주어진 조건에서

$\overline{BP} : \overline{CP} = \triangle ABP : \triangle APC = 1 : 2$

이므로 점 P는 $\overline{BC}$를 1 : 2로 내분하는 점이다.

따라서 점 P의 좌표는

$\left(\frac{1\times(-3)+2\times6}{1+2}, \frac{1\times3+2\times6}{1+2}\right)$

$\therefore P(3, 5)$

STEP2 두 점 A, P를 지나는 직선의 방정식 구하기

따라서 두 점 A(1, −3), P(3, 5)를 지나는 직선의 방정식은

$y-(-3)=\frac{5-(-3)}{3-1}(x-1)$

$\therefore y=4x-7$

04-5 답 $y=2x-1$

해결전략 | 직사각형의 넓이를 이등분하는 직선은 두 대각선의 교점을 지남을 이용한다.

STEP1 사각형 결정하기

다음 그림에서 $\overline{AB}$와 $\overline{BC}$가 수직, $\overline{BC}$와 $\overline{CD}$가 수직, $\overline{CD}$와 $\overline{DA}$가 수직이므로 주어진 사각형은 직사각형이다.

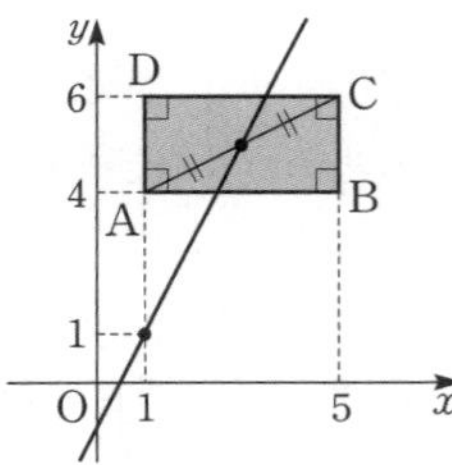

STEP2 직사각형의 대각선의 교점의 좌표 구하기

직사각형의 넓이를 이등분하는 직선은 직사각형의 두 대각선의 교점을 지나야 한다.

직사각형 ABCD의 두 대각선의 교점은 $\overline{AC}$의 중점이므로

$\left(\frac{1+5}{2}, \frac{4+6}{2}\right) \quad \therefore (3, 5)$

STEP3 직선의 방정식 구하기

따라서 두 점 (1, 1), (3, 5)를 지나는 직선의 방정식은

$y-1=\frac{5-1}{3-1}(x-1) \quad \therefore y=2x-1$

04-6 답 4

해결전략 | 직사각형과 마름모의 넓이를 동시에 이등분하는 직선은 두 사각형의 대각선의 교점을 지남을 이용한다.

STEP1 각 사각형의 대각선의 교점의 좌표 구하기

직사각형의 두 대각선의 교점의 좌표는

$\left(\frac{0+4}{2}, \frac{6+8}{2}\right) \quad \therefore (2, 7)$

마름모의 두 대각선의 교점의 좌표는

$\left(\frac{-5+3}{2}, \frac{0-4}{2}\right) \quad \therefore (-1, -2)$

STEP2 직선의 방정식 구하기

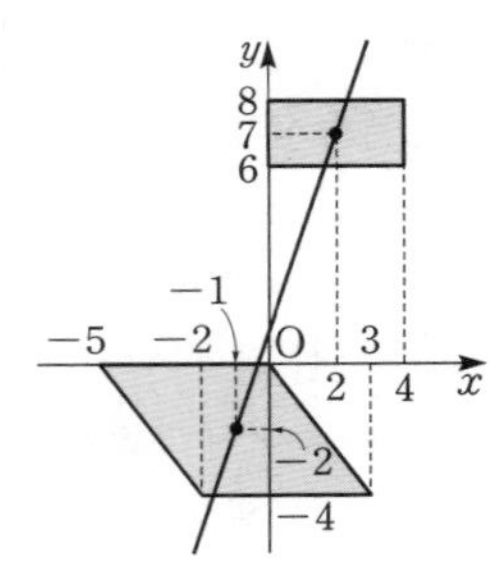

따라서 주어진 직사각형과 마름모의 넓이를 동시에 이등분하는 직선은 각 사각형의 대각선의 교점 (2, 7), (−1, −2)를 지나야 한다.

두 점 (2, 7), (−1, −2)를 지나는 직선의 방정식은

$y-7=\frac{-2-7}{-1-2}(x-2)$

$\therefore y=3x+1$

STEP3 $a+b$의 값 구하기

따라서 $a=3$, $b=1$이므로

$a+b=3+1=4$

필수유형 05

325쪽

05-1 답 제1, 3사분면

해결전략 | 주어진 식을 변형한 후에 주어진 조건을 이용하여 기울기, y절편의 부호를 파악한다.

STEP1 기울기와 y절편의 부호 정하기

$ab<0$에서 $b\neq0$이므로 $ax+by+c=0$에서

$y=-\frac{a}{b}x-\frac{c}{b}$

$ab<0$이므로 이 직선의 기울기는 $-\frac{a}{b}>0$이고

$c=0$이므로 y절편은 $-\frac{c}{b}=0$이다.

STEP2 직선이 지나는 사분면 구하기

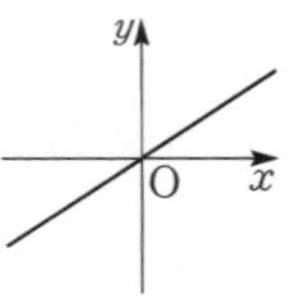

따라서 주어진 직선은 기울기가 양수이고 y절편이 0이므로 오른쪽 그림과 같이 제1, 3사분면을 지난다.

05-2 답 $abc>0$

해결전략 | 먼저 그래프를 보고 기울기와 y절편의 부호를 파악한다.

주어진 그래프에서 직선 $ax+by+c=0$, 즉

$y=-\frac{a}{b}x-\frac{c}{b}$의 기울기가 양수이고 y절편이 음수이므로

$-\frac{a}{b}>0$, $-\frac{c}{b}<0$ $\quad\therefore \frac{a}{b}<0$, $\frac{c}{b}>0$

이때 $a>0$이므로 $b<0$, $c<0$

$\therefore abc>0$

다른 풀이

직선 $ax+by+c=0$에서 x절편은 $-\frac{c}{a}$, y절편은 $-\frac{c}{b}$이다.

주어진 그래프에서 x절편은 양수이고 y절편은 음수이므로

$-\frac{c}{a}>0$, $-\frac{c}{b}<0$ $\quad\therefore \frac{c}{a}<0$, $\frac{c}{b}>0$

이때 $a>0$이므로 $c<0$, $b<0$

$\therefore abc>0$

풍쌤의 비법

$ab>0$ ⇨ a, b의 부호가 같다.

$ab=0$ ⇨ $a=0$ 또는 $b=0$

$ab<0$ ⇨ a, b의 부호가 다르다.

05-3 답 (1) $ab>0$ (2) $bc<0$

해결전략 | 주어진 조건에 맞게 직선 $y=mx+n$과 $ax+by+c=0$의 그래프의 개형을 그려 ab와 bc의 부호를 확인한다.

STEP 1 **m, n의 부호 정하기**

직선 $y=mx+n$이 제1, 2, 3사분면을 지나므로 $m>0$, $n>0$이다.

STEP 2 **두 직선 $y=mx+n$, $ax+by+c=0$의 그래프의 개형 그리기**

직선 $y=mx+n$과 y축 위의 점 $(0, n)$에서 만나고 x절편의 부호가 다르므로 직선 $ax+by+c=0$의 그래프의 모양은 다음 그림과 같다.

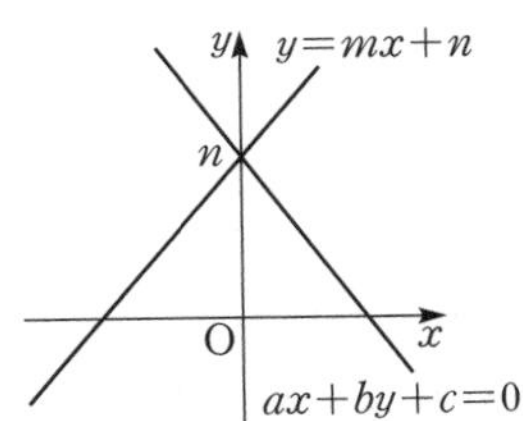

$\therefore$ (기울기)<0, (y절편)>0

STEP 3 **ab, bc의 부호 구하기**

따라서 직선 $ax+by+c=0$, 즉 $y=-\frac{a}{b}x-\frac{c}{b}$에서

(1) 기울기는 $-\frac{a}{b}<0$이므로 $ab>0$

(2) y절편은 $-\frac{c}{b}>0$이므로 $bc<0$

05-4 답 제1, 2, 3사분면

해결전략 | 직선의 기울기, y절편의 부호를 파악한다.

STEP 1 **ab, bc의 부호 정하기**

직선 $ax+by+c=0$, 즉

$y=-\frac{a}{b}x-\frac{c}{b}$가 제1, 2, 3사분면을 지나므로 기울기는 양수, y절편은 양수이다.

즉, $-\frac{a}{b}>0$, $-\frac{c}{b}>0$에서

$ab<0$, $bc<0$

STEP 2 **직선 $bcx+ay+b=0$이 지나는 사분면 구하기**

직선 $bcx+ay+b=0$, 즉 $y=-\frac{bc}{a}x-\frac{b}{a}$에서

x절편은 $-\frac{1}{c}<0$이므로 $c>0$이다.

따라서 기울기는 $-\frac{bc}{a}>0$, y절편은 $-\frac{b}{a}>0$이므로

이 직선은 제1, 2, 3사분면을 지난다.

05-5 답 제1사분면

해결전략 | 먼저 그래프를 보고 직선 $ax+by+c=0$의 기울기와 x절편, y절편의 부호를 파악한다.

STEP 1 **직선 $ax+by+c=0$의 기울기, y절편, x절편의 부호 정하기**

주어진 그래프에서 직선 $ax+by+c=0$, 즉

$y=-\frac{a}{b}x-\frac{c}{b}$의 기울기, y절편, x절편이 모두 음수이므로

$-\frac{a}{b}<0$, $-\frac{c}{b}<0$, $-\frac{c}{a}<0$

STEP 2 **직선 $abx+bcy+ca=0$이 지나지 않는 사분면 구하기**

직선 $abx+bcy+ca=0$, 즉 $y=-\frac{a}{c}x-\frac{a}{b}$의 기울기는

$-\frac{a}{c}<0$, y절편은 $-\frac{a}{b}<0$이다.

따라서 이 직선은 제2, 3, 4분면을 지나고 제1사분면을 지나지 않는다.

05-6 답 $a^2>b^2$

해결전략 | 먼저 직선 $ax+by+2a=0$의 x절편을 구하고 제4사분면을 지나기 위한 조건을 이용하여 기울기의 부호를 구한다.

STEP 1 직선 $ax+by+2a=0$의 x절편의 값과 기울기의 부호 구하기

직선 $ax+by+2a=0$에 $y=0$을 대입하면

$ax+2a=0$, $a(x+2)=0$

$\therefore x=-2$ ($\because a\neq0$)

따라서 직선 $ax+by+2a=0$, 즉 $y=-\frac{a}{b}x-\frac{2a}{b}$의 x절편은 -2이므로 이 직선이 점 $(-2, 0)$을 지나고, 제4사분면을 지나기 위해서는 기울기가 음수이어야 한다.

즉, $-\frac{a}{b}<0$이므로 $ab>0$

STEP 2 직선 $bx-ay+2a=0$의 y절편의 값과 기울기의 부호 구하기

직선 $bx-ay+2a=0$, 즉 $y=\frac{b}{a}x+2$의 기울기는 $\frac{b}{a}>0$이고 y절편은 2이다.

STEP 3 두 직선이 제2사분면에서 만나는 조건 구하기

두 직선이 제2사분면에서 만나려면 다음 그림과 같고 직선 $bx-ay+2a=0$의 x절편 $-\frac{2a}{b}$가 -2보다 작아야 한다.

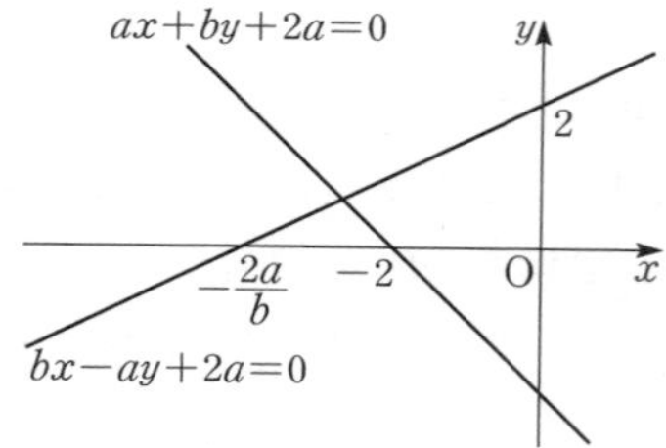

STEP 4 a^2과 b^2의 대소 비교하기

즉, $-\frac{2a}{b}<-2$에서 $\frac{a}{b}>1$

따라서 a, b의 부호가 같고 $|a|>|b|$이므로 $a^2>b^2$

> **풍쌤의 비법**
>
> $\frac{a}{b}>1$이면
>
> $b>0$일 때, $a>b>0$이므로 $a^2>b^2$이다.
>
> $b<0$일 때, $a<b<0$이므로 $a^2>b^2$이다.

필수유형 06 327쪽

06-1 답 $\mathrm{P}(0, 1)$

해결전략 | k에 대하여 정리한 후 k에 대한 항등식임을 이용한다.

주어진 식을 k에 대하여 정리하면

$(2x+y-1)k-3y+3=0$

이 식이 k의 값에 관계없이 항상 성립해야 하므로

$2x+y-1=0$, $-3y+3=0$ $\quad\therefore y=1$

$y=1$을 $2x+y-1=0$에 대입하면 $x=0$

따라서 점 P의 좌표는 $(0, 1)$이다.

06-2 답 4

해결전략 | $ax+by+c+k(a'x+b'y+c')=0$의 꼴로 교점을 지나는 방정식을 세운 후 지나는 점의 좌표를 대입하여 k의 값을 구한다.

STEP 1 교점을 지나는 방정식을 세우고, k의 값 구하기

주어진 두 직선의 교점을 지나는 직선의 방정식은

$x-2y+2+k(2x+y-6)=0$ (단, k는 실수) ⋯⋯ ㉠

직선 ㉠이 점 $(4, 0)$을 지나므로

$4+2+k(8-6)=0$

$\therefore k=-3$

STEP 2 직선의 y절편 구하기

$k=-3$을 ㉠에 대입하면

$x-2y+2-3(2x+y-6)=0$

$-5x-5y+20=0$

$\therefore y=-x+4$

따라서 구하는 y절편은 4이다.

◉→ 다른 풀이

STEP 1 교점의 좌표 구하기

주어진 두 직선의 방정식을 연립하여 풀면 $x=2$, $y=2$이므로 두 직선의 교점의 좌표는 $(2, 2)$이다.

STEP 2 직선의 방정식을 구하고, y절편 구하기

두 점 $(2, 2)$, $(4, 0)$을 지나는 직선의 방정식은

$y-2=\frac{0-2}{4-2}(x-2)$

$\therefore y=-x+4$

따라서 구하는 y절편은 4이다.

06-3 답 $y=2x-3$

해결전략 | 주어진 직선의 방정식을 k에 대하여 정리하면 k의 값에 관계없이 항상 지나는 점을 찾을 수 있다.

STEP 1 점 P의 좌표 구하기

주어진 식을 k에 대하여 정리하면

$(x-2y)k-x-y+3=0$

이 식이 k의 값에 관계없이 항상 성립해야 하므로

$x-2y=0$, $-x-y+3=0$

두 식을 연립하여 풀면 $x=2$, $y=1$

$\therefore$ P$(2, 1)$

STEP 2 직선의 방정식 구하기

따라서 기울기가 2이고 점 P$(2, 1)$을 지나는 직선의 방정식은

$y-1=2(x-2)$

$\therefore y=2x-3$

06-4 답 제2사분면

해결전략 | 직선이 항상 지나는 점이 제 몇사분면에 있는지 확인한다.

STEP 1 직선이 항상 지나는 점의 좌표 구하기

직선 $(3+k)x+(-1+2k)y+13-5k=0$을 k에 관하여 정리하면

$3x-y+13+k(x+2y-5)=0$

이 식이 k의 값에 관계없이 항상 성립해야 하므로

$3x-y+13=0$, $x+2y-5=0$

두 식을 연립하여 풀면

$x=-3$, $y=4$

따라서 직선 $(3+k)x+(-1+2k)y+13-5k=0$은 실수 k의 값에 관계없이 항상 점 $(-3, 4)$를 지난다.

STEP 2 직선이 항상 지나는 사분면 구하기

점 $(-3, 4)$는 제2사분면 위의 점이므로 직선 $(3+k)x+(-1+2k)y+13-5k=0$은 항상 제2사분면을 지난다.

06-5 답 4

해결전략 | 두 직선의 교점을 지나는 직선의 방정식을 구한다.

STEP 1 두 직선의 교점을 지나는 직선의 방정식 세우기

두 직선의 교점을 지나는 직선의 방정식은

$ax-2y+1+k(x+y-2)=0$ (단, k는 실수)

즉, $(a+k)x+(k-2)y+1-2k=0$

STEP 2 직선 $x-4y+5=0$과 비교하여 k, a의 값 구하기

이 직선이 직선 $x-4y+5=0$과 일치하므로

$a+k=1$, $k-2=-4$, $1-2k=5$

$\therefore k=-2$

$\therefore a=1-k=1-(-2)=3$

STEP 3 $a+b$의 값 구하기

직선 $x-4y+5=0$이 점 $(-1, b)$를 지나므로

$-1-4b+5=0$

$\therefore b=1$

$\therefore a+b=3+1=4$

다른 풀이

STEP 2 직선 $x-4y+5=0$과 비교하여 k, a의 값 구하기

이 직선이 직선 $x-4y+5=0$과 일치하므로

$\frac{a+k}{1}=\frac{k-2}{-4}=\frac{1-2k}{5}$

$\frac{k-2}{-4}=\frac{1-2k}{5}$에서

$5k-10=8k-4 \qquad \therefore k=-2$

$a+k=\frac{k-2}{-4}$, 즉 $a-2=\frac{-2-2}{-4}$에서

$a=3$

풍쌤의 비법

두 직선 $ax+by+c=0$, $a'x+b'y+c'=0$의 교점을 지나는 직선 중에서 $a'x+b'y+c'=0$을 제외한 직선의 방정식을

$ax+by+c+k(a'x+b'y+c')=0$ (단, k는 실수)

이라고 할 수 있다.

$k=0$일 때, 직선 $ax+by+c=0$을 표현할 수는 있지만 어떤 k에 대해서도 직선 $a'x+b'y+c'=0$을 표현할 수 없다.

06-6 답 C$(4, 5)$

해결전략 | 직선이 항상 지나는 점이 직사각형 ABCD의 대각선의 중점임을 이용한다.

STEP 1 항상 지나는 점의 좌표 구하기

주어진 직선을 m에 대하여 정리하면

$(x-3)m+2-y=0$

이므로 m의 값에 관계없이 항상 점 $(3, 2)$를 지난다.

STEP 2 점 C의 좌표 구하기

직선 $y=mx-3m+2$가 직사각형 ABCD의 넓이를 이등분하려면 이 직선이 항상 지나는 점 $(3, 2)$가 직사각형의 두 대각선의 교점, 즉 선분 AC의 중점이어야 한다.

점 C의 좌표를 (a, b)라고 하면

$\frac{2+a}{2}=3$, $\frac{-1+b}{2}=2$

$\therefore a=4$, $b=5$

따라서 점 C의 좌표는 $(4, 5)$이다.

필수유형 07

329쪽

07-1 답 $1 \le k \le 3$

해결전략 | 직선이 항상 지나는 점을 구하고 그래프를 이용하여 선분과 만나게 되는 기울기의 범위를 찾는다.

STEP1 직선이 항상 지나는 점 구하기

직선 $y=kx-(2k-5)$를 k에 대하여 정리하면

$y=k(x-2)+5$ ...... ㉠

직선 ㉠은 k의 값에 관계없이 항상 점 P(2, 5)를 지난다.

STEP2 k의 값의 범위 구하기

(i) 직선 ㉠이 점 A(0, −1)을 지날 때,

$-1=k(0-2)+5$

$\therefore k=3$

(ii) 직선 ㉠이 점 B(0, 3)을 지날 때,

$3=k(0-2)+5$

$\therefore k=1$

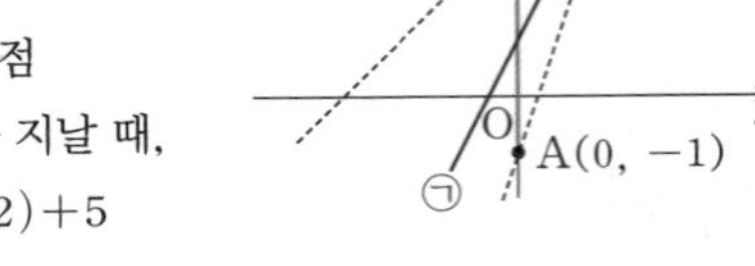

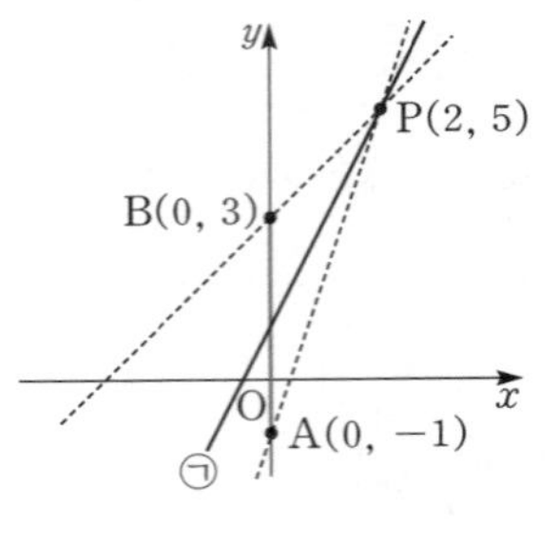

(i), (ii)에서 구하는 k의 값의 범위는 $1 \le k \le 3$

◉→ 다른 풀이

STEP2 직선의 기울기를 이용하여 k의 값의 범위 구하기

선분 AB와 만나기 위해서는 위의 그림과 같이 직선 ㉠의 기울기 k는 직선 BP의 기울기보다 크거나 같고 직선 AP의 기울기보다 작거나 같아야 한다.

이때 직선 AP의 기울기는 $\frac{5-(-1)}{2-0}=3$이고 직선 BP의 기울기는 $\frac{5-3}{2-0}=1$이므로 구하는 k의 값의 범위는

$1 \le k \le 3$

07-2 답 $\frac{1}{5}<m<2$

해결전략 | 직선 $y=mx-2m+1$이 항상 지나는 점을 구하고, 이 점과 기울기를 이용하여 두 직선이 제3사분면에서 만나도록 하는 m의 값의 범위를 구한다.

STEP1 직선 $y=mx-2m+1$이 항상 지나는 점 구하기

직선 $y=mx-2m+1$을 m에 대하여 정리하면

$y=m(x-2)+1$ ...... ㉠

직선 ㉠은 m의 값에 관계없이 항상 점 (2, 1)을 지난다.

STEP2 m의 값의 범위 구하기

직선 $y=-x-3$이 x축, y축과 만나는 점이 각각 $(-3,\ 0)$, $(0,\ -3)$이므로 직선 ㉠은 $-3<x<0$일 때 제3사분면을 지난다.

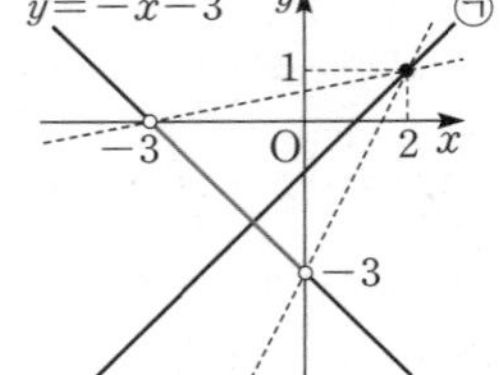

(i) 직선 ㉠이 점 $(-3,\ 0)$을 지날 때,

$0=m(-3-2)+1 \qquad \therefore m=\frac{1}{5}$

(ii) 직선 ㉠이 점 $(0,\ -3)$을 지날 때,

$-3=m(0-2)+1 \qquad \therefore m=2$

(i), (ii)에서 구하는 m의 값의 범위는 $\frac{1}{5}<m<2$

◉→ 다른 풀이

STEP2 직선의 기울기를 이용하여 m의 값의 범위 구하기

직선 $y=m(x-2)+1$이 직선 $y=-x-3$과 제3사분면에서 만날 때, 기울기 m은 두 점 (2, 1), $(-3,\ 0)$을 지나는 직선의 기울기보다 크고 두 점 (2, 1), $(0,\ -3)$을 지나는 직선의 기울기보다는 작아야 한다.

(i) 두 점 (2, 1), $(-3,\ 0)$을 지나는 직선의 기울기는

$\frac{0-1}{-3-2}=\frac{1}{5}$

(ii) 두 점 (2, 1), $(0,\ -3)$을 지나는 직선의 기울기는

$\frac{-3-1}{0-2}=2$

(i), (ii)에서 구하는 m의 값의 범위는

$\frac{1}{5}<m<2$

07-3 답 64

해결전략 | 직선 $y=mx+2m-2$가 항상 지나는 점을 구하고, 이 점과 기울기를 이용하여 두 직선이 제2사분면에서 만나도록 하는 m의 값의 범위를 구한다.

STEP1 직선 $y=mx+2m-2$가 항상 지나는 점 구하기

직선 $y=mx+2m-2$를 m에 대하여 정리하면

$y=m(x+2)-2$ ...... ㉠

직선 ㉠은 m의 값에 관계없이 항상 점 $(-2,\ -2)$를 지난다.

STEP2 m의 값의 범위 구하기

직선 $3x-2y+12=0$이 x축, y축과 만나는 점이 각각 $(-4,\ 0)$, $(0,\ 6)$이므로 $-4<x<0$일 때 제2사분면을 지난다.

(i) 직선 ㉠이 점 $(-4,\ 0)$을 지날 때,

$0=m(-4+2)-2 \qquad \therefore m=-1$

(ii) 직선 ㉠이 점 $(0,\ 6)$을 지날 때,

$6=m(0+2)-2 \qquad \therefore m=4$

(i), (ii)에서 구하는 m의 값의 범위는

$m<-1$ 또는 $m>4$

STEP 3 $4a^2b^2$의 값 구하기

따라서 $a=-1$, $b=4$이므로

$4a^2b^2=4\times(-1)^2\times4^2=64$

◉→ 다른 풀이

STEP 2 직선의 기울기를 이용하여 m의 값의 범위 구하기

직선 $y=mx+2m-2$가 직선 $2x-3y+12=0$과 제2사분면에서 만날 때, 기울기 m은 두 점 $(-2, -2)$, $(-4, 0)$를 지나는 직선의 기울기보다 작고 두 점 $(-2, -2)$, $(0, 6)$을 지나는 직선의 기울기보다 커야 한다.

(i) 두 점 $(-2, -2)$, $(-4, 0)$을 지나는 직선의 기울기는

$$\frac{0-(-2)}{-4-(-2)}=-1$$

(ii) 두 점 $(-2, -2)$, $(0, 6)$을 지나는 직선의 기울기는

$$\frac{6-(-2)}{0-(-2)}=4$$

(i), (ii)에서 구하는 m의 값의 범위는

$m<-1$ 또는 $m>4$

07-4 답 $y=-2x+4$

해결전략 | 두 직선이 x축, y축에서 만날 때를 기준으로 범위를 구한다.

STEP 1 직선 m의 방정식 구하기

직선 $y=kx+2k+2$를 k에 대하여 정리하면

$y=k(x+2)+2$ …… ㉠

직선 ㉠은 항상 점 $(-2, 2)$를 지난다.

STEP 2 교점을 추론하여 두 직선이 x축, y축에서 만나는 점의 좌표 구하기

두 직선 l과 ㉠이 제1사분면에서 만나도록 하는 k의 값의 범위가 $-\frac{1}{2}<k<1$이므로 $k=-\frac{1}{2}$일 때 두 직선이 x축 위에서 만나고, $k=1$일 때 두 직선이 y축 위에서 만난다.

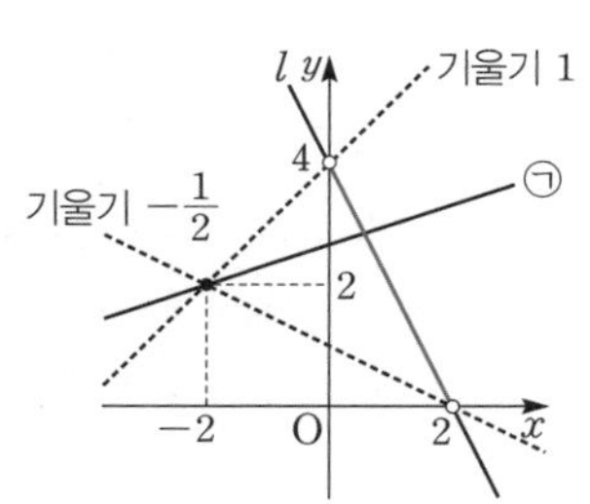

즉, $k=-\frac{1}{2}$일 때 $y=-\frac{1}{2}(x+2)+2$에서 x축과 만나는 점이 $(2, 0)$이고, $k=1$일 때 $y=(x+2)+2$에서 y축과 만나는 점이 $(0, 4)$이다.

STEP 3 직선 l의 방정식 구하기

따라서 직선 l은 두 점 $(2, 0)$, $(0, 4)$를 지나므로 직선 l의 방정식은

$y-0=\frac{4-0}{0-2}(x-2)$ $\therefore y=-2x+4$

07-5 답 $\frac{1}{3}\le m\le 2$

해결전략 | 직선이 항상 지나는 점을 구하고, 이 점으로부터 평행사변형과 만나는 직선을 그려 본다.

STEP 1 직선이 항상 지나는 점 구하기

직선 $mx-y+m=0$을 m에 대하여 정리하면

$y=m(x+1)$ …… ㉠

직선 ㉠은 m의 값에 관계없이 항상 점 $(-1, 0)$을 지난다.

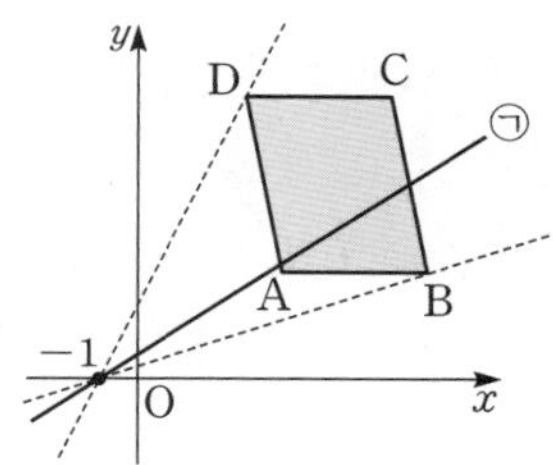

STEP 2 m의 값의 범위 구하기

(i) 직선 ㉠이 점 B$(8, 3)$을 지날 때,

$3=m(8+1)$ $\therefore m=\frac{1}{3}$

(ii) 직선 ㉠이 점 D$(3, 8)$을 지날 때,

$8=m(3+1)$ $\therefore m=2$

(i), (ii)에서 구하는 m의 값의 범위는 $\frac{1}{3}\le m\le 2$

◉→ 다른 풀이

STEP 2 직선의 기울기를 이용하여 m의 값의 범위 구하기

점 $(-1, 0)$을 지나면서 평행사변형 ABCD와 만나는 직선의 기울기 m은 점 B를 지날 때 최소이고, 점 D를 지날 때 최대이다.

(i) 두 점 $(-1, 0)$, B$(8, 3)$을 지나는 직선의 기울기는

$$\frac{3-0}{8-(-1)}=\frac{1}{3}$$

(ii) 두 점 $(-1, 0)$, D$(3, 8)$을 지나는 직선의 기울기는

$$\frac{8-0}{3-(-1)}=2$$

(i), (ii)에서 m의 값의 범위는

$\frac{1}{3}\le m\le 2$

07-6 답 16

해결전략 | 점 E에서 정사각형에 그린 직선의 기울기를 확인할 수 있다.

STEP 1 두 점 C, D의 좌표 구하기

주어진 조건에서 사각형 ABCD는 정사각형이고 $x_1<x_2<5$, $y_2<y_1$, 선분 AB의 기울기가 -3이므로 정사각형 ABCD를 그리면 오른쪽 그림과 같고

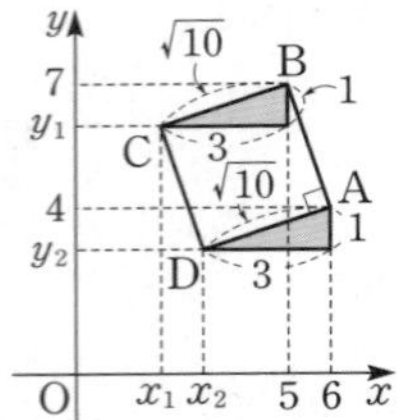

$\overline{AB}=\sqrt{(5-6)^2+(7-4)^2}=\sqrt{10}$

선분 BC는 기울기가 $\frac{1}{3}$, $\overline{BC}=\sqrt{10}$이므로

C(2, 6)

선분 AD는 기울기가 $\frac{1}{3}$, $\overline{AD}=\sqrt{10}$이므로

D(3, 3)

STEP 2 점 E의 좌표 구하기

직선 BD의 방정식은 두 점 B(5, 7), D(3, 3)을 지나므로 $y-3=\frac{3-7}{3-5}(x-3)$

$\therefore y=2x-3$

즉, 점 E는 이 직선의 x절편이므로 점 E의 좌표는 $\left(\frac{3}{2}, 0\right)$이다.

STEP 3 k의 값 구하기

직선 $y=m(x-k)$는 점 $E\left(\frac{3}{2}, 0\right)$을 지나므로 $k=\frac{3}{2}$

$\therefore y=m\left(x-\frac{3}{2}\right)$ ······ ㉠

STEP 4 m의 값의 범위 구하기

정사각형 ABCD와 만나는 직선 ㉠의 기울기 m은 점 A(6, 4)를 지날 때 최소이고, 점 C(2, 6)을 지날 때 최대이다.

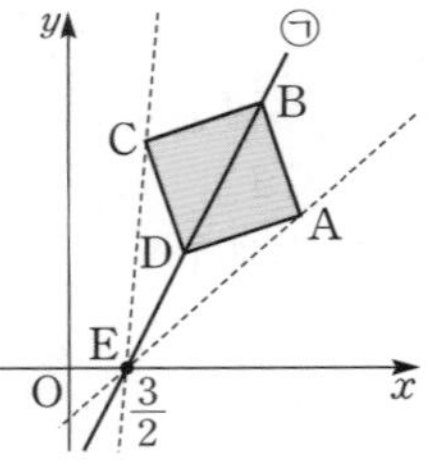

(i) 직선 ㉠이 점 A(6, 4)를 지날 때,

$4=m\left(6-\frac{3}{2}\right)$ $\therefore m=\frac{8}{9}$

(ii) 직선 ㉠이 점 C(2, 6)을 지날 때,

$6=m\left(2-\frac{3}{2}\right)$ $\therefore m=12$

(i), (ii)에서 구하는 m의 값의 범위는 $\frac{8}{9}\le m\le 12$

STEP 5 $\alpha\beta k$의 값 구하기

따라서 $\alpha=\frac{8}{9}$, $\beta=12$이므로

$\alpha\beta k=\frac{8}{9}\times 12\times\frac{3}{2}=16$

◉→ 다른 풀이

STEP 4 직선의 기울기를 이용하여 m의 값의 범위 구하기

(i) 두 점 $E\left(\frac{3}{2}, 0\right)$, A(6, 4)를 지나는 직선의 기울기는

$\frac{4-0}{6-\frac{3}{2}}=\frac{4}{\frac{9}{2}}=\frac{8}{9}$

(ii) 두 점 $E\left(\frac{3}{2}, 0\right)$, C(2, 6)을 지나는 직선의 기울기는

$\frac{6-0}{2-\frac{3}{2}}=\frac{6}{\frac{1}{2}}=12$

(i), (ii)에서 m의 값의 범위는

$\frac{8}{9}\le m\le 12$

필수유형 08

331쪽

08-1 답 (1) $y=3x+6$ (2) $y=-2x$

해결전략 | 서로 수직인 직선은 기울기의 곱이 -1이고 서로 평행하면 기울기가 같다.

(1) 직선 $y=3x-4$에 평행한 직선의 기울기는 3이다.
따라서 구하는 직선은 기울기가 3이고 점 $(-2, 0)$을 지나므로 직선의 방정식은
$y=3\{x-(-2)\}$ $\therefore y=3x+6$

(2) $y=\frac{1}{2}x-1$에 수직인 직선의 기울기를 m이라고 하면
$\frac{1}{2}\times m=-1$이므로
$m=-2$
따라서 구하는 직선은 기울기가 -2이고 점 $(-1, 2)$를 지나므로 직선의 방정식은
$y-2=-2\{x-(-1)\}$ $\therefore y=-2x$

08-2 답 $y=-\frac{5}{2}x-1$

해결전략 | 평행한 두 직선은 기울기가 같음을 이용한다.

STEP 1 평행 조건을 이용하여 직선의 기울기 구하기

두 점 (1, 5), (3, 0)을 지나는 직선의 기울기는

$\frac{0-5}{3-1}=-\frac{5}{2}$

이므로 이 직선과 평행한 직선의 기울기는 $-\frac{5}{2}$이다.

STEP 2 직선의 방정식 구하기

따라서 구하는 직선은 기울기가 $-\frac{5}{2}$이고 y절편이 -1이므로 직선의 방정식은

$y=-\frac{5}{2}x-1$

08-3 답 8

해결전략 | 교점의 좌표를 구하고, 서로 수직인 직선의 기울기의 곱이 -1임을 이용한다.

STEP1 수직 조건을 이용하여 직선의 기울기 구하기

직선 $x-3y+6=0$, 즉 $y=\frac{1}{3}x+2$에 수직이므로 기울기가 -3이다.

STEP2 교점의 좌표 구하기

두 직선의 방정식 $x-2y+2=0$, $2x+y-6=0$을 연립하여 풀면 $x=2$, $y=2$이므로 두 직선의 교점의 좌표는 $(2, 2)$이다.

STEP3 직선의 방정식 구하기

따라서 구하는 직선은 기울기가 -3이고 점 $(2, 2)$를 지나므로 직선의 방정식은

$y-2=-3(x-2)$ $\quad\therefore y=-3x+8$

따라서 구하는 직선의 y절편은 8이다.

◉→ 다른 풀이

STEP1 교점을 지나는 직선의 방정식 세우기

두 직선 $x-2y+2=0$, $2x+y-6=0$의 교점을 지나는 직선의 방정식은

$x-2y+2+k(2x+y-6)=0$ (단, k는 실수)

즉, $(1+2k)x+(-2+k)y+2-6k=0$ $\quad$ ⋯⋯ ㉠

직선 ㉠과 직선 $x-3y+6=0$이 서로 수직이므로

$(1+2k)-3(-2+k)=0$에서 $k=7$

STEP2 직선의 방정식과 y절편 구하기

$k=7$을 ㉠에 대입하면

$15x+5y-40=0$ $\quad\therefore y=-3x+8$

따라서 구하는 직선의 y절편은 8이다.

> **풍쌤의 비법**
>
> 두 직선 $ax+by+c=0$, $a'x+b'y+c'=0$이 서로 수직이면 두 직선의 기울기의 곱이 -1이다. 즉,
>
> $\left(-\frac{a}{b}\right)\times\left(-\frac{a'}{b'}\right)=-1$이므로 $aa'+bb'=0$이 성립한다.

08-4 답 $y=\frac{1}{2}x+2$

해결전략 | 서로 수직인 직선의 기울기의 곱은 -1이다.

STEP1 수직 조건을 이용하여 직선의 기울기 구하기

직선 AB의 기울기는 $\frac{2-(-4)}{-5-(-2)}=-2$이므로 직선 AB와 수직인 직선의 기울기는 $\frac{1}{2}$이다.

STEP2 지나는 한 점의 좌표 구하기

선분 AB를 $2:1$로 내분하는 점은

$\left(\frac{2\times(-5)+1\times(-2)}{2+1}, \frac{2\times2+1\times(-4)}{2+1}\right)$

$\therefore (-4, 0)$

STEP3 직선의 방정식 구하기

따라서 구하는 직선은 기울기가 $\frac{1}{2}$이고 점 $(-4, 0)$을 지나므로 직선의 방정식은

$y=\frac{1}{2}\{x-(-4)\}$ $\quad\therefore y=\frac{1}{2}x+2$

08-5 답 17

해결전략 | 두 직선 $ax+by+c=0$, $a'x+b'y+c'=0$이 서로 평행하면 $\frac{a}{a'}=\frac{b}{b'}\neq\frac{c}{c'}$, 서로 수직이면 $aa'+bb'=0$임을 이용한다.

STEP1 ab의 값 구하기

직선 l: $x-ay+2=0$과 직선 m: $4x+by+2=0$이 서로 수직이므로 $4-ab=0$ $\quad\therefore ab=4$

STEP2 $a-b$의 값 구하기

직선 l: $x-ay+2=0$과 직선 n: $x-(b-3)y-2=0$이 서로 평행하므로

$\frac{1}{1}=\frac{-a}{-b+3}\neq\frac{2}{-2}$ $\quad\therefore a-b=-3$

STEP3 a^2+b^2의 값 구하기

$\therefore a^2+b^2=(a-b)^2+2ab$

$=(-3)^2+2\times4=17$

08-6 답 $(2, 4)$

해결전략 | 직선에 내린 수선은 그 직선에 수직이라는 조건을 이용한다.

STEP1 수직인 직선의 방정식 구하기

직선 $x+2y-10=0$, 즉 $y=-\frac{1}{2}x+5$에 수직인 직선의 기울기는 2이다.

직선 $x+2y-10=0$에 수직이면서 원점을 지나는 직선의 방정식은 $y=2x$

STEP2 수선의 발의 좌표 구하기

오른쪽 그림과 같이 두 직선 $x+2y-10=0$, $y=2x$의 교점은 원점에서 직선 $x+2y-10=0$에 내린 수선의 발이다. 두 방정식을 연립하여 풀면 $x=2$, $y=4$이므로 구하는 수선의 발의 좌표는 $(2, 4)$이다.

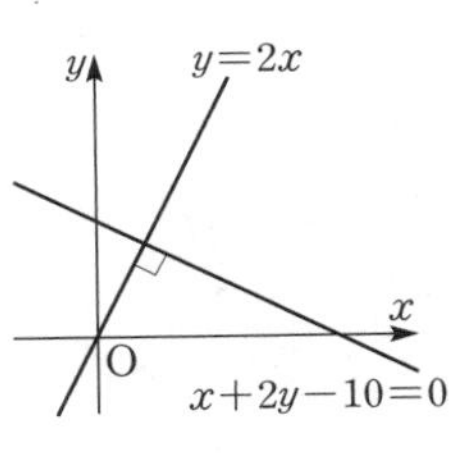

필수유형 09 333쪽

09-1 답 (1) -1 (2) -4

해결전략 | 두 직선 $ax+by+c=0$, $a'x+b'y+c'=0$이 서로 평행하면 $\frac{a}{a'}=\frac{b}{b'}\neq\frac{c}{c'}$, 서로 수직이면 $aa'+bb'=0$임을 이용한다.

(1) $\frac{k-3}{2}=\frac{-2k}{-1}\neq\frac{3}{4}$이므로 $-k+3=-4k$

$\therefore k=-1$

(2) $(2k-4)\times1+k\times(-3)=0$이므로

$2k-4-3k=0 \qquad \therefore k=-4$

09-2 답 2

해결전략 | 두 직선이 만나지 않으면 두 직선은 서로 평행하다.

STEP1 평행 조건 이용하기

두 직선 $ax+y-b=0$, $bx-2y-a=0$이 만나지 않으므로 두 직선은 서로 평행하다.

즉, $\frac{a}{b}=\frac{1}{-2}\neq\frac{-b}{-a}$이므로 $b=-2a$

STEP2 기울기 구하기

따라서 직선 $bx+ay=0$, 즉 $y=-\frac{b}{a}x$의 기울기는

$-\frac{b}{a}=-\frac{-2a}{a}=2$

09-3 답 -12

해결전략 | 두 직선 $ax+by+c=0$, $a'x+b'y+c'=0$이 서로 평행하면 $\frac{a}{a'}=\frac{b}{b'}\neq\frac{c}{c'}$, 서로 수직이면 $aa'+bb'=0$임을 이용한다.

STEP1 평행 조건 이용하여 a의 값 구하기

두 직선 $x-2y+1=0$, $x+(a+2)y-3=0$이 서로 평행하므로

$\frac{1}{1}=\frac{-2}{a+2}\neq\frac{1}{-3} \qquad \therefore a=-4$

STEP2 수직 조건 이용하여 b의 값 구하기

두 직선 $x-2y+1=0$, $(2-a)x+by+2=0$이 서로 수직이므로 $1\times(2-a)+(-2)\times b=0$

$a=-4$를 대입하면 $6-2b=0 \qquad \therefore b=3$

STEP3 ab의 값 구하기

$\therefore ab=(-4)\times3=-12$

09-4 답 $\frac{7}{2}$

해결전략 | 두 직선 $ax+by+c=0$, $a'x+b'y+c'=0$이 서로 평행하면 $\frac{a}{a'}=\frac{b}{b'}\neq\frac{c}{c'}$, 서로 수직이면 $aa'+bb'=0$임을 이용한다.

STEP1 평행 조건 이용하기

두 직선 $ax-y+3=0$, $3x-by+1=0$이 서로 평행하므로

$\frac{a}{3}=\frac{-1}{-b}\neq\frac{3}{1} \qquad \therefore ab=3$

STEP2 수직 조건 이용하기

두 직선 $ax-y+3=0$, $(b-2)x-y+2=0$이 서로 수직이므로

$a(b-2)+1=0$, $ab-2a+1=0$

$ab=3$을 대입하면

$4-2a=0 \qquad \therefore a=2$

STEP3 $a+b$의 값 구하기

$a=2$를 $ab=3$에 대입하면 $b=\frac{3}{2}$

$\therefore a+b=2+\frac{3}{2}=\frac{7}{2}$

09-5 답 $\frac{14}{3}$

해결전략 | 두 직선 $ax+by+c=0$, $a'x+b'y+c'=0$이 서로 평행하면 $\frac{a}{a'}=\frac{b}{b'}\neq\frac{c}{c'}$, 서로 수직이면 $aa'+bb'=0$임을 이용한다.

STEP1 평행일 때, k의 값 구하기

두 직선 $(k-2)x+ky-2=0$, $2x-y+2=0$이 서로 평행하면

$\frac{k-2}{2}=\frac{k}{-1}\neq\frac{-2}{2}$이므로

$-k+2=2k \qquad \therefore k=\frac{2}{3}$

$\therefore a=\frac{2}{3}$

STEP2 수직일 때, k의 값 구하기

두 직선 $(k-2)x+ky-2=0$, $2x-y+2=0$이 서로 수직이면 $2(k-2)-k=0$이므로

$k=4 \qquad \therefore b=4$

STEP3 $a+b$의 값 구하기

$\therefore a+b=\frac{2}{3}+4=\frac{14}{3}$

09-6 답 $\frac{9}{4}$

해결전략 | 수직이면서 x절편이 같은 두 직선의 성질을 이용한다.

STEP1 점 Q의 좌표 구하기

두 직선 $(a+1)x+(2-a)y-3a=0$,

$x-(2b+3)y-1=0$이 x축에서 만나므로 두 직선의 x절편이 같다.

따라서 $\frac{3a}{a+1}=1$이므로

$3a=a+1 \quad \therefore a=\frac{1}{2}$

이때 두 직선이 서로 수직으로 만나므로

$(a+1)-(2-a)(2b+3)=0$

$a=\frac{1}{2}$을 대입하면

$\frac{3}{2}-\frac{3}{2}(2b+3)=0,\ 2b+3=1 \quad \therefore b=-1$

$\therefore Q\left(\frac{1}{2},\ -1\right)$

STEP2 점 P의 좌표 구하기

$(k+1)x+(2-k)y-3k=0$을 k에 대하여 정리하면

$(x-y-3)k+x+2y=0$

이 식이 k의 값에 관계없이 항상 성립해야 하므로

$x-y-3=0,\ x+2y=0$

두 식을 연립하여 풀면 $x=2,\ y=-1$

따라서 직선 $(k+1)x+(2-k)y-3k=0$이 k의 값에 관계없이 항상 지나는 점은 $P(2,\ -1)$이다.

STEP3 $\overline{PQ}^2$의 값 구하기

$P(2, -1),\ Q\left(\frac{1}{2},\ -1\right)$에 대하여

$\overline{PQ}^2=\left(2-\frac{1}{2}\right)^2=\frac{9}{4}$

필수유형 10 335쪽

10-1 답 $y=3x-4$

해결전략 | 선분 AB의 수직이등분선은 직선 AB와 수직이고 선분 AB의 중점을 지난다.

STEP1 선분 AB의 중점의 좌표와 기울기 구하기

선분 AB의 중점의 좌표는

$\left(\frac{-1+5}{2},\ \frac{3+1}{2}\right) \quad \therefore (2,\ 2)$

직선 AB의 기울기는 $\frac{1-3}{5-(-1)}=-\frac{1}{3}$

STEP2 수직이등분선의 방정식 구하기

따라서 선분 AB의 수직이등분선은 기울기가 3이고 점 $(2,\ 2)$를 지나므로 직선의 방정식은

$y-2=3(x-2) \quad \therefore y=3x-4$

다른 풀이

선분 AB의 수직이등분선 위의 임의의 점 $P(x,\ y)$에서 두 점 A, B에 이르는 거리가 같으므로

$\overline{PA}^2=\overline{PB}^2$에서

$\{x-(-1)\}^2+(y-3)^2=(x-5)^2+(y-1)^2$

$x^2+2x+1+y^2-6y+9=x^2-10x+25+y^2-2y+1$

$12x-4y-16=0,\ 3x-y-4=0$

$\therefore y=3x-4$

10-2 답 2

해결전략 | 선분 AB의 수직이등분선은 직선 AB와 수직이고 선분 AB의 중점을 지난다.

STEP1 선분 AB의 중점의 좌표와 기울기 구하기

선분 AB의 중점의 좌표는

$\left(\frac{-4+0}{2},\ \frac{5-3}{2}\right) \quad \therefore (-2,\ 1)$

직선 AB의 기울기는

$\frac{-3-5}{0-(-4)}=-2$

STEP2 수직이등분선의 방정식 구하기

따라서 선분 AB의 수직이등분선은 기울기가 $\frac{1}{2}$이고 점 $(-2,\ 1)$을 지나므로 직선의 방정식은

$y-1=\frac{1}{2}\{x-(-2)\}$

$\therefore y=\frac{1}{2}x+2$

STEP3 a의 값 구하기

이 직선이 점 $(0,\ a)$를 지나므로

$a=2$

10-3 답 5

해결전략 | 선분 AB의 수직이등분선은 직선 AB와 수직이고 선분 AB의 중점을 지난다.

STEP1 선분 AB의 중점의 좌표와 기울기 구하기

선분 AB의 중점의 좌표는

$\left(\frac{-1+3}{2},\ \frac{2-4}{2}\right) \quad \therefore (1,\ -1)$

직선 AB의 기울기는

$\frac{-4-2}{3-(-1)}=-\frac{3}{2}$

STEP 2 수직이등분선의 방정식 구하기

따라서 선분 AB의 수직이등분선은 기울기가 $\frac{2}{3}$이고 점 $(1, -1)$을 지나므로 직선의 방정식은

$y-(-1)=\frac{2}{3}(x-1)$

$\therefore y=\frac{2}{3}x-\frac{5}{3}$, 즉 $2x-3y-5=0$

STEP 3 $a-b$의 값 구하기

따라서 $a=2$, $b=-3$이므로

$a-b=2-(-3)=5$

10-4 답 $y=-\frac{3}{2}x-\frac{5}{2}$

해결전략 | 두 점 A, B의 좌표를 구하고, 선분의 중점과 기울기를 이용하여 수직이등분선의 방정식을 구한다.

STEP 1 두 점 A, B의 좌표 구하기

직선 $2x-3y+12=0$이 x축과 만나는 점은 $A(-6, 0)$, y축과 만나는 점은 $B(0, 4)$이다.

STEP 2 선분 AB의 중점의 좌표와 기울기 구하기

선분 AB의 중점의 좌표는

$\left(\frac{-6+0}{2}, \frac{0+4}{2}\right)$ $\therefore (-3, 2)$

직선 AB의 기울기는 $\frac{4-0}{0-(-6)}=\frac{2}{3}$

STEP 3 수직이등분선의 방정식 구하기

따라서 선분 AB의 수직이등분선은 기울기가 $-\frac{3}{2}$이고 점 $(-3, 2)$를 지나므로 직선의 방정식은

$y-2=-\frac{3}{2}\{x-(-3)\}$

$\therefore y=-\frac{3}{2}x-\frac{5}{2}$

10-5 답 $y=-\frac{1}{3}x+\frac{10}{3}$

해결전략 | 마름모의 두 대각선은 서로 다른 것을 수직이등분한다.

STEP 1 선분 AC의 중점의 좌표와 기울기 구하기

마름모의 두 대각선은 서로 다른 것을 수직이등분하므로 선분 AC의 수직이등분선은 꼭짓점 B, D를 지나는 직선이다.

선분 AC의 중점의 좌표는

$\left(\frac{0+2}{2}, \frac{0+6}{2}\right)$ $\therefore (1, 3)$

직선 AC의 기울기는 $\frac{6}{2}=3$

STEP 2 두 꼭짓점 B, D를 지나는 직선의 방정식 구하기

따라서 선분 AC의 수직이등분선, 즉 두 꼭짓점 B, D를 지나는 직선은 기울기가 $-\frac{1}{3}$이고 점 $(1, 3)$을 지나므로 직선의 방정식은

$y-3=-\frac{1}{3}(x-1)$ $\therefore y=-\frac{1}{3}x+\frac{10}{3}$

10-6 답 $\sqrt{10}$

해결전략 | 선분 AB의 수직이등분선 위의 점에서 두 점 A, B까지의 거리는 같으므로 점 P는 선분 AB의 수직이등분선과 함수 $y=f(x)$의 그래프의 교점이다.

STEP 1 두 점 A, B의 좌표 구하기

함수 $y=f(x)$와 함수 $y=g(x)$의 그래프가 만나는 점의 x좌표는 이차방정식 $x^2-x-5=x+3$의 근이므로

$x^2-2x-8=0$, $(x+2)(x-4)=0$

$\therefore x=-2$ 또는 $x=4$

$\therefore A(-2, 1)$, $B(4, 7)$

STEP 2 선분 AB의 중점의 좌표와 기울기 구하기

선분 AB의 중점을 M이라고 하면 $\overline{AP}=\overline{BP}$이므로 직선 MP는 선분 AB를 수직이등분한다.

선분 AB의 중점 M의 좌표는

$\left(\frac{-2+4}{2}, \frac{1+7}{2}\right)$ $\therefore M(1, 4)$

직선 AB의 기울기는 $\frac{7-1}{4-(-2)}=1$

STEP 3 수직이등분선의 방정식 구하기

따라서 직선 MP는 기울기가 -1이고 점 $M(1, 4)$를 지나므로 직선의 방정식은

$y-4=-(x-1)$

$\therefore y=-x+5$

STEP 4 점 P의 x좌표 구하기

이때 점 P의 x좌표는 함수 $y=x^2-x-5$의 그래프와 직선 $y=-x+5$가 만나는 점의 x좌표이므로

$x^2-x-5=-x+5$에서 $x^2=10$

$\therefore x=\sqrt{10}$ ($\because x>0$)

필수유형 11 337쪽

11-1 답 -12

해결전략 | 세 직선이 삼각형을 이루지 않으면 세 직선이 한 점에서 만나거나 적어도 두 직선이 평행하다.

주어진 세 직선이 삼각형을 이루지 않는 경우는 다음과 같다.

(i) 세 직선이 평행할 때

두 직선 $x-y=0$, $x+2y=3$에서 $\frac{1}{1}\neq\frac{-1}{2}$이므로

세 직선이 모두 평행한 경우는 없다.

(ii) 세 직선이 한 점에서 만날 때

$x-y=0$, $x+2y=3$을 연립하여 풀면 $x=1$, $y=1$

직선 $3x-ky=12$가 점 $(1,\ 1)$을 지나야 하므로

$3-k=12 \qquad \therefore k=-9$

(iii) 세 직선 중 두 직선이 평행할 때

① 두 직선 $x-y=0$, $3x-ky=12$가 평행할 때

$\frac{1}{3}=\frac{-1}{-k}\neq\frac{0}{-12}$에서 $k=3$

② 두 직선 $x+2y=3$, $3x-ky=12$가 평행할 때

$\frac{1}{3}=\frac{2}{-k}\neq\frac{-3}{-12}$에서 $k=-6$

(i), (ii), (iii)에서 모든 상수 k의 값의 합은

$-9+3+(-6)=-12$

11-2 답 $-1,\ 7$

해결전략 | 두 직선끼리의 교점의 x좌표를 구하여 교점이 서로 같음을 이용한다.

STEP 1 교점의 x좌표 구하기

두 직선 $y=1$, $ax-3y-4=0$의 교점의 x좌표는

$ax-3-4=0$에서 $x=\frac{7}{a}$

두 직선 $y=1$, $x-ay+6=0$의 교점의 x좌표는

$x-a+6=0$에서 $x=a-6$

STEP 2 a의 값 구하기

세 직선이 한 점에서 만나려면 위에서 구한 교점의 x좌표가 같아야 하므로

$\frac{7}{a}=a-6$에서 $a^2-6a-7=0$

$(a+1)(a-7)=0$

$\therefore a=-1$ 또는 $a=7$

11-3 답 $-3,\ 2$

해결전략 | 세 직선 중 두 직선씩 비교하여 서로 수직인 경우가 있으면 세 직선이 이루는 삼각형이 직각삼각형이다.

두 직선 $2x-y-6=0$, $3x+y+2=0$은 서로 수직이 아니다.
($2\times3+(-1)\times1=5\neq0$)

(i) 두 직선 $x+ay+2=0$, $2x-y-6=0$이 서로 수직일 때, $2-a=0$이므로

$a=2$

(ii) 두 직선 $x+ay+2=0$, $3x+y+2=0$이 서로 수직일 때, $3+a=0$이므로

$a=-3$

(i), (ii)에서 상수 a의 값은 -3, 2이다.

11-4 답 2

해결전략 | 세 직선이 삼각형을 이루지 않으면 한 점에서 만나거나 적어도 두 직선이 평행하다.

주어진 세 직선이 삼각형을 이루지 않는 경우는 다음과 같다.

(i) 세 직선이 평행할 때

세 직선 $ax-y=0$, $3x-y=1$, $x+ay=1$의 기울기가 각각 a, 3, $-\frac{1}{a}$이고

$a=3=-\frac{1}{a}$, 즉 $a=-\frac{1}{a}$을 만족시키는 a의 값이 존재하지 않으므로 세 직선이 모두 평행한 경우는 없다.

(ii) 세 직선이 한 점에서 만날 때

① 두 직선 $ax-y=0$, $3x-y=1$의 교점의 x좌표는

$3x-ax=1$에서

$x=\frac{1}{3-a}$

② 두 직선 $ax-y=0$, $x+ay=1$의 교점의 x좌표는

$x+a\times ax=1$에서

$x=\frac{1}{a^2+1}$

따라서 세 직선이 한 점에서 만나려면 위에서 구한 교점의 x좌표가 같아야 하므로

$\frac{1}{3-a}=\frac{1}{a^2+1}$에서 $a^2+a-2=0$

$(a+2)(a-1)=0$

$\therefore a=-2$ 또는 $a=1$

(iii) 세 직선 중 두 직선이 평행할 때

① 두 직선 $ax-y=0$, $3x-y=1$이 서로 평행할 때

$\frac{a}{3}=\frac{-1}{-1}\neq0$에서 $a=3$

② 두 직선 $3x-y=1$, $x+ay=1$이 서로 평행할 때

$\frac{3}{1}=\frac{-1}{a}\neq\frac{-1}{-1}$에서 $a=-\frac{1}{3}$

③ 두 직선 $ax-y=0$, $x+ay=1$이 서로 평행할 때

$\frac{a}{1}=\frac{-1}{a}\neq0$에서 $a^2=-1$

이때 a는 실수가 아니므로 제외한다.

(i)~(iii)에서 상수 a의 값은 -2, 1, 3, $-\frac{1}{3}$이므로 네 수의 곱은 2이다.

11-5 답 $\frac{25}{2}$

해결전략 | 세 직선이 좌표평면을 4개의 영역으로 나누는 경우는 세 직선이 모두 평행할 때이다.

STEP1 a의 값 구하기

세 직선으로 좌표평면이 4개의 영역으로 나누어지려면 세 직선은 모두 평행해야 한다.

두 직선 $3x-y+2=0$, $(2a-1)x+2y+5=0$이 서로 평행하려면 $\frac{3}{2a-1}=\frac{-1}{2}\neq\frac{2}{5}$이어야 하므로

$6=-2a+1 \qquad \therefore a=-\frac{5}{2}$

STEP2 b의 값 구하기

$a=-\frac{5}{2}$를 $(5-4a)x+by-3=0$에 대입하면

$15x+by-3=0$

따라서 두 직선 $3x-y+2=0$, $15x+by-3=0$이 서로 평행해야 하므로 $\frac{3}{15}=\frac{-1}{b}\neq\frac{2}{-3}$에서

$b=-5$

$\therefore ab=\left(-\frac{5}{2}\right)\times(-5)=\frac{25}{2}$

풍쌤의 비법

(1) 세 직선이 좌표평면을 네 부분으로 나누는 경우

⇨ 세 직선이 모두 평행할 때

(2) 세 직선이 좌표평면을 여섯 부분으로 나누는 경우

⇨ 세 직선이 한 점에서 만날 때

⇨ 세 직선 중 두 직선이 평행할 때

11-6 답 $3\sqrt{5}$

해결전략 | 두 직선의 교점을 찾은 후 다른 직선도 교점을 지날 수 있도록 a의 값을 설정한다.

STEP1 교점의 좌표 구하기

두 직선 $x-2y=0$, $ax-2y-4=0$의 교점을 구하기 위하여 $x-2y=0$에서 $x=2y$를 $ax-2y-4=0$에 대입하면

$2ay-2y-4=0$, $2(a-1)y-4=0$

$\therefore y=\frac{2}{a-1}$, $x=\frac{4}{a-1}$

즉, 교점의 좌표는 $\left(\frac{4}{a-1}, \frac{2}{a-1}\right)$ ······ ㉠

STEP2 세 직선이 한 점을 지날 때, a의 값 구하기

직선 $x-3y+a=0$이 점 ㉠을 지나므로

$\frac{4}{a-1}-3\times\frac{2}{a-1}+a=0$에서

$\frac{-2}{a-1}+a=0$, $a^2-a-2=0$

$(a+1)(a-2)=0 \qquad \therefore a=-1$ 또는 $a=2$

STEP3 두 점 A, B 사이의 거리 구하기

㉠에 $a=-1$, $a=2$를 대입하면

$a=-1$일 때 교점의 좌표는

$\left(\frac{4}{-1-1}, \frac{2}{-1-1}\right)$, 즉 $(-2, -1)$이고,

$a=2$일 때 교점의 좌표는

$\left(\frac{4}{2-1}, \frac{2}{2-1}\right)$, 즉 $(4, 2)$이다.

따라서 $A(-2, -1)$, $B(4, 2)$ 또는 $A(4, 2)$, $B(-2, -1)$이므로

$\overline{AB}=\sqrt{(-2-4)^2+(-1-2)^2}=3\sqrt{5}$

필수유형 12 339쪽

12-1 답 12

해결전략 | 점과 직선 사이의 거리를 구하는 식을 이용한다.

점 $(0, 1)$과 직선 $\sqrt{3}x+y+23=0$ 사이의 거리는

$\frac{|1+23|}{\sqrt{(\sqrt{3})^2+1^2}}=12$

12-2 답 -2, 2

해결전략 | 점과 직선 사이의 거리를 구하는 식을 이용한다.

STEP1 점과 직선 사이의 거리 공식을 이용하여 식 세우기

점 $(1, 5)$와 직선 $x+ay-1=0$ 사이의 거리가 $2\sqrt{5}$이므로

$\frac{|1+5a-1|}{\sqrt{1^2+a^2}}=2\sqrt{5}$

STEP2 a의 값 구하기

$|5a|=2\sqrt{5(a^2+1)}$

양변을 제곱하면 $25a^2=20a^2+20$, $a^2=4$

$\therefore a=-2$ 또는 $a=2$

12-3 답 2

해결전략 | 평행한 두 직선 사이의 거리는 한 직선 위의 한 점과 다른 직선 사이의 거리와 같다.

두 직선 사이의 거리는 직선 $3x-4y-4=0$ 위의 한 점 $(0, -1)$과 직선 $3x-4y+6=0$ 사이의 거리와 같으므로

$\dfrac{|4+6|}{\sqrt{3^2+(-4)^2}}=2$

◉→ 다른 풀이

평행한 두 직선 $3x-4y-4=0$, $3x-4y+6=0$ 사이의 거리는

$\dfrac{|-4-6|}{\sqrt{3^2+(-4)^2}}=2$

> **풍쌤의 비법**
> 한 직선 위의 임의의 점을 선택할 때는 x절편 또는 y절편을 선택하는 것이 계산할 때 편하다.

12-4 답 $\dfrac{3\sqrt{2}}{4}$

해결전략 | 평행하다는 조건을 이용하여 a의 값을 구하고, 평행한 두 직선 사이의 거리를 구한다.

STEP 1 a의 값 구하기

두 직선이 서로 평행하므로

$\dfrac{a}{1}=\dfrac{-2}{-(a+1)}\neq\dfrac{-1}{-1}$에서 $a=\dfrac{2}{a+1}$, $a\neq1$

$a=\dfrac{2}{a+1}$에서 $a^2+a-2=0$

$(a+2)(a-1)=0 \qquad \therefore a=-2$ 또는 $a=1$

이때 $a\neq1$이므로

$a=-2$

STEP 2 두 직선 사이의 거리 구하기

$a=-2$일 때, 두 직선은

$2x+2y+1=0$, $x+y-1=0$

따라서 두 직선 사이의 거리는 직선 $x+y-1=0$ 위의 한 점 $(1, 0)$과 직선 $2x+2y+1=0$ 사이의 거리와 같으므로

$\dfrac{|2+1|}{\sqrt{2^2+2^2}}=\dfrac{3}{2\sqrt{2}}=\dfrac{3\sqrt{2}}{4}$

> **참고** $a=1$이면 두 직선은 일치한다.

12-5 답 $\dfrac{4}{3}$

해결전략 | 점과 직선 사이의 거리를 이용하여 직선 l의 기울기를 구한다.

STEP 1 기울기를 m으로 놓고 직선 l의 방정식 세우기

직선 l의 기울기를 m이라고 하면 직선 l의 방정식은

$y=mx+2$, 즉 $mx-y+2=0$

STEP 2 m의 값 구하기

점 $(3, 1)$과 직선 $mx-y+2=0$ 사이의 거리는

$\dfrac{|3m-1+2|}{\sqrt{m^2+(-1)^2}}=3$

$|3m+1|=3\sqrt{m^2+1}$

양변을 제곱하면

$9m^2+6m+1=9m^2+9$

$6m=8 \qquad \therefore m=\dfrac{4}{3}$

12-6 답 -3

해결전략 | 점 $(a, 0)$과 두 직선과의 거리를 구하여 비교한다.

STEP 1 점 $(a, 0)$과 각 직선과의 거리 구하기

점 $(a, 0)$과 직선 $4x-3y+1=0$ 사이의 거리는

$\dfrac{|4a+1|}{\sqrt{4^2+(-3)^2}}=\dfrac{|4a+1|}{5}$

점 $(a, 0)$과 직선 $3x+4y-2=0$ 사이의 거리는

$\dfrac{|3a-2|}{\sqrt{3^2+4^2}}=\dfrac{|3a-2|}{5}$

STEP 2 정수 a의 값 구하기

점 $(a, 0)$과 두 직선 사이의 거리가 같으므로

$\dfrac{|4a+1|}{5}=\dfrac{|3a-2|}{5}$

$|4a+1|=|3a-2|$

(i) $4a+1=3a-2$일 때

$a=-3$

(ii) $4a+1=-3a+2$일 때

$7a=1 \qquad \therefore a=\dfrac{1}{7}$

이때 a는 정수이므로 $a=-3$

> **풍쌤의 비법**
> $|ax+b|=|cx+d|$와 같은 식은
> (i) $ax+b=cx+d$
> (ii) $ax+b=-(cx+d)$
> 와 같이 나누어 해결한다.

필수유형 13

341쪽

13-1 답 $\dfrac{45}{2}$

해결전략 | 밑변과 높이를 정하여 밑변의 길이는 두 점 사이의 거리로 구하고, 높이는 점과 직선 사이의 거리로 구한다.

STEP 1 삼각형의 밑변의 길이 구하기

선분 AC를 삼각형 ABC의 밑변이라고 하면

$\overline{AC}=\sqrt{(-1-4)^2+(7-2)^2}=5\sqrt{2}$

STEP 2 삼각형의 높이 구하기

직선 AC의 방정식은

$y-2=\frac{7-2}{-1-4}(x-4)$

$\therefore y=-x+6$, 즉 $x+y-6=0$

따라서 삼각형 ABC의 높이는 점 B(7, 8)과 직선 $x+y-6=0$ 사이의 거리이므로

$\frac{|7+8-6|}{\sqrt{1^2+1^2}}=\frac{9\sqrt{2}}{2}$

STEP 3 삼각형의 넓이 구하기

$\therefore \triangle ABC=\frac{1}{2}\times 5\sqrt{2}\times\frac{9\sqrt{2}}{2}=\frac{45}{2}$

13-2 답 $\frac{5}{2}$

해결전략 | 두 점 사이의 거리로 밑변의 길이, 점과 직선 사이의 거리로 높이를 구하고, 주어진 삼각형의 넓이를 이용하여 식을 세운다.

STEP 1 삼각형의 밑변의 길이 구하기

선분 OA를 삼각형 OAB의 밑변이라고 하면

$\overline{OA}=\sqrt{4^2+2^2}=2\sqrt{5}$

STEP 2 삼각형의 높이 구하기

직선 OA의 방정식은

$y=\frac{1}{2}x$, 즉 $x-2y=0$

삼각형 OAB의 높이는 점 B(1, k)와 직선 $x-2y=0$ 사이의 거리이므로

$\frac{|1-2k|}{\sqrt{1^2+(-2)^2}}=\frac{|1-2k|}{\sqrt{5}}$

STEP 3 넓이 조건을 이용하여 식 세우고 k의 값 구하기

삼각형 OAB의 넓이가 4이므로

$\frac{1}{2}\times 2\sqrt{5}\times\frac{|1-2k|}{\sqrt{5}}=4$, $|1-2k|=4$

$1-2k=\pm 4 \qquad \therefore k=-\frac{3}{2}$ 또는 $k=\frac{5}{2}$

이때 k가 양수이므로 $k=\frac{5}{2}$

13-3 답 10

해결전략 | 평행사변형의 밑변을 정하고 점과 직선 사이의 거리로 높이를 구한다.

STEP 1 평행사변형의 밑변의 길이 구하기

선분 OA를 평행사변형 OABC의 밑변이라고 하면

$\overline{OA}=\sqrt{2^2+2^2}=2\sqrt{2}$

STEP 2 평행사변형의 높이 구하기

직선 OA의 방정식은 $y=x$, 즉 $x-y=0$

이때 평행사변형 OABC의 높이는 점 B(1, 6)과 직선 $x-y=0$ 사이의 거리이므로

$\frac{|1-6|}{\sqrt{1^2+(-1)^2}}=\frac{5}{\sqrt{2}}$

STEP 3 평행사변형의 넓이 구하기

따라서 평행사변형의 넓이는

$2\sqrt{2}\times\frac{5}{\sqrt{2}}=10$

13-4 답 24

해결전략 | 서로 수직인 직선 OA, OB의 기울기 곱이 -1인 것을 이용하여 점 A의 좌표를 구한다.

STEP 1 점 A의 좌표 구하기

직선 OB와 직선 OA가 서로 수직이고 직선 OB의 방정식이 $y=\frac{4}{3}x$이므로 직선 OA의 방정식은 $y=-\frac{3}{4}x$

두 직선 $y=-\frac{3}{4}x$와 $y=3x+15$의 교점의 좌표는 $(-4, 3)$이므로 $A(-4, 3)$

STEP 2 삼각형의 넓이 구하기

$\overline{OA}=\sqrt{(-4)^2+3^2}=5$, $\overline{OB}=\sqrt{6^2+8^2}=10$이므로

$\triangle AOB=\frac{1}{2}\times\overline{OA}\times\overline{OB}=\frac{1}{2}\times 5\times 10=25$

STEP 3 a, b, c의 값 구하기

따라서 $a=-4$, $b=3$, $c=25$이므로

$a+b+c=-4+3+25=24$

13-5 답 D(2, 0)

해결전략 | 밑변이 같은 삼각형에서 높이가 같으면 넓이도 같음을 이용한다.

STEP 1 점 C와 직선 AB 사이의 거리 구하기

선분 AB를 두 삼각형 ABC, ABD의 밑변이라고 하면 직선 AB의 방정식은

$y=\frac{4-0}{6-4}(x-4)$

$\therefore y=2x-8$, 즉 $2x-y-8=0$

두 삼각형 ABC와 ABD의 넓이가 같으려면 직선 $2x-y-8=0$과 두 점 C, D 사이의 거리가 같아야 한다.

직선 $2x-y-8=0$과 점 C(3, 2) 사이의 거리는

$\frac{|6-2-8|}{\sqrt{2^2+(-1)^2}}=\frac{4}{\sqrt{5}}$ ...... ㉠

STEP 2 **점 D의 직선 AB 사이의 거리 구하기**

x축 위의 점 D의 좌표를 $(a, 0)$이라고 하면 직선 $2x-y-8=0$과 점 D$(a, 0)$ 사이의 거리는

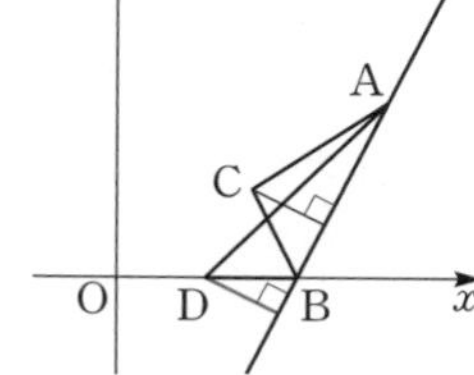

$\frac{|2a-8|}{\sqrt{2^2+(-1)^2}}$ ...... ㉡

STEP 3 **점 D의 좌표 구하기**

㉠, ㉡이 같아야 하므로

$\frac{|2a-8|}{\sqrt{2^2+(-1)^2}}=\frac{4}{\sqrt{5}}$

$|2a-8|=4$, $2a-8=\pm4$

$\therefore a=6$ 또는 $a=2$

그런데 점 D는 선분 OB 위에 있으므로, 즉 $0<a<4$이므로 $a=2$ $\quad\therefore$ D$(2, 0)$

> **풍쌤의 비법**
>
> 점 C를 지나면서 직선 AB에 평행한 직선 위의 점 D에 대하여 $\triangle$ABC$=\triangle$ABD이므로 이 직선과 x축이 만나는 점을 구해 점 D의 좌표를 구할 수도 있다.

13-6 답 $y=-x+8$

해결전략 | 직선의 수직 조건을 이용하여 기울기를 구하고, 원점과의 거리를 구하는 식과 삼각형의 넓이에서 y절편을 구한다.

STEP 1 **삼각형의 밑변의 길이 구하기**

선분 AB의 길이는 평행한 두 직선 $y=x+3$, $y=x-2$ 사이의 거리이다.

이때 평행한 두 직선 사이의 거리는 직선 $x-y+3=0$ 위의 점 $(0, 3)$과 직선 $x-y-2=0$ 사이의 거리이므로

$\frac{|-3-2|}{\sqrt{1^2+(-1)^2}}=\frac{5}{\sqrt{2}}$

STEP 2 **삼각형의 높이 구하기**

직선 AB의 기울기는 직선 AB가 두 직선 $y=x+3$, $y=x-2$와 수직이므로 -1이다.

따라서 직선 AB의 방정식을 $y=-x+k$ $(k>0)$로 놓으면 직선 $x+y-k=0$과 원점 사이의 거리는

$\frac{|-k|}{\sqrt{1^2+1^2}}=\frac{k}{\sqrt{2}}$

STEP 3 **직선 AB의 방정식 구하기**

삼각형 OBA의 넓이가 10이므로

$\frac{1}{2}\times\frac{5}{\sqrt{2}}\times\frac{k}{\sqrt{2}}=10$ $\quad\therefore k=8$

즉, 직선 AB의 방정식은 $y=-x+8$

발전유형 14

343쪽

14-1 답 $2x+y-4=0$

해결전략 | 점 P의 좌표를 (x, y)로 놓고 각 점까지의 거리가 같은 조건을 이용하여 식을 세운다.

점 P의 좌표를 (x, y)라고 하면

$\overline{AP}^2=\{x-(-4)\}^2+(y-2)^2$

$\overline{BP}^2=(x-4)^2+(y-6)^2$

이때 $\overline{AP}^2=\overline{BP}^2$이므로

$x^2+8x+16+y^2-4y+4=x^2-8x+16+y^2-12y+36$

$16x+8y-32=0$ $\quad\therefore 2x+y-4=0$

다른 풀이

두 점에서 같은 거리에 있는 점이 나타내는 도형은 선분의 수직이등분선이다.

따라서 직선 AB의 기울기가 $\frac{1}{2}$이므로 직선 AB에 수직인 직선의 기울기는 -2이고 선분 AB의 중점 $(0, 4)$를 지나는 직선의 방정식은 $y=-2x+4$

14-2 답 $x-y+2=0$

해결전략 | 각의 이등분선 위의 임의의 점에서부터 각 직선까지의 거리는 같다.

STEP 1 **한 점에서 두 직선에 이르는 거리가 같음을 이용하여 식 세우기**

두 직선이 이루는 각의 이등분선 위의 임의의 점을 P(x, y)라고 하면 점 P에서 두 직선에 이르는 거리가 같으므로

$\frac{|x+4y+2|}{\sqrt{1^2+4^2}}=\frac{|4x+y+8|}{\sqrt{4^2+1^2}}$

$\therefore |x+4y+2|=|4x+y+8|$

STEP 2 **기울기가 양수인 직선의 방정식 구하기**

(i) $x+4y+2=4x+y+8$일 때

$3x-3y+6=0$ $\quad\therefore x-y+2=0$

(ii) $x+4y+2=-4x-y-8$일 때

$5x+5y+10=0$ $\quad\therefore x+y+2=0$

(i), (ii)에서 기울기가 양수인 직선의 방정식은

$x-y+2=0$

14-3 답 $y=2x+1$

해결전략 | 점 P의 x좌표를 미지수 a로 놓고, 점 M의 좌표를 a로 나타낸 후, 점 M의 좌표에서 x, y 사이의 관계식을 찾는다.

STEP1 임의의 점 P에 대한 점 M의 좌표 구하기

직선 $2x-y+2=0$ 위의 점 P의 좌표를 $(a,\ 2a+2)$라 고 하면 선분 OP의 중점 M의 좌표는 $\left(\frac{a}{2},\ a+1\right)$이다.

STEP2 점 M의 자취의 방정식 구하기

이때 $\frac{a}{2}=x$, $a+1=y$로 놓으면

$a=2x$, $a=y-1$

즉, $2x=y-1$이므로 $y=2x+1$

따라서 점 M의 자취의 방정식은

$y=2x+1$

14-4 답 $y=-2x+4$

해결전략 | 점 P의 x좌표를 미지수 a로 놓고, 점 Q의 좌표를 내분점을 이용하여 a로 나타낸 후, 점 Q의 좌표에서 x, y 사이의 관계식을 찾는다.

STEP1 선분 AP를 1 : 2로 내분하는 점 Q의 좌표 구하기

점 P는 직선 $2x+y-2=0$ 위의 점이므로

점 P의 좌표를 $(a,\ -2a+2)$라고 하면

선분 AP를 1 : 2로 내분하는 점 Q의 좌표는

$\left(\frac{1\times a+2\times 2}{1+2},\ \frac{1\times(-2a+2)+2\times 1}{1+2}\right)$

$\therefore$ Q$\left(\frac{a+4}{3},\ \frac{-2a+4}{3}\right)$

STEP2 점 Q가 나타내는 도형의 방정식 구하기

이때 $\frac{a+4}{3}=x$, $\frac{-2a+4}{3}=y$로 놓으면

$a=3x-4$, $a=-\frac{3}{2}y+2$

즉, $3x-4=-\frac{3}{2}y+2$이므로

$\frac{3}{2}y=-3x+6$

$\therefore y=-2x+4$

따라서 점 Q가 나타내는 도형의 방정식은

$y=-2x+4$

14-5 답 $x+2y-4=0$ 또는 $11x+2y-4=0$

해결전략 | 각 직선까지의 거리를 식으로 나타내어 비교한다.

STEP1 점 P에서 각 직선에 이르는 거리 나타내기

점 P와 직선 $4x+3y-6=0$ 사이의 거리는

$\frac{|4x+3y-6|}{\sqrt{4^2+3^2}}=\frac{|4x+3y-6|}{5}=k$

점 P와 직선 $3x-4y+8=0$ 사이의 거리는

$\frac{|3x-4y+8|}{\sqrt{3^2+(-4)^2}}=\frac{|3x-4y+8|}{5}=2k$

따라서 $2\times\frac{|4x+3y-6|}{5}=\frac{|3x-4y+8|}{5}$이므로

$|8x+6y-12|=|3x-4y+8|$

STEP2 점 P가 나타내는 도형의 방정식 구하기

(i) $8x+6y-12=3x-4y+8$일 때

$5x+10y-20=0$ $\qquad\therefore x+2y-4=0$

(ii) $8x+6y-12=-3x+4y-8$일 때

$11x+2y-4=0$

(i), (ii)에서 점 P가 나타내는 도형의 방정식은

$x+2y-4=0$ 또는 $11x+2y-4=0$

14-6 답 $y=\frac{1}{4}x^2$

해결전략 | 두 점 사이의 거리, 점과 직선 사이의 거리를 이용하여 각 거리를 구한다.

STEP1 각각의 거리를 구하여 두 거리가 같음을 이용하여 식 세우기

점 P와 직선 $y=-1$ 사이의 거리는 $|y+1|$ ⋯⋯ ㉠

두 점 P, Q 사이의 거리는

$\overline{PQ}=\sqrt{x^2+(y-1)^2}$ ⋯⋯ ㉡

㉠과 ㉡이 같으므로

$|y+1|=\sqrt{x^2+(y-1)^2}$

STEP2 점 P가 나타내는 도형의 방정식 구하기

양변을 제곱하면 $(y+1)^2=x^2+(y-1)^2$

$y^2+2y+1=x^2+y^2-2y+1$

$4y=x^2$ $\qquad\therefore y=\frac{1}{4}x^2$

풍쌤의 비법

한 점과 한 직선으로부터 같은 거리에 있는 점이 나타내는 도형은 포물선이 된다.

유형 특강

345쪽

1 답 (1) **10** (2) **25**

(1) 세 점 A$(-1, -1)$, B$(5, -3)$, C$(3, 1)$을 꼭짓점으로 하는 삼각형 ABC의 넓이는

$\frac{1}{2}\begin{vmatrix} -1 & 5 & 3 & -1 \\ -1 & -3 & 1 & -1 \end{vmatrix}$

$=\frac{1}{2}\times|(3+5-3)-(-5-9-1)|$

$=\frac{1}{2}\times|20|=10$

(2) 세 점 A$(2, 1)$, B$(8, -1)$, C$(6, 8)$을 꼭짓점으로 하는 삼각형 ABC의 넓이는

$\frac{1}{2}\begin{vmatrix} 2 & 8 & 6 & 2 \\ 1 & -1 & 8 & 1 \end{vmatrix}$

$=\frac{1}{2}\times|(-2+64+6)-(8-6+16)|$

$=\frac{1}{2}\times|50|=25$

2 답 **18**

세 점 A$(2, 3)$, B$(5, -3)$, C$(7, 5)$를 x축의 방향으로 -2만큼, y축의 방향으로 -3만큼 평행이동한 세 점은 A$'(0, 0)$, B$'(3, -6)$, C$'(5, 2)$이므로 삼각형 A$'$B$'$C$'$의 넓이는

$\frac{1}{2}\begin{vmatrix} 0 & 3 & 5 & 0 \\ 0 & -6 & 2 & 0 \end{vmatrix}$

$=\frac{1}{2}\times|(0+6+0)-(0-30+0)|$

$=\frac{1}{2}\times|36|=18$

◉ 다른 풀이 1

세 점 A$'(0, 0)$, B$'(x_1, y_1)$, C$'(x_2, y_2)$를 꼭짓점으로 하는 삼각형 A$'$B$'$C$'$의 넓이는 $\frac{1}{2}|x_1y_2-x_2y_1|$

따라서 세 점 A$'(0, 0)$, B$'(3, -6)$, C$'(5, 2)$를 꼭짓점으로 하는 삼각형 A$'$B$'$C$'$의 넓이는

$\frac{1}{2}\times|3\times2-5\times(-6)|=\frac{1}{2}\times|36|=18$

◉ 다른 풀이 2

삼각형 ABC와 삼각형 A$'$B$'$C$'$의 넓이는 같으므로 평행이동의 성질을 이용하면 삼각형 ABC의 넓이는

$\frac{1}{2}\begin{vmatrix} 2 & 5 & 7 & 2 \\ 3 & -3 & 5 & 3 \end{vmatrix}$

$=\frac{1}{2}\times|(-6+25+21)-(15-21+10)|$

$=\frac{1}{2}\times|36|=18$

실전 연습 문제

346~348쪽

01 ④	**02** $y=\frac{3}{2}x+7$	**03** ②	**04** ②
05 6	**06** ①	**07** $\frac{5}{2}$	**08** ③
09 29	**10** ②	**11** 8	**12** ④
13 10	**14** ④	**15** ③	**16** ⑤
17 $4x+2y-7=0$	**18** $(2, 2)$		

01

해결전략 | 한 점과 기울기가 주어진 직선의 방정식을 구한다.

STEP 1 내분점의 좌표 구하기

선분 AB를 2 : 1로 내분하는 점의 좌표는

$\left(\frac{2\times4+1\times(-2)}{2+1}, \frac{2\times0+1\times3}{2+1}\right)$ $\therefore (2, 1)$

STEP 2 직선의 방정식 구하기

따라서 점 $(2, 1)$을 지나고 기울기가 2인 직선의 방정식은 $y-1=2(x-2)$

즉, $y=2x-3$이므로 $2x-y-3=0$

02

해결전략 | 평행인 두 직선의 기울기는 같다.

STEP 1 기울기 구하기

두 점 A$(1, 2)$, B$(3, 5)$를 지나는 직선의 기울기는

$\frac{5-2}{3-1}=\frac{3}{2}$

STEP 2 직선의 방정식 구하기

따라서 구하는 직선은 기울기가 $\frac{3}{2}$이고 점 $(-2, 4)$를 지나므로 직선의 방정식은

$y-4=\frac{3}{2}\{x-(-2)\}$ $\therefore y=\frac{3}{2}x+7$

03

해결전략 | 이차함수 $f(x)$를 완전제곱식의 꼴로 변형하여 꼭짓점의 좌표를 구한다.

STEP 1 두 점 A, B의 좌표를 p에 대한 식으로 나타내기

$f(x)=x^2+px+p$

$=\left(x^2+px+\frac{p^2}{4}\right)+p-\frac{p^2}{4}$

$=\left(x+\frac{p}{2}\right)^2+p-\frac{p^2}{4}$

따라서 이차함수 $y=f(x)$의 그래프의 꼭짓점의 좌표는

A$\left(-\frac{p}{2}, p-\frac{p^2}{4}\right)$

함수 $y=f(x)$의 그래프가 y축과 만나는 점은 x좌표가 0이므로 $B(0, p)$

STEP 2 직선 l의 방정식 구하기

두 점 $A\left(-\frac{p}{2}, p-\frac{p^2}{4}\right)$, $B(0, p)$를 지나는 직선 l의 방정식은

$$y-p=\frac{p-\left(p-\frac{p^2}{4}\right)}{0-\left(-\frac{p}{2}\right)}(x-0)$$

$$y-p=\frac{\frac{p^2}{4}}{\frac{p}{2}}x \qquad \therefore y=\frac{p}{2}x+p$$

STEP 3 x절편 구하기

$y=\frac{p}{2}x+p$에 $y=0$을 대입하면 $x=-2$이므로 직선 l의 x절편은 -2이다.

04

해결전략 | 서로 다른 세 점이 삼각형을 이루지 않으면 세 점은 한 직선 위에 있다.

세 점 A, B, C를 꼭짓점으로 하는 삼각형이 존재하지 않으려면 세 점이 한 직선 위에 있으려면

(직선 AB의 기울기)=(직선 BC의 기울기)

이어야 한다. 즉,

$$\frac{k+4-(-1)}{0-(2-2k)}=\frac{k+6-(k+4)}{1-0}$$

$$\frac{k+5}{2k-2}=2, \ k+5=4k-4$$

$$\therefore k=3$$

> **참고** 직선 AB, BC, AC 중 어느 두 개의 기울기를 이용해도 결과는 같다.

05

해결전략 | 주어진 사각형이 어떤 사각형인지 파악하고, 사각형의 넓이를 이등분하는 직선은 사각형 안의 어떤 점을 지나야 하는지 생각해 본다.

STEP 1 사각형 결정하기

(직선 AB의 기울기)=(직선 DC의 기울기)$=-\frac{1}{6}$

(직선 AD의 기울기)=(직선 BC의 기울기)$=\frac{5}{4}$

이므로 오른쪽 그림에서 $\overline{AB}/\!/\overline{DC}$, $\overline{AD}/\!/\overline{BC}$이므로 사각형 ABCD는 평행사변형이다. …… ❶

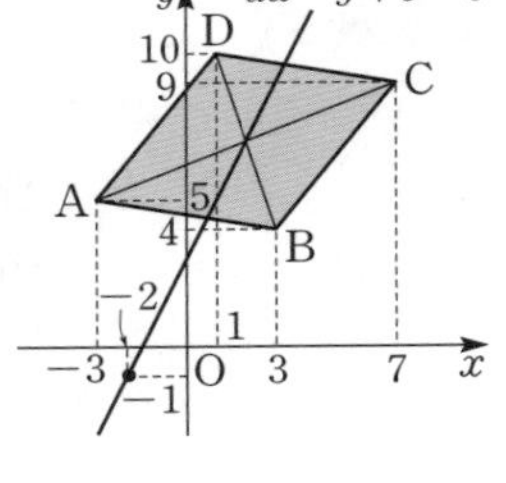

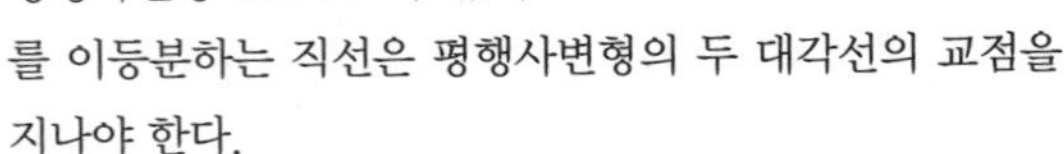

STEP 2 평행사변형의 대각선의 중점의 좌표 구하기

평행사변형 ABCD의 넓이를 이등분하는 직선은 평행사변형의 두 대각선의 교점을 지나야 한다.

평행사변형의 두 대각선의 교점은 선분 AC의 중점이므로

$\left(\frac{-3+7}{2}, \frac{5+9}{2}\right) \qquad \therefore (2, 7)$ …… ❷

STEP 3 직선의 방정식 구하기

따라서 두 점 $(2, 7)$, $(-2, -1)$을 지나는 직선의 방정식은

$$y-7=\frac{-1-7}{-2-2}(x-2)$$

즉, $y=2x+3$이므로 $2x-y+3=0$ …… ❸

STEP 4 $a+b$의 값 구하기

즉, $a=2$, $b=3$이므로

$ab=2\times3=6$ …… ❹

채점 요소	배점
❶ 사각형이 평행사변형임을 알기	20 %
❷ $\overline{AC}$의 중점의 좌표 구하기	30 %
❸ 직선의 방정식 구하기	40 %
❹ ab의 값 구하기	10 %

06

해결전략 | 그래프를 보고 기울기, x절편, y절편의 부호를 파악한다.

STEP 1 직선의 방정식 변형하기

직선 $ax+by+c=0$을 변형하면 $y=-\frac{a}{b}x-\frac{c}{b}$이므로

기울기는 $-\frac{a}{b}$, y절편은 $-\frac{c}{b}$, x절편은 $-\frac{c}{a}$이다.

STEP 2 기울기, x절편, y절편의 부호 정하기

ㄱ. 기울기가 음수이므로

$-\frac{a}{b}<0$에서 $ab>0$ (거짓)

ㄴ. y절편이 양수이므로

$-\frac{c}{b}>0$에서 $bc<0$ (참)

ㄷ. x절편이 양수이므로

$-\frac{c}{a}>0$에서 $ac<0$ (거짓)

따라서 옳은 것은 ㄴ이다.

07

해결전략 | 직선이 항상 지나는 점을 구하고, 이 점으로부터 정사각형과 만나는 직선을 그려 본다.

STEP 1 직선이 항상 지나는 점 구하기

직선 $y=mx+3m-1$을 m에 대하여 정리하면

$y=m(x+3)-1$ ...... ㉠

이므로 m의 값에 관계없이 항상 점 $(-3, -1)$을 지난다.

STEP 2 m의 값의 범위 구하기

(i) 직선 ㉠이 점 $(3, 2)$를 지날 때,

$2=m(3+3)-1$

$\therefore m=\frac{1}{2}$

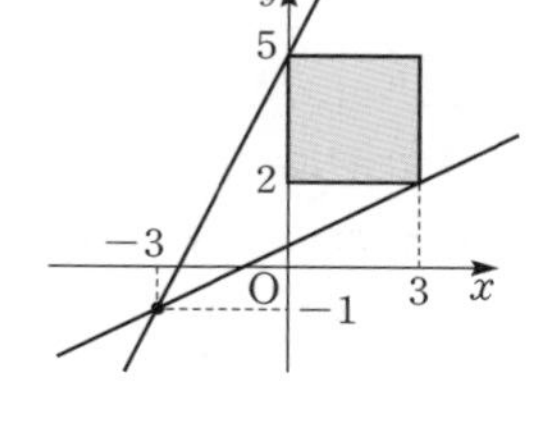

(ii) 직선 ㉠이 점 $(0, 5)$를 지날 때,

$5=m(0+3)-1 \qquad \therefore m=2$

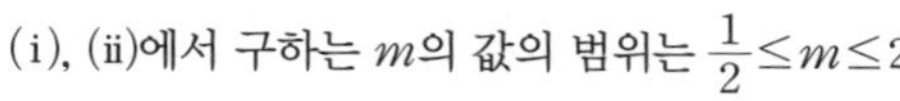

(i), (ii)에서 구하는 m의 값의 범위는 $\frac{1}{2}\le m\le 2$

◉→ 다른 풀이

STEP 2 직선의 기울기를 이용하여 m의 값의 범위 구하기

점 $(-3, -1)$을 지나는 직선의 기울기 m은 점 $(3, 2)$를 지날 때 최소이고, 점 $(0, 5)$를 지날 때 최대이다.

(i) 두 점 $(-3, -1)$, $(3, 2)$를 지나는 직선의 기울기는

$\frac{2-(-1)}{3-(-3)}=\frac{1}{2}$

(ii) 두 점 $(-3, -1)$, $(0, 5)$를 지나는 직선의 기울기는

$\frac{5-(-1)}{0-(-3)}=2$

(i), (ii)에서 m의 값의 범위는 $\frac{1}{2}\le m\le 2$

STEP 3 $a+b$의 값 구하기

즉, $a=\frac{1}{2}$, $b=2$이므로 $a+b=\frac{1}{2}+2=\frac{5}{2}$

08

해결전략 | 이등변삼각형의 성질과 수직인 두 직선의 기울기의 곱이 -1임을 이용한다.

STEP 1 선분 BC의 중점의 좌표 구하기

선분 BC의 중점을 M이라고 하면 점 M은 직선 $y=m(x-2)$와 y축이 만나는 점이므로 $\mathrm{M}(0, -2m)$이다.

STEP 2 서로 수직인 두 직선을 이용하여 m의 값 구하기

삼각형 ABC는 $\overline{\mathrm{AB}}=\overline{\mathrm{AC}}$인 이등변삼각형이므로 두 선분 AM, BC는 서로 수직이다.

직선 BC의 기울기는 m이고, 두 점 $\mathrm{A}(-2, 3)$, $\mathrm{M}(0, -2m)$을 지나는 직선 AM의 기울기는

$\frac{-2m-3}{0-(-2)}=\frac{-2m-3}{2}$

이다. 이 두 직선이 서로 수직이므로

$m\times\frac{-2m-3}{2}=-1$

$2m^2+3m-2=0$, $(m+2)(2m-1)=0$

$\therefore m=\frac{1}{2}$ $(\because m>0)$

09

해결전략 | 두 직선이 두 개 이상의 교점을 가지면 두 직선은 일치한다.

두 직선이 두 개 이상의 교점을 가지므로 두 직선이 일치한다.

따라서 $\frac{a}{2}=\frac{-3}{3}=\frac{b}{-5}=-1$이므로

$a=-2$, $b=5$

$\therefore a^2+b^2=(-2)^2+5^2=29$

풍쌤의 비법

두 직선 $ax+by+c=0$, $a'x+b'y+c'=0$의 위치 관계

(1) 평행: $\frac{a}{a'}=\frac{b}{b'}\ne\frac{c}{c'}$

(2) 수직: $aa'+bb'=0$

(3) 일치: $\frac{a}{a'}=\frac{b}{b'}=\frac{c}{c'}$

(4) 한 점에서 만난다: $\frac{a}{a'}\ne\frac{b}{b'}$

10

해결전략 | 두 직선이 y축에서 수직으로 만나면 y절편은 같고, 기울기의 곱은 -1이다.

STEP 1 직선의 방정식 구하기

직선 $(3k+2)x-y+2=0$, 즉 $y=(3k+2)x+2$의 기울기가 $3k+2$, y절편이 2이므로 이 직선과 y축에서 수직으로 만나는 직선의 방정식은

$y=-\frac{1}{3k+2}x+2$

STEP 2 **k의 값 구하기**

이 직선이 점 $(1,\ 0)$을 지나므로

$0=-\dfrac{1}{3k+2}+2$

$\dfrac{1}{3k+2}=2,\ 6k+4=1$

$\therefore\ k=-\dfrac{1}{2}$

◉→ 다른 풀이

STEP 1 **직선의 방정식 구하기**

직선 $(3k+2)x-y+2=0$이 y축과 만나는 점은 $(0,\ 2)$이다.

따라서 두 점 $(1,\ 0)$, $(0,\ 2)$를 지나는 직선의 방정식은

$y=\dfrac{2-0}{0-1}(x-1)\qquad \therefore\ 2x+y-2=0$

STEP 2 **k의 값 구하기**

이 직선이 직선 $(3k+2)x-y+2=0$과 수직이므로

$2(3k+2)-1=0$

$6k+3=0\qquad \therefore\ k=-\dfrac{1}{2}$

11

해결전략 | 선분의 중점을 지나면서 수직인 직선이 수직이등분선이다.

STEP 1 **선분 AB의 중점의 좌표와 수직이등분선의 기울기 구하기**

선분 AB의 수직이등분선은 선분 AB의 중점을 지나면서 직선 AB에 수직이다.

선분 AB의 중점의 좌표는

$\left(\dfrac{5+(-3)}{2},\ \dfrac{4+k}{2}\right)\qquad \therefore\ \left(1,\ 2+\dfrac{k}{2}\right)$ …… ❶

직선 AB의 기울기는 $\dfrac{k-4}{-3-5}=\dfrac{k-4}{-8}$이므로

수직이등분선의 기울기는 $\dfrac{8}{k-4}$이다. …… ❷

STEP 2 **선분 AB의 수직이등분선의 방정식 구하기**

따라서 선분 AB의 수직이등분선의 방정식은

$y=\dfrac{8}{k-4}(x-1)+2+\dfrac{k}{2}$ …… ❸

STEP 3 **k의 값 구하기**

이 직선이 점 $(0,\ 4)$를 지나므로

$4=-\dfrac{8}{k-4}+2+\dfrac{k}{2}$

$8(k-4)=-16+4(k-4)+k(k-4)$

$k^2-8k=0,\ k(k-8)=0$

$\therefore\ k=0$ 또는 $k=8$

따라서 모든 실수 k의 값의 합은 8이다. …… ❹

채점 요소	배점
❶ 선분 AB의 중점의 좌표 구하기	30 %
❷ 수직이등분선의 기울기 구하기	30 %
❸ 수직이등분선의 방정식 구하기	20 %
❹ k의 값의 합 구하기	20 %

12

해결전략 | a, b 사이의 관계식을 만들어 점과 직선 사이의 거리를 이용한다.

STEP 1 **점 $(-1,\ 1)$을 대입하여 a, b 사이의 관계식 구하기**

직선 $ax+by-1=0$이 점 $(-1,\ 1)$을 지나므로

$-a+b-1=0\qquad \therefore\ b=a+1$ …… ㉠

STEP 2 **a의 값 구하기**

점 $(1,\ 4)$와 직선 $ax+by-1=0$ 사이의 거리가 $\sqrt{13}$이므로

$\dfrac{|a+4b-1|}{\sqrt{a^2+b^2}}=\sqrt{13}$

㉠을 이 식에 대입하면

$|a+4(a+1)-1|=\sqrt{13}\sqrt{a^2+(a+1)^2}$

$|5a+3|=\sqrt{13}\sqrt{2a^2+2a+1}$

양변을 제곱하면

$25a^2+30a+9=26a^2+26a+13$

$a^2-4a+4=0,\ (a-2)^2=0\qquad \therefore\ a=2$

STEP 3 **ab의 값 구하기**

㉠에서 $b=a+1=2+1=3$이므로

$ab=2\times3=6$

13

해결전략 | 평행한 두 직선은 기울기가 같음을 이용한다.

STEP 1 **두 직선이 평행함을 이용하여 직선의 방정식 구하기**

두 점 $\mathrm{A}(1,\ a)$, $\mathrm{B}(-3,\ 4)$를 지나는 직선이 직선 $y=bx$와 평행하므로

$y-4=b\{x-(-3)\}$

$\therefore\ bx-y+3b+4=0$ …… ㉠ …… ❶

STEP 2 **두 직선 사이의 거리를 이용하기**

직선 $y=bx$가 원점을 지나므로 직선 ㉠과 원점 사이의 거리는 5이다.

$\dfrac{|3b+4|}{\sqrt{b^2+(-1)^2}}=5,\ |3b+4|=5\sqrt{b^2+1}$

$(3b+4)^2=25(b^2+1),\ 16b^2-24b+9=0$

$(4b-3)^2=0 \qquad \therefore b=\frac{3}{4}$

$b=\frac{3}{4}$을 ㉠에 대입하면 $\frac{3}{4}x-y+\frac{9}{4}+4=0$

$\therefore 3x-4y+25=0$ …… ❷

STEP 3 직선이 지나는 점 A구하기

직선 $3x-4y+25=0$이 점 $A(1, a)$를 지나므로

$3-4a+25=0 \qquad \therefore a=7$ …… ❸

$\therefore 4b+a=4\times\frac{3}{4}+7=10$ …… ❹

채점 요소	배점
❶ 두 점 A, B를 지나는 직선의 방정식 구하기	30 %
❷ b의 값 구하기	30 %
❸ a의 값 구하기	30 %
❹ $4b+a$의 값 구하기	10 %

14

해결전략 | 원점과 직선 사이의 거리를 구하고, 분모가 최소일 때 이 값이 최대가 됨을 이용한다.

STEP 1 거리 구하기

$3x-y+2-k(x+y)=0$에서 $(3-k)x-(1+k)y+2=0$

따라서 원점 $(0, 0)$과 직선 $(3-k)x-(1+k)y+2=0$ 사이의 거리는

$\frac{|2|}{\sqrt{(3-k)^2+(1+k)^2}}=\frac{2}{\sqrt{2k^2-4k+10}}$

STEP 2 거리의 최댓값 구하기

이 거리가 최대가 되려면 분모가 최소일 때이고,

$2k^2-4k+10=2(k-1)^2+8\geq 8$이므로

$\frac{2}{\sqrt{2k^2-4k+10}}\leq\frac{2}{\sqrt{8}}=\frac{\sqrt{2}}{2}$

따라서 구하는 거리의 최댓값은 $\frac{\sqrt{2}}{2}$이다.

15

해결전략 | 먼저 세 직선의 교점을 구하고, 두 점 사이의 거리로 밑변의 길이, 점과 직선 사이의 거리로 높이를 구한다.

STEP 1 세 교점의 좌표 구하기

두 직선 $x-3y+9=0$, $x+y-11=0$의 교점의 좌표는 $(6, 5)$

두 직선 $x-3y+9=0$, $2x-y+8=0$의 교점의 좌표는 $(-3, 2)$

두 직선 $x+y-11=0$, $2x-y+8=0$의 교점의 좌표는 $(1, 10)$

STEP 2 삼각형의 밑변의 길이 구하기

$A(6, 5)$, $B(-3, 2)$, $C(1, 10)$으로 놓고, 선분 AB를 삼각형 ABC의 밑변이라고 하면

$\overline{AB}=\sqrt{(-3-6)^2+(2-5)^2}=3\sqrt{10}$

STEP 3 삼각형의 높이 구하기

두 점 A, B는 모두 $x-3y+9=0$ 위의 점이므로 삼각형 ABC의 높이는 점 $C(1, 10)$과 직선 $x-3y+9=0$ 사이의 거리와 같다. 즉, 삼각형 ABC의 높이는

$\frac{|1-30+9|}{\sqrt{1^2+(-3)^2}}=2\sqrt{10}$

STEP 4 삼각형의 넓이 구하기

$\therefore \triangle ABC=\frac{1}{2}\times 3\sqrt{10}\times 2\sqrt{10}=30$

16

해결전략 | 두 점 사이의 거리로 밑변의 길이, 점과 직선 사이의 거리로 높이를 구하고, 주어진 삼각형의 넓이를 이용하여 식을 세운다.

STEP 1 삼각형의 밑변의 길이 구하기

선분 AB를 삼각형 ABC의 밑변이라고 하면

$\overline{AB}=\sqrt{(-2-5)^2+(0-2)^2}=\sqrt{53}$

STEP 2 삼각형의 높이 구하기

직선 AB의 방정식은

$y=\frac{2-0}{5-(-2)}\{x-(-2)\}$

즉, $y=\frac{2}{7}x+\frac{4}{7}$이므로 $2x-7y+4=0$

삼각형 ABC의 높이는 점 $C(0, a)$와 직선 $2x-7y+4=0$ 사이의 거리이므로

$\frac{|-7a+4|}{\sqrt{2^2+(-7)^2}}=\frac{|7a-4|}{\sqrt{53}}$

STEP 3 넓이 조건을 이용하여 식 세우고 a의 값 구하기

삼각형 ABC의 넓이가 12이므로

$\frac{1}{2}\times\sqrt{53}\times\frac{|7a-4|}{\sqrt{53}}=12$

$|7a-4|=24$

$7a-4=\pm 24$

$\therefore a=4$ 또는 $a=-\frac{20}{7}$

이때 a는 정수이므로 $a=4$

17

해결전략 | 주어진 식을 좌표를 이용해 표현한다.

STEP1 점 P의 좌표를 이용하여 식 만들기

점 P의 좌표를 (x, y)라고 하면

$\overline{PA}^2-\overline{PB}^2=4$에서

$(x+1)^2+(y-1)^2-\{(x-1)^2+(y-2)^2\}=4$

STEP2 식을 정리하여 도형의 방정식 구하기

$x^2+2x+1+y^2-2y+1-x^2+2x-1-y^2+4y-4=4$

$4x+2y-3=4$

$\therefore 4x+2y-7=0$

18

해결전략 | 삼각형의 내심은 각의 이등분선의 교점이다.

STEP1 각 변의 직선의 방정식 구하기

직선 AB의 방정식은 $y=0$

직선 BC의 방정식은 $y-0=\dfrac{6-0}{\frac{5}{2}-5}(x-5)$

즉, $y=-\dfrac{12}{5}x+12$이므로 $12x+5y-60=0$

직선 CA의 방정식은 $y-0=\dfrac{6-0}{\frac{5}{2}-(-2)}\{x-(-2)\}$

즉, $y=\dfrac{4}{3}x+\dfrac{8}{3}$이므로 $4x-3y+8=0$ …… ❶

STEP2 두 각의 이등분선의 방정식 구하기

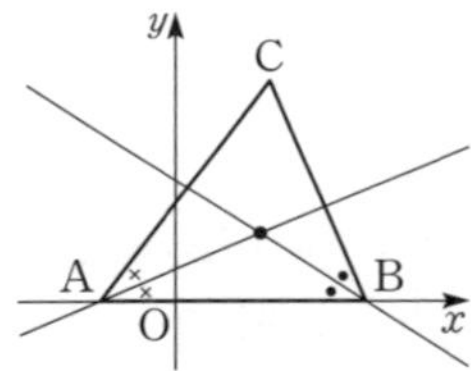

$\angle$B의 이등분선 위의 임의의 점을 $P(x, y)$라고 하면 점 P에서 두 직선 $y=0$, $12x+5y-60=0$에 이르는 거리가 같으므로

$|y|=\dfrac{|12x+5y-60|}{\sqrt{12^2+5^2}}$

$13|y|=|12x+5y-60|$

(i) $13y=12x+5y-60$일 때

$12x-8y-60=0$

$\therefore 3x-2y-15=0$

(ii) $313y=-12x-5y+60$일 때

$12x+18y-60=0$

$\therefore 2x+3y-10=0$

이때 점 B를 지나고 삼각형 내부를 지나는 직선은 기울기가 음수이므로 $\angle$B의 이등분선의 방정식은

$2x+3y-10=0$

마찬가지로 $\angle$A의 이등분선 위의 임의의 점을 $Q(x, y)$라고 하면 점 Q에서 두 직선 $y=0$, $4x-3y+8=0$에 이르는 거리가 같으므로

$|y|=\dfrac{|4x-3y+8|}{\sqrt{4^2+(-3)^2}}$

$5|y|=|4x-3y+8|$

(i) $5y=4x-3y+8$일 때

$4x-8y+8=0$

$\therefore x-2y+2=0$

(ii) $5y=-4x+3y-8$일 때

$4x+2y+8=0$

$\therefore 2x+y+4=0$

이때 점 A를 지나고 삼각형에 내부를 지나는 직선의 기울기는 양수이므로 $\angle$A의 이등분선의 방정식은

$x-2y+2=0$ …… ❷

STEP3 내심의 좌표 구하기

따라서 두 각의 이등분선 $2x+3y-10=0$, $x-2y+2=0$의 교점 $(2, 2)$가 삼각형 ABC의 내심이다. …… ❸

채점 요소	배점
❶ 각 변의 직선의 방정식 구하기	30 %
❷ 두 각의 이등분선의 방정식 구하기	50 %
❸ 내심의 좌표 구하기	20 %

상위권 도약 문제 349~350쪽

01 ③ 02 ① 03 ③ 04 15 05 ①
06 5 07 $\frac{96}{7}$

01

해결전략 | 점 P의 x좌표를 t로 놓고, t의 값에 따른 삼각형의 넓이를 구한다.

STEP1 삼각형의 넓이 구하기

점 P의 x좌표를 t라고 하면 y좌표는 $2t+2$이므로 삼각형 PAH의 넓이는

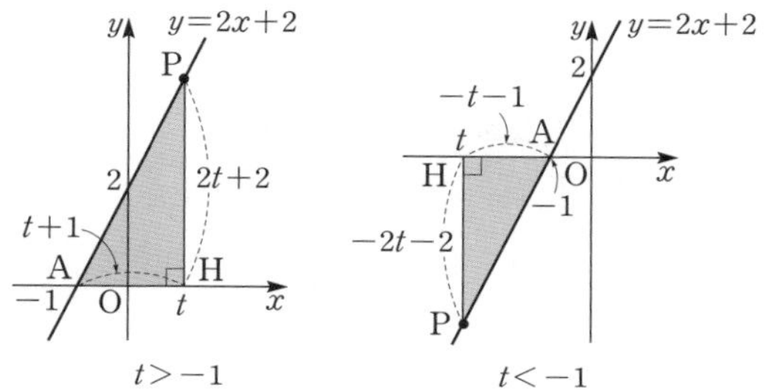

$t>-1$일 때, $\frac{1}{2}(t+1)(2t+2)=(t+1)^2$

$t<-1$일 때, $\frac{1}{2}(-t-1)(-2t-2)=(t+1)^2$

즉, 삼각형 PAH의 넓이는 $t\neq-1$일 때 $(t+1)^2$이다.

STEP2 $\alpha\beta$의 값 구하기

삼각형 PAH의 넓이는 5이므로

$(t+1)^2=5 \qquad \therefore t^2+2t-4=0$

α, β는 이 이차방정식의 근이므로 이차방정식의 근과 계수의 관계에 의하여 $\alpha\beta=-4$

02

해결전략 | 삼각형이 이루어지지 않는 a, b의 값을 먼저 생각한다.

STEP1 세 점이 한 직선 위에 있을 때, a, b 사이의 관계식 구하기

세 점을 꼭짓점으로 하는 삼각형이 존재하지 않으면
세 점이 한 직선 위에 있으므로
(직선 AB의 기울기)=(직선 BC의 기울기)이다.

즉, $\frac{b-5}{a-7}=\frac{5-8}{7+a}$에서

$(b-5)(7+a)=-3(a-7)$

$ab-5a+7b-35=-3a+21$

$ab-2a+7b=56$

$a(b-2)+7(b-2)+14=56$

따라서 $(a+7)(b-2)=42$일 때, 세 점이 한 직선 위에 있고 삼각형이 존재하지 않는다.

STEP2 항상 삼각형이 존재하는 a, b의 값 구하기

이때 $a=-7$ 또는 $b=2$이면 $(a+7)(b-2)\neq42$이므로 항상 삼각형이 존재하게 된다.

따라서 $k_1=-7$, $k_2=2$이고 $k_1+k_2=-5$

03

해결전략 | 좌표평면이 여섯 부분으로 나누어질 때 세 직선의 위치 관계를 파악한다.

STEP1 세 직선이 한 점에서 만날 때, a의 값 구하기

서로 다른 세 직선이 좌표평면을 여섯 부분으로 나누므로 세 직선 중 두 직선이 평행하거나 세 직선이 한 점에서 만나야 한다.

(i) 세 직선이 한 점에서 만날 때

직선 $2ax+y-(4a+3)=0$을 a에 대하여 정리하면 $2a(x-2)+y-3=0$이므로 이 직선은 a의 값에 관계없이 항상 점 $(2, 3)$을 지난다.

또, 직선 $2x+ay-(3a+4)=0$을 a에 대하여 정리하면 $2(x-2)+a(y-3)=0$이므로 이 직선은 a의 값에 관계없이 항상 점 $(2, 3)$을 지난다.

따라서 직선 $x-4y+a=0$이 점 $(2, 3)$을 지날 때 세 직선이 한 점에서 만나게 되므로

$2-12+a=0 \qquad \therefore a=10$

STEP2 두 직선이 평행할 때, a의 값 구하기

(ii) 세 직선 중 두 직선이 평행할 때

ⓐ 두 직선 $2ax+y-(4a+3)=0$,
$2x+ay-(3a+4)=0$이 평행할 때

$\frac{2a}{2}=\frac{1}{a}\neq\frac{-4a-3}{-3a-4}$에서 $a^2=1$

$\therefore a=\pm1$

그런데 $a=\pm1$일 때 두 직선이 일치하므로 제외한다.

ⓑ 두 직선 $2ax+y-(4a+3)=0$,
$x-4y+a=0$이 평행할 때

$\frac{2a}{1}=\frac{1}{-4}\neq\frac{-4a-3}{a}$에서 $a=-\frac{1}{8}$

ⓒ 두 직선 $2x+ay-(3a+4)=0$,
$x-4y+a=0$이 평행할 때

$\frac{2}{1}=\frac{a}{-4}\neq\frac{-3a-4}{a}$에서 $a=-8$

STEP 3 a의 값의 곱 구하기

(i), (ii)에서 모든 상수 a의 값의 곱은

$10\times\left(-\frac{1}{8}\right)\times(-8)=10$

04

해결전략 | 곡선 $y=-x^2+4$와 직선 $y=2x+k$ 사이의 거리의 최솟값은 직선 $y=2x+k$와 평행하면서 곡선 $y=-x^2+4$에 접하는 직선과 직선 $y=2x+k$ 사이의 거리와 같다.

STEP 1 기울기가 같고 이차함수에 접하는 직선의 방정식 구하기

직선 $y=2x+k$와 평행하고 곡선 $y=-x^2+4$에 접하는 직선의 방정식을 $y=2x+k'$이라고 하자.

$y=-x^2+4$와 $y=2x+k'$을 연립하면

$-x^2+4=2x+k'$, $x^2+2x+k'-4=0$

이 이차방정식의 판별식을 D라고 하면

$\frac{D}{4}=1-(k'-4)=0$ $\quad\therefore k'=5$

따라서 직선 $y=2x+k$와 평행하고 곡선 $y=-x^2+4$에 접하는 직선의 방정식은 $y=2x+5$이다.

STEP 2 평행한 두 직선 사이의 거리를 이용하여 식 세우기

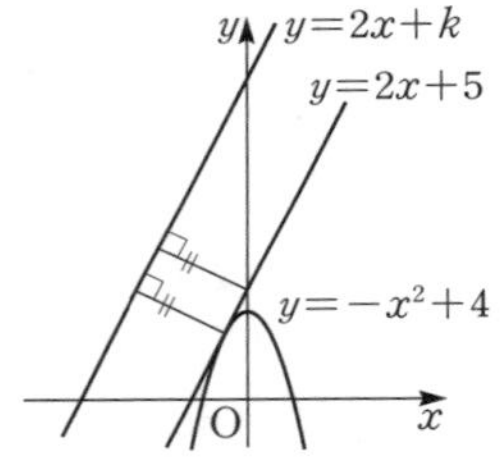

이 직선 위의 한 점 $(0, 5)$와 직선 $y=2x+k$ 사이의 거리가 곡선 $y=-x^2+4$ 위의 점과 직선 $2x-y+k=0$ 사이의 거리의 최솟값 $2\sqrt{5}$와 같으므로

$\frac{|-5+k|}{\sqrt{2^2+(-1)^2}}=2\sqrt{5}$

STEP 3 k의 값 구하기

$|k-5|=10$, $k-5=\pm10$

$\therefore k=15$ 또는 $k=-5$

그런데 $k=-5$이면 곡선 $y=-x^2+4$와 직선 $y=2x-5$가 만나므로 조건을 만족시키지 않는다.

$\therefore k=15$

> **풍쌤의 비법**
>
> (1) 직선과 곡선이 만나는 경우
> 곡선 위의 점과 직선 사이의 거리의 최솟값은 0이다.
>
> (2) 직선과 곡선이 만나지 않는 경우
> 직선 l에 평행하고 곡선 위의 한 점 P에서 접하는 직선을 m이라고 하자. 곡선 위의 점과 직선 l 사이의 거리의 최솟값은 점 P와 직선 l 사이의 거리와 같다.
> 한편, 두 직선 l, m이 평행하면 직선 m 위의 임의의 점과 직선 l 사이의 거리는 항상 같다.

05

해결전략 | 두 직선 $y=2x$, $y=-\frac{1}{2}x$가 이루는 각의 이등분선의 방정식을 구한다.

STEP 1 삼각형 결정하기

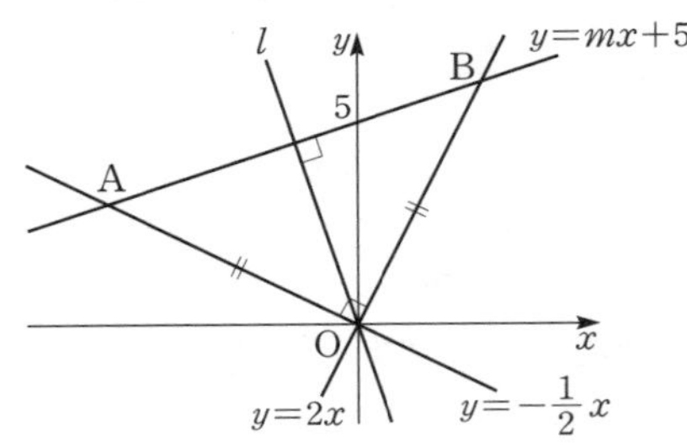

위의 그림의 같이 직선 $y=mx+5$가 두 직선 $y=-\frac{1}{2}x$, $y=2x$와 만나는 점을 각각 A, B라고 하자.

두 직선 $y=2x$, $y=-\frac{1}{2}x$가 서로 수직이므로 세 직선 $y=2x$, $y=-\frac{1}{2}x$, $y=mx+5$ $(m>0)$로 둘러싸인 삼각형 AOB는 직각이등변삼각형이다.

STEP 2 각의 이등분선 구하기

$\angle$AOB를 이등분하는 직선을 l이라고 하면 직선 $y=mx+5$는 직선 l과 수직이다.

직선 l 위의 임의의 점을 P(x, y)로 놓으면 점 P에서 두 직선 $y=2x$, $y=-\frac{1}{2}x$, 즉 $2x-y=0$, $x+2y=0$에 이르는 거리가 같으므로 $\frac{|2x-y|}{\sqrt{2^2+(-1)^2}}=\frac{|x+2y|}{\sqrt{1^2+2^2}}$

$|2x-y|=|x+2y|$, $2x-y=\pm(x+2y)$

$\therefore y=\frac{1}{3}x$ 또는 $y=-3x$

이때 $m>0$이고 직선 l의 방정식은 직선 $y=mx+5$와 수직이므로 직선 l의 기울기는 음수이다.

$\therefore y=-3x$

STEP 3 m의 값 구하기

$m\times(-3)=-1$ $\quad\therefore m=\frac{1}{3}$

다른 풀이

직선 $y=mx+5$가 두 직선 $y=-\frac{1}{2}x$, $y=2x$와 만나는 점을 각각 A, B라고 하자.

두 직선 $y=2x$, $y=-\frac{1}{2}x$가 서로 수직이므로 세 직선 $y=2x$, $y=-\frac{1}{2}x$, $y=mx+5$ $(m>0)$로 둘러싸인 삼각형 AOB는 직각이등변삼각형이다.

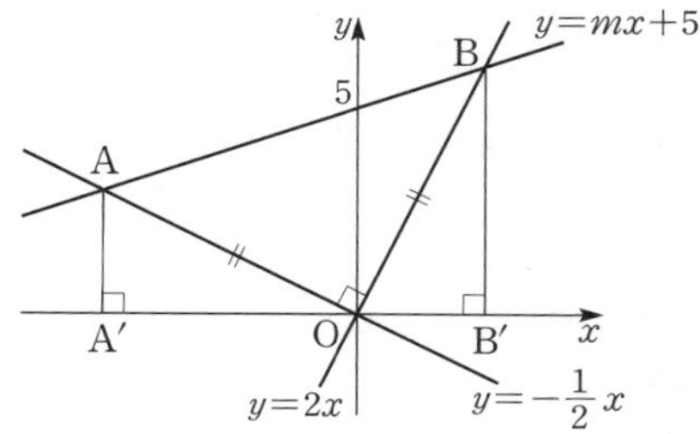

위의 그림과 같이 두 점 A, B에서 x축에 내린 수선의 발을 각각 A′, B′이라고 하면

$\triangle AA'O \equiv \triangle OB'B$ (RHA 합동)

$\therefore \overline{AA'}=\overline{OB'}$, $\overline{OA'}=\overline{BB'}$

점 B의 x좌표를 a라고 하면 $B(a,\ 2a)$, $A(-2a,\ a)$이므로

$$m=\frac{2a-a}{a-(-2a)}=\frac{1}{3}$$

06

해결전략 | 주어진 점들을 좌표평면 위에 나타내고 $\overline{PO}+\overline{PA}+\overline{PB}+\overline{PC}$가 최소가 되는 점 P의 위치를 생각해 본다.

STEP1 $\overline{PO}+\overline{PA}+\overline{PB}+\overline{PC}$가 최소가 되는 점 P의 위치 찾기

$\overline{PC}+\overline{PA}\ge\overline{AC}$이므로

점 P가 선분 AC 위에 있을 때, $\overline{PA}+\overline{PC}$가 최소가 된다.

마찬가지로

$\overline{PO}+\overline{PB}\ge\overline{OB}$이므로

점 P가 선분 OB 위에 있을 때, $\overline{PO}+\overline{PB}$가 최소가 되므로 점 P는 직선 OB와 직선 AC의 교점일 때, $\overline{PO}+\overline{PA}+\overline{PB}+\overline{PC}$가 최소이다.

STEP2 점 P의 좌표 구하기

이때 직선 OB의 방정식은 $y=\frac{2}{3}x$이고 직선 AC의 방정식은 $x=3$이므로 두 직선의 교점의 좌표는 $(3,\ 2)$이다.

따라서 점 P의 좌표는 $(3,\ 2)$이므로

$\overline{PA}=2-(-3)=5$

07

해결전략 | 주어진 도형을 좌표평면 위에 나타내고, 접힌 삼각형의 성질을 이용하여 점 P의 좌표를 구하고, 직선 AP의 방정식을 구한다.

STEP1 좌표평면을 잡고, 직선 AM과 직선 BP의 방정식 구하기

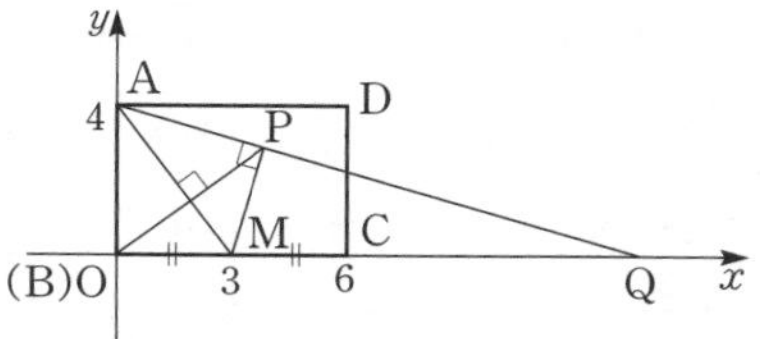

위의 그림과 같이 점 B를 원점, 직선 BC를 x축, 직선 AB를 y축으로 하는 좌표평면을 잡으면 $A(0,\ 4)$, $M(3,\ 0)$이므로 직선 AM의 방정식은

$$y-0=\frac{0-4}{3-0}(x-3)$$

$\therefore y=-\frac{4}{3}x+4$, 즉 $4x+3y-12=0$

직선 BP의 방정식은 직선 AM에 수직이므로 (두 점 B, P는 직선 AM에 대하여 대칭이므로)

$y=\frac{3}{4}x$, 즉 $3x-4y=0$

STEP2 점 P의 좌표 구하기

직선 AM에서 점 B와 점 P에 이르는 거리가 같다.

직선 AM과 점 $B(0,\ 0)$ 사이의 거리는

$$\frac{|-12|}{\sqrt{4^2+3^2}}=\frac{12}{5}$$

또, 점 P는 직선 BP 위의 점이므로

$P\left(a,\ \frac{3}{4}a\right)$ $(a>0)$라고 하면 직선 AM과 점 P 사이의 거리는

$$\frac{\left|4a+\frac{9}{4}a-12\right|}{\sqrt{4^2+3^2}}=\frac{\left|\frac{25}{4}a-12\right|}{5}=\frac{12}{5}$$

$\left|\frac{25}{4}a-12\right|=12$, $\frac{25}{4}a-12=\pm12$

$\therefore a=\frac{96}{25}$ 또는 $a=0$

그런데 $a>0$이므로 $a=\frac{96}{25}$ $\qquad\therefore P\left(\frac{96}{25},\ \frac{72}{25}\right)$

STEP3 직선 AP의 방정식 구하기

직선 AP의 방정식은 $y-4=\dfrac{\frac{72}{25}-4}{\frac{96}{25}-0}(x-0)$

$y=\dfrac{-\frac{28}{25}}{\frac{96}{25}}x+4$ $\qquad\therefore y=-\frac{7}{24}x+4$

STEP4 $\overline{BQ}$의 길이 구하기

직선 AP와 직선 BC가 만나는 점 Q는 직선 $y=-\frac{7}{24}x+4$가 x축과 만나는 점이므로

$0=-\frac{7}{24}x+4$ $\qquad\therefore x=\overline{BQ}=\frac{96}{7}$

원의 방정식

개념확인 352~355쪽

01 답 (1) $(x-1)^2+(y+2)^2=9$ (2) $x^2+y^2=4$

02 답 (1) 중심의 좌표: $(-1, 3)$, 반지름의 길이: $\sqrt{10}$
(2) 중심의 좌표: $(-2, -4)$, 반지름의 길이: 5

(1) $x^2+y^2+2x-6y=0$에서
$(x^2+2x+1)+(y^2-6y+9)=10$
$\therefore (x+1)^2+(y-3)^2=10$
따라서 중심의 좌표는 $(-1, 3)$, 반지름의 길이는 $\sqrt{10}$이다.

(2) $x^2+y^2+4x+8y-5=0$에서
$(x^2+4x+4)+(y^2+8y+16)=25$
$\therefore (x+2)^2+(y+4)^2=25$
따라서 중심의 좌표는 $(-2, -4)$, 반지름의 길이는 5이다.

03 답 (1) $(x-2)^2+(y+1)^2=1$
(2) $(x+4)^2+(y+3)^2=16$
(3) $(x+5)^2+(y-5)^2=25$

04 답 $(x-3)^2+y^2=1$
점 P의 좌표를 (x, y)라고 하면 $\overline{AP}^2+\overline{BP}^2=10$에서
$(x-1)^2+y^2+(x-5)^2+y^2=10$
$x^2-2x+1+y^2+x^2-10x+25+y^2=10$
$2x^2-12x+2y^2+16=0$
$x^2-6x+y^2+8=0$
$\therefore (x-3)^2+y^2=1$

05 답 (1) 서로 다른 두 점에서 만난다.
(2) 만나지 않는다.
(3) 접한다.

(1) $x^2+y^2=1$과 $y=x+1$을 연립하면 $x^2+(x+1)^2=1$
$2x^2+2x=0$, $x^2+x=0$
이 이차방정식의 판별식을 D라고 하면
$D=1-4\times1\times0=1>0$
이므로 원과 직선은 서로 다른 두 점에서 만난다.

(2) $x^2+y^2=1$과 $y=x+4$를 연립하면
$x^2+(x+4)^2=1$, $2x^2+8x+15=0$
이 이차방정식의 판별식을 D라고 하면
$\frac{D}{4}=4^2-2\times15=-14<0$
이므로 원과 직선은 만나지 않는다.

(3) $x^2+y^2=1$과 $y=-x+\sqrt{2}$를 연립하면
$x^2+(-x+\sqrt{2})^2=1$, $2x^2-2\sqrt{2}x+1=0$
이 이차방정식의 판별식을 D라고 하면
$\frac{D}{4}=(-\sqrt{2})^2-2\times1=0$
이므로 원과 직선은 접한다.

06 답 (1) $y=-2x\pm3\sqrt{5}$ (2) $3x-4y=25$

07 답 $2x-y+2=0$
두 원 $x^2+y^2=4$, $(x+2)^2+(y-1)^2=5$의 교점을 지나는 직선의 방정식은
$x^2+y^2-4-(x^2+y^2+4x-2y)=0$
$-4x+2y-4=0$ $\therefore 2x-y+2=0$

08 답 $x^2+y^2-4x+8y+3=0$
$k\neq-1$인 실수 k에 대하여 두 원 $x^2+y^2=9$, $x^2+y^2-2x+4y-3=0$의 교점을 지나는 원의 방정식은
$x^2+y^2-9+k(x^2+y^2-2x+4y-3)=0$
이 원이 점 $(1, 0)$을 지나므로
$(1-9)+k(1-2-3)=0$
$-8-4k=0$ $\therefore k=-2$
따라서 구하는 원의 방정식은
$x^2+y^2-9-2(x^2+y^2-2x+4y-3)=0$
$-x^2-y^2+4x-8y-3=0$
$\therefore x^2+y^2-4x+8y+3=0$

필수유형 01 357쪽

01-1 답 (1) $x^2+y^2=20$ (2) $(x+2)^2+(y-3)^2=25$
해결전략 | 원의 중심이나 반지름의 길이가 주어지면 원의 방정식의 표준형 $(x-a)^2+(y-b)^2=r^2$을 이용한다.

(1) 구하는 원의 반지름의 길이를 r라고 하면 중심이 원점이므로 원의 방정식은 $x^2+y^2=r^2$
이 원이 점 $(4, 2)$를 지나므로
$4^2+2^2=r^2$ $\therefore r^2=20$
따라서 구하는 원의 방정식은
$x^2+y^2=20$

(2) 구하는 원의 반지름의 길이를 r라고 하면 중심이 점 $(-2, 3)$이므로 원의 방정식은
$(x+2)^2+(y-3)^2=r^2$
이 원이 점 $(1, -1)$을 지나므로
$(1+2)^2+(-1-3)^2=r^2$ $\therefore r^2=25$
따라서 구하는 원의 방정식은
$(x+2)^2+(y-3)^2=25$

01-2 답 (1) $(x+1)^2+(y-1)^2=25$

(2) $(x+3)^2+(y+2)^2=5$

해결전략 | 두 점 A, B를 지름의 양 끝 점으로 하는 원의 중심은 $\overline{AB}$의 중점, 반지름의 길이는 $\frac{1}{2}\overline{AB}$이다.

(1) **STEP 1 원의 중심의 좌표 구하기**

원의 중심은 선분 AB의 중점이므로

$\left(\frac{2-4}{2}, \frac{5-3}{2}\right)$

$\therefore (-1, 1)$

STEP 2 원의 반지름의 길이 구하기

원의 반지름의 길이는

$\frac{1}{2}\overline{AB}=\frac{1}{2}\sqrt{(-4-2)^2+(-3-5)^2}$

$=\frac{1}{2}\times 10=5$

STEP 3 원의 방정식 구하기

따라서 구하는 원의 방정식은

$(x+1)^2+(y-1)^2=25$

다른 풀이

원의 반지름의 길이는 원의 중심 $(-1, 1)$과 점 $A(2, 5)$ 사이의 거리와 같으므로

$\sqrt{\{2-(-1)\}^2+(5-1)^2}=5$

따라서 구하는 원의 방정식은

$(x+1)^2+(y-1)^2=25$

(2) **STEP 1 원의 중심의 좌표 구하기**

원의 중심은 선분 AB의 중점이므로

$\left(\frac{-1-5}{2}, \frac{-3-1}{2}\right)$

$\therefore (-3, -2)$

STEP 2 원의 반지름의 길이 구하기

원의 반지름의 길이는

$\frac{1}{2}\overline{AB}=\frac{1}{2}\sqrt{\{-5-(-1)\}^2+\{-1-(-3)\}^2}$

$=\frac{1}{2}\times 2\sqrt{5}=\sqrt{5}$

STEP 3 원의 방정식 구하기

따라서 구하는 원의 방정식은

$(x+3)^2+(y+2)^2=5$

다른 풀이

원의 반지름의 길이는 원의 중심 $(-3, -2)$와 점 $A(-1, -3)$ 사이의 거리와 같으므로

$\sqrt{\{-1-(-3)\}^2+\{-3-(-2)\}^2}=\sqrt{5}$

따라서 구하는 원의 방정식은

$(x+3)^2+(y+2)^2=5$

01-3 답 45π

해결전략 | 원의 중심의 좌표를 알 수 있으므로 원의 방정식을 표준형으로 나타내고, 점 $(3, 1)$을 대입하여 반지름의 길이를 구한다.

STEP 1 원의 중심의 좌표를 구하여 표준형으로 나타내기

원 $(x+3)^2+(y-4)^2=16$의 중심의 좌표가 $(-3, 4)$이므로 구하는 원의 반지름의 길이를 r라고 하면 원의 방정식은

$(x+3)^2+(y-4)^2=r^2$

STEP 2 점 $(3, 1)$을 대입하여 r^2의 값 구하기

이 원이 점 $(3, 1)$을 지나므로

$(3+3)^2+(1-4)^2=r^2$

$\therefore r^2=45$

STEP 3 원의 넓이 구하기

따라서 구하는 원의 넓이는

$\pi r^2=45\pi$

01-4 답 4

해결전략 | 원의 중심이 주어졌으므로 원의 방정식을 표준형으로 나타내고, 이 방정식을 일반형으로 나타낸 후 주어진 원의 방정식과 비교하여 반지름의 길이를 구한다.

STEP 1 중심이 점 $(1, -5)$인 원의 방정식 세우기

구하는 원의 반지름의 길이를 r라고 하면 원의 방정식은

$(x-1)^2+(y+5)^2=r^2$

$\therefore x^2+y^2-2x+10y+26-r^2=0$

STEP 2 주어진 원의 방정식과 비교하여 r의 값 구하기

이 식이 $x^2+y^2+ax+10y+10=0$과 일치하므로

$-2=a,\ 26-r^2=10 \qquad \therefore r^2=16$

즉, 주어진 원의 방정식은 $(x-1)^2+(y+5)^2=16$이므로 이 원의 반지름의 길이는 4이다.

01-5 답 -4

해결전략 | 선분 AB의 중점이 원의 중심과 같음을 이용하여 식을 세워 a, b의 값을 구한다.

STEP 1 주어진 원의 방정식을 표준형으로 변형하기

$x^2+y^2-4y-14=0$에서 $x^2+(y-2)^2=18$

STEP 2 a, b의 값 구하기

따라서 원의 중심의 좌표는 $(0, 2)$이고, 이 점이 선분 AB의 중점이므로

$\frac{a+3}{2}=0,\ \frac{b+5}{2}=2 \qquad \therefore a=-3,\ b=-1$

$\therefore a+b=-3+(-1)=-4$

01-6 답 $(x+2)^2+(y-3)^2=13$

해결전략 | $3x-2y+12=0$에 $y=0$, $x=0$을 각각 대입하여 두 점 P, Q의 좌표를 구하고, (원의 중심)=($\overline{PQ}$의 중점), (반지름의 길이)$=\frac{1}{2}\overline{PQ}$임을 이용하여 원의 방정식을 구한다.

STEP 1 두 점 P, Q의 좌표 구하기

$3x-2y+12=0$에

$y=0$을 대입하면 $3x+12=0$ $\quad\therefore x=-4$

$x=0$을 대입하면 $-2y+12=0$ $\quad\therefore y=6$

$\therefore$ P$(-4, 0)$, Q$(0, 6)$

STEP 2 원의 중심의 좌표 구하기

선분 PQ의 중점이 두 점 P, Q를 지름의 양 끝 점으로 하는 원의 중심이므로 그 좌표는

$\left(\frac{-4+0}{2}, \frac{0+6}{2}\right)$ $\quad\therefore (-2, 3)$

STEP 3 원의 반지름의 길이 구하기

또, 선분 PQ가 원의 지름이므로 원의 반지름의 길이는

$\frac{1}{2}\overline{PQ}=\frac{1}{2}\sqrt{4^2+6^2}=\frac{1}{2}\times2\sqrt{13}=\sqrt{13}$

STEP 4 원의 방정식 구하기

따라서 구하는 원의 방정식은

$(x+2)^2+(y-3)^2=13$

필수유형 02 359쪽

02-1 답 (1) $(x-3)^2+y^2=9$ $\quad$ (2) $(x-1)^2+y^2=5$

해결전략 | 원의 중심의 좌표를 $(a, 0)$으로 놓고 원의 방정식을 세운 후, 원이 주어진 두 점을 지남을 이용한다.

(1) **STEP 1 주어진 조건에 맞는 원의 방정식 세우기**

중심이 x축 위에 있으므로 원의 중심의 좌표를 $(a, 0)$, 반지름의 길이를 r라고 하면 원의 방정식은

$(x-a)^2+y^2=r^2$

STEP 2 지나는 두 점의 좌표를 대입하여 원의 방정식 구하기

이 원이 점 $(0, 0)$을 지나므로 $a^2=r^2$ $\quad\cdots\cdots$ ㉠

또, 이 원이 점 $(2, 2\sqrt{2})$를 지나므로

$(2-a)^2+(2\sqrt{2})^2=r^2$

$\therefore a^2-4a+12=r^2$ $\quad\cdots\cdots$ ㉡

㉠, ㉡을 연립하여 풀면 $a=3$, $r^2=9$

따라서 구하는 원의 방정식은 $(x-3)^2+y^2=9$

◉→ 다른 풀이

원의 중심을 A$(a, 0)$이라 하고 B$(0, 0)$, C$(2, 2\sqrt{2})$라고 하면 $\overline{AB}=\overline{AC}$이므로

$\sqrt{a^2}=\sqrt{(a-2)^2+(-2\sqrt{2})^2}$

양변을 제곱하여 정리하면

$-4a+12=0$ $\quad\therefore a=3$

따라서 원의 중심은 $(3, 0)$이고 반지름의 길이는

$\overline{AB}=\sqrt{3^2}=3$이므로 구하는 원의 방정식은

$(x-3)^2+y^2=9$

(2) **STEP 1 주어진 조건에 맞는 원의 방정식 세우기**

중심이 x축 위에 있으므로 원의 중심의 좌표를 $(a, 0)$, 반지름의 길이를 r라고 하면 원의 방정식은

$(x-a)^2+y^2=r^2$

STEP 2 지나는 두 점의 좌표를 대입하여 원의 방정식 구하기

이 원이 점 $(0, 2)$를 지나므로 $a^2+4=r^2$ $\quad\cdots\cdots$ ㉠

또, 이 원이 점 $(3, -1)$을 지나므로

$(3-a)^2+(-1)^2=r^2$

$\therefore a^2-6a+10=r^2$ $\quad\cdots\cdots$ ㉡

㉠, ㉡을 연립하여 풀면 $a=1$, $r^2=5$

따라서 구하는 원의 방정식은 $(x-1)^2+y^2=5$

◉→ 다른 풀이

원의 중심을 A$(a, 0)$이라 하고 B$(0, 2)$, C$(3, -1)$이라고 하면 $\overline{AB}=\overline{AC}$이므로

$\sqrt{a^2+(-2)^2}=\sqrt{(a-3)^2+1^2}$

양변을 제곱하여 정리하면

$-6a+6=0$ $\quad\therefore a=1$

따라서 원의 중심은 $(1, 0)$이고 반지름의 길이는

$\overline{AB}=\sqrt{1^2+(-2)^2}=\sqrt{5}$

이므로 구하는 원의 방정식은

$(x-1)^2+y^2=5$

02-2 답 (1) $x^2+(y+3)^2=16$ $\quad$ (2) $x^2+(y+1)^2=13$

해결전략 | 원의 중심의 좌표를 $(0, a)$로 놓고 원의 방정식을 세운 후, 원이 주어진 두 점을 지남을 이용한다.

(1) **STEP 1 주어진 조건에 맞는 원의 방정식 세우기**

중심이 y축 위에 있으므로 원의 중심의 좌표를 $(0, a)$, 반지름의 길이를 r라고 하면 원의 방정식은

$x^2+(y-a)^2=r^2$

STEP 2 지나는 두 점의 좌표를 대입하여 원의 방정식 구하기

이 원이 점 $(0, 1)$을 지나므로 $(1-a)^2=r^2$

$\therefore a^2-2a+1=r^2$ $\quad\cdots\cdots$ ㉠

또, 이 원이 점 $(-4, -3)$을 지나므로

$(-4)^2+(-3-a)^2=r^2$

$\therefore a^2+6a+25=r^2$ $\quad\cdots\cdots$ ㉡

㉠, ㉡을 연립하여 풀면 $a=-3$, $r^2=16$

따라서 구하는 원의 방정식은 $x^2+(y+3)^2=16$

◉→ 다른 풀이

원의 중심을 A(0, a)라 하고 B(0, 1), C(−4, −3)이라고 하면 $\overline{AB}=\overline{AC}$이므로

$\sqrt{(a-1)^2}=\sqrt{4^2+(a+3)^2}$

양변을 제곱하여 정리하면

$8a+24=0 \quad \therefore a=-3$

따라서 원의 중심은 (0, −3)이고 반지름의 길이는

$\overline{AB}=\sqrt{(-3-1)^2}=4$

이므로 구하는 원의 방정식은

$x^2+(y+3)^2=16$

(2) **STEP 1 주어진 조건에 맞는 원의 방정식 세우기**

중심이 y축 위에 있으므로 원의 중심의 좌표를 (0, a), 반지름의 길이를 r라고 하면 원의 방정식은

$x^2+(y-a)^2=r^2$

STEP 2 지나는 두 점의 좌표를 대입하여 원의 방정식 구하기

이 원이 점 (−2, 2)를 지나므로

$(-2)^2+(2-a)^2=r^2$

$\therefore a^2-4a+8=r^2$ …… ㉠

또, 이 원이 점 (3, 1)을 지나므로

$3^2+(1-a)^2=r^2 \quad \therefore a^2-2a+10=r^2$ …… ㉡

㉠, ㉡을 연립하여 풀면 $a=-1$, $r^2=13$

따라서 구하는 원의 방정식은

$x^2+(y+1)^2=13$

◉→ 다른 풀이

원의 중심을 A(0, a)라 하고, B(−2, 2), C(3, 1)이라고 하면 $\overline{AB}=\overline{AC}$이므로

$\sqrt{2^2+(a-2)^2}=\sqrt{(-3)^2+(a-1)^2}$

양변을 제곱하여 정리하면

$2a+2=0 \quad \therefore a=-1$

따라서 원의 중심은 (0, −1)이고 반지름의 길이는

$\overline{AB}=\sqrt{2^2+(-1-2)^2}=\sqrt{13}$

이므로 구하는 원의 방정식은

$x^2+(y+1)^2=13$

02-3 답 (1) $(x+2)^2+(y+2)^2=18$ (2) $(x-3)^2+(y-3)^2=40$

해결전략 | 원의 중심의 좌표를 (a, a)로 놓고 원의 방정식을 세운 후, 원이 주어진 두 점을 지남을 이용한다.

(1) **STEP 1 주어진 조건에 맞는 원의 방정식 세우기**

중심이 직선 $y=x$ 위에 있으므로 원의 중심의 좌표를 (a, a), 반지름의 길이를 r라고 하면 원의 방정식은

$(x-a)^2+(y-a)^2=r^2$

STEP 2 지나는 두 점의 좌표를 대입하여 원의 방정식 구하기

이 원이 점 (1, 1)을 지나므로

$(1-a)^2+(1-a)^2=r^2$

$\therefore 2a^2-4a+2=r^2$ …… ㉠

또, 이 원이 점 (−5, −5)를 지나므로

$(-5-a)^2+(-5-a)^2=r^2$

$\therefore 2a^2+20a+50=r^2$ …… ㉡

㉠, ㉡을 연립하여 풀면 $a=-2$, $r^2=18$

따라서 구하는 원의 방정식은

$(x+2)^2+(y+2)^2=18$

(2) **STEP 1 주어진 조건에 맞는 원의 방정식 세우기**

중심이 직선 $y=x$ 위에 있으므로 원의 중심의 좌표를 (a, a), 반지름의 길이를 r라고 하면 원의 방정식은

$(x-a)^2+(y-a)^2=r^2$

STEP 2 지나는 두 점의 좌표를 대입하여 원의 방정식 구하기

이 원이 점 (1, −3)을 지나므로

$(1-a)^2+(-3-a)^2=r^2$

$\therefore 2a^2+4a+10=r^2$ …… ㉠

또, 이 원이 점 (−3, 5)를 지나므로

$(-3-a)^2+(5-a)^2=r^2$

$\therefore 2a^2-4a+34=r^2$ …… ㉡

㉠, ㉡을 연립하여 풀면 $a=3$, $r^2=40$

따라서 구하는 원의 방정식은

$(x-3)^2+(y-3)^2=40$

02-4 답 $(x-1)^2+(y-2)^2=25$

해결전략 | 원의 중심의 좌표를 (a, $a+1$)로 놓고 원의 방정식을 세운 후, 원이 주어진 두 점을 지남을 이용한다.

STEP 1 주어진 조건에 맞는 원의 방정식 세우기

중심이 직선 $y=x+1$ 위에 있으므로 중심의 좌표를 (a, $a+1$), 반지름의 길이를 r라고 하면 원의 방정식은

$(x-a)^2+(y-a-1)^2=r^2$

STEP 2 지나는 두 점의 좌표를 대입하여 원의 방정식 구하기

이 원이 점 (−2, −2)를 지나므로

$(-2-a)^2+(-3-a)^2=r^2$

$\therefore 2a^2+10a+13=r^2$ …… ㉠

또, 이 원이 점 (4, 6)을 지나므로

$(4-a)^2+(5-a)^2=r^2$

$\therefore 2a^2-18a+41=r^2$ …… ㉡

㉠, ㉡을 연립하여 풀면 $a=1$, $r^2=25$

따라서 구하는 원의 방정식은

$(x-1)^2+(y-2)^2=25$

02-5 답 $(x-1)^2+(y+1)^2=13$

해결전략 | 원의 중심의 좌표를 $(a, -2a+1)$로 놓고 원의 방정식을 세운 후, 원이 주어진 두 점을 지남을 이용한다.

STEP 1 주어진 조건에 맞는 원의 방정식 세우기

중심이 직선 $y=-2x+1$ 위에 있으므로 중심의 좌표를 $(a, -2a+1)$, 반지름의 길이를 r라고 하면 원의 방정식은

$(x-a)^2+(y+2a-1)^2=r^2$

STEP 2 지나는 두 점의 좌표를 대입하여 원의 방정식 구하기

이 원이 점 $(3, -4)$를 지나므로

$(3-a)^2+(2a-5)^2=r^2$

$\therefore 5a^2-26a+34=r^2$ …… ㉠

또, 이 원이 점 $(-2, 1)$을 지나므로

$(-2-a)^2+(2a)^2=r^2$

$\therefore 5a^2+4a+4=r^2$ …… ㉡

㉠, ㉡을 연립하여 풀면 $a=1$, $r^2=13$

따라서 구하는 원의 방정식은

$(x-1)^2+(y+1)^2=13$

02-6 답 $2\sqrt{11}$

해결전략 | 중심이 직선 $2x+y+4=0$, 즉 $y=-2x-4$ 위에 있으므로 원의 중심의 좌표를 $(a, -2a-4)$로 놓고 원의 방정식을 세운 후, 지나는 두 점의 좌표를 대입하여 연립한다.

STEP 1 주어진 조건에 맞는 원의 방정식 세우기

원의 중심의 좌표를 $(a, -2a-4)$, 반지름의 길이를 r라고 하면 원의 방정식은

$(x-a)^2+(y+2a+4)^2=r^2$

STEP 2 지나는 두 점의 좌표를 대입하여 원의 방정식 구하기

이 원이 점 $(0, -4)$를 지나므로

$(-a)^2+(2a)^2=r^2 \quad \therefore 5a^2=r^2$ …… ㉠

또, 이 원이 점 $(-2, -6)$을 지나므로

$(-2-a)^2+(2a-2)^2=r^2$

$\therefore 5a^2-4a+8=r^2$ …… ㉡

㉠, ㉡을 연립하여 풀면 $a=2$, $r^2=20$

즉, 원의 방정식은

$(x-2)^2+(y+8)^2=20$ …… ㉢

STEP 3 선분 AB의 길이 구하기

$y=-5$를 ㉢에 대입하면 $(x-2)^2=11$

$\therefore x=2-\sqrt{11}$ 또는 $x=2+\sqrt{11}$

따라서 선분 AB의 길이는

$|(2+\sqrt{11})-(2-\sqrt{11})|=2\sqrt{11}$

필수유형 03

361쪽

03-1 답 -3

해결전략 | 일반형으로 주어진 원의 방정식을 표준형으로 바꾼 후, 중심의 좌표를 구한다.

STEP 1 원의 방정식을 표준형으로 변형하기

$x^2+y^2-8ax+2y+8=0$에서

$(x-4a)^2+(y+1)^2=16a^2-7$

STEP 2 a, b, r의 값 구하기

이 원의 중심의 좌표가 $(4, b)$이므로

$4a=4$, $-1=b \quad \therefore a=1, b=-1$

따라서 원의 반지름의 길이 r는

$r=\sqrt{16a^2-7}=\sqrt{16-7}=3$

STEP 3 abr의 값 구하기

$\therefore abr=1\times(-1)\times3=-3$

03-2 답 $a<-2$ 또는 $a>2$

해결전략 | 일반형으로 주어진 원의 방정식을 표준형으로 변형했을 때, 우변이 양수이어야 한다.

STEP 1 주어진 방정식을 표준형으로 변형하기

$x^2+y^2+2x-ay+2=0$에서

$(x+1)^2+\left(y-\frac{a}{2}\right)^2=\frac{a^2}{4}-1$

STEP 2 a의 값의 범위 구하기

이 방정식이 원을 나타내려면 $\frac{a^2}{4}-1>0$이어야 하므로

$a^2-4>0$, $(a+2)(a-2)>0$

$\therefore a<-2$ 또는 $a>2$

03-3 답 $x^2+y^2-6x+8y=0$

해결전략 | 원의 방정식을 일반형으로 놓고, 지나는 세 점의 좌표를 대입하여 연립한다.

STEP 1 원의 방정식을 일반형으로 놓기

구하는 원의 방정식을 $x^2+y^2+Ax+By+C=0$이라고 하자.

STEP 2 지나는 세 점의 좌표를 대입하여 원의 방정식 구하기

이 원이 점 $(0, 0)$을 지나므로 $C=0$

$\therefore x^2+y^2+Ax+By=0$ …… ㉠

원 ㉠이 두 점 $(-2, -4)$, $(3, 1)$을 지나므로 이를 각각 대입하면

$4+16-2A-4B=0$

$\therefore A+2B=10$ …… ㉡

$9+1+3A+B=0$

$\therefore 3A+B=-10$ …… ㉢

㉡, ㉢을 연립하여 풀면 $A=-6$, $B=8$

따라서 구하는 원의 방정식은

$x^2+y^2-6x+8y=0$

03-4 답 $-2\le k\le 0$

해결전략 | 일반형으로 주어진 원의 방정식을 표준형으로 변형했을 때, 우변이 양수인 것을 이용하여 k의 값의 범위를 구한다.

STEP 1 원의 방정식을 표준형으로 변형하기

$x^2+y^2-4ky+3k^2-2k-9=0$에서

$x^2+(y-2k)^2=k^2+2k+9$

STEP 2 k의 값의 범위 구하기

이 방정식이 반지름의 길이가 3 이하인 원을 나타내려면

$0<k^2+2k+9\le 9$

(i) $k^2+2k+9>0$에서 $(k+1)^2+8>0$

즉, k는 모든 실수이다.

(ii) $k^2+2k+9\le 9$에서

$k^2+2k\le 0$, $k(k+2)\le 0$

$\therefore -2\le k\le 0$

(i), (ii)에서 실수 k의 값의 범위는

$-2\le k\le 0$

03-5 답 4

해결전략 | 원의 넓이가 최대가 되려면 원의 반지름의 길이가 최대이어야 한다. 주어진 원의 방정식을 표준형으로 바꾸어 (반지름의 길이)^{2}을 구한다.

STEP 1 원의 방정식을 표준형으로 변형하기

$x^2+y^2-6x+a^2-4a-3=0$에서

$(x-3)^2+y^2=-a^2+4a+12$

STEP 2 a의 값 구하기

이 방정식이 원을 나타내므로

$-a^2+4a+12>0$, $a^2-4a-12<0$

$(a+2)(a-6)<0$

$\therefore -2<a<6$

STEP 3 원의 반지름의 길이 구하기

이때 원의 넓이가 최대이려면 반지름의 길이가 최대이어야 한다.

$-a^2+4a+12=-(a-2)^2+16$이므로

$-2<a<6$에서 $a=2$일 때 반지름의 길이는 최대이고, 그때의 반지름의 길이는 $\sqrt{16}=4$이다.

03-6 답 3

해결전략 | 원의 방정식을 일반형으로 놓고 세 점 $(0, 0)$, $(0, 2)$, $(1, -1)$을 대입하여 원의 방정식을 구한 후, 점 $(3, k)$를 대입한다.

STEP 1 원의 방정식을 일반형으로 놓기

구하는 원의 방정식을 $x^2+y^2+Ax+By+C=0$이라고 하자.

STEP 2 지나는 세 점의 좌표 대입하여 원의 방정식 구하기

이 원이 점 $(0, 0)$을 지나므로 $C=0$

$\therefore x^2+y^2+Ax+By=0$ …… ㉠

원 ㉠이 두 점 $(0, 2)$, $(1, -1)$을 지나므로 이를 각각 대입하면

$4+2B=0$ $\quad\therefore B=-2$ …… ㉡

$1+1+A-B=0$ $\quad\therefore A-B=-2$ …… ㉢

㉡을 ㉢에 대입하면 $A=-4$

따라서 원의 방정식은 $x^2+y^2-4x-2y=0$

STEP 3 k의 값 구하기

이때 점 $(3, k)$가 이 원 위의 점이므로

$9+k^2-12-2k=0$

$k^2-2k-3=0$, $(k+1)(k-3)=0$

$\therefore k=3$ ($\because k>0$)

필수유형 04

363쪽

04-1 답 $(x-5)^2+(y+4)^2=25$ 또는 $(x-1)^2+y^2=1$

해결전략 | 원이 y축에 접하면 반지름의 길이는 중심의 x좌표의 절댓값임을 이용한다.

STEP 1 주어진 조건에 맞는 원의 방정식 세우기

중심의 좌표를 (a, b)라고 하면 이 원이 y축에 접하므로 구하는 원의 방정식은

$(x-a)^2+(y-b)^2=a^2$ …… ㉠

STEP 2 지나는 두 점의 좌표를 대입하여 연립하기

원 ㉠이 점 $(2, 0)$을 지나므로

$(2-a)^2+(0-b)^2=a^2$

$b^2-4a+4=0$ $\quad\therefore a=\frac{1}{4}b^2+1$ …… ㉡

또, 원 ㉠이 점 $(1, -1)$을 지나므로

$(1-a)^2+(-1-b)^2=a^2$

$\therefore b^2-2a+2b+2=0$ …… ㉢

㉡을 ㉢에 대입하여 정리하면

$b^2+4b=0$, $b(b+4)=0$

$\therefore b=-4$ 또는 $b=0$

이것을 ㉡에 대입하면 $a=5$, $b=-4$ 또는 $a=1$, $b=0$

STEP 3 원의 방정식 구하기

따라서 구하는 원의 방정식은

$(x-5)^2+(y+4)^2=25$ 또는 $(x-1)^2+y^2=1$

04-2 답 $(x-1)^2+(y-1)^2=1$ 또는 $(x-5)^2+(y-5)^2=25$

해결전략 | x축과 y축에 동시에 접하는 원에서 (반지름의 길이)$=|$(중심의 x좌표)$|=|$(중심의 y좌표)$|$임을 이용한다.

STEP 1 주어진 조건에 맞는 원의 방정식 세우기

점 $(1, 2)$를 지나고 x축과 y축에 동시에 접하는 원의 중심은 제1사분면 위에 있다.

원의 반지름의 길이를 r라고 하면 원의 중심의 좌표는 (r, r)이므로 원의 방정식은

$(x-r)^2+(y-r)^2=r^2$

STEP 2 점 (1, 2)를 대입하여 원의 방정식 구하기

이 원이 점 $(1, 2)$를 지나므로

$(1-r)^2+(2-r)^2=r^2$

$r^2-6r+5=0$, $(r-1)(r-5)=0$

$\therefore r=1$ 또는 $r=5$

따라서 구하는 원의 방정식은

$(x-1)^2+(y-1)^2=1$ 또는 $(x-5)^2+(y-5)^2=25$

04-3 답 $(x+4)^2+(y+1)^2=16$

해결전략 | 원이 점 $(0, a)$에서 y축에 접하면 중심의 y좌표는 a이고, 반지름의 길이는 중심의 x좌표의 절댓값임을 이용한다.

STEP 1 주어진 조건에 맞는 원의 방정식 세우기

점 $(0, -1)$에서 y축에 접하므로 중심의 y좌표는 -1이다.

또한, 중심의 x좌표를 a라고 하면 반지름의 길이는 $|a|$이므로 원의 방정식은

$(x-a)^2+(y+1)^2=a^2$

STEP 2 점 (−4, 3)을 대입하여 원의 방정식 구하기

이 원이 점 $(-4, 3)$을 지나므로

$(-4-a)^2+(3+1)^2=a^2$

$8a=-32$ $\quad\therefore a=-4$

따라서 구하는 원의 방정식은

$(x+4)^2+(y+1)^2=16$

04-4 답 $-\frac{1}{4}$

해결전략 | 원의 방정식을 표준형으로 변형하여 원의 중심과 반지름의 길이를 구하고, 원이 x축에 접하면 반지름의 길이는 중심의 y좌표의 절댓값임을 이용한다.

STEP 1 원의 방정식을 표준형으로 변형하기

$x^2+y^2-8ax+4y+1=0$에서

$(x-4a)^2+(y+2)^2=16a^2+3$

STEP 2 a의 값 구하기

원의 중심 $(4a, -2)$가 제3사분면 위에 있으므로

$4a<0$ $\quad\therefore a<0$

또, 이 원이 x축에 접하므로 $\sqrt{16a^2+3}=|-2|$

양변을 제곱하면 $16a^2+3=4$, $a^2=\frac{1}{16}$

$\therefore a=\pm\frac{1}{4}$

그런데 $a<0$이므로 $a=-\frac{1}{4}$

04-5 답 $(x+2)^2+(y+2)^2=4$

해결전략 | x축과 y축에 동시에 접하는 원에서 (반지름의 길이)$=|$(중심의 x좌표)$|=|$(중심의 y좌표)$|$임을 이용한다.

원의 중심이 제3사분면 위에 있으므로 반지름의 길이를 r라고 하면 중심의 좌표는 $(-r, -r)$이다.

이때 원의 중심 $(-r, -r)$가 직선 $y=-3x-8$ 위에 있으므로 $-r=-3\times(-r)-8$ $\quad\therefore r=2$

따라서 구하는 원의 방정식은 $(x+2)^2+(y+2)^2=4$

04-6 답 10π

해결전략 | x축과 y축에 동시에 접하는 원의 중심은 직선 $y=x$ 또는 $y=-x$ 위에 있으므로 곡선 $y=x^2-2$와 두 직선 $y=x$, $y=-x$의 교점을 구한다.

STEP 1 주어진 조건을 만족시키는 원의 중심의 좌표와 반지름의 길이 구하기

조건을 만족시키는 원의 중심은 다음 그림과 같이 곡선 $y=x^2-2$와 직선 $y=x$ 또는 $y=-x$의 교점이다.

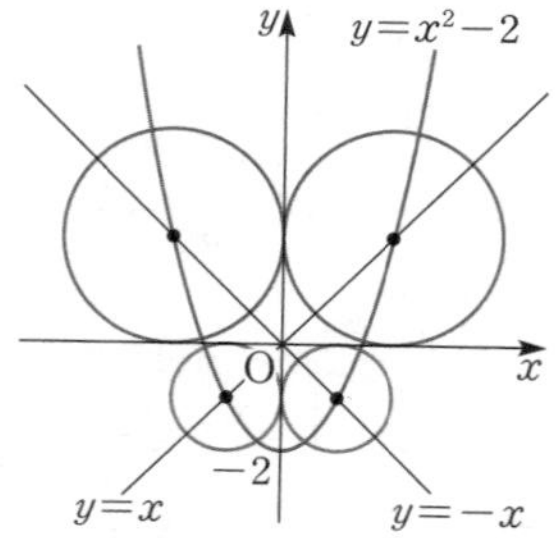

(i) $x^2-2=x$에서

$x^2-x-2=0$, $(x+1)(x-2)=0$

$\therefore x=-1$ 또는 $x=2$

(ii) $x^2-2=-x$에서

$x^2+x-2=0$, $(x+2)(x-1)=0$

$\therefore x=-2$ 또는 $x=1$

(i), (ii)에서 x축과 y축에 동시에 접하는 원의 중심은

$(-1, -1)$, $(2, 2)$, $(-2, 2)$, $(1, -1)$

이고, 반지름의 길이는 각각 1, 2, 2, 1이다.

STEP 2 네 원의 넓이의 합 구하기

따라서 네 원의 넓이의 합은

$\pi\times1^2+\pi\times2^2+\pi\times2^2+\pi\times1^2=10\pi$

발전유형 05 365쪽

05-1 답 $(x-2)^2+(y-4)^2=4$

해결전략 | 구하는 점을 $Q(x, y)$, 원 위의 점을 $P(a, b)$로 놓고 x, y 사이의 관계식을 구한다.

STEP 1 $P(a, b)$로 놓기

점 P의 좌표를 (a, b)라고 하면 점 P는 원 위의 점이므로

$(a-4)^2+(b-6)^2=16$ …… ㉠

STEP 2 구하는 점을 $Q(x, y)$로 놓고 x, y 사이의 관계식 구하기

선분 AP의 중점을 $Q(x, y)$라고 하면

$x=\dfrac{a+0}{2}$, $y=\dfrac{b+2}{2}$

$\therefore a=2x$, $b=2y-2$ …… ㉡

㉡을 ㉠에 대입하면 $(2x-4)^2+(2x-8)^2=16$

$\therefore (x-2)^2+(y-4)^2=4$

05-2 답 $(x-5)^2+(y+3)^2=8$

해결전략 | 점 P의 좌표를 (x, y)로 놓고, $\overline{AP}:\overline{BP}=m:n$이면 $m\overline{BP}=n\overline{AP}$임을 이용하여 x, y 사이의 관계식을 구한다.

STEP 1 $P(x, y)$로 놓고 거리의 비를 이용하여 식 세우기

점 P의 좌표를 (x, y)라고 하면

$\overline{AP}:\overline{BP}=2:1$이므로

$\overline{AP}=2\overline{BP}$

즉, $\sqrt{(x-1)^2+(y-1)^2}=2\sqrt{(x-4)^2+(y+2)^2}$

STEP 2 점 P의 자취의 방정식 구하기

양변을 제곱하면

$(x-1)^2+(y-1)^2=4\{(x-4)^2+(y+2)^2\}$

$x^2-2x+1+y^2-2y+1=4(x^2-8x+16+y^2+4y+4)$

$3x^2+3y^2-30x+18y+78=0$

$x^2+y^2-10x+6y+26=0$

$\therefore (x-5)^2+(y+3)^2=8$

05-3 답 $(x+2)^2+(y-3)^2=1$

해결전략 | 구하는 점을 $Q(x, y)$로 놓고 x, y 사이의 관계식을 구한다.

STEP 1 점 P가 원 위의 점임을 이용하기

점 P는 원 $x^2+y^2=1$ 위의 점이므로

$a^2+b^2=1$ …… ㉠

STEP 2 구하는 점을 $Q(x, y)$로 놓고 x, y 사이의 관계식 구하기

구하는 점을 $Q(x, y)$라고 하면

$x=a-2$, $y=b+3$

두 식을 a와 b에 대하여 정리하면

$a=x+2$, $b=y-3$ …… ㉡

㉡을 ㉠에 대입하면 $(x+2)^2+(y-3)^2=1$

05-4 답 4π

해결전략 | 무게중심을 (x, y), 원 위의 점을 $P(a, b)$로 놓고 x, y 사이의 관계식을 구한다.

STEP 1 $P(a, b)$로 놓고 a, b에 대한 식 구하기

점 P의 좌표를 (a, b)로 놓으면 하면 점 P는 원 위의 점이므로 $(a+2)^2+(b-3)^2=36$ …… ㉠

STEP 2 무게중심을 $Q(x, y)$로 놓고 x, y 사이의 관계식 구하기

삼각형 ABP의 무게중심의 좌표를 $Q(x, y)$라고 하면

$x=\dfrac{4+1+a}{3}$, $y=\dfrac{-1-2+b}{3}$

$\therefore a=3x-5$, $b=3y+3$ …… ㉡

㉡을 ㉠에 대입하면 $(3x-3)^2+(3y)^2=36$

$\therefore (x-1)^2+y^2=4$

STEP 3 도형의 넓이 구하기

따라서 반지름의 길이가 2인 원이므로 구하는 넓이는 4π이다.

05-5 답 $(x-5)^2+y^2=25$ (단, $y\neq0$)

해결전략 | 점 P의 좌표를 (x, y)로 놓고, 주어진 조건을 이용하여 x, y 사이의 관계식을 구한다.

STEP1 $P(x, y)$로 놓고 x, y 사이의 관계식 구하기

점 P의 좌표를 (x, y)라고 하면 피타고라스 정리에 의하여 $\overline{OA}^2=\overline{OP}^2+\overline{AP}^2$이므로

$10^2=x^2+y^2+(x-10)^2+y^2$, $x^2+y^2-10x=0$

$\therefore (x-5)^2+y^2=25$

STEP2 세 점 O, A, P가 삼각형을 이루는 조건 반영하기

이때 세 점 O, A, P가 삼각형을 이루려면 세 점이 한 직선 위에 있지 않아야 한다.

따라서 $y\neq 0$이어야 하므로 구하는 점 P의 자취의 방정식은

$(x-5)^2+y^2=25$ (단, $y\neq 0$)

◉→ 다른 풀이

$\angle OPA=90°$이므로 점 $P(x, y)$는 선분 OA를 지름으로 하는 원 위의 점이다.

선분 OA의 중점을 M이라고 하면 $M(5, 0)$이고 $\overline{OM}=5$이므로 점 P의 자취의 방정식은

$(x-5)^2+y^2=25$ (단, $y\neq 0$)

05-6 답 15

해결전략 | 주어진 조건을 이용하여 점 P가 나타내는 도형의 방정식을 구하고, 삼각형 PAB는 밑변 AB가 일정하므로 높이가 최대인 경우를 찾아 넓이의 최댓값을 구한다.

STEP1 $P(x, y)$로 놓고 x, y 사이의 관계식 구하기

점 P의 좌표를 (x, y)라고 하면

$\overline{AP}:\overline{BP}=2:3$이므로 $3\overline{AP}=2\overline{BP}$

즉, $3\sqrt{(x+2)^2+y^2}=2\sqrt{(x-3)^2+y^2}$

양변을 제곱하면 $9\{(x+2)^2+y^2\}=4\{(x-3)^2+y^2\}$

$9(x^2+4x+4+y^2)=4(x^2-6x+9+y^2)$

$5x^2+60x+5y^2=0$, $x^2+12x+y^2=0$

$\therefore (x+6)^2+y^2=36$

따라서 점 P는 중심의 좌표가 $(-6, 0)$이고, 반지름의 길이가 6인 원 위를 움직인다.

STEP2 삼각형 PAB의 넓이의 최댓값 구하기

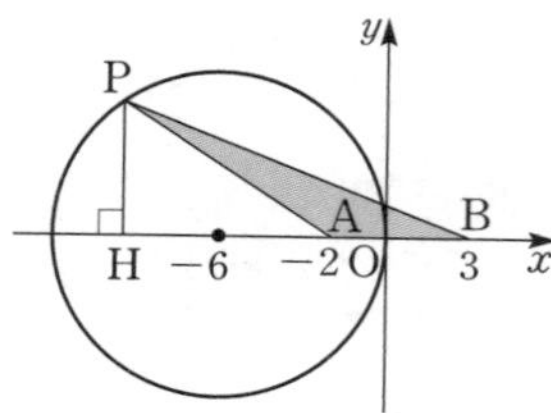

위의 그림과 같이 점 P에서 x축에 내린 수선의 발을 H라고 하면

$\triangle PAB=\frac{1}{2}\times\overline{AB}\times\overline{PH}$

이때 $\overline{AB}=5$이고, $\overline{PH}$의 최댓값은 원의 반지름의 길이인 6이므로 삼각형 PAB의 넓이의 최댓값은

$\frac{1}{2}\times 5\times 6=15$

필수유형 06

367쪽

06-1 답 (1) $-8<k<2$ (2) $k=-8$ 또는 $k=2$ (3) $k<-8$ 또는 $k>2$

해결전략 | 원의 중심과 직선 사이의 거리와 반지름의 길이를 비교한다.

STEP1 원의 중심과 직선 사이의 거리 구하기

원 $(x-1)^2+(y+1)^2=5$의 중심 $(1, -1)$과 직선 $y=2x+k$, 즉 $2x-y+k=0$ 사이의 거리는

$\frac{|2+1+k|}{\sqrt{2^2+(-1)^2}}=\frac{|3+k|}{\sqrt{5}}$

STEP2 원과 직선의 위치 관계 파악하기

원의 반지름의 길이는 $\sqrt{5}$이고, 원의 중심과 직선 사이의 거리와 반지름의 길이를 비교해 보면 다음과 같다.

(1) $\frac{|3+k|}{\sqrt{5}}<\sqrt{5}$에서 $|3+k|<5$, $-5<3+k<5$

$\therefore -8<k<2$

(2) $\frac{|3+k|}{\sqrt{5}}=\sqrt{5}$에서 $|3+k|=5$

$3+k=-5$ 또는 $3+k=5$

$\therefore k=-8$ 또는 $k=2$

(3) $\frac{|3+k|}{\sqrt{5}}>\sqrt{5}$에서 $|3+k|>5$

$3+k<-5$ 또는 $3+k>5$

$\therefore k<-8$ 또는 $k>2$

06-2 답 9

해결전략 | 원과 직선이 서로 다른 두 점에서 만나려면 원의 중심과 직선 사이의 거리가 반지름의 길이보다 짧아야 한다.

STEP1 원의 중심과 직선 사이의 거리 구하기

원의 중심 $(2, 3)$과 직선 $2x-y-k=0$ 사이의 거리는

$\frac{|4-3-k|}{\sqrt{2^2+(-1)^2}}=\frac{|k-1|}{\sqrt{5}}$

STEP2 원과 직선이 서로 다른 두 점에서 만날 조건 파악하기

원의 반지름의 길이가 $\sqrt{5}$이므로 원과 직선이 서로 다른 두 점에서 만나려면

$\frac{|k-1|}{\sqrt{5}}<\sqrt{5}$

$|k-1|<5$, $-5<k-1<5$

$\therefore -4<k<6$

STEP 3 정수 k의 개수 구하기

따라서 정수 k는 -3, -2, -1, 0, 1, 2, 3, 4, 5의 9개이다.

06-3 답 -9

해결전략 | 원의 중심과 접선 사이의 거리는 반지름의 길이와 같음을 이용한다.

STEP 1 원의 중심과 직선 사이의 거리 구하기

원의 중심 $(0, 0)$과 직선 $kx-y+5\sqrt{2}=0$ 사이의 거리는

$\frac{|5\sqrt{2}|}{\sqrt{k^2+(-1)^2}}=\frac{5\sqrt{2}}{\sqrt{k^2+1}}$

STEP 2 원과 직선이 한 점에서 만날 조건 파악하기

원의 반지름의 길이를 r라고 하면

$\pi r^2=5\pi \qquad \therefore r=\sqrt{5}\ (\because r>0)$

따라서 원의 반지름의 길이는 $\sqrt{5}$이고 원과 직선이 한 점에서 만나려면

$\frac{5\sqrt{2}}{\sqrt{k^2+1}}=\sqrt{5}$

$5\sqrt{2}=\sqrt{5k^2+5}$

양변을 제곱하면 $5k^2+5=50$

$k^2=9 \qquad \therefore k=\pm 3$

STEP 3 k의 값의 곱 구하기

따라서 모든 실수 k의 값의 곱은

$3\times(-3)=-9$

06-4 답 2

해결전략 | 원과 직선이 만나지 않으려면 원의 중심과 직선 사이의 거리가 반지름의 길이보다 길어야 한다.

STEP 1 원의 중심과 직선 사이의 거리 구하기

원의 중심 $(4, 3)$과 직선 $y=kx+3$, 즉 $kx-y+3=0$ 사이의 거리는

$\frac{|4k-3+3|}{\sqrt{k^2+(-1)^2}}=\frac{|4k|}{\sqrt{k^2+1}}$

STEP 2 원과 직선이 만나지 않을 조건 파악하기

원의 반지름의 길이가 $2\sqrt{3}$이므로 원과 직선이 만나지 않으려면

$\frac{|4k|}{\sqrt{k^2+1}}>2\sqrt{3}$

$|4k|>2\sqrt{3}\times\sqrt{k^2+1}$

양변을 제곱하면

$16k^2>12k^2+12$, $k^2>3$

$\therefore k<-\sqrt{3}$ 또는 $k>\sqrt{3}$

STEP 3 자연수 k의 최솟값 구하기

따라서 자연수 k의 최솟값은 2이다.

06-5 답 4

해결전략 | 원과 직선이 만나려면 원의 중심과 직선 사이의 거리가 반지름의 길이보다 짧거나 같아야 하고, 만나지 않으려면 길어야 함을 이용한다.

STEP 1 직선이 원 $(x-1)^2+(y-1)^2=4$와 만나도록 하는 k의 값의 범위 구하기

원 $(x-1)^2+(y-1)^2=4$의 중심 $(1, 1)$과 직선 $3x-4y+k=0$ 사이의 거리는

$\frac{|3-4+k|}{\sqrt{3^2+(-4)^2}}=\frac{|k-1|}{5}$

이고 원의 반지름의 길이가 2이므로 원과 직선이 만나려면

$\frac{|k-1|}{5}\le 2$, $|k-1|\le 10$

$-10\le k-1\le 10$

$\therefore -9\le k\le 11$ ...... ㉠

STEP 2 직선이 원 $(x-1)^2+(y-2)^2=4$와 만나지 않도록 하는 k의 값의 범위 구하기

원 $(x-1)^2+(y-2)^2=4$의 중심 $(1, 2)$와 직선 $3x-4y+k=0$ 사이의 거리는

$\frac{|3-8+k|}{\sqrt{3^2+(-4)^2}}=\frac{|k-5|}{5}$

이고 원의 반지름의 길이가 2이므로 원과 직선이 만나지 않으려면

$\frac{|k-5|}{5}>2$, $|k-5|>10$

$k-5<-10$ 또는 $k-5>10$

$\therefore k<-5$ 또는 $k>15$ ...... ㉡

STEP 3 정수 k의 개수 구하기

㉠, ㉡에서 $-9\le k<-5$

따라서 정수 k는 -9, -8, -7, -6의 4개이다.

06-6 답 50

해결전략 | 원의 중심과 접선 사이의 거리는 반지름의 길이와 같음을 이용한다.

STEP 1 원의 중심을 (k, k)로 놓고 (원의 중심과 접선 사이의 거리)=(반지름의 길이) 임을 이용하여 k의 값 구하기

원의 중심을 $(k,\ k)$라고 하면 점 $(k,\ k)$와 직선 $3x-4y+12=0$ 사이의 거리는 반지름의 길이 $|k|$와 같으므로

$$\frac{|3k-4k+12|}{\sqrt{3^2+(-4)^2}}=|k|,\ |-k+12|=5|k|$$

양변을 제곱하여 정리하면

$k^2+k-6=0,\ (k+3)(k-2)=0$

$\therefore k=-3$ 또는 $k=2$

STEP2 $\overline{AB}^2$의 값 구하기

즉, 두 원의 중심 A, B의 좌표는 $(-3,\ -3)$, $(2,\ 2)$이므로

$\overline{AB}=\sqrt{\{2-(-3)\}^2+\{2-(-3)\}^2}=\sqrt{50}$

$\therefore \overline{AB}^2=50$

필수유형 07 369쪽

07-1 답 6

해결전략 | 원의 중심에서 현에 내린 수선은 그 현을 수직이등분함을 이용한다.

STEP1 원의 중심에서 직선에 내린 수선의 길이 구하기

오른쪽 그림과 같이 주어진 원과 직선의 두 교점을 A, B, 원의 중심 $(3,\ -1)$을 C라 하고, 점 C에서 직선 $3x-y+10=0$에 내린 수선의 발을 H라고 하면

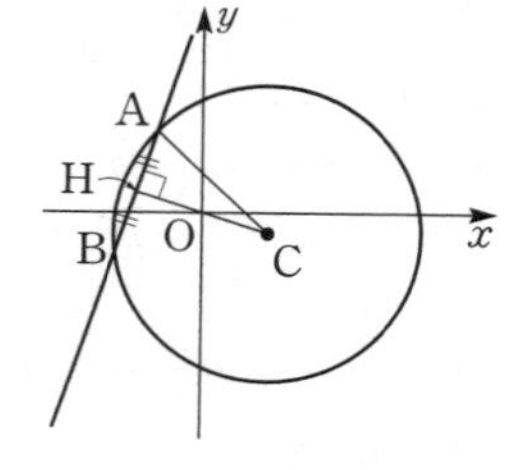

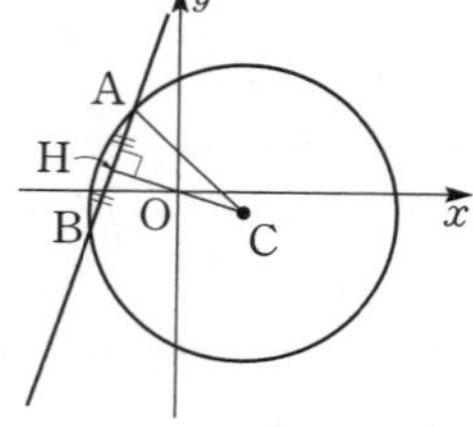

$$\overline{CH}=\frac{|9+1+10|}{\sqrt{3^2+(-1)^2}}=\frac{20}{\sqrt{10}}=2\sqrt{10}$$

STEP2 현의 길이 구하기

$\overline{AC}$는 원의 반지름이므로 $\overline{AC}=7$

직각삼각형 AHC에서

$\overline{AH}=\sqrt{7^2-(2\sqrt{10})^2}=3$

따라서 구하는 현의 길이는

$\overline{AB}=2\overline{AH}=6$

07-2 답 -4

해결전략 | 원의 중심에서 현에 내린 수선은 그 현을 수직이등분함을 이용한다.

STEP1 주어진 원의 방정식을 표준형으로 나타내기

$x^2+y^2-2x-4y+k=0$에서

$(x-1)^2+(y-2)^2=5-k$

이 원의 반지름의 길이를 r라고 하면

$r^2=5-k$ ······ ㉠

STEP2 $\overline{AH}$의 길이 구하기

오른쪽 그림과 같이 원의 중심을 C(1, 2)라 하고, 점 C에서 직선 $2x-y+5=0$에 내린 수선의 발을 H라고 하면

$\overline{AB}=4$이므로

$\overline{AH}=\overline{BH}=\frac{1}{2}\overline{AB}=2$

STEP3 $\overline{CH}$의 길이 구하기

점 C와 직선 $2x-y+5=0$ 사이의 거리는

$$\overline{CH}=\frac{|2-2+5|}{\sqrt{2^2+(-1)^2}}=\frac{5}{\sqrt{5}}=\sqrt{5}$$

STEP4 k의 값 구하기

직각삼각형 AHC에서 피타고라스 정리에 의하여

$r^2=(\sqrt{5})^2+2^2=9$

㉠에서 $r^2=5-k$이므로 $9=5-k$

$\therefore k=-4$

07-3 답 8

해결전략 | 원의 중심에서 현에 내린 수선은 그 현을 수직이등분함을 이용한다.

STEP1 원의 중심에서 x축에 내린 수선의 길이 구하기

오른쪽 그림과 같이 주어진 원과 x축의 두 교점을 A, B, 원의 중심 $(2,\ 3)$을 C라 하고, 점 C에서 x축에 내린 수선의 발을 H라고 하면

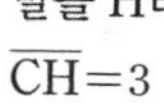

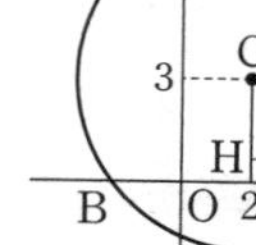

$\overline{CH}=3$

STEP2 현의 길이 구하기

$\overline{AC}$는 원의 반지름이므로

$\overline{AC}=5$

직각삼각형 CHA에서

$\overline{AH}=\sqrt{5^2-3^2}=4$

따라서 구하는 현의 길이는

$\overline{AB}=2\overline{AH}=8$

◉→ 다른 풀이

STEP1 원이 x축과 만나는 점의 x좌표 구하기

$(x-2)^2+(y-3)^2=25$에 $y=0$을 대입하면

$(x-2)^2=16$, $x-2=\pm4$

$\therefore x=-2$ 또는 $x=6$

STEP 2 현의 길이 구하기

따라서 주어진 원이 x축과 두 점 $(-2, 0)$, $(6, 0)$에서 만나므로 구하는 현의 길이는

$|6-(-2)|=8$

07-4 답 44π

해결전략 | 원과 직선의 두 교점 A, B를 지나는 원 중에서 넓이가 최소인 것은 $\overline{AB}$를 지름으로 하는 원이다.

STEP 1 원의 넓이가 최소인 원 파악하기

다음 그림과 같이 원과 직선의 두 교점을 A, B라고 하면 두 점 A, B를 지나는 원 중에서 넓이가 최소인 것은 $\overline{AB}$를 지름으로 하는 원이다.

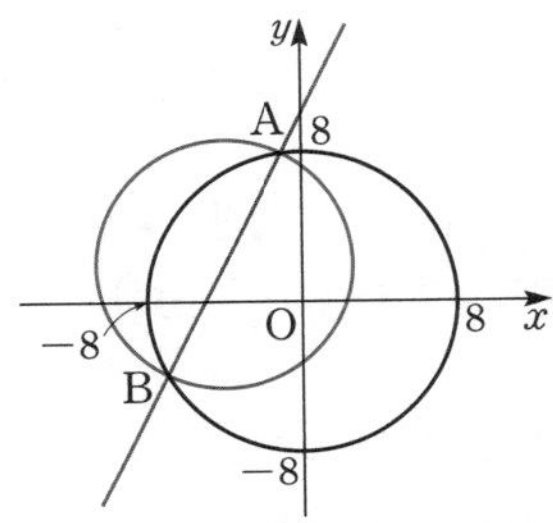

STEP 2 원의 중심에서 직선에 내린 수선의 길이 구하기

원의 중심 O에서 직선 $2x-y+10=0$에 내린 수선의 발을 H라고 하면

$$\overline{OH}=\frac{|10|}{\sqrt{2^2+(-1)^2}}=\frac{10}{\sqrt{5}}$$
$$=2\sqrt{5}$$

STEP 3 주어진 조건을 만족시키는 원의 넓이 구하기

$\overline{OA}$는 원의 반지름이므로 $\overline{OA}=8$

직각삼각형 OAH에서

$\overline{AH}=\sqrt{8^2-(2\sqrt{5})^2}=2\sqrt{11}$

따라서 구하는 원의 넓이는

$\pi\times(2\sqrt{11})^2=44\pi$

07-5 답 최솟값: 6, $m=0$

해결전략 | 원의 중심에서 직선에 수선을 그어 만든 직각삼각형을 이용하여 현의 길이가 최소일 때의 직선의 모양을 파악한다.

STEP 1 원의 중심에서 직선에 내린 수선의 길이 구하기

오른쪽 그림과 같이 주어진 원과 직선의 두 교점을 A, B, 원의 중심 $(0, 4)$을 C라 하고, 점 C에서 직선 $y=mx$, 즉 $mx-y=0$에 내린 수선의 발을 H라고 하면

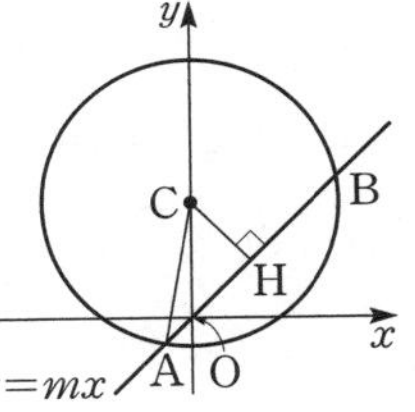

$$\overline{CH}=\frac{|-4|}{\sqrt{m^2+(-1)^2}}=\frac{4}{\sqrt{m^2+1}}$$

STEP 2 $\overline{AB}$의 길이 구하기

$\overline{AC}$는 원의 반지름이므로 $\overline{AC}=5$

직각삼각형 AHC에서

$\overline{AH}=\sqrt{5^2-\overline{CH}^2}$

$\therefore \overline{AB}=2\overline{AH}=2\sqrt{5^2-\overline{CH}^2}$ …… ㉠

STEP 3 현의 길이의 최솟값과 그때의 m의 값 구하기

㉠에서 선분 CH의 길이가 최대일 때, 선분 AB의 길이, 즉 원과 직선이 만나서 생기는 현의 길이는 최소이다.

따라서 $m=0$일 때, 선분 CH의 길이의 최댓값이 4이므로 현의 길이의 최솟값은

$2\sqrt{5^2-4^2}=6$

> 참고

$m=0$이면 오른쪽 그림과 같이 원 $x^2+(y-4)^2=25$와 x축이 만나는 경우이고, 이때 현의 길이가 가장 짧다.

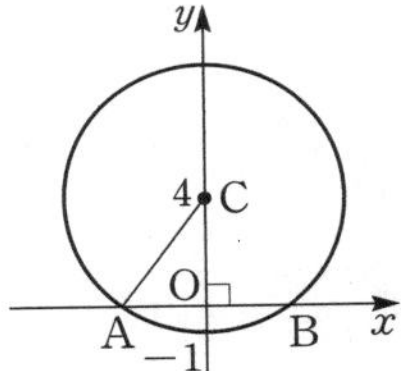

07-6 답 -4

해결전략 | 직각이등변삼각형의 성질을 이용해 수선의 길이를 구하고, 이 길이가 원의 중심과 직선 사이의 거리와 같음을 이용해 m에 대한 식을 세운다.

STEP 1 $\overline{AB}$의 길이 구하기

오른쪽 그림과 같이 $\overline{CA}$, $\overline{CB}$는 원의 반지름이므로

$\overline{CA}=\overline{CB}=1$

삼각형 ABC가 직각이등변삼각형이므로

$$\overline{AB}=\sqrt{\overline{CA}^2+\overline{CB}^2}$$
$$=\sqrt{1^2+1^2}=\sqrt{2}$$

STEP 2 원의 중심에서 직선에 내린 수선의 길이 구하기

원의 중심 $C(1, 0)$에서 직선 $y=mx+1$에 내린 수선의 발을 H라고 하면

$\overline{AH}=\frac{1}{2}\overline{AB}=\frac{\sqrt{2}}{2}$

직각삼각형 ACH에서

$\overline{CH}=\sqrt{\overline{CA}^2-\overline{AH}^2}$

$=\sqrt{1^2-\left(\frac{\sqrt{2}}{2}\right)^2}=\frac{\sqrt{2}}{2}$ …… ㉠

STEP3 원의 중심과 직선 사이의 거리 구하기

또, 원의 중심 C(1, 0)과 직선 $y=mx+1$, 즉 $mx-y+1=0$ 사이의 거리는

$\overline{CH}=\frac{|m+1|}{\sqrt{m^2+(-1)^2}}=\frac{|m+1|}{\sqrt{m^2+1}}$ …… ㉡

STEP4 m의 값의 합 구하기

㉠, ㉡이 같아야 하므로

$\frac{|m+1|}{\sqrt{m^2+1}}=\frac{\sqrt{2}}{2}$, $2|m+1|=\sqrt{2(m^2+1)}$

양변을 제곱하면 $4(m+1)^2=2m^2+2$

$\therefore m^2+4m+1=0$

따라서 이차방정식의 근과 계수의 관계에 의하여 모든 실수 m의 값의 합은 -4이다.

필수유형 08

371쪽

08-1 답 $\sqrt{11}$

해결전략 | 피타고라스 정리를 이용하여 접선의 길이를 구한다.

STEP1 $\overline{OT}$, $\overline{OP}$의 길이 구하기

원의 중심이 O(0, 0)이고, 반지름의 길이가 3이므로

$\overline{OT}=3$

$\overline{OP}=\sqrt{2^2+4^2}=2\sqrt{5}$

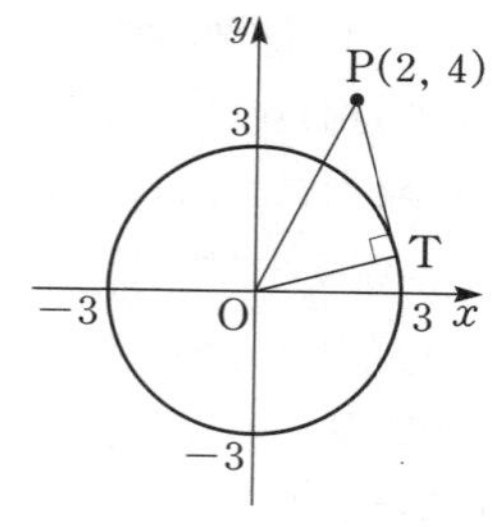

STEP2 $\overline{PT}$의 길이 구하기

따라서 직각삼각형 OTP에서

$\overline{PT}=\sqrt{\overline{OP}^2-\overline{OT}^2}$

$=\sqrt{(2\sqrt{5})^2-3^2}=\sqrt{11}$

08-2 답 5

해결전략 | 피타고라스 정리를 이용하여 접선의 길이를 구한다.

STEP1 원의 중심의 좌표 구하기

$x^2+y^2-6x-2y+1=0$에서

$(x-3)^2+(y-1)^2=9$

오른쪽 그림과 같이 원의 중심을 C라고 하면

C(3, 1)

STEP2 △PTC에서 $\overline{CP}$, $\overline{CT}$의 길이 구하기

접선 PT와 반지름 CT는 수직이므로 삼각형 PTC는 ∠CTP=90°인 직각삼각형이다.

점 P(−2, 4)와 원의 중심 C(3, 1) 사이의 거리는

$\overline{CP}=\sqrt{(-2-3)^2+(4-1)^2}=\sqrt{34}$

$\overline{CT}$는 원의 반지름이므로 $\overline{CT}=3$

STEP3 $\overline{PT}$의 길이 구하기

따라서 직각삼각형 PTC에서

$\overline{PT}=\sqrt{\overline{CP}^2-\overline{CT}^2}=\sqrt{(\sqrt{34})^2-3^2}=5$

08-3 답 −3, −1

해결전략 | 점 P와 원의 중심, 접점을 세 꼭짓점으로 하는 직각삼각형에서 피타고라스 정리를 이용하여 a에 대한 방정식을 만들어 푼다.

STEP1 원의 중심과 점 P 사이의 거리 구하기

$x^2+y^2+4x-10y+28=0$에서

$(x+2)^2+(y-5)^2=1$

원의 중심을 C라고 하면 C(−2, 5)이므로

$\overline{CP}=\sqrt{\{a-(-2)\}^2+(0-5)^2}=\sqrt{a^2+4a+29}$

STEP2 a의 값 구하기

접점을 T라고 하면 $\overline{CT}$는 원의 반지름이므로 $\overline{CT}=1$, $\overline{PT}$는 접선의 길이이므로 $\overline{PT}=5$이고, 삼각형 CPT는 ∠CTP=90°인 직각삼각형이므로

$\overline{CP}^2=\overline{CT}^2+\overline{PT}^2$에서

$a^2+4a+29=1^2+5^2$

$a^2+4a+3=0$, $(a+3)(a+1)=0$

$\therefore a=-3$ 또는 $a=-1$

08-4 답 $4\sqrt{21}$

해결전략 | 피타고라스 정리를 이용하여 접선의 길이를 구한다.

STEP1 $\overline{AC}$, $\overline{PA}$의 길이 구하기

원 $(x+3)^2+(y-5)^2=16$의 중심은

C(−3, 5)이므로

$\overline{AC}=\sqrt{(-3-5)^2+\{5-(-1)\}^2}=10$

직각삼각형 APC에서

$\overline{CP}=4$이므로

$\overline{PA}=\sqrt{\overline{AC}^2-\overline{CP}^2}$

$=\sqrt{10^2-4^2}=2\sqrt{21}$

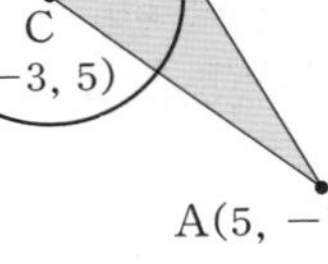

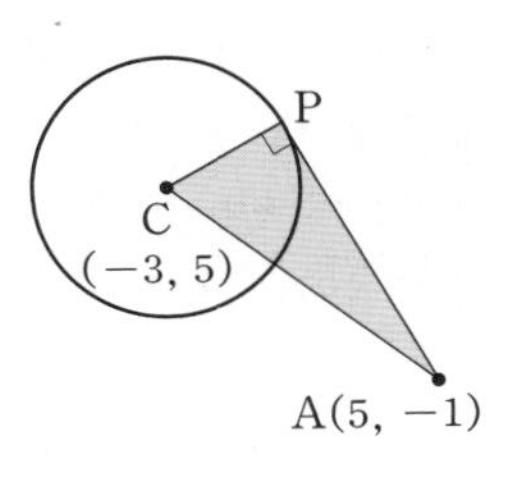

STEP2 삼각형 APC의 넓이 구하기

따라서 삼각형 APC의 넓이는

$\frac{1}{2}\times\overline{PA}\times\overline{CP}=\frac{1}{2}\times2\sqrt{21}\times4=4\sqrt{21}$

08-5 답 5

해결전략 | □AOBP=2△OPA이므로 $\overline{OA}$와 $\overline{PA}$의 길이를 알면 사각형 AOBP의 넓이를 구할 수 있다.

STEP1 $\overline{OP}$, $\overline{PA}$의 길이 구하기

원의 중심이 O(0, 0)이므로

$\overline{OP}=\sqrt{1^2+3^2}=\sqrt{10}$

$\overline{OA}$, $\overline{OB}$는 원의 반지름이므로

$\overline{OA}=\overline{OB}=\sqrt{5}$

직각삼각형 OPA에서

$\overline{PA}=\sqrt{\overline{OP}^2-\overline{OA}^2}$

$=\sqrt{(\sqrt{10})^2-(\sqrt{5})^2}=\sqrt{5}$

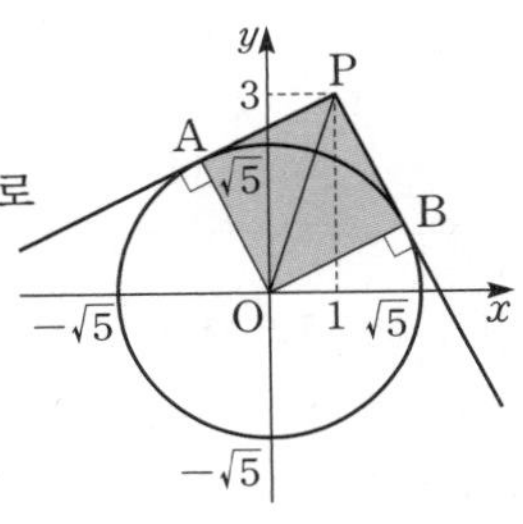

STEP2 사각형 AOBP의 넓이 구하기

이때 △OPA≡△OPB (RHS합동)이므로

□AOBP=2△OPA

$=2\times\frac{1}{2}\times\sqrt{5}\times\sqrt{5}=5$

08-6 답 $\sqrt{15}$

해결전략 | $\overline{AC}$와 $\overline{PQ}$의 교점을 H라 하고

$\triangle PAC=\frac{1}{2}\times\overline{AP}\times\overline{CP}=\frac{1}{2}\times\overline{AC}\times\overline{PH}$임을 이용한다.

STEP1 $\overline{AC}$, $\overline{AP}$의 길이 구하기

원의 중심을 C라고 하면

C(2, 0)이므로

$\overline{AC}=|2-(-6)|=8$

$\overline{CP}$는 원의 반지름이므로

$\overline{CP}=2$

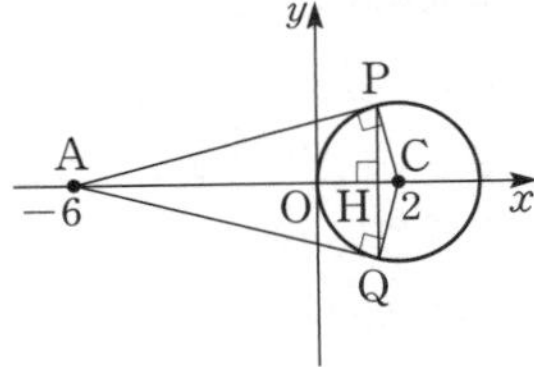

직각삼각형 CPA에서

$\overline{AP}=\sqrt{\overline{AC}^2-\overline{CP}^2}$

$=\sqrt{8^2-2^2}=2\sqrt{15}$

STEP2 $\overline{PQ}$의 길이 구하기

한편, 위의 그림과 같이 $\overline{AC}$와 $\overline{PQ}$의 교점을 H라고 하면 $\overline{AC}\perp\overline{PQ}$이므로

$\triangle PAC=\frac{1}{2}\times\overline{AP}\times\overline{CP}=\frac{1}{2}\times\overline{AC}\times\overline{PH}$

즉, $\overline{AP}\times\overline{CP}=\overline{AC}\times\overline{PH}$에서

$2\sqrt{15}\times2=8\times\overline{PH}$ $\therefore \overline{PH}=\frac{\sqrt{15}}{2}$

$\therefore \overline{PQ}=2\overline{PH}=\sqrt{15}$

필수유형 09

373쪽

09-1 답 최댓값: 17, 최솟값: 9

해결전략 | 주어진 점과 원의 중심 사이의 거리를 구하여 점과 원 사이의 거리의 최댓값과 최솟값을 구한다.

STEP1 원의 중심과 점 사이의 거리 구하기

원 $(x+6)^2+(y+3)^2=16$의 중심 $(-6, -3)$과 점 $(-1, 9)$ 사이의 거리는

$\sqrt{\{-6-(-1)\}^2+(-3-9)^2}=13$

STEP2 거리의 최댓값과 최솟값 구하기

이때 원의 반지름의 길이는 4이므로 점 $(-1, 9)$에서 원에 이르는 거리의

(최댓값)$=13+4=17$, (최솟값)$=13-4=9$

09-2 답 최댓값: $\sqrt{5}+2$, 최솟값: $\sqrt{5}-2$

해결전략 | 원의 중심과 직선 사이의 거리를 구하여 직선과 원 사이의 거리의 최댓값과 최솟값을 구한다.

STEP1 원의 중심과 직선 사이의 거리 구하기

원 $(x-2)^2+(y-1)^2=4$의 반지름의 길이를 r라고 하면 $r=2$

원의 중심 $(2, 1)$과 직선 $2x-y+2=0$ 사이의 거리를 d라고 하면

$d=\frac{|4-1+2|}{\sqrt{2^2+(-1)^2}}=\frac{5}{\sqrt{5}}=\sqrt{5}$

STEP2 거리의 최댓값과 최솟값 구하기

따라서 원 위의 점 P와 직선 사이의 거리의

(최댓값)$=d+r=\sqrt{5}+2$

(최솟값)$=d-r=\sqrt{5}-2$

09-3 답 6

해결전략 | 원 위의 점 P와 직선 사이의 거리의 최댓값은

(원의 중심과 직선 사이의 거리)+(반지름의 길이)

임을 이용한다.

STEP1 원의 중심과 직선 사이의 거리 구하기

원의 중심 $(0, 0)$과 직선 $x-y+k=0$ 사이의 거리는

$\frac{|k|}{\sqrt{1^2+(-1)^2}}=\frac{|k|}{\sqrt{2}}$

STEP2 양수 k의 값 구하기

원의 반지름의 길이가 $2\sqrt{2}$이므로 원 위의 점 P와 직선 $x-y+k=0$ 사이의 거리의 최댓값이 $5\sqrt{2}$이려면

$\frac{|k|}{\sqrt{2}}+2\sqrt{2}=5\sqrt{2}$, $\frac{|k|}{\sqrt{2}}=3\sqrt{2}$

$|k|=6 \quad \therefore k=6\ (\because k>0)$

09-4 답 $\sqrt{5}$

해결전략 | $\mathrm{P}(x, y)$로 놓고 주어진 조건을 이용하여 점 P가 나타내는 원의 방정식을 구한 후, 원 위의 점 P와 직선 사이의 거리의 최솟값은 (원의 중심과 직선 사이의 거리)−(반지름의 길이)임을 이용한다.

STEP1 점 P가 나타내는 원의 방정식 구하기

점 P의 좌표를 (x, y)라고 하면

$\overline{\mathrm{AP}}:\overline{\mathrm{BP}}=2:1$이므로 $\overline{\mathrm{AP}}=2\overline{\mathrm{BP}}$

즉, $\sqrt{(x+3)^2+(y-4)^2}=2\sqrt{(x-3)^2+(y-1)^2}$

양변을 제곱하면

$(x+3)^2+(y-4)^2=4\{(x-3)^2+(y-1)^2\}$

$3x^2-30x+3y^2+15=0$, $x^2-10x+y^2+5=0$

$\therefore (x-5)^2+y^2=20$

STEP2 점 P와 직선 사이의 거리의 최솟값 구하기

즉, 점 P는 중심이 $(5, 0)$이고 반지름의 길이가 $2\sqrt{5}$인 원 위의 점이다.

이 원의 중심 $(5, 0)$과 직선 $y=2x+5$, 즉 $2x-y+5=0$ 사이의 거리는

$\frac{|10+5|}{\sqrt{2^2+(-1)^2}}=\frac{15}{\sqrt{5}}=3\sqrt{5}$

따라서 점 P와 직선 $y=2x+5$ 사이의 거리의 최솟값은

$3\sqrt{5}-2\sqrt{5}=\sqrt{5}$

09-5 답 8

해결전략 | 원의 중심과 직선 사이의 거리를 구하여 원 위의 점과 직선과 원 사이의 거리의 최댓값과 최솟값을 구한다.

STEP1 원의 중심과 직선 사이의 거리 구하기

$x^2+y^2+2x-8y+12=0$에서

$(x+1)^2+(y-4)^2=5$

원의 중심 $(-1, 4)$와 직선 $x+2y+3=0$ 사이의 거리는

$\frac{|-1+8+3|}{\sqrt{1^2+2^2}}=\frac{10}{\sqrt{5}}=2\sqrt{5}$

STEP2 점 P와 직선 사이의 거리의 범위 구하기

원의 반지름의 길이가 $\sqrt{5}$이므로 원 위의 점 P와 직선 $x+2y+3=0$ 사이의 거리를 d라고 하면

$2\sqrt{5}-\sqrt{5}\le d\le 2\sqrt{5}+\sqrt{5}$

$\therefore \sqrt{5}\le d\le 3\sqrt{5}$

STEP3 정수인 점 P의 개수 구하기

따라서 정수 d는 3, 4, 5, 6이고, 각각의 거리에 해당하는 점 P가 2개씩 있으므로 구하는 점 P의 개수는 8이다.

09-6 답 1 : 9

해결전략 | 정삼각형 ABC의 넓이가 최소, 최대일 때의 높이는 각각 직선과 원 위의 점 사이의 거리의 최솟값, 최댓값이고, 정삼각형의 넓이의 비는 $(높이)^2$의 비임을 이용한다.

STEP1 삼각형의 넓이가 최소일 때 높이 구하기

원의 중심$(0, 0)$과 직선 $y=x-4$, 즉 $x-y-4=0$ 사이의 거리는

$\frac{|-4|}{\sqrt{1^2+(-1)^2}}=2\sqrt{2}$

원의 반지름의 길이가 $\sqrt{2}$이므로

정삼각형 ABC의 넓이가 최소일 때의 높이는

$2\sqrt{2}-\sqrt{2}=\sqrt{2}$

STEP2 삼각형의 넓이가 최대일 때 높이 구하기

정삼각형 ABC의 넓이가 최대일 때의 높이는

$2\sqrt{2}+\sqrt{2}=3\sqrt{2}$

STEP3 넓이의 최솟값과 최댓값의 비 구하기

두 정삼각형은 높이의 비가 1 : 3이므로 넓이는 비는 1 : 9이다.

필수유형 10

375쪽

10-1 답 $y=2x\pm3\sqrt{5}$

해결전략 | 원 $x^2+y^2=r^2$에 접하고 기울기가 m인 접선의 방정식은 공식 $y=mx\pm r\sqrt{m^2+1}$을 이용한다.

STEP1 접선의 기울기 구하기

직선 $2x-y-3=0$, 즉 $y=2x-3$에 평행한 직선의 기울기는 2이다.

STEP2 접선의 방정식 구하기

원 $x^2+y^2=9$의 반지름의 길이는 3이므로 접선의 방정식은

$y=2x\pm3\sqrt{2^2+1} \qquad \therefore y=2x\pm3\sqrt{5}$

10-2 답 $y=x\pm4$

해결전략 | x축의 양의 방향과 이루는 각의 크기가 θ인 직선의 기울기는 $\tan\theta$임을 이용한다.

STEP1 접선의 기울기 구하기

x축의 양의 방향과 이루는 각의 크기가 $45°$인 직선의 기울기는 $\tan 45°=1$

STEP2 접선의 방정식 구하기

원 $x^2+y^2=8$의 반지름의 길이가 $2\sqrt{2}$이므로 구하는 접선의 방정식은

$y=x\pm2\sqrt{2}\times\sqrt{1^2+1}$ $\therefore y=x\pm4$

10-3 답 -55

해결전략 | 원의 중심과 접선 사이의 거리가 원의 반지름의 길이와 같음을 이용하여 y절편을 구한다.

STEP1 접선의 방정식 구하기

기울기가 -2인 접선의 방정식을 $y=-2x+b$ (b는 상수)라고 하면 원의 중심 $(3, -1)$과 직선 $y=-2x+b$, 즉 $2x+y-b=0$ 사이의 거리는 반지름의 길이 4와 같으므로

$\frac{|6-1-b|}{\sqrt{2^2+1^2}}=4$, $|b-5|=4\sqrt{5}$

$\therefore b=5\pm4\sqrt{5}$

STEP2 두 직선의 y절편의 곱 구하기

따라서 두 직선의 y절편의 곱은

$(5+4\sqrt{5})(5-4\sqrt{5})=25-80=-55$

10-4 답 $y=2x\pm\sqrt{5}$

해결전략 | 직선 $y=ax+b$에 수직인 직선의 기울기는 $-\frac{1}{a}$임을 이용한다.

STEP1 접선의 기울기 구하기

직선 $x+2y-2=0$, 즉 $y=-\frac{1}{2}x+1$에 수직인 직선의 기울기는 2이다.

STEP2 접선의 방정식 구하기

원 $x^2+y^2=1$의 반지름의 길이는 1이므로 구하는 접선의 방정식은

$y=2x\pm\sqrt{2^2+1}$ $\therefore y=2x\pm\sqrt{5}$

10-5 답 $\frac{5\sqrt{2}}{2}$

해결전략 | 직선 $y=ax+b$에 수직인 직선의 기울기는 $-\frac{1}{a}$임을 이용하여 기울기를 구하고, 원의 중심에서 접선 사이의 거리가 원의 반지름의 길이와 같음을 이용하여 y절편을 구한다.

STEP1 접선의 기울기 구하기

직선 $4x-3y-6=0$, 즉 $y=\frac{4}{3}x-2$에 수직인 직선의 기울기는 $-\frac{3}{4}$이다.

STEP2 접선의 방정식 구하기

기울기가 $-\frac{3}{4}$인 접선의 방정식을 $y=-\frac{3}{4}x+b$ (b는 상수)로 놓으면 원의 중심 $(-2, 3)$과 직선 $y=-\frac{3}{4}x+b$, 즉 $3x+4y-4b=0$ 사이의 거리가 원의 반지름의 길이인 $\sqrt{2}$와 같으므로

$\frac{|-6+12-4b|}{\sqrt{3^2+4^2}}=\sqrt{2}$

$|4b-6|=5\sqrt{2}$

$\therefore b=\frac{6\pm5\sqrt{2}}{4}$

STEP3 $\overline{PQ}$의 길이 구하기

따라서 두 직선이 y축과 만나는 좌표는 각각

$\left(0, \frac{6+5\sqrt{2}}{4}\right)$, $\left(0, \frac{6-5\sqrt{2}}{4}\right)$이므로

$\overline{PQ}=\frac{6+5\sqrt{2}}{4}-\frac{6-5\sqrt{2}}{4}=\frac{5\sqrt{2}}{2}$

10-6 답 $30+30\sqrt{10}$

해결전략 | 삼각형 ABP의 넓이가 최대일 때는 점 P에서의 접선이 직선 AB와 평행할 때이다.

STEP1 접선의 방정식 구하기

직선 AB의 기울기는

$\frac{8-(-10)}{-6-0}=-3$

이므로 기울기가 -3인 접선의 방정식은

$y=-3x\pm10\sqrt{(-3)^2+1}$

$\therefore y=-3x\pm10\sqrt{10}$

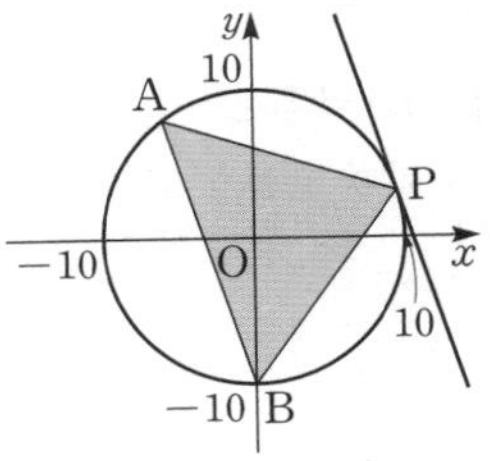

STEP2 점 B와 직선 사이의 거리 구하기

삼각형 ABP의 넓이가 최대일 때의 점 P를 지나는 접선의 방정식은

$y=-3x+10\sqrt{10}$

이므로 점 $B(0, -10)$과 직선 $y=-3x+10\sqrt{10}$, 즉 $3x+y-10\sqrt{10}=0$ 사이의 거리는

$\frac{|-10-10\sqrt{10}|}{\sqrt{3^2+1^2}}=\sqrt{10}+10$

STEP 3 삼각형 ABP의 넓이의 최댓값 구하기

이때 $\overline{AB}=\sqrt{\{0-(-6)\}^2+(-10-8)^2}=6\sqrt{10}$이므로

삼각형 ABP의 넓이의 최댓값은

$\frac{1}{2}\times6\sqrt{10}\times(\sqrt{10}+10)=30+30\sqrt{10}$

필수유형 11 377쪽

11-1 답 6

해결전략 | 원 $x^2+y^2=r^2$ 위의 점 $P(x_1, y_1)$에서의 접선의 방정식은 $x_1x+y_1y=r^2$임을 이용한다.

원 $x^2+y^2=20$ 위의 점 $(2, -4)$에서의 접선의 방정식은

$2x-4y=20$　　$\therefore x-2y=10$

이 접선이 점 $(k, -2)$를 지나므로

$k-2\times(-2)=10$　　$\therefore k=6$

다른 풀이

STEP 1 접선의 기울기 구하기

원의 중심 $(0, 0)$과 접점 $(2, -4)$를 지나는 직선의 기울기는 $\frac{0-(-4)}{0-2}=-2$

이때 원의 중심과 접점을 지나는 직선은 접선에 수직이므로 접선의 기울기는 $\frac{1}{2}$이다.

STEP 2 접선의 방정식 구하기

즉, 접선의 기울기가 $\frac{1}{2}$이고 점 $(2, -4)$를 지나므로 접선의 방정식은

$y+4=\frac{1}{2}(x-2)$　　$\therefore y=\frac{1}{2}x-5$

STEP 3 k의 값 구하기

이 접선이 점 $(k, -2)$를 지나므로

$-2=\frac{1}{2}k-5$　　$\therefore k=6$

11-2 답 $y=-\frac{1}{3}x+\frac{4}{3}$

해결전략 | (원의 중심과 접점을 이은 직선)⊥(접선)임을 이용하여 접선의 기울기를 구한다.

STEP 1 접선의 기울기 구하기

원의 중심 $(2, 4)$와 접점 $(1, 1)$을 지나는 직선의 기울기는

$\frac{4-1}{2-1}=3$

이때 원의 중심과 접점을 지나는 직선은 접선에 수직이므로 접선의 기울기는 $-\frac{1}{3}$이다.

STEP 2 접선의 방정식 구하기

즉, 접선의 기울기가 $-\frac{1}{3}$이고 점 $(1, 1)$을 지나므로 접선의 방정식은

$y-1=-\frac{1}{3}(x-1)$

$\therefore y=-\frac{1}{3}x+\frac{4}{3}$

다른 풀이

원 $(x-2)^2+(y-4)^2=10$ 위의 점 $(1, 1)$에서의 접선의 방정식은

$(1-2)(x-2)+(1-4)(y-4)=10$

$-x+2-3y+12=10$

$\therefore x+3y-4=0$

11-3 답 4

해결전략 | 원 $x^2+y^2=r^2$ 위의 점 $P(x_1, y_1)$에서의 접선의 방정식은 $x_1x+y_1y=r^2$임을 이용한다.

STEP 1 a, b 사이의 관계식 구하기

원 $x^2+y^2=8$ 위의 점 (a, b)에서의 접선의 방정식은

$ax+by=8$　　$\therefore y=-\frac{a}{b}x+\frac{8}{b}$

이 접선의 기울기가 -1이므로

$-\frac{a}{b}=-1$　　$\therefore a=b$　　…… ㉠

한편 점 (a, b)는 원 $x^2+y^2=8$ 위에 있으므로

$a^2+b^2=8$　　…… ㉡

STEP 2 a, b의 값 구하기

㉠, ㉡을 연립하여 풀면

$a=2, b=2$ 또는 $a=-2, b=-2$

$\therefore ab=4$

11-4 답 -10

해결전략 | 원의 중심에서 접선 사이의 거리가 원의 반지름의 길이와 같음을 이용한다.

STEP 1 점 $(1, -1)$에서의 접선의 방정식 구하기

원 $x^2+y^2=2$ 위의 점 $(1, -1)$에서의 접선의 방정식은

$x-y=2$　　…… ㉠

STEP 2 직선 ㉠이 다른 원의 접선이 되는 조건을 이용하여 k의 값 구하기

$x^2+y^2+4x-4y+k=0$에서

$(x+2)^2+(y-2)^2=8-k$ ······ ㉡

원 ㉡의 중심 $(-2, 2)$와 직선 ㉠ 사이의 거리는

$\frac{|-2-2-2|}{\sqrt{1^2+(-1)^2}}=3\sqrt{2}$

이때 직선 ㉠과 원 ㉡이 접하므로

$8-k=(3\sqrt{2})^2 \quad \therefore k=-10$

11-5 답 $\frac{27}{2}$

해결전략 | 원 $(x-a)^2+(y-b)^2=r^2$ 위의 점 $P(x_1, y_1)$에서의 접선의 방정식은

$(x_1-a)(x-a)+(y_1-b)(y-b)=r^2$임을 이용한다.

STEP 1 점 (3, 2)에서의 접선의 방정식 구하기

원 $(x-2)^2+(y+1)^2=10$ 위의 점 $(3, 2)$에서의 접선의 방정식은

$(3-2)(x-2)+(2+1)(y+1)=10$

$x-2+3y+3=10$

$\therefore x+3y-9=0$

STEP 2 접선과 x축, y축으로 둘러싸인 도형의 넓이 구하기

접선 $x+3y-9=0$이 x축, y축과 만나는 점은 각각 $(9, 0)$, $(0, 3)$이므로 그래프를 그리면 오른쪽 그림과 같다.

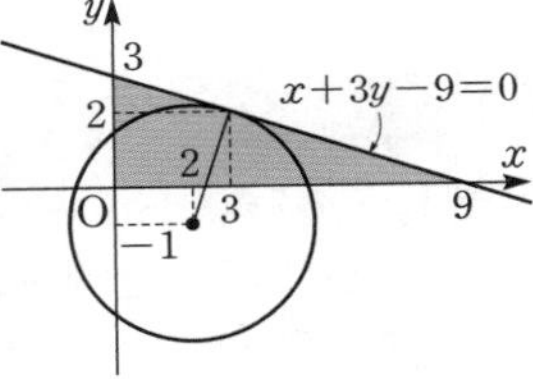

따라서 구하는 넓이는

$\frac{1}{2}\times9\times3=\frac{27}{2}$

◉→ 다른 풀이

STEP 1 접선의 기울기 구하기

원의 중심 $(2, -1)$과 점 $(3, 2)$를 지나는 직선의 기울기는

$\frac{-1-2}{2-3}=3$

이때 원의 중심과 접점을 지나는 직선은 접선에 수직이므로 접선의 기울기는 $-\frac{1}{3}$이다.

STEP 2 접선의 방정식 구하기

즉, 점 $(3, 2)$에서의 접선의 기울기는 $-\frac{1}{3}$이므로 접선의 방정식은

$y-2=-\frac{1}{3}(x-3)$

$\therefore y=-\frac{1}{3}x+3$

STEP 3 접선과 x축, y축으로 둘러싸인 도형의 넓이 구하기

따라서 구하는 넓이는

$\frac{1}{2}\times9\times3=\frac{27}{2}$

11-6 답 14

해결전략 | (원의 중심과 접점을 이은 직선)⊥(접선)임을 이용하여 두 점 $(-3, -1)$, (a, b)에서의 접선의 기울기를 구하여 식을 세운다.

STEP 1 두 점에서 접선이 서로 평행함을 이용하여 a, b에 대한 식 세우기

원의 중심 $(3, 2)$와 점 $(-3, -1)$을 지나는 직선의 기울기는

$\frac{2-(-1)}{3-(-3)}=\frac{1}{2}$

이때 원의 중심과 접점을 지나는 직선이 접선에 수직이므로 점 $(-3, -1)$에서의 접선의 기울기는 -2이다.

또, 원의 중심 $(3, 2)$와 점 (a, b)를 지나는 직선의 기울기는 $\frac{b-2}{a-3}$이므로 점 (a, b)에서의 접선의 기울기는

$-\frac{a-3}{b-2}$이다.

조건에서 두 점 $(-3, -1)$, (a, b)에서의 두 접선이 서로 평행하므로

$-\frac{a-3}{b-2}=-2$

$\therefore a-2b+1=0$ ······ ㉠

STEP 2 점 (a, b)가 원 위의 점임을 이용하여 식 세우기

또, 점 (a, b)는 원 $(x-3)^2+(y-2)^2=45$ 위의 점이므로

$(a-3)^2+(b-2)^2=45$ ······ ㉡

STEP 3 두 방정식을 연립하여 풀어 $a+b$의 값 구하기

㉠에서 $a=2b-1$을 ㉡에 대입하면

$(2b-4)^2+(b-2)^2=45$

$(b-2)^2=9$

$b-2=\pm3$

$\therefore b=-1$ 또는 $b=5$

b의 값을 $a=2b-1$에 대입하면

$b=-1$일 때 $a=-3$, $b=5$일 때 $a=9$

$\therefore a=-3, b=-1$ 또는 $a=9, b=5$

그런데 두 점 $(-3, -1)$, (a, b)는 서로 다른 점이므로

$a=9, b=5$

$\therefore a+b=9+5=14$

필수유형 12 379쪽

12-1 답 $x-2y+10=0$ 또는 $2x+y+10=0$

해결전략 | 원의 중심에서 접선 사이의 거리가 원의 반지름의 길이와 같음을 이용한다.

STEP1 기울기를 m이라 하고 주어진 점을 지나는 접선의 방정식 구하기

점 $A(-6, 2)$를 지나는 접선의 기울기를 m이라고 하면 접선의 방정식은

$y-2=m(x+6)$

$\therefore mx-y+6m+2=0$ ...... ㉠

STEP2 두 접선의 기울기 m의 값 구하기

원 $x^2+y^2=20$과 직선 ㉠이 접하려면 원의 중심 $(0, 0)$과 직선 ㉠ 사이의 거리가 원의 반지름의 길이인 $2\sqrt{5}$와 같아야 하므로

$\frac{|6m+2|}{\sqrt{m^2+(-1)^2}}=2\sqrt{5}$

$|3m+1|=\sqrt{5(m^2+1)}$

양변을 제곱하면 $9m^2+6m+1=5m^2+5$

$2m^2+3m-2=0$, $(m+2)(2m-1)=0$

$\therefore m=-2$ 또는 $m=\frac{1}{2}$ ...... ㉡

STEP3 접선의 방정식 구하기

㉡을 ㉠에 대입하면 구하는 접선의 방정식은

$x-2y+10=0$ 또는 $2x+y+10=0$

다른 풀이

접점의 좌표를 $P(x_1, y_1)$이라고 하면 접선의 방정식은

$x_1x+y_1y=20$ ...... ㉠

이 접선이 점 $A(-6, 2)$를 지나므로

$-6x_1+2y_1=20$에서 $y_1=3x_1+10$ ...... ㉡

또, 점 (x_1, y_1)은 원 $x^2+y^2=20$ 위의 점이므로

${x_1}^2+{y_1}^2=20$ ...... ㉢

㉡을 ㉢에 대입하면 ${x_1}^2+(3x_1+10)^2=20$

${x_1}^2+6x_1+8=0$, $(x_1+2)(x_1+4)=0$

$\therefore x_1=-2$ 또는 $x_1=-4$

x_1의 값을 ㉡에 대입하면

$x_1=-2$일 때 $y_1=4$, $x_1=-4$일 때 $y_1=-2$

따라서 접선의 방정식 ㉠에 각각 대입하면

$x-2y+10=0$ 또는 $2x+y+10=0$

12-2 답 $y=2$ 또는 $y=\frac{24}{7}x+\frac{38}{7}$

해결전략 | 원의 중심에서 접선 사이의 거리가 원의 반지름의 길이와 같음을 이용한다.

STEP1 기울기를 m이라 하고 주어진 점을 지나는 접선의 방정식 구하기

점 $A(-1, 2)$를 지나는 직선의 기울기를 m이라고 하면 접선의 방정식은

$y-2=m(x+1)$

$\therefore mx-y+m+2=0$ ...... ㉠

STEP2 두 접선의 기울기 m의 값 구하기

원 $(x-3)^2+(y-5)^2=9$와 직선 ㉠이 접하려면 원의 중심 $(3, 5)$와 직선 사이의 거리가 원의 반지름의 길이 3과 같아야 하므로

$\frac{|3m-5+m+2|}{\sqrt{m^2+(-1)^2}}=3$

$|4m-3|=3\sqrt{m^2+1}$

양변을 제곱하면

$16m^2-24m+9=9m^2+9$

$7m^2-24m=0$, $m(7m-24)=0$

$\therefore m=0$ 또는 $m=\frac{24}{7}$ ...... ㉡

STEP3 접선의 방정식 구하기

㉡을 ㉠에 대입하면 구하는 접선의 방정식은

$y=2$ 또는 $y=\frac{24}{7}x+\frac{38}{7}$

> **풍쌤의 비법**
>
> 원 $(x-a)^2+(y-b)^2=r^2$ 밖의 한 점에서 원에 그은 접선의 방정식을 구할 때는 원 위의 점에서의 원의 접선의 방정식을 이용하는 방법보다 원의 중심과 직선 사이의 거리를 이용하는 방법 또는 판별식을 이용하는 방법이 더 편리하다.

12-3 답 18

해결전략 | 원의 중심에서 접선 사이의 거리가 원의 반지름의 길이와 같음을 이용한다.

STEP1 기울기를 m이라 하고 주어진 점을 지나는 접선의 방정식 구하기

점 $(0, 3)$을 지나는 직선의 기울기를 m이라고 하면 접선의 방정식은

$y=mx+3$ $\therefore mx-y+3=0$ ...... ㉠

STEP2 두 접선의 기울기 m의 값 구하기

원 $x^2+y^2=1$과 직선 ㉠이 접하려면 원의 중심 $(0, 0)$과 직선 ㉠ 사이의 거리가 원의 반지름의 길이인 1과 같아야 하므로

$\frac{|3|}{\sqrt{m^2+(-1)^2}}=1$, $3=\sqrt{m^2+1}$, $m^2=8$

$\therefore m=\pm2\sqrt{2}$

STEP 3 $16k^2$의 값 구하기

(i) $m=2\sqrt{2}$일 때

접선의 방정식이 $y=2\sqrt{2}x+3$이므로 x축과 만나는 점의 x좌표 k는

$k=-\frac{3}{2\sqrt{2}}$ $\therefore k^2=\frac{9}{8}$

(ii) $m=-2\sqrt{2}$일 때

접선의 방정식이 $y=-2\sqrt{2}x+3$이므로 x축과 만나는 점의 x좌표 k는

$k=\frac{3}{2\sqrt{2}}$ $\therefore k^2=\frac{9}{8}$

(i), (ii)에 의하여

$16k^2=16\times\frac{9}{8}=18$

12-4 답 $\frac{36}{7}$

해결전략 | 원의 중심에서 접선 사이의 거리가 원의 반지름의 길이와 같음을 이용한다.

STEP 1 기울기를 m이라 하고 주어진 점을 지나는 접선의 방정식 구하기

점 $(-3,\ -1)$을 지나는 접선의 기울기를 m이라고 하면 접선의 방정식은

$y-(-1)=m\{x-(-3)\}$

$\therefore mx-y+3m-1=0$ ...... ㉠

STEP 2 두 접선의 방정식 구하기

원 $x^2+y^2=2$와 접선 ㉠이 접하려면 원의 중심 $(0,\ 0)$과 직선 ㉠ 사이의 거리가 원의 반지름의 길이인 $\sqrt{2}$와 같아야 하므로

$\frac{|3m-1|}{\sqrt{m^2+(-1)^2}}=\sqrt{2}$

$|3m-1|=\sqrt{2(m^2+1)}$

양변을 제곱하면

$9m^2-6m+1=2m^2+2$

$7m^2-6m-1=0$

$(m-1)(7m+1)=0$

$\therefore m=1$ 또는 $m=-\frac{1}{7}$

따라서 접선의 방정식 ㉠에 각각 대입하면

$y=x+2$ 또는 $y=-\frac{1}{7}x-\frac{10}{7}$

STEP 3 두 접선과 y축으로 둘러싸인 부분의 넓이 구하기

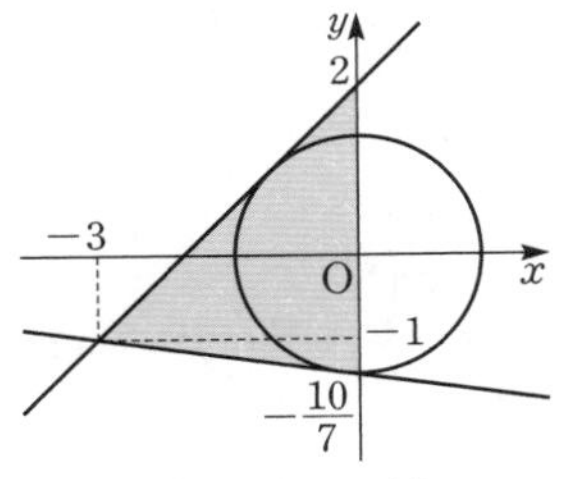

이 두 접선의 y절편은 각각 $2,\ -\frac{10}{7}$이다.

따라서 구하는 넓이는

$\frac{1}{2}\times\left\{2-\left(-\frac{10}{7}\right)\right\}\times3=\frac{36}{7}$

12-5 답 $3x+4y-15=0$ 또는 $x=-3$

해결전략 | 직선 l이 원 O'의 넓이를 이등분하므로 직선 l은 원 O'의 중심을 지나야 한다.

STEP 1 직선 l의 기울기를 m으로 놓고, 지나는 점을 찾아 직선 l의 방정식 나타내기

직선 l이 원 O'의 넓이를 이등분하므로 직선 l은 원 O'의 중심 $(-3,\ 6)$을 지난다.

직선 l의 기울기를 m이라고 하면 직선 l의 방정식은

$y-6=m(x+3)$

$\therefore mx-y+3m+6=0$ ...... ㉠

STEP 2 원 O와 직선 l이 접하는 것을 이용하여 m의 값 구하기

원 O: $x^2+y^2=9$와 직선 l이 접하려면 원의 중심 $(0,\ 0)$과 직선 l 사이의 거리가 원의 반지름의 길이인 3과 같아야 하므로

$\frac{|3m+6|}{\sqrt{m^2+(-1)^2}}=3$, $|3m+6|=3\sqrt{m^2+1}$

양변을 제곱하면 $9m^2+36m+36=9m^2+9$

$36m=-27$ $\therefore m=-\frac{3}{4}$ ...... ㉡

STEP 3 직선 l의 방정식 구하기

㉡을 ㉠에 대입하면 직선 l의 방정식은

$3x+4y-15=0$

원 밖의 한 점에서 원에 그은 접선은 2개이므로 다음 그림에서 나머지 직선 l의 방정식은 $x=-3$

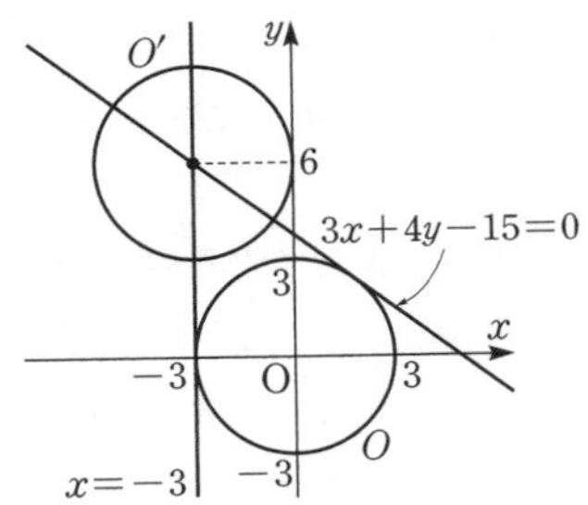

따라서 구하는 직선 l의 방정식은
$3x+4y-15=0$ 또는 $x=-3$

12-6 답 -8

해결전략 | 두 접선이 서로 수직이므로 두 접선의 기울기의 곱은 -1임을 이용한다.

STEP1 접선의 기울기를 m이라 하고, 주어진 점을 지나는 접선의 방정식 구하기

점 $(k,\ 0)$을 지나는 접선의 기울기를 m이라고 하면 접선의 방정식은
$y=m(x-k)$
$\therefore\ mx-y-mk=0$ ...... ㉠

STEP2 m에 대한 이차방정식 세우기

원 $x^2+y^2=4$와 직선 ㉠이 접하려면 원의 중심 $(0,\ 0)$과 직선 ㉠ 사이의 거리가 원의 반지름의 길이인 2와 같아야 하므로

$\frac{|-mk|}{\sqrt{m^2+(-1)^2}}=2$
$|-mk|=2\sqrt{m^2+1}$
양변을 제곱하면 $m^2k^2=4(m^2+1)$
$\therefore\ (k^2-4)m^2-4=0$

STEP3 모든 k의 값의 곱 구하기

이 m에 대한 이차방정식의 두 근을 m_1, m_2라고 하면 두 접선이 서로 수직이므로 근과 계수의 관계에 의하여

$m_1m_2=\frac{-4}{k^2-4}=-1$
$\therefore\ k^2-8=0$
따라서 이차방정식의 근과 계수의 관계에 의하여 모든 k의 값의 곱은 -8이다.

필수유형 13

381쪽

13-1 답 2

해결전략 | 두 원 $A=0$, $B=0$의 교점을 지나는 직선의 방정식은 $A-B=0$이다.

STEP1 두 원의 교점을 지나는 직선의 방정식 구하기

두 원의 교점을 지나는 직선의 방정식은
$x^2+y^2+8x+ky-8-(x^2+y^2-kx-2y)=0$
$\therefore\ (8+k)x+(k+2)y-8=0$

STEP2 k의 값 구하기

이 직선이 점 $(2,\ -3)$을 지나므로
$2(8+k)-3(k+2)-8=0$
$\therefore\ k=2$

13-2 답 35

해결전략 | 두 원 $A=0$, $B=0$의 교점을 지나는 원의 방정식은 $A+kB=0\ (k\neq-1)$이다.

STEP1 두 원의 교점을 지나는 원의 방정식 세우기

두 원의 교점을 지나는 원의 방정식은
$x^2+y^2+4x-18y+a+k(x^2+y^2-8x-14y+32)=0$
(단, $k\neq-1$) ...... ㉠

STEP2 주어진 두 점을 이용하여 a, k의 값 구하기

이 원이 두 점 $(1,\ 2)$, $(-5,\ 8)$을 지나므로
$1+4+4-36+a+k(1+4-8-28+32)=0$
에서
$-27+a+k=0$ $\therefore\ a+k=27$ ...... ㉡
$25+64-20-144+a+k(25+64+40-112+32)=0$
에서
$-75+a+49k=0$ $\therefore\ a+49k=75$ ...... ㉢
㉡, ㉢을 연립하여 풀면 $a=26$, $k=1$

STEP3 원의 방정식 구하기

$a=26$, $k=1$을 ㉠에 대입하면
$x^2+y^2+4x-18y+26+(x^2+y^2-8x-14y+32)=0$
$x^2+y^2-2x-16y+29=0$
$\therefore\ (x-1)^2+(y-8)^2=36$

STEP4 $a+b+c$의 값 구하기

따라서 $a=26$, $b=1$, $c=8$이므로
$a+b+c=26+1+8=35$

13-3 답 1

해결전략 | 두 원 $A=0$, $B=0$의 교점을 지나는 직선의 방정식은 $A-B=0$임과 두 직선이 수직일 조건을 이용한다.

STEP1 두 원의 교점을 지나는 직선의 방정식 구하기

두 원의 교점을 지나는 직선의 방정식은
$x^2+y^2+ax+4y-3-(x^2+y^2+2x+ay-1)=0$
$\therefore\ (a-2)x+(4-a)y-2=0$ ...... ㉠

STEP2 a의 값 구하기

직선 ㉠이 직선 $y=-3x+1$, 즉 $3x+y-1=0$과 수직이므로
$3(a-2)+(4-a)=0$
$2a-2=0$ $\therefore\ a=1$

> **풍쌤의 비법**
>
> **두 직선이 수직일 조건**
>
> 두 직선 $ax+by+c=0$, $a'x+b'y+c'=0$이 서로 수직이면 $aa'+bb'=0$이다.

13-4 답 3

해결전략 | 두 원 $A=0$, $B=0$의 교점을 지나는 원의 방정식은 $A+kB=0$ $(k\neq-1)$이다.

STEP 1 두 원의 교점을 지나는 원의 방정식 세우기

두 원의 교점을 지나는 원의 방정식은

$$x^2+y^2+8ax+4ay+16+k(x^2+y^2+4ax-2ay+4)=0$$

(단, $k\neq-1$) …… ㉠

STEP 2 원점을 지남을 이용하여 k의 값 구하기

이 원이 점 $(0, 0)$을 지나므로

$4k+16=0$ $\quad\therefore k=-4$

STEP 3 원의 방정식 구하기

$k=-4$를 ㉠에 대입하면

$x^2+y^2+8ax+4ay+16-4(x^2+y^2+4ax-2ay+4)=0$

$-3x^2-3y^2-8ax+12ay=0$

$x^2+y^2+\frac{8}{3}ax-4ay=0$

$\therefore \left(x+\frac{4}{3}a\right)^2+(y-2a)^2=\frac{52}{9}a^2$

STEP 4 양수 a의 값 구하기

이 원의 넓이는 $\frac{52}{9}a^2\pi=52\pi$이므로

$a^2=9$ $\quad\therefore a=3$ $(\because a>0)$

13-5 답 5π

해결전략 | 중심이 y축 위에 있는 원의 방정식은 x의 계수가 0임을 이용한다.

STEP 1 두 원의 교점을 지나는 원의 방정식 세우기

두 원의 교점을 지나는 원의 방정식은

$$x^2+y^2-10x+8y-4+k(x^2+y^2-2x-4)=0$$

(단, $k\neq-1$)

이 식을 정리하면

$(1+k)x^2+(1+k)y^2+(-10-2k)x+8y$

$+(-4-4k)=0$ (단, $k\neq-1$) …… ㉠

STEP 2 k의 값과 원의 방정식 구하기

이때 이 원의 중심이 y축 위에 있으므로 중심의 x좌표는 0이다.

즉, x의 계수가 0이므로

$-10-2k=0$ $\quad\therefore k=-5$

$k=-5$를 ㉠에 대입하면

$-4x^2-4y^2+8y+16=0$

$x^2+y^2-2y-4=0$ $\quad\therefore x^2+(y-1)^2=5$

STEP 3 원의 넓이 구하기

따라서 이 원의 넓이는

$\pi\times(\sqrt{5})^2=5\pi$

13-6 답 2

해결전략 | 원 O가 원 O'의 둘레를 이등분하려면 두 원의 교점을 지나는 직선이 원 O'의 중심을 지나야 한다.

STEP 1 두 원의 교점을 지나는 원의 방정식 구하기

원 $x^2+y^2+ax+2y-7a=0$이

원 $x^2+y^2-2x-2y-6=0$의 둘레를 이등분하려면 두 원의 공통인 현이 원 $x^2+y^2-2x-2y-6=0$의 지름이어야 한다.

두 원의 공통인 현의 방정식은

$x^2+y^2+ax+2y-7a-(x^2+y^2-2x-2y-6)=0$

$\therefore (a+2)x+4y-7a+6=0$ …… ㉠

STEP 2 a의 값 구하기

$x^2+y^2-2x-2y-6=0$에서

$(x-1)^2+(y-1)^2=8$ …… ㉡

직선 ㉠이 원 ㉡의 중심 $(1, 1)$을 지나야 하므로

$(a+2)+4-7a+6=0$

$-6a=-12$ $\quad\therefore a=2$

필수유형 14

383쪽

14-1 답 (1) $4x-3y-6=0$ (2) 3 (3) 4

해결전략 | 두 원의 공통인 현의 방정식을 구하고, 두 원의 중심을 지나는 직선이 공통인 현을 수직이등분함을 이용하여 직각삼각형을 만들어 피타고라스 정리를 적용한다.

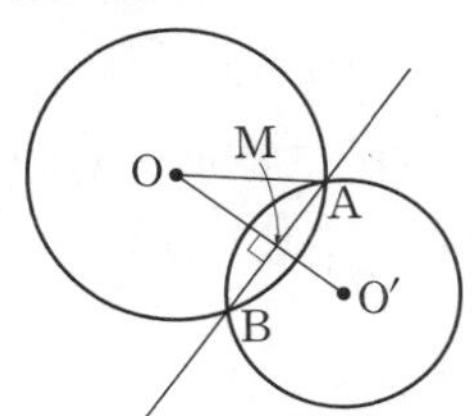

오른쪽 그림과 같이 두 원 O, O'의 중심을 각각 O, O′이라 하고, 두 원의 교점을 A, B, $\overline{\mathrm{OO'}}$과 $\overline{\mathrm{AB}}$의 교점을 M이라고 하자.

(1) 두 원 O, O'의 교점을 지나는 직선 AB의 방정식은

$x^2+y^2-6y-4-(x^2+y^2-8x+8)=0$

$\therefore 4x-3y-6=0$ …… ㉠

(2) 원 O의 중심 O(0, 3)과 직선 ㉠ 사이의 거리는

$$\overline{OM}=\frac{|-9-6|}{\sqrt{4^2+(-3)^2}}=\frac{15}{5}=3$$

(3) $\overline{OA}$는 원 O의 반지름이므로

$\overline{OA}=\sqrt{13}$

직각삼각형 AOM에서

$$\overline{AM}=\sqrt{\overline{OA}^2-\overline{OM}^2}$$
$$=\sqrt{(\sqrt{13})^2-3^2}=2$$

따라서 공통인 현 AB의 길이는

$\overline{AB}=2\overline{AM}=4$

14-2 답 $\sqrt{2}$

해결전략 | 두 원의 공통인 현의 방정식을 구하고, 두 원의 중심을 지나는 직선이 공통인 현을 수직이등분함을 이용하여 직각삼각형을 만들어 피타고라스 정리를 적용한다.

STEP 1 두 원의 공통인 현의 방정식 구하기

오른쪽 그림과 같이 두 원 $x^2+y^2=1$, $x^2+y^2+4x-4y+3=0$의 중심을 각각 O, O′이라 하고, 두 원의 교점을 A, B, $\overline{OO'}$과 $\overline{AB}$의 교점을 M이라 고 하자.

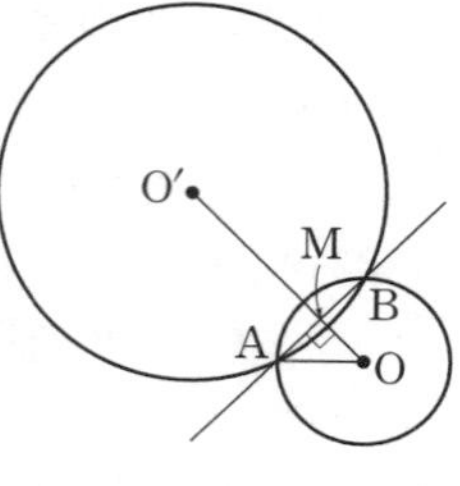

두 원의 교점을 지나는 직선 AB의 방정식은

$x^2+y^2+4x-4y+3-(x^2+y^2-1)=0$

$\therefore x-y+1=0$ ...... ㉠

STEP 2 한 원의 중심과 직선 사이의 거리 구하기

원 $x^2+y^2=1$의 중심 O(0, 0)과 직선 ㉠ 사이의 거리는

$$\overline{OM}=\frac{|1|}{\sqrt{1^2+(-1)^2}}=\frac{\sqrt{2}}{2}$$

STEP 3 피타고라스 정리를 이용하여 공통인 현의 길이 구하기

직각삼각형 AOM에서 $\overline{OA}=1$이므로

$$\overline{AM}=\sqrt{\overline{OA}^2-\overline{OM}^2}$$
$$=\sqrt{1^2-\left(\frac{\sqrt{2}}{2}\right)^2}=\frac{\sqrt{2}}{2}$$

따라서 공통인 현 AB의 길이는

$\overline{AB}=2\overline{AM}=\sqrt{2}$

14-3 답 $2\sqrt{5}$

해결전략 | 두 원의 공통인 현의 방정식을 구하고, 두 원의 중심을 지나는 직선이 공통인 현을 수직이등분함을 이용하여 직각삼각형을 만들어 피타고라스 정리를 적용한다.

STEP 1 두 원의 공통인 현의 방정식 구하기

오른쪽 그림과 같이 두 원 O, O'의 중심을 각각 O, O′이라 하고, $\overline{OO'}$과 $\overline{AB}$의 교점을 M이라고 하자.

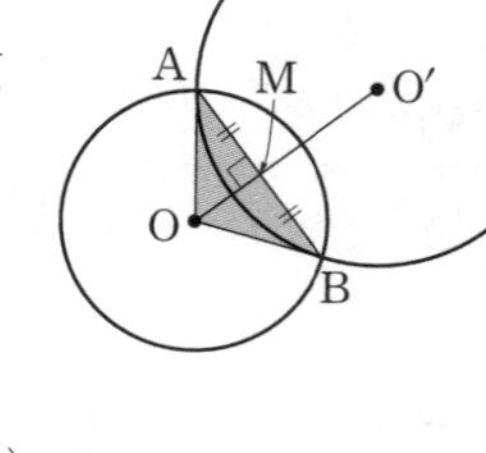

두 원의 교점을 지나는 직선 AB의 방정식은

$x^2+y^2+2x-4y-4$
$-(x^2+y^2-6x-10y+20)=0$

$\therefore 4x+3y-12=0$ ...... ㉠

STEP 2 한 원의 중심과 직선 사이의 거리 구하기

$x^2+y^2+2x-4y-4=0$에서

$(x+1)^2+(y-2)^2=9$

이므로 원 O의 중심은 O(−1, 2)이고 반지름의 길이는 3이다.

점 O(−1, 2)와 직선 ㉠ 사이의 거리는

$$\overline{OM}=\frac{|-4+6-12|}{\sqrt{4^2+3^2}}=\frac{10}{5}=2$$

STEP 3 피타고라스 정리를 이용하여 공통인 현의 길이 구하기

직각삼각형 AOM에서 $\overline{OA}=3$이므로

$$\overline{AM}=\sqrt{\overline{OA}^2-\overline{OM}^2}$$
$$=\sqrt{3^2-2^2}=\sqrt{5}$$

$\therefore \overline{AB}=2\overline{AM}=2\sqrt{5}$

STEP 4 삼각형 OAB의 넓이 구하기

따라서 삼각형 OAB의 넓이는

$$\frac{1}{2}\times\overline{AB}\times\overline{OM}=\frac{1}{2}\times2\sqrt{5}\times2=2\sqrt{5}$$

14-4 답 9π

해결전략 | 두 원의 교점을 지나는 원의 넓이가 최소가 되려면 공통인 현이 그 원의 지름이어야 한다.

STEP 1 두 원의 공통인 현의 방정식 구하기

오른쪽 그림과 같이 두 원 $x^2+y^2=10$, $x^2+y^2-6x-8y=0$의 중심을 각각 O, O′이라 하고, 두 원의 교점을 A, B, $\overline{OO'}$과 $\overline{AB}$의 교점을 M이라고 하자.

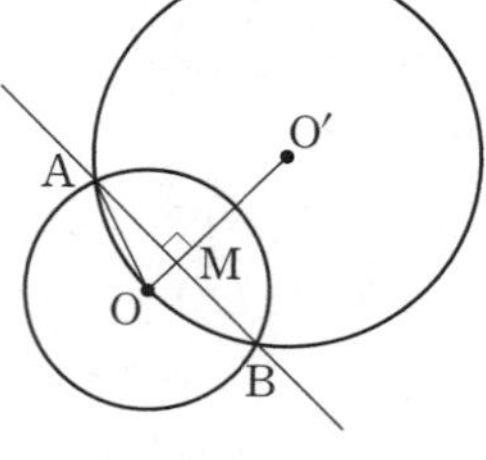

두 원의 교점을 지나는 직선 AB의 방정식은

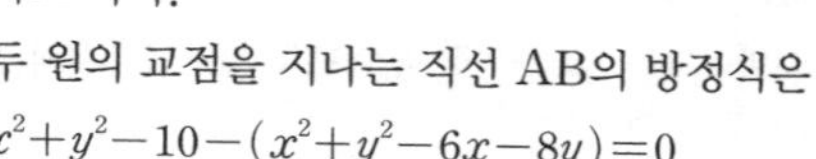

$x^2+y^2-10-(x^2+y^2-6x-8y)=0$

$\therefore 3x+4y-5=0$ ...... ㉠

STEP 2 한 원의 중심과 직선 사이의 거리 구하기

원 $x^2+y^2=10$의 중심 O(0, 0)과 직선 ㉠ 사이의 거리는

$\overline{OM}=\frac{|-5|}{\sqrt{3^2+4^2}}=\frac{5}{5}=1$

STEP 3 주어진 조건을 만족시키는 원의 넓이 구하기

$\overline{OA}$는 원 $x^2+y^2=10$의 반지름이므로

$\overline{OA}=\sqrt{10}$

직각삼각형 AOM에서

$\overline{AM}=\sqrt{\overline{OA}^2-\overline{OM}^2}$

$=\sqrt{(\sqrt{10})^2-1^2}=3$

따라서 넓이가 최소인 원의 반지름의 길이가 3이므로 구하는 넓이는

$\pi\times3^2=9\pi$

14-5 답 $2\sqrt{6}$

해결전략 | 선분 AB의 길이가 최대가 되려면 선분 AB가 원 $x^2+y^2=4$의 지름이어야 한다.

STEP 1 두 원의 공통인 현의 방정식 구하기

$(x-2)^2+(y-4)^2=r^2$에서

$x^2+y^2-4x-8y+20-r^2=0$

두 원의 교점을 지나는 직선의 방정식은

$x^2+y^2-4-(x^2+y^2-4x-8y+20-r^2)=0$

$\therefore 4x+8y-24+r^2=0$ …… ㉠

STEP 2 주어진 조건을 만족시키는 r의 값 구하기

이때 선분 AB의 길이가 최대가 되려면 선분 AB가 원 $x^2+y^2=4$의 지름이어야 한다.

따라서 직선 ㉠은 원 $x^2+y^2=4$의 중심 (0, 0)을 지나야 하므로

$r^2=24$ $\therefore r=2\sqrt{6}\ (\because r>0)$

14-6 답 -8

해결전략 | 두 원의 공통인 현의 방정식을 구하고, 두 원의 중심을 지나는 직선이 공통인 현을 수직이등분함을 이용하여 직각삼각형을 만들어 피타고라스 정리를 적용한다.

STEP 1 두 원의 공통인 현의 방정식 구하기

오른쪽 그림과 같이 두 원 $x^2+y^2=4$, $x^2+y^2-6x-6y+k=0$의 중심을 각각 O, O′이라 하고, 두 원의 교점을 A, B, $\overline{OO'}$과 $\overline{AB}$의 교점을 M이라고 하자.

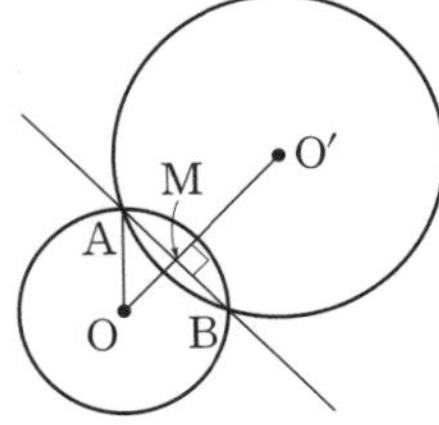

두 원 O, O'의 교점을 지나는 직선 AB의 방정식은

$(x^2+y^2-4)-(x^2+y^2-6x-6y+k)=0$

$\therefore 6x+6y-k-4=0$ …… ㉠

STEP 2 한 원의 중심과 직선 사이의 거리 구하기

원 $x^2+y^2=4$의 중심은 O(0, 0)이고 반지름의 길이는 2이다.

점 O(0, 0)과 직선 ㉠ 사이의 거리는

$\overline{OM}=\frac{|-k-4|}{\sqrt{6^2+6^2}}=\frac{|k+4|}{6\sqrt{2}}$

STEP 3 k의 값 구하기

직각삼각형 AOM에서

$\overline{OA}=2$이므로

$\overline{AM}=\sqrt{\overline{OA}^2-\overline{OM}^2}$

$=\sqrt{2^2-\left(\frac{|k+4|}{6\sqrt{2}}\right)^2}$

이때 공통인 현 AB의 길이는 $2\sqrt{2}$이어야 하므로

$\overline{AB}=2\overline{AM}$

$=2\sqrt{2^2-\left(\frac{|k+4|}{6\sqrt{2}}\right)^2}=2\sqrt{2}$

$4-\frac{(k+4)^2}{72}=2$

$(k+4)^2=144$

$k+4=\pm12$

$\therefore k=8$ 또는 $k=-16$

STEP 4 k의 값의 합 구하기

따라서 모든 상수 k의 값의 합은

$8+(-16)=-8$

발전유형 15

385쪽

15-1 답 $4\sqrt{2}$

해결전략 | 보조선을 그어 두 원의 중심을 잇는 선분이 빗변이 되고 $\overline{AB}$와 길이가 같은 변이 한 변이 되는 직각삼각형을 만든다.

STEP 1 두 원의 중심 사이의 거리 구하기

두 원 $(x-2)^2+y^2=1$, $(x+4)^2+y^2=9$의 중심을 각각 C, C′이라고 하면 C(2, 0), C′(−4, 0)이므로

$\overline{CC'}=|-4-2|=6$

STEP 2 $\overline{AB}$의 길이 구하기

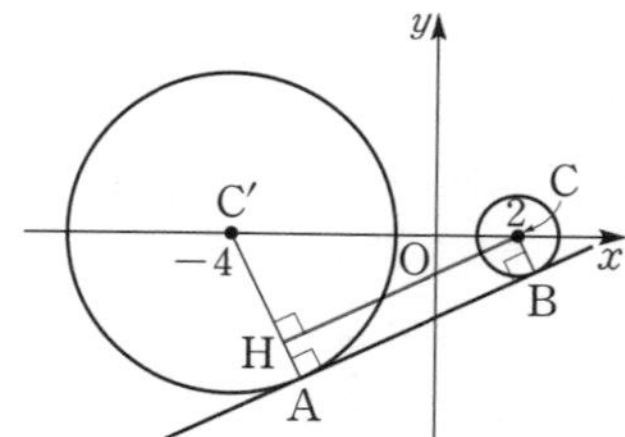

위의 그림과 같이 점 C에서 $\overline{C'A}$에 내린 수선의 발을 H라고 하면 $\overline{C'H}=3-1=2$이므로 직각삼각형 CC'H에서

$\overline{AB}=\overline{CH}=\sqrt{\overline{CC'}^2-\overline{C'H}^2}$

$=\sqrt{6^2-2^2}=4\sqrt{2}$

15-2 답 $2\sqrt{2}$

해결전략 | 보조선을 그어 두 원의 중심을 잇는 선분이 빗변이 되고 $\overline{AB}$와 길이가 같은 변이 한 변이 되는 직각삼각형을 만든다.

STEP 1 두 원의 중심 사이의 거리 구하기

두 원 $(x+1)^2+(y-1)^2=1$, $(x+5)^2+y^2=4$의 중심을 각각 C, C'이라고 하면 C$(-1, 1)$, C'$(-5, 0)$이므로

$\overline{CC'}=\sqrt{\{-5-(-1)\}^2+(0-1)^2}=\sqrt{17}$

STEP 2 $\overline{AB}$의 길이 구하기

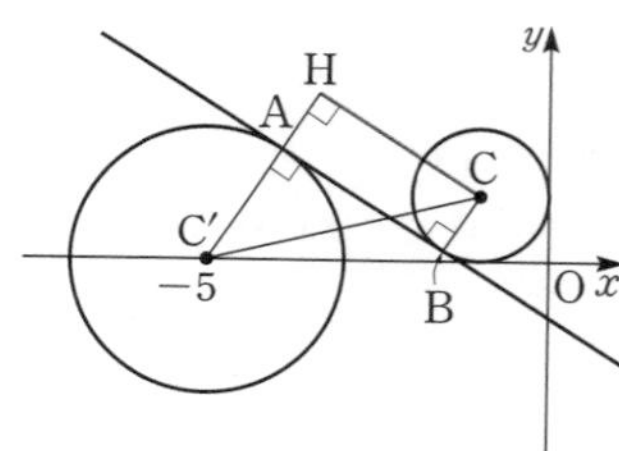

위의 그림과 같이 점 C에서 $\overline{C'A}$의 연장선에 내린 수선의 발을 H라고 하면

$\overline{C'H}=2+1=3$

직각삼각형 CC'H에서

$\overline{AB}=\overline{CH}=\sqrt{\overline{CC'}^2-\overline{C'H}^2}$

$=\sqrt{(\sqrt{17})^2-3^2}=2\sqrt{2}$

15-3 답 3

해결전략 | 보조선을 그어 두 원의 중심을 잇는 선분이 빗변이 되고 $\overline{AB}$와 길이가 같은 변이 한 변이 되는 직각삼각형을 만든다.

STEP 1 두 원의 중심 사이의 거리 구하기

원 $(x-6)^2+(y-8)^2=1$의 중심을 C라고 하면 C$(6, 8)$이고 원 $x^2+y^2=r^2$의 중심은 O$(0, 0)$이므로

$\overline{OC}=\sqrt{6^2+8^2}=10$

STEP 2 r의 값 구하기

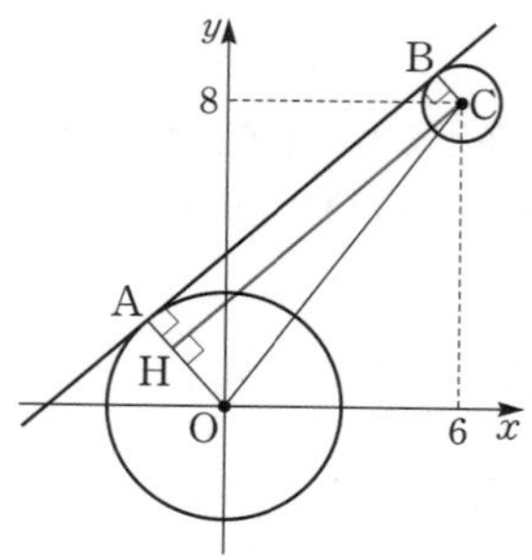

위의 그림과 같이 점 C에서 $\overline{OA}$에 내린 수선의 발을 H라고 하면

$\overline{OH}=r-1$, $\overline{CH}=\overline{AB}=4\sqrt{6}$

직각삼각형 CHO에서

$r-1=\sqrt{\overline{OC}^2-\overline{CH}^2}$

$=\sqrt{10^2-(4\sqrt{6})^2}=2$

$\therefore r=3$

15-4 답 2

해결전략 | 보조선을 그어 두 원의 중심을 잇는 선분이 빗변이 되고 $\overline{AB}$와 길이가 같은 변이 한 변이 되는 직각삼각형을 만든다.

STEP 1 두 원의 중심 사이의 거리 구하기

두 원 $(x+4)^2+(y-5)^2=r^2$, $(x-2)^2+(y+3)^2=16$의 중심을 각각 C, C'이라고 하면

C$(-4, 5)$, C'$(2, -3)$이므로

$\overline{CC'}=\sqrt{\{2-(-4)\}^2+(-3-5)^2}=10$

STEP 2 r의 값 구하기

오른쪽 그림과 같이 점 C에서 $\overline{C'B}$의 연장선에 내린 수선의 발을 H라고 하면

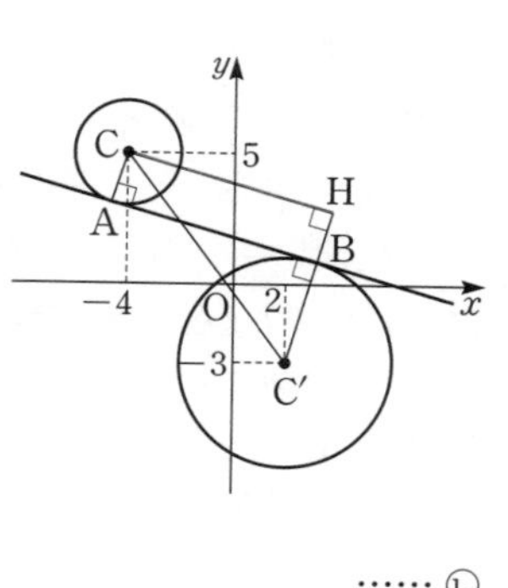

$\overline{C'H}=4+r$ …… ㉠

$\overline{CH}=\overline{AB}=8$

직각삼각형 CC'H에서

$\overline{C'H}=\sqrt{\overline{CC'}^2-\overline{CH}^2}$

$=\sqrt{10^2-8^2}=6$ …… ㉡

㉠, ㉡에서 $4+r=6$이므로

$r=2$

실전 연습 문제 386~388쪽

01 ②	02 ③	03 ④	04 $6\sqrt{5}$	05 ④
06 $m<-\frac{7}{24}$		07 $(x-1)^2+(y-1)^2=8$		
08 ③	09 ②	10 ⑤	11 12	12 ③
13 13	14 $y=-1$ 또는 $3x+4y-5=0$		15 $10\sqrt{2}$	
16 ④	17 ②	18 -18		

01

해결전략 | 주어진 원의 방정식을 표준형으로 고쳐 중심의 좌표 (a, b)를 구한 후, $(x-a)^2+(y-b)^2=r^2$로 놓고 지나는 점 $(-1, 4)$를 대입하여 반지름의 길이를 구한다.

STEP 1 주어진 조건에 맞게 원의 방정식 세우기

$x^2+y^2+4x-10y+19=0$에서

$(x+2)^2+(y-5)^2=10$

따라서 중심의 좌표가 $(-2, 5)$이므로 구하는 원의 반지름의 길이를 r라고 하면 원의 방정식은

$(x+2)^2+(y-5)^2=r^2$

STEP 2 원의 반지름의 길이 구하기

이 원이 점 $(-1, 4)$를 지나므로

$(-1+2)^2+(4-5)^2=r^2$

$r^2=2 \qquad \therefore r=\sqrt{2}\ (\because r>0)$

STEP 3 원의 둘레의 길이 구하기

따라서 구하는 원의 둘레의 길이는 $2\sqrt{2}\pi$이다.

02

해결전략 | 두 점 A, B를 지름의 양 끝 점으로 하는 원의 중심은 $\overline{AB}$의 중점이고 이 중심이 직선 $y=-2x+2$ 위의 점인 것을 이용한다.

STEP 1 원의 중심의 좌표와 반지름의 길이 구하기

두 점 $(1, 5)$, $(a, 3)$을 지름의 양 끝 점으로 하는 원의 중심의 좌표는

$\left(\frac{1+a}{2}, \frac{5+3}{2}\right) \qquad \therefore \left(\frac{1+a}{2}, 4\right)$

이때 원의 중심이 직선 $y=-2x+2$ 위에 있으므로

$4=-2\times\frac{1+a}{2}+2 \qquad \therefore a=-3$

즉, 원의 중심의 좌표는

$\left(\frac{1-3}{2}, 4\right) \qquad \therefore (-1, 4)$

또, 원의 반지름의 길이는

$\sqrt{\{1-(-1)\}^2+(5-4)^2}=\sqrt{5}$

STEP 2 원의 방정식 구하기

따라서 구하는 원의 방정식은

$(x+1)^2+(y-4)^2=5$

03

해결전략 | 일반형으로 주어진 원의 방정식을 표준형으로 변형했을 때, 우변이 양수이어야 한다.

STEP 1 원의 방정식을 표준형으로 변형하기

$x^2+y^2+6x-8y+k+9=0$에서

$(x+3)^2+(y-4)^2=16-k$

STEP 2 k의 값의 범위 구하기

이 방정식이 제2사분면 위에 있는 원을 나타내려면 반지름의 길이가 중심의 x좌표의 절댓값보다 작아야 하므로

$0<\sqrt{16-k}<|-3|$, $0<16-k<9$

$\therefore 7<k<16$

04

해결전략 | 원의 중심의 좌표를 $(a, -2a-1)$로 놓고 원의 방정식을 세운 후, 원이 지나는 한 점을 대입한다.

STEP 1 x축에 접하면서 중심이 직선 $2x+y+1=0$ 위에 있는 원의 방정식 세우기

원의 중심이 직선 $2x+y+1=0$, 즉 $y=-2x-1$ 위에 있으므로 원의 중심의 좌표를 $(a, -2a-1)$이라고 하자.

원이 x축에 접하므로 원의 방정식은

$(x-a)^2+(y+2a+1)^2=(2a+1)^2$ …… ㉠

…… ❶

STEP 2 원의 방정식 구하기

이 원이 점 $(-2, 1)$을 지나므로

$(-2-a)^2+(2+2a)^2=(2a+1)^2$

$a^2+8a+7=0$, $(a+7)(a+1)=0$

$\therefore a=-7$ 또는 $a=-1$

이것을 ㉠에 대입하면 구하는 원의 방정식은

$(x+7)^2+(y-13)^2=169$ 또는 $(x+1)^2+(y-1)^2=1$

…… ❷

STEP 3 두 원의 중심 사이의 거리 구하기

따라서 두 원의 중심의 좌표는 $(-7, 13)$, $(-1, 1)$이므로 중심 사이의 거리는

$\sqrt{\{-1-(-7)\}^2+(1-13)^2}=6\sqrt{5}$ …… ❸

채점 요소	배점
❶ 조건에 맞게 원의 방정식 세우기	40 %
❷ 원의 방정식 구하기	40 %
❸ 두 원의 중심 사이의 거리 구하기	20 %

05

해결전략 | 원과 원 밖의 한 점 사이의 거리의 최댓값은 (원의 중심과 점 사이의 거리)+(반지름의 길이)임을 이용한다.

STEP 1 점 P가 나타내는 도형 구하기

$\overline{PA}^2+\overline{PB}^2=20$에서

$(a+3)^2+b^2+(a-3)^2+b^2=20$

$2a^2+2b^2=2 \qquad \therefore a^2+b^2=1$

따라서 점 P가 나타내는 도형은 중심이 원점이고 반지름의 길이가 1인 원이다.

STEP 2 $(a+5)^2+(b-12)^2$의 최댓값 구하기

이때 $(a+5)^2+(b-12)^2$은 두 점 $P(a, b)$, $(-5, 12)$ 사이의 거리의 제곱과 같으므로 구하는 최댓값은 원 $x^2+y^2=1$ 위의 점과 점 $(-5, 12)$ 사이의 거리의 최댓값의 제곱과 같다.

점 $(-5, 12)$와 원의 중심 $(0, 0)$ 사이의 거리는

$\sqrt{(-5)^2+12^2}=13$

이고 원의 반지름의 길이가 1이므로 구하는 최댓값은

$(13+1)^2=196$

06

해결전략 | 원과 직선이 서로 다른 두 점에서 만나려면 원의 방정식과 직선의 방정식을 연립한 이차방정식의 판별식을 D라고 할 때, $D>0$이어야 한다.

STEP 1 조건에 맞는 원의 방정식 구하기

원의 중심의 좌표가 $(3, 0)$이고 y축에 접하는 원의 방정식은 $(x-3)^2+y^2=3^2$, 즉 $x^2+y^2-6x=0$

STEP 2 원과 직선이 두 점에서 만날 조건 파악하기

$y=mx+4$를 $x^2+y^2-6x=0$에 대입하면

$x^2+(mx+4)^2-6x=0$

$(1+m^2)x^2+2(4m-3)x+16=0$

이 이차방정식의 판별식을 D라고 하면

$\frac{D}{4}=(4m-3)^2-16(1+m^2)>0$

$16m^2-24m+9-16-16m^2>0, \ -24m>7$

$\therefore m<-\frac{7}{24}$

◉→ 다른 풀이

STEP 1 조건을 만족시키는 원의 방정식 구하기

원의 중심의 좌표가 $(3, 0)$이고, y축에 접하는 원의 방정식은 $(x-3)^2+y^2=3^2$

STEP 2 원의 중심과 직선 사이의 거리 구하기

원의 중심 $(3, 0)$과 직선 $y=mx+4$, 즉 $mx-y+4=0$ 사이의 거리는

$\frac{|3m+4|}{\sqrt{m^2+(-1)^2}}=\frac{|3m+4|}{\sqrt{m^2+1}}$

STEP 3 원과 직선이 서로 다른 두 점에서 만나는 조건 파악하기

원의 반지름의 길이가 3이므로 원과 직선이 서로 다른 두 점에서 만나려면

$\frac{|3m+4|}{\sqrt{m^2+1}}<3$

$|3m+4|<3\sqrt{m^2+1}$

$|3m+4|>0$, $3\sqrt{m^2+1}>0$이므로 양변을 제곱하면

$9m^2+24m+16<9m^2+9$

$24m<-7 \qquad \therefore m<-\frac{7}{24}$

07

해결전략 | 원의 중심과 접선 사이의 거리는 반지름의 길이와 같음을 이용한다.

STEP 1 원의 중심을 (a, a)로 놓고 a의 값 구하기

원의 중심의 좌표를 (a, a)라고 하면 원의 중심과 두 직선 $x+y+2=0$, $x+y-6=0$ 사이의 거리는 모두 원의 반지름의 길이와 같으므로

$\frac{|a+a+2|}{\sqrt{1^2+1^2}}=\frac{|a+a-6|}{\sqrt{1^2+1^2}}$

$|2a+2|=|2a-6|$

이때 $2a+2=2a-6$을 만족시키는 a의 값은 존재하지 않으므로

$2a+2=-(2a-6)$, $4a=4 \qquad \therefore a=1$

STEP 2 원의 방정식 구하기

원의 중심$(1, 1)$과 직선 $x+y+2=0$ 사이의 거리는 반지름의 길이와 같으므로

$\frac{|1+1+2|}{\sqrt{1^2+1^2}}=2\sqrt{2}$

따라서 구하는 원의 방정식은

$(x-1)^2+(y-1)^2=8$

08

해결전략 | 원과 직선이 만나지 않으려면 원의 중심과 직선 사이의 거리가 반지름의 길이보다 길어야 한다.

STEP 1 원의 중심과 반지름의 길이 구하기

원의 중심은 선분 AB의 중점이므로

$\left(\frac{2+8}{2}, \frac{7+1}{2}\right) \qquad \therefore (5, 4)$

원의 반지름의 길이는

$\frac{1}{2}\overline{AB}=\frac{1}{2}\sqrt{(8-2)^2+(1-7)^2}=\frac{1}{2}\times 6\sqrt{2}=3\sqrt{2}$

STEP 2 원과 직선이 만나지 않도록 하는 k의 값의 범위 구하기

원의 중심 $(5, 4)$와 직선 $y=x+k$, 즉 $x-y+k=0$ 사이의 거리는

$$\frac{|5-4+k|}{\sqrt{1^2+(-1)^2}}=\frac{|1+k|}{\sqrt{2}}$$

이므로 원과 직선이 만나지 않으려면

$\frac{|1+k|}{\sqrt{2}}>3\sqrt{2}$, $|1+k|>6$

$1+k>6$ 또는 $1+k<-6$

$\therefore k>5$ 또는 $k<-7$

STEP 3 자연수 k의 최솟값 구하기

따라서 자연수 k의 최솟값은 6이다.

09

해결전략 | 피타고라스 정리를 이용하여 원의 중심과 직선 l 사이의 거리를 구한다.

STEP 1 원점에서 직선 l에 내린 수선의 발을 H라 하고, $\overline{OH}$와 $\overline{HP}$의 길이를 피타고라스 정리를 이용하여 구하기

원의 중심이 원점 O이므로 $\overline{OP}$는 원의 반지름의 길이이다.

$\therefore \overline{OP}=\sqrt{10}$

$\overline{OA}=\sqrt{4^2+3^2}=5$

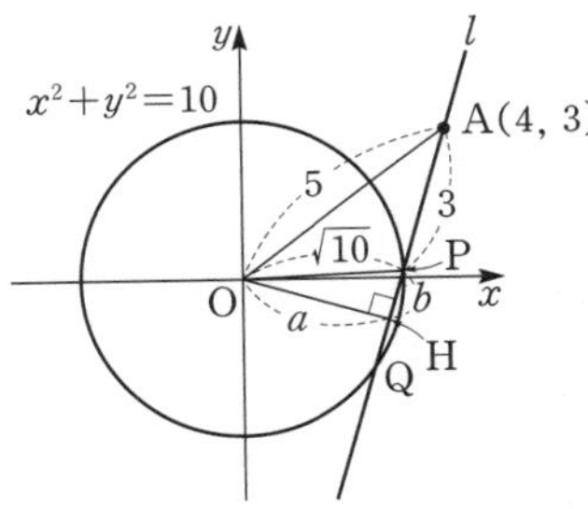

위의 그림과 같이 원점에서 직선 l에 내린 수선의 발을 H라고 하자.

$\overline{OH}=a$, $\overline{HP}=b$라고 하면 두 삼각형 OHP, OHA는 모두 직각삼각형이므로

$a^2+b^2=10$ ...... ㉠

$a^2+(b+3)^2=25$ ...... ㉡

㉠, ㉡을 연립하여 풀면

$a=3$, $b=1$

STEP 2 기울기를 m이라 하고 주어진 점을 지나는 직선의 방정식 구하기

직선 l의 기울기를 m이라고 하면 직선 l은 점 A(4, 3)을 지나므로 직선 l의 방정식은

$y-3=m(x-4)$

$\therefore mx-y-4m+3=0$

STEP 3 점과 직선 사이의 거리 공식을 이용하여 직선의 기울기 구하기

원의 중심 O와 직선 $mx-y-4m+3=0$ 사이의 거리가 3이므로

$$\frac{|-4m+3|}{\sqrt{m^2+(-1)^2}}=3$$

$|-4m+3|=3\sqrt{m^2+1}$

양변을 제곱하면

$16m^2-24m+9=9m^2+9$

$7m^2-24m=0$

$m(7m-24)=0$

$\therefore m=\frac{24}{7}$ ($\because m>0$)

10

해결전략 | 피타고라스 정리를 이용하여 접선의 길이를 구한다.

STEP 1 원의 중심과 점 P 사이의 거리 구하기

원의 중심을 C라고 하면

C(2, 3)

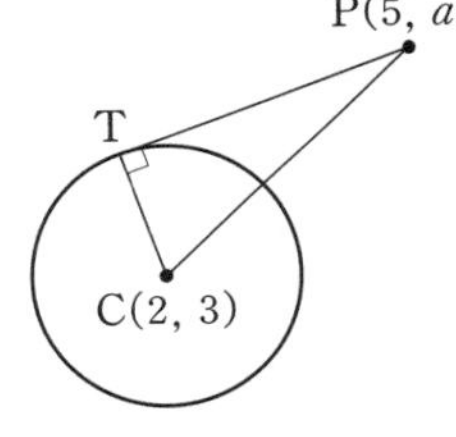

원의 중심 C(2, 3)과 점 P(5, a) 사이의 거리는

$\overline{CP}=\sqrt{(5-2)^2+(a-3)^2}$

$=\sqrt{a^2-6a+18}$

STEP 2 a의 값 구하기

$\overline{CT}=2$이고, 삼각형 PTC는 직각삼각형이므로

$\overline{CP}^2=\overline{CT}^2+\overline{PT}^2$에서

$a^2-6a+18=2^2+(\sqrt{21})^2$

$a^2-6a-7=0$

$(a+1)(a-7)=0$

$\therefore a=7$ ($\because a>0$)

11

해결전략 | 원의 중심과 직선 사이의 거리를 구하여 직선과 원 위의 점 사이의 거리의 최댓값과 최솟값을 구한다.

STEP 1 원의 중심과 직선 사이의 거리 구하기

원 $x^2+y^2=9$의 반지름의 길이를 r라고 하면 $r=3$

원 $x^2+y^2=9$의 중심 $(0, 0)$과 직선 $3x+4y+20=0$ 사이의 거리를 d라고 하면

$d=\frac{|20|}{\sqrt{3^2+4^2}}=\frac{20}{5}=4$ ...... ❶

STEP 2 점 P와 직선 사이의 거리의 최댓값과 최솟값 구하기

따라서 원 위의 점 P와 직선 사이의 거리의

(최댓값)$=d+r=4+3=7$,

(최솟값)$=d-r=4-3=1$ …… ❷

STEP 3 거리가 정수인 점 P의 개수 구하기

따라서 정수 d는 1, 2, 3, 4, 5, 6, 7이다.

$d=1$, $d=7$일 때는 점 P가 1개씩 있고, $d=2$, 3, 4, 5, 6일 때는 점 P가 2개씩 있으므로 구하는 점 P의 개수는 12이다. …… ❸

채점 요소	배점
❶ 원의 중심과 직선 사이의 거리 구하기	40 %
❷ 점 P와 직선 사이의 거리의 최댓값과 최솟값 구하기	30 %
❸ 거리가 정수인 점 P의 개수 구하기	30 %

12

해결전략 | 원 $x^2+y^2=r^2$에 접하고 기울기가 m인 접선의 방정식은 공식 $y=mx\pm r\sqrt{m^2+1}$을 이용한다.

STEP 1 두 접선의 방정식 구하기

원 $x^2+y^2=20$ 위의 점 $(2,\ 4)$에서의 접선의 방정식은

$2x+4y=20$　　$\therefore x+2y=10$ …… ㉠

원 $x^2+y^2=20$에 접하면서 기울기가 2인 접선의 방정식은

$y=2x\pm\sqrt{20}\times\sqrt{2^2+1}=2x\pm10$

이때 y절편이 양수이므로

$y=2x+10$ …… ㉡

STEP 2 a^2+b^2의 값 구하기

㉠, ㉡을 연립하여 풀면

$x=-2$, $y=6$

따라서 $a=-2$, $b=6$이므로

$a^2+b^2=(-2)^2+6^2=40$

13

해결전략 | 원 $x^2+y^2=r^2$ 위의 점 $P(x_1,\ y_1)$에서의 접선의 방정식은 $x_1x+y_1y=r^2$임을 이용한다.

STEP1 두 접선의 방정식 구하기

원 $x^2+y^2=13$ 위의 점 $P(2,\ 3)$에서의 접선의 방정식은

$2x+3y=13$ …… ㉠

원 $x^2+y^2=13$ 위의 점 $Q(3,\ -2)$에서의 접선의 방정식은

$3x-2y=13$ …… ㉡

STEP 2 사각형 OPRQ가 정사각형인 것을 알고 사각형 OPRQ의 넓이 구하기

두 직선 ㉠, ㉡에서

$2\times3+3\times(-2)=0$

이므로 두 직선 ㉠, ㉡은 서로 수직이다.

따라서 오른쪽 그림과 같이 사각형 OPRQ는 원의 반지름의 길이 $\sqrt{13}$을 한 변의 길이로 하는 정사각형이므로 구하는 넓이는

$\sqrt{13}\times\sqrt{13}=13$

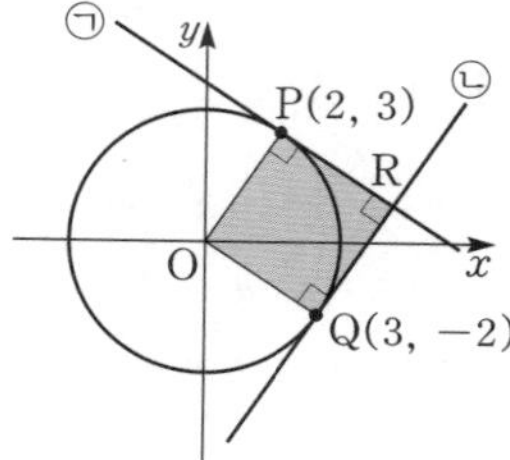

14

해결전략 | 직선 l이 원 O'의 넓이를 이등분하므로 직선 l은 원 O'의 중심을 지나야 한다.

STEP1 직선 l의 기울기를 m으로 놓고, 지나는 점 찾아 직선 l의 방정식 나타내기

직선 l이 원 O'의 넓이를 이등분하므로 직선 l은 원 O'의 중심 $(3,\ -1)$을 지난다.

직선 l의 기울기를 m이라고 하면 직선 l의 방정식은

$y+1=m(x-3)$

$\therefore mx-y-3m-1=0$ …… ㉠

STEP 2 원 O와 직선 l이 접하는 것을 이용하여 m의 값 구하기

원 O와 직선 l이 접하려면 원의 중심 $(0,\ 0)$과 직선 ㉠ 사이의 거리가 원의 반지름의 길이인 1과 같아야 하므로

$\dfrac{|-3m-1|}{\sqrt{m^2+(-1)^2}}=1$

$|3m+1|=\sqrt{m^2+1}$

양변을 제곱하면

$9m^2+6m+1=m^2+1$

$4m^2+3m=0$, $m(4m+3)=0$

$\therefore m=0$ 또는 $m=-\dfrac{3}{4}$

STEP 3 직선 l의 방정식 구하기

따라서 직선 l의 방정식 ㉠에 각각 대입하면

$y=-1$ 또는 $3x+4y-5=0$

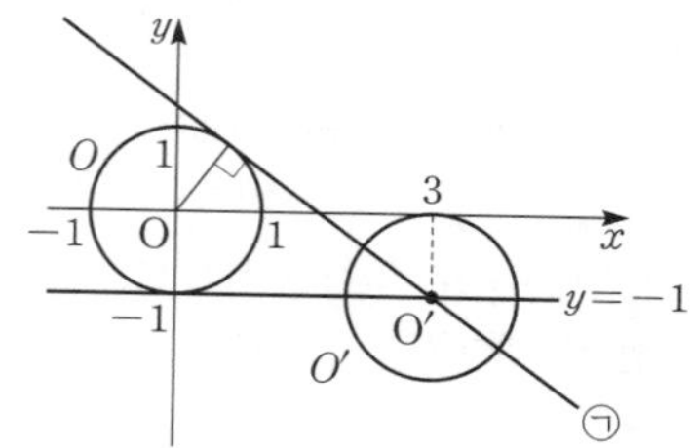

15

해결전략 | 원의 중심에서 접선에 이르는 거리는 원의 반지름의 길이와 같음을 이용하여 직선 l의 방정식을 구한다.

STEP1 직선 l의 방정식 구하기

직선 l의 기울기를 m이라고 하면 직선 l의 방정식은

$y=mx+6$

원 $(x-3)^2+y^2=9$와 직선 l이 접하려면 원의 중심 $(3,\ 0)$과 직선 $y=mx+6$, 즉 $mx-y+6=0$ 사이의 거리가 원의 반지름의 길이인 3과 같아야 하므로

$\dfrac{|3m+6|}{\sqrt{m^2+(-1)^2}}=3$

$|3m+6|=3\sqrt{m^2+1}$

$|m+2|=\sqrt{m^2+1}$

양변을 제곱하면

$m^2+4m+4=m^2+1$

$4m+3=0 \qquad \therefore m=-\dfrac{3}{4}$

따라서 직선 l의 방정식은

$-\dfrac{3}{4}x-y+6=0$

$\therefore 3x+4y-24=0$ …… ❶

STEP2 두 원의 반지름의 길이 구하기

x축과 y축에 동시에 접하면서 중심이 제1사분면 위에 있는 원의 반지름의 길이를 r라고 하면 중심의 좌표는 $(r,\ r)$이다.

이 원과 직선 l이 접하므로

$\dfrac{|3r+4r-24|}{\sqrt{3^2+4^2}}=r$

$|7r-24|=5r$

$7r-24=\pm 5r$

$\therefore r=2$ 또는 $r=12$ …… ❷

STEP3 두 원의 중심 사이의 거리 구하기

따라서 두 원의 중심의 좌표는 각각 $(2,\ 2)$, $(12,\ 12)$이므로 두 원의 중심 사이의 거리는

$\sqrt{(12-2)^2+(12-2)^2}=10\sqrt{2}$ …… ❸

채점 요소	배점
❶ 직선 l의 방정식 구하기	40 %
❷ 두 원의 반지름의 길이 구하기	40 %
❸ 두 원의 중심 사이의 거리 구하기	20 %

16

해결전략 | 원 O가 원 O'의 둘레를 이등분하려면 두 원의 교점을 지나는 직선이 원 O'의 중심을 지나야 한다.

STEP1 원 $x^2+y^2-8x-4ay+a^2+15=0$의 중심의 좌표 구하기

$x^2+y^2-4x-4y-1=0$ …… ㉠

$x^2+y^2-8x-4ay+a^2+15=0$ …… ㉡

원 ㉠이 원 ㉡의 둘레를 이등분하므로 두 원 ㉠, ㉡의 교점을 지나는 직선은 원 ㉡의 중심을 지난다.

원 ㉡에서 $(x-4)^2+(y-2a)^2=3a^2+1$이므로

중심의 좌표는 $(4,\ 2a)$이다.

STEP2 두 원의 교점을 지나는 직선의 방정식 구하기

한편, 두 원 ㉠, ㉡의 교점을 지나는 직선의 방정식은

$x^2+y^2-8x-4ay+a^2+15-(x^2+y^2-4x-4y-1)=0$

$\therefore -4x-(4a-4)y+a^2+16=0$

STEP3 a의 값 구하기

이 직선이 점 $(4,\ 2a)$를 지나므로

$-16-(4a-4)\times 2a+a^2+16=0$

$-7a^2+8a=0$

$-a(7a-8)=0$

$\therefore a=\dfrac{8}{7}\ (\because a>0)$

17

해결전략 | 두 원 $A=0$, $B=0$의 교점을 지나는 원의 방정식은 $A+kB=0\ (k\neq -1)$이다.

STEP1 두 원의 교점을 지나는 원의 방정식 세우기

두 원 $x^2+y^2=4$, $x^2+y^2+ax+2=0$의 교점을 지나는 원의 방정식은

$x^2+y^2+ax+2+k(x^2+y^2-4)=0$ (단, $k\neq -1$) …… ㉠

STEP2 주어진 두 점을 이용하여 a, k의 값 구하기

이 원이 두 점 $(0,\ -1)$, $(2,\ 1)$을 지나므로

$1+2+k(1-4)=0$에서 $k=1$ …… ㉡

$4+1+2a+2+k(4+1-4)=0$에서

$7+2a+k=0$ …… ㉢

㉡을 ㉢에 대입하면 $a=-4$

STEP3 원의 방정식 구하기

$a=-4$, $k=1$을 ㉠에 대입하면

$x^2+y^2-4x+2+(x^2+y^2-4)=0$

$x^2+y^2-2x-1=0$

$\therefore (x-1)^2+y^2=2$

STEP4 $a+b+c$의 값 구하기

따라서 $a=-4$, $b=1$, $c=0$이므로

$a+b+c=-4+1+0=-3$

18

해결전략 | 두 원의 공통인 현의 방정식을 구하고, 두 원의 중심을 지나는 직선이 공통인 현을 수직이등분함을 이용하여 직각삼각형을 만들어 피타고라스 정리를 적용한다.

STEP 1 두 원의 공통인 현의 방정식 구하기

오른쪽 그림과 같이 두 원 $x^2+y^2=9$, $x^2+y^2-4x-3y+k=0$의 중심을 각각 O, O′이라 하고, 두 원의 교점을 A, B, $\overline{OO'}$과 $\overline{AB}$의 교점을 M이라고 하자.

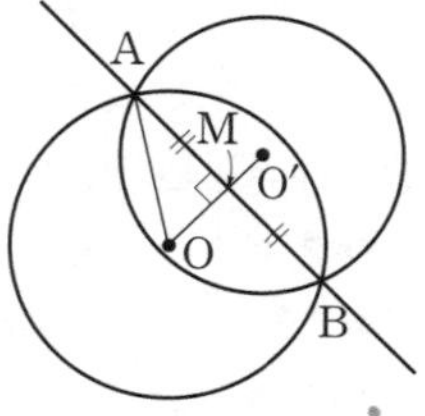

두 원의 교점을 지나는 직선 AB의 방정식은

$x^2+y^2-9-(x^2+y^2-4x-3y+k)=0$

$\therefore 4x+3y-k-9=0$ ...... ㉠

STEP 2 한 원의 중심과 직선 사이의 거리 구하기

원 $x^2+y^2=9$의 중심은 O(0, 0)이고 반지름의 길이는 3이다.

점 O(0, 0)과 직선 ㉠ 사이의 거리는

$\overline{OM}=\dfrac{|-k-9|}{\sqrt{4^2+3^2}}=\dfrac{|k+9|}{5}$

STEP 3 k의 값 구하기

직각삼각형 AOM에서 $\overline{OA}=3$이므로

$\overline{AM}=\sqrt{\overline{OA}^2-\overline{OM}^2}=\sqrt{3^2-\left(\dfrac{|k+9|}{5}\right)^2}$

이때 공통인 현 AB의 길이는 $2\sqrt{5}$이어야 하므로

$\overline{AB}=2\overline{AM}$

$=2\sqrt{3^2-\left(\dfrac{|k+9|}{5}\right)^2}=2\sqrt{5}$

$9-\dfrac{(k+9)^2}{25}=5$

$(k+9)^2=100$

$k+9=\pm10$

$\therefore k=1$ 또는 $k=-19$

STEP 4 k의 값의 합 구하기

따라서 모든 상수 k의 값의 합은

$1+(-19)=-18$

상위권 도약 문제 389~390쪽

01 $x^2+(y-2\sqrt{3})^2=12$ **02** $8x-10y+9=0$
03 200 **04** ⑤ **05** $2\sqrt{17}$ **06** ⑤ **07** $\dfrac{216}{13}$
08 $\sqrt{26}$

01

해결전략 | 삼각형 ABC의 세 변의 길이를 이용하여 삼각형 ABC가 어떤 삼각형인지 먼저 알아본다.

STEP 1 삼각형 ABC가 정삼각형임을 알기

삼각형 ABC의 세 변의 길이는

$\overline{AB}=6-(-6)=12$

$\overline{BC}=\sqrt{(-6)^2+(6\sqrt{3})^2}=12$

$\overline{CA}=\sqrt{(-6)^2+(-6\sqrt{3})^2}=12$

이므로 삼각형 ABC는 정삼각형이다.

STEP 2 삼각형 ABC의 내심의 좌표 구하기

정삼각형의 내심과 무게중심은 일치하므로 삼각형 ABC의 내심의 좌표는

$\left(\dfrac{-6+6}{3}, \dfrac{6\sqrt{3}}{3}\right)$ $\therefore (0, 2\sqrt{3})$

STEP 3 내접원의 방정식 구하기

따라서 원의 중심의 좌표는 $(0, 2\sqrt{3})$이고, 원이 x축에 접하므로 구하는 내접원의 방정식은

$x^2+(y-2\sqrt{3})^2=(2\sqrt{3})^2$ $\therefore x^2+(y-2\sqrt{3})^2=12$

02

해결전략 | $P(x, y)$로 놓고 접선의 길이를 이용하여 x, y 사이의 관계를 식으로 나타낸다.

STEP 1 주어진 원을 표준형으로 변형하기

$x^2+y^2-12x+20=0$에서 $(x-6)^2+y^2=16$

STEP 2 $P(x, y)$로 놓고 $\overline{PT}^2$을 x, y에 대한 식으로 나타내기

원의 중심 (6, 0)을 C라 하고 점 P의 좌표를 (x, y)라고 하면 직각삼각형 PTC에서

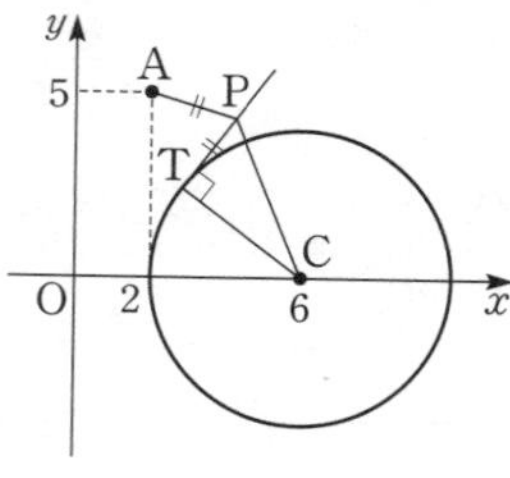

$\overline{PT}^2=\overline{PC}^2-\overline{CT}^2$

$=\{(x-6)^2+y^2\}-4^2$

$=x^2+y^2-12x+20$

STEP 3 주어진 조건을 이용하여 점 P의 자취의 방정식 구하기

$\overline{PT}=\overline{PA}$에서 $\overline{PT}^2=\overline{PA}^2$이므로

$x^2+y^2-12x+20=(x-2)^2+(y-5)^2$

$\therefore 8x-10y+9=0$

03

해결전략 | 원과 직선이 접하려면 원의 중심과 직선 사이의 거리가 원의 반지름의 길이와 같아야 한다.

STEP1 원의 중심의 좌표와 반지름의 길이를 변수를 이용하여 나타내기

원의 중심의 좌표를 (n, n^2)으로 놓으면 원이 y축에 접하므로 원의 반지름의 길이는 $|n|$이다.

STEP2 원과 직선이 접할 조건을 이용하여 식 세우기

원의 중심 (n, n^2)과 직선 $y=\sqrt{3}x-2$, 즉 $\sqrt{3}x-y-2=0$ 사이의 거리가 원의 반지름의 길이와 같으므로

$$\frac{|\sqrt{3}n-n^2-2|}{\sqrt{(\sqrt{3})^2+(-1)^2}}=|n|,\ n^2-\sqrt{3}n+2=\pm 2n$$

이때 n의 값은 2개이므로 실근을 갖는 이차방정식은

$n^2-(2+\sqrt{3})n+2=0$

STEP3 $100ab$의 값 구하기

이 이차방정식의 두 근이 a, b이므로 근과 계수의 관계에 의하여 $ab=2$

$\therefore 100ab=200$

> 참고

$n^2-\sqrt{3}n+2=-2n$이면 $n^2+(2-\sqrt{3})n+2=0$

이때 판별식이 $(2-\sqrt{3})^2-8=-1-4\sqrt{3}<0$이므로 실근을 갖지 않는다.

04

해결전략 | 점과 직선 사이의 거리, 원과 직선의 위치 관계를 이용한다.

STEP1 두 점 A, B의 x좌표를 α, β로 놓고 $\alpha+\beta$, $\alpha\beta$를 m에 대한 식으로 나타내기

중심이 $(1, 1)$이고 반지름의 길이가 1인 원의 방정식은

$(x-1)^2+(y-1)^2=1$

두 점 A, B는 직선 $y=mx$ 위의 점이므로 각각 $A(\alpha, m\alpha)$, $B(\beta, \beta m)$이라고 하자.

두 교점 A, B의 x좌표를 구하기 위해 $y=mx$를 $(x-1)^2+(y-1)^2=1$에 대입하면

$(x-1)^2+(mx-1)^2=1$

$x^2-2x+1+m^2x^2-2mx+1=1$

$(1+m^2)x^2-2(1+m)x+1=0$ …… ㉠

이차방정식 ㉠의 두 실근이 α, β이므로 근과 계수의 관계에 의하여

$\alpha+\beta=\dfrac{2(1+m)}{1+m^2},\ \alpha\beta=\dfrac{1}{1+m^2}$ …… ㉡

STEP2 원의 중심을 C라고 할 때 $\overline{AC}\perp\overline{BC}$임을 알기

다음 그림과 같이 이 원의 중심을 C라 하고, 두 점 A, B에서 각각 이 원에 접하는 두 직선의 교점을 D라고 하자.

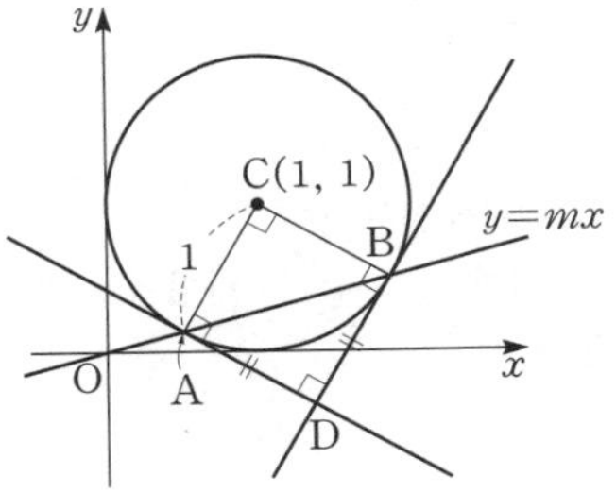

원의 중심과 접점을 연결한 선분은 접선에 수직이고 원 밖의 점 D와 두 접점 A, B 사이의 거리는 서로 같으므로 사각형 ADBC는 한 변의 길이가 1인 정사각형이다.

$\therefore \overline{AC}\perp\overline{BC}$

STEP3 m에 대한 식 구하기

따라서 두 직선 AC, BC의 기울기의 곱은 -1이므로

$\dfrac{m\alpha-1}{\alpha-1}\times\dfrac{m\beta-1}{\beta-1}=-1$

$(m\alpha-1)(m\beta-1)=-(\alpha-1)(\beta-1)$

$m^2\alpha\beta-m\alpha-m\beta+1=-\alpha\beta+\alpha+\beta-1$

$(1+m^2)\alpha\beta-(1+m)(\alpha+\beta)+2=0$ …… ㉢

㉡을 ㉢에 대입하면

$1-\dfrac{2(1+m)^2}{1+m^2}+2=0,\ 2(1+m)^2=3(1+m^2)$

$2m^2+4m+2=3m^2+3$

$\therefore m^2-4m+1=0$

STEP4 m의 값의 합 구하기

이 이차방정식은 서로 다른 두 실근을 가지므로 근과 계수의 관계에 의하여 모든 실수 m의 값의 합은 4이다.

◉→ 다른 풀이

STEP1 주어진 조건을 이용하여 원의 중심과 직선 사이의 거리 구하기

다음 그림과 같이 원의 중심을 C라 하고, 두 점 A, B에서 각각 이 원에 접하는 두 직선의 교점을 D라고 하자.

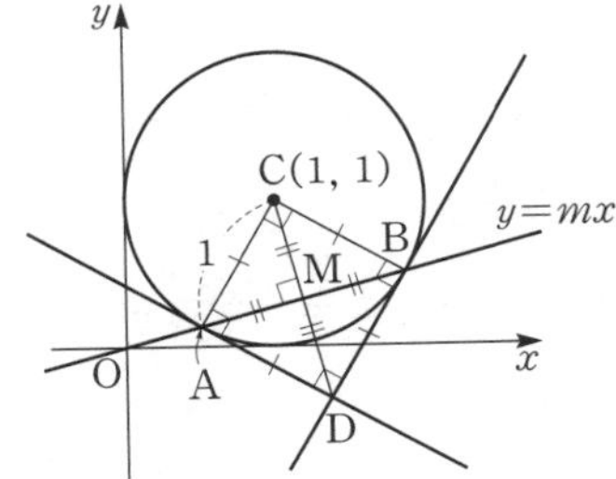

원의 중심과 접점을 연결한 선분은 접선에 수직이고 원 밖

의 점 D와 두 접점 A, B 사이의 거리는 서로 같으므로 사각형 ADBC는 한 변의 길이 1인 정사각형이다.
앞의 그림과 같이 대각선 AB의 중점을 M이라고 하면

$\overline{CM}=\frac{1}{2}\overline{CD}=\frac{\sqrt{2}}{2}$

STEP 2 STEP 1과 점 C와 직선 $y=mx$ 사이의 거리 공식을 이용하여 m에 대한 식 구하기

점 C(1, 1)과 직선 $mx-y=0$ 사이의 거리가 선분 CM의 길이와 같으므로

$\frac{|m-1|}{\sqrt{m^2+(-1)^2}}=\frac{\sqrt{2}}{2}$

$\sqrt{2}|m-1|=\sqrt{m^2+1}$

양변을 제곱하여 정리하면

$m^2-4m+1=0$

STEP 3 m의 값의 합 구하기

이 이차방정식은 서로 다른 두 실근을 가지므로 근과 계수의 관계에 의하여 모든 실수 m의 값의 합은 4이다.

> **풍쌤의 비법**
>
> **원의 접선**
>
> 원 밖의 한 점에서 그 원에 두 접선을 그을 때, 그 점에서 두 접점까지의 거리는 서로 같다. 즉, $\overline{PA}=\overline{PB}$
>
> 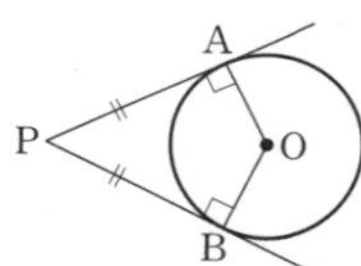
>

05

해결전략 | 두 점 P, Q는 직선 $y=-x+8$과 $\overline{AB}$를 지름으로 하는 원의 교점임을 이용한다.

STEP 1 두 점 P, Q가 나타내는 원의 방정식 구하기

$\angle APB=\angle AQB=90°$이므로 두 점 P, Q는 두 점 A$(-2, -1)$, B$(4, 7)$을 지름의 양 끝 점으로 하는 원 위의 점이다.
선분 AB의 중점이 원의 중심이므로 원의 중심의 좌표는

$\left(\frac{-2+4}{2}, \frac{-1+7}{2}\right)$ $\therefore (1, 3)$

또, 선분 AB가 원의 지름이므로 원의 반지름의 길이는

$\frac{1}{2}\overline{AB}=\frac{1}{2}\sqrt{\{4-(-2)\}^2+\{7-(-1)\}^2}$

$=\frac{1}{2}\times 10=5$

따라서 두 점 A, B를 지름의 양 끝 점으로 하는 원의 방정식은

$(x-1)^2+(y-3)^2=25$

STEP 2 원의 중심에서 직선에 내린 수선의 길이 구하기

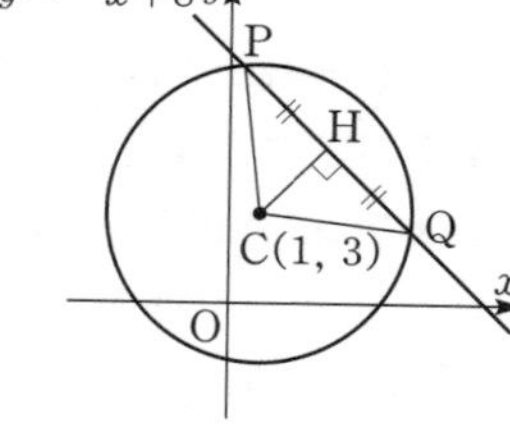

이 원의 중심을 C라고 하면 C(1, 3)
점 C에서 $\overline{PQ}$에 내린 수선의 발을 H라고 하면
선분 CH의 길이는
점 C와 직선
$y=-x+8$,
즉 $x+y-8=0$ 사이의 거리이므로

$\overline{CH}=\frac{|1+3-8|}{\sqrt{1^2+1^2}}=2\sqrt{2}$

STEP 3 $\overline{PQ}$의 길이 구하기

직각삼각형 CHP에서

$\overline{PH}=\sqrt{\overline{CP}^2-\overline{CH}^2}$

$=\sqrt{5^2-(2\sqrt{2})^2}=\sqrt{17}$

$\therefore \overline{PQ}=2\overline{PH}=2\sqrt{17}$

06

해결전략 | 삼각형 PAB의 무게중심이 나타내는 도형을 먼저 찾는다.

STEP 1 삼각형 PAB의 무게중심이 나타내는 도형의 방정식 구하기

점 P의 좌표를 (a, b), 삼각형 PAB의 무게중심의 좌표를 (x, y)라고 하면

$x=\frac{a+4+1}{3}$, $y=\frac{b+3+7}{3}$

$\therefore a=3x-5, b=3y-10$ …… ㉠

점 P는 원 C 위의 점이므로

$(a-1)^2+(b-2)^2=4$ …… ㉡

㉠을 ㉡에 대입하면

$(3x-6)^2+(3y-12)^2=4$

$9(x-2)^2+9(y-4)^2=4$

$\therefore (x-2)^2+(y-4)^2=\left(\frac{2}{3}\right)^2$

STEP 2 무게중심이 나타내는 원의 중심과 직선 AB 사이의 거리 구하기

직선 AB의 기울기는

$\frac{7-3}{1-4}=-\frac{4}{3}$

즉, 직선 AB의 방정식은

$y-3=-\frac{4}{3}(x-4)$

$\therefore 4x+3y-25=0$

따라서 삼각형 PAB의 무게중심이 나타내는 원의 중심 $(2, 4)$와 직선 $4x+3y-25=0$ 사이의 거리는

$\frac{|8+12-25|}{\sqrt{4^2+3^2}}=1$

STEP 3 삼각형 PAB의 무게중심과 직선 AB 사이의 거리의 최솟값 구하기

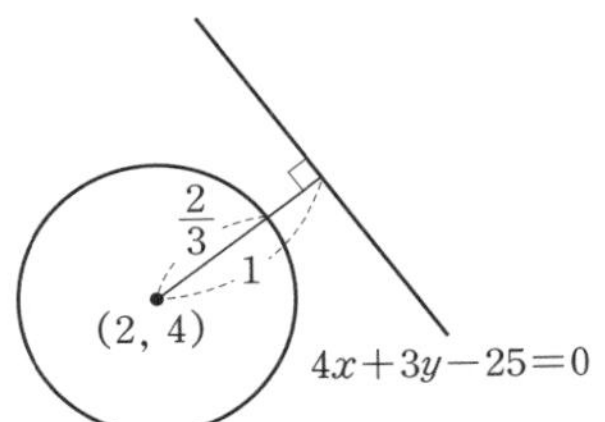

따라서 구하는 거리의 최솟값은 삼각형 PAB의 무게중심이 나타내는 원과 직선 AB 사이의 최단 거리이므로

$1-\frac{2}{3}=\frac{1}{3}$

07

해결전략 | 원 밖의 한 점에서 원에 그은 접선은 2개 존재하고, 원의 중심과 접선 사이의 거리가 원의 반지름의 길이와 같은 것을 이용하여 접선의 기울기를 구한다.

STEP 1 접선의 방정식 구하기

점 $P(-4, -6)$을 지나는 접선의 기울기를 m이라고 하면 접선의 방정식은

$y-(-6)=m\{x-(-4)\}$

$\therefore mx-y+4m-6=0$

원 $x^2+y^2=16$의 중심의 좌표가 $(0, 0)$, 반지름의 길이가 4이므로 원과 직선이 접하려면

$\frac{|4m-6|}{\sqrt{m^2+(-1)^2}}=4$, $|4m-6|=4\sqrt{m^2+1}$

양변을 제곱하면

$16m^2-48m+36=16m^2+16$

$-48m=-20 \qquad \therefore m=\frac{5}{12}$

즉, 기울기가 $\frac{5}{12}$인 접선의 방정식은

$\frac{5}{12}x-y-\frac{52}{12}=0 \qquad \therefore 5x-12y-52=0$

그런데 점 $P(-4, -6)$을 지나는 접선의 방정식은 그림과 같이 2개가 존재하므로

$x=-4$ 또는 $5x-12y-52=0$

STEP 2 삼각형 APB의 넓이 구하기

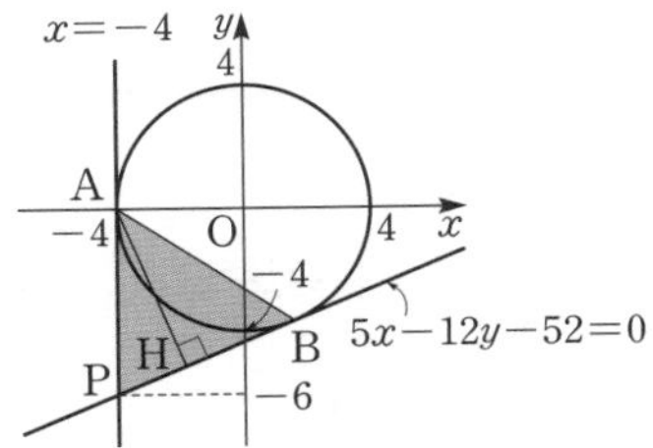

위의 그림과 같이 점 $A(-4, 0)$에서 직선 $5x-12y-52=0$에 내린 수선의 발을 H라고 하면

$\overline{AH}=\frac{|-20-52|}{\sqrt{5^2+(-12)^2}}=\frac{72}{13}$

$\overline{BP}=\overline{AP}=6$이므로

$\triangle APB=\frac{1}{2}\times\overline{BP}\times\overline{AH}=\frac{1}{2}\times6\times\frac{72}{13}=\frac{216}{13}$

08

해결전략 | 호 AB를 일부로 하는 원의 방정식이 x축에 접하는 조건과 두 원의 교점을 지나는 직선의 방정식을 이용한다.

STEP 1 호 AB를 포함하는 원의 방정식 구하기

호 AB를 포함하는 원은 원 $(x-3)^2+y=9$의 반지름의 길이는 3이므로 반지름의 길이가 3이고 점 $P(4, 0)$에서 x축에 접하므로 원의 방정식은

$(x-4)^2+(y-3)^2=9$

STEP 2 두 원의 교점을 지나는 직선 AB의 방정식 구하기

직선 AB의 방정식은

$(x-3)^2+y^2-9-\{(x-4)^2+(y-3)^2-9\}=0$

$2x+6y-16=0 \qquad \therefore x+3y-8=0$

STEP 3 원의 중심에서 직선에 내린 수선의 길이 구하기

원 $(x-3)^2+y^2=9$의 중심을 C라고 하면 $C(3, 0)$

점 C에서 선분 AB에 내린 수선의 발을 H라고 하면

점 $C(3, 0)$과 직선 $x+3y-8=0$ 사이의 거리는

$\overline{CH}=\frac{|3-8|}{\sqrt{1^2+3^2}}=\frac{\sqrt{10}}{2}$

STEP 4 $\overline{AB}$의 길이 구하기

직각삼각형 ACH에서

$\overline{AH}=\sqrt{\overline{AC}^2-\overline{CH}^2}=\sqrt{3^2-\left(\frac{\sqrt{10}}{2}\right)^2}=\frac{\sqrt{26}}{2}$

$\therefore \overline{AB}=2\overline{AH}=\sqrt{26}$

14 도형의 이동

개념확인 392~393쪽

01 답 (1) $(2, -3)$ (2) $(-3, -2)$

02 답 (1) $2x-y+8=0$ (2) $(x+1)^2+(y-2)^2=4$
(3) $y=(x+1)^2+2$

(1) $2(x+1)-(y-2)+4=0$ $\therefore 2x-y+8=0$

(3) $y-2=(x+1)^2$ $\therefore y=(x+1)^2+2$

03 답 (1) $(5, 3)$ (2) $(-5, -3)$
(3) $(-5, 3)$ (4) $(-3, 5)$

04 답 (1) $3x+y+1=0$ (2) $3x+y-1=0$
(3) $3x-y-1=0$ (4) $x-3y-1=0$

(1) $3x-(-y)+1=0$ $\therefore 3x+y+1=0$

(2) $3\times(-x)-y+1=0$ $\therefore 3x+y-1=0$

(3) $3\times(-x)-(-y)+1=0$
$\therefore 3x-y-1=0$

(4) $3y-x+1=0$ $\therefore x-3y-1=0$

05 답 (1) $(3, 3)$ (2) $(2, -1)$

(1) 점 M의 좌표를 (a, b)라고 하면

$$a=\frac{7+(-1)}{2}=3,\ b=\frac{4+2}{2}=3$$

$\therefore \mathrm{M}(3, 3)$

(2) 점 M의 좌표를 (a, b)라고 하면

$$a=\frac{6+(-2)}{2}=2,\ b=\frac{-5+3}{2}=-1$$

$\therefore \mathrm{M}(2, -1)$

06 답 $(5, 4)$

점 $\mathrm{A}(6, 3)$을 직선 $y=x-2$에 대하여 대칭이동한 점의 좌표가 $\mathrm{B}(a, b)$이므로 선분 AB의 중점의 좌표는

$$\left(\frac{6+a}{2}, \frac{3+b}{2}\right)$$

이 점이 직선 $y=x-2$ 위의 점이므로

$\frac{3+b}{2}=\frac{6+a}{2}-2$ $\therefore a-b=1$ ······ ㉠

또, 두 점 $\mathrm{A}(6, 3)$, $\mathrm{B}(a, b)$를 지나는 직선이 직선 $y=x-2$와 수직이므로

$\frac{b-3}{a-6}\times1=-1$ $\therefore a+b=9$ ······ ㉡

㉠, ㉡을 연립하여 풀면 $a=5$, $b=4$

$\therefore \mathrm{B}(5, 4)$

필수유형 01 395쪽

01-1 답 2

해결전략 | 평행이동한 점의 좌표를 구하여 이 점이 주어진 직선을 지나는 것을 이용한다.

STEP1 평행이동한 점의 좌표 구하기

평행이동 $(x, y)\to(x+3, y-5)$에 의하여 점 $(2, 2)$가 옮겨지는 점의 좌표는

$(2+3, 2-5)$ $\therefore (5, -3)$

STEP2 a의 값 구하기

즉, 점 $(5, -3)$이 직선 $y=-x+a$ 위에 있으므로

$-3=-5+a$ $\therefore a=2$

01-2 답 $(-4, 4)$

해결전략 | 먼저 x축, y축의 방향으로 각각 얼마만큼 평행이동해야 하는지 알아내고, 점 $(-1, 5)$로 옮겨지는 점의 좌표를 구한다.

STEP1 평행이동 알아내기

점 $(4, -3)$을 x축의 방향으로 m만큼, y축의 방향으로 n만큼 평행이동한 점의 좌표를 $(7, -2)$라고 하면

$4+m=7$, $-3+n=-2$

$\therefore m=3$, $n=1$

STEP2 점 $(-1, 5)$로 옮겨지는 점의 좌표 구하기

이때 평행이동 $(x, y)\to(x+3, y+1)$에 의하여
점 $(-1, 5)$로 옮겨지는 점의 좌표를 (a, b)라고 하면

$a+3=-1$, $b+1=5$

$\therefore a=-4$, $b=4$

따라서 구하는 점의 좌표는 $(-4, 4)$이다.

01-3 답 1

해결전략 | 평행이동한 점의 좌표를 구한 후, 이 점이 원의 중심의 좌표와 같다는 것을 이용한다.

STEP1 평행이동한 점의 좌표 구하기

점 (a, b)를 x축의 방향으로 4만큼, y축의 방향으로 -3만큼 평행이동한 점의 좌표는 $(a+4, b-3)$

STEP2 원의 중심의 좌표 구하기

한편, $x^2+y^2-4x=0$에서 $(x-2)^2+y^2=4$이므로 원의 중심의 좌표는 $(2, 0)$이다.

STEP3 $a+b$의 값 구하기

따라서 $a+4=2$, $b-3=0$이므로

$a=-2$, $b=3$

$\therefore a+b=-2+3=1$

01-4 답 2

해결전략 | 평행이동한 점의 좌표를 구하여 이 점이 주어진 직선을 지나는 것을 이용한다.

STEP1 평행이동한 점의 좌표 구하기

점 $\mathrm{P}(a, a^2)$을 x축의 방향으로 $-\frac{1}{2}$만큼, y축의 방향으로 2만큼 평행이동한 점의 좌표는

$\left(a-\frac{1}{2}, a^2+2\right)$

STEP2 a의 값 구하기

이 점이 직선 $y=4x$ 위에 있으므로

$a^2+2=4\left(a-\frac{1}{2}\right)$

$a^2+2=4a-2$, $a^2-4a+4=0$

$(a-2)^2=0$ $\quad\therefore a=2$

01-5 답 4

해결전략 | 평행이동한 점 A′의 좌표를 구해서 $\overline{\mathrm{OA'}}=2\overline{\mathrm{OA}}$임을 이용한다.

STEP1 평행이동한 점의 좌표 구하기

점 $\mathrm{A}(3, -4)$를 x축의 방향으로 7만큼, y축의 방향으로 a만큼 평행이동한 점을 A′이라고 하면

$\mathrm{A'}(3+7, -4+a)$, 즉 $\mathrm{A'}(10, -4+a)$

STEP2 a의 값 구하기

이때 $\overline{\mathrm{OA'}}=2\overline{\mathrm{OA}}$에서 $\overline{\mathrm{OA'}}^2=4\overline{\mathrm{OA}}^2$이므로

$10^2+(-4+a)^2=4\times\{3^2+(-4)^2\}$

$(a-4)^2=0$ $\quad\therefore a=4$

01-6 답 $(7, -3)$

해결전략 | 두 점 A, B가 두 점 A′, B′으로 옮겨진다는 것을 이용하여 x축, y축의 방향으로 각각 얼마만큼 평행이동해야 하는지 구한다.

STEP1 평행이동을 알아내고, a, b의 값 구하기

주어진 평행이동을 $(x, y) \to (x+m, y+n)$이라고 하면 이 평행이동에 의하여 점 $\mathrm{A}(a, 2)$는 점 $\mathrm{A'}(3, 6)$으로, 점 $\mathrm{B}(4, b)$는 점 $\mathrm{B'}(2, 5)$로 옮겨지므로

$a+m=3$, $2+n=6$,

$4+m=2$, $b+n=5$

네 식을 연립하여 풀면

$m=-2$, $n=4$, $a=5$, $b=1$

STEP2 점 (a, b)로 옮겨지는 점의 좌표 구하기

따라서 평행이동 $(x, y) \to (x-2, y+4)$에 의하여 점 $(5, 1)$로 옮겨지는 점의 좌표를 (p, q)라고 하면

$p-2=5$, $q+4=1$ $\quad\therefore p=7$, $q=-3$

따라서 구하는 점의 좌표는 $(7, -3)$이다.

필수유형 02 397쪽

02-1 답 1

해결전략 | 평행이동한 직선의 방정식을 구한 후, 이 직선이 점 $(-3, 4)$를 지나는 것을 이용한다.

STEP1 평행이동한 직선의 방정식 구하기

직선 $ax-y+a+2=0$을 x축의 방향으로 -1만큼, y축의 방향으로 3만큼 평행이동한 직선의 방정식은

$a(x+1)-(y-3)+a+2=0$

$\therefore ax-y+2a+5=0$

STEP2 a의 값 구하기

이 직선이 점 $(-3, 4)$를 지나므로

$-3a-4+2a+5=0$ $\quad\therefore a=1$

02-2 답 -4

해결전략 | 평행이동한 직선의 방정식을 구한 후, 이 직선이 주어진 직선과 일치하는 것을 이용한다.

STEP1 평행이동한 직선의 방정식 구하기

직선 $ax-2y+4-a=0$을 주어진 평행이동에 의하여 평행이동한 직선의 방정식은

$a(x-m)-2(y-1)+4-a=0$

$\therefore ax-2y-am+6-a=0$

STEP2 $a+m$의 값 구하기

이 직선이 직선 $3x+2y-6=0$, 즉 $-3x-2y+6=0$과 일치하므로

$a=-3$, $-am+6-a=6$ $\quad\therefore m=-1$

$\therefore a+m=-3+(-1)==-4$

02-3 0

해결전략 | 평행이동한 직선의 방정식을 구한 후, 이 직선이 처음 직선과 일치하는 것을 이용한다.

STEP1 평행이동한 직선의 방정식 구하기

직선 $y=-x+5$를 x축의 방향으로 a만큼, y축의 방향으로 b만큼 평행이동한 직선의 방정식은

$y-b=-(x-a)+5$

$\therefore y=-x+a+b+5$

STEP2 $a+b$의 값 구하기

이 직선이 직선 $y=-x+5$와 일치하므로

$a+b+5=5$ $\therefore a+b=0$

02-4 -8

해결전략 | 평행이동한 두 직선의 방정식을 구한 후, 두 직선이 점 $(-1, 4)$를 지나는 것을 이용한다.

STEP1 평행이동한 직선의 방정식 구하기

직선 $y=x-1$을 x축의 방향으로 m만큼, y축의 방향으로 -1만큼 평행이동한 직선의 방정식은

$y+1=(x-m)-1$

$\therefore y=x-m-2$ ⋯⋯ ㉠

직선 $y=-2x+3$을 y축의 방향으로 n만큼 평행이동한 직선의 방정식은

$y-n=-2x+3$

$\therefore y=-2x+n+3$ ⋯⋯ ㉡

STEP2 $m+n$의 값 구하기

이때 두 직선 ㉠, ㉡이 모두 점 $(-1, 4)$를 지나므로

$4=-1-m-2$에서 $m=-7$

$4=-2\times(-1)+n+3$에서 $n=-1$

$\therefore m+n=-7+(-1)=-8$

02-5 -1

해결전략 | 평행이동한 직선의 방정식을 구한 후, 이 직선이 원의 중심을 지나는 것을 이용한다.

STEP1 평행이동한 직선의 방정식 구하기

직선 $y=-x+1$을 x축의 방향으로 a만큼, y축의 방향으로 $-2a$만큼 평행이동한 직선의 방정식은

$y+2a=-(x-a)+1$

$\therefore y=-x-a+1$

STEP2 a의 값 구하기

이 직선이 원 $(x+2)^2+(y-4)^2=16$의 넓이를 이등분하려면 직선이 원의 중심 $(-2, 4)$를 지나야 하므로

$4=-(-2)-a+1$ $\therefore a=-1$

02-6 14

해결전략 | 평행이동한 직선이 주어진 직선과 수직이려면 두 직선의 기울기의 곱이 -1이어야 한다.

STEP1 평행이동 알아내기

점 $(2, 1)$을 점 $(3, -3)$으로 옮기는 평행이동은

$(x, y) \rightarrow (x+1, y-4)$

STEP2 평행이동한 직선의 방정식 구하기

따라서 직선 $y=ax+b$를 x축의 방향으로 1만큼, y축의 방향으로 -4만큼 평행이동한 직선의 방정식은

$y+4=a(x-1)+b$

$\therefore y=ax-a+b-4$

STEP3 $a+b$의 값 구하기

이 직선이 직선 $y=-\frac{1}{4}x+2$와 y축 위의 점에서 수직으로 만나므로 두 직선의 기울기의 곱이 -1이고, y절편이 2로 같아야 한다.

즉, $a\times\left(-\frac{1}{4}\right)=-1$, $-a+b-4=2$에서

$a=4$, $b=10$ $\therefore a+b=4+10=14$

필수유형 03

399쪽

03-1 답 ㄴ, ㄷ

해결전략 | 원을 평행이동하면 반지름의 길이가 변하지 않으므로 주어진 원과 반지름의 길이가 같은 것을 찾는다.

$x^2+y^2+2x-4y-4=0$에서 $(x+1)^2+(y-2)^2=9$

이므로 이 원을 평행이동한 원은 반지름의 길이가 3이다.

ㄱ. $x^2+y^2-4x-8y-5=0$에서

$(x-2)^2+(y-4)^2=25$

ㄴ. $x^2+y^2+6x-8y+16=0$에서

$(x+3)^2+(y-4)^2=9$

ㄷ. $x^2+y^2-14x-4y+44=0$에서

$(x-7)^2+(y-2)^2=9$

따라서 평행이동하여 주어진 원과 겹쳐지는 것은 ㄴ, ㄷ이다.

03-2 답 $a=5$, $b=-3$, $c=-3$

해결전략 | 원을 평행이동하면 반지름의 길이가 변하지 않으므로 원의 중심의 평행이동으로 생각한다.

STEP1 평행이동한 원의 방정식 구하기

$x^2+y^2+6x-4y+c=0$에서

$(x+3)^2+(y-2)^2=13-c$

이 원을 x축의 방향으로 a만큼, y축의 방향으로 b만큼 평행이동한 원의 방정식은

$(x-a+3)^2+(y-b-2)^2=13-c$

STEP2 a, b, c의 값 구하기

이 원이 원 $x^2+y^2-4x+2y-11=0$, 즉

$(x-2)^2+(y+1)^2=16$과 일치하므로

$-a+3=-2$, $-b-2=1$, $13-c=16$

$\therefore a=5$, $b=-3$, $c=-3$

◉→ 다른 풀이

STEP1 원의 중심의 평행이동을 이용하여 a, b의 값 구하기

원 $x^2+y^2+6x-4y+c=0$, 즉

$(x+3)^2+(y-2)^2=13-c$의 중심 $(-3, 2)$는 평행이동

$(x, y) \to (x+a, y+b)$에 의하여

원 $x^2+y^2-4x+2y-11=0$, 즉

$(x-2)^2+(y+1)^2=16$의 중심 $(2, -1)$로 옮겨지므로

$-3+a=2$, $2+b=-1$ $\quad\therefore a=5$, $b=-3$

STEP2 반지름의 길이를 이용하여 a의 값 구하기

또, 평행이동해도 원의 반지름의 길이는 변하지 않으므로

$13-c=16$ $\quad\therefore c=-3$

03-3 답 5

해결전략 | 포물선을 x축의 방향으로 a만큼, y축의 방향으로 b만큼 평행이동하려면 x 대신 $x-a$를, y 대신 $y-b$를 대입한다.

STEP1 평행이동 알아내기

점 $(2, 1)$을 점 $(-2, 3)$으로 옮기는 평행이동은

$(x, y) \to (x-4, y+2)$

STEP2 평행이동한 포물선의 방정식 구하기

따라서 포물선 $y=-2x^2+8x-3$, 즉

$y=-2(x-2)^2+5$를 x축의 방향으로 -4만큼, y축의 방향으로 2만큼 평행이동한 포물선의 방정식은

$y-2=-2(x+4-2)^2+5$

$\therefore y=-2(x+2)^2+7$

STEP3 $m+n$의 값 구하기

따라서 포물선의 꼭짓점의 좌표는 $(-2, 7)$이므로

$m=-2$, $n=7$ $\quad\therefore m+n=-2+7=5$

◉→ 다른 풀이

STEP2 포물선의 꼭짓점의 좌표 구하기

$y=-2x^2+8x-3$에서 $y=-2(x-2)^2+5$이므로 꼭짓점의 좌표는 $(2, 5)$이다.

STEP3 $m+n$의 값 구하기

주어진 평행이동에 의하여 점 $(2, 5)$가 옮겨지는 점의 좌표는 $(2-4, 5+2)$, 즉 $(-2, 7)$이므로

$m=-2$, $n=7$ $\quad\therefore m+n=-2+7=5$

03-4 답 4

해결전략 | 포물선을 x축의 방향으로 a만큼, y축의 방향으로 b만큼 평행이동하려면 x 대신 $x-a$를, y 대신 $y-b$를 대입한다.

STEP1 평행이동한 포물선의 방정식 구하기

포물선 $y=-x^2+4x-1$, 즉 $y=-(x-2)^2+3$을 평행이동한 포물선의 방정식은

$y-a+1=-(x+a-2)^2+3$

$\therefore y=-(x+a-2)^2+a+2$

STEP2 꼭짓점의 좌표 구하기

이 포물선의 꼭짓점 $(-a+2, a+2)$가 x축 위에 있으므로 $a+2=0$ $\quad\therefore a=-2$

따라서 꼭짓점의 x좌표는 4이다.

03-5 답 −1

해결전략 | 포물선이 직선에 접하려면 포물선과 직선의 방정식을 연립한 식의 판별식을 D라고 할 때, $D=0$이어야 한다.

STEP1 평행이동한 포물선의 방정식 구하기

포물선 $y=x^2+x+4$를 y축의 방향으로 k만큼 평행이동한 포물선의 방정식은

$y-k=x^2+x+4$ $\quad\therefore y=x^2+x+4+k$

STEP2 포물선이 주어진 직선에 접할 때, k의 값 구하기

이 포물선이 직선 $y=-x+2$에 접하므로 이차방정식

$x^2+x+4+k=-x+2$, 즉 $x^2+2x+2+k=0$의 판별식을 D라고 하면

$\dfrac{D}{4}=1^2-(2+k)=0$

$-1-k=0$ $\quad\therefore k=-1$

03-6 답 17

해결전략 | x축, y축에 동시에 접하려면 원의 중심의 x좌표의 절댓값과 y좌표의 절댓값이 원의 반지름의 길이와 같아야 한다.

STEP1 평행이동한 원의 방정식 구하기

$x^2+y^2+6x+8y=0$에서 $(x+3)^2+(y+4)^2=25$

이 원을 x축의 방향으로 a만큼, y축의 방향으로 b만큼 평행이동한 원의 방정식은

$(x-a+3)^2+(y-b+4)^2=25$

STEP2 a, b의 값 구하기

이 원이 x축과 y축에 동시에 접하므로

$|a-3|=5$, $|b-4|=5$

$a-3=\pm5$에서 $a=8$ 또는 $a=-2$

$b-4=\pm5$에서 $b=9$ 또는 $b=-1$

STEP3 $a+b$의 값 구하기

그런데 $a>0$, $b>0$이므로

$a=8$, $b=9$ $\quad\therefore a+b=8+9=17$

04-1 답 9

해결전략 | 점 (x, y)를 x축에 대하여 대칭이동하면 $(x, -y)$, 원점에 대하여 대칭이동하면 $(-x, -y)$

STEP1 점 (a, b)를 x축에 대하여 대칭이동한 후 원점에 대하여 대칭이동한 점의 좌표 구하기

점 (a, b)를 x축에 대하여 대칭이동한 점의 좌표는
$(a, -b)$
이 점을 원점에 대하여 대칭이동한 점의 좌표는
$(-a, b)$

STEP2 $a+b$의 값 구하기

이 점이 점 $(-2, 7)$과 일치하므로
$-a=-2$, $b=7$ $\quad\therefore a=2$
$\therefore a+b=2+7=9$

04-2 답 -2

해결전략 | 점 (x, y)를 y축에 대하여 대칭이동하면 $(-x, y)$, 직선 $y=-x$에 대하여 대칭이동하면 $(-y, -x)$

STEP1 점 $(a, 6)$을 y축에 대하여 대칭이동한 후 직선 $y=-x$에 대하여 대칭이동한 점의 좌표 구하기

점 $(a, 6)$을 y축에 대하여 대칭이동한 점의 좌표는
$(-a, 6)$
이 점을 직선 $y=-x$에 대하여 대칭이동한 점의 좌표는
$(-6, a)$

STEP2 a의 값 구하기

이 점이 직선 $y=x+4$ 위에 있으므로
$a=-6+4$
$\therefore a=-2$

04-3 답 $(4, 3)$

해결전략 | 점 (x, y)를 직선 $y=x$에 대하여 대칭이동하면 (y, x), x축에 대하여 대칭이동하면 $(x, -y)$

STEP1 두 점 Q, R의 좌표 구하기

점 $P(9, -6)$을 직선 $y=x$에 대하여 대칭이동한 점 Q의 좌표는 $(-6, 9)$
점 $P(9, -6)$을 x축에 대하여 대칭이동한 점 R의 좌표는 $(9, 6)$

STEP2 삼각형 PQR의 무게중심의 좌표 구하기

따라서 삼각형 PQR의 무게중심의 좌표는
$\left(\frac{9-6+9}{3}, \frac{-6+9+6}{3}\right)$ $\quad\therefore (4, 3)$

> **풍쌤의 비법**
>
> **삼각형의 무게중심**
>
> 좌표평면 위의 세 점 $A(x_1, y_1)$, $B(x_2, y_2)$, $C(x_3, y_3)$을 꼭짓점으로 하는 삼각형 ABC의 무게중심의 좌표는
> $\left(\frac{x_1+x_2+x_3}{3}, \frac{y_1+y_2+y_3}{3}\right)$

04-4 답 6

해결전략 | 점 (x, y)를 x축, y축에 대하여 대칭이동하면 각각 $(x, -y)$, $(-x, y)$이다.

STEP1 두 점 Q, R의 좌표 구하기

점 $P(a, b)$를 x축, y축에 대하여 대칭이동한 점은 각각 $Q(a, -b)$, $R(-a, b)$

STEP2 $|ab|$의 값 구하기

이때 삼각형 PQR는 ∠P가 직각인 직각삼각형이고 $\overline{PQ}=|2b|$, $\overline{PR}=|2a|$이고 삼각형 PQR의 넓이는 12이므로

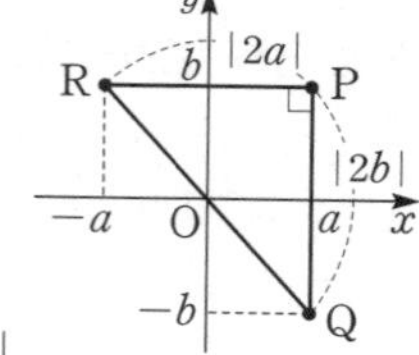

$\frac{1}{2}\times\overline{PQ}\times\overline{PR}=\frac{1}{2}\times|2b|\times|2a|$
$=2|ab|=12$
$\therefore |ab|=6$

04-5 답 제4사분면

해결전략 | 점 (x, y)를 x축, y축, 원점에 대하여 대칭이동하면 각각 $(x, -y)$, $(-x, y)$, $(-x, -y)$이다.

STEP1 a, b의 부호 구하기

점 (a, b)를 원점에 대하여 대칭이동한 점의 좌표는
$(-a, -b)$
이 점이 제2사분면 위의 점이므로
$-a<0$, $-b>0$
$\therefore a>0$, $b<0$ $\quad$ …… ㉠

STEP2 점 $(ab, a-b)$를 대칭이동한 점의 좌표 구하기

점 $(ab, a-b)$를 x축에 대하여 대칭이동한 점의 좌표는
$(ab, b-a)$
이 점을 y축에 대하여 대칭이동한 점의 좌표는
$(-ab, b-a)$

STEP3 대칭이동한 점이 어느 사분면 위에 있는지 구하기

이때 ㉠에서 $-ab>0$, $b-a<0$이므로 점 $(-ab, b-a)$는 제4사분면 위에 있다.

04-6 답 23

해결전략 | 점의 대칭이동을 통해 점의 좌표가 반복되는 규칙을 찾는다.

STEP1 주어진 규칙을 이용하여 점 P_n과 좌표가 같은 점 구하기

주어진 규칙에 따라 점 P_2, P_3, P_4, …의 좌표를 구하면

$\mathrm{P}_1(3, 2) \xrightarrow{(가)} \mathrm{P}_2(2, 3) \xrightarrow{(나)} \mathrm{P}_3(2, -3)$

$\xrightarrow{(다)} \mathrm{P}_4(-2, -3) \xrightarrow{(가)} \mathrm{P}_5(-3, -2)$

$\xrightarrow{(나)} \mathrm{P}_6(-3, 2) \xrightarrow{(다)} \mathrm{P}_7(3, 2) \xrightarrow{(가)} \mathrm{P}_8(2, 3)$

$\xrightarrow{(나)} \mathrm{P}_9(2, -3) \longrightarrow \cdots$

따라서 자연수 n에 대하여 점 P_n의 좌표와 점 P_{n+6}의 좌표가 같다.

STEP2 점 P_{50}의 좌표 구하기

$50=6\times8+2$이므로 점 P_{50}의 좌표는 점 P_2의 좌표와 같다.

즉, 점 P_{50}의 좌표는 $(2, 3)$이므로

$x_{50}=2$, $y_{50}=3$

$\therefore 10x_{50}+y_{50}=10\times2+3=23$

필수유형 05

403쪽

05-1 답 1

해결전략 | 방정식 $f(x, y)=0$이 나타내는 도형을 x축에 대하여 대칭이동하면 $f(x, -y)=0$

STEP1 대칭이동한 직선의 방정식 구하기

직선 $y=ax-6$을 x축에 대하여 대칭이동한 직선의 방정식은

$-y=ax-6 \qquad \therefore y=-ax+6$

STEP2 a의 값 구하기

이 직선이 점 $(2, 4)$를 지나므로

$4=-2a+6 \qquad \therefore a=1$

05-2 답 1

해결전략 | 방정식 $f(x, y)=0$이 나타내는 도형을 원점에 대하여 대칭이동하면 $f(-x, -y)=0$

STEP1 대칭이동하기 전의 포물선의 방정식 구하기

원점에 대하여 대칭이동한 포물선의 꼭짓점의 좌표가 $(3, 4)$이므로 포물선 $y=x^2+ax+b$의 꼭짓점의 좌표는 $(-3, -4)$이다.

따라서 포물선의 방정식은

$y=(x+3)^2-4=x^2+6x+5$

STEP2 $a-b$의 값 구하기

두 식의 계수를 비교하면

$a=6$, $b=5$

$\therefore a-b=6-5=1$

◉→ 다른 풀이

STEP1 대칭이동한 포물선의 방정식 구하기

포물선 $y=x^2+ax+b$를 원점에 대하여 대칭이동한 포물선의 방정식은

$-y=x^2-ax+b$

$\therefore y=-x^2+ax-b$

$=-\left(x-\frac{a}{2}\right)^2+\frac{a^2}{4}-b$

STEP2 $a-b$의 값 구하기

이 포물선의 꼭짓점의 좌표가 $(3, 4)$이므로

$\frac{a}{2}=3$, $\frac{a^2}{4}-b=4$

$\therefore a=6$, $b=5$

$\therefore a-b=6-5=1$

05-3 답 5

해결전략 | 방정식 $f(x, y)=0$이 나타내는 도형을 y축에 대하여 대칭이동하면 $f(-x, y)=0$

STEP1 대칭이동한 원의 방정식 구하기

중심이 점 $(-3, -1)$이고 반지름의 길이가 k인 원의 방정식은 $(x+3)^2+(y+1)^2=k^2$

이 원을 y축에 대하여 대칭이동한 원의 방정식은

$(-x+3)^2+(y+1)^2=k^2$

$\therefore (x-3)^2+(y+1)^2=k^2$

STEP2 k의 값 구하기

이 원이 점 $(-1, 2)$를 지나므로

$(-1-3)^2+(2+1)^2=k^2$

$k^2=25 \qquad \therefore k=5\ (\because k>0)$

05-4 답 $2x-y+5=0$ 또는 $2x-y-5=0$

해결전략 | 방정식 $f(x, y)=0$이 나타내는 도형을 직선 $y=x$에 대하여 대칭이동하면 $f(y, x)=0$

STEP1 대칭이동한 직선의 방정식 구하기

직선 $y=-2x+3$을 직선 $y=x$에 대하여 대칭이동한 직선의 방정식은

$x=-2y+3 \qquad \therefore y=-\frac{1}{2}x+\frac{3}{2}$

STEP2 주어진 조건을 만족시키는 직선의 방정식 구하기

이 직선과 수직인 직선의 기울기는 2이므로 구하는 직선의 방정식을 $y=2x+a$, 즉 $2x-y+a=0$ (a는 상수)이라고 하자.

이 직선과 원점 사이의 거리가 $\sqrt{5}$이므로

$\frac{|a|}{\sqrt{2^2+(-1)^2}}=\sqrt{5}$　　$\therefore a=\pm 5$

따라서 구하는 직선의 방정식은

$2x-y+5=0$ 또는 $2x-y-5=0$

05-5 답 -2

해결전략 | 직선이 원의 넓이를 이등분하려면 직선이 원의 중심을 지나야 한다.

STEP1 원 C의 방정식 구하기

원 $(x+1)^2+(y-4)^2=9$를 직선 $y=-x$에 대칭이동한 원 C의 방정식은 $(-y+1)^2+(-x-4)^2=9$

$\therefore (x+4)^2+(y-1)^2=9$

STEP2 직선 l의 방정식 구하기

직선 $x+ay+2=0$을 x축에 대칭이동한 직선 l의 방정식은 $x-ay+2=0$

STEP3 a의 값 구하기

직선 l이 원 C의 넓이를 이등분하려면 직선 l이 원 C의 중심 $(-4, 1)$을 지나야 하므로

$-4-a+2=0$　　$\therefore a=-2$

05-6 답 -7

해결전략 | 원과 직선이 서로 다른 두 점에서 만나려면 원의 중심과 직선 사이의 거리가 원의 반지름의 길이보다 작아야 한다.

STEP1 대칭이동한 원의 방정식 구하기

$x^2+y^2-6x-4y-3=0$에서 $(x-3)^2+(y-2)^2=16$

이 원을 x축에 대하여 대칭이동한 원의 방정식은

$(x-3)^2+(-y-2)^2=16$

$\therefore (x-3)^2+(y+2)^2=16$

STEP2 원과 직선이 서로 다른 두 점에서 만나기 위한 k의 값의 범위 구하기

이 원이 직선 $y=x+k$, 즉 $x-y+k=0$과 서로 다른 두 점에서 만나려면 원의 중심 $(3, -2)$와 직선 $x-y+k=0$ 사이의 거리가 원의 반지름의 길이인 4보다 작아야 하므로

$\frac{|3-(-2)+k|}{\sqrt{1^2+(-1)^2}}<4$

$|5+k|<4\sqrt{2}$, $-4\sqrt{2}<5+k<4\sqrt{2}$

$\therefore -5-4\sqrt{2}<k<-5+4\sqrt{2}$

STEP3 ab의 값 구하기

따라서 $a=-5-4\sqrt{2}$, $b=-5+4\sqrt{2}$이므로

$ab=(-5-4\sqrt{2})(-5+4\sqrt{2})=-7$

필수유형 06

405쪽

06-1 답 3

해결전략 | 점 P를 대칭이동과 평행이동하여 a, b의 값을 구한다.

STEP1 점 P를 대칭이동과 평행이동한 점의 좌표 구하기

점 $\mathrm{P}(-4, a)$를 원점에 대하여 대칭이동한 점의 좌표는 $(4, -a)$

이 점을 x축의 방향으로 -2만큼, y축의 방향으로 3만큼 평행이동한 점의 좌표는

$(4-2, -a+3)$　　$\therefore (2, -a+3)$

STEP2 $a+b$의 값 구하기

이 점이 점 $(b, 2)$와 일치하므로

$2=b$, $-a+3=2$　　$\therefore a=1$

$\therefore a+b=1+2=3$

06-2 답 -12

해결전략 | 평행이동과 대칭이동을 한 포물선의 방정식이 $y=-x^2-8x+3$과 일치함을 이용한다.

STEP1 평행이동과 대칭이동한 포물선의 방정식 구하기

포물선 $y=x^2+6x+a$를 x축의 방향으로 -1만큼, y축의 방향으로 2만큼 평행이동한 포물선의 방정식은

$y-2=(x+1)^2+6(x+1)+a$

$\therefore y=x^2+8x+9+a$

이 포물선을 x축에 대하여 대칭이동한 포물선의 방정식은

$-y=x^2+8x+9+a$

$\therefore y=-x^2-8x-9-a$

STEP2 a의 값 구하기

이 포물선이 포물선 $y=-x^2-8x+3$과 일치하므로

$-9-a=3$　　$\therefore a=-12$

06-3 답 1

해결전략 | 평행이동과 대칭이동한 직선의 방정식을 구한 후, 이 직선이 점 $(4, 1)$을 지나야 함을 이용한다.

STEP1 평행이동과 대칭이동한 직선의 방정식 구하기

직선 $x+ay-6=0$을 x축의 방향으로 1만큼, y축의 방향으로 -2만큼 평행이동한 직선의 방정식은

$(x-1)+a(y+2)-6=0$

$\therefore x+ay+2a-7=0$

이 직선을 직선 $y=x$에 대하여 대칭이동한 직선의 방정식은 $y+ax+2a-7=0$

$\therefore ax+y+2a-7=0$

STEP2 **a의 값 구하기**

이 직선이 점 $(4, 1)$을 지나므로

$4a+1+2a-7=0$, $6a=6$

$\therefore a=1$

06-4 답 14

해결전략 | 직선이 원에 접하려면 원의 중심과 직선 사이의 거리는 반지름의 길이와 같아야 한다.

STEP1 **직선 l의 방정식 구하기**

직선 $y=-\frac{1}{2}x-3$을 x축의 방향으로 a만큼 평행이동한 직선의 방정식은

$y=-\frac{1}{2}(x-a)-3$

이 직선을 직선 $y=x$에 대하여 대칭이동한 직선 l의 방정식은

$x=-\frac{1}{2}(y-a)-3$

$\therefore 2x+y-a+6=0$

STEP2 **a의 값의 합 구하기**

직선 l이 원 $(x+1)^2+(y-3)^2=5$에 접하므로 원의 중심 $(-1, 3)$과 직선 l 사이의 거리는 원의 반지름의 길이인 $\sqrt{5}$와 같다.

$\frac{|-2+3-a+6|}{\sqrt{2^2+1^2}}=\sqrt{5}$

$|7-a|=5$

$7-a=\pm5$

$\therefore a=2$ 또는 $a=12$

따라서 모든 상수 a의 값의 합은 14이다.

06-5 답 2

해결전략 | 직선이 원의 넓이를 이등분하려면 직선이 원의 중심을 지나야 한다.

STEP1 **평행이동과 대칭이동한 원의 방정식 구하기**

원 $(x-1)^2+y^2=4$의 중심 $(1, 0)$을 x축의 방향으로 -2만큼, y축의 방향으로 k만큼 평행이동한 원의 중심의 좌표는 $(1-2, 0+k)$ $\quad\therefore (-1, k)$

이 원을 직선 $y=x$에 대하여 대칭이동한 원의 중심의 좌표는 $(k, -1)$

STEP2 **k의 값 구하기**

직선 $y=x-3$이 이 원의 넓이를 이등분하려면 원의 중심 $(k, -1)$을 지나야 하므로

$-1=k-3 \qquad \therefore k=2$

06-6 답 −7

해결전략 | 두 원이 y축에 대하여 대칭이려면 두 원의 중심의 x좌표는 부호가 다르고 그 절댓값이 같고, y좌표는 같아야 한다.

STEP1 **두 원 C_1, C_2의 중심의 좌표 구하기**

C_1: $x^2+y^2+8x-6y+16=0$에서

$(x+4)^2+(y-3)^2=9$

원 C_1의 중심 $(-4, 3)$을 직선 $y=-x$에 대하여 대칭이동한 원의 중심의 좌표는 $(-3, 4)$

이 원을 x축의 방향으로 m만큼, y축의 방향으로 n만큼 평행이동한 원 C_2의 중심의 좌표는 $(-3+m, 4+n)$

STEP2 **mn의 값 구하기**

이때 두 원 C_1, C_2는 y축에 대하여 대칭이므로

$-3+m=4$, $4+n=3 \qquad \therefore m=7$, $n=-1$

$\therefore mn=7\times(-1)=-7$

필수유형 07 407쪽

07-1 답 3

해결전략 | 두 점 P, P′이 점 $(1, 3)$에 대하여 대칭이면 선분 PP′의 중점의 좌표가 $(1, 3)$이다.

두 점 $\mathrm{P}(a, 2)$, $\mathrm{P'}(3, b)$를 이은 선분의 중점의 좌표가 $(1, 3)$이므로

$\frac{a+3}{2}=1$, $\frac{2+b}{2}=3 \qquad \therefore a=-1$, $b=4$

$\therefore a+b=-1+4=3$

07-2 답 $(x-8)^2+(y-1)^2=9$

해결전략 | 원을 점에 대하여 대칭이동할 때는 원의 중심에 대한 대칭이동을 생각하면 된다.

STEP1 **대칭이동한 원의 중심의 좌표 구하기**

$x^2+y^2-4x+6y+4=0$에서

$(x-2)^2+(y+3)^2=9$

즉, 원의 중심의 좌표는 $(2, -3)$이고 반지름의 길이는 3이다.

이 원의 중심 $(2, -3)$을 점 $(5, -1)$에 대하여 대칭이동한 점의 좌표를 (a, b)라고 하면

$\frac{2+a}{2}=5$, $\frac{-3+b}{2}=-1$

$\therefore a=8$, $b=1$

STEP2 대칭이동한 원의 방정식 구하기

원은 대칭이동해도 반지름의 길이가 변하지 않으므로 대칭이동한 원은 중심의 좌표가 (8, 1)이고, 반지름의 길이는 3이다.

따라서 구하는 원의 방정식은

$(x-8)^2+(y-1)^2=9$

다른 풀이

방정식 $f(x, y)=0$이 나타내는 도형을 점 (5, −1)에 대하여 대칭이동한 도형의 방정식은 $f(10-x, -2-y)=0$

따라서 원 $(x-2)^2+(y+3)^2=9$에 x 대신 $10-x$, y 대신 $-2-y$를 대입하면

$(10-x-2)^2+(-2-y+3)^2=9$

$\therefore (x-8)^2+(y-1)^2=9$

07-3 답 5

해결전략 | 두 포물선이 점 (a, b)에 대하여 대칭이므로 두 포물선의 꼭짓점도 점 (a, b)에 대하여 대칭이다.

STEP1 두 포물선의 꼭짓점의 좌표 구하기

포물선 $y=x^2-4x+3=(x-2)^2-1$의 꼭짓점의 좌표는 (2, −1)

포물선 $y=-x^2+8x-11=-(x-4)^2+5$의 꼭짓점의 좌표는 (4, 5)

STEP2 $a+b$의 값 구하기

두 포물선이 점 (a, b)에 대하여 대칭이므로 두 포물선의 꼭짓점을 이은 선분의 중점의 좌표가 (a, b)이다.

즉, $a=\frac{2+4}{2}=3$, $b=\frac{-1+5}{2}=2$이므로

$a+b=3+2=5$

07-4 답 16

해결전략 | 원이 x축과 접하려면 원의 꼭짓점의 y좌표의 절댓값이 원의 반지름의 길이와 같아야 한다.

STEP1 대칭이동한 원의 중심의 좌표 구하기

주어진 원을 점 (3, −1)에 대하여 대칭이동한 원의 중심의 좌표를 (a, b)라고 하면 원 $(x+1)^2+(y-2)^2=k$의 중심 (−1, 2)와 점 (a, b)는 점 (3, −1)에 대하여 대칭이므로 점 (3, −1)은 두 점 (−1, 2), (a, b)를 이은 선분의 중점이다.

즉, $\frac{-1+a}{2}=3$, $\frac{2+b}{2}=-1$이므로

$a=7$, $b=-4$

STEP2 k의 값 구하기

따라서 대칭이동한 원의 중심의 좌표는 (7, −4)이고 이 원의 반지름의 길이는 $\sqrt{k}$이므로 구하는 원의 방정식은

$(x-7)^2+(y+4)^2=k$

이 원이 x축에 접하므로 원의 중심의 y좌표의 절댓값이 원의 반지름의 길이와 같다.

$\therefore k=|-4|^2=16$

07-5 답 −10

해결전략 | 주어진 직선 위의 점 P를 점 A에 대하여 대칭이동한 점의 좌표를 P′이라고 하면 점 A는 선분 PP′의 중점이다.

STEP1 대칭이동한 직선의 방정식 구하기

직선 $2x-y+2=0$ 위의 임의의 점 (x, y)를 점 (3, 1)에 대하여 대칭이동한 점의 좌표를 (x', y')이라고 하면 점 (3, 1)은 두 점 (x, y), (x', y')을 이은 선분의 중점이므로

$\frac{x+x'}{2}=3$, $\frac{y+y'}{2}=1$

$\therefore x=6-x'$, $y=2-y'$

점 (x, y)는 직선 $2x-y+2=0$ 위의 점이므로

$2(6-x')-(2-y')+2=0$

$\therefore 2x'-y'-12=0$

즉, 점 (x', y')은 직선 $2x-y-12=0$ 위의 점이다.

STEP2 $a+b$의 값 구하기

따라서 주어진 직선을 점 (3, 1)에 대하여 대칭이동한 직선의 방정식이 $2x-y-12=0$이므로

$a=2$, $b=-12$

$\therefore a+b=2+(-12)=-10$

07-6 답 −2

해결전략 | 포물선과 직선이 만나는 두 점이 원점에 대하여 대칭이려면 포물선과 직선의 방정식을 연립한 방정식의 일차항의 계수가 0이어야 한다.

STEP1 대칭이동한 포물선의 방정식 구하기

포물선 $y=x^2+ax$ 위의 임의의 점 (x, y)를 점 (1, 2)에 대하여 대칭이동한 점을 (x', y')이라고 하면 점 (1, 2)는 두 점 (x, y), (x', y')을 이은 선분의 중점이므로

$\frac{x+x'}{2}=1$, $\frac{y+y'}{2}=2$

$\therefore x=2-x'$, $y=4-y'$

이것을 $y=x^2+ax$에 대입하면

$4-y'=(2-x')^2+a(2-x')$

$\therefore y'=-x'^2+(4+a)x'-2a$

따라서 점 (x', y')은 포물선

$y=-x^2+(4+a)x-2a$ 위의 점이므로 대칭이동한 포물선의 방정식은

$y=-x^2+(4+a)x-2a$

STEP2 a의 값 구하기

이 포물선과 직선 $y=2x$가 만나는 두 점이 원점에 대하여 대칭이므로 이차방정식

$-x^2+(4+a)x-2a=2x$, 즉

$x^2-(2+a)x+2a=0$의 두 실근의 합이 0이다.

따라서 이차방정식의 근과 계수의 관계에 의하여

$2+a=0$이므로 $a=-2$

필수유형 08

409쪽

08-1 답 $(0, 6)$

해결전략 | 점 P를 직선 l에 대하여 대칭이동한 점을 P′이라고 하면 선분 PP′은 직선 l에 의하여 수직이등분된다.

STEP1 중점 조건을 이용하여 대칭이동한 점의 x좌표, y좌표 사이의 관계식 구하기

점 $(-3, 5)$를 직선 $y=-3x+1$에 대하여 대칭이동한 점의 좌표를 (a, b)라고 하면 두 점 $(-3, 5)$, (a, b)를 이은 선분의 중점 $\left(\frac{-3+a}{2}, \frac{5+b}{2}\right)$가 직선

$y=-3x+1$ 위의 점이므로

$\frac{5+b}{2}=-3\times\frac{-3+a}{2}+1$

$\therefore 3a+b=6$ …… ㉠

STEP2 수직 조건을 이용하여 관계식 구하기

또, 두 점 $(-3, 5)$, (a, b)를 지나는 직선이 직선

$y=-3x+1$과 수직이므로

$\frac{b-5}{a-(-3)}\times(-3)=-1$

$\therefore a-3b=-18$ …… ㉡

STEP3 대칭이동한 점의 좌표 구하기

㉠, ㉡을 연립하여 풀면 $a=0$, $b=6$

따라서 대칭이동한 점의 좌표는 $(0, 6)$이다.

08-2 답 $(x-2)^2+(y+5)^2=1$

해결전략 | 원을 직선에 대하여 대칭이동할 때는 원의 중심을 대칭이동하면 된다.

STEP1 중점 조건을 이용하여 원의 중심을 대칭이동한 점의 x좌표, y좌표 사이의 관계식 구하기

원 $(x+2)^2+(y-1)^2=1$의 중심 $(-2, 1)$을 직선 $-2x+3y+6=0$에 대하여 대칭이동한 점의 좌표를 (a, b)라고 하면 두 점 $(-2, 1)$, (a, b)를 이은 선분의 중점 $\left(\frac{-2+a}{2}, \frac{1+b}{2}\right)$가 직선 $-2x+3y+6=0$ 위의 점이므로

$-2\times\frac{-2+a}{2}+3\times\frac{1+b}{2}+6=0$

$\therefore 2a-3b=19$ …… ㉠

STEP2 수직 조건을 이용하여 관계식 구하기

또, 두 점 $(-2, 1)$, (a, b)를 지나는 직선이 직선

$-2x+3y+6=0$과 수직이므로

$\frac{b-1}{a-(-2)}\times\frac{2}{3}=-1$

$\therefore 3a+2b=-4$ …… ㉡

STEP3 대칭이동한 원의 방정식 구하기

㉠, ㉡을 연립하여 풀면 $a=2$, $b=-5$

이때 원을 대칭이동해도 반지름의 길이는 변하지 않으므로 대칭이동한 원은 중심이 점 $(2, -5)$이고 반지름의 길이가 1이다.

따라서 구하는 원의 방정식은

$(x-2)^2+(y+5)^2=1$

08-3 답 $\frac{1}{4}$

해결전략 | 점 P를 직선 l에 대하여 대칭이동한 점을 P′이라고 하면 선분 PP′은 직선 l에 의하여 수직이등분된다.

STEP1 중점 조건을 이용하여 대칭이동한 점의 x좌표, y좌표 사이의 관계식 구하기

두 점 $(4, -5)$와 $(-2, 7)$을 이은 선분의 중점의 좌표는

$\left(\frac{4-2}{2}, \frac{-5+7}{2}\right)$ $\therefore (1, 1)$

이 점이 직선 $y=ax+b$ 위의 점이므로

$1=a+b$ …… ㉠

STEP2 수직 조건을 이용하여 a, b의 값 구하기

또, 두 점 $(4, -5)$와 $(-2, 7)$을 지나는 직선이 직선

$y=ax+b$와 수직이므로

$\frac{7-(-5)}{-2-4}\times a=-1$ $\therefore a=\frac{1}{2}$

$a=\frac{1}{2}$을 ㉠에 대입하면

$1=\frac{1}{2}+b$ $\therefore b=\frac{1}{2}$

$\therefore ab=\frac{1}{2}\times\frac{1}{2}=\frac{1}{4}$

08-4 답 $a=2$, $b=10$

해결전략 | 두 원이 직선 $y=ax+b$에 대하여 대칭이므로 직선 $y=ax+b$는 두 원의 중심을 이은 선분의 수직이등분선이다.

STEP1 중점 조건을 이용하여 a, b 사이의 관계식 구하기

두 원의 중심 $(0, 0)$, $(-8, 4)$가 직선 $y=ax+b$에 대하여 대칭이다.

두 점 $(0, 0)$, $(-8, 4)$를 이은 선분의 중점

$\left(\frac{0-8}{2}, \frac{0+4}{2}\right)$, 즉 $(-4, 2)$가 직선 $y=ax+b$ 위의 점이므로

$2=-4a+b$ ...... ㉠

STEP2 수직 조건 이용하여 a, b의 값 구하기

또, 두 점 $(0, 0)$, $(-8, 4)$를 지나는 직선이 직선 $y=ax+b$와 수직이므로

$\frac{4-0}{-8-0}\times a=-1$ $\quad\therefore a=2$

$a=2$를 ㉠에 대입하면

$2=-8+b$ $\quad\therefore b=10$

08-5 답 $\sqrt{3}$

해결전략 | 원이 직선에 접하려면 원의 중심과 직선 사이의 거리는 반지름의 길이와 같아야 한다.

STEP1 중점 조건을 이용하여 원의 중심을 대칭이동한 점의 x좌표, y좌표 사이의 관계식 구하기

원 $(x+5)^2+(y-3)^2=4$의 중심 $(-5, 3)$을 직선 $y=x+3$에 대하여 대칭이동한 점의 좌표를 (a, b)라고 하면 두 점 $(-5, 3)$, (a, b)를 이은 선분의 중점

$\left(\frac{-5+a}{2}, \frac{3+b}{2}\right)$가 직선 $y=x+3$ 위의 점이므로

$\frac{3+b}{2}=\frac{-5+a}{2}+3$

$\therefore a-b=2$ ...... ㉠

STEP2 수직 조건을 이용하여 관계식 구하기

또, 두 점 $(-5, 3)$, (a, b)를 지나는 직선이 직선 $y=x+3$과 수직이므로

$\frac{b-3}{a-(-5)}\times 1=-1$

$\therefore a+b=-2$ ...... ㉡

STEP3 대칭이동한 원의 중심의 좌표와 반지름의 길이 구하기

㉠, ㉡을 연립하여 풀면 $a=0$, $b=-2$

이때 원은 대칭이동해도 반지름의 길이가 변하지 않으므로 대칭이동한 원은 중심의 좌표가 $(0, -2)$이고 반지름의 길이가 2이다.

즉, 대칭이동한 원의 방정식은

$x^2+(y+2)^2=4$

STEP4 k의 값 구하기

이 원이 직선 $kx+y-2=0$과 접하므로

$\frac{|-2-2|}{\sqrt{k^2+1^2}}=2$, $4=2\sqrt{k^2+1}$

$k^2+1=4$, $k^2=3$

$\therefore k=\sqrt{3}$ ($\because k>0$)

08-6 답 3

해결전략 | 중점 조건과 수직 조건을 이용하여 대칭이동한 직선의 방정식을 구한다.

STEP1 두 직선 위의 좌표를 잡고, 문제 해석하기

직선 $2x+y-9=0$ 위의 임의의 점 $\mathrm{P}(x, y)$를 직선 $x-y-2=0$에 대하여 대칭이동한 점을 $\mathrm{P}'(x', y')$이라고 하면 두 점 P, P′은 직선 $x-y-2=0$에 대하여 대칭이다.

STEP2 중점 조건을 이용하여 대칭이동 전과 후의 두 점의 좌표 사이의 관계식 구하기

선분 PP′의 중점 $\left(\frac{x+x'}{2}, \frac{y+y'}{2}\right)$이 직선 $x-y-2=0$ 위의 점이므로

$\frac{x+x'}{2}-\frac{y+y'}{2}-2=0$

$\therefore x-y=-x'+y'+4$ ...... ㉠

STEP3 수직 조건을 이용하여 관계식 구하기

또, 직선 PP′은 직선 $x-y-2=0$, 즉 $y=x-2$와 수직이므로

$\frac{y'-y}{x'-x}\times 1=-1$

$\therefore x+y=x'+y'$ ...... ㉡

STEP4 대칭이동한 직선의 방정식 구하기

㉠, ㉡을 연립하여 풀면

$x=y'+2$, $y=x'-2$

그런데 점 $\mathrm{P}(x, y)$는 직선 $2x+y-9=0$ 위의 점이므로

$2(y'+2)+(x'-2)-9=0$

$\therefore x'+2y'-7=0$

즉, 점 $\mathrm{P}'(x', y')$은 직선 $x+2y-7=0$ 위의 점이므로 구하는 직선의 방정식은

$x+2y-7=0$

STEP5 $a+b$의 값 구하기

따라서 $a=1$, $b=2$이므로 $a+b=1+2=3$

발전유형 09 411쪽

09-1 답 10

해결전략 | y축에 대한 점의 대칭이동을 이용하여 세 점이 한 직선 위에 놓이도록 했을 때, 그 길이가 최소이다.

STEP1 점 B를 y축에 대하여 대칭이동한 점의 좌표 구하기

점 B$(2, -3)$을 y축에 대하여 대칭이동한 점을 B$'$이라고 하면 B$'(-2, -3)$

STEP2 $\overline{AP}+\overline{BP}$의 최솟값 구하기

오른쪽 그림에서 A$(4, 5)$이고

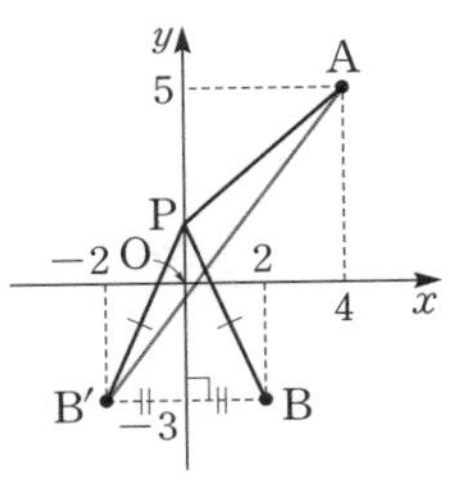

$\overline{BP}=\overline{B'P}$이므로

$\overline{AP}+\overline{BP}$

$=\overline{AP}+\overline{B'P}$

$\geq\overline{AB'}$

$=\sqrt{(-2-4)^2+(-3-5)^2}$

$=10$

따라서 $\overline{AP}+\overline{BP}$의 최솟값은 10이다.

09-2 답 $\sqrt{26}$

해결전략 | 직선 $y=-x$에 대한 점의 대칭이동을 이용하여 세 점이 한 직선 위에 놓이도록 했을 때, 그 길이가 최소이다.

STEP1 점 B를 직선 $y=-x$에 대하여 대칭이동한 점의 좌표 구하기

점 B$(-1, 2)$를 직선 $y=-x$에 대하여 대칭이동한 점을 B$'$이라고 하면 B$'(-2, 1)$

STEP2 $\overline{AP}+\overline{BP}$의 최솟값 구하기

오른쪽 그림에서 A$(3, 2)$이고

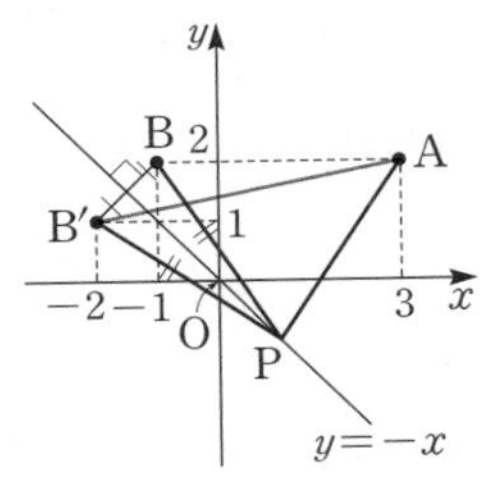

$\overline{BP}=\overline{B'P}$이므로

$\overline{AP}+\overline{BP}$

$=\overline{AP}+\overline{B'P}$

$\geq\overline{AB'}$

$=\sqrt{(-2-3)^2+(1-2)^2}$

$=\sqrt{26}$

따라서 $\overline{AP}+\overline{BP}$의 최솟값은 $\sqrt{26}$이다.

09-3 답 $(4, 0)$

해결전략 | x축에 대한 점의 대칭이동을 이용하여 세 점이 한 직선 위에 놓이도록 했을 때, 그 길이가 최소이므로 이때의 직선의 방정식을 구한다.

STEP1 점 B를 x축에 대하여 대칭이동한 점의 좌표 구하기

점 B$(5, 1)$을 x축에 대하여 대칭이동한 점을 B$'$이라고 하면 B$'(5, -1)$

STEP2 $\overline{AP}+\overline{BP}$가 최소가 되는 경우 알기

$\overline{BP}=\overline{B'P}$이므로

$\overline{AP}+\overline{BP}=\overline{AP}+\overline{B'P}\geq\overline{AB'}$

따라서 점 P는 두 점 A$(1, 3)$, B$'(5, -1)$을 지나는 직선 위의 점이다.

STEP3 점 P의 좌표 구하기

직선 AB$'$의 방정식은

$y-(-1)=\frac{-1-3}{5-1}(x-5)$

$\therefore y=-x+4$

이때 점 P는 x축 위의 점이므로 점 P의 좌표는 $(4, 0)$이다.

09-4 답 1

해결전략 | 점 B를 직선 $y=x$에 대하여 대칭이동한 점과 점 A를 이은 선분의 길이가 $\overline{AP}+\overline{BP}$의 최솟값이다.

STEP1 점 B를 직선 $y=x$에 대하여 대칭이동한 점의 좌표 구하기

점 B를 직선 $y=x$에 대하여 대칭이동한 점을 B$'$이라고 하면 B$'(3, 5)$

STEP2 $\overline{AP}+\overline{BP}$가 최소가 되는 경우 점 P의 좌표 구하기

오른쪽 그림에서

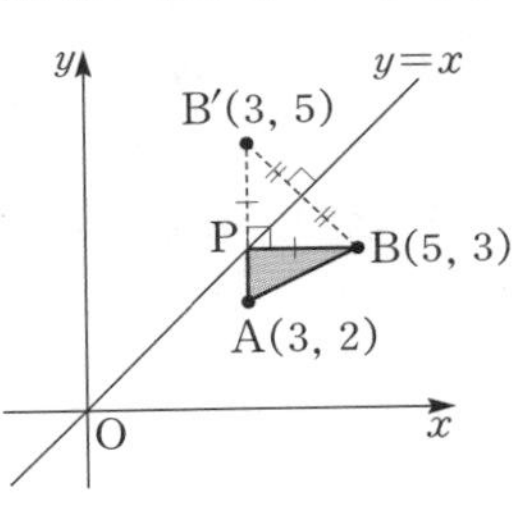

$\overline{AP}+\overline{BP}=\overline{AP}+\overline{B'P}$

$\geq\overline{AB'}$

이므로 $\overline{AP}+\overline{BP}$의 값이 최소인 점 P는 점 B$'$과 점 A를 이은 직선과 직선 $y=x$의 교점인 $(3, 3)$이다.

STEP3 삼각형 ABP의 넓이 구하기

삼각형 ABP는 직각삼각형이므로 그 넓이는

$\frac{1}{2}\times\overline{BP}\times\overline{AP}=\frac{1}{2}\times2\times1=1$

09-5 답 $7\sqrt{2}$

해결전략 | 세 선분 AP, PQ, QB가 한 직선 위에 놓일 수 있도록 두 점 A, B를 대칭이동한다.

STEP1 두 점 A, B를 대칭이동한 점의 좌표 구하기

점 A를 y축에 대하여 대칭이동한 점을 A$'$, 점 B를 x축에 대하여 대칭이동한 점을 B$'$이라고 하면

A$'(2, 6)$, B$'(-5, -1)$

STEP2 $\overline{AP}+\overline{PQ}+\overline{QB}$의 최솟값 구하기

오른쪽 그림에서

$\overline{AP}=\overline{A'P}$, $\overline{QB}=\overline{QB'}$

이므로

$\overline{AP}+\overline{PQ}+\overline{QB}$

$=\overline{A'P}+\overline{PQ}+\overline{QB'}$

$\geq\overline{A'B'}$

$=\sqrt{(-5-2)^2+(-1-6)^2}$

$=7\sqrt{2}$

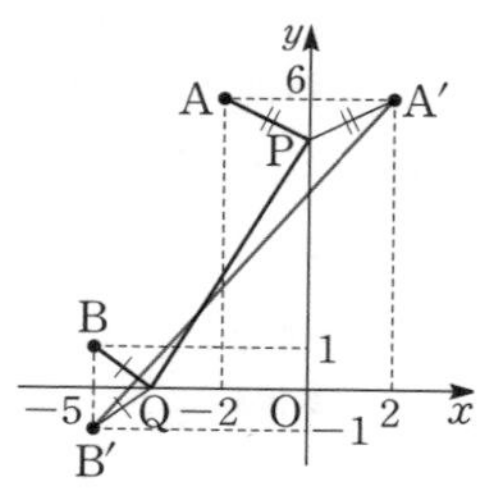

09-6 답 $2\sqrt{10}$

해결전략 | 점 A를 대칭이동하여 세 변이 한 직선 위에 놓이게 하고, 이때의 삼각형의 둘레의 길이를 구한다.

STEP1 점 A를 대칭이동한 점의 좌표 구하기

점 A(4, 2)를 직선 $y=x$에 대하여 대칭이동한 점을 A′, x축에 대하여 대칭이동한 점을 A″이라고 하면

A′(2, 4), A″(4, −2)

STEP2 삼각형 ABC의 둘레의 길이의 최솟값 구하기

오른쪽 그림에서

$\overline{AB}=\overline{A'B}$, $\overline{CA}=\overline{CA''}$

이므로

$\overline{AB}+\overline{BC}+\overline{CA}$

$=\overline{A'B}+\overline{BC}+\overline{CA''}$

$\geq\overline{A'A''}$

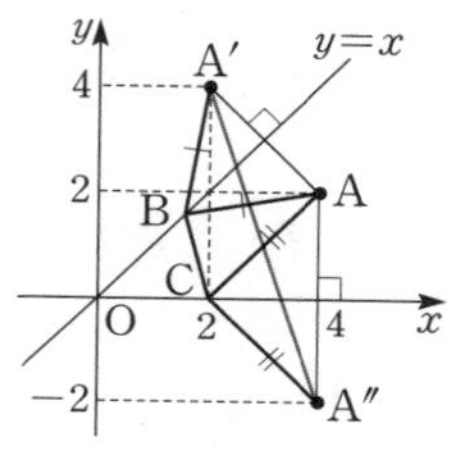

따라서 삼각형 ABC의 둘레의 길이의 최솟값은

$\overline{A'A''}=\sqrt{(4-2)^2+(-2-4)^2}=2\sqrt{10}$

실전 연습 문제 412~414쪽

01 ② 02 (−6, 14) 03 ② 04 ①
05 $2\sqrt{7}$ 06 ④ 07 $5\sqrt{2}$ 08 ① 09 ⑤
10 $6\sqrt{2}-4$ 11 ③ 12 −5 13 ⑤
14 ① 15 63 16 (3, −2) 17 $\sqrt{58}$
18 12

01

해결전략 | 평행이동한 점의 좌표를 구한 후, 이 점이 $(b, 3)$이라는 것을 이용한다.

STEP1 평행이동한 점의 좌표 구하기

평행이동 $(x, y) \to (x-1, y+a)$에 의하여 점 (2, 4)가 옮겨지는 점의 좌표는

$(2-1, 4+a)$ $\therefore (1, 4+a)$

STEP2 a^2+b^2의 값 구하기

이 점이 점 $(b, 3)$과 일치하므로

$1=b$, $4+a=3$ $\therefore a=-1$

$\therefore a^2+b^2=(-1)^2+1^2=2$

02

해결전략 | 두 점 A, B가 각각 A′, B′으로 옮겨지는 것을 이용하여 x축, y축의 방향으로 각각 얼마만큼 평행이동해야 하는지 구한다.

STEP1 평행이동을 알아내고, a, b의 값 구하기

주어진 평행이동을 $(x, y) \to (x+m, y+n)$이라고 하면 이 평행이동에 의하여 $A(a, 1)$은 A′(6, 7)로, $B(0, b)$는 B′(−2, 2)로 옮겨지므로

$a+m=6$, $1+n=7$,

$0+m=-2$, $b+n=2$

네 식을 연립하여 풀면

$m=-2$, $n=6$, $a=8$, $b=-4$ …… ❶

STEP2 점 (b, a)가 옮겨지는 점의 좌표 구하기

따라서 점 (b, a), 즉 (−4, 8)이 주어진 평행이동에 의하여 옮겨지는 점의 좌표는

$(-4-2, 8+6)$ $\therefore (-6, 14)$ …… ❷

채점 요소	배점
❶ a, b의 값 구하기	60 %
❷ 점 (b, a)가 옮겨지는 점의 좌표 구하기	40 %

03

해결전략 | 평행이동한 직선의 방정식을 구한 후, 이 직선이 원의 중심을 지나는 것을 이용한다.

STEP1 평행이동한 직선의 방정식 구하기

직선 $y=kx+1$을 x축의 방향으로 2만큼, y축의 방향으로 −3만큼 평행이동한 직선의 방정식은

$y+3=k(x-2)+1$

$\therefore y=kx-2k-2$

STEP2 상수 k의 값 구하기

이 직선이 원 $(x-3)^2+(y-2)^2=1$의 중심 (3, 2)를 지나므로

$2=3k-2k-2$ $\therefore k=4$

04

해결전략 | 평행이동한 직선이 주어진 직선과 수직이려면 두 직선의 기울기의 곱이 -1이어야 한다.

STEP1 **평행이동한 직선의 방정식 구하기**

평행이동 $(x, y) \rightarrow (x, y-2)$는 y축의 방향으로 -2만큼 평행이동한 것이므로 직선 $y=ax+b$를 y축의 방향으로 -2만큼 평행이동한 직선의 방정식은

$y+2=ax+b \qquad \therefore y=ax+b-2$

STEP2 **ab의 값 구하기**

이 직선이 직선 $2x-y+4=0$, 즉 $y=2x+4$와 y축 위의 점에서 수직으로 만나므로 두 직선의 기울기의 곱이 -1이고, y절편이 4로 같아야 한다.

즉, $a\times2=-1$, $b-2=4$에서

$a=-\frac{1}{2}$, $b=6 \qquad \therefore ab=\left(-\frac{1}{2}\right)\times6=-3$

05

해결전략 | 평행이동한 원의 중심에서 현에 내린 수선이 그 현을 이등분함을 이용한다.

STEP1 **평행이동한 원의 방정식 구하기**

원 $x^2+y^2=9$를 x축의 방향으로 2만큼, y축의 방향으로 -1만큼 평행이동한 원의 방정식은

$(x-2)^2+(y+1)^2=9$

STEP2 **원의 중심과 직선 사이의 거리와 반지름의 길이를 이용하여 $\overline{AB}$의 길이를 구하기**

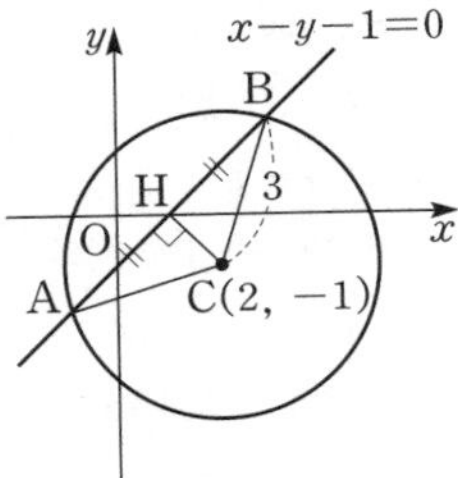

오른쪽 그림과 같이 원의 중심 $(2, -1)$을 C라 하고, 점 C에서 직선 $x-y-1=0$에 내린 수선의 발을 H라고 하면 점 C와 직선 $x-y-1=0$ 사이의 거리는

$\overline{CH}=\frac{|2+1-1|}{\sqrt{1^2+(-1)^2}}=\sqrt{2}$

직각삼각형 ACH에서 $\overline{AC}=3$이고 $\overline{CH}$는 $\overline{AB}$의 수직이등분선이므로

$\overline{AB}=2\overline{AH}=2\sqrt{3^2-(\sqrt{2})^2}=2\sqrt{7}$

06

해결전략 | 도형의 평행이동은 점의 평행이동과 부호가 반대인 것에 주의한다.

STEP1 **평행이동 알아내기**

$y=x^2-4x+a=(x-2)^2+a-4$에서 꼭짓점의 좌표는 $(2, a-4)$이고, 포물선 $y=x^2$의 꼭짓점의 좌표는 $(0, 0)$이므로 주어진 조건을 만족시키는 평행이동은

$(x, y) \rightarrow (x-2, y-a+4)$

STEP2 **평행이동한 직선의 방정식 구하기**

직선 $x-2y+6=0$을 x축의 방향으로 -2만큼, y축의 방향으로 $-a+4$만큼 평행이동한 직선의 방정식은

$(x+2)-2(y+a-4)+6=0$

$\therefore x-2y-2a+16=0$

STEP3 **a의 값 구하기**

이 직선이 직선 $x-2y+2a=0$과 일치하므로

$2a=-2a+16$, $4a=16 \qquad \therefore a=4$

07

해결전략 | 점 (x, y)를 x축에 대하여 대칭이동하면 $(x, -y)$, 직선 $y=x$에 대하여 대칭이동하면 (y, x)

STEP1 **두 점 P, Q의 좌표 구하기**

점 $(-4, 3)$을 x축에 대하여 대칭이동한 점 P의 좌표는 $(-4, -3)$

점 $(-4, 3)$을 직선 $y=x$에 대하여 대칭이동한 점 Q의 좌표는 $(3, -4)$

STEP2 **$\overline{PQ}$의 길이 구하기**

$\therefore \overline{PQ}=\sqrt{\{3-(-4)\}^2+\{-4-(-3)\}^2}=5\sqrt{2}$

08

해결전략 | 대칭이동한 직선이 원에 접하려면 원의 중심과 직선 사이의 거리가 원의 반지름의 길이와 같아야 한다.

STEP1 **대칭이동한 직선의 방정식 구하기**

직선 $x-2y=9$를 직선 $y=x$에 대하여 대칭이동한 도형의 방정식은

$y-2x=9 \qquad \therefore 2x-y+9=0$

STEP2 **k의 값 구하기**

이 직선이 원 $(x-3)^2+(y+5)^2=k$에 접하므로 원의 중심 $(3, -5)$와 직선 $2x-y+9=0$ 사이의 거리는 원의 반지름의 길이와 같다.

$\frac{|6+5+9|}{\sqrt{2^2+(-1)^2}}=\sqrt{k}$, $\sqrt{5k}=20$

$\therefore k=80$

09

해결전략 | 방정식 $f(x, y)=0$이 나타내는 도형을 x축에 대하여 대칭이동하면 $f(x, -y)=0$

STEP1 **대칭이동한 원의 중심의 좌표 구하기**

$x^2+y^2-2ax+6y+9=0$에서

$(x-a)^2+(y+3)^2=a^2$

원의 중심 $(a,\ -3)$을 x축에 대하여 대칭이동한 점의 좌표는 $(a,\ 3)$

STEP2 **a의 값 구하기**

이 점이 직선 $y=-\frac{1}{2}x+4$ 위에 있으므로

$3=-\frac{1}{2}a+4,\ -\frac{1}{2}a=-1$

$\therefore a=2$

10

해결전략 | 원의 대칭이동은 원의 중심의 대칭이동으로 생각하고, 먼저 원의 중심의 좌표를 구한다.

STEP1 **대칭이동한 원의 방정식 구하기**

원 C_1: $x^2-8x+y^2-4y+16=0$, 즉

$(x-4)^2+(y-2)^2=4$를 직선 $y=-x$에 대하여 대칭이동한 원 C_2의 방정식은

$(-y-4)^2+(-x-2)^2=4$

$\therefore (x+2)^2+(y+4)^2=4$ …… ❶

STEP2 **두 원의 중심 사이의 거리 구하기**

이때 두 원 C_1, C_2의 중심 $(4,\ 2)$, $(-2,\ -4)$ 사이의 거리는

$\sqrt{(-2-4)^2+(-4-2)^2}=6\sqrt{2}$ …… ❷

STEP3 **두 점 P, Q 사이의 거리의 최솟값 구하기**

또한 두 원 C_1, C_2의 반지름의 길이는 각각 2이다.

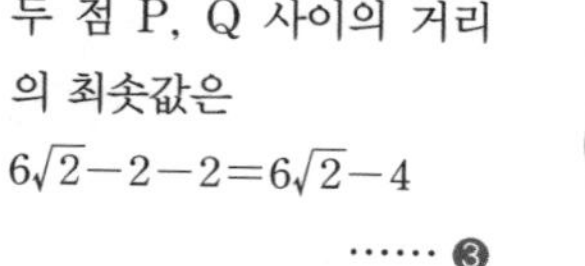

따라서 오른쪽 그림에서 두 점 P, Q 사이의 거리의 최솟값은

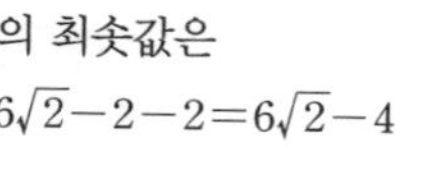

$6\sqrt{2}-2-2=6\sqrt{2}-4$ …… ❸

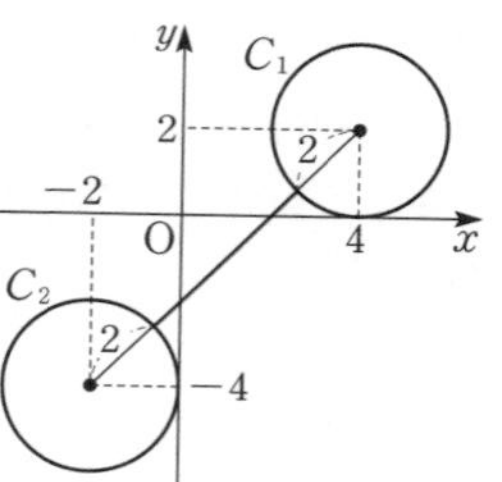

채점 요소	배점
❶ 대칭이동한 원의 방정식 구하기	40%
❷ 두 원의 중심 사이의 거리 구하기	30%
❸ 두 점 P, Q 사이의 거리의 최솟값 구하기	30%

11

해결전략 | 두 점 중 한 점의 좌표를 $(a,\ a^2-5a)$로 놓고, 이 점을 직선 $y=x$에 대하여 대칭이동한 점이 포물선 위의 점임을 이용한다.

STEP1 **직선 $y=x$에 대하여 대칭인 포물선 위의 두 점의 좌표 구하기**

포물선 $y=x^2-5x$ 위의 한 점의 좌표를 $(a,\ a^2-5a)$라고 하면 이 점을 직선 $y=x$에 대하여 대칭이동한 점의 좌표는 $(a^2-5a,\ a)$

이 점이 포물선 $y=x^2-5x$ 위의 점이므로

$a=(a^2-5a)^2-5(a^2-5a)$

$a^4-10a^3+20a^2+24a=0$

$a(a-6)(a^2-4a-4)=0$

$\therefore a=0$ 또는 $a=6$ 또는 $a=2\pm2\sqrt{2}$

$a=0$ 또는 $a=6$이면 두 점 $(a,\ a^2-5a)$, $(a^2-5a,\ a)$는 서로 같은 점이므로

$a=2\pm2\sqrt{2}$

즉, 두 점의 좌표는 $(2+2\sqrt{2},\ 2-2\sqrt{2})$, $(2-2\sqrt{2},\ 2+2\sqrt{2})$이다.

STEP2 **두 점 사이의 거리 구하기**

따라서 두 점 사이의 거리는

$\sqrt{\{2-2\sqrt{2}-(2+2\sqrt{2})\}^2+\{2+2\sqrt{2}-(2-2\sqrt{2})\}^2}$

$=\sqrt{(-4\sqrt{2})^2+(4\sqrt{2})^2}$

$=8$

12

해결전략 | 직선 l의 기울기를 m이라 하고 대칭이동과 평행이동을 한 직선의 방정식을 먼저 구한다.

STEP1 **대칭이동과 평행이동한 직선의 방정식 구하기**

직선 l의 기울기를 m이라고 하면 직선 l의 방정식은

$y-5=m(x+1)$ $\quad\therefore y=mx+m+5$

이 직선을 원점에 대하여 대칭이동한 직선의 방정식은

$-y=-mx+m+5$ $\quad\therefore y=mx-m-5$

이 직선을 x축의 방향으로 4만큼, y축의 방향으로 -1만큼 평행이동한 직선의 방정식은

$y+1=m(x-4)-m-5$ $\quad\therefore y=mx-5m-6$

STEP2 **m의 값 구하기**

이 직선이 점 $(3,\ 4)$를 지나므로

$4=3m-5m-6$ $\quad\therefore m=-5$

13

해결전략 | 먼저 방정식 $f(y-1,\ x+1)=0$이 나타내는 도형은 방정식 $f(x,\ y)=0$이 나타내는 도형을 어떻게 평행이동과 대칭이동을 했는지 알아본다.

방정식 $f(x,\ y)=0$이 나타내는 도형을 x축의 방향으로 1

만큼, y축의 방향으로 -1만큼 평행이동하면

$f(x-1,\ y+1)=0$

또, $f(x-1,\ y+1)=0$이 나타내는 도형을 직선 $y=x$에 대하여 대칭이동하면 $f(y-1,\ x+1)=0$

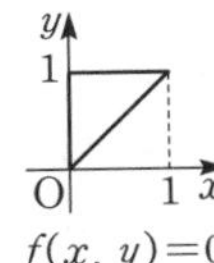

$f(x,\ y)=0$

x축의 방향으로 1만큼,

y축의 방향으로 -1만큼 평행이동

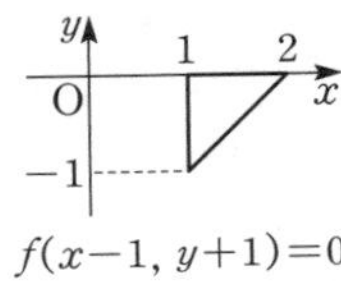

$f(x-1,\ y+1)=0$

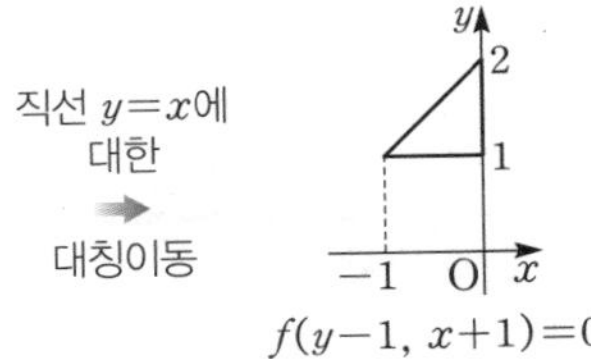

$f(y-1,\ x+1)=0$

따라서 방정식 $f(y-1,\ x+1)$가 나타내는 도형은 ⑤이다.

14

해결전략 | 두 포물선의 꼭짓점의 좌표를 먼저 구하고, 두 꼭짓점을 이은 선분의 중점의 좌표를 구한다.

STEP1 두 포물선의 꼭짓점의 좌표 구하기

$y=x^2+10x+29=(x+5)^2+4$,

$y=-x^2+6x-3=-(x-3)^2+6$

이므로 두 포물선의 꼭짓점의 좌표는 각각 $(-5,\ 4)$, $(3,\ 6)$이다.

STEP2 ab의 값 구하기

두 포물선이 점 $(a,\ b)$에 대하여 대칭이므로 두 포물선의 꼭짓점이 점 $(a,\ b)$에 대하여 대칭이다.

즉, 두 점 $(-5,\ 4)$, $(3,\ 6)$을 이은 선분의 중점이 $(a,\ b)$이므로

$a=\dfrac{-5+3}{2}=-1$, $b=\dfrac{4+6}{2}=5$

$\therefore ab=(-1)\times5=-5$

15

해결전략 | 두 원이 직선 $y=x-4$에 대하여 대칭이므로 직선 $y=x-4$는 두 원의 중심을 이은 선분의 수직이등분선이다.

STEP1 두 원의 중심의 좌표 구하기

원 $x^2+y^2+6x-2y+1=0$에서 $(x+3)^2+(y-1)^2=9$

원 $x^2+y^2-2ax-2by+c=0$에서

$(x-a)^2+(y-b)^2=a^2+b^2-c$

따라서 두 원의 중심의 좌표는 각각 $(-3,\ 1)$, $(a,\ b)$이다.

STEP2 중점 조건을 이용하여 대칭이동한 점의 x좌표, y좌표 사이의 관계식 구하기

이 두 점을 이은 선분의 중점 $\left(\dfrac{-3+a}{2},\ \dfrac{1+b}{2}\right)$가 직선 $y=x-4$ 위의 점이므로

$\dfrac{1+b}{2}=\dfrac{-3+a}{2}-4$

$\therefore a-b=12$ ...... ㉠

STEP3 수직 조건을 이용하여 관계식 구하기

또, 두 점 $(-3,\ 1)$, $(a,\ b)$를 지나는 직선이 직선 $y=x-4$와 수직이므로

$\dfrac{b-1}{a+3}\times1=-1$

$\therefore a+b=-2$ ...... ㉡

STEP4 $a+b+c$의 값 구하기

원을 대칭이동하여도 반지름의 길이는 변하지 않으므로

$a^2+b^2-c=9$ ...... ㉢

㉠, ㉡을 연립하여 풀면 $a=5$, $b=-7$

이것을 ㉢에 대입하면

$25+49-c=9$ $\quad\therefore c=65$

$\therefore a+b+c=5+(-7)+65=63$

16

해결전략 | 점 A를 접은 선에 대하여 대칭이동한 점이 점 B임을 이용하여 접은 선의 방정식을 구한다.

STEP1 접은 선의 방정식 구하기

모눈종이 위의 점 $A(5,\ 3)$이 점 $B(1,\ -1)$과 일치하려면 선분 AB의 수직이등분선을 기준으로 접어야 한다.

선분 AB를 수직이등분하는 직선의 방정식은 선분 AB의 중점 $(3,\ 1)$을 지나고, 직선 AB와 수직이므로 기울기가 -1이다.

즉, 선분 AB의 수직이등분선의 방정식은

$y-1=-(x-3)$

$\therefore y=-x+4$

STEP2 중점 조건을 이용하여 대칭이동한 점의 x좌표, y좌표 사이의 관계식 구하기

이때 점 $C(6,\ 1)$을 직선 $y=-x+4$에 대하여 대칭이동한 점을 $D(p,\ q)$라고 하면 선분 CD의 중점 $\left(\dfrac{6+p}{2},\ \dfrac{1+q}{2}\right)$는 직선 $y=-x+4$ 위의 점이므로

$\dfrac{1+q}{2}=-\dfrac{6+p}{2}+4$

$\therefore p+q=1$ ...... ㉠

STEP3 수직 조건을 이용하여 관계식 구하기

또, 직선 CD는 직선 $y=-x+4$와 수직이므로

$\frac{q-1}{p-6}\times(-1)=-1$

$\therefore p-q=5$ ...... ㉡

STEP4 점 C에 대응되는 점의 좌표 구하기

㉠, ㉡을 연립하여 풀면 $p=3$, $q=-2$

따라서 구하는 점의 좌표는 $(3, -2)$이다.

17

해결전략 | 직선 $y=x$에 대한 점의 대칭이동을 이용하여 세 점이 한 직선 위에 놓이도록 했을 때, 그 길이가 최소이다.

STEP1 점 A를 대칭이동한 점의 좌표 구하기

점 $\mathrm{A}(2, 3)$을 직선 $y=x$에 대하여 대칭이동한 점을 A′이라고 하면 $\mathrm{A}'(3, 2)$

STEP2 $\overline{\mathrm{AP}}+\overline{\mathrm{BP}}$의 최솟값 구하기

$\mathrm{A}(3, 2)$, $\mathrm{B}(6, 9)$이고 $\overline{\mathrm{AP}}=\overline{\mathrm{A'P}}$이므로

$\overline{\mathrm{AP}}+\overline{\mathrm{BP}}=\overline{\mathrm{A'P}}+\overline{\mathrm{BP}}$

$\geq\overline{\mathrm{A'B}}$

$=\sqrt{(6-3)^2+(9-2)^2}=\sqrt{58}$

따라서 $\overline{\mathrm{AP}}+\overline{\mathrm{BP}}$의 최솟값은 $\sqrt{58}$이다.

18

해결전략 | 점을 적당히 대칭이동하여 삼각형의 둘레의 길이의 최솟값을 구한다.

STEP1 점 B를 x축에 대하여 대칭이동한 점의 좌표 구하기

점 $\mathrm{B}(2, 1)$을 x축에 대하여 대칭이동한 점을 B′이라고 하면

$\mathrm{B}'(2, -1)$ ...... ❶

STEP2 삼각형 ABC의 둘레의 길이의 최솟값 구하기

오른쪽 그림에서

$\overline{\mathrm{CB}}=\overline{\mathrm{CB'}}$이므로

$\overline{\mathrm{AC}}+\overline{\mathrm{CB}}+\overline{\mathrm{BA}}$

$=\overline{\mathrm{AC}}+\overline{\mathrm{CB'}}+\overline{\mathrm{BA}}$

$\geq\overline{\mathrm{AB'}}+\overline{\mathrm{BA}}$ ...... ❷

이때

$\overline{\mathrm{AB'}}=\sqrt{(2-1)^2+(-1-2)^2}$

$=\sqrt{10}$

$\overline{\mathrm{BA}}=\sqrt{(1-2)^2+(2-1)^2}=\sqrt{2}$ ...... ❸

이므로 삼각형 ABC의 둘레의 길이의 최솟값은

$\overline{\mathrm{AB'}}+\overline{\mathrm{BA}}=\sqrt{2}+\sqrt{10}$

STEP3 $a+b$의 값 구하기

$\therefore a+b=2+10=12$ ...... ❹

채점 요소	배점
❶ 한 점을 x축에 대하여 대칭이동한 점의 좌표 구하기	30%
❷ 삼각형 ABC의 둘레의 길이가 최소인 경우 구하기	40%
❸ $\overline{\mathrm{AB'}}$, $\overline{\mathrm{BA}}$의 길이 구하기	20%
❹ $a+b$의 값 구하기	10%

상위권 도약 문제 415~416쪽

01 ③　02 1　03 ③　04 0　05 ③
06 ①　07 ④

01

해결전략 | 정삼각형의 성질을 이용하여 점 B의 좌표를 구하고, 점 B가 점 B′으로 얼마만큼 평행이동했는지 알아본다.

STEP1 점 B의 좌표 구하기

도형을 평행이동해도 그 모양은 변하지 않으므로 △OAB는 정삼각형이다.

오른쪽 그림과 같이

$\overline{\mathrm{OA}}=6$이므로

$a=\frac{1}{2}\times6=3$, $|b|=\frac{\sqrt{3}}{2}\times6=3\sqrt{3}$

$ab>0$이므로 $a=3$, $b=3\sqrt{3}$

$\therefore \mathrm{B}(3, 3\sqrt{3})$

STEP2 평행이동 알아내기

점 $\mathrm{B}(3, 3\sqrt{3})$을 x축의 방향으로 m만큼, y축의 방향으로 n만큼 평행이동한 점이 $\mathrm{B}'(7, 5\sqrt{3})$이므로

$3+m=7$, $3\sqrt{3}+n=5\sqrt{3}$

$\therefore m=4$, $n=2\sqrt{3}$

STEP3 mn의 값 구하기

$\therefore mn=4\times2\sqrt{3}=8\sqrt{3}$

02

해결전략 | 기울기가 서로 다른 세 직선이 삼각형을 이루지 않으려면 세 직선이 한 점을 지나야 한다.

STEP1 평행이동한 직선의 방정식 구하기

직선 $x+2y=0$을 x축의 방향으로 k만큼 평행이동한 직선의 방정식은

$(x-k)+2y=0$

$\therefore x+2y-k=0$ …… ㉠

STEP2 삼각형을 이루지 않을 조건 알기

세 직선의 기울기가 모두 다르므로 삼각형을 이루지 않으려면 직선 ㉠이 두 직선 $2x+y+1=0$, $x+3y-2=0$의 교점을 지나야 한다.

$2x+y+1=0$, $x+3y-2=0$을 연립하여 풀면

$x=-1$, $y=1$

STEP3 k의 값 구하기

따라서 직선 ㉠이 점 $(-1, 1)$을 지나야 하므로

$-1+2-k=0 \quad \therefore k=1$

03

해결전략 | 원을 평행이동했을 때 반지름의 길이가 변하지 않으므로 원의 중심의 평행이동으로 생각한다.

STEP1 ㄱ의 참, 거짓 판별하기

ㄱ. 원을 평행이동하여도 원의 반지름의 길이는 변하지 않으므로 원 C의 반지름의 길이는 3이다. (참)

STEP2 ㄴ의 참, 거짓 판별하기

ㄴ. 원 $x^2+(y-1)^2=9$의 중심의 좌표가 $(0, 1)$이므로 x축의 방향으로 m만큼, y축의 방향으로 n만큼 평행이동한 원 C의 중심의 좌표는 $(m, n+1)$이다.

이때 원 C가 x축과 접하므로

$|n+1|=3$

$n+1=\pm 3$

$\therefore n=2$ 또는 $n=-4$

따라서 n의 값은 2개이다. (거짓)

STEP3 ㄷ의 참, 거짓 판별하기

ㄷ. $y=\frac{n+1}{m}x$에서 $x=m$일 때

$y=\frac{n+1}{m}\times m=n+1$

이므로 직선 $y=\frac{n+1}{m}x$는 원 C의 중심 $(m, n+1)$을 지난다.

따라서 $m\neq 0$일 때, 직선 $y=\frac{n+1}{m}x$는 원 C의 넓이를 이등분한다. (참)

따라서 옳은 것은 ㄱ, ㄷ이다.

풍쌤의 비법

도형을 평행이동하면 모양과 크기는 그대로 유지한 채 위치만 변한다. 따라서 평행이동한 원의 중심의 좌표는 평행이동하기 전 원의 중심을 평행이동한 것이므로 점의 평행이동을 이용하여 찾을 수 있다.

04

해결전략 | 포물선의 꼭짓점을 점에 대하여 대칭이동한 후 그 점이 x축과 만나지 않기 위한 조건을 찾는다.

STEP1 대칭이동한 포물선의 방정식 구하기

포물선 $y=x^2+4x+5$, 즉 $y=(x+2)^2+1$의 꼭짓점 $(-2, 1)$을 점 $(1, a)$에 대하여 대칭이동한 점의 좌표를 (b, c)라고 하면 점 $(1, a)$는 두 점 $(-2, 1)$, (b, c)를 이은 선분의 중점이므로

$1=\frac{-2+b}{2}$, $a=\frac{1+c}{2}$

$\therefore b=4$, $c=2a-1$

즉, 주어진 포물선을 점 $(1, a)$에 대하여 대칭이동한 최고차항의 계수가 -1이 되는 포물선의 방정식은

$y=-(x-4)^2+2a-1$

STEP2 a의 값 구하기

이 포물선이 x축과 만나지 않으려면 $2a-1<0$에서

$2a<1 \quad \therefore a<\frac{1}{2}$

따라서 정수 a의 최댓값은 0이다.

05

해결전략 | 두 직선 AB, A′B의 방정식을 구하고, 두 직선과 점 C 사이의 거리를 구한다.

STEP1 두 직선 AB, A′B의 방정식 구하기

세 점 A, A′, B를 좌표평면 위에 나타내면 오른쪽 그림과 같다.

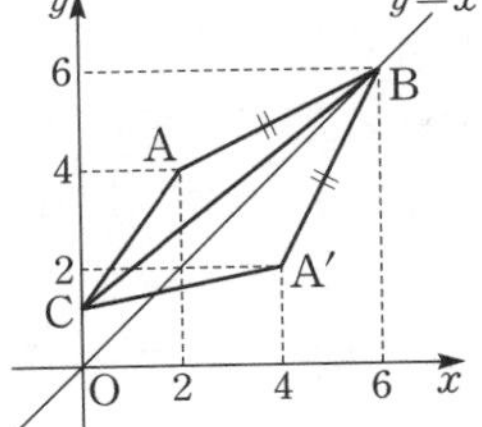

두 점 A$(2, 4)$, B$(6, 6)$에 대하여 직선 AB의 방정식은

$y=\frac{1}{2}x+3$, 즉

$x-2y+6=0$

직선 AB를 직선 $y=x$에 대하여 대칭이동한 직선 A′B의 방정식은

$x=\frac{1}{2}y+3 \qquad \therefore 2x-y-6=0$

STEP2 조건 (나)를 이용하여 k에 대한 식 세우기

점 C(0, k)와 직선 $x-2y+6=0$ 사이의 거리는

$\frac{|-2k+6|}{\sqrt{1^2+(-2)^2}}=\frac{|-2k+6|}{\sqrt{5}}$

점 C(0, k)와 직선 $2x-y-6=0$ 사이의 거리는

$\frac{|-k-6|}{\sqrt{2^2+(-1)^2}}=\frac{|k+6|}{\sqrt{5}}$

삼각형 A′BC의 넓이는 삼각형 ACB의 넓이의 2배이고 $\overline{AB}=\overline{A'B}$이므로 점 C와 직선 A′B 사이의 거리는 점 C와 직선 AB 사이의 거리의 2배이다.

$\frac{|k+6|}{\sqrt{5}}=2\frac{|-2k+6|}{\sqrt{5}}$, 즉 $|k+6|=2|-2k+6|$

STEP3 k의 값 구하기

이때 $0<k<3$이므로

$k+6=2(-2k+6)$

$k+6=-4k+12$, $5k=6$

$\therefore k=\frac{6}{5}$

06

해결전략 | 직선 AB와 점 Q의 거리가 최대일 때, 삼각형 ABQ의 넓이가 최대이므로 이때의 점 Q의 위치를 찾는다.

STEP1 점 Q의 자취의 방정식 구하기

원 $x^2+(y-1)^2=9$를 y축의 방향으로 -1만큼 평행이동하면

$x^2+(y-1+1)^2=9$

$\therefore x^2+y^2=9$

이 원을 y축에 대하여 대칭이동하면

$(-x)^2+y^2=9$

$\therefore x^2+y^2=9$

따라서 원 $x^2+(y-1)^2=9$ 위의 점 P를 주어진 조건에 의해 옮긴 점 Q는 원 $x^2+y^2=9$ 위를 움직인다.

STEP2 접선의 방정식 구하기

이때 직선 AB와 점 Q의 거리가 가장 멀 때 삼각형 ABQ의 넓이가 최대이므로 원 $x^2+y^2=9$ 위의 점 Q에서의 접선의 기울기는 직선 AB의 기울기와 같아야 한다.

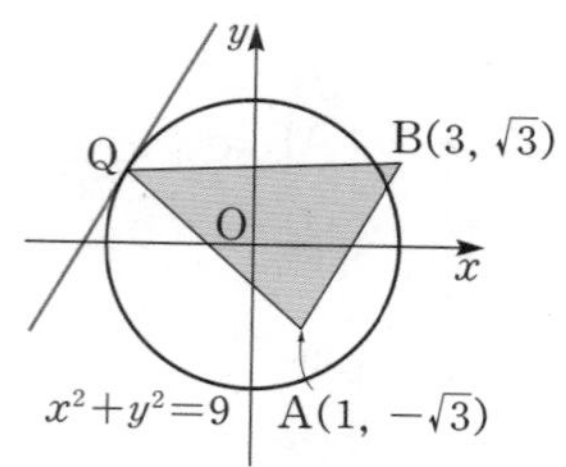

즉,

$(\text{직선 AB의 기울기})=\frac{\sqrt{3}-(-\sqrt{3})}{3-1}=\sqrt{3}$

이므로 기울기가 $\sqrt{3}$인 원 $x^2+y^2=9$의 접선의 방정식은

$y=\sqrt{3}x\pm3\sqrt{(\sqrt{3})^2+1} \qquad \therefore y=\sqrt{3}x\pm6$

이때 넓이가 최대가 되려면 접선의 y절편은 양수이어야 한다.

$\therefore y=\sqrt{3}x+6$

STEP3 점 Q의 좌표 구하기

직선 $y=\sqrt{3}x+6$과 원 $x^2+y^2=9$의 교점의 x좌표를 구하면

$x^2+(\sqrt{3}x+6)^2=9$, $4x^2+12\sqrt{3}x+27=0$

$(2x+3\sqrt{3})^2=0 \qquad \therefore x=-\frac{3\sqrt{3}}{2}$

따라서 삼각형 ABQ의 넓이가 최대인 점 Q의 좌표는

$\left(-\frac{3\sqrt{3}}{2}, \frac{3}{2}\right)$

STEP4 점 P의 y좌표 구하기

점 P는 점 Q를 y축에 대하여 대칭이동한 후 y축의 방향으로 1만큼 평행이동한 점이므로

$P\left(\frac{3\sqrt{3}}{2}, \frac{3}{2}+1\right) \qquad \therefore P\left(\frac{3\sqrt{3}}{2}, \frac{5}{2}\right)$

따라서 삼각형 ABQ의 넓이가 최대일 때, 점 P의 y좌표는 $\frac{5}{2}$이다.

07

해결전략 | 대칭이동을 이용하여 $\overline{AP}+\overline{PR}$, $\overline{RQ}+\overline{QB}$의 최솟값과 각각 길이가 같은 두 선분을 찾고, 다시 평행이동과 대칭이동을 이용하여 이 두 선분의 길이의 합의 최솟값과 길이가 같은 선분을 찾는다.

STEP1 $\overline{AP}+\overline{PR}+\overline{RQ}+\overline{QB}$의 값이 최소가 되는 경우 찾기

점 R는 직선 $y=1$ 위에 있으므로 점 R의 좌표를 R(a, 1)이라고 하자.

점 R를 x축에 대하여 대칭이동한 점을 R′이라고 하면

R′(a, -1)

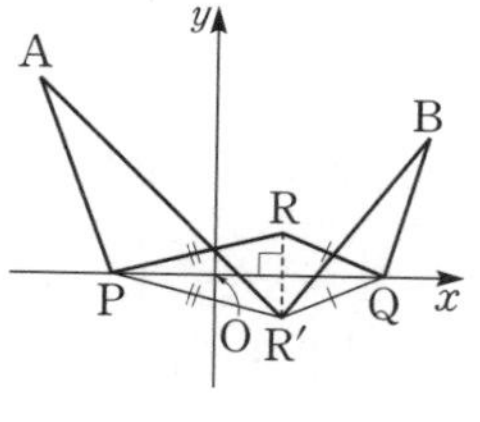

오른쪽 그림과 같이

$\overline{AP}+\overline{PR}=\overline{AP}+\overline{PR'}$

$\geq\overline{AR'}$,

$\overline{RQ}+\overline{QB}=\overline{R'Q}+\overline{QB}$

$\geq\overline{R'B}$

이므로

$\overline{AP}+\overline{PR}+\overline{RQ}+\overline{QB}\geq\overline{AR'}+\overline{R'B}$

이때 $\overline{AR'}+\overline{R'B}$의 값은 점 $R'(a,\ -1)$의 위치에 따라 변하므로 $\overline{AP}+\overline{PR}+\overline{RQ}+\overline{QB}$의 최솟값은 $\overline{AR'}+\overline{R'B}$의 최솟값과 같다.

STEP 2 세 점 A, B, R′을 y축의 방향으로 1만큼 평행이동하여 생각하기

오른쪽 그림과 같이 세 점 $A(-4,\ 4)$, $B(5,\ 3)$, $R'(a,\ -1)$을 y축의 방향으로 1만큼 평행이동한 점을 각각 A′, B′, R″이라고 하면

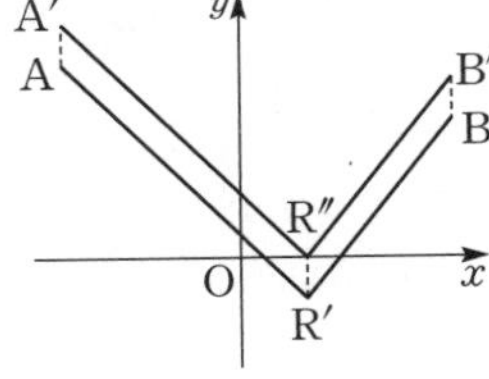

$A'(-4,\ 5)$, $B'(5,\ 4)$, $R''(a,\ 0)$

이고 $\overline{AR'}+\overline{R'B}=\overline{A'R''}+\overline{R''B'}$

STEP 3 $\overline{AP}+\overline{PR}+\overline{RQ}+\overline{QB}$의 최솟값 구하기

점 B′을 x축에 대하여 대칭이동한 점을 B″이라고 하면

$B''(5,\ -4)$

$$\begin{aligned}\overline{A'R''}+\overline{R''B'}&=\overline{A'R''}+\overline{R''B''}\\&\geq\overline{A'B''}\end{aligned}$$

이므로 $\overline{AP}+\overline{PR}+\overline{RQ}+\overline{QB}$의 최솟값은 선분 A′B″의 길이와 같다.

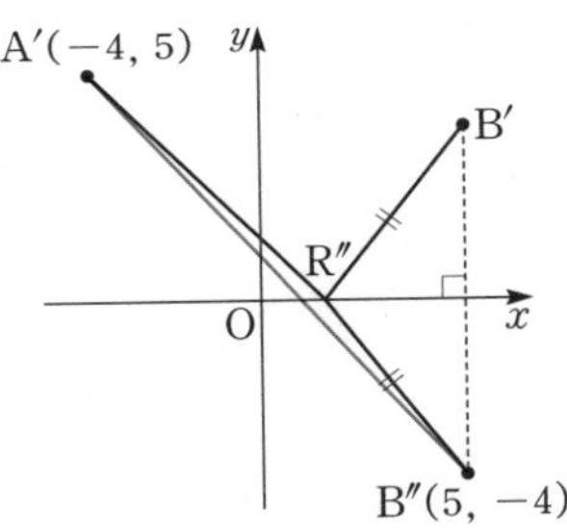

$\therefore\ \overline{A'B''}=\sqrt{\{5-(-4)\}^2+(-4-5)^2}=9\sqrt{2}$

따라서 $\overline{AP}+\overline{PR}+\overline{RQ}+\overline{QB}$의 최솟값은 $9\sqrt{2}$이다.

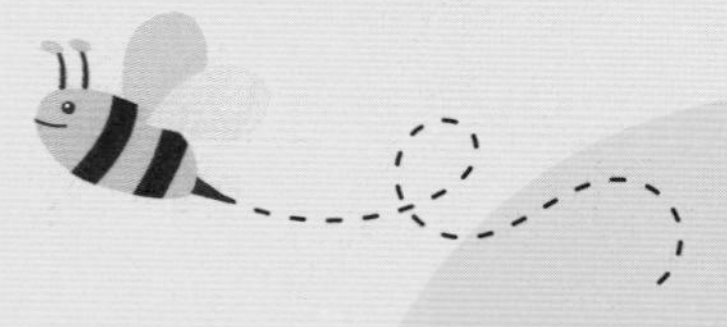

당신이 만약 참으로 '열심'이라면 "나중에"라고 말하지 말고
지금 당장 이 순간에 해야 할 일을 시작해야 한다.

- 괴테 -